Beiträge zur Erforschung des Odenwaldes und seiner Randlandschaften · V

Beiträge zur Erforschung des Odenwaldes und seiner Randlandschaften · V

Herausgegeben
im Auftrag des Breuberg-Bundes
von
Winfried Wackerfuß

Breuberg-Neustadt 1992

Gesamtherstellung: Lokay-Druck, 6107 Reinheim/Odw.
Layout und Gestaltung: W. Wackerfuß

Printed in Germany ISBN 3-922903-05-3
Für den Inhalt der Beiträge sind jeweils die Verfasser verantwortlich

Das Einbandbild zeigt (von oben nach unten): Wandmalereien des ausgehenden 18. Jahrhunderts mit spätbarocker Ornamentik im Obergeschoß des großbäuerlichen Hofes Schüßler im Odenwälder Freilandmuseum Gottersdorf (Aufn.: Th. Naumann); Muttergottes aus Reinheim in der Kapuzinerkirche von Lohr am Main (Aufn.: M. Scherer); Burg und Stadt Hirschhorn am Neckar. Aquarell von Eduard von Dungern aus dem Jahre 1822 (Aufn.: Kurpfälzisches Museum Heidelberg).

VORWORT DES HERAUSGEBERS

Genau 20 Jahre sind es her, daß mit der „Sonderveröffentlichung 1972" anläßlich des 25jährigen Bestehens des Breuberg-Bundes der erste Band der „Beiträge zur Erforschung des Odenwaldes und seiner Randlandschaften" vorgelegt wurde. Das vorliegende Buch bildet nunmehr den Band V dieser Reihe.

Auch dieser Band vereinigt wieder ein breites Spektrum wissenschaftlicher Beiträge zur Archäologie, Geschichte, Volkskunde, Kunst- und Kulturgeschichte des Odenwaldes und seiner Randlandschaften. Sämtliche Aufsätze entsprechen dem derzeitigen Forschungsstand. Für einzelne Sachgebiete geben sie erstmals Gesamtdarstellungen, Quellenmaterialien, Inventare und grundlegende Hinweise für weitere Untersuchungen. Berücksichtigt werden konnten auch dieses Mal wieder Bildteile von teilweise beträchtlichem Umfang, denen allerdings in erster Linie eine dokumentarische Bedeutung zukommt. Das gilt insbesondere für die Wiedergabe älterer Aufnahmen, von denen einzelne in der Qualität etwas abfallen; aber als authentische Bilddokumente waren gerade solche Fotos unverzichtbar.

Dank sagen möchte ich an dieser Stelle vor allem den Mitarbeitern dieser Veröffentlichung für ihre uneigennützige Unterstützung.

Der Vorstand des Breuberg-Bundes wünscht diesem Buch eine weite Verbreitung im Sinne seiner Bestrebungen.

Groß-Bieberau, im November 1992 — Winfried Wackerfuß

INHALT

Peter Groß

Archäologie aus der Vogelschau

– 11 Jahre ehrenamtliche Luftbildarchäologie in Südhessen –

ÜBERSICHT

Bilder: F. O. Breitwieser, Ober-Ramstadt (Abb. 16, 25, 26, 38–40), alle übrigen Bilder vom Verfasser.
Umzeichnungen: stud. phil. Ulrike Schanz, Mühltal-Traisa.

Der Verein für Heimatgeschichte e.V., Sitz Ober-Ramstadt, führt seit 1981 in Zusammenarbeit mit der Außenstelle Darmstadt des hessischen Landesarchäologen ein ehrenamtliches luftbildarchäologisches Forschungsvorhaben durch, das vom Landkreis Darmstadt-Dieburg finanziell unterstützt wird. Da die Kreise Offenbach und Bergstraße sowie zahlreiche Geschichtsvereine aus dem Kreis Groß-Gerau und dem Odenwaldkreis inzwischen diesem Beispiel gefolgt sind und sich angeschlossen haben, wurden seitdem unter der Leitung des Verfassers weite Teile Südhessens aus der Luft archäologisch – mehr oder weniger regelmäßig und flächendeckend – erkundet. Diese Arbeiten waren nach Art der Durchführung, Dauer und Zielsetzung in Hessen und wenn die private Initiative zusätzlich berücksichtigt wird, bis 1988[1] auch bundesweit ohne Beispiel.

In dieser Veröffentlichung werden im wesentlichen die Arbeitsweise der Luftbildarchäologie und das Forschungsprogramm seit 1981 im Überblick dargestellt sowie einige bemerkenswerte Beobachtungen aus dem südhessischen Raum als Zwischenergebnis in Luftbildern gezeigt und kurz erläutert. Archäologische Luftbilder aus diesem Gebiet zwischen Rhein, Main, Neckar und dem Odenwald sind – mit Ausnahme oberirdisch erhaltener Reste römischer Bauten – bisher nur selten veröffentlicht worden. Es ist vorgesehen, künftig einzelne von uns neu entdeckte archäologische Objekte von größerer Bedeutung ausführlicher, u.a. mit Fundmaterial, zu publizieren.

Diese Darstellung soll das Interesse an der Luftarchäologie und das Verständnis für den dringend notwendigen Schutz der noch in unserer Landschaft vorhandenen Bodendenkmäler wecken oder vertiefen. Außerdem zeigt diese Arbeit beispielhaft Möglichkeiten einer sinnvollen Unterstützung der amtlichen Bodendenkmalpflege durch ehrenamtliche Mitarbeiter.

1. Notwendigkeit luftarchäologischer Forschungsarbeiten

1.1 Flurbegehungen

Das Interesse des Verfassers an einer planmäßigen, intensiven Erforschung der heimischen Vor- und Frühgeschichte wurde bereits bei ersten Flurbegehungen in den Jahren 1979 und 1980 geweckt. Unter fachkundiger Anleitung erfahrener Mitglieder des Vereins für Heimatgeschichte in Ober-Ramstadt wurden nicht nur neue Lesefunde im Bereich bereits früher lokalisierter Bodendenkmäler geborgen, sondern auch zahlreiche bisher unbekannte Siedlungsstellen vergangener Kulturepochen im Raum Dieburg entdeckt. Die Zahl dieser Fundorte stieg bei den Geländebegehungen mit zunehmender Erfahrung stetig an.

Das „kundige Auge" des aufmerksamen Beobachters las bald in unserer Kulturlandschaft wie in einem aufgeschlagenen Buch und enthüllte immer neue, faszinierende Geheimnisse aus lange zurückliegenden Zeiten. So verrieten häufig schwach erkennbare Verdunklungen im hellen Löß- oder Lehmboden „Abfallgruben" und damit frühere menschliche Siedlungstätigkeiten. Langgestreckte, niedrige Geländeerhöhungen in Feldern, Wiesen und Wäldern zeigten den Verlauf alter Straßen an. Flache Kuppen im Gelände erwiesen sich nicht selten als Überreste von fast eingeebneten Hügelgräbern. Durch Vergleich mit der Lage bekannter vor- und frühgeschichtlicher Siedlungsstellen und in Kenntnis der von den jeweiligen Kulturepochen bevorzugten Ansiedlungskriterien gelang es schließlich häufig, neue Bodendenkmäler fast planmäßig aufzuspüren.

Zu den Bodendenkmälern aus der menschlichen Vor- und Frühgeschichte, denen als Objekte und Ziele unserer Forschungsarbeiten eine zentrale Bedeutung in diesem Bericht zukommt, gehören z.B. Ringwälle, Schanzen, Grabenwerke, Siedlungen, Altstraßen, Einzelgräber und Gräberfelder. Aus jüngerer Zeit zählen dazu auch Landwehren, Verhüttungsplätze und Wüstungen, d.h. verlassene mittelalterliche Siedlungsstellen. Neben diesen sogenannten ortsfesten Bodendenkmälern gibt es auch „bewegliche". Das sind einzelne Fundstücke wie Gefäße, Werkzeuge, Waffen, Schmuck und Textilien.

Aus vorgeschichtlicher (schriftloser) Zeit sind Bodendenkmäler die einzigen Zeugnisse menschlichen Lebens. Nur sie ermöglichen dem Wissenschaftler, die menschliche Entwicklung und die Besiedlung unserer Heimat zu rekonstruieren. Das gilt bis in die Zeit des Mittelalters hinein, solange urkundliche Quellen nur sporadisch vorliegen. Jeder entsprechende Fund – selbst eine unscheinbare Scherbe – ist daher eine einmalige, nicht ersetzbare „Bodenurkunde".

Bei den Flurbegehungen wurde deutlich, daß diese bei flächendeckender Überprüfung größerer Gebiete recht mühsam und zeitaufwendig sind. Das gilt vor allem dann, wenn noch keine Verdachtsmomente oder konkrete Hinweise auf die Existenz von Denkmälern vorliegen. Gegen eine flächenhafte Erfassung bisher noch unbekannter Denkmäler durch Geländebegehungen im Landkreis Darmstadt-Dieburg sprach auch die Beobachtung, daß es z.B. im östlichen Teil, der mit dem Altkreis Dieburg fast identisch ist und in der Vor- und Frühgeschichte dicht besiedelt war, damals nur 6 erfahrenere Flurbegeher gab. Ihre Forschungen beschränkten sich fast ausschließlich auf einzelne Gemeinden oder auf bestimmte Kulturepochen. Auch waren sie nicht alle über einen mehrjährigen Zeitraum ununterbrochen aktiv.

1.2 Gefährdung von Bodendenkmälern

Alljährliche, weite Gebiete abdeckende Flurbegehungen durch eine große Anzahl vertrauenswürdiger ehrenamtlicher Mitarbeiter des Landesarchäologen waren (und sind) aber dringend notwendig. Denn bei der archäologischen Arbeit im Gelände wird immer wieder bedrückend deutlich: Die restlichen, in der freien Landschaft noch vorhandenen Bodendenkmäler sind in ihrer Existenz auf das äußerste gefährdet. Diese – zunächst lokale bzw. regionale – Beobachtung läßt sich ohne weiteres bis heute über Hessen hinaus auf das gesamte Bundesgebiet übertragen. Nach vorsichtigen Schätzungen der Archäologen wurden ihnen zu Beginn der achtziger Jahre in den „alten" Bundesländern höchstens 5 – 10 Prozent aller neu entdeckten oder freigelegten Bodendenkmäler bekannt. Wegen fehlender Geldmittel und unzureichender Personalausstattung konnte davon nur ein noch geringerer Prozentsatz durch die zuständigen Behörden ausgegraben und wissenschaftlich ausgewertet werden. Bis jetzt hat sich diese Situation bundesweit nicht wesentlich gebessert.

Unsere Bodendenkmäler waren und sind weniger durch natürliche, von außen einwirkende Kräfte wie Witterungseinflüsse, Erosion oder Windbrüche gefährdet. Diesen haben viele von ihnen – zum Teil seit mehreren Jahrtausenden – erfolgreich widerstanden. Wenn auch zahlreiche Spuren unserer Vorfahren mangels entsprechender Kenntnisse bei ihrer Freilegung nicht erkannt werden, so besteht doch kein Zweifel, daß der weitaus größte Prozentsatz beim Bau oder der Anlage von Siedlungen, Industriebetrieben, Straßen, Abgrabungen usw. ganz bewußt stillschweigend vernichtet wird.

Dadurch sollen Bauunterbrechungen verhindert werden, die vielleicht durch Ausgrabungen der Archäologen erforderlich würden. Zu diesem bereits unermeßlichen Verlust an einmaligem, geschichtlichen Quellenmaterial tragen außerdem Raubgräber und Personen mit Metallsuchgeräten bei, deren Einsatz ohne Genehmigung gesetzlich untersagt ist. Hinzu kommen die in den letzten Jahren verstärkt eingesetzten tiefgehenden Pflüge der Landwirte, welche auch solche Kulturschichten weitflächig zerstören, die über Jahrtausende geschützt im Boden gelegen haben. Angesichts der bereits eingetretenen gravierenden Schäden ist es nur ein schwacher Trost, daß derartige Geräte inzwischen wieder seltener verwendet werden.

Die offensichtlich unaufhaltsame, ständige Zerstörung unserer Bodendenkmäler darf nicht resignierend hingenommen werden, zumal der Gesetzgeber sie im öffentlichen Interesse wegen ihrer großen kulturgeschichtlichen Bedeutung unter weitgehenden Schutz gestellt hat.

1.3 Gesetzliche Grundlagen

Nach § 19 des hessischen Gesetzes zum Schutz der Kulturdenkmäler (Denkmalschutzgesetz) vom 9. September 1986 sind Bodendenkmäler bewegliche oder unbewegliche Sachen, bei denen es sich um Zeugnisse, Überreste oder Spuren menschlichen, tierischen oder pflanzlichen Lebens handelt, die aus Epochen und Kulturen stammen, für die Ausgrabungen und Funde eine der Hauptquellen wissenschaftlicher Erkenntnis sind. Ihre Entdeckung ist gemäß § 20 der Denkmalfachbehörde – dem Landesamt für Denkmalpflege in Wiesbaden – anzuzeigen. Die Anzeige kann auch gegenüber der für den Fundbereich zuständigen Gemeinde oder unteren Denkmalschutzbehörde erfolgen. Anzeigepflichtig sind der Entdecker, der Grundstückseigentümer sowie der Leiter der Arbeiten, bei denen die Sache entdeckt worden ist. Nachforschungen, insbesondere Grabungen, mit dem Ziel, Bodendenkmäler zu entdecken, bedürfen der Genehmigung der obersten Denkmalschutzbehörde (§ 21).

Aufgabe von Denkmalschutz und Denkmalpflege ist es nach § 1, die Kulturdenkmäler, zu denen gemäß § 2 Abs. 2 auch Bodendenkmäler gehören, als Quellen und Zeugnisse menschlicher Geschichte und Entwicklung nach Maßgabe dieses Gesetzes zu schützen und zu erhalten sowie darauf hinzuwirken, daß sie in die städtebauliche Entwicklung, Raumordnung und Landschaftspflege einbezogen werden. Zur Erfüllung dieser Ziele gehört es laut § 4 Abs. 2 zu den Aufgaben des Landesamtes für Denkmalpflege, die Kulturdenkmäler systematisch aufzunehmen (Inventarisation) und sie als Beitrag zur Erforschung der Landesgeschichte wissenschaftlich zu untersuchen. In der vorhergehenden Fassung dieses Gesetzes, die am 23. September 1974 vom hessischen Landtag beschlossen wurde, war der Schutz der Bodendenkmäler ähnlich umfassend – wenn auch in entscheidenden Bereichen weniger deutlich – geregelt.

Angesichts dieser gesetzlichen Regelungen waren 1980 die anhaltenden Zerstörungen und der mangelhafte Schutz der Bodendenkmäler letztlich weitgehend auf ein ausgeprägtes Vollzugsdefizit zurückzuführen. Die Denkmalschutzbehörden konnten die ihnen gesetzlich übertragenen Aufgaben für den Bereich der Bodendenkmalpflege wegen ausgeprägter personeller Unterbesetzung und viel zu geringer Finanzmittel nur sehr unzureichend wahrnehmen. Trotz hervorragender wissenschaftlicher Qualifikation und großem persönlichen Einsatz konnten der Landesarchäologe und seine wenigen Mitarbeiter fast nur als „Konkursverwalter" tätig werden. Archäologen waren damals in den unteren Denkmalschutzbehörden und den Gemeinden selten beschäftigt. Wegen des Personalmangels wurden Verstöße gegen das Denkmalschutzgesetz nur ausnahmsweise bekannt. Wurde jedoch tatsächlich einmal eine Anzeige wegen Zerstörung eines Bodendenkmals erhoben, stellte die zuständige Justizbehörde das Verfahren in der Regel wegen Geringfügigkeit wieder ein.

Da eine Verbesserung dieser völlig unbefriedigenden Situation in absehbarer Zeit nicht zu erkennen war und – auch verstärkte – Flurbegehungen bei der großen Ausdehnung der zu bearbeitenden Flächen nicht geeignet waren, die anhaltende Zerstörung von Bodendenkmälern wirkungsvoll zu stoppen, stellte sich uns die Frage nach einer geeigneten Alternative. Dabei war vor allem zu berücksichtigen, daß nur diejenigen Denkmäler geschützt werden können, deren Lage und Ausdehnung den Denkmalschutzbehörden bekannt ist. Das gesuchte Hilfsmittel sollte daher in der Lage sein, kurzfristig mit geringem personellen und finanziellen Aufwand großflächig möglichst viele bisher noch unbekannte Denkmäler aufzufinden und die Größe bereits bekannter Objekte festzustellen.

Im Gegensatz zu den vergleichsweise aufwendigen geophysikalischen Meßtechniken erfüllte die Luftarchäologie diese hohen Anforderungen ohne Zweifel am besten. Entscheidend gefördert wurde diese Erkenntnis durch überraschende Beobachtungen des Verfassers während eines kurzen Rundfluges im Raum Egelsbach. Dabei gesichtete geheimnisvolle dunkelgrüne Kreise und helle, lange Linien in Getreidefeldern erwiesen sich bei späteren Nachforschungen als Spuren von inzwischen eingeebneten Hügelgräbern und als Trassen von Wegen, die bei Flurbereinigungen verlegt worden waren.

2. Archäologische Luftbildprospektion

Die Begriffe „Archäologie" und „Ausgrabung" sind eng miteinander verbunden, weil sich die Altertumskunde insbesondere mit der Erforschung von Bodenfunden vergangener Kulturepochen beschäftigt. Bezeichnungen wie „Luftbildarchäologie", „Archäologie aus der Luft" oder „Archäologie mit Vogelaugen" stehen dazu scheinbar im Widerspruch und werden deshalb ohne zusätzliche Erläuterungen von vielen Mitbürgern nicht verstanden. Tatsächlich machen Beobachtungen aus der Luft die Arbeit des Archäologen am Boden, wie Geländebegehungen, Ausgrabungen und die wissenschaftliche Auswertung von Bodenfunden nicht überflüssig. Am ehesten wird deshalb wohl die Definition „archäologische Aufklärung"[2] der Tätigkeit des Archäologen aus dem Flugzeug gerecht.
Die Auswertung archäologischer Luftbilder ist heute in der Bundesrepublik Deutschland – vor dem Einsatz geophysikalischer Widerstands- und Magnetometermessungen – die am häufigsten angewandte archäologische Prospek-tionsmethode.

2.1 Geschichte

Die Geschichte der Luftarchäologie ist naturgemäß eng mit der Erfindung und Entwicklung der Photographie und geeigneter Fluggeräte verbunden.

In England wurden bereits 1907 erste Luftbilder von Stonehenge veröffentlicht, die – mehr aus Zufall – während eines Übungsfluges mit Kriegsballonen aufgenommen wurden. Sie zeigten jedoch, ebenso wie Luftaufnahmen des Forum Romanum und der römischen Hafenstadt Ostia aus den Jahren 1908 bis 1911, lediglich bereits bekannte archäologische Objekte im Überblick und führten zu keinen neuen Erkenntnissen[3].

Das änderte sich während des Ersten Weltkrieges. Die Luftaufklärung wurde nun wegen ihrer militärischen Bedeutung intensiv gefördert und eingesetzt. Archäologisch ausgebildete Angehörige der Luftaufklärungseinheiten erkannten in England, Frankreich und Deutschland weitgehend gleichzeitig, aber unabhängig voneinander, die großen Möglichkeiten, welche die Aufnahme und Auswertung von Luftbildern der Altertumsforschung boten. Auf deutscher Seite ist der Archäologe Theodor Wiegand zu erwähnen, der zwischen 1916 und 1918 von Piloten der Luftwaffe alte Ruinenstädte in der Negev-Wüste und auf der Sinai-Halbinsel photographieren ließ.

Neue Entdeckungen im Sinne luftbildarchäologischer Forschung gelangen deutschen Fliegern in den letzten Kriegsjahren am römischen Limes in der rumänischen Dobrudscha und dem Engländer Oberstleutnant Beazeley, der bei Erkundungsflügen in Mesopotamien antike Bewässerungssysteme und die im 9. Jahrhundert v. Chr. erbaute Großstadt Alt-Samarra fand.

Der Erste Weltkrieg hatte zwar den Wert des Luftbildes für die Altertumsforschung eindrucksvoll bewiesen, der eigentlich entscheidende methodische Durchbruch in der Luftarchäologie über das bloße Festhalten großflächiger Strukturen aus der Vogelperspektive hinaus bis hin zum faszinierenden „Sichtbarmachen" vor- und frühgeschichtlicher Denkmäler, die bereits vollständig von der Erdoberfläche verschwunden sind, gelang jedoch erst 1922 dem Engländer O.G.S. Crawford. Dabei halfen ihm seine Kenntnisse als Geograph, Archäologe und Pilot der Royal Air Force während des Krieges. Bei der Auswertung von Luftbildern archäologischer Stätten durch Analyse der verschiedenen Faktoren, die diese Objekte erkennbar werden ließen, wurde ihm bewußt, daß hier eine neue Prospektionstechnik von weitreichender Bedeutung für die Altertumsforschung gefunden worden war, die künftig gezielt eingesetzt werden konnte. Auf ihn gehen bereits die Bezeichnungen „crop markes" (Bewuchsmerkmale) und „soil sites" (Bodenmerkmale) zurück. Neben Crawford sind als weitere Pioniere des archäologischen Bildfluges zwischen den Weltkriegen der englische Ingenieur G.W.G. Allen sowie die Franzosen A. Poidebard und J. Baradez zu nennen.

Deutsche luftarchäologische Forschungen waren durch den Zweiten Weltkrieg und das bis 1955 geltende allgemeine Motorflugverbot unterbrochen worden. Sie wurden 1960 zuerst vom Rheinischen Landesmuseum Bonn unter der Leitung von H. v. Petrikovits wieder aufgenommen. Die Befliegungen bis 1977 wurden von I. Scollar, A.-M. Martin und W. Sölter(†) durchgeführt. Erst ab 1980 konnte die amtliche Bodendenkmalpflege in Bayern und ab 1982 in Baden-Württemberg mit landesweiten Flugprogrammen beginnen. Ab 1958 hatten aber bereits die Archäologen Ph. Filtzinger, G. Krahe und R. Christlein[4], teilweise mit Unterstützung privater Luftsportvereine, erfolgreich lokale Forschungsflüge unternommen.

In Hessen gab es bis zum Beginn des hier vorgestellten Programms keine systematischen, flächendeckenden Bildflüge der amtlichen Bodendenkmalpflege. Lediglich D. Baatz vom Saalburg-Museum erkundete den hessischen Limes und benachbarte Bereiche ab 1980 aus der Luft nach römischen Spuren. Ende der siebziger Jahre hatten P. Eidmann (†) und A. Fischer aus Groß- bzw. Klein-Umstadt, Landkreis Darmstadt-Dieburg, bereits auf eigene Kosten mehrere Flüge im östlichen Teil dieses Kreises auf der Suche nach römischen Siedlungsstellen und Straßen durchgeführt[5].

Etwa ab Mitte der achtziger Jahre folgten weitere lokale Programme. Dazu gehören Befliegungen der Gemarkungen von Hähnlein, Landkreis Darmstadt-Dieburg, durch eine örtliche heimatgeschichtliche Arbeitsgruppe und der Gemeinde Brachtal, Main-Kinzig-Kreis, unter der Leitung von A.-M. Martin sowie einiger Bereiche des mittleren

Kinzigtales durch H. Kreutzer und das bereits erwähnte „Luftbildarchäologische Programm Vortaunus"[6]. Erst ab 1988 begann das Landesamt für Denkmalpflege, Wiesbaden, mit der landesweiten luftarchäologischen Erforschung Hessens unter der wissenschaftlichen Betreuung von Ph. Ille[7].

Die Geschichte der archäologischen Luftbildforschung in der Bundesrepublik Deutschland seit dem Ende des Zweiten Weltkrieges bis 1988 hat A.-M. Martin in ihrer Dissertation dargestellt[8].

2.2 Methodik

Der Luftbildarchäologe nutzt bei seiner Arbeit die Vorteile, die ihm die Vogelperspektive bietet. Im Gegensatz zu einem Beobachter am Boden überblickt er die Landschaft aus größerem Abstand sowie steilerem Winkel. Verdächtige Spuren kann er sowohl von allen Seiten als auch senkrecht nach unten beobachten und im Bild festhalten. Ein geübter Beobachter aus der Luft ist durchaus in der Lage, einzelne Strukturen zu einem geordneten, sinnvollen Ganzen zusammenzufügen, die vom Boden aus – wenn sie überhaupt zu erkennen sind – häufig nur als ein unerklärbares Durcheinander erscheinen.

Hinzu kommt die Erkenntnis, daß ein menschlicher Eingriff in den gewachsenen Boden, z.B. der Aushub eines Grabens oder eines Pfostenloches, letztlich nicht wieder spurlos gelöscht werden kann. Das gilt entsprechend auch für Landschaftsveränderungen, wie Erosionsfolgen oder Frostpolygone, die ohne menschliches Einwirken entstanden sind. Verfärbungen oder Feuchtigkeitsveränderungen des Bodens sowie Unregelmäßigkeiten im Pflanzenwuchs können derartige Störungen bei günstigen Verhältnissen auch nach Tausenden von Jahren noch deutlich sichtbar machen. Dieser Sachverhalt wird durch die alte Archäologen-Weisheit „Nichts ist haltbarer als ein Loch im Boden" treffend gekennzeichnet. Ob und wann Spuren vergangener menschlicher Tätigkeit in der Landschaft sichtbar werden, hängt von verschiedenen Voraussetzungen ab. Dazu gehören zum Beispiel die Bodenart und -nutzung, der Bewuchs, die Feuchtigkeitsverhältnisse, das Klima, die Jahres- und Tageszeit sowie die Beleuchtung.

Aus der Luft können zwei verschiedene Typen von Denkmälern beobachtet werden: oberirdische und unterirdische. Sie werden auch als „obertägige" und „untertägige" bezeichnet.

Zur ersten Gruppe zählen solche Bodendenkmäler, die bis heute durch Erhöhungen oder Vertiefungen von dem natürlichen Niveau ihrer Umgebung abweichen. Das sind z.B. ehemalige Straßentrassen, Grabhügel, Befestigungsgräben und -wälle sowie Burghügel. In der landwirtschaftlich seit langem intensiv genutzten Kulturlandschaft Südhessens sind sie sehr selten geworden. Soweit noch Reste vorhanden sind, werden sie durch ständige menschliche Eingriffe bald völlig eingeebnet und für immer von der Erdoberfläche verschwunden sein. Das gilt zwar weniger für Bodendenkmäler in den Wäldern, hier bleiben sie aber – mit wenigen Ausnahmen in lichten Laubwäldern in der vegetationsfreien Jahreszeit – im Luftbild überwiegend unsichtbar.

Die weitaus meisten Denkmäler sind längst durch menschliche oder natürliche Einwirkungen dem Erdboden gleichgemacht worden. Sie sind an der Erdoberfläche, auch durch Flurbegehungen, nur noch schwer zu lokalisieren. So sind nach Braasch in Süddeutschland rund 98 Prozent der Quellen aus vorgeschichtlicher Zeit im Boden verborgen[9]. Diese Zahl kann ohne weiteres auch auf Hessen übertragen werden.

Die Erkennung oberirdisch noch vorhandener Bodendenkmäler aus der Luft ermöglichen Schatten-, Schnee- und Flutmerkmale.

2.2.1 Schattenmerkmale

Insbesondere am frühen Morgen oder in den Abendstunden bei wolkenlosem Himmel können auch geringe Bodenunebenheiten lange Schatten werfen. Verstärkt wird dieser Effekt durch den Kontrast zwischen beleuchteten und im Schatten liegenden Bodenkonturen. Das ist am Beispiel eines Walles und eines Grabens aus der Luft in Abb. 1 dargestellt. Zum besseren Verständnis sind diese – im Gegensatz zu den tatsächlichen Verhältnissen in unseren südhessischen Landschaften – verstärkt hervorgehoben.

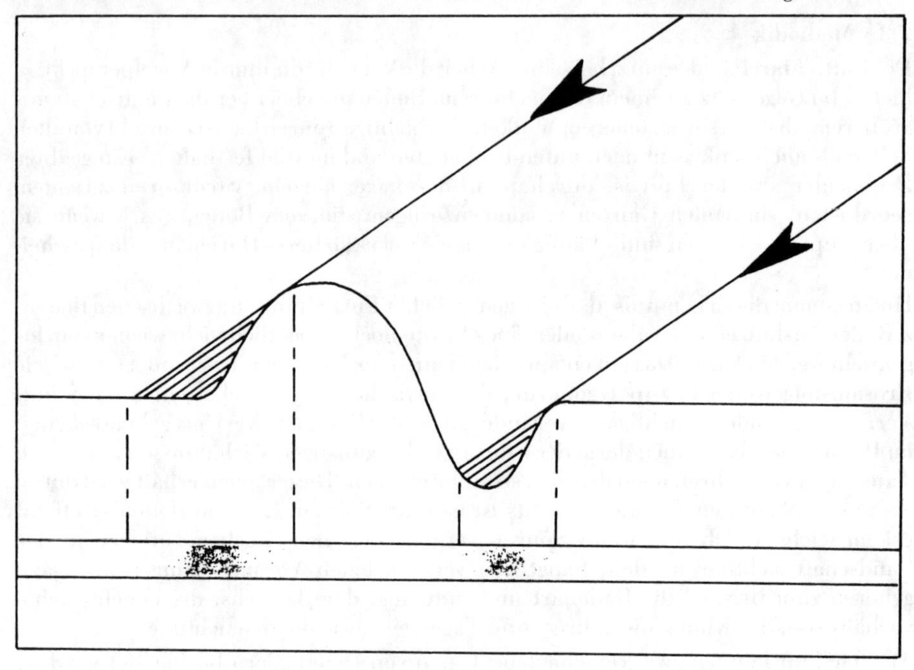

Abb. 1: Schattenmerkmale. – Schräg einfallendes Sonnenlicht hebt Erhöhungen und Vertiefungen auf der Erdoberfläche – hier Wall und Graben – durch Schattenwurf und Aufhellungen deutlich hervor. Die unterschiedlichen Grauwerte auf der unteren Leiste zeigen diese Lichtveränderungen an (nach Braasch).

Ob Schattenmerkmale sichtbar werden, hängt wesentlich von Einfallsrichtung und -winkel des Lichts ab. Sie lassen sich oft am besten im Gegenlicht erkennen. Mit dem Lichteinfall, also bei einem Winkel von null Grad, verlaufende Bodendenkmäler werfen keinen Schatten und können deshalb unsichtbar bleiben. Da Schattenmerkmale, vor allem bei kleinflächigen Objekten, unter Berücksichtigung der Fluggeschwindigkeit zwischen 120 km/h und 180 km/h oft nur wenige Sekunden sichtbar sind, erfordert ihre Entdeckung eine hohe Beobachtungskonzentration des Luftarchäologen.

2.2.2 Schneemerkmale

Hauptursachen der Bildung von meist nur kurzlebigen Schneemerkmalen im Bereich von Bodendenkmälern sind unterschiedliche Temperaturen im Boden und in der Luft sowie die Einwirkung des Windes. Durch die Wärme der Sonne tauen zum Beispiel die ihrer Wirkung ausgesetzten Bereiche eines Walles zuerst ab und erscheinen dunkel, während der Schnee im Schatten länger liegenbleibt und diese Gebiete entsprechend heller wirken. Ehemalige, inzwischen verfüllte Gräben lassen sich dadurch erkennen, daß die in ihnen gespeicherte Bodenwärme den Schnee schneller abtaut und der Erdboden früher sichtbar wird als im Bereich des benachbarten ungestörten Bodens. Bei oberirdisch erhaltenen Bodendenkmälern, die von einer dünnen Schneeschicht bedeckt sind, wird der Schnee im Einwirkungsbereich des Windes verweht und im Windschatten abgelagert. Aus der Vogelschau werden sie dadurch gut sichtbar. Grabensysteme können sich durch eingewehten Schnee, der sich in Schattenbereichen länger hält, verraten. Auch eine geschlossene Schneedecke kann gelegentlich die Strukturen eines Denkmals aus der Luft verdeutlichen (Abb. 56).

Da während der Wintermonate der Flugbetrieb bei den Sportflugvereinen, deren Flugzeuge wir benutzen, weitgehend ruht und wir außerdem aus Kostengründen unsere archäologischen Bildflüge in die für Beobachtungen wesentlich ergiebigeren Frühjahrs- und vor allem Sommermonate gelegt haben, verfügen wir bisher nur über wenige Luftbilder mit Schneemerkmalen.

2.2.3 Flutmerkmal

In von Hochwasser überfluteten Geländebereichen können zum Beispiel die Kuppen von Grab- oder Burghügeln herausragen und andere künstliche Bodenerhöhungen sichtbar werden. Dieses Merkmal ist jedoch selten zu beobachten.

2.2.4 Bodenmerkmale

Wie bereits erwähnt, ist der weitaus größte Teil der Bodendenkmäler längst von der Erdoberfläche verschwunden und kann keinen Schatten mehr werfen. Dazu gehören eingeebnete Hügelgräber, Siedlungsstellen, Straßentrassen und Befestigungsanlagen. Dennoch können sie auch heute noch bei günstigen Bedingungen während der vegetationsfreien Zeit durch auffallende Verfärbungen aus der Luft beobachtet werden. Abhängig ist ihr Erscheinen im wesentlichen von der Bodenart, der Pflugtiefe, der Bodenfeuchtigkeit und der Lichtqualität während des Fluges.

In Abb. 2 ist links das Entstehen eines „Streumerkmals" dargestellt. Durch den Pflug werden Teile einer noch im Boden befindlichen Mauer an die Erdoberfläche befördert. Die Konzentrationen von Ziegelfragmenten und Mörtelbrocken (s. Aufsicht) folgen dem unterirdischen Mauerverlauf.

Während unserer Forschungsflüge im südhessischen Raum wurde dieses Merkmal sehr selten entdeckt. Das gilt selbst für Flurbereiche, in denen bei Begehungen auffällige Konzentrationen von Baumaterialien an der Ackeroberfläche gefunden wurden. Dafür gibt es verschiedene Erklärungsmöglichkeiten. Ein Grund ist in den überwiegend hellen Löß-, Sand- und Schotterböden zu sehen, in denen sich die ebenfalls meistens hellen Mauerüberreste für den Beobachter aus luftiger Höhe „verstecken". Hinzu kommt, daß fast alle Gebäuderuinen in unserer freien Landschaft in vergangenen Jahrhunderten als „Steinbrüche" genutzt und in der Regel vollständig – einschließlich der Grundmauern – abgetragen wurden. Am ehesten können heute noch Reste von insbesondere römischen Gebäuden in Gebieten entdeckt werden, die seit langem bewaldet sind. Hier lassen sie sich durch mehr oder weniger auffällige Geländeunebenheiten erkennen. Ihr Nachweis gelingt allerdings wegen des Baumwuchses viel seltener dem Luftarchäologen als dem aufmerksamen, erfahrenen Flurbegeher.

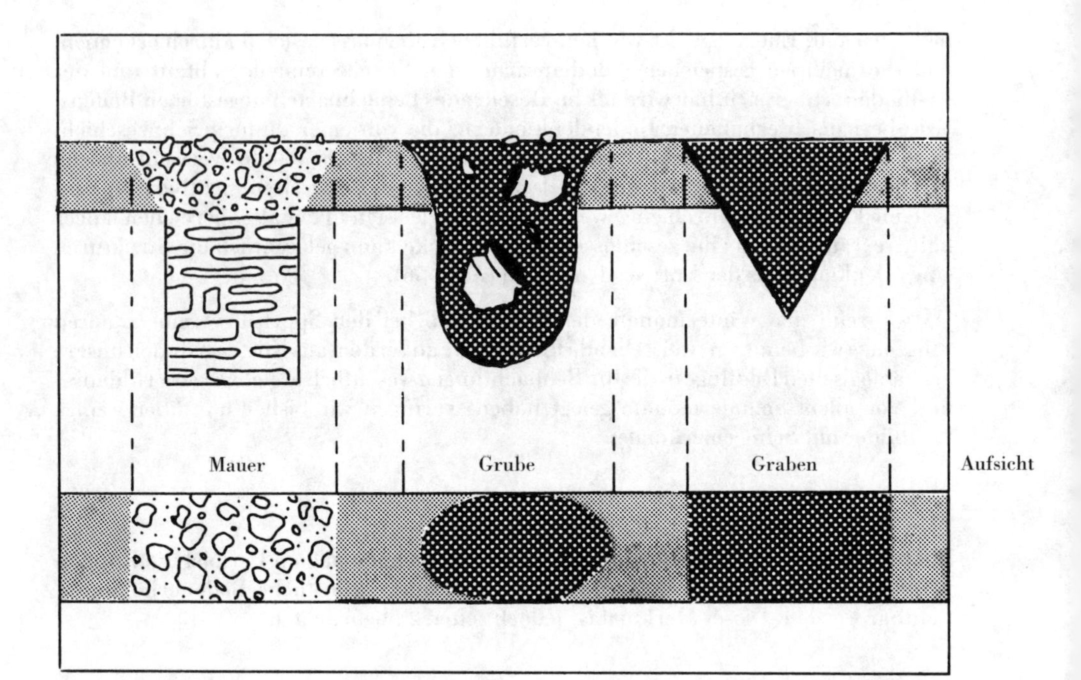

Abb. 2: Bodenmerkmale. a) Ziegelfragmente und heller Mörtel werden durch den Pflug an die Erdoberfläche befördert und weisen auf eine unterirdische Mauer hin. b) Eine mit humusreichem Boden verfüllte Grube, die u.a. zur Aufnahme nicht mehr brauchbarer Keramik und von organischen Abfällen angelegt wurde, verrät sich als dunkle Verfärbung im Acker. c) Dunkle, bandartige Strukturen zeigen den Verlauf eines verfüllten Grabens an. Sie lassen nicht erkennen, ob dieser als Spitz- oder Rundgraben angelegt worden ist.

So ungeeignet die hellen Bodenarten für das Feststellen von Streumerkmalen sind, so günstig sind sie jedoch für das Erkennen von eingeebneten Gräben und Gruben sowie für ehemalige Gewässerläufe. Da diese überwiegend mit dunklem humusreichen Oberflächenboden gefüllt sind, fallen sie durch den Kontrast aus dem Flugzeug schon von weitem auf. Das gilt insbesondere für Abfallgruben (Abb. 2, Mitte), deren Inhalt mit Holzkohle, Resten von organischen Materialien und dem Müll vergangener Kulturen sie manchmal fast schwarz erscheinen läßt. Dieses Bodenmerkmal ist am deutlichsten, wenn ein Denkmal frisch angepflügt wird. Mit anhaltender Bodenbearbeitung und zusätzlicher Erosion vermengen sich die dunklen Einfüllungen mit dem umgebenden Ackerboden. Sie werden dadurch zunehmend weniger sichtbar, es sei denn, ein tiefgehender Pflug befördert erneut Teile der alten Kulturschicht an die Erdoberfläche. Feuchtigkeit in den ehemaligen Bodenvertiefungen wirkt kontrastverstärkend.

Während Gruben als Flecken erscheinen (Abb. 20, 21), lassen sich alte und inzwischen verfüllte Grabensysteme als dunkle Bänder (Abb. 22, 23) orten. Diese zeigen jedoch nicht an, ob die Gräben ursprünglich spitz oder mit abgerundeter Sohle angelegt waren (Abb. 2, rechts mit Aufsicht).

Am Beispiel der vielen archäologischen Objekte, die regelmäßig während der vegetationsfreien Jahreszeit im Untersuchungsgebiet als Bodenmerkmale sichtbar werden, wird erschreckend deutlich, wie weit ihre Zerstörung in der freien Landschaft bereits fortgeschritten ist. Denn diese Denkmäler zeigen sich nur, wenn die sie seit oft mehreren Jahrtausenden schützenden Bodenschichten bereits abgetragen sind und der Pflug schon die Kulturschicht zerstört.

2.2.5 Feuchtigkeitsmerkmale

Während des Winterhalbjahres oder auch später auf noch nicht bestellten oder bereits wieder abgeernteten Feldern hilft eine weitere Merkmalsart dem Luftarchäologen, im Boden verborgene Denkmäler oder die Verläufe alter Wegtrassen und früher vorhandener Fließgewässer ausfindig zu machen. Obwohl diese sogenannten Feuchtigkeitsmerkmale andere Entstehungsursachen haben, können sie nach ihrem äußeren Erscheinungsbild mit den Bodenmerkmalen verwechselt werden. Sie sind oft besonders deutlich einige Stunden nach Abzug eines Regengebietes oder kräftigen Schauers zu sehen, allerdings meistens nur für kurze Zeit.

Wurde stärker verwittertes und daher feineres Oberflächenmaterial in ehemalige Gräben und Gruben eingeschwemmt oder verfüllt, so wird dadurch bis heute in diesen Bereichen mehr Feuchtigkeit gebunden und länger gespeichert als in den benachbarten unveränderten Bodenschichten. Wenn die Ackerflächen durch den Einfluß der Sonneneinstrahlung bereits weitgehend abgetrocknet sind, hält sich die erhöhte Feuchtigkeit noch in den Störungszonen und zeigt deren Form und Ausdehnung durch Dunkelfärbung (Abb. 13, 14, 16) an.

Nach unseren Erfahrungen sind die Kontraste in Lößgebieten jedoch nicht sehr stark ausgeprägt, weil die feinen Lößteile aufgrund ihrer insgesamt großen Oberfläche ebenfalls viel Feuchtigkeit aufnehmen und über längere Zeit speichern können. Feuchtigkeitsmerkmale sind demnach in Lößgebieten seltener und weniger deutlich zu erkennen.

Altstraßen können in der vegetationsfreien Zeit beim Überfliegen unterschiedlich sichtbar werden. Soweit sie – das gilt auch für einige frühere Dämme im hessischen Ried – obertägig erhalten sind, geben sie sich oft sehr ausgeprägt als helle Streifen zu erkennen, welche die heutigen, durch Flurbereinigungen veränderten Feldfluren abweichend vom modernen Wegenetz durchziehen. Diese Hellfärbung ist auf die im erhöhten, künstlich geschaffenen Trassenbereich schneller als im gewachsenen Boden ablaufende Feuchtigkeit zurückzuführen. Der Kontrast zur Umgebung kann durch freigelegtes Gesteinsmaterial, das den Untergrund des Straßenkörpers befestigen sollte, verstärkt werden.

Bodendenkmäler werden daher für den Luftbildarchäologen oft auch durch die Kombination mehrerer Merkmale erkennbar.

Der größte Teil ehemaliger Wegtrassen ist längst eingeebnet. Trotzdem kann ihr Verlauf in Teilbereichen noch ausreichend gut für eine Rekonstruktion aus der Luft nachvollzogen werden. Sie haben sich nämlich in Abhängigkeit vom Untergrund sowie der Intensität und der Dauer ihrer Benutzung geradezu in die Landschaft „eingeschrieben". Die entstandenen Bodenvertiefungen und -verdichtungen mit nachfolgender Einschwemmung von feuchtigkeitsspeicherndem Humus und erhöhter Staunässe zeigen bis jetzt noch bei günstigen Witterungsverhältnissen durch Dunkelfärbung sehr genau ihre Streckenführung an. Das gilt im besonderen Maße für die im nördlichen Odenwaldvorland mit seinen weichen, tiefreichenden Lößböden ausgeprägten Hohlwege (Abb. 13).

Feuchtigkeitsmerkmale zeigen vor allem den Lauf oder die Lage von früheren Gewässern an. Diese können sowohl durch Dunkel- (Abb. 14) als auch durch Hellfärbung oder durch deren Kombination (Abb. 17) hervortreten, je nachdem, ob humusreiches, feuchtigkeitsspeicherndes Oberflächen- oder sandig-kiesiges und stärker entwässerndes Schwemmaterial abgelagert wurde. Wenn auch derartige Gewässer keine Bodendenkmäler sind, so waren sie jedoch neben der Existenz von Altstraßen für die Ansiedlung des vor- und frühgeschichtlichen Menschen von großer Bedeutung. Wie wir festgestellt haben, ist die Kenntnis ihrer Lage eine wertvolle Hilfe bei der Entdeckung archäologischer Objekte.

2.2.6 Frostmerkmale

Zu Beginn und am Ende von Frostperioden können sich die sogenannten Frostmerkmale bilden, die von der unterschiedlichen Bodenwärme und Wasserspeicherung in gestörten Bodenbereichen abhängig sind. Sie treten bevorzugt dort auf, wo während der vegetationsfreien Jahreszeit Feuchtigkeitsmerkmale beobachtet werden können.
Die Böden in ehemaligen Gräben und Gruben sind nicht nur feuchter, sondern auch wärmer als die unmittelbar anschließenden natürlichen Ablagerungen. Bei geringen Frostgraden und nicht zu starker Schneeschicht schmilzt diese über den gestörten Zonen und zeigt deren Ausdehnung und Verlauf innerhalb der geschlossenen umgebenden Schneedecke. Auch am Ende einer ausgeprägten Frostperiode können diese Objekte gut sichtbar werden. Der Schnee bleibt über den gestörten Bereichen länger liegen, weil die dort noch gefrorene Feuchtigkeit wie ein Eisblock sein Abschmelzen verzögert.

2.2.7 Bewuchsmerkmale

Mit zunehmendem Wuchs der Vegetation im Frühjahr werden die Bodenmerkmale für den Luftarchäologen unsichtbar. Sie werden jetzt durch die Bewuchsmerkmale ersetzt. Diese sind die vergleichsweise aussagekräftigsten und im Untersuchungsgebiet – vor allem in Ackerbaugebieten mit Schwerpunkt im Ried – auch zahlenmäßig häufigsten Phänomene, die ein Bodendenkmal aus der Luft erkennen lassen.

Allgemeine Voraussetzung für das Entstehen von Bewuchsmerkmalen ist eine einfache pflanzenphysiologische Erscheinung. Das Höhenwachstum und die Bewuchsdichte gleicher Pflanzen werden von Tiefe und Qualität des Humus und sonstigen Nährstoffen sowie von der Bodenfeuchtigkeit des jeweiligen Standortes wesentlich beeinflußt. Letztere wiederum hängt von der Porosität sowie der Wasserleit- und Speicherfähigkeit des Erdreichs ab.

Bereits sehr geringe Störungen im Boden genügen, um empfindliche Pflanzen in ihrem Wachstum zu beeinträchtigen. Unter der Erdoberfläche liegende Mauerreste und ehemalige Eintiefungen verändern z.B. seinen Feuchtigkeits- und Nährstoffhaushalt. Sie können dadurch das Wachstum und die Färbung der darüber wachsenden Pflanzen beeinflussen (Abb. 3). Trockenheit im Frühjahr und trocken-warme Witterungsphasen im Sommer fördern die Zahl und die Qualität der sichtbar werdenden Vegetationsmarken. Je dichter der Bewuchs und je länger die Wurzeln der Feldfrüchte, desto besser sind im allgemeinen die Beobachtungsergebnisse. Diese werden außerdem wesentlich von der Bodenart sowie von dem Grad der Erhaltung des Bodendenkmales und seiner Tiefenlage beeinflußt.

Getreidearten wie Gerste, Weizen, Roggen und Hafer sind bei günstigen Bedingungen gute Anzeiger unterirdischer Bodendenkmäler, früherer Gewässerläufe (Abb. 15) und sonstiger Bodeneingriffe. Als weniger gute Indikatoren haben sich Gemüsepflanzen, Spargel, Rüben, Kartoffeln und vor allem Gras erwiesen.

Der im Untersuchungsgebiet sehr häufig und großflächig angepflanzte Mais zeigt ebenso wie die in den letzten Jahren zunehmend als Nutzpflanzen angebauten Sonnenblumen Wachstums- und Farbveränderungen durch im Boden verborgene Denkmäler in der Regel nur bei ausgeprägter Trockenheit und über tiefreichenden Bodeneingriffen. Sichtbar werdende Vegetationsmarken dieser Pflanzen sind wegen ihrer geringen Dichte vergleichsweise auch nur unscharf ausgebildet.

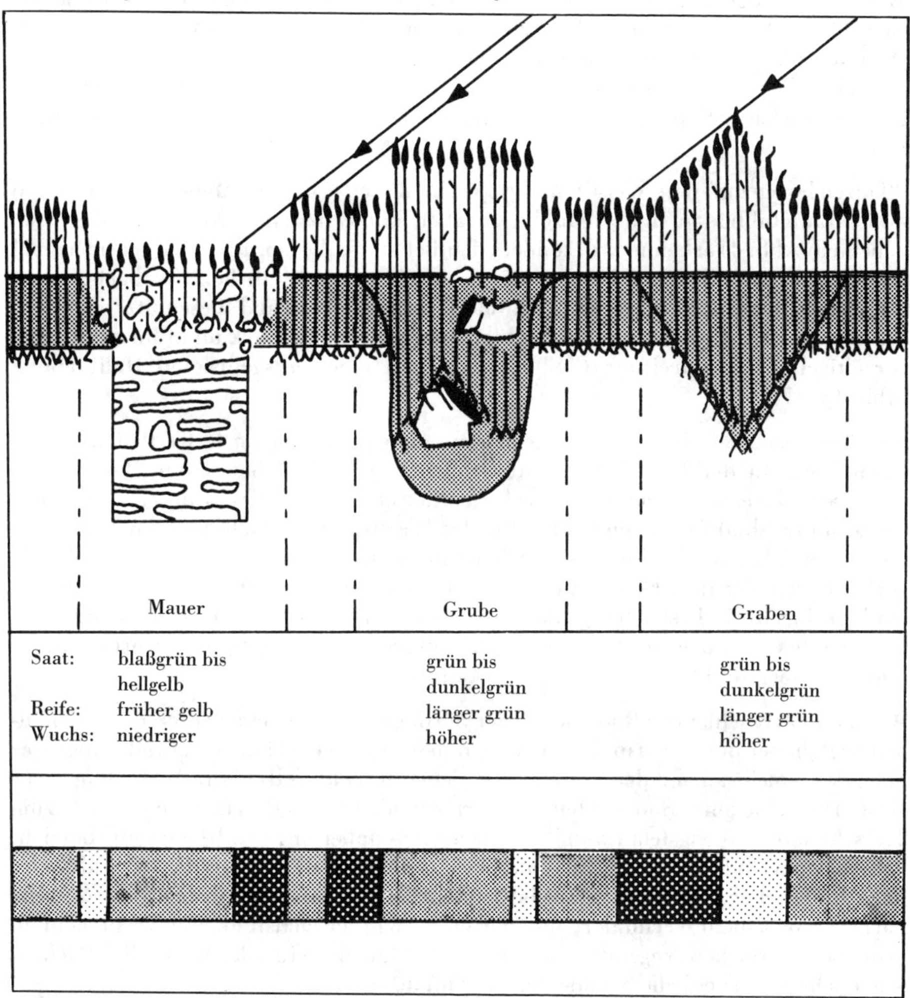

Abb. 3: Bewuchsmerkmale. a) Über unterirdischen Mauern wachsende Pflanzen haben schlechtere Wachstumsbedingungen und zeigen dies durch geringeren Wuchs und frühere Reifung an (negatives Bewuchsmerkmal). b) Im Bereich verfüllter Gruben und Gräben bilden Pflanzen tiefere Wurzeln. Diese ermöglichen ihnen bei Trockenheit eine bessere Feuchtigkeits- und Nährstoffversorgung und dadurch ein wesentlich ausgeprägteres Wachstum im Vergleich zu den weniger begünstigten Nachbarpflanzen (positives Bewuchsmerkmal). Im Idealfall kann das Pflanzenwachstum die Form des ehemaligen Grabens oberirdisch anzeigen.

Es werden „negative" und „positive" Bewuchsmerkmale unterschieden, je nachdem ob sich Pflanzen wegen schlechterer oder besserer Bodenfeuchtigkeit und Nährstoffversorgung durch niedrigeres oder höheres Wachstum von ihren Nachbarpflanzen unterscheiden.

Negative Vegetationsmarken bilden sich, wenn das Wurzelwachstum von Pflanzen durch dicht unter der Erdoberfläche verborgene Hindernisse gehemmt und die Aufnahme von tiefer reichender Feuchtigkeit und weiteren Nährstoffen verhindert wird. Sie treten in Abhängigkeit vom Grad der Trockenheit in allen Bodenarten auf. Bei derart schlechten Lebensbedingungen bleiben die Pflanzen bereits früh im Wachstum zurück (Abb. 3, links). Außerdem reifen sie früher als die Nachbarpflanzen und zeigen dies durch ihre hellere Färbung an. Bereits eingetretener Minderwuchs und Verfärbungen bleiben auch bei nachfolgenden Witterungsperioden mit erhöhten Niederschlagsmengen erhalten.

Pflanzen lassen auf diese Weise zum Beispiel im Boden erhaltene Mauerreste (Abb. 66) sowie Raumfußböden und römische Straßen mit erhaltenen Kies- und Gesteinsschichten (Abb. 4) erkennen. Besonders deutlich kann das negative Bewuchsmerkmal den ehemaligen Verlauf von Fließgewässern anzeigen, wie alljährliche Beobachtungen, vor allem in den Unterläufen der Odenwaldbäche Gersprenz und Weschnitz, beweisen. Die abgelagerten Kies- und Sandschichten entwässern sehr stark und führen zu einer vorzeitigen Pflanzenreifung (Abb. 15) und zu einer ausgeprägten Hellfärbung (Abb. 16, 17).

Eine überraschende Beobachtung gelang uns bei einem Flug am 12.07.1990 im hessischen Ried. In der Gemarkung von Groß-Gerau, OT Wallerstädten, konnte der Verfasser zahlreiche schmale, aber recht deutlich ausgeprägte Kreise unterschiedlicher Größe im Luftbild festhalten (Abb. 48). Das Wachstum der Getreidepflanzen war in ihrem Bereich zurückgeblieben. Auch wenn eindeutig negative Bewuchsmerkmale vorlagen, erschien die Erklärung dieses Phänomens zunächst schwierig. Sie wurde erst möglich durch die Feststellung, daß in diesem Bereich bereits mehrere weitgehend verschleifte Grabhügel aus verschiedenen Kulturepochen ausgegraben worden waren und im Untergrund besondere Bodenverhältnisse vorliegen.

Wie die 1990 erschienene Bodenkarte der nördlichen Oberrheinebene[10] sehr anschaulich zeigt, haben der Rhein und seine Nebenflüsse durch eine häufige Veränderung ihrer Mäander gemeinsam mit den Folgen eiszeitlicher Stürme im Ried zur Ausbildung einer Vielfalt verschiedener Bodenarten im Oberflächenbereich geführt. Diese wechseln zum Teil sehr stark auf engstem Raum[11]. Inselartig tritt dabei eine als „Rheinweiß" bezeichnete Bodenart auf. Sie besteht aus einer festen Schicht Kalk, die aus dem Grundwasser nach Entweichen der Kohlensäurebestandteile ausgeschieden wurde. Diese oft sehr harte Trennschicht verhindert ein normales Wurzelwachstum und verursacht in niederschlagsreichen Vegetationszeiten durch Stau des einsickernden Oberflächenwassers häufig erhebliche Schäden an Nutzpflanzen.

Die im Luftbild sichtbare scharfe Ausbildung der kreisförmigen Vegetationsausfälle spricht dafür, daß bei der Anlage der Gräben, welche die Hügelgräber umgaben, die Rheinweiß-Schicht durchstoßen wurde. Daher versickern bis heute hier Oberflächenwasser und Nährstoffe. Pflanzen in diesen Bereichen haben keine Überlebenschancen und verkümmern. Standorte ehemaliger längst eingeebneter Hügelgräber können sich daher auch durch negative Bewuchsmerkmale zu erkennen geben.

Positive Bewuchsmerkmale entstehen über Störungen im Boden, wenn dieser flachgründig ist – nach Braasch[12] maximal 60 cm tief – und die darunterliegenden Schichten gut entwässern. Um im Pflanzenwuchs sichtbar zu werden, muß ein Bodendenkmal außerdem über die Humusschicht hinaus in den gewachsenen Boden hinein reichen. Denn nur in diesen eingetieften Bereichen, die mit humosem Material gefüllt sind, das mehr Feuchtigkeit und Nährstoffe bindet, können Pflanzen tiefergehende Wurzeln ausbilden. Diese ermöglichen ihnen bei Trockenheit ein dichtes, höheres Wachstum und eine längere Versorgung mit lebenswichtigen Stoffen, während die weniger begünstigten Nachbarpflanzen dürsten und früher reif werden. Dies gibt sich durch verzögertes Wachstum und eine zunehmende Gelbfärbung zu erkennen. Verfüllte Gräben, Gruben, Pfostenlöcher usw. lassen sich deshalb bei günstigen Bedingungen durch höheres Wachstum und längere Grünfärbung der Pflanzen (Abb. 3, Mitte und rechts) feststellen. Die Form des erhöhten Pflanzenwachstums kann wie bei dem Spitzgraben in Abb. 3 einen Hinweis auf die Form der Störung geben.

Die Qualität der Ausbildung eines positiven Bewuchsmerkmals hängt auch wesentlich von der Bodenart ab. Während sandige und kiesige Böden Feuchtigkeit schon nach kurzer Zeit abgeben und deshalb hier bei Trockenheit vergleichsweise schnell Differenzen im Höhenwachstum und der Färbung von Pflanzen über bzw. neben antiken Störungen auftreten, binden Löß, Lößlehm- und Lehmböden wegen ihrer geringen Korngröße mit großer Oberfläche und entsprechender Oberflächenspannung Feuchtigkeit wesentlich länger. Bewuchsmerkmale erscheinen daher in tiefgründigen Löß- und Lehmböden wesentlich seltener und oft nur wenig ausgeprägt. Das zeigte sich sehr deutlich bei unseren Flügen im nördlichen Odenwaldvorland.

Während negative und positive Bewuchsmerkmale sich vor allem durch ihre unterschiedliche Färbung während der gesamten Vegetationsperiode aus der Luft zeigen, werden Unterschiede im Höhenwachstum meistens erst bei schrägem Lichteinfall als Schattenmerkmal durch Schlagschatten und Aufhellungen sichtbar (Abb. 3, Aufsicht).

Eine besondere, immer wieder zu beobachtende Form des Bewuchsmerkmales, auf dessen Bedeutung Martin[13] zu Recht hinweist, ist das „Windbruchmerkmal". Es kann im Bereich von Bodendenkmälern, die sowohl negative als auch/oder positive Bewuchsmerkmale erzeugen, auftreten. Pflanzen, die durch unterirdische feste Hindernisse in ihrem Wachstum gehemmt werden, „verholzen" und bieten Windböen stärkeren Widerstand als ihre längeren, weniger gefestigten Nachbarpflanzen auf ungestörtem Boden. Während letztere leicht vom Wind umgebrochen werden können, bleiben Pflanzen z.B. über im Boden verborgenen Mauern stehen und zeigen deren Verlauf an. Umgekehrt knicken Pflanzen über Gruben, Gräben usw. durch ihr verstärktes Höhenwachstum bei Windeinwirkung früher um. Auch sie können dadurch die Strukturen unterirdischer Denkmäler nachzeichnen.

Die Darstellung der einzelnen Beobachtungsmerkmale hat gezeigt, daß luftbildarchäologische Forschungsflüge ganzjährig Aussicht auf erfolgreiche Beobachtungen bieten. In jeder Jahreszeit gibt es einzelne oder auch gemeinsam auftretende Merkmale, die sowohl oberirdische als auch im Erdreich verborgene Bodendenkmäler anzeigen.

3. Forschungsprogramm des Vereins für Heimatgeschichte e.V., Sitz Ober-Ramstadt

1980 – in der Vorbereitungsphase unseres Forschungsvorhabens – gab es weder bei Mitgliedern des Heimatvereins in Ober-Ramstadt noch bei anderen Institutionen, Vereinen oder Privatpersonen in Hessen eigene luftbildarchäologische Erfahrungen in bemerkenswertem Umfang. Auch existierte bis dahin bundesweit kein vergleichbares ehrenamtliches Programm auf Vereinsebene. Bevor mit den ersten Flügen im Jahr 1981 begonnen werden konnte, waren daher zahlreiche Informationsgespräche mit Experten außerhalb Hessens zu führen und eine gründliche Einarbeitung in die Tätigkeiten eines Luftarchäologen durch intensives Literaturstudium erforderlich.

Auf Empfehlung von W. Sölter (†), Duisburg, der zu den erfahrensten Luftbildarchäologen der Bundesrepublik gehörte, nahm der Verfasser zunächst Kontakt mit Frau Anne-Marie Martin, Bochum, auf. Das erwies sich als besonderer Glücksfall. Frau Martin ist seit 1963 bis heute mit Unterbrechungen in Nordrhein-Westfalen, Rheinland-Pfalz, Bayern und Hessen (Gemeinde Brachtal, Main-Kinzig-Kreis) in der archäologischen Luftbildprospektion tätig[14]. Sie verfügt insofern über umfangreiche einschlägige Erfahrungen. Außerdem ist sie langjährige Flurbegeherin und besitzt eingehende Kenntnisse in der Photointerpretation für archäologische Zwecke[15]. Mit ihren vielen wertvollen praktischen Ratschlägen und ihrer reichhaltigen Literatursammlung, die sie bereitwillig zur Verfügung stellte, hat sie wesentlich zur fachlichen Basis unseres Programms beigetragen. Hervorzuheben sind auch ihre steten Bemühungen, „Laienforscher" und deren Arbeit nachhaltig zu fördern. Der Verfasser ist ihr zu großem Dank verpflichtet.

Da wir durch unsere Forschungen die Arbeit der amtlichen Bodendenkmalpflege unterstützen wollten, war es selbstverständlich, daß wir unsere geplanten Aktivitäten mit der Außenstelle Darmstadt des Landesarchäologen sowie der unteren Denkmalschutzbehörde des Landkreises Darmstadt-Dieburg und dessen Denkmalschutzbeirat abstimmten. Dem beispielhaften Einsatz dieses Beirats unter seinem Vorsitzenden, Otto Weber aus Ober-Ramstadt, ist es zu verdanken, daß sich der Landkreis bereiterklärte, unserem Verein die ab 1981 direkt entstehenden Unkosten zu erstatten.

1981 war zunächst ein Probejahr, von dessen Ergebnissen wir die Fortsetzung unseres Programms abhängig machten. Wir wollten vor allem die Korrelationsmöglichkeiten zwischen Luftbildern und den positiven Feststellungen von Flurbegehungen überprüfen, d.h. es sollte festgestellt werden, ob durch archäologische Geländearbeiten entdeckte Bodendenkmäler mit Hilfe luftbildarchäologischer Merkmale aufgefunden werden konnten. Nachdem diese Möglichkeit 1981 am Beispiel von über 30 Objekten bestätigt werden konnte, beschlossen wir ab 1982, ein mehrjähriges, flächendeckendes Flugprogramm zu beginnen. Darin bestärkt wurden wir zusätzlich durch die Beobachtung von über 300 „verdächtigen" Objekten, von denen sich bereits bei ersten Flurbegehungen 29 als bisher unbekannte Bodendenkmäler erwiesen.

3.1 Aufgabenstellung

Das Programm sollte im wesentlichen:

a) durch Erfassung oberirdisch erhaltener oder nur noch unterirdisch vorhandener Bodendenkmäler im Luftbild einen Beitrag zur Erforschung der vor- und frühgeschichtlichen Besiedlung im Arbeitsgebiet, insbesondere zur Siedlungsdichte, -art und -ausdehnung leisten,
b) rechtzeitig durch geplante Straßenbauvorhaben, Siedlungs- und Industrieneubauten,

Abgrabungen usw. gefährdete Bodendenkmäler entdecken helfen und durch Meldung an die für ihren Schutz verantwortlichen Behörden ihre Sicherung und/oder wissenschaftliche Auswertung ermöglichen,

c) aus der Vogelschau bekannte und bisher noch nicht entdeckte Siedlungskomplexe im Luftbild dokumentieren und

d) durch Luftbilder ganze Ausgrabungskampagnen überflüssig machen und dadurch Kosten ersparen.

3.2 Gebietsbeschreibung

Dem archäologisch interessierten Beobachter aus der Luft zeigen sich bei Flügen regelmäßig vielfältige Strukturen in der Vegetation oder auf der unbewachsenen Bodenoberfläche. Ob, wann und in welcher Qualität sie sichtbar werden, hängt – wie bereits dargestellt – wesentlich von den Boden- und Vegetationsarten sowie dem Klima mit seinen unterschiedlichen Auswirkungen ab. Die Strukturen selbst können natürliche Ursachen haben oder durch menschliche Tätigkeiten bis in die moderne Zeit verursacht worden sein. Letztere können jedoch frühestens im Neolithikum (ab 5 500 v. Chr.) entstanden sein. Damals wurden die ersten festen Häuser und Dörfer errichtet. Aus davor liegenden Kulturepochen sind bisher in Mitteleuropa noch keine luftbildarchäologischen Entdeckungen bekannt.

Wenn der Luftbildarchäologe daher im Sinne der unter 3.1 genannten Zielsetzungen erfolgreich arbeiten will, muß er sich vorher insbesondere intensiv mit der naturräumlichen Gliederung, den Bodenverhältnissen, dem Fließgewässersystem, den landwirtschaftlichen Anbaumethoden sowie dem aktuellen vor- und frühgeschichtlichen Forschungsstand in seinem Untersuchungsbereich vertraut machen.

Da unser Arbeitsgebiet bis 1991 weite Teile Südhessens, im wesentlichen Starkenburg, umfaßt, soll hier zunächst auf die naturräumliche Gliederung dieses Gebietes eingegangen werden. Dies ist insofern von besonderer Bedeutung, als die vor- und frühgeschichtliche Besiedlung einer Landschaft wesentlich von deren Eigenschaften und Ausgestaltungen abhing[16]. So bildeten zum Beispiel Waldgebirge wie der Odenwald lange Zeit fast unüberwindliche Hindernisse für unsere Vorfahren.

Flußtäler oder große Senken wie die nord-süd gerichtete Oberrheinebene, die sich über den Rheingraben und das rheinische Schiefergebirge bzw. die Wetterau und die hessische Senke nach Norddeutschland und damit zur Nord- und Ostsee sowie nach Süden über das Rhonetal zum Mittelmeer fortsetzt, bestimmten damals – ebenso wie heute – die Ausbreitungsrichtung für Handel, Verkehr, Kultur und Völkerwanderungen. Gleichzeitig ermöglichten die burgundische und die lothringische Pforte, der Kraichgau sowie die zahlreichen in die Oberrheinebene führenden Höhenwege eine entsprechende Ausbreitung in Ost-West-Richtung. Wegen dieser in Mitteleuropa zentralen und verkehrsgünstigen Lage ist unser Arbeitsgebiet in der Vor- und Frühgeschichte von vielen Kulturepochen beeinflußt worden.

Das Untersuchungsgebiet wird im wesentlichen im Norden von Frankfurt und den Main, im Westen durch den Rhein, im Süden durch die hessische Landesgrenze und im Osten durch den Main und den inneren Odenwald begrenzt.

Die nördlichste naturräumliche Einheit in diesem Bereich bildet das Untermaingebiet. Es besitzt als Teil des beckenartig eingesunkenen Rhein-Main-Tieflandes ein mildes, niederschlagsarmes Klima und weist überwiegend sandig-kiesige Böden im Höhenbereich von 88 m bis etwa 150 m auf. Die hier wachsenden Wälder sind Reste des mittelalterlichen, kaiserlichen Bannforstes Dreieich, der sich südlich des Mains zwischen Rüsselsheim und Aschaffenburg bis hin zum nördlichen Odenwaldrand erstreckte. Der Panoramablick bei unseren Flügen macht immer wieder erschreckend deutlich, wie sich Siedlungen, Industrie, Freizeitanlagen, Verkehrsverbindungen usw. von Jahr zu Jahr – Krebsgeschwüren gleich – in die Waldlandschaft hineinfressen und sie in absehbarer Zeit weitgehend zerstört haben werden.

Nach Süden steigt die Landschaft zum Odenwald allmählich an. Als Übergangseinheiten zwischen Ebene und Gebirge sind das Messeler und das Reinheimer Hügelland sowie der Sprendlinger Horst zu nennen. Ersteres weist Höhen bis zu 230 m auf, ist überwiegend bewaldet und liegt vollständig in der geologischen Formation des Rotliegenden. Die Böden sind flachgründig, neigen zu Staunässe und enthalten häufig einen hohen Anteil mürben, an der Erdoberfläche schnell zerfallenden Gesteins. Diese Eigenschaften erschweren sowohl die luftarchäologischen Erkenntnismöglichkeiten als auch Flurbegehungen. Die stark degradierten Böden weisen nach Ansicht der Geologen darauf hin, daß das Gebiet früher – wohl durch menschliche Eingriffe – stark entwaldet oder gelichtet gewesen sein muß[17].

Das nach Süden und Osten anschließende stark gegliederte Reinheimer Hügelland steigt bis 280 m auf. Wegen seiner fruchtbaren Löß- und Lößlehmböden wird es landwirtschaftlich seit Jahrtausenden intensiv genutzt. Der Wald ist nur noch an wenigen Stellen inselartig ausgebildet. Kilometerweit erstreckt sich stattdessen eine fast vollständig baumfreie Kultursteppe, deren „Langweiligkeit" sowohl die Orientierung bei unseren Forschungsflügen als vor allem auch die genaue Lokalisierung von luftarchäologisch bemerkenswerten Strukturen erheblich erschwerte. Als naturräumliche Untergliederungen von großer Bedeutung für die Ansiedlung des Menschen der Vor- und Frühgeschichte sind hier die Gersprenzniederung, die Dieburger Senke und die Kleine Bergstraße hervorzuheben. Wasser, Wild- und Fischreichtum, hochwassersichere Geländeterrassen, ertragreiche Böden sowie gute Verkehrsverbindungen zeichneten diese Gebiete aus. Der Roßberg und der Otzberg sind als Basaltdurchbrüche ebenso wie die Kuppen des Stetteritz und des Forstberges Zeugnisse vergangener vulkanischer Aktivitäten.

Der Odenwald bildet die östliche Begrenzung des nördlichen Oberrheingrabens. Naturräumlich unterscheidet man den Vorderen Odenwald und den Sandsteinodenwald. Dieser ist ein waldreiches Buntsandstein-Tafelland mit langgestreckten Rücken und zum Main und Neckar ausgerichteten Tälern. Der Katzenbuckel ist mit 626 m die höchste Erhebung. Der westlich der Linie Schriesheim–Waldmichelbach–Ober-Kainsbach–Groß-Umstadt gelegene kristalline Vordere Odenwald ist ein ebenfalls waldreiches Mittelgebirge im Höhenbereich zwischen 200 und 600 m. Kennzeichnend ist seine starke kuppenförmige Gliederung mit einem dichten, feinverästelten Gewässernetz. Die auffallendste Erhebung ist der 517 m hohe Melibocus am westlichen Abfall des Gebirges zur Oberrheinebene. Als Böden treffen wir Löß, Lehm und Granitverwitterungsböden mit Übergängen an.

Die untere Hangzone des westlichen Odenwaldes am Übergang zur Rheinebene wird als Bergstraße bezeichnet. Sie ist nur schmal ausgebildet, aber mit Jahresniederschlägen bis 600 mm und einer Jahresdurchschnittstemperatur von 9,5 °C[18] klimatisch besonders begünstigt. Der Boden besteht überwiegend aus mächtigen angewehten Lößschichten und im Nordteil aus sandigen Ablagerungen.

Den westlichen Teil des Untersuchungsgebietes zwischen Rhein, Main und Vorderem Odenwald bilden die Hessische Rheinebene und Teile der Oberrhein-Niederung im

Höhenbereich zwischen 84 m und 140 m. Die höchsten Erhebungen liegen in den Schwemmkegeln der in die Oberrheinebene einmündenden Odenwaldbäche. Von landschaftsprägender Bedeutung für dieses überwiegend flache Tiefland sind die zahlreichen Flußbetten des Altneckars bzw. Rheinrandflusses[19] sowie des Rheins. Sie sind verlandet und werden überwiegend landwirtschaftlich genutzt. Teilweise sind sie sogar schon überbaut – ein nach Ansicht des Verfassers großer, unverständlicher Landschaftsfrevel. Aus der Luft sind die Altläufe durch die Dunkelfärbung des Bodens und den Bewuchs der Ufer noch sehr gut zu erkennen. Auffallend in der Rheinebene ist die große Zahl der Bodenarten an der Erdoberfläche, die oft auf engstem Raum stark wechseln. Dazu beigetragen haben der Rhein und sein Randfluß, an dessen Wasserführung der Altneckar beteiligt war, mit ihren Ablagerungen sowie die spätpleistozänen und holozänen Verwehungen[20], die sogar Flugsanddünen entstehen ließen. Dieses Gebiet hat bisher die qualitativ und quantitativ besten luftbildarchäologischen Befunde erbracht. Sie konzentrieren sich auf besonders gut entwässernde Bodenbereiche und wurden vor allem in niederschlagsarmen Sommern sichtbar. Leider erschwerten jedoch die in der Oberrheinebene häufig auftretenden dunstigen Witterungslagen sehr oft unsere Arbeiten.

Südhessen wird von mehreren größeren Fließgewässern, die ihren Ursprung im Odenwald oder dem Messeler Hügelland haben, und ihren Zuflüssen durchzogen. Zu den wichtigsten, die dem Rhein zufließen, gehören Weschnitz, Modau und Schwarzbach. Zum Main entwässern Gersprenz, Rodau und Mümling.

Weite Teile des Arbeitsgebietes werden landwirtschaftlich intensiv genutzt. Das gilt vor allem für das Reinheimer Hügelland und die Oberrheinebene. Zu den hier großflächig angebauten Nutzpflanzen, die für luftarchäologische Beobachtungen überwiegend ungeeignet sind, gehören Mais und Sonnenblumen (s.a. 2.2.7). Hinzu kommen der Spargel, der auf sandigen Böden in der Ebene und im Raum Dieburg mit zunehmender Tendenz angebaut wird, sowie zahlreiche Gemüsearten, die im Ried mit Schwerpunkt im Bereich Griesheim angepflanzt werden.

3.3 Vor- und frühgeschichtliche Besiedlung

In Abhängigkeit von den unterschiedlichen Landschaftsformen und deren Böden und Wasserverhältnissen weist das Arbeitsgebiet eine mehr oder weniger dichte und konstante Besiedlung seit der Jungsteinzeit auf. Siedlungsschwerpunkte waren das nördliche Odenwaldvorland mit erkennbaren Siedlungskammern und die Oberrheinebene. Die ackerbautreibenden Menschen besiedelten die fruchtbaren Löß- und Lößlehmböden, während die viehzüchtenden Völker nach den Beobachtungen der Archäologen sandig-kiesige Böden wegen der dort überwiegend wachsenden Wälder bevorzugten. Wie im Verlauf unserer Forschungsarbeiten neu entdeckte Siedlungsstellen beweisen, gibt es aber nicht selten durchaus auch entgegengesetzte Befunde. So beobachteten wir z.B. im Ried an mehreren Stellen Spuren der Bandkeramiker, Vertreter einer reinen Ackerbaukultur, auf sandig-kiesigen Böden in unmittelbarer Nähe des Rheinrandflusses.

Die Römer, zu deren Herrschaftsbereich Starkenburg von 50 v. Chr. bis 260 n. Chr. gehörte, haben zahlreiche Spuren ihrer Existenz in der Landschaft zurückgelassen. Diese sind jedoch bisher erstaunlicherweise aus der Luft – mit Ausnahme von Straßen – selten zu beobachten. Den Römern folgende Generationen haben im Lauf der Jahrhunderte offensichtlich deren Steingebäude bis auf die Grundmauern abgetragen und für eigene Bauten verwendet. Aus der Zeit der Besiedlung durch Alemannen und

Franken kennen wir bisher zahlreiche Reihengräberfelder, aber kaum Siedlungsnachweise. Ihre Siedlungen dürften weitgehend im Bereich der alten Ortskerne unserer heutigen Dörfer und Städte und damit außerhalb der Entdeckungsmöglichkeit für den Luftbildarchäologen liegen. Schließlich besteht bei unseren Flügen die Möglichkeit, Spuren mittelalterlicher Wüstungen, also ausgegangener Orte, Einzelgehöfte usw., zu beobachten, die es im gesamten Arbeitsgebiet gegeben hat, wie historische Quellen belegen[21].

In Starkenburg sind zahlreiche vor- und frühgeschichtliche Wege und Straßen bekannt. Einen Überblick über die Altstraßen geben Kurt[22] für die Dreieich, Nahrgang[23] für den Kreis Offenbach und Meier-Arendt[24] für den Kreis Bergstraße. Neben einigen prähistorischen Fernwegen, wie dem weitgehend gesicherten „Rennweg" zwischen Flörsheim und Stockstadt/M., war vor allem das dichte römische Straßennetz, auch nach Abzug seiner Erbauer, für die Erschließung dieses Raumes von großer Bedeutung. Dazu gehören die Rheinuferstraße von Mainz über Ladenburg bis zur Donau (Abb. 5), die Bergstraße zum Frankfurter Mainübergang, Gernsheim-Dieburg (Abb. 9), Dieburg-Heddernheim und Dieburg über Höchst/Odenwaldkreis zum Limes (Abb. 7).

Die vielfältige, abwechslungsreiche Gestaltung der Landschaft, die Spuren zahlreicher vergangener menschlicher Kulturen, die jahrtausendelange Siedlungskontinuität mit all ihren Folgen für die Natur, die intensive landwirtschaftliche Nutzung sowie die vielen modernen Eingriffe in die Landschaft, wie Flurbereinigungen, Gewässerbegradigungen, Bau von Pipelines uws., stellen an den in diesem Gebiet arbeitenden Luftarchäologen hohe Anforderungen, insbesondere an seine Kenntnisse, Konzentrations- und Beobachtungsfähigkeit sowie Erfahrung. Fehlen ihm diese Eigenschaften, ist er bei einer Fluggeschwindigkeit bis zu 180 km/h kaum in der Lage, aus der Fülle der aus der Luft zu beobachtenden Objekte Spuren vor- oder frühgeschichtlicher Bodendenkmäler „herauszufiltern".

3.4 Arbeitsgebiete

Als Arbeitsgebiet wählten wir zunächst den östlichen Teil des Landkreises Darmstadt-Dieburg bis einschließlich des Gemeindebereichs von Mühltal. Ab 1985 kam auf Anregung der Außenstelle Darmstadt des Landesarchäologen der gesamte westliche Kreisteil an der Bergstraße und im Ried hinzu. Außerdem erkundeten wir auf Wunsch von verschiedenen Kreis- und Stadtverwaltungen sowie örtlichen Geschichtsvereinen bzw. -forschern bis 1991 zahlreiche weitere Gebiete Südhessens aus der Luft, mit Ausnahme des mittleren und südlichen Odenwaldkreises und des gebirgigen Anteils des Kreises Bergstraße sowie eines Teils des Sperrgebietes um den Flughafen Rhein-Main. Die folgende Übersicht zeigt die bis 1991 luftarchäologisch untersuchten Kreis- und Gemeindebereiche mit Angabe der jeweiligen Flugjahre. Der Landkreis Darmstadt-Dieburg wurde – insbesondere in Abhängigkeit von der jeweiligen Witterung im Sommerhalbjahr – nicht in allen Jahren flächendeckend überflogen. Soweit Gemeinden genannt werden, die in Kreisen mit zeitgleicher Befliegung liegen, bedeutet dies eine zusätzliche intensive luftarchäologische Untersuchung wegen besonderer lokaler Objekte.

Luftarchäologisch untersuchte Gebiete mit Angabe der Flugjahre

1. Landkreis Darmstadt-Dieburg
   - östlicher Teil einschl. Gemeinde Mühltal (1981–1984)
   - gesamte Kreisfläche (1985–1988)

– Eschollbrücken (1986)
– Seeheim-Jugenheim (1988)

2. Stadt Darmstadt
   – teilweise (1985–1988)
   – Arheilgen (1982–1983, 1990)
3. Kreis Bergstraße
   – westlicher Teil – Ried – (1987, 1988, 1990)
   – östlicher Teil – Odw. – (ab 1992)
   – Lindenfels (1985)
   – Lorsch (1986, 1987)
4. Kreis und Stadt Offenbach
   – gesamter Kreis (1986, 1987)
   – Langen (1982, 1983)
   – Nieder-Roden (1987)
   – Offenbach-Bieber (1987)
5. Odenwaldkreis
   – Bad König (1986, 1987)
   – Höchst (1986)
   – Lützelwiebelsbach (1985)
6. Kreis Groß-Gerau
   – Biebesheim (1982, 1983, 1987, 1990)
   – Crumstadt (1985, 1988, 1990)
   – Dornheim (1990, 1991)
   – Goddelau (1990)
   – Kelsterbach (1987, 1988)
   – Trebur (1988)
   – Wolfskehlen (1990)
7. Main-Taunus-Kreis
   – Diedenbergen (1987, 1988)
   – Eschborn (1986)
   – Kelkheim (1988)
8. Main-Kinzig-Kreis
   – Rodenbach (1983)
9. Hochtaunuskreis
   – Wehrheim (1986)
10. Stadt Frankfurt
    – OT Unterliederbach (1988)
11. Main-Tauber-Kreis
    – Grünsfeld (1988)
12. Kreis Gießen
    – Grünberg/Mücke (1988)

Außerdem – das sei hier der Vollständigkeit halber angegeben – wurden weitere Forschungsflüge im Kreis Lippe/Ostwestfalen und auf der Ostseeinsel Fehmarn unternommen.

Aus der Sicht der Bodendenkmalpflege besonders erwähnenswert ist die Eigeninitiative der Stadt Langen/Kreis Offenbach. Sie ließ 1982 und 1983 – zu einer Zeit, in der die Möglichkeiten der Luftarchäologie in Südhessen noch weitgehend unbekannt waren –

durch uns aus der Luft prüfen, ob in einem als Baugebiet geplanten Gemarkungsbereich mit der Freilegung von Bodendenkmälern zu rechnen sei. Obwohl die Beobachtungsbedingungen wegen überwiegender Nutzung des Geländes durch kleinflächige Schrebergärten sehr ungünstig waren, konnten durch Luftbilder und nur 2 Flurbegehungen 16 bisher unbekannte prähistorische Fundstellen nachgewiesen werden. Hier ist also eine Kommune ihren Verpflichtungen aus dem Hessischen Denkmalschutzgesetz freiwillig und rechtzeitig nachgekommen. Ihre Unkosten lagen unter 900,– DM. Sicherlich hätten die Kosten für einen Baustopp wegen unerwarteter Freilegung eines Bodendenkmals ein Mehrfaches dieses Betrages ausgemacht.

3.5 Arbeitsbedingungen

Zwischen den luftarchäologischen Forschungsaktivitäten der verschiedenen Bundesländer und unserem ehrenamtlichen Programm gibt es naturgemäß grundlegende Unterschiede. Sie zeigen sich sehr deutlich in der wesentlich besseren personellen, technischen und finanziellen Ausstattung, die den amtlichen Luftarchäologen zur Verfügung steht. Angefangen von der aktuellen Fundortkartei über die notwendige Fachliteratur bis hin zur Datierung und Lagerung des Fundmaterials können sie bei den Denkmalschutzämtern sämtliche erforderlichen Hilfsmittel in Anspruch nehmen. Ein jederzeit für den Einsatz zur Verfügung stehender Pilot mit Flugzeug ist in der Lage, kurzfristig optimale Sichtbedingungen als eine der ganzjährig wesentlichsten Voraussetzungen für erfolgreiche Forschungsflüge auszunutzen. Mehrere verschiedene Kameras mit qualitativ hochwertigen Objektiven für Schwarzweiß-, Farb- und z.T. auch Infrarotaufnahmen gehören zu ihrer Standardausrüstung. Die Auswertung der Flugergebnisse, Inventarisierung der Bilder, Flurbegehungen, wissenschaftliche Bearbeitung des Fundmaterials, Publizierung der Ergebnisse usw. werden oft von verschiedenen Personen durchgeführt.

Demgegenüber wurden alle vorstehenden Tätigkeiten und weitere nachfolgend noch genannte Aufgaben seit 1981 fast ausschließlich vom Verfasser allein in bisher über 3 000 (unbezahlten) Freizeitstunden bis hin zum Einsatz privater Urlaubstage wahrgenommen. Ohne das Verständnis meiner Frau und meiner Kinder, denen ich dafür herzlich danke, wäre dies nicht möglich gewesen.

Flüge waren in der Regel nur an Wochenenden und oft nur dann möglich, wenn die Luftsportvereine, mit denen zusammengearbeitet wurde, ihre Flugzeuge nicht für eigene Zwecke, insbesondere für Schulungen und Mitgliederflüge, benötigten und außerdem geeignete Piloten anwesend waren. Manche guten Witterungsbedingungen konnten aus diesen Gründen nicht genutzt werden. Unter Beachtung unserer eigenen Vorgabe, mit geringstmöglichem finanziellen Aufwand möglichst viele Bodendenkmäler im Luftbild zu dokumentieren, wurde der technische Aufwand bei der Durchführung des Programms bewußt gering gehalten.

3.6 Flugzeuge und Besatzung

Da der Verfasser keinen Pilotenschein besitzt und ein Erwerb ab 1981 nicht nur kosten-, sondern auch zeitintensiv gewesen wäre, stand fest, daß für alle Flüge mindestens zwei Personen erforderlich sind: ein Pilot, der für die Bedienung des Flugzeuges, die Flugsicherheit sowie die Einhaltung der vorgegebenen Flugstrecke verantwortlich ist, und der die Aufgaben des Archäologen wahrnehmende ortskundige Beobachter, der zugleich die Luftbilder herstellt. Diese Aufgabenteilung hat sich ausgezeichnet bewährt.

Benutzt wurden bisher eine viersitzige Cessna 170 B sowie zweisitzige Motorsegler der Marke „Falke" und hochmoderne Kunststoffmodelle. Während die Cessna zwei Plätze für zusätzliche Beobachter besitzt und mit vollständig zu öffnendem Seitenfenster optimale Bedingungen für die Herstellung von Schräg- und gelegentlich auch von Senkrechtaufnahmen bietet, überzeugten die zweisitzigen Maschinen trotz sehr kleiner Fensteröffnungen (nur ca. 8 cm x 10 cm) und als z.T. sichtbehindernde Tiefdecker durch ihre Wendigkeit sowie vor allem durch ihren sparsamen Treibstoffverbrauch bei gleichzeitig hoher Fluggeschwindigkeit. Besonderen Dank schuldet der Verfasser den Piloten Peter Kaßner, Buchschlag, Roland Wenzel, Groß-Umstadt und Bernd Weil, Rödermark, für ihre ständige Bereitschaft, unsere Arbeiten zu unterstützen. Das gilt entsprechend auch für die Flugsportvereinigung Offenbach und Reinheim sowie die Segelflugzeuggruppe Bensheim und deren Piloten. An das fliegerische Können aller Piloten wurden aufgrund der speziellen Bedingungen, die für luftarchäologische Suchflüge gelten, und wegen des dichten Flugverkehrs im Rhein-Main-Gebiet hohe Ansprüche gestellt. Ausgangspunkte unserer Flüge waren die Sportflugplätze in Babenhausen, Reinheim und Bensheim, OT Schwanheim.

3.7 Fotoausrüstung und Filmmaterial

Bei unseren Flügen im Jahr 1981 haben wir überwiegend Schwarzweißaufnahmen mit einer Kamera der Firma Hasselblad hergestellt. Da die Aussagekraft dieser Bilder für unsere Zwecke deutlich von Farbdias, die mit einer zweiten Kamera aufgenommen worden waren, übertroffen wurde, haben wir ab 1982 fast ausschließlich mit Farbfilmen gearbeitet. Allerdings – das muß man berücksichtigen – besteht dabei die Gefahr, daß sich die Farbwerte der Dias verändern und damit die Archivsicherheit auf längere Sicht nicht gewährleistet ist.

Ab 1982 wurde ausschließlich eine Spiegelreflexkamera mit Blendenautomatik und einem Teleobjektiv von 80 mm–200 mm Brennweite mit einem UV-Filter verwendet. Da die Verschlußzeiten wegen der erhöhten Verwacklungsgefahr durch Luftturbulenzen und die Eigenbewegungen des Flugzeuges besonders kurz sein müssen, haben wir mit 1/500 sec bzw. 1/1000 sec gearbeitet. Um diese Zeiten einhalten zu können, vor allem auch bei Flügen am späten Nachmittag zur Ausnutzung der Schattenbildung, haben wir mehrere Jahre überwiegend die Filmsorte Kodak Ektachrome 400 benutzt. Für die Dokumentation von luftarchäologischen Merkmalen in Farbdias ist sie sehr geeignet, weniger gut jedoch für die Herstellung von Papierbildabzügen. Die Grobkörnigkeit des Films führt hier schnell zu Unschärfen. Auf Empfehlung von A.-M. Martin, Bochum, verwenden wir daher seitdem mit gutem Erfolg nur noch Agfachrome 200 RS. Fehlfarbeninfrarotfilme werden hinsichtlich ihrer Aussagekraft über unterirdische Denkmäler oft überschätzt. Wir haben sie nur ausnahmsweise eingesetzt, um zusätzliche Erkenntnisse bei bereits bekannten archäologischen Objekten zu bekommen – mit bisher vergleichsweise geringem Erfolg.

3.8 Flugvorbereitung

Jeder Flug muß äußerst sorgfältig vorbereitet werden, um möglichst kostengünstig und erfolgreich arbeiten zu können.

Um einen Überblick über bereits bekannte vor- und frühgeschichtliche Fundstellen im Arbeitsgebiet zu erhalten, trug der Verfasser zu Beginn der Arbeiten alle in den

Ortsakten der Außenstelle Darmstadt des Landesarchäologen erfaßten Objekte in topographische Karten 1 : 25 000, den sog. Meßtischblättern (MTB) ein, die über das Hessische Landesvermessungsamt, Wiesbaden, oder über den Buchhandel bezogen werden können. Um neu entdeckte Fundstellen problemlos den jeweiligen Gemeindebereichen zuordnen zu können, werden Ausgaben mit Verwaltungsgrenzen verwendet. Außerdem wurden Bereiche in den MTB gekennzeichnet, in denen nach Befragen ortskundiger Personen möglicherweise bisher noch unbekannte Bodendenkmäler sichtbar werden könnten. Hinzu kamen Flächen, die durch geplante Landschaftseingriffe gefährdet waren.

Als unentbehrliche Hilfsmittel für unsere Arbeit haben sich Senkrechtluftbilder des Hessischen Landesvermessungsamtes (v.a. im Maßstab 1 : 13 000) erwiesen. Sie werden bei in mehrjährigen Abständen durchgeführten „Hessenbefliegungen" aufgenommen und können als Kontaktabzüge bei diesem Amt käuflich erworben werden. Die großen Möglichkeiten, welche die Interpretation dieser Luftbilder bietet, sind nach meinen Feststellungen der regionalen Forschung kaum bekannt und werden entsprechend selten genutzt. Diese Bilder können im Rahmen einer photogrammetrischen Untersuchung stereoskopisch ausgewertet werden und ermöglichen nicht selten bereits am Schreibtisch ohne zusätzliche Befliegung die Auffindung bisher unbekannter Bodendenkmäler[25]. Die Aufnahmen zeigen insbesondere Siedlungsgruben, frühere Verläufe von Fließgewässern und häufig auch noch das Straßennetz vor den modernen Flurbereinigungen. Manchmal ist das sichtbar werdende Wegenetz noch identisch mit vor- und frühgeschichtlichen Trassen, insbesondere auch mit römischen Straßen (Abb. 89–91). Eine weitere, sehr wichtige Aufgabe erfüllen diese Senkrechtluftbilder bei der Lokalisierung der auf unseren Bildern sichtbaren Strukturen, die auf Bodendenkmäler hinweisen. Auf ihnen sind z.B. in weitgehend ausgeräumten Landschaften mit großen Feldern noch einzelne Büsche oder Bäume zu erkennen, die in den MTB fehlen und dort die Auffindung der oft nur kleinflächigen Objekte erschweren. Bei Bestellungen sollten ausdrücklich kontrastreiche Kontaktabzüge angefordert werden, andernfalls werden von der Umgebung sich wenig abhebende Denkmäler nicht sichtbar.

Nachdem alle interessierenden Objekte und Bereiche in den Karten vermerkt sind, wird die Flugroute eingetragen. Da ein wesentliches Ziel unserer Arbeiten die flächendeckende Geländeüberprüfung ist, wird die Route schleifenförmig mit für den Piloten aus der Luft erkennbaren markanten Geländepunkten als Wendemarken eingezeichnet. Die Abstände der Flugstrecken werden so gewählt, daß der archäologische Flugbegleiter aus der Vogelperspektive jeweils einen Geländestreifen von etwa 200 m Breite überblikken kann. Geschlossene Waldungen wurden bis 1991 nicht in die Untersuchungen miteinbezogen, obwohl Bäume, die auf Wällen oder in Gräben wachsen, das am Boden vorhandene Relief bei günstigen Bedingungen durch unterschiedliche Wuchshöhe dem Beobachter aus der Luft verraten können. In Abhängigkeit von den örtlichen Gegebenheiten und dem Erhaltungszustand lassen sich Wallanlagen o.ä. in den Wäldern im allgemeinen jedoch nur in der vegetationsfreien Zeit im Luftbild darstellen.

3.9 Flugdurchführung

Die Flüge werden bei möglichst günstiger Witterung, d.h. vor allem bei klarer Sicht, unternommen. Diese Bedingung ist allerdings im Rhein-Main-Gebiet selten – meist nach Durchzug einer Regenfront („Rückfrontwetter") – und dann auch nur kurzfristig gegeben. Als ungünstig für unsere Beobachtungen haben sich auch die im Sommer häufig bildenden Haufenwolken, die „Schönwetter-Cumuli", erwiesen. Wo ihr Schatten auf die Erdoberfläche trifft, werden luftbildarchäologische Merkmale fast schlagartig weitgehend ausgelöscht.

Auch der Pilot prägt sich vor Flugbeginn die Route genau ein. Während des Fluges müssen er und der Begleiter möglichst unabhängig vom ständigen Blick in die Karte sein, denn bei den vergleichsweise hohen Geschwindigkeiten sind kreuzende oder entgegenkommende Flugzeuge erst spät und auch Bodendenkmäler oft nur sekundenlang erkennbar.

Tauchen während des Fluges verdächtige Strukturen auf, die vielleicht ein Denkmal verraten, wird zunächst eine Panoramaaufnahme gefertigt, die das Objekt gemeinsam mit markanten Landschaftsbestandteilen zeigt, welche in den MTB und Senkrechtluftbildern zur Lokalisierung wieder aufgefunden werden können. Danach wird das Objekt aus verschiedenen Perspektiven photographiert. Wegen des Fluglärms erfolgt die notwendige Abstimmung zwischen Photograph und Pilot durch Handzeichen. Belichtete Filme werden fortlaufend durchnumeriert.

Die von den meisten Luftarchäologen aufgestellte Arbeitsregel „Erst eine neu entdeckte Fundstelle in der Karte lokalisieren und dann photographieren", habe ich bereits unmittelbar nach Beginn unseres ersten Fluges aufgegeben. Bei geöffnetem Fenster verzögert die im Fahrtwind flatternde Karte ein exaktes Eintragen des beobachteten Objekts und führt durch längeres nutzloses Kreisen des Flugzeugs dazu, daß wertvolle, teure Flugzeit für weitere Erkundigungen verloren geht. Eine Lokalisierung der im Luftbild festgehaltenen Merkmale ist, wie noch gezeigt wird, dennoch möglich.

Die Flughöhe liegt überwiegend zwischen 300 m und 500 m.

3.10 Nach den Flügen

Unmittelbar nach Beendigung eines Fluges wird von den Teilnehmern die Flugroute nachvollzogen und ggf. korrigiert, denn aus der Vogelperspektive werden immer wieder Strukturen sichtbar, die eine Änderung der Flugrichtung notwendig machen.

Von jedem Flug wird ein Protokoll gefertigt, in dem zahlreiche relevante Daten festgehalten werden, welche die jeweiligen Flugbedingungen auch später noch nachvollziehen lassen. Dazu gehören Angaben zur Flugzeit, zum Wetter, zur Art und Zahl der verwendeten Filme, zu besonderen Beobachtungen und zu den entstandenen Unkosten. Das Kartenmaterial mit der eingezeichneten Flugroute wird als Anlage beigeheftet.

Nach der Entwicklung der während eines Fluges belichteten Filme werden die einzelnen Luftbilder fortlaufend numeriert. Die vollständige Archivnummer besteht aus einem das Aufnahmegebiet kennzeichnenden Buchstaben oder einer entsprechenden Kombination (Ausnahme: Landkreis Darmstadt-Dieburg), der laufenden Nummer und der zugehörigen Jahreszahl. Ein Luftbild mit der Angabe „B 400/90" bedeutet, daß es als vierhundertstes Photo im Flugjahr 1990 im Kreis Bergstraße aufgenommen wurde.

Mit Hilfe der aktualisierten Flugstrecke, der MTB und vor allem der o.a. Senkrechtluftbilder werden nun die Orte aller in den Luftbildern festgehaltenen Objekte in „Heimarbeit" genau bestimmt. Die Lokalisierungsrate lag nur selten unter 100 Prozent.

In einer Zusammenstellung werden u.a. neben der laufenden Bildnummer die Gemeinde, das MTB und die zugehörigen Rechts- und Hochwerte eingetragen. In den MTB wird der Aufnahmeort mit Angabe der laufenden Bildnummer gekennzeichnet. Durch Verwendung unterschiedlicher Farben oder zusätzlicher geometrischer Symbole werden die Aufnahmeorte aus verschiedenen Flugjahren möglichst in den gleichen MTB hervorgehoben. Das ist vorteilhaft, denn für die Überprüfung bestimmter Örtlichkeiten durch Geländebegehungen läßt sich dann bereits auf einen Blick erkennen, ob und ggf. welche Luftbilder aus verschiedenen Aufnahmejahren zur Auswertung vorliegen.

Zu Beginn eines jeden Flugjahres mußte bis einschließlich 1990 eine kostenpflichtige „Besondere Erlaubnis zur Herstellung von Luftbildaufnahmen" bei dem Regierungspräsidenten in Darmstadt eingeholt werden. Sie enthielt neben einer Fülle von Auflagen u.a. Angaben zum Forschungsgebiet, die Namen der Piloten und des Photographen sowie die Typen und amtlichen Kennzeichen der benutzten Flugzeuge.

Bis dahin mußten auch die o.a. Zusammenstellungen mit den zugehörigen MTB dem Regierungspräsidenten in Darmstadt zur kostenpflichtigen Freigabe der Luftbilder vorgelegt werden. Freigegebene Luftbilder hatten bei Veröffentlichungen jeder Art oder bei Weitergabe an Dritte den Vermerk „Luftaufnahme – freigegeben unter Nr. ... durch den Regierungspräsidenten in Darmstadt" zu tragen.

Aufgrund eines längst überfälligen Beschlusses des Deutschen Bundestages ist dieses aufwendige und im Zeitalter der Satelliten überflüssige Verfahren ab Mitte 1990 eingestellt worden. Auch der Freigabevermerk braucht seitdem nicht mehr angegeben zu werden.

3.11 Luftbildinterpretation und Geländebegehung

An diese mehr bürokratischen, aber unverzichtbaren projektbegleitenden Tätigkeiten schließt sich mit der archäologischen Interpretation[26] der in den Luftbildern festgehaltenen Strukturen und Merkmalen eine wichtige Arbeitsphase an, deren Ergebnisse wesentlich von der Erfahrung des Luftarchäologen abhängen. Allerdings sind auch ihm Grenzen gesetzt. So können z.B. ehemalige Wegtrassen, die sich in den Luftbildern zeigen, sowohl erst im vergangenen Jahrhundert entstanden sein als auch bereits aus römischer Zeit stammen. Rekultivierte Deponien ähneln in ihrem unregelmäßigen Erscheinungsbild aus der Luft nicht selten überraschend prähistorischen Siedlungsstellen. Bombenkrater können mit vorgeschichtlichen „Abfallgruben" verwechselt werden. Die Aufzählung von Irrtumsmöglichkeiten ließe sich leicht fortsetzen.

Es ist daher notwendig, zur Feststellung der Ursachen der Luftbildbefunde möglichst viele zusätzliche Informationen einzuholen. Dazu bietet es sich an, alte Karten und die Senkrechtluftbilder des Landesvermessungsamtes durchzuprüfen und auszuwerten, Fundmeldungen in den Ortsakten zu überprüfen, Auswirkungen von Flurbereinigungsverfahren zu berücksichtigen und ortskundige Bürger zu befragen. Optimal wäre es, wenn die „verdächtigen" Geländebereiche durch eine archäologische Ausgrabung oder zumindest durch Anlage eines Suchschnittes überprüft würden. Angesichts der unzureichenden personellen und finanziellen Ausstattung der amtlichen Bodendenkmalpflege in Hessen und der sehr großen Anzahl entsprechender Beobachtungen in unserer Landschaft ist eine derartige Hoffnung – auch auf längere Sicht – natürlich völlig unrealistisch.

Es gibt jedoch ein meist sehr aufschlußreiches und vergleichsweise leicht einsetzbares Hilfsmittel, wenn geeignete Personen zur Verfügung stehen. Es ist dies die Geländebegehung. Fundmaterial und die Beobachtungen vor Ort erlauben dem erfahrenen Flurbegeher oft auch ohne Ausgrabung die Datierung der in den Luftbildern dokumentierten Strukturen und ihre Zuordnung zu einem bestimmten Bodendenkmaltyp. Allerdings bedarf es dazu nicht selten regelmäßiger, mehrjähriger Begehungen. Daß der Verfasser als archäologischer, ortskundiger Beobachter und Photograph während der Flüge bisher die Luftbildbefunde weitgehend persönlich im Gelände überprüft hat, ist für das Forschungsprogramm unseres Vereins von großem Vorteil. Denn jede Flurbegehung führt zu neuen Erkenntnissen, die bei künftigen Flugbeobachtungen berücksichtigt werden können.

Luftbildarchäologische Beobachtungen im Bereich vor- und frühgeschichtlicher Denkmäler lassen sich zusätzlich durch weitere moderne physikalische Prospektionsmethoden überprüfen und ideal ergänzen. Während die Magnetometermethode die Störungen im natürlichen Magnetfeld der Erde mißt, die durch menschliche Eingriffe verursacht wurden, ermöglicht die Erdwiderstandsmessung, differierende Spannungsabfälle im Erdreich nachzuweisen, die entsprechende Ursachen haben. Beide Verfahren sind sehr kostenaufwendig. Ihr Einsatz wurde von uns bisher nicht veranlaßt.

3.12 Radiaesthesie

Wesentlich einfacher und kostengünstiger ist eine Forschungsmethode, welche in der wissenschaftlichen Archäologie bisher nur ausnahmsweise zum Einsatz gekommen ist: die Radiaesthesie, besser bekannt als das Rutengehen. Viele Menschen wissen nicht, daß die Rute in den Händen eines erfahrenen Radiaestheten nicht nur zum Aufspüren unterirdischer Wasserläufe, sondern auch zum Nachweis von Erzgängen, Metallgegenständen, im Boden verborgenen Mauern, unterirdischen Gängen, Gräbern u.v.m. erfolgreich verwendet werden kann. Beeindruckend sind die Ergebnisse der modernen Radiaesthesie im Bereich der Burgen-, Kirchen- und Wüstungsforschung[27]. Viele zeit- und kostenintensive Suchgrabungen, z.B. im Bereich von Gräberfeldern, könnten bei vorheriger Überprüfung des Geländes mit der Rute vermieden werden.

Zahlreiche Beobachtungen im Bereich vor- und frühgeschichtlicher Bodendenkmäler im In- und Ausland bestätigen immer wieder, daß die heutigen Rutengänger uraltem Wissen auf der Spur sind. Schon vor mindestens 5000 Jahren waren, wie Untersuchungen des Verfassers an einem großen Grabhügel bei Newgrange/Irland und in Stonehenge/England zeigten, unseren Vorfahren die Geheimnisse der Geomantie, der Lehre von den Erdkräften und Erdstrahlen, vertraut. „Gute" und „schlechte" Plätze waren in ihrem täglichen Leben und bis über den Tod hinaus für sie von Bedeutung[28].

Der Verfasser ist aufgrund eigener Erfahrungen bei der Überprüfung vor- und frühgeschichtlicher Objekte von der Realität radiaesthetischer Phänomene überzeugt und bezieht ihre Aussagekraft seit einigen Jahren in seine ehrenamtlichen Tätigkeiten in den Bereichen der Bodendenkmalpflege und des Naturschutzes ein. Eine klappbare Messingtaschenrute (Vertikalrute) ist ständiger Begleiter bei allen Geländebegehungen. Sie wird auch zur Überprüfung luftbildarchäologischer Befunde eingesetzt. Vorbilder für die Anwendung dieser Methode sind die Heimatforscher und Flurbegeher Peter Eidmann (†), Groß-Umstadt, und Ludwig Rodenhäuser, Ober-Ramstadt, sowie Vertreter der Landesgruppe Hessen des Forschungskreises für Geobiologie e.V.

Soweit immer wieder reproduzierbare, durch andere Rutengänger und durch nachfolgende Ausgrabungen bestätigte positive Ergebnisse erzielt werden, sind die kontroversen Diskussionen in der Öffentlichkeit, ob das Rutengehen tatsächlich ernstzunehmen oder nicht vielmehr reine Einbildung oder gar Betrug sei oder auch der Streit unter den Rutengängern selbst, ob die „physikalische" Radiaesthesie mit der Anwendung der „Grifflängentechnik" nun das einzig Wahre und das „mentale" Muten unwissenschaftlich und unseriös sei, letztlich unwichtig[29].

Allerdings können – auch bei erfahrenen, hochbegabten Rutengängern – immer wieder einmal fehlerhafte Mutungen auftreten. Das kann jedoch nur den Laien verunsichern und einen Gegner des Rutengehens in seiner Ablehnung bestärken. Jeder Kenner der Materie, vor allem der geschulte Radiaesthet, weiß, welchen vielfältigen körperlichen und seelischen Anforderungen ein Mensch genügen muß, um optimale Mutungsergebnisse zu erhalten. Konzentrationsschwächen, fehlende Erfahrung mit dem jeweiligen Forschungsbereich und mangelnde Übung mit der eingesetzten Rutenart können weitere Fehlerquellen sein. Der Verfasser hat sich z.B. während der Exkursion zum Erdwerk Calden bei Kassel im Rahmen des Hessischen Vorgeschichtstages 1991 aus Begeisterung dazu hinreißen lassen, Ausdehnung und Größe eines im Boden verborgenen Megalithsteingrabes mit der Rute festzustellen. Die Ergebnisse stimmten nach Aussage des verantwortlichen Grabungsleiters mit den späteren Ausgrabungsbefunden nicht genau überein. Einen erfahrenen Rutengänger überrascht dieses Ergebnis nicht, weiß er doch im Gegensatz zur damaligen Kenntnis des Verfassers, daß die Anwesenheit von weit über 100 Menschen selten eine verläßliche Mutung zuläßt.

Nach Beobachtungen des Verfassers verfügen bisher nur wenige Rutengänger über einschlägige Erfahrungen bei der Überprüfung archäologischer Objekte, weil ihre Arbeitsschwerpunkte auf anderen Gebieten, z.B. der Ermittlung geopathogener Zonen, liegen. Das Interesse derjenigen Rutengänger, welche die Möglichkeiten ihrer Fähigkeiten aus wissenschaftlicher Sicht auszuloten versuchen, an diesem Forschungsbereich ist jedoch groß. Sie sind oft gern bereit, ihre Kenntnisse bei der Überprüfung konkreter Objekte zur Verfügung zu stellen. Den im Bereich der Bodendenkmalpflege aktiven Heimat- und Geschichtsvereinen wird empfohlen, geeignete Mitglieder auf die Möglichkeit zur Ausbildung als Rutengänger mit Schwerpunkt „archäologische Forschung" aufmerksam zu machen[30].

Dem archäologisch Interessierten, der bereit ist, sich offen und unvoreingenommen mit der Radiaesthesie als – heute noch – wissenschaftlichem Grenzgebiet zu beschäftigen, wird sich eine völlig neue, faszinierende Welt erschließen.

3.13 Fundauswertung und Inventarisierung

Die bei den Flurbegehungen zusammengetragenen Lesefunde werden getrocknet, mit der notwendigen Sorgfalt gereinigt, begutachtet, nach Möglichkeit datiert und anschließend inventarisiert.

In einem vom Kreis- und Stadtmuseum Dieburg erarbeiteten Protokoll werden alle wichtigen Daten der einzelnen Begehung festgehalten. Die relevanten Funddaten werden in einem gesonderten Fundbericht der Außenstelle des Landesarchäologen und der jeweils zuständigen unteren Denkmalschutzbehörde zur Berücksichtigung bei geplanten Landschaftseingriffen mitgeteilt.

Sowohl die große Anzahl der bereits vorhandenen Luftbilder als auch die kaum noch überschaubare Fundmenge „fordern" schon lange den Einsatz der Datenverarbeitung. Entsprechende Programme der amtlichen Bodendenkmalpflege sollen daher künftig eingesetzt werden.

Die Fundbereiche, die bisher nur in den MTB nachgewiesen wurden, werden ab 1992 in die Deutsche Grundkarte (1 : 5 000) eingezeichnet.

3.14 Öffentlichkeitsarbeit

Unser Forschungsprogramm hat von Beginn an großes Interesse in der Öffentlichkeit gefunden. Das „Abenteuer der Luftarchäologie" fasziniert ganz offensichtlich viele Menschen. Da die Kenntnisse über diese Prospektionsmethode der modernen Altertumsforschung zunächst noch sehr gering waren, wurde der Verfasser u.a. von öffentlichen Institutionen, Politikern und vor allem von regionalen Geschichtsvereinen und -forschern um entsprechende Informationen sowie um luftarchäologische Beratung und Unterstützung bei der Klärung örtlicher oder regionaler geschichtlicher Fragen gebeten.

Zur Öffentlichkeitsarbeit, die unsere Arbeit bisher begleitete, gehören z.B. über 40 Lichtbildervorträge, 15 Informationsberichte bei verschiedenen Gremien, darunter bei mehreren Denkmalschutzbehörden, und Einweisungsveranstaltungen für Flurbegeher. Eine Wanderausstellung wurde bereits in 7 Orten gezeigt. Auch das Interesse der Medien ist bemerkenswert. Viele regionale Zeitungsmeldungen, ein dpa-Bericht mit bundesweiter Resonanz, zwei Fernsehsendungen des Hessischen Rundfunks und zahlreiche Rundfunkinterviews sind in diesem Zusammenhang zu erwähnen.

Durch diese vielfältige Öffentlichkeitsarbeit und insbesondere durch die Unterrichtung hessischer Landespolitiker verschiedener Parteien ist es uns etwa ab Mitte der achtziger Jahre gelungen, die drängenden Probleme der hessischen Bodendenkmalpflege verstärkt ins öffentliche Bewußtsein zu rücken. Unsere Aktivitäten haben nicht nur zu entsprechenden Tätigkeiten in anderen Bereichen Hessens und zur Einstellung eines Archäologen beim Landkreis Darmstadt-Dieburg beigetragen, sondern sicherlich auch dazu, daß ab 1988 in unserem Bundesland ein amtliches luftarchäologisches Forschungsprogramm begonnen wurde[31].

3.15 Kosten

Für den Bereich des Landkreises Darmstadt-Dieburg betragen die direkten Kosten (37 Flüge mit insgesamt 56 Flugstunden, Film- und Kartenmaterial, Genehmigungs- und Freigabekosten, flächendeckende Senkrechtluftbilder (1 : 13 000), Fahrtkosten usw.) seit 1981 bisher insgesamt 22 393,71 DM. Das ist sicherlich nur ein geringer Betrag im Vergleich zu jenen Kosten, die entstehen können, wenn z.B. Straßenbauten wegen unerwartet angeschnittener Bodendenkmäler unterbrochen werden müssen. Diesen Ausgaben stehen als „Gegenleistung" rund 7 600 Luftbilder (insgesamt in allen Arbeitsgebieten: über 20 000 Bilder) und bereits fast 250 neu entdeckte vor- und frühgeschichtliche Fundstellen gegenüber. Von den Luftbildern wurden erst weniger als 10 Prozent im Gelände überprüft.

Die in jedem Flugjahr entstandenen Unkosten wurden vom Verein für Heimatgeschichte e.V. zunächst verauslagt und auf Antrag vom Landkreis Darmstadt-Dieburg erstattet. Dieser Behörde gilt für die weit über Hessen hinaus beispielhafte finanzielle Unterstützung im Interesse der Erfassung und Erhaltung unserer kulturellen Erbgüter besonderer Dank, ebenso dem Denkmalbeirat dieses Kreises für seine langjährige Förderung unserer Arbeit.

3.16 Probleme

Die Durchführung der luftbildarchäologischen Forschungsarbeiten in der geschilderten Form bereitete seit 1981 keine ernsthaften Schwierigkeiten und verlief planmäßig. Der erforderliche Arbeitsaufwand wurde durch die Freude über die vielen neuen Erkenntnisse und Beobachtungen immer wieder mehr als ausgeglichen.

Probleme traten jedoch auf, als wir von Jahr zu Jahr erfolgreicher arbeiteten und immer mehr Bodendenkmäler mit entsprechendem Fundmaterial entdeckten. So ist bis heute die künftige gesicherte Aufbewahrung der Lesefunde aus dem Landkreis Darmstadt-Dieburg nicht geklärt. Sie lagern z.Z. an vier verschiedenen Orten. Schwerwiegender ist die Tatsache, daß ein großer Teil des Fundmaterials noch nicht wissenschaftlich ausgewertet wurde. Mehrere Versuche, diese Schwierigkeiten erfolgreich zu bewältigen, blieben bisher letztlich erfolglos. Eine Lösung in absehbarer Zukunft ist nicht zu erkennen. Jedes neu entdeckte Bodendenkmal verschlechtert die Situation. Der weitere gravierende Nachteil, daß es viel zu wenig Flurbegeher gibt, welche die verdächtigen Strukturen auf den bereits vorliegenden Luftbildern im Gelände überprüfen könnten, verliert insofern fast an Bedeutung. Dieses zuletzt erwähnte Problem tritt auch bei anderen Forschungsprogrammen auf.

Von der Lösung der erwähnten offenen Fragen wird es abhängen, in welcher Form und mit welcher Intensität wir unsere Arbeiten künftig fortsetzen können.

4. Bemerkenswerte (Zwischen)-Ergebnisse

Da bisher nur an einer Stelle (Abb. 52), die wir photographiert haben, einige Strukturen durch Ausgrabungen des Landesamtes in Wiesbaden überprüft wurden und unser Fundmaterial zu einem großen Teil noch nicht von Wissenschaftlern untersucht ist, wäre es verfrüht, bereits jetzt zu versuchen, alle von uns neu entdeckten Bodendenkmäler nach Funktion, Entstehungszeit usw. detailliert darzustellen und vielleicht sogar statistisch auszuwerten. Bei diesem Sachstand ist auch eine Interpretation der in den zugehörigen Luftbildern dokumentierten Strukturen häufig nur unbefriedigend möglich. Zu groß wäre noch die Gefahr der Spekulation und des Irrtums. Eine Deutung der beobachteten luftarchäologischen Merkmale ist daher z.Z. überwiegend nur über Vergleiche mit ähnlichen, wissenschaftlich bereits überprüften Befunden aus anderen Untersuchungsgebieten möglich. Auch dort sind aber noch viele Fragen offen, zumal insbesondere siedlungsarchäologische Forschungen erst in den letzten Jahren zu einem zentralen Anliegen der Wissenschaft geworden sind.

Allgemein läßt sich jedoch bereits folgendes sagen. Mit Hilfe der bisher im Gelände überprüften Luftbilder (weniger als 5 Prozent der im gesamten Untersuchungsbereich hergestellten Aufnahmen) und des dabei entdeckten Fundmaterials von inzwischen über 300 vorher unbekannten Bodendenkmälern wurden Spuren aller wesentlichen im Rhein-Main-Gebiet vertretenen Kulturepochen vom Frühneolithikum bis ins späte Mittelalter nachgewiesen, darunter auch zahlreiche der bisher vergleichsweise seltenen Fundorte endneolithischer Populationen. Eine große Anzahl der Siedlungsstellen sind in der Jungsteinzeit, der späten Bronzezeit und vor allem in der Eisenzeit entstanden. Viele von ihnen waren über mehrere Jahrhunderte und z.T. auch während verschiedener Kulturepochen bewohnt. Hinter den beobachteten Strukturen verbergen sich u.a. Hügelgräber, Gräberfelder, Siedlungen, Grabenwerke, Wasserburgen, mittelalterliche Ackerformen und Altstraßen.

Unsere bisherigen Forschungsergebnisse haben bereits jetzt das vor- und frühgeschichtliche Siedlungsbild des Arbeitsgebietes nicht unerheblich verändert und vor allem eine hohe Siedlungsdichte in weiten Bereichen deutlich gemacht. Waren z.B. seit Beginn der Heimatforschung bis 1981 im Außenbereich der Orte Dieburg, Semd und Langstadt (alle Landkreis Darmstadt-Dieburg) 12, 1 und 2 Bodendenkmäler bekannt, so wurden inzwischen innerhalb weniger Jahre 35, 11 und 15 neue von uns entdeckt. Mit Sicherheit werden künftig weitere Stellen nachgewiesen werden.

Kunstvolle Figuren im Getreide, die „Außerirdischen" zugeschrieben werden könnten, wurden nicht gesichtet. Allerdings beobachteten wir mehrfach – meist kleinere – exakte Kreise in Feldern, in deren Bereich die Vegetation in einer Richtung gleichmäßig umlaufend niedergelegt war. Nach Aussage eines Piloten[32] entstehen sie vermutlich durch senkrecht nach unten wirkende Luftwirbel, die wie Fallwinde die Erdoberfläche treffen. Sie können sogar kleineren Flugzeugen gefährlich werden.

Ergänzend wird darauf hingewiesen, daß wir bei unseren Flügen nicht nur nach archäologischen Objekten suchten. Wir photographierten außerdem vorhandene und geplante Naturschutzgebiete in verschiedenen Sukzessionsstadien, historische Ortskerne und bemerkenswerte Gebäude, wie Kirchen, Burgen, Schlösser, alte Höfe und Mühlen (Abb. 85–87) sowie Altdeponien.

4.1 Altstraßen

Für die Erforschung der vor- und frühgeschichtlichen Besiedlung einer Landschaft ist die Kenntnis der Altstraßen von großer Bedeutung. Viele der von uns bisher neu nachgewiesenen prähistorischen Siedlungsstellen bestätigen bereits jetzt eindrucksvoll die Erkenntnis, daß unsere Vorfahren bevorzugt im Nahbereich dieser Wegtrassen siedelten. Es mußte jedoch außerdem Wasser in Form einer Quelle oder eines – auch kleineren – Fließgewässers vorhanden sein.

Die Altstraßenforschung ist eine ebenso faszinierende wie mühsame Tätigkeit. Die eingehenden Untersuchungen von Schmidt zur römerzeitlichen Besiedlung entlang der Römerstraße Gernsheim–Dieburg sind dafür ein überzeugendes Beispiel[33]. Da die kombinierte Auswertung unserer Luftbilder und der Senkrechtluftbilder des Hessischen Landesvermessungsamtes der Altstraßenforschung im Arbeitsgebiet nicht unbedeutende neue Impulse geben kann, werden entsprechende Forschungen künftig einen Arbeitsschwerpunkt des Verfassers bilden. Die folgenden 5 Luftbilder sollen verdeutlichen, welche Aussagen in diesem Zusammenhang durch die Tätigkeit des Luftbildarchäologen möglich sind.

Die Römer haben während ihrer Besetzung des Gebietes zwischen Rhein, Main und Odenwaldlimes viele Straßen angelegt. Zahlreiche von ihnen hatten strategische Bedeutung. Im Gegensatz zu den älteren, unbefestigten Naturwegen, welche die Römer hier vorfanden, bauten sie Straßen mit Steinunterlagen und einer abdeckenden Schotterschicht. Zu beiden Seiten der oft 6 m breiten Straßen befanden sich flache Gräben[34].

Diese Gräben, die trotz lang zurückliegender Einebnung bis heute mehr Feuchtigkeit als ihre Umgebung speichern, verraten in Abb. 4 mit hoher Wahrscheinlichkeit als positive Bewuchsmerkmale den Verlauf einer dieser römischen Straßen. Von Offenbach kommend, zieht sie quer durch die heutige Feldflur – von rechts unten nach links oben – in südöstlicher Richtung an Hainhausen vorbei auf das am oberen Bildrand sichtbare Jügesheim zu und dann weiter nach Stockstadt/M. Während Kurt in seiner Dissertation[35]

Abb. 4: Hainhausen, Kreis Offenbach. Vermutete römische Straße Offenbach-Jügesheim-Stockstadt/M. (Of 6/88, 06.07.88).

diese Straße noch nicht nennt, wird von Nahrgang in dem im Luftbild sichtbaren Bereich mit fast deckungsgleicher Trassenführung eine „Römerstraße mit Wahrscheinlichkeit vermutet"[36]. Ob diese Annahme zutrifft, kann wohl nur durch einen gezielten Suchschnitt geklärt werden. Im Bereich von Jügesheim lag vermutlich die Kreuzung von mindestens 4 römischen Straßen, d.h. es dürfte wie Dieburg ein Hauptstraßenknotenpunkt gewesen sein[37].

In Abb. 5 wird im Bereich von Bürstadt, OT Riedrode,Kreis Bergstraße, die Trasse einer bedeutenden römischen Etappenstraße sichtbar. Es ist dies die 74 n. Chr. gebaute „Rheinuferstraße". Sie führte von Mainz über Groß-Gerau, Gernsheim, Ladenburg nach Heidelberg und weiter nach Augsburg, der Hauptstadt der Provinz Raetia[38]. Südlich von Gernsheim durchzog diese Straße weitgehend schnurgerade die Landschaft am Oberrhein. Heute noch wird ihre Trasse z.B. als Bundesstraße 44 oder als Feldweg benutzt. Teilweise bildet sie als „Grenzschneise" die Gemarkungsgrenze zwischen Biblis und Einhausen. Ihr Verlauf ist jedoch – so Meier-Arendt[39] – nur bis zum heutigen Weschnitzlauf und dann erst wieder als „Steiner Straße" im Lorscher Stadtwald nachweisbar. Die plötzliche Unterbrechung führt er auf eine durch die Weschnitzregulierung verursachte Störung zurück.

Es braucht nicht besonders betont zu werden, daß es uns reizte, durch unsere Tätigkeit den noch nicht genau bekannten Trassenverlauf aus der Luft nachzuweisen. Tatsächlich wurde er – zum ersten und bisher einzigen Mal – während eines Fluges im trockenen, heißen Sommer 1990 sichtbar und dann auch nur für Sekundenbruchteile während eines zum Sonnenstand günstigen Blickwinkels. Als positives Bewuchsmerkmal zeigen sich hier wie bei Abb. 4 die Straßengräben durch ihr – nur geringfügig – höheres Wachstum im fast reifen Getreide zwischen zwei Sonnenblumenfeldern. Hinzu kommt

Abb. 5: Bürstadt, OT Riedrode, Kreis Bergstraße. Römische Straße („Rheinuferstraße") Mainz–Groß-Gerau–Gernsheim–Ladenburg (B 145/90, 13.07.90).

Abb. 6: Umzeichnung des Luftbildes Abb. 5.

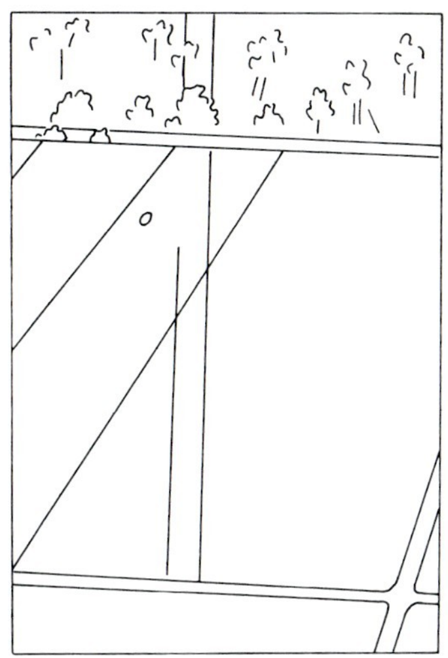

ein schwacher Schattenwurf. Im oberen Feld sind die Gräben teilweise noch durch Wachstumsstörungen nachvollziehbar. Bei genauer Betrachtung erkennt man am oberen Bildrand im schattigen Waldrandbereich den Beginn der „Steiner Straße", auf welche die hier auftauchende Trasse genau hinzieht. Die Ursachen der vielen Bewuchsstörungen im Getreide müssen noch im Gelände überprüft werden.

Das heutige Dieburg war eine römische Zivilsiedlung und zugleich Hauptort der Civitas Auderiensium. Die Siedlung, welche etwa um 125 n. Chr. gegründet wurde, lag verkehrsgünstig an der Kreuzung mehrerer Fernstraßen und am nördlichen Rand eines großen, fruchtbaren Lößgebietes, dessen landwirtschaftliche Bebauung sich anbot, um die Truppen am Limes zu versorgen.

Eine der von Dieburg ausgehenden Straßen führte in südöstlicher Richtung über Groß-Umstadt zum Odenwaldlimes. Da über sie auf kürzestem Weg Soldaten von Mainz in die Kastelle an der Grenzbefestigung verlegt werden konnten, dürfte sie für die Römer von erheblicher strategischer Bedeutung gewesen sein. Aus der Luft war die Trasse regelmäßig in niederschlagsarmen Sommermonaten zwischen dem „Semder Kreuz" und dem Bereich südwestlich der Gustav-Hacker-Siedlung, Richen, zu erkennen. Sie war für uns fast so etwas wie eine „gute, alte Bekannte". Leider wird sie jetzt durch Überbauung zerstört. Da aufgrund mehrerer unserer Luftbilder in ihrem unmittelbaren Nahbereich vorrömische, vor allem eisenzeitliche Siedlungsstellen gefunden wurden, dürfte diese römische Straße einem bereits früher vorhandenen Weg gefolgt sein.

Abb. 7: Groß-Umstadt, OT Semd, Landkreis Darmstadt-Dieburg. Trasse der römischen Straße Dieburg–Groß-Umstadt–Odenwaldlimes (31/85, 03.02.85).

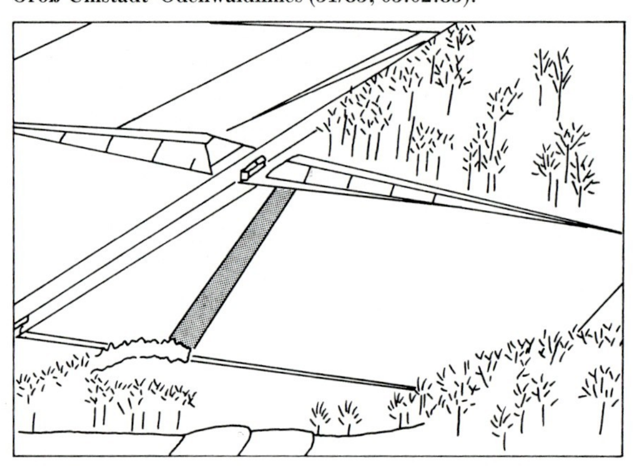

Abb. 8: Umzeichnung des Luftbildes Abb. 7.

Der Verlauf dieser Straße konnte von den Archäologen an verschiedenen Stellen sicher nachgewiesen werden. Dazu gehört der in Abb. 7 sichtbare Bereich der Semme, einem kleinen Odenwaldbach, zwischen dem Ober- und dem Mittelforst in der Semder Gemarkung. Die Straßentrasse ist aus der Bodensicht unter dem schmalen Heckenzug am linken unteren Bildrand als deutliche Erhebung zu erkennen. Dort, wo der von der Hecke überwachsene Straßenkörper auf die Semme trifft, wurden römische Brückenreste festgestellt[40].

Seit 1981 war die römische Trasse im benachbarten freien Wiesengrund als Schattenmerkmal nur selten so deutlich zu erkennen wie auf diesem Luftbild, das an einem

Abb. 9: Bickenbach, Landkreis Darmstadt-Dieburg. Römische Straße Gernsheim–Dieburg, Verlauf einer Sumpfbrücke (543/85, 08.04.85).

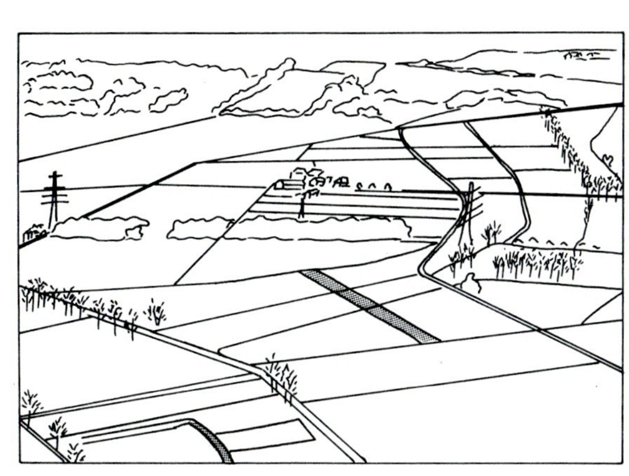

Abb. 10: Umzeichnung des Luftbildes Abb. 9.

Abb. 11: Groß-Zimmern, Landkreis Darmstadt-Dieburg. „Hohe Straße" zwischen Ober-Ramstadt und Groß-Zimmern (143/84, 15.07.84).

Abb. 12: Umzeichnung des Luftbildes Abb. 11.

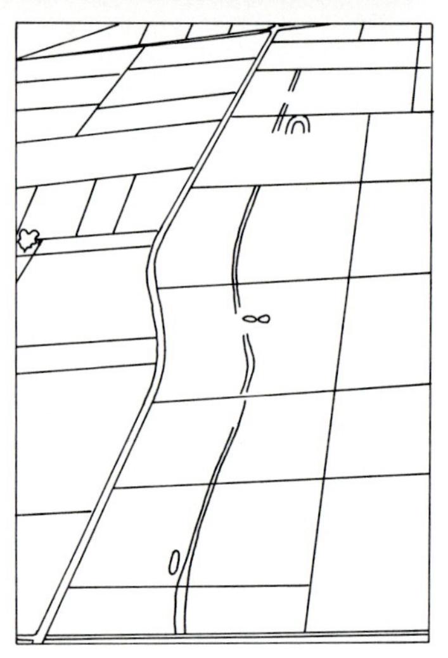

Februarnachmittag mit bemerkenswert „weichem" Licht aufgenommen wurde. Die heute noch vorhandene Geländeerhöhung ist so gering, daß sie kaum auffällt, selbst wenn man dicht davor oder sogar auf ihr steht.

Viele archäologische Luftbilder, auch von bekannten Bodendenkmälern, werfen oft neue Fragen auf. Abb. 7 ist dafür ein Beispiel. Die hier im freien Gelände auftauchende Trasse zieht genau auf das etwa 3 km entfernte römische Dieburg zu. Warum macht sie im Brückenbereich aber einen deutlichen Knick? Es spricht einiges dafür, daß diese Straße älter ist als die römische Siedlung und ursprünglich östlich an deren späterem Standort vorbeizog[41]. Tatsächlich beobachteten und photographierten wir

1981 in der Verlängerung des von links unten nach Mitte rechts führenden Heckenzuges eine auffällige Wuchsverdichtung weißblühender Kerbelpflanzen. Da bekannt ist, daß derartige Pflanzen gestörte Bodenbereiche bevorzugt besiedeln (luftarchäologisches „Unkraut-Merkmal"), dürfte die römische Straße ursprünglich in NNO-Richtung verlaufen sein. Entsprechende Geländeerhöhungen sind jedoch heute nicht mehr zu erkennen. Das überrascht auch nicht, weil die römischen Straßenbauer sicherlich das Baumaterial aus diesem Bereich für die neue, nun wichtigere hier sichtbare Trasse verwendet haben dürften.

Schwarzer Moorboden zwischen hellen Sandflächen zeigt in Abb. 9 einen Altarm des Rheinrandflusses westlich von Bickenbach, Landkreis Darmstadt-Dieburg, in der Gewann „Schifflache". Für den Beobachter aus der Luft sind diese für weite Teile des Rieds charakteristischen Landschaftsstrukturen immer wieder beeindruckend. Deutlich wird auf diesem Luftbild aber auch, wie das frühere Flußbett durch Eingriffe des Menschen zunehmend zerstört und seiner Eigenheit beraubt wird.

Die römische Straße Gernsheim–Darmstadt–Dieburg überquerte in diesem Bereich den Altarm. Der helle, kurze Kiesstreifen im mittleren Bildbereich zeigt den ehemaligen Standort einer mindestens 300 m langen Sumpfbrücke an. Die Brücke und ihr Aufbau konnten bei Ausgrabungen von 1967– 1976 auf einer Länge von 225 m nachgewiesen werden. Im Nahbereich der Brücke wird die Existenz eines Militärpostens vermutet[42]. Mehrere verdächtige Strukturen in weiteren Luftbildern, die jedoch noch nicht im Gelände überprüft wurden, scheinen diese Vermutung zu bestätigen.

Von Ober-Ramstadt kommend, durchzieht der in Abb. 11 erkennbare Weg als „Hohe Straße" die Feldflur in Richtung Groß-Zimmern. Sowohl seine Bezeichnung als auch sein Verlauf auf einem langgestreckten Höhenzug östlich des Roßberges deuten auf einen alten Fernweg hin. Auch in unserem Arbeitsgebiet bestätigt sich – nicht nur an diesem Beispiel – die Erkenntnis, daß der vor- und frühgeschichtliche Verkehr sumpfige Niederungen mehr scheute als Steigungen[43].

Bereits 1982 stellten Mitglieder des Vereins für Heimatgeschichte e.V., Ober-Ramstadt, bei der Interpretation eines Senkrechtluftbildes (Abb. 89) fest, daß der moderne Feldweg nicht identisch ist mit der Altstraße. Deren Trasse verlief, wie in Abb. 11 deutlich zu erkennen ist, parallel zur heutigen „Hohen Straße". Bei der Altstraßenforschung darf man sich also nicht ohne Prüfung darauf verlassen, daß heutige Wege mit der Trasse von Altstraßen identisch sind, selbst wenn die Benennung dafür spricht. Die Auswirkungen von Flurbereinigungen und Veränderungen der Wegeführung in den vergangenen Jahrhunderten müssen berücksichtigt werden. Neben der Luftarchäologie kann die Radiaesthesie nach unseren Erfahrungen eine wertvolle Hilfe bei der Auffindung des ursprünglichen Straßenkörpers sein.

Nachdem der tatsächliche Verlauf der Altstraße aufgrund der Luftbildauswertung feststand, wurden bei einer Flurbegehung in ihrem unmittelbaren Nahbereich sofort drei bisher unbekannte prähistorische Siedlungsstellen nachgewiesen. Der dunkelgrüne Fleck im unteren Bildbereich, wohl eine Abfallgrube, und die dunklen Verfärbungen in der Bildmitte kennzeichnen zwei der Fundorte. Diese Feststellungen verdeutlichen den Wert archäologischer Luftbildauswertung besonders gut. Denn trotz jahrelanger intensiver Überprüfungen dieses Gebietes durch erfahrene Flurbegeher waren diese Fundstellen nicht entdeckt worden.

Die Aussage der lokalen Forschung, diese Altstraße sei nicht nur in prähistorischer Zeit von Bedeutung gewesen, sondern später auch von den Römern ausgebaut und benutzt worden, wird durch Abb. 11 untermauert. Die für römische Straßen typischen Gräben sind im unteren Bildbereich als positives Bewuchsmerkmal zu erkennen. Eine teilweise Hellfärbung des Straßenkörpers deutet darauf hin, daß im Untergrund noch Steinpackungen vorhanden sind, welche durch Abführung des Oberflächenwassers die darüber wachsenden Pflanzen schneller (not-)reifen lassen.

Durch die Lößgebiete des nördlichen Odenwaldvorlandes führten früher zahlreiche Hohlwege, die sich durch lange, intensive Benutzung tief in die Landschaft eingegraben hatten. Dazu gehörte als besonders erwähnenswertes Beispiel der „Schiffweg" an der Kleinen Bergstraße. Auch er ist nach unseren Forschungsergebnissen ein seit mindestens 5000 Jahren benutzter Höhenweg. Heute ist er durch ungenehmigte Verfüllungen mit Müll und Bauschutt sowie durch landwirtschaftliche Eingriffe bedauerlicherweise kaum noch zu erkennen. Er teilt damit das Schicksal fast aller anderen Hohlwege.

Abb. 13: Groß-Zimmern, Landkreis Darmstadt-Dieburg. Zwei sich kreuzende, verfüllte Hohlwege (53/82, 26.03.82).

Im Bereich der Flur „Tannenbaum" nahe der Gemarkungsgrenze zwischen Groß-Zimmern und Roßdorf, Landkreis Darmstadt-Dieburg, werden in Abb. 13 als Feuchtigkeitsmerkmale zwei sich kreuzende – heute verfüllte – Hohlwege sichtbar, die Anfang dieses Jahrhunderts noch benutzt wurden. Oberflächenwasser, das in den eingeschwemmten und aufgeschütteten lockeren Bodenschichten stärker als in dem benachbarten gewachsenen Lößboden gespeichert wird, zeigt durch Dunkelfärbung den Verlauf der ehemaligen Wege. So deutlich wie in Abb. 13 sind sie nur selten zu erkennen.

4.2 Altläufe von Fließgewässern

Die vor- und frühgeschichtlichen Menschen legten ihre Siedlungen nicht nur im Nahbereich von Altstraßen, sondern auch von Fließgewässern an. Das ist verständlich, mußte doch Wasser, auch für das Vieh, ohne großen Beschaffungsaufwand möglichst ganzjährig zur Verfügung stehen. Diese über Jahrtausende zu beobachtende enge Bindung der Wohnplätze an vor allem fließendes Wasser löste sich erst mit der römischen Besiedlung.

Im Lauf der Jahrtausende haben sich unsere Fließgewässer in Abhängigkeit von Faktoren wie Niederschlagsmenge, Fließgeschwindigkeit, Landschaftsrelief, Bodenarten sowie nach Art und Menge der mitgeführten Gerölle und Schwebstoffe immer wieder verlagert. Insbesondere als Folge winterlicher Hochwässer kam es zur Ausbildung neuer Schlingen. Heute noch sind viele von ihnen trotz wasserbaulicher Eingriffe und Flurbereinigungen aus der Vogelschau zu erkennen. Hervorragende Beispiele im Arbeitsgebiet sind der Rheinrandfluß und die Altläufe der Gersprenz östlich von Babenhausen, Landkreis Darmstadt-Dieburg (Abb. 16). Dabei wird deutlich, daß sich das moderne Gewässernetz von dem vergangener Zeiten wie Tag und Nacht unterscheidet. Lange, gerade Strecken, charakteristisch für heutige Flüsse und Bäche, sind Fließgewässern fremd, die der natürlichen Dynamik unterliegen. Ihr Verlauf wird stattdessen von vielen aufeinanderfolgenden Mäandern (Abb. 16, 17) geprägt.

Zwar war die vor- und frühgeschichtliche Landschaft, vor allem in den Ebenen, im allgemeinen wesentlich feuchter und sumpfiger als heute. Überschwemmungen größeren Ausmaßes, wie wir sie immer wieder erleben, waren damals aber sicher selten, denn die vielen Gewässerschlingen und Totarmbereiche waren in der Lage, große Wassermengen zusätzlich aufzunehmen. Anders ist es auch nicht überzeugend zu erklären, daß wir mit Hilfe unserer Luftbilder im Ried und am Unterlauf der Gersprenz bereits zahlreiche prähistorische und römische Siedlungsstellen nachgewiesen haben, die zur Zeit ihrer Existenz nach heutigen Gegebenheiten in potentiellen Überschwemmungsbereichen gelegen haben müssen. Insbesondere bei Siedlungen ackerbautreibender Kulturen ist nicht anzunehmen, daß sie während der Jahreszeit, in denen die Flüsse Hochwasser führten, von den Bewohnern regelmäßig verlassen werden mußten.

In Abb. 14 erkennt man im Hintergrund unmittelbar nordöstlich des Naturschutzgebietes „Reinheimer Teich" den vor mehr als 50 Jahren begradigten Verlauf der Gersprenz. Im zeitigen Frühjahr werden im hellen Lößboden davor Altarme dieses Odenwaldbaches als Feuchtigkeitsmerkmale erkennbar.

Bis wenige Tage vor dem 26.03.1982 hatte es langanhaltend geregnet. Danach war der gewachsene Boden infolge der Sonneneinstrahlung abgetrocknet. Nur in den Altläufen mit ihrem locker eingeschwemmten bzw. eingebrachten Bodenmaterial wurde die Feuchtigkeit länger gespeichert. Bei einem weiteren Flug zwei Tage später war auch hier der Boden vollkommen abgetrocknet. Die Altläufe waren nicht mehr zu erkennen.

Sowohl auf der unmittelbar hinter dem heutigen Gersprenzlauf ansteigenden Terrasse als auch in der etwa 400 m entfernten Flur „Aue" in der Gemarkung von Groß-Zimmern, Landkreis Darmstadt-Dieburg, die fast mit dem Niveaubereich der heutigen Gersprenz übereinstimmt, wurden bandkeramische Siedlungsstellen nachgewiesen.

Altläufe von Fließgewässern können während der Vegetationsperiode als positive oder negative Bewuchsmerkmale sichtbar werden (Abb. 15). Kurz vor ihrer Mündung in den Main bei Stockstadt/M., Kreis Aschaffenburg, erkennt man den heutigen Lauf der Gersprenz und mehrere ihrer ehemaligen Bachbetten im Getreide.

Abb. 14: Otzberg, OT Habitzheim, Landkreis Darmstadt-Dieburg. Gersprenz – heutiges Bachbett und Altläufe (121/82, 26.03.82).

Abb. 15: Stockstadt/M., Kreis Aschaffenburg. Gersprenz – heutiges Bachbett und Altläufe (484/88, 09.07.88).

Die durch Hellfärbung sich bereits abzeichnende vorzeitige Reifung des Getreides im unteren – wohl jüngsten Altlauf – ist auf dort abgelagerte Kies- und Sandschichten zurückzuführen. Diese entwässern schneller als die umgebenden Bodenschichten und führen zu Wassermangel bei den darüber wachsenden Pflanzen. Deren Halme verholzen und können, wie die Windbruchflächen im unteren Getreidefeld zeigen, Sturmböen mehr Widerstand entgegensetzen als die benachbarten Pflanzen.

Östlich von Babenhausen, Landkreis Darmstadt-Dieburg, in der weitgehend ebenen Untermainebene hat die Gersprenz immer wieder die Möglichkeit genutzt, ihren Verlauf zwischen der nördlichen und der südlichen Terrasse zu verändern (Abb. 16). In der Fehlfarbeninfrarotaufnahme werden durch Hell- oder Dunkelfärbung zahlreiche alte Schlingen des Baches deutlich. Heute fließt die Gersprenz im Bereich der Baumreihe. Am oberen Bildrand bei Stockstadt/M. mündet sie in den Main.

Abb. 16: Babenhausen, OT Harreshausen, Landkreis Darmstadt-Dieburg. Gersprenzaue mit Altläufen (12/19/81, 14.06.81).

Das Gersprenztal wird hier von zwei Altstraßen begleitet, in deren Nahbereich bereits zahlreiche vor- und frühgeschichtliche Siedlungen nachgewiesen werden konnten. Im Wald am linken Bildrand verlief auf einer Dünenkette der prähistorische „Rennweg" und im rechts erkennbaren Waldgebiet die römische „Rennstraße" von Dieburg nach Stockstadt/M. In den Abb. 15 und 16 wird die natürlichen Fließgewässern eigene Dynamik besonders deutlich.

In der östlichen Gemarkung von Biblis, Kreis Bergstraße, ist neben dem heutigen, am Reißbrett geplanten, kanalisierten und naturfernen Lauf der Weschnitz ihr früheres Bett (Abb. 17) zu erkennen. Es durchquert vielfältig gewunden die Feldflur und wird in den Äckern als Boden- und in den von Nutzpflanzen bewachsenen Bereichen als

Abb. 17: Biblis, Kreis Bergstraße. Weschnitz – heutiges Bachbett und Altlauf (B 217/88, 04.06.88).

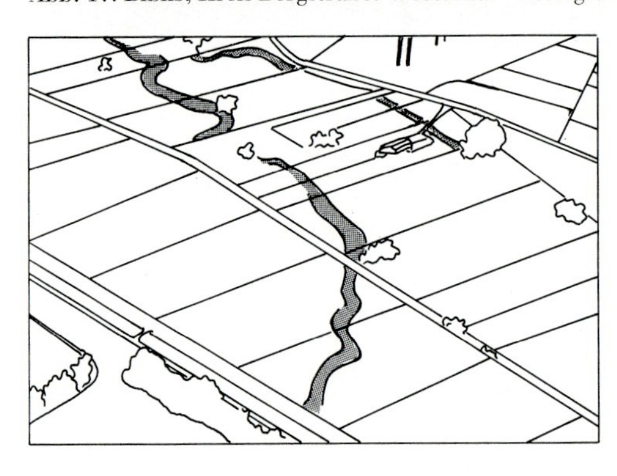

Abb. 18: Umzeichnung des Luftbildes Abb. 17.

Vegetationsmerkmal sichtbar. Die Hellfärbung des Bodens und des Getreides deuten auf stark entwässernde Ablagerungen von Geröllen und Sanden hin.

Bis etwa ins 4. Jh. n. Chr. soll die Weschnitz in Betten des Rheinrandflusses in nordwestlicher Richtung bis zu ihrer Mündung in den Rhein bei Trebur geflossen sein. Ab dieser Zeit wurde bei Bodenuntersuchungen in den Altläufen eine verstärkte Verlandung und Vermoorung beobachtet. Das läßt darauf schließen, daß die Weschnitz damals ihre heutige Fließrichtung nach Westen eingeschlagen hat. Sie mußte dabei allerdings eine Dünenkette östlich von Einhausen, Kreis Bergstraße, durchstoßen. Es wird vermutet, daß die Römer bei der Veränderung des Bachbettes nachgeholfen haben. Mit ihren technischen Fähigkeiten wären sie dazu durchaus in der Lage gewesen. Als ihr mögliches Motiv wird die wesentliche Verkürzung des Beförderungsweges für die

Werkstücke von ihrem Steinbruch am Felsberg im Odenwald zum Rhein genannt, die dort noch vor allem in der 1. Hälfte des 4. Jh. – vielleicht auch noch in der 2. Hälfte – hergestellt worden sind.

Abb. 17 spricht jedoch gegen diese Überlegung. Denn das hier und in benachbarten Bereichen aus der Luft sichtbar werdende alte Bachbett der Weschnitz gleicht dem Verlauf eines natürlichen, vom Menschen unbeeinflußten Fließgewässers. Hätten die Römer tatsächlich einen kürzeren Beförderungsweg gesucht, so hätten sie mit großer Wahrscheinlichkeit zumindest einige der sichtbaren Schlingen begradigt. Das ist aber nicht geschehen. Durch Interpretation aller vorhandenen archäologischen Luftbilder einschließlich der Senkrechtluftbilder und durch Flurbegehungen soll künftig der Klärung dieser Frage verstärkt nachgegangen werden.

Abb. 19 zeigt die Situation bei einem Rheinhochwasser in der südwestlichen Gemarkung von Groß-Rohrheim, Kreis Bergstraße. Obwohl der heutige Rheinlauf 1,6 km entfernt ist, steht das Grundwasser in zahlreichen parallelen Rinnen auf den Äckern und Getreidefeldern. Es ist über diese Entfernung hin aus dem Boden „gedrückt" worden. Der Rhein beeinflußt also das Grundwasser in weitem Umkreis. Diese Wasserrinnen, die bei jedem größeren Hochwasser sichtbar werden und möglicherweise frühere Altarme des Rheins mit abgelagerten Kiesschichten unter der Humusdecke anzeigen, hinterlassen durch Wachstumsstörungen und Verfärbungen deutliche Spuren auch noch nach mehreren Monaten, sowohl in den Getreidefeldern als auch auf unbebauten Äckern. Es ist zu vermuten, daß vor- und frühgeschichtliche Siedlungsstellen bevorzugt auf den erhöhten Geländebereichen zu finden sind, die bei derartigen Grundwasserverhältnissen als Inseln sichtbar werden. Künftige Flurbegehungen werden eine entsprechende Klärung bringen.

Abb. 19: Groß-Rohrheim, Kreis Bergstraße. Rheinhochwasser – „Wasserrinnen" in der Landschaft (B 279/88, 04.06.88).

4.3 Siedlungen

Frühere Siedlungsstellen lassen sich aus der Luft überwiegend durch Boden- oder Vegetationsmerkmale erkennen. Ihr Sichtbarwerden hängt von zahlreichen Faktoren ab. Dazu gehören nicht nur möglichst optimale Bedingungen für das Auftreten luftarchäologischer Merkmale, sondern ebenso die Siedlungsart und -dauer sowie der Erhaltungszustand des Objekts und der Kulturschicht. Auch das Landschaftsrelief und die Bodenart sind von entscheidender Bedeutung. So haben wir im überwiegend ebenen Ried in Bereichen stark entwässernder Böden bereits mehrere Grundrisse als Vegetationsmerkmale photographiert (Abb. 29, 31, 33). Im nördlichen hügelreichen Odenwaldvorland ist uns dies – und auch den Luftbildarchäologen des landesweiten Forschungsprogramms[44] – bisher nicht gelungen. Es wurde schon darauf hingewiesen, daß dieser Negativnachweis wohl auf den weitgehend vollständigen Abriß von Ruinen und auf die höhere Feuchtigkeitsspeicherung der hier überwiegenden Löß- und Lößlehmböden zurückzuführen ist. Hinzu kommt, daß die feinen Lößteile sehr stark der Erosion unterliegen. Sie werden durch den Wind leicht verweht und durch Oberflächenwasser abgeschwemmt. Die Kulturschichten von auf erhöhten Bereichen angelegten Siedlungen können dadurch vollständig abgetragen werden. Reste tiefergelegener Siedlungen werden durch den Bodenabtrag überlagert.

Wie bei anderen luftarchäologischen Programmen auch, lassen sich nur einige der von uns bis jetzt nachgewiesenen vor- und frühgeschichtlichen Siedlungsstellen als solche sofort sicher ohne Flurbegehungen bezeichnen. Das ist in der Regel dann der Fall, wenn geometrische Strukturen wie Kreise und vor allem Rechtecke sichtbar sind (Abb. 27), denn diese entstehen selten auf natürliche Weise. Die Mehrzahl der von uns aufgefundenen Siedlungsstellen zeigt dagegen im Luftbild wenig geordnete Strukturen. Es überwiegen unscharfe Bodenverfärbungen und entsprechende Wachstumsstörungen in der Vegetation. Hier werden die Folgen einer z.T. sehr langen landwirtschaftlichen Nutzung erkennbar, zu denen auch die mehr oder weniger starke Zerstörung der Kulturschicht gehört.

Auf die große Bedeutung der Existenz von Altstraßen und Wasservorkommen für die Anlage prähistorischer Siedlungsstellen wurde bereits unter 4.1 und 4.2 hingewiesen. Dieses Thema soll hier noch einmal kurz aufgegriffen werden.

Unsere einschlägigen Beobachtungen in den Arbeitsgebieten lassen sich in der einfachen Formel ausdrücken: „Altstraße + Wasser = prähistorische Siedlungsstelle". Zu berücksichtigen ist dabei, daß man annähernd genau den tatsächlichen Verlauf der Altstraße kennt und die Wasserverhältnisse sich seit prähistorischer Zeit nicht grundlegend verändert haben. Letzteres kann man aber immer wieder in weiten Teilen Südhessens durch die intensive Grundwasserabsenkung und als Folge des anhaltenden Einbruchs des Oberrheingrabens bei gleichzeitiger Aufkippung der Grabenschulter feststellen. Fahlbusch hat dies für den Raum Darmstadt angenommen[45].

Wie stark die allgemeine Grundwasserabsenkung zum großflächigen Verschwinden von Quellen und damit zu erheblichen Landschaftsveränderungen beigetragen hat, wurde dem Verfasser besonders deutlich in der Feldflur nördlich von Semd, Landkreis Darmstadt-Dieburg. Hier fand er 7 prähistorische, überwiegend eisenzeitliche Siedlungsorte, die alle mehr als einen Kilometer vom nächsten Fließgewässer, der Semme, entfernt liegen. Diese konnte wegen des Landschaftsreliefs auch damals kein näher gelegenes Bett benutzt haben. Da unsere Vorfahren für sich selbst und für ihr Vieh ständig Wasser benötigten, erschien ein derartiges Siedlungsverhalten zunächst wenig verständlich.

Des Rätsels Lösung fand sich in der Ausgabe der geologischen Karte „Groß-Umstadt" (1 : 25 000) von 1892. Sie zeigte in den Fundbereichen zahlreiche Quellaustritte. Heute sind diese Quellen längst versiegt oder verschüttet und in der Landschaft nicht mehr zu erkennen. Derartige Landschaftsveränderungen müssen daher sowohl der Luftarchäologe als auch ein Flurbegeher bei ihrer Arbeit und der Auswertung der Befunde stets beachten.

Bei Habitzheim, Landkreis Darmstadt-Dieburg, zeigen 4 Abfallgruben(Abb. 20) als dunkle Flecken im hellen Löß die Lage einer jungsteinzeitlichen Siedlungsstelle an. Das bisher geborgene Fundmaterial besteht neben Steingeräten und Hüttenlehm aus überwiegend reich verzierten Keramikfragmenten, die z.T. mit weißer Paste ausgelegt waren. Die zugehörige Siedlung dürfte danach der Rössener Kultur angehört haben und max. 6 800 Jahre alt sein. Sie lag an einem nach Osten gerichteten, windgeschützten Hang. Neben dem fruchtbaren Lößboden boten die nahe vorbeifließende Gersprenz und das Gebiet des heutigen Reinheimer Teichs mit seinen ganzjährig schüttenden Quellen eine reiche Fisch-, Vogel- und Wildnahrung.

Abb. 20: Otzberg, OT Habitzheim, Landkreis Darmstadt-Dieburg. 4 Abfallgruben einer jungsteinzeitlichen Siedlungsstelle (74/85, 03.02.85).

Abb. 21 wurde bei Vilchband im südlichen Taubergau aufgenommen. In einer für das Frühjahr auf vegetationsfreien, hellen Böden charakteristischen Erscheinungsweise wird hier mit großer Wahrscheinlichkeit eine ausgedehnte prähistorische Siedlung erkennbar. Diese Aussage kann trotz noch ausstehender Flurbegehung aufgrund einschlägiger Erfahrungen gemacht werden. Während die flächenhaften Verdunklungen Reste der Kulturschicht oder Vernässungen – möglicherweise als Folge menschlich bedingter Bodenverdichtungen – zeigen, sind die Flecken als Abfallgruben zu deuten.

Abb. 21: Vilchband, Main-Tauber-Kreis. Spuren einer vermutlich prähistorischen Siedlungsstelle (G 91/88, 24.04.88).

Die Auswertung des Luftbildes läßt eine sichere Aussage über die Zugehörigkeit dieser Stelle zu einer bestimmten Kulturepoche und die Dauer der Besiedlung nicht zu. Ebensowenig kann ohne Flurbegehung eine Angabe über die Ursachen der in dieser Panoramaaufnahme erkennbaren hellen und dunklen Verfärbungen gemacht werden, – mit Ausnahme der parallelen, dunklen Streifen auf dem Feld im mittleren Bildbereich. Diese sind durch Düngung entstanden.

Unmittelbar südlich von Altheim, Landkreis Darmstadt-Dieburg, aber noch auf Semder Gemarkung, erstreckt sich eine größere prähistorische Siedlungsstelle. Sie liegt heute zwischen zwei schmalen Bacharmen der Semme auf einem leicht erhöhten Geländerücken, dessen Hellfärbung auf geringere Feuchtigkeit hinweist. In den Luftbildern (Abb. 22, 24) zeigt sich auf den noch vegetationsfreien Ackerflächen ein System von drei teilweise parallelen Gräben. Sie sind ein gutes Beispiel für das luftarchäologische Feuchtigkeitsmerkmal. Außerdem lassen sich mindestens 7 dunkle Flecken erkennen. Diese dürften identisch mit der Lage ehemaliger Abfallgruben sein.

Bei Flurbegehungen konnte im Bereich der auffallenden dunklen Streifen und Flecken zahlreiches prähistorisches Material geborgen werden. Ein Mahlstein aus Buntsandstein und ein Läufer aus Granit (Abb. 25), typische Gesteinsarten für derartige Geräte im nördlichen Odenwaldvorland, sowie Hüttenlehm sind deutliche Beweise für die Existenz einer prähistorischen Siedlungsstelle. Bemerkenswert ist u.a. auch das Bruchstück eines Steingeräts aus importiertem Opalquarzit mit retuschiertem Rand (Abb. 26). Es ist offensichtlich bereits während der Gebrauchszeit wegen eines natürlichen Risses im Gestein zerbrochen.

Abb. 22: Groß-Umstadt, OT Semd, Landkreis Darmstadt-Dieburg. Prähistorische Siedlungsstelle (118/83, 30.04.83).

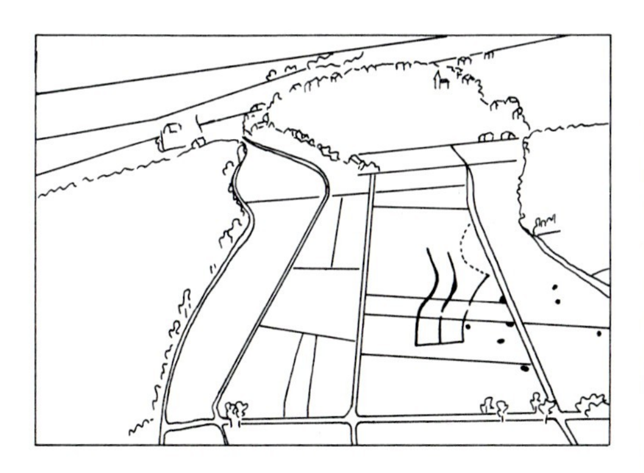

Abb. 23: Umzeichnung des Luftbildes Abb. 22.

Charakteristische Keramikfragmente beweisen bisher eine Besiedlung des Gebietes in zwei verschiedenen Kulturepochen. Die Masse der Lesefunde kann der Latènezeit (450–50 v. Chr.) zugeordnet werden. Einige Scherben sind jedoch Teile jungsteinzeitlicher Gefäße. Eine genaue Datierung steht noch aus. Der gleichzeitige Nachweis neolithischer und latènezeitlicher Siedlungsreste gelang uns schon an auffallend vielen Fundstellen im Arbeitsgebiet. Welche Funktion das eindeutig künstlich geschaffene Grabensystem hatte und welcher Zeitepoche es zuzuordnen ist, kann wohl nur durch eine gezielte Ausgrabung festgestellt werden.

In Abb. 22 ist mit dem Feldweg am unteren Bildrand ein weiteres geschichtliches Objekt zu erkennen. Als „Hohe Straße" ist er hier weitgehend identisch mit der römischen Straße von Dieburg zum Main bei Stockstadt bzw. Niedernberg. Deren Trasse ist oder besser war im „Mittelforst", der an den rechten Bildrand anschließt, noch sehr gut als Wall zu erkennen. Die Beseitigung der Sturmschäden vom Frühjahr 1990 mit großen, schweren Kettenfahrzeugen hat jedoch teilweise erhebliche Schäden an dem Straßenkörper hinterlassen. Im weiteren Verlauf dieser römischen Straße wurden bereits im

Abb. 24: Groß-Umstadt, OT Semd, Landkreis Darmstadt-Dieburg. Prähistorische Siedlungsstelle – Detail (118a/83, 30.04.83).

Nahbereich weitere vorgeschichtliche Siedlungsstellen nachgewiesen, so daß auch sie vermutlich einem prähistorischen Altweg folgt.

Abb. 22 zeigt als Panoramaaufnahme großflächige Spuren ehemaliger Siedlungsstellen und verdeutlicht dadurch besonders gut einen weiteren Wert archäologischer Luftbilder. Denn ohne den Vorteil der Vogelperspektive ist ein Flurbegeher als erdgebundener Beobachter gezwungen, alle vom Boden aus erkennbaren Verfärbungen und sonstigen Zeichen wie in einem Puzzle mühsam zusammenzusetzen.

Während unserer bisherigen Forschungsflüge in der nördlichen Oberrheinebene haben wir schon eine sehr große Anzahl von Spuren photographiert, die auf eine vor- oder frühgeschichtliche Entstehung hindeuten. Erste Flurbegehungen haben zumindestens zwei wesentlichen Erkenntnissen geführt. Die Ufer der Altarme des Rheinrandflusses waren über die Jahrtausende hin sehr dicht besiedelt. Allein in der Gemarkung von Riedstadt, OT Crumstadt, Kreis Groß-Gerau, konnten bei nur einer Geländebegehung auf 1,5 km Uferlänge 9 bisher unbekannte vor- und frühgeschichtliche Fundstellen mit z.T. mehrfacher Besiedlung in verschiedenen Kulturepochen nachgewiesen werden. Die

Abb. 25: Groß-Umstadt, OT Semd, Landkreis Darmstadt-Dieburg. Mahlstein aus Buntsandstein und Granit-Läufer.

Abb. 26: Groß-Umstadt, OT Semd, Landkreis Darmstadt-Dieburg. Fragment eines Steingerätes aus Opalquarzit.

Abb. 27: Riedstadt, OT Crumstadt, Kreis Groß-Gerau. Spuren prähistorischer Siedlungen (C 197/90, 06.07.90).

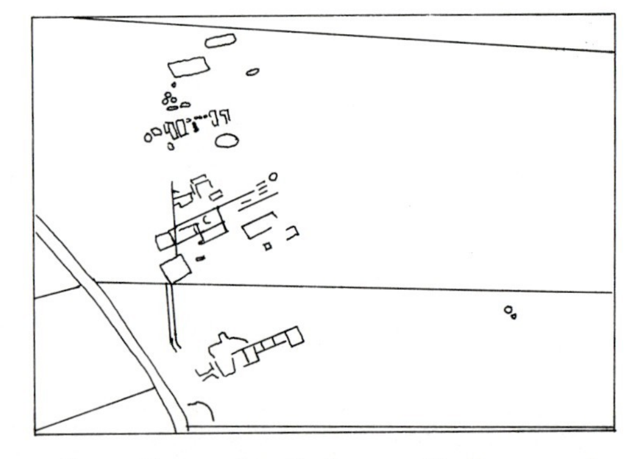

Abb. 28: Umzeichnung des Luftbildes Abb. 27

zweite Beobachtung betrifft die zeitliche Zuordnung des Fundmaterials. Die schon vorliegenden Lesefunde deuten auf eine wesentlich dichtere jungsteinzeitliche Besiedlung hin, als bis jetzt angenommen wurde. Darunter befinden sich außerdem überraschend mehrere Fundplätze mit germanischen Keramikfragmenten.

Man muß kein Prophet sein, um vorauszusagen, daß künftige systematische Flurbegehungen in diesen Gebieten viele zur Zeit noch unbekannte Siedlungsnachweise erbringen werden. Die Ergebnisse werden umso besser sein, je früher, flächendeckender und regelmäßiger diese Begehungen durchgeführt werden. Leider hat der Kreis Groß-Gerau bis heute wenig Interesse an der planmäßigen Erforschung der vor- und frühgeschichtlichen Besiedlung des Kreisgebietes gezeigt. Es wäre zu begrüßen, wenn er künftig dem positiven Beispiel seiner Nachbarkreise folgt und unter Beteiligung der interessierten ehrenamtlichen Mitarbeiter die Bodendenkmalpflege in seinem Zuständigkeitsbereich umfassend aktiv fördern würde.

In Abb. 27 taucht direkt neben einem Altarm des Rheinrandflusses im heranreifenden Getreide eine verwirrende Fülle von überwiegend rechteckigen Strukturen auf. Die positiven Bewuchsmerkmale zeigen frühere schmale Gräben und flächenhafte Boden-

Abb. 29: Bürstadt, Kreis Bergstraße. Spuren jungsteinzeitlicher und römischer Siedlungstätigkeit (B 424/90, 13.07.90).

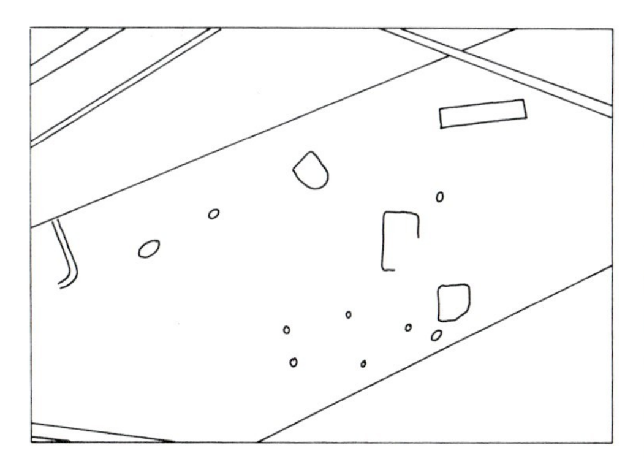

Abb. 30 Umzeichnung des Luftbildes Abb 29.

vertiefungen an. Ob hier Hausgrundrisse zu erkennen sind – wie zu vermuten ist –, kann mit Sicherheit letztlich nur durch eine Ausgrabung festgestellt werden. Die geschwungenen, dunklen Doppelstrukturen im oberen Bildbereich wurden durch ein landwirtschaftliches Fahrzeug verursacht.

Umfangreiches Fundmaterial der Bandkeramiker und der Rössener Kultur lassen überraschend auf ein Alter dieser Siedlung(en) von rund 7000 Jahren und auf eine längere Besiedlungsphase schließen. Zu den bemerkenswertesten Funden gehören auch mehrere Steinbeile. 1983 wurden in nur 3,5 km Luftlinie entfernt Teile einer Siedlung der ältesten Linearbandkeramik archäologisch untersucht[46]. Ob zwischen beiden Siedlungen eine zeitliche Beziehung bestand, bedarf zusätzlicher Funde und weiterer Forschungen.

Nur wenige Meter von der im Luftbild (Abb. 27) festgehaltenen Fläche wurden im vegetationsfreien Boden mehrere große, fast schwarz gefärbte Abfallgruben und Spuren einer latènezeitlichen Siedlung entdeckt. Auch hier beobachten wir also eine eng benachbarte Lage von Siedlungen der Jungsteinzeit und der späten Eisenzeit.

Abb. 31: Bürstadt, OT Bobstadt, Kreis Bergstraße. Grundriß und Spuren von zwei ehemaligen Straßen (B 111/90, 13.07.90).

Abb. 32: Umzeichnung des Luftbildes Abb. 31.

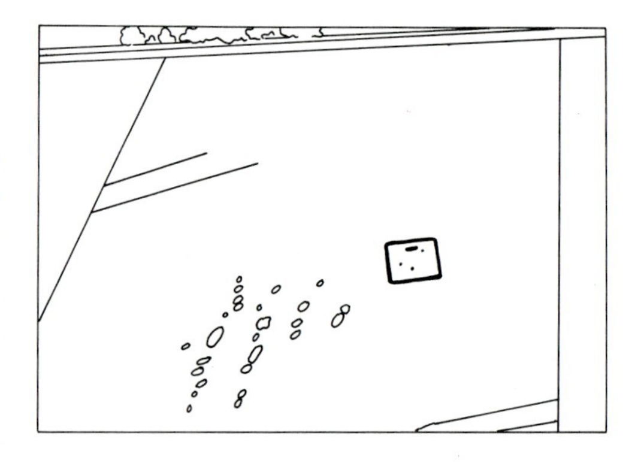

Südlich von Bürstadt, Kreis Bergstraße, zeigt das Luftbild (Abb. 29) im trockenen Sommer 1990 in einem Getreidefeld zahlreiche positive Vegetationsmerkmale. Sie zeichnen schmale und flächenhafte rechteckige sowie kreisförmige Formen nach. Ähnliche Spuren lassen sich durch Wachstumsstörungen in den benachbarten Maisfeldern feststellen. Ein Zusammenhang mit einer ehemaligen Siedlungsstelle liegt nahe.

Bei einer Geländebegehung wurden tatsächlich im unteren Bildbereich bandkeramische und im oberen Teil römische Keramikfragmente gefunden. Da römisches Material in einem weiten, über den Bildausschnitt hinausreichenden Areal flächenhaft geborgen wurde, dürften hier Spuren einer großen villa rustica oder vielleicht auch eines römischen Weilers zu erkennen sein. Selbst eine militärische Anlage ist nicht auszuschließen. Der am unteren Bildrand verlaufende Feldweg markiert den Uferbereich eines Altarms des Rheinrandflusses. Wir haben also auch hier, wie in Abb. 27, die charakteristische Siedlungssituation für das Ried. Es ist nicht auszuschließen, daß bei weiteren Begehungen noch andere Kulturepochen nachgewiesen werden können.

Abb. 33: Groß-Rohrheim, Kreis Bergstraße. Grundriß (B 282/90, 13.07.90).

Weitgehend vollständige Grundrisse sind selten zu beobachten.

Die Abb. 31 und 33 zeigen im reifenden Getreide jeweils als positives Bewuchsmerkmal ein Grabenrechteck an, in dem einmal Mauern gestanden haben können. Die zeitliche Zuordnung eines aus der Luft festgestellten Grundrisses ist nur ausnahmsweise, z.B. bei einem typischen römischen Landhaus, möglich.Das beweisen auch diese beiden Luftbilder. Ohne Ausgrabungen kann man keine sichere Aussage zur Funktion und zur zeitlichen Entstehung der beiden Objekte machen.

In Abb. 31 erscheinen die Trassen von zwei früheren Straßen und zahlreiche kleinere grubenähnliche Vertiefungen als negative bzw. positive Bewuchsmerkmale. Ob letztere Gräber, z.B. Brandgräber aus der Urnenfelderzeit, oder nur einfache Sandentnahmegruben aus unbestimmter Zeit anzeigen, kann ohne noch ausstehende Forschungen vor Ort nicht gesagt werden. Das Rechteck muß auch nicht unbedingt den Standort eines ehemaligen Gebäudes anzeigen. Vielleicht gehört es zu einem vorgeschichtlichen „Grabgarten". Derartige Bodendenkmäler sind bisher aber nur aus dem linksrheinischen Gebiet bekannt.

Da die verdächtigen Strukturen auf beiden Luftbildern von Maisfeldern begrenzt werden, die weitere Informationen verbergen können, sollten diese und vergleichbare Bereiche bei anderem Bewuchs über längere Zeit aus der Luft sorgfältig überprüft werden.

Auffällige rechteckige und kreisförmige positive Bewuchsmerkmale im Getreide unmittelbar am Ufer des Rheinrandflusses südlich von Berkach, Kreis Groß-Gerau, lassen wiederum eine ehemalige Siedlungsstelle und vielleicht ein Gräberfeld vermuten (Abb. 34). Bereits bei der ersten Flurbegehung konnten trotz ungünstiger äußerer Bedingun-

Abb.34: Groß-Gerau, OT Berkach, Kreis Groß-Gerau. Spuren einer prähistorischen Siedlungsstelle und – vermutlich – eines Gräberfeldes (D 127/90, 11.07.90).

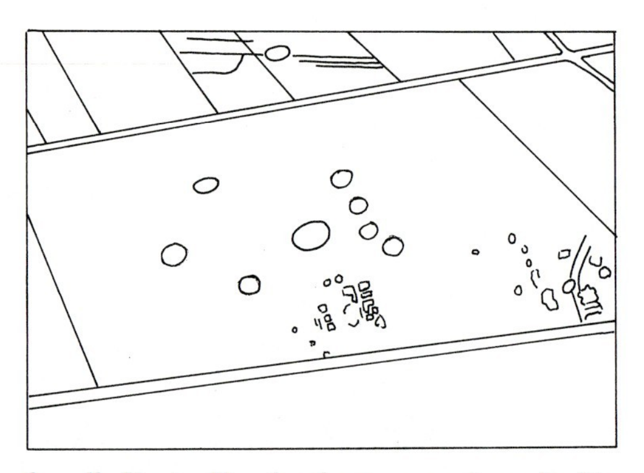

Abb.35: Umzeichnung des Luftbildes Abb. 34.

gen im unteren Bildbereich zahlreiche prähistorische Keramikfragmente, darunter Gefäßrandstücke der späten Eisenzeit, gefunden werden. Die Existenz einer latènezeitlichen Siedlung in diesem Bereich kann daher unterstellt werden. Ob die erkennbaren Kreise die Standorte inzwischen eingeebneter Hügelgräber markieren, ist noch offen. Es kann z.Z. noch nicht ausgeschlossen werden, daß hier einige oder alle Kreise Bombenkrater anzeigen. Dafür spricht zumindest die Erscheinungsweise der beiden linken Kreise.

4.4 Gräber

Neben Siedlungsstellen können aus der Luft Einzelgräber und Gräberfelder aus vor- und frühgeschichtlicher Zeit am häufigsten nachgewiesen werden. Obwohl sie oberirdisch in der Regel nicht mehr zu erkennen sind, zeigen sie insbesondere in der Vegetation charakteristische Strukturen. Deren Erscheinungsweise hängt im wesentlichen vom Alter und der Art der Gräber ab. So machte sich ein Gräberfeld der späten Bronzezeit (1200–750 v.Chr.) bei Nieder-Roden, Kreis Offenbach, als eine Ansammlung

Abb. 36: Dieburg, Landkreis Darmstadt-Dieburg. Schnurkeramischer Grabhügel, „Wallfahrtsstraße" Mainz–Dieburg–Walldürn und vermutlicher Gebäudegrundriß (174/84, 21.07.84).

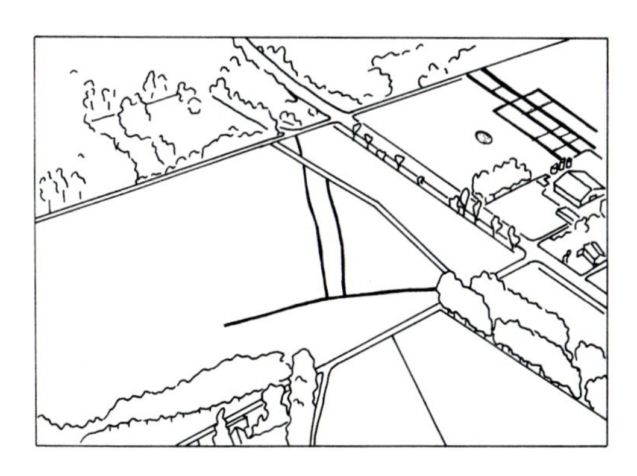

Abb. 37: Umzeichnung des Luftbildes Abb 36.

dunkelgrüner Flecken im Getreide bemerkbar. Das ist auch verständlich, denn die Menschen dieser Kulturepoche (Urnenfelderzeit) haben ihre Toten verbrannt und die Überreste in Urnen beigesetzt. Die dafür ausgehobenen Gruben speichern auch heute noch mehr Feuchtigkeit als der benachbarte Boden. Sie zeigen sich in trockenen Sommern bei geeignetem Bewuchs als positive Bewuchsmerkmale.

Den seltenen Fall eines in der freien Landschaft bis 1984 zumindest in Überresten noch erhaltenen Grabhügels zeigt Abb. 36. Eine im Gelände nur noch schwach erkennbare Erhöhung erscheint im Spargelfeld oben rechts in perspektivischer Verzerrung als unscheinbare ovale, fast kahle Stelle. In ihrem Bereich wurden bei einer Flurbegehung verschiedene Gefäßscherben, 2 Steinklingen und ein Steinbeilfragment aus der Schnurkeramik, einer endneolithischen Kultur (2800–2200 v. Chr.), gefunden. Ein Teil des Fundmaterials ist in den Abb. 38– 40 dargestellt. Sowohl die Steinklinge als auch das Steinbeil sind von hervorragender Qualität. Da ihr Herstellungsmaterial in weitem Umkreis nicht ansteht, müssen sie oder zumindest das Gestein importiert worden sein.

Abb. 38: Dieburg, Landkreis Darmstadt-Dieburg. Schnurkeramisches Gefäßfragment.

Abb. 39: Dieburg, Landkreis Darmstadt-Dieburg. Schnurkeramisches Steinbeilfragment.

Abb. 40: Dieburg, Landkreis Darmstadt-Dieburg. Schnurkeramische Steinklinge.

In Abb. 36 lassen sich aber noch weitere historische Einzelheiten erkennen. Die parallelen Linien in der Bildmitte sind die Gräben der ehemaligen Wallfahrtsstraße Mainz–Dieburg–Walldürn. Eine Anfang dieses Jahrhunderts durchgeführte Entwässerungsmaßnahme hat die Spuren dieser Straße im unteren Bildbereich weitgehend ausgelöscht.

Der obere rechte Bildbereich gehörte früher zu einer ausgedehnten Viehweide mit stark unruhigem Relief, dessen Ursache zunächst, auch im Luftbild, nicht zu erkennen war. Der Grund wurde erst 1982 klar. In diesem Jahr wurde die Wiese für die Anlage eines Spargelackers mit einem schweren Traktor über 1 m tief umgegraben. Dabei wurden zahlreiche Kulturschichten weitgehend zerstört, wie sich nachträglich herausstellte. Bei Geländebegehungen wurden bisher schätzungsweise mehr als 4000 einzelne Gegenstände geborgen. Dazu gehören neben sehr vielen Keramikfragmenten auch Steingeräte und je ein Bronzeteil und eine prähistorische Perle. Bei ersten wissenschaftlichen Auswertungen wurden schon Funde aus mindestens 9 verschiedenen Kulturepochen nachgewiesen. Danach ist diese heute unscheinbare Sandfläche am östlichen Abhang des Mainzer Berges seit mindestens 6000 Jahren besiedelt gewesen. Menschen verschiedener jungsteinzeitlicher Kulturen haben hier ebenso wie Vertreter der Bronze- und Eisenzeit gelebt. Auch die Römer hatten hier eine Ansiedlung, wie Funde im Bereich der grundrißähnlichen Streifen oben rechts in Abb. 36 und in benachbarten Bereichen zeigen. Außerdem wurde bereits ein urnenfelderzeitlicher Friedhof nachgewiesen. Es ist nicht nur die fundreichste Stelle, die wir bisher entdeckt haben, sondern zugleich wohl auch eine der bedeutendsten im Landkreis Darmstadt-Dieburg. Eine detaillierte wissenschaftliche Untersuchung steht noch aus. Diese würde sicherlich wichtige Erkenntnisse bringen, denn es liegen z.T. seltene, möglicherweise auch einmalige Funde vor.

Am häufigsten und auch am deutlichsten lassen sich eingeebnete vor- und frühgeschichtliche Bestattungen an ihren ringförmigen Einfriedungen erkennen.

In der zu Biebesheim, Kreis Groß-Gerau, gehörenden geschichtsträchtigen Flur „Kleines Flochheim" zeichnete sich bereits im Frühjahr 1990 im noch jungen, dunkelgrünen Getreide ein großer Kreisgraben ab. Nach langanhaltender Trockenheit zeigte er sich im fast reifen Korn am 11.07.1990 als positives Bewuchsmerkmal (Abb. 41). Der Schattenwurf durch die tiefstehende Abendsonne verstärkte seine Sichtbarkeit. Außerdem erschienen überraschend die Spuren von noch zwei kleineren, offensichtlich bereits teilweise zerstörten Gräbern. Die drei Kreisgräben gehören zu einem bisher unbekannten vorgeschichtlichen, heute vollständig verschleiften Hügelgräberfeld. Wahrscheinlich verbergen sich weitere Gräber in dem in Abb. 41 unten anschließenden Maisfeld. Diese können aber wohl nur bei zusätzlichen Befliegungen nachgewiesen werden.

Das Gräberfeld liegt heute im potentiellen Überschwemmungsbereich des Kühkopf-Altrheins und im unmittelbaren Nahbereich des in moderner Zeit begradigten Modaulaufes. Es ist ein weiteres Indiz dafür, daß die Biebesheimer Gemarkung in vor- und frühgeschichtlicher Zeit immer wieder besiedelt gewesen ist. Ablagerungen des Rheins als Folge von Überschwemmungen erschweren jedoch hier oft eine luftarchäologisch sichere Aussage.

Südöstlich von Biblis photographierten wir 1990 fünf ganz oder teilweise sichtbare Kreisgräben (Abb. 43). Es ist davon auszugehen, daß in den benachbarten Feldern bei günstigen Bedingungen weitere Gräber entdeckt werden können. Die schmalen Gräben deuten auf eine ringförmige Einfassung der Gräber mit Steinen oder Holzpfosten hin. Ungewöhnlich ist neben den deutlichen Abweichungen von der optimalen Kreisform vor allem der rechteckige Vorbau am oberen linken Kreisgraben.

Abb. 41: Biebesheim, Kreis Groß-Gerau. 3 vorgeschichtliche ringförmige Grabanlagen (L 215/90, 11.07.90).

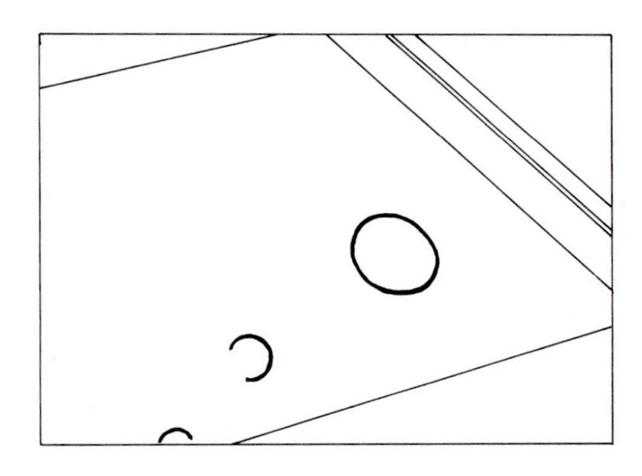

Abb. 42: Umzeichnung des Luftbildes Abb. 41.

Nördlich von Unterliederbach, einem Ortsteil von Frankfurt/M., wurden 1988 bei einem Flug mehrere große Kreisgräben entdeckt. Einer davon ist in Abb. 45 zu sehen. Da sich die Vermutung, hier vielleicht Hinweise auf eine Frankfurter Luftabwehrstellung aus dem Zweiten Weltkrieg zu erkennen, nicht bestätigte, ist davon auszugehen, daß in der Nähe des Liederbaches im Bereich eines zum Taunus ziehenden Altweges ein prähistorisches Gräberfeld gelegen hat.

Östlich der B 44 zwischen Bürstadt und Bobstadt im Kreis Bergstraße photographierten wir ein Getreidefeld mit zahlreichen Vegetationsstörungen, die sich in den benachbarten Flächen fortsetzen (Abb. 46). Sie sind auffallend gleichartig nach NO-SW ausgerichtet. Vermutlich wird hier wieder eine ältere Feldeinteilung sichtbar. Während die schmalen, positiven Bewuchsmerkmale wohl Drainagegräben anzeigen, deuten die flächenhaften Störungen auf ehemalige Gruben hin. Negative Bewuchsmerkmale in der oberen Bildmitte sind auf unterirdische Mauerreste zurückzuführen. Das Getreide in der linken Bildmitte dürfte auch nicht grundlos annähernd rechteckig durch den Wind

Abb. 43: Biblis, Kreis Bergstraße. 5 Kreisgräben von eingeebneten Hügelgräbern (B 195/90, 13.07.90).

geknickt worden sein. Lassen diese Störungen bereits vergangene menschliche Aktivitäten vermuten, so wird das durch die Existenz der 5 Kreisgräben zur Gewißheit.

Wegen ungünstiger äußerer Bedingungen brachte eine Flurbegehung nur Teilergebnisse. Von den Markierungen in Abb. 46, insbesondere den Kreisgräben, war, wie erwartet, auf dem vegetationsfreien Boden nichts zu erkennen. Im linken Bildbereich konnten jedoch prähistorische, noch undatierte Keramikfragmente geborgen werden. Der vorgeschichtliche Siedlungsbereich erstreckte sich noch weiter in das Maisfeld am unteren Bildrand. Dort wird er von einer römischen Ansiedlung überlagert und gestört, die sich durch reichhaltiges Fundmaterial zu erkennen gab. Die großflächigen Vegetationsstörungen links dürften zumindest teilweise durch Verfüllung mit modernem Bauschutt verursacht worden sein.

Aus luftarchäologischer Sicht ist Abb. 48 bemerkenswert, denn in einem großen Hügelgräberfeld bei Wallerstädten, Kreis Groß-Gerau, werden Kreisgräben nicht nur – wie üblich – als positive, sondern auch als negative Vegetationsmarken lokalisierbar. Auf dieses Phänomen wurde schon bei der Beschreibung der Bewuchsmerkmale unter 2.2.7 hingewiesen. Bei der Anlage verschiedener Kreisgräben ist

Abb. 44: Umzeichnung des Luftbildes Abb. 43.

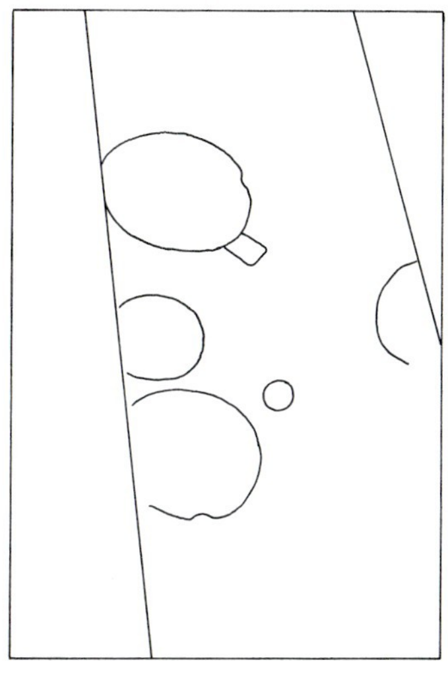

Abb. 45: Frankfurt/M., OT Unterliederbach. Kreisgraben (UL 38/88, 24.06.88).

die im Untergrund vorhandene „Rheinweiß"-Schicht durchstoßen worden. Sie kann an diesen Stellen die für die Pflanzen notwendige Feuchtigkeit und auch Nährstoffe nicht mehr zurückhalten. Die Pflanzen sterben daher ab. Zahlreiche Gräber des ehemaligen großen hallstattzeitlichen Friedhofs (750 – 450 v. Chr.) wurden bereits ausgegraben und wissenschaftlich untersucht.Dabei stellte man latènezeitliche Nachbestattungen und eine erneute Anlage von Gräbern in der merowingischen Zeit fest.

Immer wieder werden aus der Luft Spuren entdeckt, für deren Ursache es keine befriedigende Antwort gibt. Dazu gehört der Kreisgraben bei Leeheim, Kreis Groß-Gerau, (Abb. 50). Auch eine Geländebegehung hat keine brauchbaren Erkenntnisse gebracht. Letztlich wird wohl nur eine Ausgrabung die Fragen nach Funktion und Entstehungszeit beantworten können.

Bei Heddesheim, Rhein-Neckar-Kreis, sichteten wir 6 flache, kreisförmige und zwei schmale, langgestreckte Vertiefungen im Getreide (Abb. 51). Sie erscheinen als negative Bewuchsmerkmale. Die langgestreckten Formen könnten als Spuren von Blindgängern und die kreisförmigen als Bombenkrater interpretiert werden. Während die 5 großen Krater offensichtlich mit festem Material verfüllt wurden, welches das Getreidewachstum hemmt, wurde in den rechten Krater, der als dunkelgrüner Kreis erscheint, lockeres, feuchtigkeitsspeicherndes Material eingebracht.

Abb. 52 ist aus verschiedenen Gründen bemerkenswert. Sie entstand im niederschlagsarmen Sommer 1990 und zeigt eine Fülle von rechteckigen Vegetationsstörungen sowie insbesondere einen auffälligen halben Kreisbogen im Bereich zwischen der Kläranlage von Biebesheim, Kreis Groß-Gerau, und dem nahegelegenen Winterdeich. Da die abgeschobene Fläche unten links bereits die vorgesehene Erweiterung der Kläranlage

Abb. 46: Bürstadt, OT Bobstadt, Kreis Bergstraße. Gruppe eingeebneter Hügelgräber (B 44/90, 13.07.90).

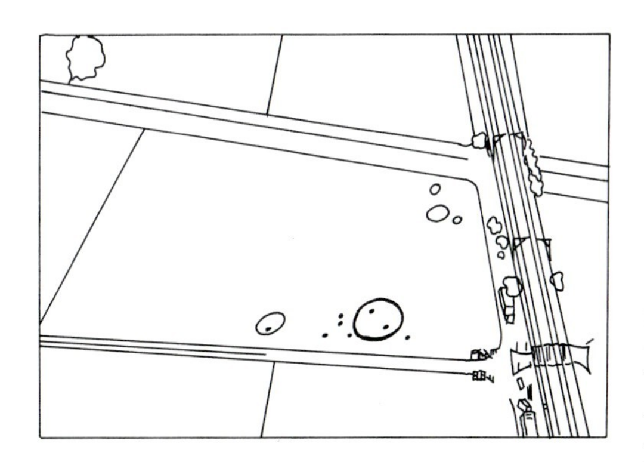

Abb. 47: Umzeichnung des Luftbildes Abb 46.

ankündigte, führte das Landesamt für Denkmalpflege, Wiesbaden, eine Ausgrabung durch. Sie erfaßte jedoch nur die kleinen rechteckigen Störungen im unteren linken Bildbereich, welche nach ihrem äußeren Erscheinungsbild möglicherweise ein Gräberfeld anzeigten. Bei der Ausgrabung wurde diese Vermutung jedoch nicht bestätigt. Es wurden lediglich Sandentnahmegruben aus nicht bestimmbarer Zeit festgestellt. Der an der Grenze zwischen Getreidefeld und Schrebergartengelände gelegene Halbkreis mit Andeutung einer rechteckigen Anlage im Innern wurde unverständlicherweise nicht untersucht. Das lange, helle Band im Korn weist auf den Lauf eines früheren kleinen Fließgewässers hin. Für die schmalen Streifen am oberen Bildrand gibt es z.Z. noch keine Erklärung.

Im August 1991 wurden von einem hauptamtlichen Luftbildarchäologen in einer größeren abgeschobenen Fläche auf der anderen Seite der Kläranlage – etwa 80 m vom Bereich der Fläche in Abb. 52 entfernt – überraschend zahlreiche weitere Kreisgräben im Bild festgehalten. Sie deuten auf ein ausgedehntes bronzezeitliches Gräberfeld hin, das ab 1992 ausgegraben werden soll. Der hier zu sehende halbe Kreisbogen zeigt mit großer Wahrscheinlichkeit ebenfalls ein Grab an, das zu dieser Nekropole gehörte. Es

Abb. 48: Groß-Gerau, OT Wallerstädten, Kreis Groß-Gerau. Gruppe eingeebneter kreisförmiger Gräber – teilweise sichtbar als negative Bewuchsmerkmale (D 240/90, 12.07.90).

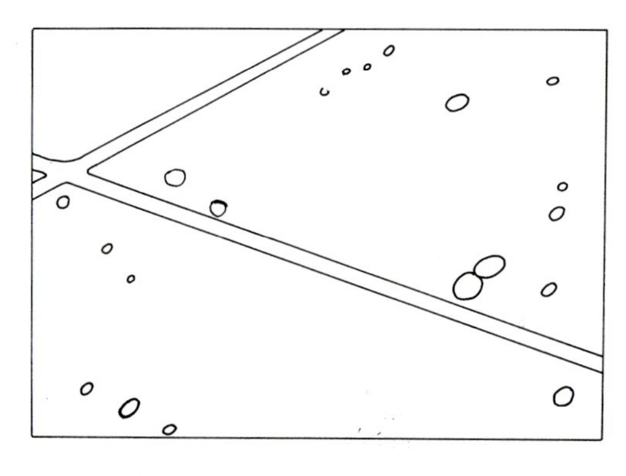

Abb. 49: Umzeichnung des Luftbildes Abb. 48.

ist davon auszugehen, daß sowohl die Kläranlage als auch die Kleingärten einen Teil des Friedhofes zerstört haben.

Das Gräberfeld wurde mit Sicherheit seit seiner Anlage mehrfach von Ablagerungen des Rheins überdeckt, zuletzt wohl bei einem Dammbruch im 18. Jahrhundert. Diese Bodenaufschwemmungen haben offensichtlich einen früheren Nachweis aus der Luft verhindert. Entsprechende Verhältnisse gelten auch für weite Teile anderer Gemarkungen in der Nähe des Rheins.

Kleinflächige, überwiegend rechteckige Strukturen in auffallend engem Zusammenhang beobachteten wir als positive Bewuchsmerkmale bei unseren Flügen, vor allem im Ried, häufig. Ein nicht unerheblicher Teil von ihnen dürfte nach dem Ausgrabungsbefund in Biebesheim ebenfalls Bodenentnahmestellen anzeigen. Andere können jedoch durchaus auch mit frühmittelalterlichen Reihengräbern identisch sein. Eine sichere Aussage, etwa bei den Abb. 54, 55 und 88, wird nur durch weitere Ausgrabungen oder im Einzelfall durch Flurbegehungen möglich sein. Die parallelen Rechtecke in Abb. 54

Abb. 50: Leeheim, Kreis Groß-Gerau. Kreisgraben mit runder Innenstruktur (L 160/90, 11.07.90).

Abb. 51: Heddesheim, Rhein-Neckar-Kreis. Vermutlich 6 Bombenkrater (H 1/90, 13.07.90).

Abb. 52: Biebesheim, Kreis Groß-Gerau. Kreisgraben, zur Hälfte bereits zerstört, und Sandentnahmegruben (I/25/90, 18.05.90).

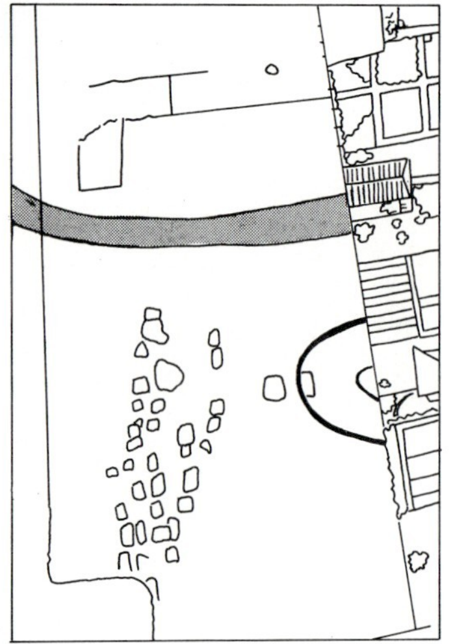

Abb. 53: Umzeichnung des Luftbildes Abb. 52.

sind insofern besonders verdächtig, als sie sich im unmittelbaren Nahbereich eines bekannten merowingerzeitlichen Friedhofs befinden.

4.5 Vorgeschichtliche und römische Befestigungsanlagen

Auf einem Flug von Eschborn nach Wehrheim im Hochtaunuskreis überquerten wir den Südrand des Taunus und hielten dabei den Gipfel des Altkönigs (Abb. 56) im Bild fest. Über Nacht gefallener Schnee zeichnete am 12.04.1986 Teile der beiden keltischen Steinringwälle nach, die zur eindrucksvollsten vorgeschichtlichen Befestigungsanlage dieses Mittel-

Abb. 54: Biebesheim, Kreis Groß-Gerau. Gruppe frühmittelalterlicher Gräber? (Bi 67/90, 18.05.90).

Abb. 55: Riedstadt, OT Goddelau, Kreis Groß-Gerau. Gräberfeld oder Bodenentnahmegruben? (G 31/90, 11.07.90).

Abb. 56: Kronberg i.T., Main-Taunus-Kreis. Ringwall Altkönig (518/86, 12.04.86).

Abb. 56a: Miltenberg, Kreis Miltenberg. Panoramablick mit Greinberg (Ringwallanlage) und Maintal (Br 1/92, 29.03.92).

Abb. 56b: Fischbachtal, Landkreis Darmstadt-Dieburg. Panoramablick auf das Fischbachtal mit der Altscheuer (Ringwallanlage „Heuneburg") und Schloß Lichtenberg (Br 5/92, 01.05.92).

gebirges gehören. Die Holz-Steinmauern in der Art einer „Pfostenschlitzmauer" waren 4 – 5 m breit und ebenso hoch[47]. Diese Aufnahme ist ein Beispiel für das luftarchäologische Schneemerkmal.

Luftbilder sind im Einzelfall auch geeignet, die Funktion von Bodendenkmälern in der Landschaft zu verdeutlichen. Das wird am Beispiel der Abb. 56a deutlich.

Im Dunst, der einer heranziehenden Warmfront vorausgeht, sind das Maintal und die umgebenden Odenwald- und Spessarthöhen im Raum Miltenberg zu sehen. Auf dem Gipfel des Greinbergs (Bildmitte rechts) lag 330 m über der Stadt Miltenberg ein mächtiger Ringwall, der eine Hochfläche von 500 m Länge und 300 m Breite umschloß. Den Ausgrabungsbefunden nach dürfte er in der mittleren Latènezeit entstanden sein. Die Ringwallanlage war nicht nur eine mächtige Festung und ein Zufluchtsort in Gefahrenzeiten, sondern ermöglichte wegen ihrer beherrschenden Lage auch die Kontrolle des Main- und des von Süden heranziehenden Mudtales (linker Bildbereich).

Unmittelbar neben der Mündung der Mud in den Main (Bildmitte) lag ein großes römisches Kohortenkastell und damit der letzte bedeutende Stützpunkt der Römer an der Mainlinie. Zu seinen vielfältigen Aufgaben gehörte u.a. die Bewachung des Mudtales mit einer römischen Straße nach Wimpfen bzw. nach Walldürn sowie des Engpasses zwischen dem Steilabhang des Greinbergs und dem Main, durch den eine Straße zum Kastell Miltenberg-Ost führte. Aus römischer Zeit wurden im vorgeschichtlichen Ringwall und am Nordabhang des Greinbergs zwei Merkur-Heiligtümer nachgewiesen.

Abb. 57: Lützelbach, Odenwaldkreis. Kastell Lützelbach und Limes (346/85, 07.04.85).

Abb. 56b zeigt als Panoramaaufnahme das Schloß Lichtenberg im Fischbachtal mit dem dahinter befindlichen Höhenrücken der Altscheuer. Hier liegt mit dem Ringwall „Heuneburg" eines der bedeutendsten Bodendenkmäler des Landkreises Darmstadt-Dieburg. Alemannische Funde weisen auf eine Entstehung und Benutzung der Wehranlage in nachrömischer Zeit hin. Ob sie eine besondere strategische Bedeutung hatte, ist noch unklar. Es wird vermutet, daß sie die Bergfeste eines alemannischen Stammesfürsten gewesen ist.

Auf der Buntsandsteinhochfläche des Odenwaldes rund 5 km Luftlinie vom Main entfernt, befinden sich die Reste des Kastells Lützelbach (Abb. 57). Diese römische Befestigungsanlage war nur 0,6 Hektar groß. Sie ist um 100 n. Chr. entstanden. Obwohl dieses Bodendenkmal durch verschiedene Eingriffe, insbesondere den Wegebau, stark gestört ist, sind heute im Wäldchen in der Bildmitte noch Teile der Umwehrung zu erkennen. Der helle, kahle Streifen links des Weges gibt den Verlauf der südöstlichen Wehrmauer an. Die Standspur der Limespalisade erscheint als schmaler, grüner Doppelstreifen in der Wiese unten links[48].

In einem kleinen Waldgebiet südwestlich des Kernkraftwerkes Biblis wurde in den Jahren 1970–72 unter den Resten der staufischen Burg Stein (erbaut um 1232) und des karolingischen Wehrbaues „Zullestein" (urkundlich erstmals erwähnt 806) ein spätrömischer Burgus entdeckt. Im Luftbild (Abb. 57a) erkennt man links die bis zu 2 m mächtigen restaurierten Grundmauern des rechteckigen Turmes. In seinem Innern sind die Standorte von zwei quadratischen Pfeilern zu sehen, die das Gewicht der Fußböden von wahrscheinlich drei Stockwerken zu tragen hatten.

Abb. 57a: Biblis, Kreis Bergstraße. Spätrömischer Burgus „Zullestein" und mittelalterliche Wehrbauten (Br 3/92, 05.04.92).

Der Burgus lag unmittelbar östlich des damaligen Laufes der Weschnitz kurz vor ihrer Mündung in den Rhein und diente als befestigte Schiffslände, die bei Bedarf die sichere Landung römischer Soldaten und von Transportschiffen im Schutz der Wehranlage ermöglichte. Einer der beiden kleinen, quadratischen Ecktürme, von denen zwei schützende Mauern zum Flußbett hinabführten, ist in der rechten unteren Bildhälfte zu erkennen. Die übrigen im Luftbild sichtbaren Mauerreste gehören zu den mittelalterlichen Bauten.

Die Römer wollten mit dieser Befestigungsanlage, die wohl Mitte des 4. Jh. n. Chr. errichtet wurde, vermutlich ihren Einfluß in der Pufferzone auf rechtsrheinischem Gebiet sichern. Diese hatten sie nach ihrem Abzug Mitte des 3. Jh. in das Land westlich des Rheins gebildet. Die Archäologen gehen nach den Ausgrabungsbefunden davon aus, daß der Burgus bis etwa 400 n. Chr. benutzt wurde. Ob er auch zur Sicherung des Transports von Werkstücken aus den römischen Granitsteinbrüchen am Felsberg über die Weschnitz bestimmt war, konnte bisher noch nicht mit Sicherheit nachgewiesen werden[48a]. In diesem Zusammenhang wird auf die Abb. 17 u. 18 mit zugehörigem Text verwiesen.

4.6 Burgen

Südwestlich von Pfungstadt, Landkreis Darmstadt-Dieburg, erhebt sich der Wellberg (Abb. 58, unten rechts) 6 m hoch über die flache Rheinebene. Trotz Ausgrabungen von 1933 bis 1939, bei denen eine Wehranlage mit Wassergraben nachgewiesen wurde, ist seine Geschichte bisher noch weitgehend unbekannt. Im 10. Jh. n. Chr. dürfte hier eine kleine Wasserburg gestanden haben[49].

Die vorbeiführende Hochspannungsleitung erschwert leider Nahaufnahmen sehr stark. Auf älteren Luftbildern wurden 7 konzentrische Kreise um das Objekt nachgewiesen[50]. Vier davon sind als Fragmente noch auf der rechten Seite des Denkmals zu erkennen. Sie sind jedoch sehr selten zu sehen. Über ihre Entstehungszeit und Funktion ist nichts bekannt. Außerdem befinden sich im Nahbereich des Wellbergs noch zahlreiche spätbronzezeitliche Gräber[51].

Die Abb. 59–65 zeigen am Beispiel der Wasserburg von Eschollbrücken, Landkreis Darmstadt-Dieburg, welch unterschiedliches Erscheinungsbild ein Bodendenkmal aus der Luft je nach Jahreszeit, Bewuchs und Witterungsbedingungen über mehrere Jahre hin bieten kann. Hier wird besonders deutlich, wie notwendig mehrjährige Befliegungen und längere regelmäßige Beobachtungen einzelner Objekte sind, um eine möglichst umfassende Dokumentation aller noch sichtbaren Strukturen zu erhalten.

In zwei Urkunden von 1460 und 1506 wird eine „burg jme broich" bzw. eine „alte purg" bei Eschollbrücken erwähnt. Es soll eine Turmburg an einem Altarm des Rheinrandflusses gewesen sein, deren Besitzer das edelfreie Geschlecht der Herren von Eschollbrücken war. Auf einem Senkrechtluftbild wurden 1971 dunkle Gräben wie in

Abb. 58: Pfungstadt, Landkreis Darmstadt-Dieburg. Wellberg – vermutlich eine Wasserburg aus dem 10. Jh. (533/85, 08.04.85).

Abb. 59: Pfungstadt, OT Eschollbrücken, Landkreis Darmstadt-Dieburg. Wasserburg aus dem 12. Jh. (581a/85, 08.04.85).

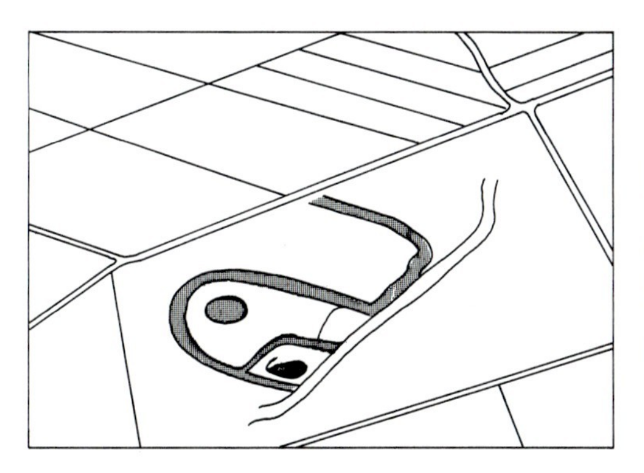

Abb. 60: Umzeichnung des Luftbildes Abb. 59.

Abb. 59 entdeckt. Die zugehörige Flur heißt bezeichnenderweise „Auf die Burg". Bei zwei Suchschnitten wurden damals in einer Tiefe von 1,60 m Mauerfundamente, Eichenholzbohlen und Tonkrugscherben freigelegt. Nach den bisherigen Erkenntnissen dürfte die Burg im 12. Jh. gebaut worden sein[52].
Am 08.04.1985, also noch vor der Vegetationsphase, sind in Abb. 59 die Spuren ehemaliger Wassergräben als dunkle Feuchtigkeitsmerkmale und Wege sowie vielleicht Gebäudegrundrisse als helle Bodenmerkmale zu sehen.

Fast genau 1 Jahr später, am 12.04.1986, nach bereits einsetzendem Pflanzenwuchs sind die Spuren der Gräben erneut zu erkennen, diesmal jedoch durch verstärkte Grünfärbung des Bewuchses (Abb. 61). Der Heimatverein Eschollbrücken hatte mit dem Eigentümer des Ackers vereinbart, daß 1986 Getreide und kein Mais angepflanzt wurde. Am 28.06.1986 nach einer langen, feuchten Witterungsperiode erschienen in dem inzwischen sehr dichten Bewuchs einige wenige, ganz andersartige Markierungen als überwiegend helle Farbveränderungen im Korn (Abb. 62).

Nur 14 Tage später, am 12.07.1986, nach großer Hitze und Trockenheit zeigte sich überraschend der größte Teil des Objekts durch die unterschiedliche Reifung des

Abb. 61: Pfungstadt, OT Eschollbrücken, Landkreis Darmstadt-Dieburg. Wasserburg (369/86, 12.04.86).

Abb. 62: Pfungstadt, OT Eschollbrücken, Landkreis Darmstadt-Dieburg. Wasserburg (787/86, 28.06.86).

Abb. 63: Pfungstadt, OT Eschollbrücken, Landkreis Darmstadt-Dieburg. Wasserburg (839/86, 12.07.86).

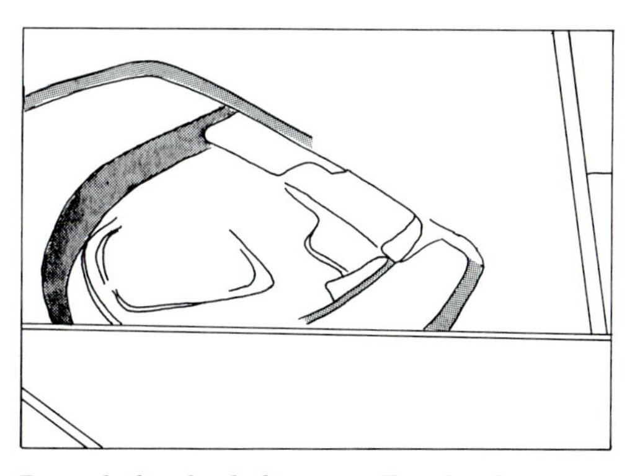

Abb. 64: Umzeichnung des Luftbildes Abb. 63.

Getreides (Abb. 63). Nur der Mais am unteren Bildrand ließ keine weiteren Spuren des Bodendenkmals durch Vegetationsstörungen erkennen. Über das Äußere und die Gesamtanlage der Burg soll hier nicht spekuliert werden. Gesicherte Aussagen sind auch hier erst nach zusätzlichen Forschungen durch Fachleute möglich. Es kann aber davon ausgegangen werden, daß im Bereich der dunkelgrünen, Feuchtigkeit anzeigenden Streifen Gräben waren und sich dort, wo das Getreide vorzeitig reif wird, festes Gelände befand, auf dem auch Gebäude gestanden haben können.

In Abb. 65 aus dem Jahr 1990 zeigen sich Teile der Grabenanlage und das Rund des Burgturms sehr deutlich im reifen Getreide. Leider verhinderten die benachbarten Maisfelder wieder einmal weitere Erkenntnisse. Der Heimatverein Eschollbrücken beabsichtigt, zusätzlich zu den vorhandenen Luftbildern Erdmagnetometermessungen durchführen zu lassen.

Am südöstlichen Ortsrand von Wolfskehlen, Kreis Groß-Gerau, beobachteten wir bei einem Forschungsflug im Bereich eines Altarms des Rheinrandflusses die in Abb. 66 erkennbaren auffällig hell- und dunkelgrünen Streifen in der Wiese. Die Vermutung,

Abb. 65: Pfungstadt, OT Eschollbrücken, Landkreis Darmstadt-Dieburg. Wasserburg (375/90, 06.07.90).

daß hier die Spuren einer weiteren Wasserburg und damit der zweiten Burganlage in der Gemarkung von Wolfskehlen auftauchen, wurden durch die Ergebnisse einer Geländebegehung und radiaesthetischer Untersuchungen verstärkt. Deutlich sind im Bereich zwischen dem „Scheidgraben" und dem Weg, der am Südostrand des Ortes vorbeiführt, ausgedehnte grabenartige Vertiefungen und Geländeerhöhungen zu sehen. In Maulwurfshügeln wurden hier auffallend viele Ziegelfragmente und Mörtelreste gefunden.

Als Vertreterin der erhaltenen mittelalterlichen Burgen in Südhessen zeigt Abb. 68 die Veste Otzberg. Die um 1200 von der Abtei Fulda auf der Kuppe des gleichnamigen Vulkankegels erbaute Burg wird terrassenförmig von zwei konzentrischen Ringmauern und einem dazwischenliegenden engen Zwinger umgeben. Die Anlage ist in der Vergangenheit mehrfach baulich verändert worden. Der Bergfried, im Volksmund „Weiße Rübe" genannt, und die innere Ringmauer gehören noch der ältesten Bauphase an.

Seit 1973 restauriert eine Arbeitsgruppe des Verkehrs- und Verschönerungsvereins in Seeheim-Jugenheim, Landkreis Darmstadt-Dieburg, die Reste der ehemaligen Burg Tannenberg auf dem gleichnamigen Berg am Westabfall des Odenwaldes (Abb. 69). Zu erkennen sind insbesondere die Grundmauern des ursprünglich 24 m hohen Bergfriedes und Teile der Ringmauer.

Die etwa ab 1230 von Ulrich I. von Münzenberg erbaute Burg wurde Ende des 14. Jh. zum Sitz erfolgreicher Raubritter. Im Juli 1399 wurde sie nach erbittertem Kampf und unter Einsatz schwerer Waffen von den Truppen mehrerer verbündeter Städte sowie von Kurmainz und Kurpfalz erobert und zerstört.

Abb. 66: Riedstadt, OT Wolfskehlen, Kreis Groß-Gerau. Vermutliche Wasserburg in einem Altarm des Rheinrandflusses (G 72/90, 11.07.90).

Abb. 67: Umzeichnung des Luftbildes Abb. 66.

4.7 Wüstungen

In der westlichen Gemarkung von Leeheim, Kreis Groß-Gerau, lag einst das bereits 864 im Lorscher Codex erwähnte Dorf Camben. 1024 wurde hier der Salier Konrad II. zum Kaiser gewählt. 1195 wird der Ort letztmalig urkundlich erwähnt. Sein Schicksal ist weitgehend unbekannt. Die Historiker gehen davon aus, daß das Dorf als Folge einer mittelalterlichen Hochwasserkatastrophe ausgegangen ist. Seine Lage wird im Bereich der Flur „Hohes Kammerfeld" und der Kammerhöfe angenommen.

Die Suche nach Wüstungen ist natürlich eine reizvolle Aufgabe für den Luftarchäologen. Sie ist allerdings nicht so leicht, wie man wegen ihres vergleichsweise jüngeren Alters vermuten könnte, denn auch Reste derartiger Orte und Einzelbauten wurden im Mittelalter als leicht erreichbare „Steinbrüche" vollständig abgetragen.

Bei einem Forschungsflug im Bereich Leeheim haben wir daher im Sommer 1990 den o.a. Flurbereichen verstärkte Aufmerksamkeit gewidmet. Besonders auffallende, überzeugende Spuren einer Wüstung wurden nicht gesichtet, möglicherweise wegen der intensiven, großflächigen Maisanpflanzungen. Dafür tauchten aber in der nördlich anschlie-

Abb. 68: Otzberg, Landkreis Darmstadt-Dieburg. Veste Otzberg (480/84, 22.12.84).

Abb. 69: Seeheim-Jugenheim, Landkreis Darmstadt-Dieburg. Burgruine Tannenberg (SJ157/88, 10.07.88).

ßenden Flur „Fuchslöcher" zahlreiche große, lange und z.T. rechteckige Streifen auf, die durchaus eine ehemalige Ortschaft anzeigen könnten (Abb. 70). Sie erstrecken sich noch über den im Luftbild erkennbaren Flurbereich hinaus. Das Gebiet wird wohl in Kürze durch die Ausdehnung einer benachbarten Abgrabungsfläche zerstört werden. Geländebegehungen sind daher dringend notwendig. Sie scheiterten bisher an ungünstigen Suchbedingungen. Im übrigen gilt natürlich auch hier die Erfahrung, daß ein einmaliger Flug für das Auffinden eines Bodendenkmales in der Regel nicht genügt.

4.8 Verdächtige Strukturen

Wie bereits erwähnt, werden bei den Suchflügen immer wieder auffallende Spuren in der Vegetation oder auf dem bewuchsfreien Boden gesichtet, für deren Verursachung es aus luftarchäologischer oder historischer Sicht, oft auch noch nach Flurbegehungen, keine überzeugende Antwort gibt. Gerade sie erwecken verständlicherweise die Neugier des archäologisch Forschenden und sind sozusagen das Salz in der Suppe. Deshalb soll eine kleine Auswahl derartiger Bilder hier gezeigt werden. Der Leser wird gebeten, an der Enträtselung der Spuren mitzuwirken.

Nordwestlich von Bürstadt sichteten wir mindestens 3 Reihen von parallel zueinander ausgerichteten kleinen und größeren Rechtecken (Abb. 72). Sie erscheinen als positive Bewuchsmerkmale und deuten auf ehemalige Gruben hin, in denen natürlich auch „etwas" gestanden haben kann. Die Abstände der Gruben in den Reihen sind unterschiedlich. Sie ziehen auf einen nahen Altarm des Rheinrandflusses außerhalb des rechten Bildrandes hin. Vielleicht sind es Folgen spezieller landwirtschaftlicher Anbaumethoden. Eine Erklärung für ihr Entstehen gibt es, auch nach örtlicher Begehung , noch nicht. Bemerkenswert ist, daß diese 3 Reihen von Vegetationsstörungen sog. geomantischen Kräftezonen folgen, wie mit Hilfe der Radiaesthesie vom Verfasser festgestellt werden konnte.

In der Gemarkung von Hofheim, Kreis Bergstraße, sind drei ehemalige Gräben von uns beobachtet worden (Abb. 74). Bei genauer Betrachtung des Luftbildes erkennt man im schmalen Maisfeld die Fortsetzung der Gräben als dunkle und im bereits abgeernteten Getreidefeld als schwache, helle Spuren. Ähnliche, aber geradlinige Gräben waren von uns bereits 1986 südöstlich von Lorsch, Kreis Bergstraße, photographiert worden. Auch ortsansässige, erfahrene Heimatforscher konnten dort für ihre Funktion bisher keine Erklärung finden. Gezielte Flurbegehungen wurden in beiden Bereichen bisher noch nicht durchgeführt.

Nach dem luftarchäologischen Befund könnte in Abb. 74 sowohl ein jungsteinzeitliches Erdwerk als auch ein römisches Lager vorliegen. Vielleicht erscheint hier aber auch eine bisher unbeachtet gebliebene mittelalterliche Landwehr[53]. Letzteres würde insbesondere auch für den Raum Lorsch sprechen, denn dort grenzen der Lobdengau und der Oberrheingau aneinander.

Östlich von Einhausen, Kreis Bergstraße, nahe jener Stelle, an der die Weschnitz eine Dünenkette durchbricht und nach Westen zum Rhein fließt (s. Text zu Abb. 17), wurden bisher nur 1986 und 1990 in zwei trockenen Sommern merkwürdige streifenförmige Figuren im Getreide gesichtet (Abb. 75). Sie zeigen sich als negative Bewuchsmerkmale und deuten auf einen festen Untergrund hin. Sie setzen sich über den linken Bildrand hinaus fort. Ob hier eine Flurbegehung allein Klarheit bringen kann, erscheint fraglich.

Abb. 70: Leeheim, Kreis Groß-Gerau. Spuren der mittelalterlichen Wüstung „Camben"? (L 188/90, 11.07.90).

Abb. 72: Bürstadt, Kreis Bergstraße. Rätselhafte Spuren (B 26/90, 13.07.90).

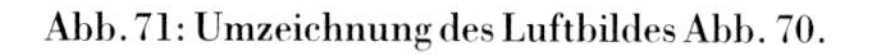
Abb. 71: Umzeichnung des Luftbildes Abb. 70.

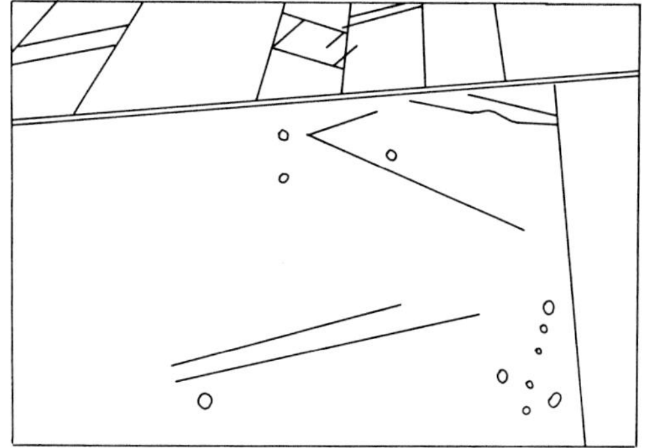

Abb. 73: Umzeichnung des Luftbildes Abb. 72.

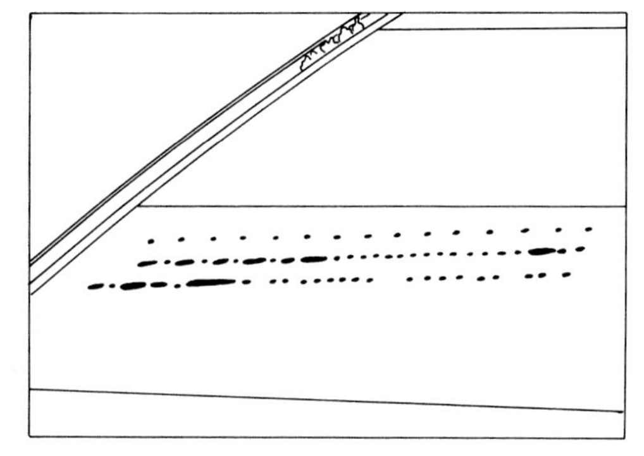

Südlich von Bürstadt, Kreis Bergstraße, am Ufer eines Altarms des Rheinrandflusses tauchen langgestreckte positive Bewuchsmerkmale im Getreide auf (Abb. 76). Sie sind rechteckig und überwiegend schmal. Innerhalb des linken Rechtecks zeichnen sich weitere feine Konturen ab, darunter ein kleiner Kreis. Mit Sicherheit setzen sich diese auffallenden Vegetationsstörungen rechts im bereits abgemähten Feld sowie vermutlich auch im Bereich der benachbarten Maisanbaufläche fort. Es kann nicht ausgeschlossen werden, daß hier weitere Hinweise auf Bodenentnahmen vorliegen. Eine Flurbegehung steht noch aus.

Im Wettlauf mit dem Mähdrescher konnten in der östlichen Gemarkung von Goddelau, Kreis Groß-Gerau, einige auffällige Vegetationsmarkierungen im Bild festgehalten werden (Abb. 77). Die z.T. regelmäßig angeordneten kleinen und größeren Rechtecke, welche sich als positive Bewuchsmerkmale zeigen, lassen an ein Gräberfeld denken.

In dem noch vegetationsfreien, hellen Lößboden des östlichen Taubergaus erscheinen die Spuren der Landschaft vor der Flurbereinigung (Abb. 78). Als Boden- und Feuchtigkeitsmerkmale zeigen sich frühere Feldgrenzen, das Wegesystem mit Gräben und vermutlich auch eine ehemalige Siedlungsstelle am unteren Bildbereich.

Südöstlich von Ilmspan, Main-Tauber-Kreis, – im Hintergrund der Ort Schönfeld – „grüßt" den vorbeifliegenden Beobachter ein ehemals wohl lokal bedeutendes Landschaftselement, das aber längst den starken Veränderungen in der Landwirtschaft zum Opfer gefallen ist (Abb. 79). Im unteren Bildbereich sind sowohl im Bewuchs wie in den vegetationsfreien Ackerflächen lange, parallele und rechteckige, helle Streifen zu sehen. Die Frage nach ihrer Ursache beantwortet ein Blick in das MTB Nr. 6324 (Tauberbischofsheim-Ost). Es sind Hinweise auf die Existenz eines ehemaligen Weinberges. Reste der zugehörigen Mauern sind offensichtlich im Erdreich noch vorhanden, wie die hellen Streifen anzeigen.

Abb. 74: Lampertheim, OT Hofheim, Kreis Bergstraße. Spuren von 3 parallelen Gräben (B 135/90 13.07.90).

Abb. 75: Einhausen, Kreis Bergstraße. Spuren bisher unbekannter Herkunft (B 2/90, 13.07.90).

Abb. 76: Bürstadt, Kreis Bergstraße. Auffallende positive Bewuchsmerkmale an einem Altarm des Rheinrandflusses (B 427/90, 13.07.90).

Abb. 77: Riedstadt, OT Goddelau, Kreis Groß-Gerau. Gräberfeld oder Bodenentnahmegruben? (G 109/90, 11.07.90).

Abb. 78: Ilmspan, Main-Tauber-Kreis. Spuren der Landschaft vor der Flurbereinigung werden sichtbar (G 150/88, 24.04.88).

Abb. 79: Ilmspan, Main-Tauber-Kreis. Konturen eines ehemaligen Weinberges (G 140/88, 24.04.88).

4.9 Dokumentation einer Ausgrabung

Zu den Aufgaben der Luftarchäologie gehört auch die Dokumentation von Ausgrabungen. Aus der Vogelperspektive lassen sich freigelegte Bodendenkmäler wesentlich übersichtlicher und aussagekräftiger als vom Erdboden aus photographieren. Deswegen hielten wir seit 1981 immer wieder einmal den aktuellen Ausgrabungsstand des römischen Gutshofes „Haselburg" bei Hummetroth, Odenwaldkreis, im Luftbild fest. Abb. 80 zeigt die Situation Mitte 1985 mit Blick von Süden nach Norden. Diese römische Villa im Stil des Peristylhauses, den die Römer aus dem östlichen Mittelmeer übernommen hatten, gehört zu den größten in ganz Hessen. Sie wurde vermutlich im zweiten Viertel des 2. Jh. n. Chr. erbaut. Ihr aufwendiger Baustil und die prächtige Ausstattung mit Wandmalereien und verglasten Fenstern weisen auf einen reichen Besitzer hin, der vielleicht in der nächsten römischen Stadt, dem heutigen Dieburg, tätig war. Im Luftbild sind auch die im Aufnahmejahr ausgegrabenen Fundamente eines Jupiterheiligtums sowie der doppelte Kreisgraben einer überraschend freigelegten vorrömischen Bestattung aus der jüngeren Eisenzeit (450 – 50 v. Chr.) zu erkennen[54,55].

4.10 Bedeutende geschichtliche Stätten

Abb. 81a zeigt die Lage und baulichen Reste des ehemaligen Benediktinerklosters St. Peter und Paul und St. Nazarius in Lorsch. Bevor sein Niedergang Mitte des 12. Jh. einsetzte, war es das bedeutendste Kloster des frühen Mittelalters am Oberrhein. Seit kurzem ist es als zehntes deutsches Kulturdenkmal von der UNESCO in die „Liste des Weltkultur- und Naturerbes der Menschheit" aufgenommen worden.

Nachdem das um 760 durch Cancor, Graf des Oberrheingaues, auf einer Weschnitzinsel gegründete Kloster „Altenmünster" den räumlichen Anforderungen nicht mehr genügte, wurde bereits 768 unter Abt Gundeland (765–768) 600 m weiter westlich mit dem Bau einer neuen Klosterkirche auf dem hier sichtbaren Gelände begonnen. Zu den erhaltenen Überresten dieser fast 200 m langen, beeindruckenden Kirchenanlage gehören die in der Bildmitte oben stehende Torhalle, die das älteste, vollständig erhaltene deutsche Baudenkmal aus nachrömischer Zeit und kulturgeschichtlich von größter Bedeutung ist, sowie das Mittelschiff der ehemaligen Vorkirche (oberer rechter Bildbereich). Das Gebäude links ist die Zehntscheuer aus dem 15. Jahrhundert.

Auf dem Luftbild sind im Bereich der heutigen Rasenflächen durch Farbveränderungen zahlreiche Strukturen zu erkennen. Sie gehören, zumindest teilweise, zu weiteren, längst verschwundenen Anlagen des Reichsklosters und zeichnen deren Grundrisse nach.

Eine außergewöhnliche Konzentration prähistorischer Bodendenkmäler weisen die beiden Kuppen des Heiligenbergs nördlich von Heidelberg auf. Funde belegen bereits eine Besiedlung in der frühen Bandkeramik und im späten Neolithikum. Eine auffallend hohe Funddichte zeigt eine ausgeprägte Siedlungstätigkeit während der Urnenfelder- und der älteren Latènezeit an. Diesen beiden Kulturepochen wird auch der Beginn bzw. die Vollendung von drei vorhandenen Ringwällen zugeschrieben. Hinzu kommen ein römischer Wachtturm und Hinweise, daß der Berg im 2./3. Jh. als Kultplatz für einheimische Gottheiten diente.

In Abb. 81b sind die Ruinen der St.-Michaels-Basilika und des Michaelsklosters (Lorscher Gründung, erster Bau 863–75) auf der nördlichen Bergkuppe zu erkennen. Der Grundriß der Kirche im Vordergrund ist vollständig erhalten. An den in der

Abb. 80: Höchst, OT Hummetroth, Odenwaldkreis. Römischer Gutshof „Haselburg", Ausgrabungsstand 1985 (971a/85, 30.06.85).

Abb. 81a: Lorsch, Kreis Bergstraße. Areal des ehem. Benediktinerklosters St. Peter und Paul und St. Nazarius mit Spuren von Gebäudegrundrissen usw. (Br 4/92, 05.04.92).

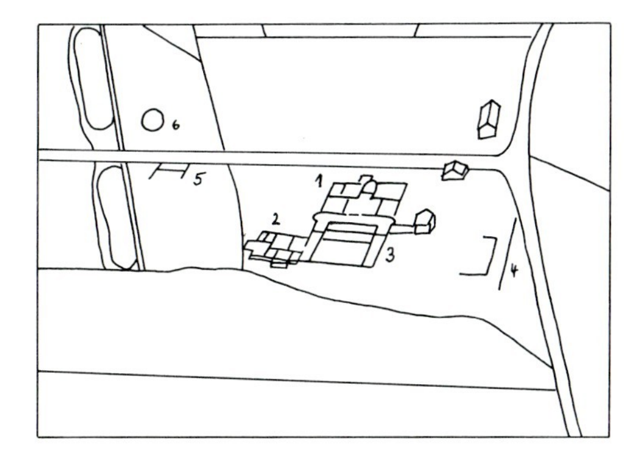

Abb. 81: Umzeichnung des Luftbildes Abb. 80 (1 Hauptgebäude (Herrenhaus, villa), 2 Badegebäude, 3 Gartenhof, 4 Umfassungsmauer, 5 Jupiterheiligtum, 6 Kreisgräben (keltische Bestattung)).

Abb. 81b: Heidelberg. Ruinen der St.-Michaels-Basilika und des Michaelsklosters auf dem Heiligenberg (Br 2/92, 05.04.92).

Bildmitte befindlichen Ostchor schließt sich die dreiflügelige Klosteranlage mit dem Kreuzgang an. Diese Gebäude sind vermutlich um 1030 errichtet worden. Das Kloster wurde 1530 von den Mönchen verlassen.

4.11 Neuzeitliche Objekte

Unsere Landschaft ist vor allem in diesem Jahrhundert vielen verschiedenen Eingriffen ausgesetzt gewesen. Diese sind natürlich häufiger und deutlicher aus der Luft zu erkennen, als z.B. mehrere Jahrtausende alte Siedlungsstellen. Wenn daher im Getreide wie mit der Schablone gezeichnete Hausgrundrisse auftauchen (Abb. 82), dann darf man bereits mit einer gewissen Sicherheit annehmen, daß dort Gebäude vor noch nicht allzulanger Zeit gestanden haben.

Nachforschungen bei älteren Einwohnern Goddelaus ergaben, daß die sichtbaren negativen Bewuchsmerkmale Grundrisse von Gebäuden aus der Zeit um 1910 nachzeichnen.

Bei mehreren Forschungsflügen im Raum Crumstadt, Kreis Groß-Gerau, konnten wir insbesondere im Umkreis des Hofes Wasserbiblos immer wieder in verschiedenen Jahreszeiten zahlreiche luftarchäologische Merkmale feststellen. Sie weisen auf eine jahrtausendelange Besiedlung des Gebietes hin, das von einem Arm des Rheinrandflusses umgeben ist. Durch Bodenfunde konnte bereits eine Besiedlung in prähistorischer und römischer Zeit nachgewiesen werden. Der Hof wird erstmalig um 830/850 im Lorscher Codex erwähnt. In der Folgezeit hatte er ein abwechslungsreiches Schicksal, wie die vorhandenen Urkunden beweisen.

Nordöstlich der heutigen Hofanlage zeigen sich in der Vegetation zahlreiche großflächige positive und negative Bewuchsmerkmale (Abb. 84). Während die zwei kleinen Kreise im oberen Bildbereich Bombenkrater andeuten, weisen die übrigen Strukturen auf verschiedene frühere Bebauungsphasen hin.

Abb. 85 zeigt Schloß Schönborn in Heusenstamm, Kreis Offenbach, dessen Hauptbau nach 1661 von den Herren von Schönborn errichtet wurde. Geplant war ursprünglich eine große quadratische Anlage als Wasserburg. Das Bild läßt deutlich erkennen, daß lediglich die Vorderfront und kurze Seitenflügel realisiert wurden. Hinter dem Schloß stehen ältere Bauten. Während das Herrenhaus (Mitte rechts) 1533 gebaut wurde, ist der Wohnturm noch älter. Bereits im 11./12. Jh. gab es hier eine Burg.

2 km nordöstlich von Darmstadt liegt das Jagdschloß Kranichstein (Abb. 86), eine hufeisenförmige Gebäudeanlage, die 1572 errichtet wurde. Es ist heute als Jagdmuseum eingerichtet. Am rechten Bildrand befindet sich der bekannte große Erker, aus dem die sternförmig angelegten Jagdschneisen im benachbarten Wald überblickt werden konnten.

Das Licht der tiefstehenden Wintersonne erleuchtet die Pfarrkirche „St. Peter" in Heppenheim, Kreis Bergstraße, auch „Dom der Bergstraße" genannt (Abb. 87). Ihr großer Schatten fällt auf den Fuß des Schloßberges. Am Platz der heutigen Kirche, die mehrfach umgebaut wurde, stand bereits 755 auf einer befestigten Anlage ein Vorgängerbau.

Abb. 82: Riedstadt, OT Goddelau, Kreis Groß-Gerau. Grundrisse von Gebäuden aus der Zeit um 1910 (G 104/90, 11.07.90).

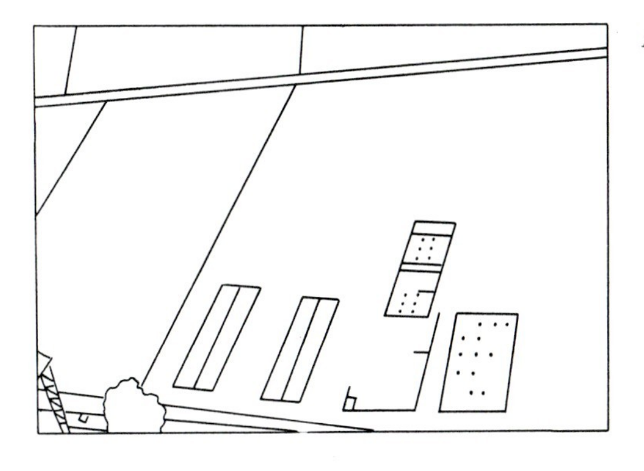

Abb. 83: Umzeichnung des Luftbildes Abb. 82.

Abb. 84: Riedstadt, OT Crumstadt, Kreis Groß-Gerau. Hof Wasserbiblos (C 9/90, 18.05.90).

Abb. 85: Heusenstamm, Kreis Offenbach. Schloß Schönborn (Of 92/87, 04.04.87).

Abb. 86: Darmstadt. Jagdschloß Kranichstein (676/85, 08.04.85).

Abb. 87: Heppenheim, Kreis Bergstraße. St. Peter – „Dom der Bergstraße" (B 107/88, 09.01.88).

4.12 Problembereich „Straßenbau-Bodendenkmalpflege"

Bei Straßenarbeiten überraschend freigelegte Bodendenkmäler führen landes- und bundesweit immer wieder zu Notgrabungen. Wegen des kostenintensiven Baustopps und des großen Zeitdruckes, der regelmäßig eine aus wissenschaftlicher Sicht nur unbefriedigende Ausgrabung und Auswertung zuläßt, sind sie sowohl aus wirtschaftlicher als auch aus archäologischer Sicht völlig unbefriedigend. Das kann in vielen Fällen künftig vermieden werden, wie unser Forschungsvorhaben am Beispiel der „B 26 neu" überzeugend beweist.

Durch die Kombination von Luftbildern und Flurbegehungen konnten in nur 2 Jahren im Bereich dieser vorgesehenen, bereits 1977 planfestgestellten autobahnähnlichen Straße von Dieburg nach Aschaffenburg bereits 21 bisher unbekannte vor- und frühgeschichtliche Stellen entdeckt werden, von denen 9 unmittelbar im Bereich der Trassenführung liegen. Die restlichen 12 befinden sich so dicht im Baubereich, daß sie weitgehend mit zerstört werden. Hinzu kommen eine römische Straße, vermutlich mehrere Hügelgräber und eine mittelalterliche Landwehr. Durch unsere Forschungsergebnisse liegt hier der bisher noch seltene Fall vor, daß die für den Schutz von Bodendenkmälern verantwortlichen Behörden bereits **vor** Baubeginn über das Vorhandensein von archäologischen Denkmälern informiert sind und rechtzeitig geeignete Maßnahmen zu ihrem Schutz bzw. zu ihrer wissenschaftlichen Auswertung treffen können.

Im Bereich der Abb. 88 wurden spätbronzezeitliche, römische und mittelalterliche Funde bei Geländebegehungen geborgen. Die zugehörigen Bodendenkmäler überlagern sich hier wahrscheinlich. Die sichtbaren positiven Bewuchsmerkmale können teilweise auch auf Sandentnahme zurückzuführen sein.

Abb. 88: Münster, OT Altheim, Landkreis Darmstadt-Dieburg. Spätbronzezeitliche, römische und mittelalterliche Fundstellen im Bereich der geplanten „B 26 neu" von Dieburg nach Aschaffenburg (718/90, 13.07.90).

4.13 Senkrechtluftbilder der Landesvermessungsämter

In Abschnitt 3.8 ist bereits auf die Bedeutung von amtlichen Senkrechtluftbildern für die Entdeckung von Bodendenkmälern eingegangen worden. Am Beispiel der Abb. 89–91 soll dies vertieft werden.

Abb. 89 zeigt in verkleinertem Maßstab ein Senkrechtluftbild, welches während einer Hessenbefliegung im Jahr 1977 im Auftrag des Hessischen Landesvermessungsamtes, Wiesbaden, aufgenommen wurde. Im Überblick ist ein Teil des Reinheimer Hügellandes südwestlich des Ortsbereiches von Groß-Zimmern, Landkreis Darmstadt-Dieburg, mit hervorragenden Lößböden zu sehen. Am linken Bildrand befindet sich der Stetteritz, eine überbaute Vulkankuppe. Mehrere Flurbereinigungen in den vergangenen Jahrzehnten haben die Feldeinteilung und insbesondere das frühere Wegenetz stark verändert.

Werden die bekannten prähistorischen (runde Markierungen) und römischen (Rechtecke) Fundstellen in das Luftbild eingezeichnet (Abb. 90), so lassen sich keine Beziehun-

Abb. 89: Groß-Zimmern, Landkreis Darmstadt-Dieburg. Senkrechtluftbild des Hessischen Landesvermessungsamtes Wiesbaden (20/77, M = 1 : 13000).

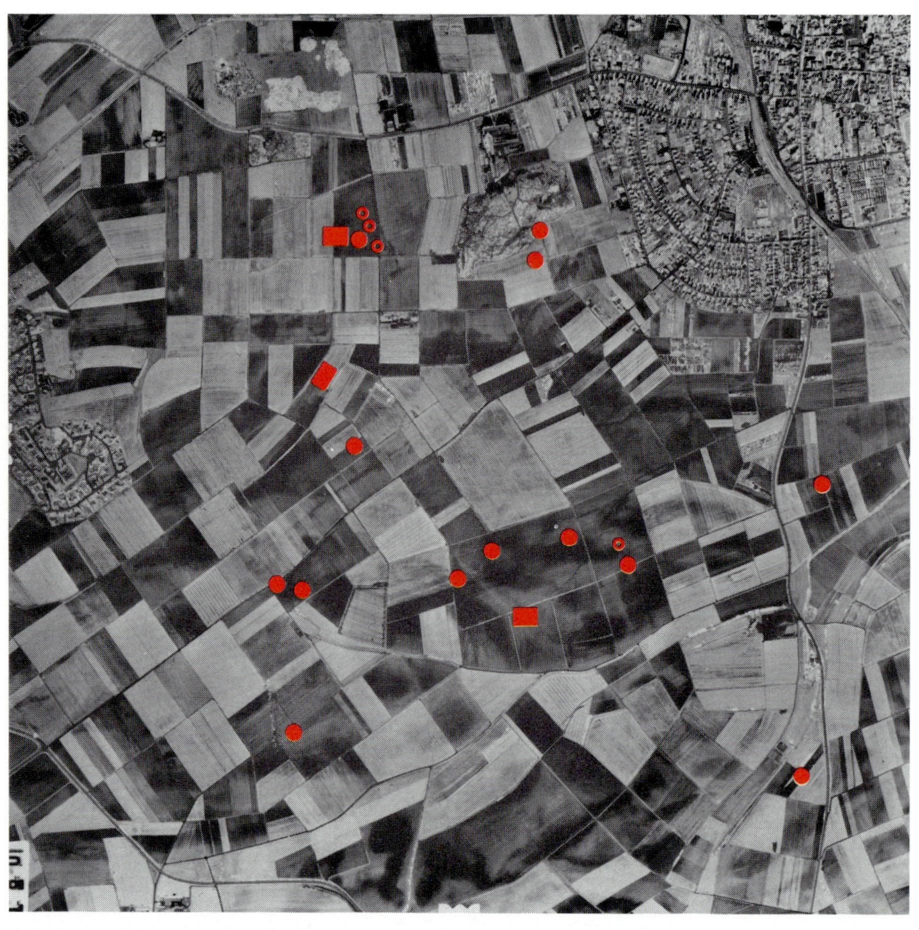

Abb. 90: Groß-Zimmern, Landkreis Darmstadt-Dieburg. Senkrechtluftbild wie Abb. 89 mit prähistorischen und römischen Siedlungsstellen.

gen zu den im Bild sichtbaren Landschafts- und Feldstrukturen herstellen. Die Fundstellen scheinen sich regellos über das Land zu verteilen.

Tatsächlich liegt aber – wie wir bereits 1982 bei der ersten Interpretation dieses Luftbildes feststellten – eine durchaus geordnete Siedlungssystematik vor, die sich an zwei wesentlichen, im Gelände an der Erdoberfläche kaum noch zu erkennenden Voraussetzungen orientierte. Dies war die Existenz von Wasser und von Wegen. Während sich heute insbesondere durch die gravierenden Grundwasserabsenkungen ehemalige Quellen in diesem Gebiet mit einer Ausnahme nur schwer nachweisen lassen, kann das frühere Wegenetz noch weitgehend sichtbar werden, wie Abb. 91 beweist. Dazu wurden die im Senkrechtluftbild erkennbaren linienförmigen Strukturen nachgezogen. Nicht berücksichtigt wurden dunkle Streifen, die durch das Landschaftsrelief bedingte Vernässungszonen verraten.

Zu unserer großen Überraschung zeigte sich deutlich, daß alle bekannten prähistorischen und römischen Siedlungsstellen eine enge örtliche Beziehung zu dem erhaltenen Liniennetz aufwiesen. Unsere Vermutung, daß sich hier Wege aus der Zeit vor den

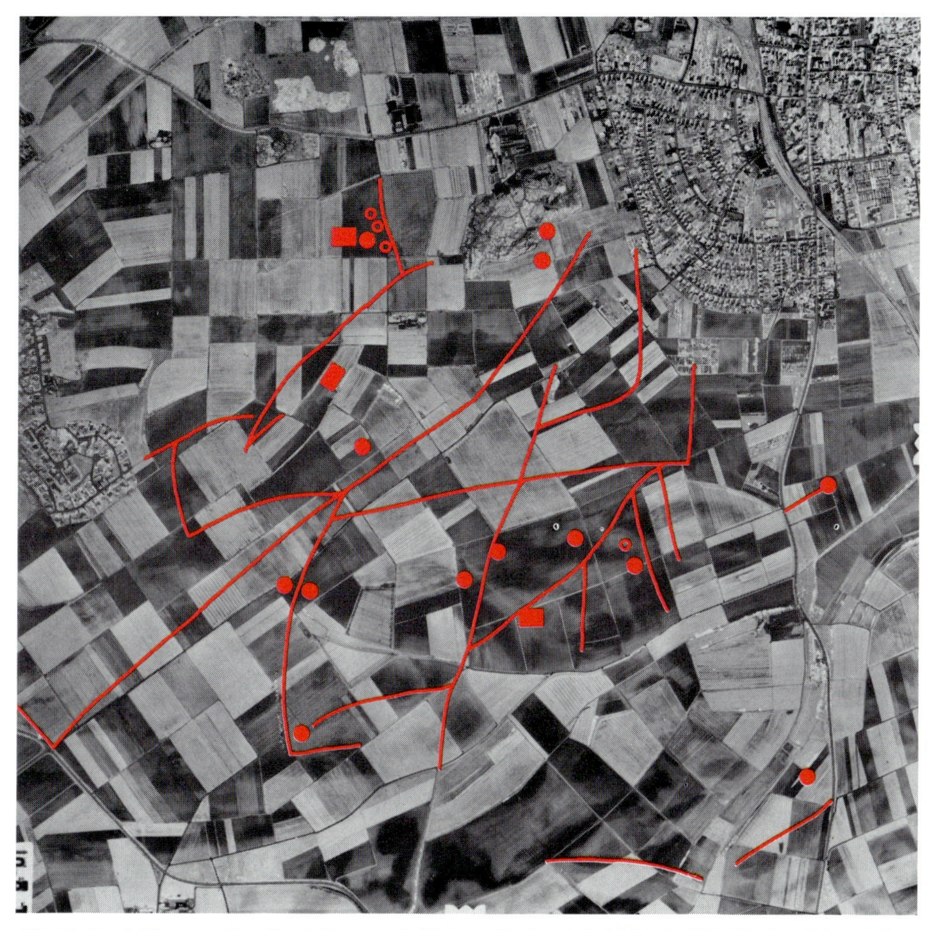

Abb. 91: Groß-Zimmern, Landkreis Darmstadt-Dieburg. Senkrechtluftbild wie Abb. 89 mit prähistorischen und römischen Siedlungsstellen sowie altem Wegenetz.

Flurbereinigungen abzeichnen, fand ihre Bestätigung bei der Überprüfung alter Flurkarten.

Da die eingezeichneten prähistorischen Fundbereiche z.T. vor mehr als 3000 Jahren besiedelt waren, ergibt sich die – erstaunliche – Feststellung, daß das ehemalige Wegenetz vor den Flurbereinigungen – zumindest in diesem Landschaftsbereich – teilweise mehrere tausend Jahre alt gewesen ist. Aufschlußreich ist auch die Beobachtung, daß eine Wegstruktur im oberen Bildbereich drei kleine Kreise, die die Standorte von Hügelgräbern angeben, deutlich umging, d.h. der Weg war jünger als die Gräber.

Die eingezeichneten Siedlungsstellen entsprechen dem Forschungsstand von 1982. Später entdeckte weitere Fundorte haben die enge Beziehung zwischen menschlichen Ansiedlungen und dem hier sichtbar gewordenen Wegenetz bestätigt.

Diese Darstellung macht deutlich, daß bei der Erforschung der vor- und frühgeschichtlichen Besiedlung eines Gebietes unbedingt vorhandene Senkrechtluftbilder ausgewertet werden sollten.

5. Bedeutung der Luftbildarchäologie

Mit Hilfe der Luftbildarchäologie gelingt es der modernen Altertumsforschung erdweit, „komplizierte kulturelle Zusammenhänge aufzudecken und ganze prähistorische Landschaften sichtbar zu machen"[56]. Auch regional kann sie wesentliche Beiträge zur Erforschung der vor- und frühgeschichtlichen Besiedlung leisten. Durch rechtzeitige Entdeckung von Bodendenkmälern aus der Vogelperspektive können diese vor der Zerstörung durch Landschaftseingriffe bewahrt und wissenschaftlich unbefriedigende Notgrabungen sowie teure Baustopps vermieden werden. Für die Bearbeitung von Planfeststellungsverfahren aus archäologischer Sicht können Luftbilder wertvolle Hilfsmittel sein[57]. Unter Berücksichtigung der Tatsache, daß nur eine verschwindend geringe Zahl von Bodendenkmälern und dann ggf. auch meist nur teilweise jemals ausgegraben werden kann, ist oft „die Dokumentation durch Luftbilder die letzte Möglichkeit, Reste unterirdischer Denkmäler festzuhalten, ehe sie durch Pflug, Erosion oder Bebauung vollständig zerstört werden"[58].

Bei günstigen Voraussetzungen ist die Luftbildarchäologie in der Lage, kurzfristig mit vergleichsweise geringem personellen und finanziellen Aufwand viele bisher unbekannte Denkmäler zu entdecken und im Luftbild zu dokumentieren[59]. Da sie weite Räume schnell und flächendeckend erfassen kann, ist sie in ihrem Wirkungsgrad jeder anderen Prospektionsmethode überlegen. Sie ist daher „inzwischen zu einem unentbehrlichen Hilfsmittel" für die amtliche Bodendenkmalpflege[60] geworden. Durch sie kann letztlich erst der gesetzliche Auftrag der Landesarchäologie realisiert werden[61].

Der Schwerpunkt der deutschen archäologischen Luftbildprospektion wird künftig in die Gebiete der neuen Bundesländer verlegt werden müssen, weil dort erhebliche Landschaftseingriffe unter Zeitdruck und ohne ausreichend gründliche Planungsmöglichkeiten vorgenommen werden sollen, denen viele Bodendenkmäler zum Opfer fallen dürften. Die überwiegend großflächigen Felder bieten günstige Voraussetzungen für erfolgreiche Forschungen.

Unter Berücksichtigung der genannten Vorzüge sind die Grenzen der Luftarchäologie weniger gravierend. So versagt sie verständlicherweise dort weitgehend, wo Bebauung, Straßen und Waldgebiete den Blick auf den freien Erdboden verhindern. Entsprechendes gilt für Schwemmböden oder intensiv genutzte landwirtschaftliche Flächen, bei denen Bodendenkmäler unter mächtigen Erdschichten verborgen liegen können, bzw. bereits weitgehend vernichtet wurden. Nachteilig ist auch die enge Abhängigkeit von der jährlichen Großwetterlage, der Vegetation und der richtigen Beleuchtung[62], die für möglichst sichere Aussagen eine mehrjährige Befliegung des Arbeitsgebietes erfordert.

Aus der Luft beobachtete auffällige Veränderungen des Bodens oder der Vegetation verraten aber nicht nur archäologische Denkmäler. Sie können durchaus auch wesentlich andere Ursachen haben. Dazu gehören z. B. Bombenkrater, ehemalige Deponien, Pipelines, Drainagen, planierte Ackerraine, Hexenringe (durch Pilze verursacht), Auswirkungen von Flurbereinigungen und Beregnungsanlagen, Düngung sowie weitere landwirtschaftliche Maßnahmen. Fehldeutungen sind auch durch geologisch verursachte Erdverfärbungen möglich. Daher ist es in der Regel – selbst nach vorheriger Luftbildinterpretation – unerläßlich, aus der Luft beobachtete Strukturen bei nachfolgenden Geländebegehungen auf ihre vor- oder frühgeschichtliche Ursache hin zu überprüfen. Die archäologische Feldarbeit und die wissenschaftliche Ausgrabung sind deshalb schon unentbehrlich, weil aus Luftbildern allein z.B. weder das Entstehungsjahr noch die Dauer einer Besiedlung erkannt werden können.

Unsere bisher vorliegenden Ergebnisse zeigen, daß ein ehrenamtliches luftbildarchäologisches Forschungsprogramm ebenfalls erfolgreich und vor allem kostengünstig sein kann, auch wenn die geringen Finanzmittel und die bescheidene technische Ausstattung sowie die äußeren Arbeitsbedingungen einen Vergleich mit hauptamtlichen, landesweiten Vorhaben nicht zulassen.

Während z.B. in Hessen eine mehrfache, flächendeckende Befliegung aller geeigneten Gebiete in einem Jahr nicht möglich ist, gelang uns dies wiederholt in verschiedenen Kreisen. Nach Aussage hessischer Archäologen stehen daher das landesweite und unser regional begrenztes Flugprogramm nicht in Konkurrenz miteinander, sondern ergänzen sich[63].

Bei unseren Tätigkeiten erwies sich insbesondere die ständige Kombination von Flugvorbereiter, ortskundigem Mitflieger, Beobachter, Photograph, Luftbildauswerter sowie Flurbegeher in einer mit dem aktuellen vor- und frühgeschichtlichen Forschungsstand Südhessens vertrauten Person als großer Vorteil[64]. Als wertvoll hat sich auch die enge Zusammenarbeit mit örtlichen Geschichtsvereinen und -forschern erwiesen. Sie haben sowohl vor den Flügen auf fundverdächtige Bereiche aufmerksam gemacht, als auch in Einzelfällen später die Überprüfung der Luftbildbefunde vor Ort durch Geländebegehungen übernommen.

Luftarchäologische Untersuchungen sind nach unseren Erfahrungen für die lokale Forschung von besonderer Bedeutung. Überall dort, wo die Standorte ehemaliger Kirchen, Kapellen, Höfe, wüst gefallener Orte usw. gesucht werden, sollte auf Luftbilder als mögliche Erkenntnisquellen nicht verzichtet werden. Ergänzt werden kann deren Auswertung durch radiaesthetische Untersuchungen. Die Beschäftigung mit der vor- und frühgeschichtlichen Besiedlung und deren Erforschung sollte nicht – wie bei auf Gemeindeebene tätigen Heimatvereinen leider oft noch zu beobachten ist – an der eigenen Gemarkungsgrenze enden. Für unsere Vorfahren gab es diese künstlichen Begrenzungen nicht. Der Einsatz der Luftarchäologie als von den Hindernissen auf dem Erdboden befreite luftige, die Weite brauchende Prospektionsmethode fordert geradezu die Aufgabe dieser „engstirnigen" Einstellung.

Durch die weitere Auswertung von Luftbildern, ergänzt durch gezielte Flurbegehungen, wird auch in den kommenden Jahren die Existenz vieler, bisher noch unbekannter Bodendenkmäler in Südhessen nachgewiesen werden können.

Anmerkungen und Literatur

1 **Schmidt, Katharina M.:** Erkenntnisse aus der Luft – Das Luftbildarchäologische Programm Vortaunus – (in: Mitteilungen – Ein Journal des Hessischen Museumsverbandes 2/91, S. 26).

2 **Kühlborn, J.-S.:** Archäologische Luftbildprospektion in Westfalen (in: Archäologie aus der Luft. Herausgegeben im Auftrag des Landschaftsverbandes Westfalen-Lippe durch das Westfälische Museum für Archäologie – Amt für Bodendenkmalpflege – von Bendix Trier, 1989, S. 7).

3 **Deuel, Leo:** Flug ins Gestern – Das Abenteuer der Luftarchäologie – Beck, 1977, 2. Aufl., S. 24.

4 **Braasch, O.:** Luftbildarchäologie in Süddeutschland. Spuren aus römischer Zeit (Kleine Schriften zur Kenntnis der römischen Besetzungsgeschichte Südwestdeutschlands Nr. 30). Herausgegeben von der Gesellschaft für Vor- und Frühgeschichte in Württemberg und Hohenzollern e.V./ Württembergisches Landesmuseum Stuttgart, 1983, S. 8.

5 Mdl. Mitteilung von P. Eidmann und A. Fischer.

6 **Schmidt,** wie Anm. 1.

7 **Ille, Ph.:** Ein Jahr Luftbildarchäologie in Hessen (in: Denkmalpflege Hessen 1/1989).

8 **Martin, A.-M.:** Luftbildmethodik und archäologische Geländeaufnahme in Bayern, Inaug.-Dissertation, München, 1989, S. 94.

9 **Braasch,** wie Anm. 4, S. 12.

10 Bodenkarte der nördlichen Oberrheinebene 1: 50 000 in zwei Blättern, Hessisches Landesamt für Bodenforschung, Wiesbaden, 1990.

11 **Schick, M.:** Fehlheim und das Ried, Darmstädter Geographische Studien H. 4, Darmstadt 1984, S. 34.

12 **Braasch,** wie Anm. 4, S. 31.

13 **Martin,** wie Anm. 8, S. 23.

14 Ebda. S. 9 ff.

15 Ebda. S. 29 ff.

16 **Jorns, W.** (in: Neue Bodenurkunden aus Starkenburg, Bärenreiter-Verlag, Kassel, 1953, S. 9 ff.).

17 **Klausing, O.:** Die naturräumlichen Einheiten auf Blatt 151 Darmstadt, Bad Godesberg, 1967, S. 51.

18 **Winkel, S., Flößer E.:** Avifauna des Kreises Darmstadt-Dieburg, Schriftenreihe Landkreis Darmstadt-Dieburg, Band 4, 1990, S. 9.

19 **Schick,** wie Anm. 11, S. 20 ff.

20 Ebda. S. 34.

21 **Nahrgang, K.:** Stadt und Landkreis Offenbach a. M., Atlas für Siedlungskunde, Verkehr, Verwaltung, Wirtschaft und Kultur, Frankfurt/M., III 11/35 (als Beispiel).

22 **Kurt, A.:** Zur Geschichte von Straßen und Verkehr im Land zwischen Rhein und Main, Inaug.-Dissertation, Frankfurt/M., 1956,

23 **Nahrgang,** wie Anm. 21, III 1/25, 4/28, 5/29.

24 **Meier-Arendt, W.:** Inventar der ur- und frühgeschichtlichen Geländedenkmäler und Funde des Kreises Bergstraße, Inventar der Bodendenkmäler H. 4, Frankfurt/M., 1968, S. 17 ff.

25 **Martin,** wie Anm. 8, S. 38 ff.

26 **Kühlborn,** wie Anm. 2, S. 25.

27 **Jünemann, J.:** Radiaesthetische Aufschlüsse an einstigen Kirchen, Burgen und Kultstätten im Landkreis Göttingen 1986 (Selbstverlag J. Jünemann, Rosenstraße 9, 3402 Dransfeld).

28 **Jünemann, J.:** Radiaesthetische Auffindung urgeschichtlicher Hügelgräber, Selbstverlag, 1990.

29 **Jünemann,** wie Anm. 27, S. 9.

30 Kontaktadressen:
- a) Forschungskreis für Geobiologie Dr. Hartmann e.V., Landesgruppe Hessen, Dr. Karlheinrich Wesselborg, Münsterer Straße 63, 6238 Hofheim-Lorsbach/Ts.
- b) Reinhold Schneider, Postfach 1541, 6980 Wertheim.

31 Wie Anm. 7.

32 Mdl. Weil, Bernd, Rödermark.

33 **Schmidt, R.H.:** Die römerzeitliche Besiedlung entlang der Römerstraße Gernsheim-Dieburg, besonders im Odenwald-Abschnitt von Darmstdt-Eberstadt bis Dieburg, Ober-Ramstädter Hefte Nr. 3, Ober-Ramstadt, 1977.

34 **Baatz, D.** (in: Die Römer in Hessen, Theiss, Stuttgart, 1982, S. 111).

35 Wie Anm. 22.

36 **Nahrgang,** wie Anm. 21, III 1/25.

37 **Nahrgang, K.:** Die Bodenfunde der Ur- und Frühgeschichte im Stadt- und Landkreis Offenbach am Main, Kramer, Frankfurt/M., 1967, S. 79.

38 **Baatz,** wie Anm. 34, S. 70.

39 **Meier-Arendt,** wie Anm. 24, S. 17.

40 Mdl. A. Fischer, Klein-Umstadt.

41 Dto.

42 **Baatz,** wie Anm. 34, S. 243.

43 **Kurt,** wie Anm. 22, S. 10.

44 **Mdl. Ph. Ille,** Wiesbaden.

45 **Fahlbusch, K.:** Versuch einer geologischen Deutung der Karten prähistorischer Funde im Raum Darmstadt, Ober-Ramstädter Hefte Nr. 4, Ober-Ramstadt, 1977, S. 346.

46 **Jockenhövel, A.** (in: Die Vorgeschichte Hessens, Theiss, Stuttgart, 1990, S. 466).

47 Ebda., S. 423.

48 **Baatz,** wie Anm. 34, S. 424 ff.

48a Ebda., S. 504 ff.

49 **Kögler, H.-E.:** Pfungstadt (in: Kulturgeschichtliche Zeugen-Wegweiser in die Zukunft, Denkmäler im Landkreis Darmstadt-Dieburg, 1982, S. 167).

50 Mdl. V. Liebig, Pfungstadt.

51 Dto.

52 **Kögler,** wie Anm. 49, S. 170.

53 **Kühlborn,** wie Anm. 2, Abb. 17, 18.

54 **Baatz,** wie Anm. 34, S. 360 ff.

55 **Hermann, F.-R.:** Die villa rustica „Haselburg" bei Hummetroth, Führungsblatt Stand 1985 zu dem römischen Gutshof bei Höchst-Hummetroth, Odenwaldkreis, 1986.

56 **Deuel,** wie Anm. 3, S. 18.

57 **Kühlborn,** wie Anm. 2, S. 26.

58 **Schmidt,** wie Anm. 1, S. 28.

59 Ebda.

60 **Braasch,** wie Anm. 4, S. 120.

61 **Bérenger, D.,** wie Anm. 2, S. 39.

62 **Ille,** wie Anm. 7, S. 10.

63 Mdl. Ph. Ille u. H. Göldner (vor dem Denkmalbeirat des Krs. Bergstraße).

64 **Bérenger,** wie Anm. 2, S. 39.

Weitere Literatur:

Christlein, R., Braasch, O.: Das unterirdische Bayern – 7000 Jahre Geschichte und Archäologie im Luftbild – Theiss, Stuttgart, 1982.

Martin, A.-M., Sölter, W.: Archäologie mit Vogelaugen (in: Die großen Abenteuer der Archäologie, Band 10, Andreas Verlag, Salzburg, 1987).

Fenster zur Urzeit, Luftbildarchäologie in Niederösterreich, Katalog zur Sonderausstellung vom 01.04. – 31.10.1982 in Asparn an der Zaya.

Hensch, E. G.: Radiaesthesie im ländlichen Bauen und Siedeln, Arbeitskreise zur Landentwicklung in Hessen, Wiesbaden, 1987.

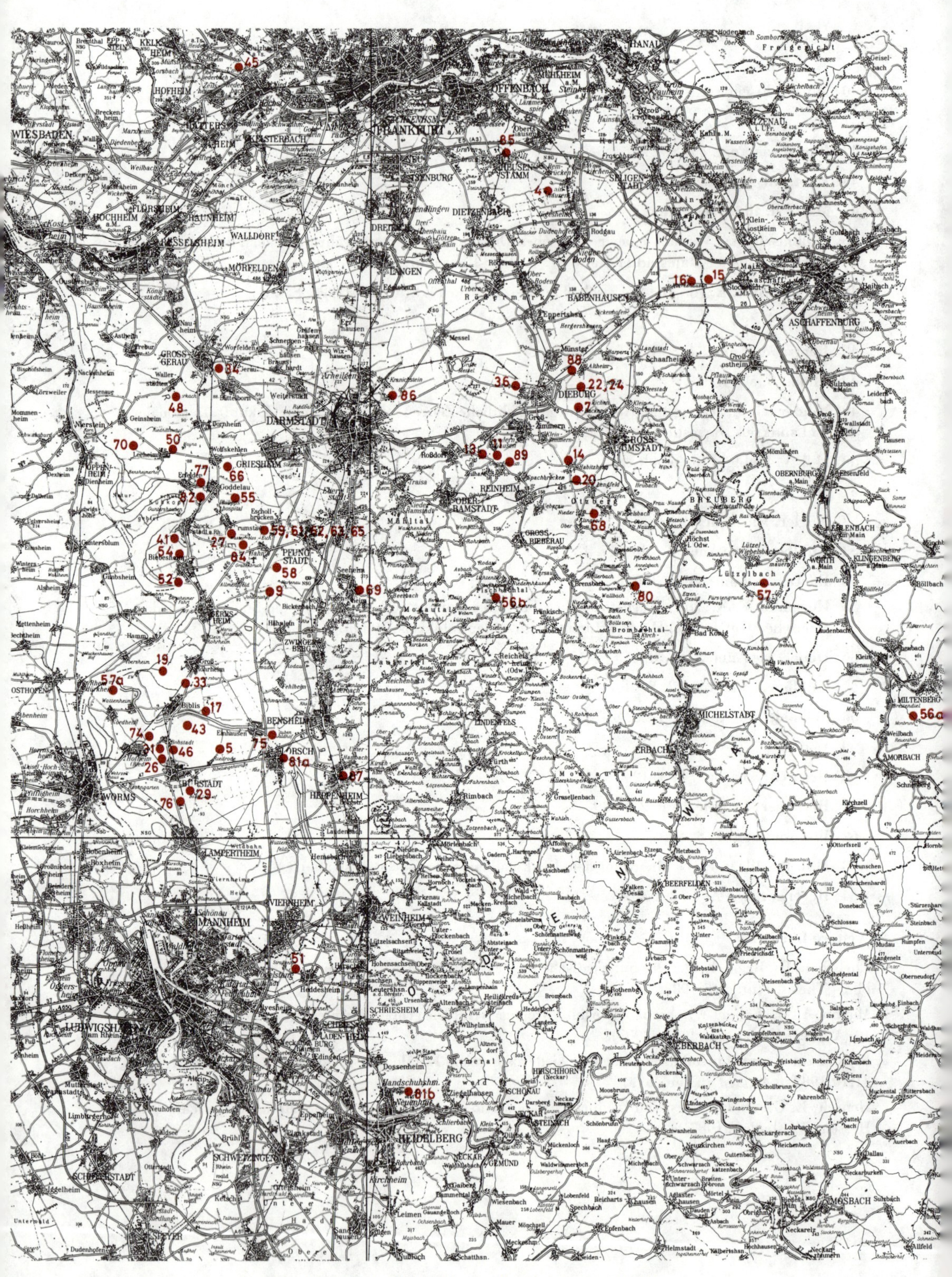

Aufnahmeorte der Luftbilder (außer Nr. 21, 56, 78, 79).

Ernst Erich Metzner

Das Lorscher Reichsurbar vor seinem deutschen und französischen Hintergrund – ein verkanntes Sprach- und Geschichtsdokument aus den Jahren 764/5?

Zu den ältesten Bezeugungen rheinfränkischer Königsgutorte wie „Frankfurt", „Vilbel", „Kelsterbach" und „Rüsselsheim", „Trebur", „Nauheim", „Königstädten" und „Mörfelden", „Gernsheim" und „Langen" im Umfeld eines frühen Fernwegs aus der westfränkischen Mitte über Worms und Nierstein in die Dreieich und Wetterau Richtung altes Hessen und Sachsen.

I. DAS LORSCHER REICHSURBAR UND DIE FRAGE DES DATUMS: LOKALPATRIOTISCHE VOREILIGKEITEN UND WISSENSCHAFTLICHE GEGENREDEN VON EHEDEM UND HEUTE

Die folgenden, wie es scheint, recht ergebnisreichen, sicherlich aber noch ergänzungsbedürftigen Erörterungen über das sog. „Lorscher Reichsurbar"[1] wurden – abgesehen von Kap. I und IV – im wesentlichen als erster Teil eines vom Mörfelder Heimatverein veranlaßten Vortrags über „Mörfelden und sein Umland im frühen Mittelalter: Zur Aussage des Ortsnamens und zum Alter der Erstnennung im sog. Lorscher Reichsurbar" am 25.3.1980 zum ersten Mal in der Öffentlichkeit angestellt. Mörfelden ist wie Frankfurt, Rüsselsheim, Königstädten, Bauschheim und eine größere Anzahl von Orten zwischen der West-Pfalz und der Wetterau in derselben, zumindest bei Fachleuten berühmten frühen Lorscher Quelle, die aber zum Leidwesen vieler *nicht* mit einem Datum versehen ist, sicher oder möglicherweise zum ersten Mal genannt; so ist es nicht verwunderlich, daß die vom Verfasser dieses Aufsatzes eingeleitete Auseinandersetzung um das Recht der Rüsselsheimer, 1980 im Bezug auf das angebliche Jahr 830 der Urbar-Entstehung das 1150-Jahresfest der Ersterwähnung zu feiern, auch im Nachbarort Mörfelden, wo man seit neuestem sogar noch eine ältere Bezeugung zu kennen glaubte, Interesse fand. Die angeblich schon aus dem Jahre 730 stammende Erwähnung Mörfeldens in einem sog. Lorscher Codex erwies sich bei näherem Zusehen allerdings als identisch mit dem in den bekannten „Codex Laureshamensis" eingegangenen Text des Lorscher Reichsurbars (Nr. 3671–3675 des Kopialbuchs), das der „Entdecker" Karl Glöckner 1920 zwischen 830 und 850 n. Chr. entstanden gedacht hatte[2], und die Jahreszahl 730 war offenbar eine simple Verschreibung aus 830, d.h. aus jener Jahreszahl, die man auch in Rüsselsheim zugrundelegen wollte – ohne zu erkennen, daß das scheinbar feste Datum wohl schlicht und einfach aus der mißverstandenen Angabe von älterer Sekundärliteratur, daß Rüsselsheim (usw.) im Urbar „830/850", d.h. zwischen 830 und 850, zuerst genannt sei, gefolgert worden war[3]. Obwohl die maßgebende Untersuchung von K. Glöckner mit der Vorstellung der „Entdeckung" und dieser nur ungefähren Datierung bereits 1920 erschienen war, ist das Reichsurbar bis vor kurzem in der Stadt Rüsselsheim – und auch und gerade für die Rüsselsheimer Autorität in Sachen

Heimatkunde, W. Sturmfels (+ 1937) –, unbekannt oder noch kein fester Begriff gewesen, was umso erstaunlicher ist, als schließlich auch in leicht zugänglichen Texten auf das neue Wissen verwiesen wurde, am Ende auch in solchen von vor Ort[4].

Nicht bewußt war man sich an entscheidender Stelle dann auch in Rüsselsheim, als von Seiten des Magistrats der Plan einer 1150-Jahrfeier geboren wurde, daß jüngere, bis dahin nicht überzeugend widerlegte Forschung (M. Schalles-Fischer, M. Gockel)[5] das Lorscher Reichsurbar inzwischen sogar erst in der Zeit zwischen 834 und 850 verfaßt sein ließ, so daß nunmehr 1980 noch schlechter zu behaupten war, vor genau 1150 Jahren sei Rüsselsheim exakt im Jahre 830 zum ersten Mal in der erhaltenen Überlieferung genannt worden; eine solche Behauptung hat ja auch wegen des fehlenden Datums im Urbar kein ernstzunehmender Wissenschaftler bisher aufgestellt. Auf diesen jüngsten Forschungsstand hatte auch ich, im Juni 1978 im ersten Heft der neuen heimatkundlichen Reihe des Heimatvereins, „Rucilin", in dem Aufsatz „Weshalb Rucilin?"[6], schon hingewiesen, ohne daß dies oder auch nur etwas mehr Vorsicht dazu geführt hätte, die von irgendwoher beigebrachten magischen Zahlen „830" bzw. „1150" in Zweifel zu ziehen und genauer zu recherchieren; sogar eine Jubiläumsmünze mit der Aufschrift „830–1980" hatte man so im Jahr 1979 schon prägen lassen, als der Verfasser von dem voreiligen Jubiläumsplan Kenntnis bekam und sich daraufhin leider gezwungen sah, gewissermaßen die Notbremse zu ziehen! Seine eigene Position, die sich damals gerade herauszubilden begann, konnte er dabei gerade nur andeuten, und auch die derzeitige Forschungslage war natürlich nur sehr verkürzt rekapituliert worden. Es galt deutlicher zu werden.

Im übrigen war die Jubiläumsmünze, als „Fehldruck" anscheinend sogleich im Wert gestiegen, nicht gerade ein geschäftlicher Mißerfolg.

Wie wenig abgesichert der Jubiläumsplan war, geht auch schon daraus hervor, daß man gleichzeitig im städtischen Museum in der Broschüre von 1979 zur Eröffnung der Mittelalterabteilung und auf der Schrifttafel zum Lorscher Reichsurbar als Datum des Urbars nicht „830", sondern immerhin nur *„um 830"* angab[7].

Doch genug von den damaligen Auseindersetzungen und nicht viel von den folgenden Bemühungen um eine Schadensbegrenzung, zu denen vor allem ein unter die Leitung des Verfassers gestelltes Kolloquium zur frühmittelalterlichen Geschichte am Untermain gehörte. Höchst wünschenswert war es jedenfalls 1980 und in der Folge, daß möglichst schnell größtmögliche Klarheit geschaffen wurde. Daß man aber Klarheit, wenn auch nicht ohne eingehende Untersuchung und nicht eine in der bisher angesprochenen Richtung, in einem unerwartet hohen Maß erreichen kann und bezüglich des fehlenden Datums nicht bei einem unbefriedigenden „Wir wissen, daß wir nichts wissen können" stehen bleiben muß, wie es langhin schien, hat sich zumindest dem Verfasser bald ergeben, der, Germanist und Historiker, von einer anderen als der gewohnten, von einer gewissermaßen unbefangenen Perspektive aus, der des namenkundlich interessierten Sprachwissenschaftlers, an den Urbartext herangetreten war. Ein erster Schritt zur schriftlichen Darstellung der sich andeutenden Ergebnisse war noch 1980 der als „Vorbericht" deklarierte, populär überschriebene und untertitelte Aufsatz in der „Sonderausgabe" der Zeitschrift „Rucilin. Rüsselsheim in Vergangenheit und Gegenwart" aus Anlaß von 75 Jahren Heimatverein Rüsselsheim („‚Rucilensheim' – älter als 1200 Jahr' mitsamt dem Lorscher Reichsurbar! Neue Erkenntnisse über Ort, Art und Alter der Erstnennung von Rüsselsheim, Königstädten, Bauschheim, Mörfelden, Nauheim, Trebur, usw.")[8]; in

huba seruilis quę donat in censu pullū·i·
oua·x· & aliud seruitiū sicut ei p̄cipitur:
In uilla · Stetin fit simile De Stetin · ←←Kön
Seruitiū ut in franchenuurt excepto qđ anno
nun n̄ dat s; denar·ii·ad osterstupha·
In uilla Niuuenheim De Niuuenheim · ←←Nau
ē huba integra quę soluit simile seruitiū &·ii·
modios desigt & altera huba dimid· solū incen
sum denar·x· mod·i· pullū·i· oua·x· pope femi
nili unc·i· & arat iurn·i· De Biuuinesheim·
In uilla Biuuinesheim·ii· sortes solut simile ser ←Bau
uitiū & pope feminili donant unc·ii· desteim ·
In alia uilla Askmundestein· De Askemun ←Ast
huba dimid quę soluit unc·ii· & alia integra q^e
soluit· uncias· iii· & alia dimid que soluit·i·
unciam 7 dimidiam· & alia integra dat unc·
·iii· Iurnal·xvii·solut unc·ii· mod·i·defrumto
& arat iurnale·i· Dehordeo mod·i· alia huba inte
gra dat denar·xxx· Defrumento mod·i· Dehor
deo sim· arat iurnal·i· Alii iurn·xvii· solut
soludū·i· De Rucilesheim·
In uilla Rucilensheim huba·i· donat unc·ii· ←Rüs

Ausschnitt aus dem Lorscher Reichsurbar mit der Erwähnung von Königstädten (‚Stetin'), Nauheim (‚Niuuenheim'), Bauschheim (‚Biuuinesheim'), Astheim? (‚Askmundestein/Askemundesteim') und Rüsselsheim (‚Rucilensheim/Rucilesheim') wesentlichen Teilen kann noch der jetzige überarbeitete und ergänzte Text durch Wortlaut und Anmerkungen diesen Vorbericht benützen. Danach folgte im Jahre 1981 – um nur nachprüfbar Fixiertes zu nennen – die Kurzfassung eines Vortrags „Das Lorscher Reichsurbar – ein frühkarolingischer Text aus der Zeit König Pippins?”, verbreitet im Protokoll der 117. Arbeitstagung der hessischen Sektion des Konstanzer Arbeitskreises für mittelalterliche Geschichte in Marburg vom 10.1.1981, wo auch die anschließende Diskussion wiedergegeben wurde. In ihr haben vor allem M. Gockel und F. Schwind kritische Bemerkungen beigesteuert, auf die im Folgenden gegebenenfalls explizit oder implizit eingegangen wird[9]; eine eingehende Auseinandersetzung würde aber bis zur wissenschaflichen Veröffentlichung der Ergebnisse aufgespart bleiben müssen[10].

In der Folgezeit ist dann von mir 1984 im Rahmen des Gießener Flurnamen-Kolloquiums unter der Leitung von R. Schützeichel ein an sich von der Neudatierung des Urbars unabhängiger, aber sie unterstützender Aspekt der älteren Argumentation behandelt worden, die Datierung der unabhängig vom Urbar überlieferten Langener Markbeschreibung im Lorscher Codex (Nr. 3770)[11] innerhalb einer Darstellung der Bedeutungs- bzw. Frühgeschichte des Namens und des Forstes bzw. Wildbanns „Dreieich”; zu diesen Fragen kann die Markbeschreibung wesentlichste Auskünfte beisteuern (E. E. Metzner: Frühkarolingische Forstnamen im Mittelrheingebiet. „Flurnamen”-Befragungen als Beiträge zur frühmittelalterlichen Verfassungs- und Institutsgeschichte des rheinfränkischen Raums)[12]. Nicht zuletzt zustimmende Bemerkungen von H. Beumann während der Marburger Sitzung hatten zu eingehenderer Behandlung der Markbeschreibung motiviert. Ähnlich stand das Problem der Urbar-Datierung im Hintergrund einer gleichzeitigen, speziell namenkundlichen Veröffentlichung[13].

Neuere Forschung ist danach nicht mehr systematisch auf die Fragestellung (Neudatierung des Urbars) hin überprüft worden, aber der Wunsch nach einer eingehenden wissenschaftlichen Auseinandersetzung veranlaßt jetzt zu einer ausgearbeiteteren wissenschaftlichen Veröffentlichung, nicht zuletzt auch in Hinblick auf das Jahr 1994, da man in Frankfurt die datierte Erstnennung im Jahre 794 feiert: Nicht die Berechtigung dieses 1200-Jahr-Jubiläums gilt es in Frage zu stellen, wohl aber sollte durch den Hinweis auf einen aller Wahrscheinlichkeit um ca. 30 Jahre älteren undatierten Text die bedingte Aussagefähigkeit solcher Jubiläen herausgestellt werden; die neuesten Ausgrabungen unter dem Frankfurter Dom haben ja bereits für eine besondere Art der Relativierung auch bisher für überzeugend gehaltener Arbeiten zur Frühgeschichte Frankfurts gesorgt[14]. Wir können – bisher – keine exaktere Datierung der frühen Erstnennung beibringen, wenngleich sich die Jahre 764/5 (s.u.) als Datum für die Aufzeichnungen des Urbars und damit für die Erstnennung auch Frankfurts anbieten, aber die Arbeit unterstreicht auf ihre Art die Wahrscheinlichkeit eines größeren Alters der Siedlung Frankfurt und des Namens, einer Entstehung schon *vor* Karl dem Großen (768–814)[15].

II. VOM REICHSURBAR IM ALLGEMEINEN ZUM ABSCHNITT „UM DIE DREIEICH” IM BESONDEREN: NEUE EINSTIEGE IN ALTE AUSEINANDERSETZUNGEN

Vorweg sei allerdings noch einiges über den Begriff Urbar und speziell zum Lorscher Reichsurbar und der darin verwendeten Terminologie gesagt: „Urbar” meint – ein altdeutsches Wort mit dem Sinn „Ertrag" – ein Verzeichnis von Einkünften aus Landbesitz; das „Lorscher Reichsurbar" im besonderen ist demnach, wie der von der Wissenschaft nach seiner Identifizierung durch Karl Glöckner gegebene Name andeutet, ein aus dem Kloster Lorsch überliefertes, wohlgemerkt undatiertes Verzeichnis von Einkünften aus Besitzungen des „Reichs", d.h. des fränkischen Königs oder Kaisers – wie man mit Sicherheit sagen kann: eines Herrschers aus dem 751 zur Königsherrschaft im Frankenreich gelangten karolingischen Geschlecht, dessen Macht im Kaisertum Karls des Großen (768–814) kulminierte und das im Ostfrankenreich (Deutschland) bis 911 regierte. Als derartige Zusammenstellung steht das Urbar ziemlich allein, auch räumlich, was die Datierung zugleich erschwert und erleichtert[16]. Aufgeführt werden Güter aus einem auffällig begrenzten, relativ schmalen Gebiet, das vom Westrich, von der westlichen Pfalz, über den Raum Worms, Gernsheim, Nierstein, Trebur, Frankfurt bis in die Wetterau reicht, wobei bisher nicht klar ist, ob der Text im wesentlichen vollständig erhalten ist; mit Sicherheit herrscht Verwirrung bei der Reihung der Abschnitte. Auch der Gegenstand der Aufstellung entspricht nicht ganz den Erwartungen: „An Stelle der Verzeichnung der Erträge ... und ihrer Verwendung steht hier ein Schema, das sich ... im 9. Jahrhundert vielfach durchsetzte:

1. Aufzählung der zu den Haupthöfen gehörigen Salländereien, der Erträge, Überschüsse und Vorräte;

2. Angaben über die zugehörigen abhängigen freien und unfreien Hufen und deren Belastung (mansi ingenuiles und serviles), auch mit Diensten, beispielsweise der Gestellung von Pferden (parafredi) und

3. Zusammenfassung der Summe der zu dem einen Haupthof gehörigen Hufen mit ihrer gesamten Belastung"[17].

Mit dem Begriff „Salland", im Urbar als „terra dominica" (Herrenland/Königsland) bezeichnet, ist der in Eigenwirtschaft des Königs stehende Boden gemeint; er ist nicht nach „Hufen" vermessen, d.h. noch nicht an freie oder hörige Landwirte ausgegeben. „Salland" wird nach „iurnales" (d.h.: Tagewerken), Weinland und Wiesen werden nach „carradae" (= Fudern) berechnet. Dem Reichsurbar zufolge hatte eine Bauernstelle bzw. Hufe, im Reichsurbar „mansus", „huba" oder „sors" genannt, die Größe von 17 bis 20 Tagewerken[18]. Eine fränkische Hufe, wie sie in späterer Zeit bei der deutschen Ostsiedlung angewendet wurde, umfaßte zwischen 23 und 28 ha; die Schwankungen sind vor allem durch die wechselnde Bodengüte bedingt[19].

Das Urbar rheinfränkischen Reichsguts, das man abgekürzt Lorscher Reichsurbar nennt, ist, spätestens im 12. Jahrhundert bei der Abschrift des Lorscher Kopialbuchs, unter die in Lorsch gesammelten Zeugnisse zum Besitz des Klosters Lorsch aufgenommen worden, so als wäre der im Urbar genannte Reichsbesitz zu Gänze Klosterbesitz. Es handelt sich also allem Anschein nach um eine versuchte Usurpation, deren geschichtliche Hintergründe wohl nicht mehr aufzuklären sind. Immerhin wird sich unten ein neuer Hinweis darauf ergeben, seit wann das Urbar in Lorsch bekannt gewesen oder wie das Urbar nach Lorsch gekommen sein könnte.

Unter Nr. 3673 ist nun – für die Beweisführung von größerer Bedeutung – ein Abschnitt des Urbars aufgeführt, der (das) Königsgut aus dem Bereich des westlichen und nördlichen historischen Wildbanns ‚Dreieich', dessen Name aber nicht genannt wird, um Trebur und Frankfurt zusammenfaßt: Die West- und Nordgrenze des damit umschriebenen Königsgutbezirks (fiscus) scheint jedenfalls identisch zu sein mit der allerdings erst viel später bezeugten West- und Nordgrenze des königlichen Wildbannbereichs „Dreieich"; das spricht für einen inneren Zusammenhang, der hier jedoch nicht zu diskutieren ist[20]. Glöckner weist implizit darauf hin, indem er den Abschnitt mit „Um die Dreieich" überschreibt.

Unter 3671, am Anfang des überlieferten Textes, ist – um nur noch einen Komplex zu nennen – der Fiskus Gernsheim („Gernesheim") mit einer großen Zahl von Ortsnamennennungen aus dem Ried und Rheinhessen abgehandelt[21].

Abschnitt „Um die Dreieich" (= fiskus Frankfurt bzw. Trebur?) aus dem Lorscher Reichsurbar. Text nach Codex Laureshamensis, bearb. von K. Glöckner, 3. Bd., Darmstadt 1936. S. 174 f.:

3673. [Um die Dreieich.]

De *Triburen.* In uilla *Triburen* inueniuntur de terra arabili iurnales CXCVIII. Ad *Stetin*[c] sunt jurnales LXXIIII. In *Niuenheim* iurnales C·et V. In *Askmuntesheim*[1] LXXXII quorum quilibet soluit denarios VII et operatur quidquid ei precipitur.

In *Franchenuurt.* In villa *Franchenuurt* inueniuntur de terra arabili iurnales CCCCL. De pratis ad carr. FL et mansus ingenualis qui soluit in censum sualem I duas uncias ualentem pullum I oua X de siligine[f] mod. I parafredum de curte ad curtem.

De *Greozesheim.* In *Greozesheim* unueniuntur de terra arabili iurnales CLX de pratis ad carr. XV et huba integra quę soluit sualem I ut supradicta in Frankenuurt, et reliquum seruitium facit.

De[a] *Gelsterbach.* In *Gelsterbach* inueniuntur de terra arabili LXXX iurnales et huba I quę soluit sualem et aliud seruitium ut supra.

De *Velauuilre*[b]. In villa *Velauilre* inueniuntur de terra arabili iurnales CCXL de pratis ad carr. XII et huba ingenualis quę soluit sualem I pullum I oua X parafredum I infra regnum et in hostem et aliud seruitium ut supra. Forestarius dat pullum I solidum I oua X De illo farinario quod est in *Felauuila*[c] exeunt modii LXX.

De *Seckebach*[2]. In villa *Seckebac inueniuntur de terra arabili* iurnales CLXXX. De uineis ad carradas XXVI et huba seruilis quę donat in censum pullum I oua X et aliud seruitium sicut ei precipitur.

De *Stetin*[2]. In uilla *Stetin* fit simile seruitium ut in Franchenuurt excepto quod annonam non dat sed denarios II ad osterstupha.

De *Niuuenheim.* In villa *Niuuenheim* est huba integra quę soluit simile seruitium et II modios de siligine et altera huba dimidia soluit in censum denarios X modium I pullum I oua X pro opere seminili unciam I et arat iurnalem I.

De *Biuuinesheim*[3]. In villa *Biuuinesheim* II sortes soluunt simile seruitium et pro opere feminili donant uncias II.

De *Askemundestein*[d]. In alia uilla *Askmundestein* huba dimidia quę soluit uncias II et alia integra que soluit uncias III et alia dimidia quę soluit I unciam et dimidiam. Et alia integra dat uncias III. Iurnales XVII soluunt uncias II modium I de frumento[e] Arat iurnalem I De hordeo modium I. Alia huba integra dat denarios XXX De frumento modium I De hordeo similiter Arat iurnalem I. Alii iurnales XVII soluunt solidum I.

De *Rucilesheim.* In villa *Rucilensheim* huba I donat uncias II.

| De *Mersenuelt.* In uilla *Mersenuelt* sunt iurnales XXIIII[f] de terra dominica et V seruiles qui soluunt censum ut supra.

Item. De censu forastico soluuntur modii LXXX et dimidius de siligine.

In[g] summa sunt mansi et sortes CXII unde ueniunt in censum porci CXII De argento librę VIII et uncię II De frumento modii LXXVIII Similiter de hordeo. De siligine modii XXIII Pulli CXX Oua mille CC.

Übersetzung des vorangehenden Abschnitts aus dem Lorscher Reichsurbar durch K. J. Minst (Lorscher Codex deutsch. Urkundenbuch der ehemaligen Fustabler Lorsch, Bd. V, Lorsch 1971). Die Übersetzung verwendet für ‚iurnales' die Ausdrücke ‚Joch' und ‚Morgen'

– im Text des folgenden Aufsatzes erscheint dafür ‚Tagewerke'. ‚Sortes' wird mit ‚Anteile' oder ‚Hubenanteile' übersetzt – im Text des Aufsatzes erscheint es als Wechselform von ‚huba' (= Hube).

(Reisurbar; Dörfer um den Reichsforst Dreieich)

Über Triburen. Im Dorf Triburen *(Trebur s. Mainz)* befinden sich 198 Joch Ackerland, zu Stetin*(Königstädten in der Dreieich sö. Mainz)* 74 Joch, in

Nivenheim *(Nauheim nw. Groß-Gerau sw. Frankfurt/M.)* 105 Joch, in

Askmuntesheim *(Astheim nw. Groß-Gerau)* 82, von denen jedes Joch 7 Pfennig zinst und front, was auch immer ihm vorgeschrieben wird. – in

Franchevurt. Im Dorf Franchevurt *(Frankfurt/M.)* finden sich 450 Joch Ackerland, Wiesland mit einem Ertrag von 40 Fuder *(Heu)* und 1 Edelhof, welcher 1 Schwein im Wert von 2 Unzen, 1 Huhn, 10 Eier und 1 Scheffel Winterweizen zinst. Er stellt 1 Pferd für den Verkehr zwischen den Höfen. – Über

Greozesheim. In Greozesheim *(Frankfurt–Griesheim)* liegen 160 Joch Ackerland, Wiesland zu 15 Fuder *(Heu)* und 1 ganze Hube, welche, wie oben für Frankenvurt *(Frankfurt)* gesagt, 1 Schwein zinst und den übrigen Frondienst leistet. – Über

Gelsterbach. In Gelsterbach *(Kelsterbach sw. Frankfurt)* befinden sich 80 Joch Ackerland und 1 Hube, welche 1 Schwein abliefert. Die übrige Dienstbarkeit wie oben. – Über

Velawilre. Im Dorf Velavilre *(Vilbel nö. Frankfurt)* sind 240 Joch Ackerland, Wiesland zu 12 Fuder *(Heu)*, 1 Edelhube, welche 1 Schwein, 1 Huhn und 10 Eier zinst. Sie stellt 1 Pferd, welches sowohl für den Verkehr innerhalb der Reichsgrenzen als auch für den Kriegsdienst in Feindesland bestimmt ist. Der übrige Herrendienst ist derselbe, wie er oben angeführt wurde. Der Förster gibt 1 Huhn, 1 Schilling und 10 Eier. Vom Bäcker in Felawila *(Vilbel)* werden 70 Scheffel *(Brot)* ausgefolgt. – über

Seckebach. Im Dorf Seckebac *(Frankfurt-Seckbach)* liegen 180 Joch Ackerland, Weinberge mit einem Ertrag von 26 Fuder *(Wein)* und 1 Knechtshube, die 1 Huhn und 10 Eier zinst und den übrigen Frondienst nach Vorschrift leistet. – Über

Stetin. Im Dorf Stetin *(Königstädten sö. Mainz)* gilt die gleiche Dienstbarkeit wie in Franchenvurt *(Frankfurt)* mit einer Ausnahme: Es wird kein Getreide abgeliefert, sondern ein Betrag von 2 Pfennig als Osterabgabe *(vgl. Urk. 3672)*. – Über

Niwenheim. Im Dorf Niwenheim *(Nauheim nw. Groß-Gerau)* gibt es 1 ganze Hube, welcher die gleiche Dienstbarkeit obliegt. Sie zinst außerdem 2 Scheffel Winterweizen. Eine andere halbe Hube bezahlt als Zins 10 Pfennig, 1 Scheffel Getreide, 1 Huhn und 10 Eier, ferner eine Unze als Geldablösung für den Frondienst der Frauen. Sie ackert 1 Joch Land. – Über

Biwinesheim. Im Dorf Biwinesheim *(Bauschheim nw. Groß-Gerau)* leisten 2 Hubenanteile die gleichen Abgaben und außerdem noch 2 Unzen an Stelle der weiblichen Fronarbeit. – Über

Askemundestein. In einem anderen Dorf, nämlich in Askemundestein *(Astheim nw. Groß-Gerau)* ist eine halbe Hube, welche 2 Unzen, eine ganze Hube, die 3 Unzen, und eine andere halbe Hube, die 1 1/2 Unzen zinst. Eine weitere ganze Hube gibt 3 Unzen. 17 Morgen zinsen 2 Unzen und 1 Scheffel Getreide. 1 Morgen Land ist zu pflügen. An Gerste ist 1 Scheffel fällig. Eine andere ganze Hube gibt 30 Pfennig, 1 Scheffel Getreide und die gleiche Menge Gerste. Sie hat 1 Morgen Land zu pflügen. Weitere 17 Morgen liefern 1 Schilling ab. – Über

Rucilesheim. Im Dorf Rucilensheim *(Rüsselsheim w. Frankfurt)* gibt 1 Hube 2 Unzen. – Über

Mersenvelt. Im Dorf Mersenvelt *(Mörfelden s. Frankfurt)* liegen 24 Morgen Herren- und 5 Morgen Hörigenland, welche in der obigen Weise zinsen. Ferner werden an Forstzins 80 1/2 Scheffel Winterweizen abgeliefert. – Insgesamt haben wir 112 Hofreiten und Anteile, von denen als Zins 112 Schweine, 8 Pfund Silber und 2 Unzen, 78 Scheffel Getreide und ebensoviel Gerste, 23 Scheffel Winterweizen, 120 Hühner und 1200 Eier abgeliefert werden.

Besondere Schwierigkeiten macht – wenn man von der gleich zu behandelnden Reihung absieht – die Art der Angaben zu den einzelnen Orten; z.B. erscheint die Zahl der selbständig bewirtschafteten Bauernstellen in Königsbesitz („Huben") durchweg zu niedrig angesetzt. Gockels Erklärung[22]: „Es wurde offenbar nur die genaue Lage der Huben festgehalten, deren Belastung von der Norm abwich. ... Es ist unvorstellbar, daß z.B. in Frankfurt, Griesheim, Kelsterbach, Vilbel, Seckbach, Königstädten und Rüsselsheim ... nur je eine Hube lag, wie eine oberflächliche Durchsicht des Reichsurbars nahelegen könnte. Auch in Nauheim, Bauschheim, Astheim und Mörfelden – Orten des Treburer fiscus – dürfte der wirkliche Bestand die angegebenen Zahlen (1, 5, 2, 4, 5 Huben) überstiegen haben".

Der Abschnitt 3673 wird durch die Nennung Treburs eingeleitet, so als wäre dieser später so wichtige Ort der Vorort des Fiskus, aber die Reihenfolge der übrigen Nennungen, darunter auch die von Königstädten (2x!), Frankfurt, Bauschheim und Rüsselsheim, erweckt den Eindruck, daß dieser Teil „in sehr verworrener Form" überliefert ist[23] – was denn auch die Annahme erlaubte, daß hier eigentlich die Güter von zwei „fisci", von Trebur und Frankfurt, durcheinandergeraten seien[24], oder: es handele sich eigentlich um ein Verzeichnis eines Fiskus Frankfurt[25]. Wie es scheint, ist also über das Ordnungsprinzip nicht das letzte Wort gesprochen, auch nicht über die Frage, ob wirklich noch alle zugehörigen Orte aufgeführt sind.

Der Text des Abschnitts 3673 läßt, genau besehen, sogar Zweifel darüber aufkommen, wieviele Orte aufgezählt sind, 12 oder 13, denn das „Askmuntes*heim*", das am Anfang gleich hinter Trebur, Königstädten und Nauheim genannt wurde, muß, gerade im Blick auf die Reihung, nicht – wie man angenommen hat – identisch sein mit der „villa Askmunde*stein*", die später, nach einer zweiten Nennung Königstädtens und Nauheims, nach Bauschheim und vor Rüsselsheim, genannt wird; die Angaben der beiden Nennungen lassen sich kaum vereinbaren, so daß man annehmen darf, daß es sich um zwei ähnlich benannte Orte handelt, von denen der eine später untergegangen oder anders benannt erscheint[26]! An sich könnte aber derselbe Ort im Urbarabschnitt durchaus zweimal erscheinen, so wie Königstädten und Nauheim zweimal begegnen – man müßte dann annehmen, daß ein ursprünglicher Name auf „-stein" zur Zeit der Abfassung des Urbars schon teilweise an die umgebenden „-heim"-Orte angeglichen war und also schon in einer Variante auf „-heim" begegnen konnte; eine solche Angleichung findet sich z.B. bei den späteren Formen des unfernen „Kostheim", das ursprünglich ebenfalls einen „-stein"-Namen trug[27]. Aber erst wenn über die Ordnungsprinzipien des Abschnitts wirklich Klarheit gewonnen ist, wird man eine sichere Antwort auf diese Frage, auch auf die nach Vollständigkeit der Aufzählung, geben können; Erörterungen darüber seien ausgespart.

III. ÄLTERE UND NEUERE GUTE GRÜNDE FÜR EINE UM- UND FRÜHDATIERUNG DES REICHSURBARS: ZUR INFRAGESTELLUNG EINES PROMINENTEN VOR-URTEILS

Dem gegenwärtigen Forschungsstand zufolge erscheint (wie angedeutet) eine *„Spätdatierung"* des Lorscher Reichsurbars am glaubhaftesten, die den ursprünglichen Ansatz von Glöckner (830–50) modifizierte und eine Abfassung *zwischen 834 und 850* für wahrscheinlich erklärte[28]. Das entscheidende Indiz dieser fortgeschrittenen Beweisführung ist der Umstand, daß die königliche „villa" Langen, die – ehemals Nebenhof des „fiscus" Trebur – König Ludwig der Deutsche am 7. Januar

834 an das Kloster Lorsch geschenkt hatte[29], im Urbar, als dem Verzeichnis der derzeitigen königlichen Güter, *nicht* begegnet. Die Schlußfolgerung, die man zog, war, daß Langen *nicht mehr* begegnete, weil es bereits weggeschenkt war, daß das Urbar also erst *nach* dem 7.1.834 abgefaßt sei.

Daneben hat man zur Datierung die Angabe über einen Grafen „Rupert(us)", der im Abschnitt über Landstuhl (Nannenstuhl) als verstorben oder nicht mehr im Amt erscheint, herangezogen, indem man ihn mit einem Grafen Rupert III. identifizierte, der 827 letztmals als lebend bezeugt und 834 sicher verstorben war. Diese Gleichsetzung – an der wohl bis zu meinen Einwänden noch niemand ernsthaft gezweifelt hatte – ist allerdings nur dann zwingend, wenn die Datierung *nach* 834 beweisbar wäre, denn gerade im ganzen Raum um Worms ist der Name Rupert geradezu der Leitname einer Adelsfamilie, der man auch schon viel früher Grafenrechte in diesem Bereich zuschreiben kann (s.u.)[30].

Eben die scheinbar überzeugende Datierung mit Hilfe des so allein verbliebenen Arguments „Langen" beruht nun aber möglicherweise ebenfalls – das muß jedenfalls der Unvoreingenommene zu bedenken geben – auf einem einfachen Denkfehler – ganz abgesehen davon, daß man das Fehlen der Ortsnennung auch durch eine simple Auslassung eines späteren Schreibers erklären könnte. Denn ebenso, wie man sagen kann, daß das Fehlen Langens im Urbar beweise, daß es *nicht mehr* zum Königsgut gehörte, so kann man doch auch vermuten, daß es *noch nicht* dazu gehörte, als das Urbar abgefaßt wurde. Langen, alt „Langungon" oder ähnlich, tiefer noch im Wald gelegen als Mörfelden, das im Urbar erscheint, könnte zur Zeit der Abfassung noch gar nicht gegründet gewesen sein oder aber – und der altertümliche Namentyp (es handelt sich um einen alten „-ungen"-Namen) deutet mit anderem eben darauf[31] – es könnte zwar schon existent, aber *noch nicht* im (direkten) Königsbesitz gewesen sein (oder noch zu einem anderen Fiskus gehört haben).

Auch nördlich Frankfurt begegnet 817 Königsgut in und bei Harheim nördlich der Nidda, das erst damals vom Kaiser, offenbar für den Fiskus Frankfurt, gewonnen worden war; einzuräumen ist, daß das Gut da nur als „neben" dem Fiskus Frankfurt gelegen bezeichnet wird[32] – aber damit ist noch nicht gesagt, daß es nicht dem Fiskus zugeschlagen werden sollte. Welchen Sinn hätte seine Nennung sonst? Im Urbar, in dem Main und Nidda (noch oder schon) die Nordgrenze des Fiskus zu sein scheinen, ist aber dieses Gut ebenfalls nicht verzeichnet – *noch nicht*, wie man meinen mag, oder nicht mehr.

Im Raum Worms begegnet 897 Krongut an einem Ort, der im Urbar anscheinend ebenfalls *noch keinen* Königsbesitz kennt: in Weinsheim[33].

Nach Würdigung dieser Hinweise auf Abweichung vom Stand des Reichsurbars erscheint eine Abfassung *vor 834*, ja *vor 817* sehr wohl im Bereich der Möglichkeit; ja, es stellt sich heraus, daß nur eine Abfassung *vor 834*, ja *vor 817* alle die textlichen Probleme beseitigt, die man bisher größtenteils unerklärt bzw. weitgehend unbenannt belassen, z.T. aber wohl auch gar nicht erkannt oder aber notgedrungen wegdiskutiert hatte. Das immer wieder geäußerte Unbehagen von Metz an der Spätdatierung „nach 834" erfährt damit wohl eine überraschende Bestätigung, auch wenn es zu keiner Lösung führte.

Folgende, gar nicht wenige Gründe für eine *„Frühdatierung" (vor 834, ja vor 817)* waren und sind *zusätzlich* zum eben Gesagten namhaft zu machen[34]; jedes Argument hat ein verschiedenes Gewicht, aber zusammen ergeben alle wohl einen eindrucksvollen Beweis:

a. Die Nennungen Vilbels, Seckbachs, Frankfurts, Griesheims, Kelsterbachs, Mörfeldens, Rüsselsheims, Bauschheims, Königstädtens, Astheims, Nauheims und Treburs finden sich in einem Abschnitt, in dem Orte der nachmals sicher (wieder?) getrennten Fiskalbezirke Trebur und Frankfurt zusammen, im „Gemenglage", wie es fast scheint, aufgeführt sind, wobei die Nennung Treburs, Königstädtens, Nauheims und von „Askmuntesheim" den Anfang macht, fast so als wäre Trebur „Fiskusvorort", dem auch Frankfurt, das um einiges nordöstlicher als Trebur und damit entfernter vom westrheinischen Zentrum des alten Frankenreiches liegt, noch unterstellt gewesen wäre; jedenfalls erscheinen „Trebur" und „Frankfurt" im Urbar als eine „organisatorische Einheit"[35]. Der „fiscus" Frankfurt wird für *vor 814* (Todesdatum Karls des Großen) bzw. zu *817* – in der eben erwähnten Urkunde über Harheim usw. – als solcher bezeugt, der „fiscus" Trebur in der (wohl nur zufällig später erwähnenden) Schenkung von Langen 834, aber auch in der von ca. 834 auf eine Zeit wohl vor die Kaiserkrönung 800 zurückblickenden Langener Markbeschreibung![36] Also könnte man auf eine Abfassung *vor 814/800*, noch zur Zeit Karls des Großen oder früher schließen, wenn man nicht annehmen will, daß eine heillose Verwirrung vorliegt oder daß eine ursprüngliche Trennung von „Trebur" und „Frankfurt" im Urbar wieder rückgängig gemacht worden sei, nur um später wieder durchgeführt zu erscheinen.

Prinzipiell entspricht im übrigen die langgestreckte Form des Bezirks „Um die Dreieich" (= „Trebur" + „Frankfurt") unserer Vorstellung von der fränkischen Expansion von SW nach NO in spätmerowingischer/frühkarolingischer Zeit, von Worms und Nierstein etwa aus, so daß man schon von daher an einen so gestalteten Bezirk mit dem „südwestlicheren" Trebur allein als Vorort denken kann, ehe es zu einer Abspaltung des „Fiskus" Frankfurt im Nordosten gekommen wäre – oder zu einer Verlegung des Fiskusmittelpunkts von SW nach NO, wonach erst schließlich die Teilung in zwei „fisci", „Frankfurt" und „Trebur", erfolgt sein mochte[37].

b. In die Zeit *vor 800*, das Jahr der Kaiserkrönung Karls, kommt man, wenn man die Erwähnung des „regnum" (= Königreich) in den Abschnitten über Nierstein und Vilbel auf das Gesamtreich bezieht, das vor 800 eben noch kein „imperium" (= Kaiserreich) war; doch ließe sich der Text wie bisher auch anders verstehen, indem er etwa auf eine spätere Zeit deutete, als des „imperium" Ludwigs des Frommen sich in die „regna", die „Königreiche", seiner Söhne aufzulösen begann. So kann auf dieses Argument kein großes Gewicht gelegt werden, auch wegen des sonstigen unscharfen Wortgebrauchs[38].

c. Wenn man bedenkt, daß Frankfurt nach bisherigem Wissen zuerst im Jahre 794, gleich als erste rechtsrheinische Winterpfalz und als Ort einer großen Reichssynode, in Erscheinung tritt, ist es schwer vorzustellen, daß es damals noch nicht Fiskusvorort gewesen oder in Verbindung damit geworden ist. Falls Frankfurt im Urbar wirklich noch nicht als Fiskusvorort begegnet, kann man damit auf eine Abfassung *vor 793/4* schließen[39].

d. Für eine entsprechende Frühdatierung spricht auch das Auftreten von altertümlichen, nicht wie in den allermeisten Fällen durch spätere Schreiberhand oder Schreiberhände modernisierten deutschen Schreibungen im Urbar, so die

Schreibung „Teonenheim" (= Dienheim in Rheinhessen) und „Greozesheim" (= Griesheim bei Frankfurt); ‚eo', älter ‚eu', ist *„schon im Laufe der ersten Jahrzehnte des 9. Jahrhunderts* durch *‚io'*", später ‚ie', „verdrängt" worden; so E. Schröder: Ein genauer „terminus *ante* quem", eine präzise Zeitangabe, *vor* der das Urbar zu datieren wäre, ist mit dem und anderem nicht gegeben; nur der Eindruck ergibt sich, daß eine frühere Datierung besser zum rudimentär erhaltenen altertümlichen Lautstand stimmte, und zwar eine *vor 800*[40].

e. Die Namenkunde kann wie die Lautlehre einen Beitrag liefern, wenn man beachtet, daß im gesamten Reichsurbar zwar eine Menge von Orten auf „*-heim*", wie eben auch „Rüsselsheim" oder „Gernsheim", aber keine (auf) „(-)*hausen*" begegnen. Es scheint nämlich entgegen einer weit verbreiteten Forschungsmeinung, der allerdings auch widersprochen wurde[41], als hätte man erst etwa *zwischen 770 und 790* aufgehört, in unserem Raum „-heim"-Namen zu geben und statt dessen erst von da an „(-)hausen"-Namen bevorzugt, wie sie uns ja dann auch häufig begegnen (Wixhausen, Erzhausen, usw.); jedenfalls ist im östlicheren Franken eine Fülle von Fällen bekannt, wo ab bzw. bis 770/80 urkundlich bezeugte Personen als Gründer nach ihnen benannter „-hausen"-Namen erscheinen[42]. Da nicht anzunehmen ist, daß das Königtum nicht selbst „(-)hausen"-Orte gegründet oder erst später als andere mit solchen Gründungen angefangen hatte, muß eine andere Ursache für das Nichterscheinen von „(-)hausen"-Orten bei der Nennung von Königsgut im Reichsurbar gefunden werden: Eine Frühdatierung desselben vor etwa 775 gäbe eine naheliegende Erklärung!

Der Wandel läßt sich vielleicht gerade aus unserem Raum heraus gut datieren und demonstrieren durch einen Vergleich der Lage und des Ortsnamens von *Lampertheim*, auf der rechten Rheinseite fast gegenüber Worms, der Hauptpfalz des Reiches Karls des Großen bis zum Pfalzbrand 790/1, und der Lage und des Namens von *Sachsenhausen*, auf der linken Mainseite gegenüber der Pfalz Frankfurt, die – wie man meinen könnte – 793/4 dabei war, Worms zumindest teilweise zu ersetzen, als eine wichtige Reichsversammlung und Synode dort abgehalten wurde[43]. „Lampertheim" bedeutet nun – 832 zuerst genannt – sicher „Heim der Langobarden" und könnte vom König in der Folge der Langobardenkriege Karls (773–776) um 775 angelegt worden sein, um (unbotmäßige?) Langobarden nahe der Hauptpfalz Worms anzusiedeln[44]; „Sachsenhausen", dessen Name nicht mehr das wohl hier um 780 altmodisch werdende „-heim" enthält, aber heißt wahrscheinlich „(zu den) Häusern der Sachsen" und könnte in der Folge der späteren Sachsenkriege desselben Königs Karl von diesem gegenüber seiner neuen Hauptpfalz *etwa 793/4* gegründet worden sein: mit (unbotmäßigen?) Sachsen, die von Karl bezeugtermaßen häufig umgesiedelt wurden[45]. Interessanterweise sprechen auch andere Namen dieses Bereichs, wie „Hengstbach" im Zentrum des Wildbanns „Dreieich", für Sachsenansiedlungen in dieser Zeit in Verbindung mit der Pfalzerhebung Frankfurts[46]; man darf also im Blick auch auf die übrigen Beispiele des Namens und Namentyps und das Zahlenverhältnis zum Namen „Sachsenheim"[47], nicht so einfach, wie es geschehen ist[48], mit einem einzelnen Gründer namens „Sachso" rechnen! Nach dem Ende der Sachsenkriege Karls des Großen 804 ist die Prägung des Namens nicht mehr so wahrscheinlich, weil von da an keine Sachsen mehr zu deportieren waren.

Da nun aber der Raum „Sachsenhausen" ganz sicher zu dem vom Reichsurbar erfaßten Bereich gehört, ergibt sich aus dem Fehlen gerade dieses ‚-hausen'-Namens im Reichsurbar vielleicht sogar ein Terminus ante quem 805 bzw. 794.

f. Auf die Zeit *vor 790* kommt man vielleicht, wenn man mit Gockel bemerkt, daß das Urbar der Abschnittsüberschrift zufolge ursprünglich mit dem Abschnitt über Worms, dessen beherrschende Rolle im Reich Karls des Großen 790/91 mit dem Brand der Königspfalz ausgespielt war, begonnen haben dürfte[49].

g. Sicherer macht eine Beobachtung zum Wortgebrauch, nämlich die Verwendung des lateinischen Terminus „sors" für „huba" im Urbar; er begegnet z.B. bei der Nennung Bauschheims, während bei der von Rüsselsheim „huba" erscheint.

Geht man die Lorscher Urkunden durch, dann ergibt sich, daß „hoba" 755/6, dann erst wieder 769 (als „huba") und darauf immer häufiger erscheint. An seiner Stelle wird zunächst „sors" verwendet, der letzte Beleg ist von *773*[50]. Schlesinger erkennt im Gebrauch von „sors" eine Eigentümlichkeit der von Gorze bei Metz bei der Gründung 764 nach dem Kloster Lorsch gekommenen Mönche, die sich erst allmählich an den Sprachgebrauch des rechtsrheinischen Landes gewöhnten[51].

Wohl bemerkt er, daß man auch im aus Lorsch überlieferten Urbar „sors" als Bezeichnung für „huba" kennt, aber seltsamerweise zieht er daraus keinen Schluß für die Datierung, der eine Abfassung vor etwa 773 nahelegen würde. Darum ist ihm „sors" ein „Fremdkörper"[52] – der aber m.E. ganz und gar verständlich wäre, wenn das Urbar *vor etwa 773* auch von dem einen oder anderen Lorscher Mönch, der noch heimisch-„lothringische" Terminologie verwendete, für den König zusammengestellt wäre[53]. Auf diese Weise ließe sich auch der bisher noch keineswegs eindeutig geklärte Weg des Urbars nach Lorsch erklären[54]. Doch wird, wie die Marburger Diskussion aufwies, noch eingehender auf Sprachgebrauch im Urbar und in den frühen Lorscher Urkunden einzugehen sein; jedenfalls muß das Vorkommen von „sors" im Urbar dabei gedeutet werden, unter Rekurs auf die Positionen W. Schlesingers.

h. Bemerkenswert erscheint auch eine Beobachtung Gockels[55], daß die dem Urbar zufolge nach Gernsheim forstzinspflichtigen 12 linksrheinischen Orte (Dienheim, Guntersblum, Ülvesheim, Eimsheim, Wintersheim, Dorn-Dürkheim, Hangen-Wahlheim, Gimbsheim, Alsheim, Eich, Mettenheim, Bechtheim) einen geschlossenen Komplex bilden und nur das zwischen Dienheim und Guntersblum gelegene „Rudelsheim" (seit 1823 „Ludwigshöhe"), das von 766 an mehrfach genannt ist und sicher eine eigene Mark besaß (vgl. a. 802/804: „in Hruodolfesheimoro marca")[56], herausfällt.

Gockel meint aufgrund seiner Spätdatierung des Urbars, das Fehlen sei „nicht zu erklären"[57]. Sehr wohl zu erklären ist es allerdings, wenn man eine Frühdatierung des Urbars für möglich hält und annimmt, daß zur Zeit der Abfassung des Urbars der Ort Rudelsheim *noch gar nicht* gegründet bzw. mit einer eigenen Mark versehen war und von ihm also auch noch kein Forstzins zu zahlen war: Man käme damit in die Zeit *vor 766*, in die Zeit also der Gründung von Lorsch 764, dessen „lothringischer" Sprachgebrauch allerdings (schon) im Urbar erscheint, wie man meinen kann.

Daß um 765 noch die Gründung von „-heim"-Namen möglich war, ist wohl am Beispiel von Lampertheim gerade gezeigt worden! Doch wird man nicht, wie ich ursprünglich meinte, mit einer so späten Gründung rechnen müssen. Weiterhin ist es aber interessant, daß eben in Rudelsheim/Ludwigshöhe noch während des 8. Jahrhunderts ein Landbesitzer „Rudolf", theoretisch bzw. möglicherweise der Namengeber des Dorfs oder sein Sohn oder fernerer Nachkomme, bezeugt ist; in diesem Zusammenhang ist, entsprechend den Einwänden in Marburg, aber der

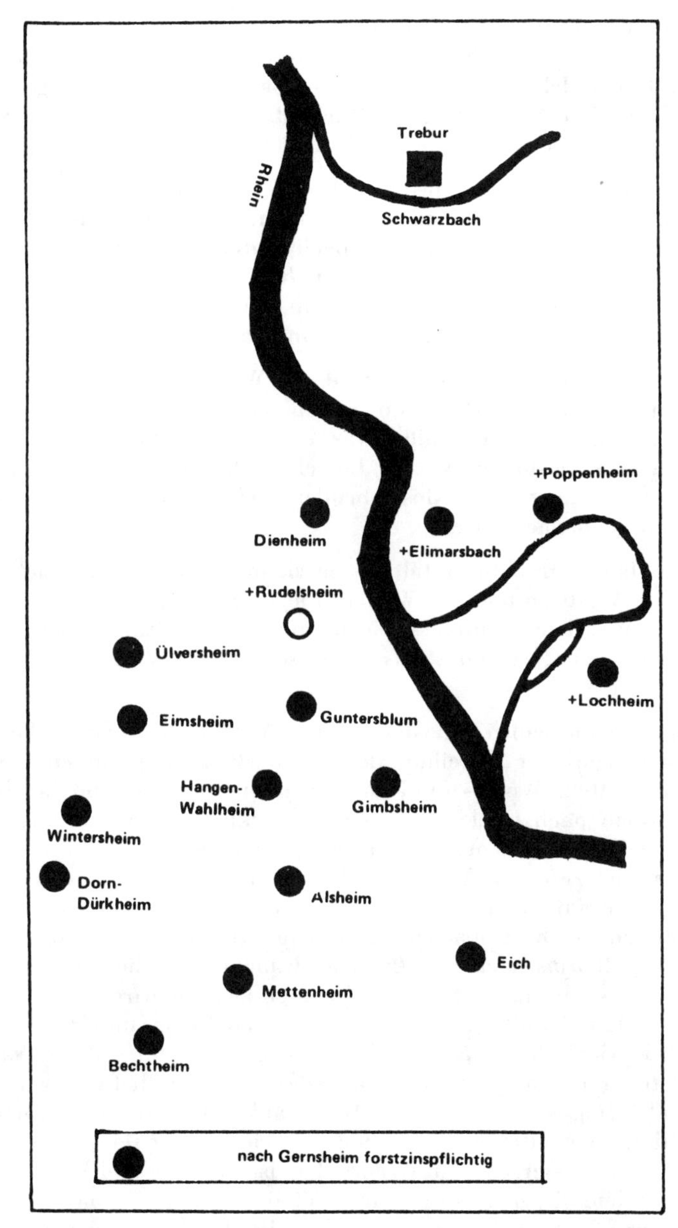

Die Lage von ‚Rudelsheim' (heute: Ludwigshöhe), zuerst genannt 766, inmitten der forstzinspflichtigen Orte des Reichsurbars, das ‚Rudelsheim' nicht nennt.

Umstand zu beachten, daß im 8. Jahrhundert noch mehrere andere Besitzer am Ort begütert erscheinen – die Namengebung hätte sich, wenn sie tatsächlich erst nach 764, vor 766 erfolgte, also nicht an dem einzigen, sondern allenfalls an dem wichtigsten Besitzer vor Ort orientiert[58]. So wird man damit rechnen, daß der Name

Rudelsheims älter als 766/4 ist. Seine fehlende Nennung im Urbar ist aber immer noch als terminus zu gebrauchen: Gockel selbst legt diese Möglichkeit nahe, indem er erwähnt, daß Rudelsheim von dem benachbarten Dienheim „abgeteilt zu sein scheint"[59]. Eben diese Abspaltung als ‚Mark' aber könnte erst kurz vor der Erstnennung 766 erfolgt und zur Zeit des Reichsurbars noch nicht gegeben gewesen sein.

i. Da die Abfassung des Reichsurbars königliches Ordnungsbemühen erkennen läßt, ja nahelegt, die (an)ordnende Anwesenheit des Königs zumindest für den Anfang vorauszusetzen, darf man wohl noch weiter gehen und die Abfassung in Zusammenhang bringen mit dem bezeugten *Reichstag* König Pippins in *Worms (nahe Lorsch!)* im Jahre *764*, in dem, wie es in den „Reichsannalen" heißt, Pippin „sonst keinen Heereszug" machte, sondern „in Francia" blieb[60].

Er könnte dabei sehr wohl (die) bei und um Worms gelegene(n) königliche(n) Besitzungen in einem Reichsurbar erfaßt haben, nachdem er sie vorher vielleicht neu organisiert hatte. Und gut verständlich wäre es, wenn er dabei die Hilfe der Mönche aus dem jungen wormsnahen Kloster Lorsch in Anspruch genommen hätte – es handelte sich am Anfang um 16 Klosterbrüder, nicht nur um 12[61] –, die gerade aus Gorze bei Metz gekommen waren.

Die auffällige, langgestreckte Gestalt des anscheinend erfaßten Bereichs zwischen Metz bzw. dem Westrich und der Wetterau legt eine Erfassung (von Worms aus) entlang einer vorgesehenen Aufmarschstraße aus dem Westfränkischen über Worms gegen *Sachsen*[62] nahe, was durchaus zur Geschichte Pippins passen würde (s.a. unter j).

j. Wenn man im Gefolge von Glöckner und Metz, aber unter Vordatierung des Urbarzeugnisses von einer Aufreihung der erfaßten Bezirke entlang einer Straße von Frankreich über Metz, Worms und Frankfurt in die Wetterau und darüber hinaus ausgeht, hat man nach Gockel vor allem zu erklären, warum sonst bezeugtes „Königsgut im Zuge der Wormser Straße ... im Lorscher Urbar nicht genannt wird"[63], im Bereich zwischen Worms und Frankfurt. Die Antwort in unserem Sinne ist aber wohl sehr einfach, auch wenn sie hier nur angedeutet werden kann: Es ist nämlich wahrscheinlich zu machen, daß in der fraglichen Frühzeit die Hauptverbindung von *Worms* nach *Frankfurt* noch nicht über die „Wormser Straße" rechts des Rheins, die ja auch erst viel später bezeugt wird[64], führte, sondern zunächst im Verlauf der alten Römerstraße zwischen Worms und Mainz anzusetzen ist und, nach dem im Urbar genannten Fiskusvorort Nierstein, wohl bei Nackenheim über die dortige Furt nach *Trebur* jenseits des Rheins verlief und von dort über Nauheim und Königstädten bzw. die „Alte Frankfurter Straße" – vorbei an der „Drieich(lahha)", der alten namengebenden Gerichtsstätte des (alten) Wildbanns „Drieich" an der Wasserscheiden-Grenze der fisci Trebur und Frankfurt – nach Frankfurt[65]. Jedenfalls: nicht Frankfurt muß einer alten „Wormser Straße" zwischen der Furt von Frankfurt und Worms seine Bedeutung verdanken, wie es dargestellt wird[66], sondern die „Wormser Straße" ist möglicherweise – vielleicht erst nach dem plötzlichen Niedergang Treburs nach 1077 – aufgrund der Bedeutung Frankfurts von dort aus (unter Aussparung Treburs) angelegt worden. Wenn durch das Urbar nicht eine alte Route von *Worms* über *Nierstein* und *Trebur* nach *Frankfurt* indirekt bezeugt wäre, wie ich meine, man müßte sie gleichwohl im Blick auf die alte Bedeutung eben Treburs postulieren; im einzelnen sind allerdings noch viele Details einzubringen[67]. Die von Gockel abermals herausgestellte „Maraue" des

Urbars gegenüber Worms muß so gesehen nur auf die damalige Bedeutung der Route von Worms über den Rhein nach *Südosten* ins Donauland verweisen, nicht schon auf eine zusätzliche Straßenführung „Wormser Straße" von der Maraue nach Frankfurt; auch die Angaben des Nibelungenlieds können eben diese Route noch nicht als existent beweisen[68], um 1200.

k. Der verstorbene oder nicht mehr im Pfälzer Amt befindliche Graf Rupert des Urbars dürfte demnach der zur Zeit der Gründung von Kloster Lorsch 764 bereits tote gräfliche Vater des Klostergründers Cancor sein, der noch 756/757 mit Fulrad von St. Denis Gesandter Pippins in Italien war: Seine Lebensdaten (+ vor 764), könnten einen terminus post quem für die Abfassung des Urbars bieten, wenn nicht der anscheinend ‚lothringische' Sprachgebrauch einer Lorscher bzw. einer zumindest nachmals in Lorsch befindlichen Quelle schon den terminus 864 lieferte. Dieser ältere Graf Rupert I., der mit Sicherheit einer Wormser bzw. Wormsgauer Familie angehört, muß ja keineswegs Graf (nur) des Oberrheingaus gewesen sein, wie es in der Forschung z.B. aus dem Ort der Klostergründung Lorsch seines Sohnes gefolgert wurde[69].

l. In dem oben genannten besonderen Aufsatz[70] über die Genese des Forsts bzw. Wildbanns „Dreieich", die von der Erwähnung des Namens „Drieichlahha" in der nachtragsweise aufgenommenen Langener Markbeschreibung im Lorscher Codex aus der Frühzeit des Ludwigsohns Ludwig des Deutschen (hier genannt „der Jüngere") ausgeht, habe ich, wie schon im Vortrag in Marburg am 10.1.1981 angedeutet, unter Verweis auf die Grafennennung nachgewiesen, daß die Markbeschreibung nicht erst, wie man annahm, unter (einem anderen) König Ludwig dem Jüngeren, Sohn (eines anderen) Ludwigs, des Deutschen, 876–882 entstanden ist, sondern naheliegenderweise, aus Anlaß der (vorgesehenen) Verschenkung Langens an Lorsch schon 833/834 angefertigt wurde und so in den Lorscher Bestand kam[71]: In dieser Markbeschreibung wird nun aber eben die uns vor allem interessierende Besitzgeschichte bezüglich Langen vor 834 insofern deutlich und im Sinne der Frühdatierung des Lorscher Urbars aussagekräftig, daß dort der Erinnerung der befragten Zeugen zufolge von der wohl nicht ganz rechtmäßigen Aneignung der Mark durch den bzw. einen „König", einst von Trebur aus, gesprochen wird[72]; für die Mark Langen ist also tatsächlich ein Zeitraum *vor 834* direkt bezeugt, als sie *noch nicht* in Königsbesitz war! Wenn das Urbar 764/5 entstanden ist, brauchte es also noch nichts von diesem Zugriff des Königstums auf Langen vor 834 zu wissen. Er mag ja erst in den allerletzten Jahren König Pippins oder in der Königszeit Karls vor 800 – aus Anlaß der Errichtung des ersten Forstes um die „Dreieich" als Ort des Forstgerichts für die Fisci Frankfurt und Trebur? – erfolgt sein; ein Ereignis nach 764, vor 800, konnte 834 von Zeugen noch gut erinnert werden! Gerade der Zufall, daß eben für Langen eine Vorgeschichte im 8. Jahrhundert erschließbar ist, in der es *noch nicht* im Besitz des Königs erscheint, ermöglicht bzw. legt nahe eine Vordatierung des Urbars in eine Zeit, da Langen *noch nicht* in Königsbesitz war.

Alles in allem ist in diesem Aufsatz mit der Rückdatierung der Einrichtung eines Forstes (Ur-)„Dreieich" (an der erschließbaren „Drieich" an der Fiskusgrenze zwischen Frankfurt und Trebur und zugleich an der nördlichen Grenze der Mark Langen) für die gleichberechtigten Fisci Frankfurt und Trebur *vor 794* (als dem Jahr der absoluten Aufwertung Frankfurts und der Schaffung wohl eines erweiterten Forstes bzw. Wildbanns „Dreieich" für die nunmehrige Pfalz) und womöglich noch in die Zeit König Pippins *vor 768* ein ungefährer terminus *ante* quem für das Lorscher Reichsurbar gewonnen, das wohlgemerkt noch einen ungeteilten Großfiskus Trebur bzw. Frankfurt vom Rhein bis nach Vilbel voraussetzt.

In diesem Fiskus dürfte es den Angaben des Urbars zufolge, das aber nicht explizit darauf eingeht, allerdings bereits ebenfalls eine Forstorganisation gegeben haben.

m. Im übrigen würde bei einer Frühdatierung des Urbars auf 764/5 auch das Fehlen zahlreicher anderer Orte vermutlich größeren Alters mit nachmals sicher bezeugtem Königsgut bzw. in Reichsbesitz aus dem Bereich Trebur-Frankfurt südlich von Untermain und Unternidda gut erklärbar, besser als bisher[74]. Daß in karolingischer Zeit aus diesem Raum, den erhaltenen Quellen zufolge, nur wenige Privatschenkungen an kirchliche Institutionen erfolgten, deutete ja schon bisher darauf, daß das Gebiet schon bei Einsetzen der Überlieferung in der zweiten Hälfte des 8. Jahrhunderts weitgehend Besitz des Königtums war, das selbst kein Interesse daran hatte, eben dort etwas aus der Hand zu geben. Das Urbar wäre nun aufgezeichnet zu einer Zeit, ehe noch die Überlieferung für diesen Raum und die benachbarten Räume richtig einsetzt – und ehe noch das Königtum seinen Besitz in diesem Bereich arrondierte, z.T. ähnlich wohl wie im Fall Langen!

n. In diesem Zusammenhang sei noch darauf verwiesen, daß W. Metz[75] besondere Beziehungen zwischen dem Kolonenstatut der Lex Baiuuariorum I, 13, spätestens Mitte des 8. Jahrhunderts entstanden, und dem Urbar gesehen hat. Damit käme man andeutungsweise wieder in die Zeit Pippins, des Hausmeiers (741–751) und Königs (751–768).

Es ergibt sich aus alledem die, wie ich meine, wohlbegründete Antwort auf die Frage nach dem Alter des Urbars bzw. der Erstnennung Rüsselsheims und vieler anderer Orte:

Rüsselsheim, Bauschheim, Königstädten, Mörfelden, Nauheim, Astheim, Kelsterbach, Griesheim bei Frankfurt, Vilbel, Seckbach und schließlich *Trebur und Frankfurt* selbst, dazu *Gernsheim* – um nur bei Ortsnamennennungen zweier Abschnitte des Lorscher Reichsurbars, zum Bereich der Dreieich und des Rieds, zu bleiben – *sind zwischen 764 und 766, wahrscheinlich schon 764 oder 765 zuerst genannt, und zwar als Orte in bzw. mit Königsbesitz; sie gehen also aller Wahrscheinlichkeit nach zumindest ins 8. Jahrhundert, in die Epoche vor Karl dem Großen, in die Zeit seines Vaters Pippin zurück*, der im Jahre 751/52 den merowingischen Schattenkönig abgesetzt und das Hausmeiergeschlecht der Karolinger mit päpstlicher Hilfe endgültig an die königliche Macht gebracht hatte. Welche Folgerungen weiter aus der überraschenden Vordatierung des Urbars auch für unseren im 8. Jahrhundert so quellenarmen Raum zu ziehen sind, ist kaum absehbar und kann hier auch nicht erörtert werden; es wird bei anderer Gelegenheit darauf einzugehen sein. Echte Gegenargumente dürfte es kaum geben.

IV. DAS REICHSURBAR UND DIE VOR- UND FRÜHGESCHICHTE DER KAROLINGISCHEN PFALZEN UND FISKUSVORORTE TREBUR UND FRANKFURT: EINWÄNDE UND VERWAHRUNGEN, ZURECHTRÜCKUNGEN UND AUSBLICKE VOR DEM HINTERGRUND AKTUELLER ARGUMENTATION

Das sich zunächst aufdrängende sprachliche Argument zumindest, daß die Schreibung der volkssprachlichen Einsprengsel im mittellateinischen Text, also auch die der Ortsnamen, in den wenigsten Fällen dem Sprachstand von 764 entsprechen kann, verfängt nicht, weil die Schreibweise oft auch nicht den Sprachstand der Zeit von 830–850 wiedergibt. Offenbar ist der Text nach der ersten Abfassung bei der einen oder anderen Abschrift – er liegt ja wohlgemerkt auch nur in einer Kopie des 12. Jahrhunderts vor – verändert worden, indem u.a. die aufgeführten Ortsnamen in der Schreibweise modernisiert wurden, soweit die Siedlungen dem Schreiber bekannt waren; es ist bei dieser Annahme auch nicht verwunderlich, wenn relativ unbedeutende oder vom Schreibort abgelegene Orte dabei weiter in altertümlicher Schreibung aufgeführt wurden, so eben, oben genannt, „Griesheim" bei Frankfurt oder „Dienheim", während gerade die nach Abfassung des Urbars zu größerer Bedeutung gelangten Gemeinwesen wie Frankfurt in modernisierter Schreibung erscheinen.

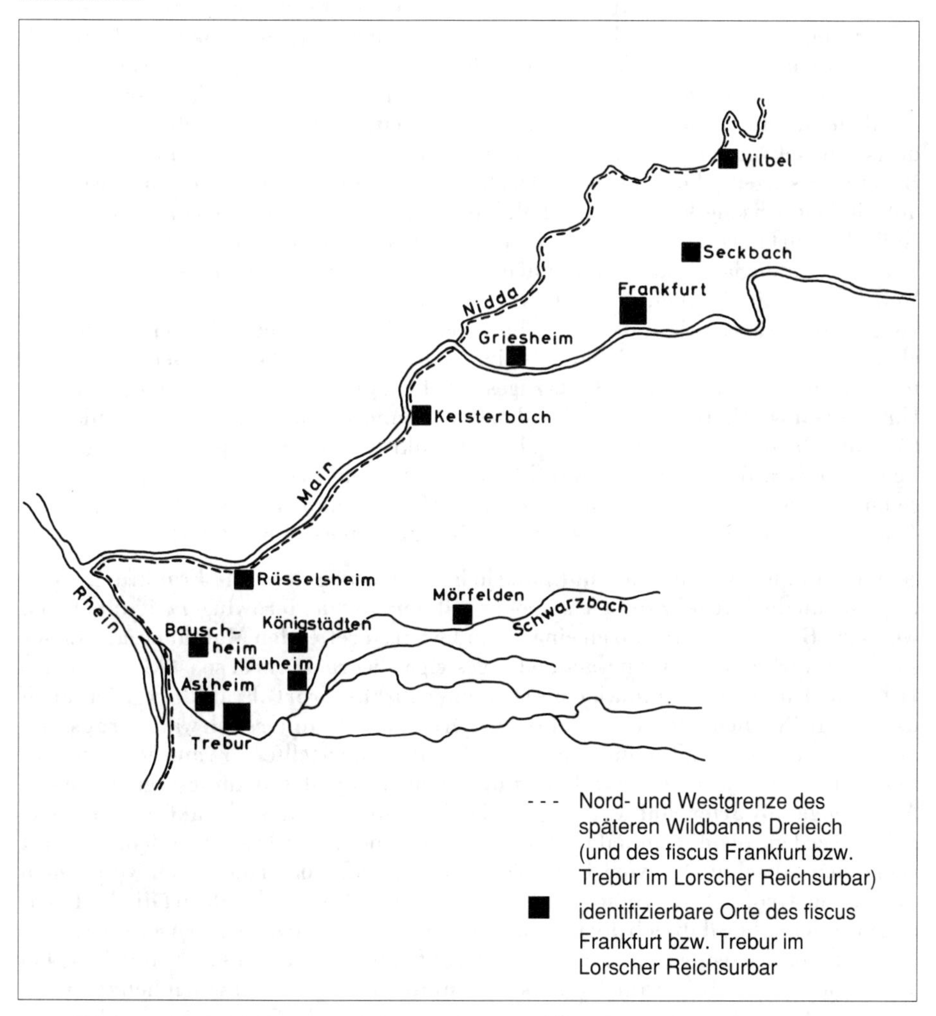

Der Abschnitt „Um die Dreieich" (= fiscus Frankfurt bzw. Trebur?) im Lorscher Reichsurbar

Auch der Name Rüsselsheims z.B. im Urbar wird so nicht mehr in der ursprünglichen Form erhalten sein. Von den beiden Varianten der Schreibweise im Urbar ist aber „Rucilensheim" sicher die bessere bzw. ältere Form, nicht nur weil sie den im Deutschen durchgehenden Verfall unbetonter Silben noch nicht so weit getrieben hat, sondern weil sie auch in einer sicher älteren Textpartie steht, während „De Rucilesheim" unmittelbar davor auf eine Rubrizierung zurückgeht, die auf einer späteren Stufe der Textentwicklung hinzugekommen ist; man vergleiche im selben Abschnitt etwa das Nebeneinander von „In Francheuurt" (Rubrizierung, jüngerer Lautstand) und „Franchenuurt" (Alt-Text, älterer Lautstand, aber nicht der des Urtexts!)[76].

Echte Gegenargumente also dürfte es, wie gesagt, kaum geben – je länger, desto weniger! So läßt sich die Auffassung von Frau Schalles-Fischer und anderen von der Benennung, bzw. Hervorhebung von Frankfurt erst durch Karl den Großen (nach 768) im Verlauf seiner von Worms aus geführten Sachsenkriege (vor 794) keineswegs bestätigen, gerade von den jüngsten Ausgrabungen unter dem Frankfurter Dom her, die allem Anschein nach in spätmerowingische Zeit, auf den Anfang des 8. Jahrhunderts, zurückverweisen; und auch wenn man die Frankfurter Gründungs- bzw. Benennungssagen adäquater berücksichtigt, kommt man, wie zu zeigen wäre, eher auf die kriegerische Frühzeit Karl Martells und auf eine sagenberühmt werdende Rolle der Furt in einem damaligen, in der spröden Historiographie der Zeit nur ganz kurz erwähnten Sachsenkriege als auf die kriegerische Frühzeit seines gleichnamigen Enkels, Karls des Großen, unter dem die Sachsen sicherlich niemals bis an den Main vorgestoßen waren. Ihm als dem schließlich weit Bekannteren hat man irrtümlicher-, wenn auch verständlicherweise im nachhinein wohl die Rolle seines Großvaters bei der Benennung Frankfurts zugeschrieben; fast abgeschlossene eingehendere Untersuchungen könnten zumindest den Benennungsvorgang bezüglich „Frankfurt" für Karl Martell erweisen[77]. Wenn aber „Frankfurt" schon in spätmerowingischer Zeit unter Karl Martell existent war, könnte es sehr wohl 764/5 bereits im Reichsurbar genannt worden sein. Doch ist natürlich jeder Beweis, daß „Frankfurt" älter als 793/4, ja 764/5 ist, noch kein Beweis für das absolute Alter des Reichsurbars!

Wenn man aber schon eine kontinuierliche Bedeutung des Orts Frankfurt, wenn nicht schon die Existenz des Ortsnamens seit der späten Merowingerzeit annehmen will, eine Bedeutung, die durch einen wunderbaren rettenden Mainübergang in der Frühzeit Karl Martells verursacht oder gesteigert worden wäre, so ist klar, daß das Urbar auch bei einer Frühdatierung eher einen Fiskusvorort „Frankfurt", dem auch das wohl früher bedeutendere, südwestlichere „Trebur" unterstellt war, voraussetzt als einen Großfiskus „Trebur" mit einem Trebur unterstellten „Frankfurt". Jedenfalls kann schon jetzt, ohne daß man die genaueren Untersuchungsergebnisse der Archäologie abwarten müßte, eine Entscheidung über die Rolle Frankfurts im Urbar gefällt werden, die die einmal (aufgrund der Erstnennung Trebur in dem verwirrt reihenden Abschnitt) favorisierte Vorstellung, daß im Urbar noch von einem ungeteilten Großfiskus Trebur vor Errichtung eines Fiskus Frankfurt die Rede sei, abgewandelt, ohne daß sich doch am übrigen Beweisgang etwas ändern müßte[78]: Dem Urbar zufolge existiert ein ungeteilter Großfiskus zwischen dem Mittelrhein bei Trebur und Vilbel bei Frankfurt, aber Frankfurt ist aller Wahrscheinlichkeit nach zur Zeit der Abfassung schon sein Vorort, wenn auch Trebur, von woher der Fiskusvorort nach Frankfurt verlegt worden zu sein scheint, wohl noch alte Vorrechte anmelden und wahrnehmen konnte; vielleicht ist so auch die Erstnennung Treburs zu verstehen: Nach der Abfassung des Urbars ist Trebur dann wohl noch im 8. Jahrhundert durch Teilung des großen Fiskus „Frankfurt", dessen Königsgut inzwischen noch umfänglich vermehrt worden wäre, (wieder) zum Fiskusvorort geworden, in einem kleineren Bezirk, *neben* Frankfurt.

Eine solche Abfolge löste auch ein bisher immer unbewältigtes größeres Problem der bisherigen Spätdatierungen insgesamt, daß nämlich das Urbar einen Zustand vorauszusetzen scheint, als Trebur und Frankfurt (noch?) in einer organisatorischen fiskalischen Einheit zusammengefaßt waren: Im Jahre 834 hat sicher ein Fiskus Trebur *neben* dem Fiskus Frankfurt existiert, und zwar spätestens schon seit dem Ende des 8. Jahrhunderts. Man muß also bei einer Spätdatierung annehmen, daß eine zeitweilige Wiedervereinigung stattfand und danach die erneute Trennung – ein komplizierter Prozeß ohne innere Folgerichtigkeit.

Auch die Münzgeschichte, die bisher m. W. expressis verbis nicht zur Datierung des Urbars mit seinen zahlreichen monetären Abgabesätzen herangezogen wurde, die wohl im Hintergrund die Spätdatierung auf 834–850 mitbewirkten, bietet dem Anschein nach keine Handhabe, auch diesbezüglich die angeblichen und wirklichen Initiativen Karls des Großen bei der Organisation der Reichsgutverwaltung so entscheidend in den Vordergrund zu stellen, wie es in der Marburger Diskussion geschehen ist[79]. Das heißt Pippins historische Leistung ad hoc zu verkleinern oder zu negieren: So hat nicht erst Karl der Große wohl um 790 eine durchgreifende Münzreform durchgeführt und schon vorher im Münzwesen geneuert[80]! Schon Karls Vater Pippin hat kurz nach seiner Erhebung zum fränkischen König 751 im Kapitular von Vernon an der Seine (zwischen Paris und Rouen) „die erste Bestimmung über die Münzprägung, die seit der römischen Zeit überliefert ist", erlassen[81]. Der „Schwerpunkt der Prägung" unter Pippin, von der übrigens nicht viel erhalten ist, liegt in Nordfrankreich[82]. Kennzeichnenderweise macht W. Heß im Blick auf das Rhein-Main-Gebiet keine Angaben bezüglich einer etwa erkennbaren Änderung der Verhältnisse hinsichtlich der Geldzinszahlen während der ganzen Karolingerzeit: Die Quellen lassen „keine Entwicklung im Sinn einer Ausbreitung erkennen"[83], und die Verteilung der Funde deutet sogar auf ähnliche Gegebenheiten schon zur Merowingerzeit, wo übrigens der Raum Trebur gegenüber dem Raum Frankfurt hervorsticht[84].

Abschließend ist zu sagen, daß gerade der auffällige Mangel an wörtlichen Beziehungen zu verglichenen karolingerzeitlichen Zeugnissen ein Argument für die Frühdatierung darstellen könnte, weil nämlich die sicherer datierbaren vergleichbaren Texte alle ziemlich viel später als 764/5 anzusetzen sind. M. Gockel hat selbst bei seiner ungemein förderlichen und gerade auch für diese Argumentation sehr anregenden Untersuchungen auf einen eingehenden „Vergleich des Reichsurbars mit anderen Quellen", wie ihn Ältere vorgenommen hatten, verzichtet: „Um die Abhängigkeitsverhältnisse dieser Quellen erkennen und damit eine zunächst relative Chronologie gewinnen zu können, reichen die textlichen Berührungen, die ohnehin auf der Gemeinsamkeit der beschriebenen Sache beruhen, nicht aus. Auch sind viel zu wenig vergleichbare Quellen erhalten"[85]. Gerade wenn man die Vereinzelung des Urbars anerkennt, sollte man also nicht noch nachdrücklich auf einen vorherigen argumentativen neuen Vergleich mit Texten erst der Zeit Karls des Großen und der späteren karolingischen Periode wie auf einem Dogma bestehen dürfen[86]. Wie die Dinge liegen, muß der Beweis erst noch geführt werden, daß das Urbar keineswegs schon in den Jahren 764/5 unter wesentlicher Mitarbeit von lothringischen Mönchen, die kurz vorher von Gorze 764 nach dem neugegründeten Kloster Lorsch gekommen waren und im Auftrag König Pippins arbeiteten, aufgrund örtlicher Zusammenstellungen angefertigt worden sein kann.

Anmerkungen

(die abgekürzt zitierten Literaturangaben finden sich vollständig im anschließenden Literaturverzeichnis)

1. Hier zit. nach Codex Laureshamensis, 3. Bd., Kopialbuch, 2. Teil, hg. von **K. Glöckner**, S. 173–176 (Nr. 3671–3675); s. dazu besonders **M. Gockel**, Karolingische Königshöfe, S. 26–127 und **W. Metz**, Zur Erforschung des karolingischen Reichsguts, S. 28–31.
2. S. **K. Glöckner**: Ein Urbar des rheinfränkischen Reichsguts, passim.
3. Vgl. etwa **H. Kühlmann/O. Wenske**, Unser Heimatkreis, z.B. S. 214 zu Mörfelden „830 Mersenuelt", S. 215 zu Rüsselsheim „830 Rucilesheim" usw. und **C. Hoferichter**, Kleine Landesgeschichte, S. 29: „Einen ersten Überblick über das Reichsgut gibt das sogenannte Lorscher Reichsurbar von 830/50 ..."
4. S. z.B. **C. Hoferichter**, a.a.O. und **E. Schneider**, Landkreis Groß-Gerau, S. 85, 99, 105, 106, u. ö. Vgl. bes. die Presseamtsbroschüre „Blick in die Geschichte der Stadt Rüsselsheim" von 1978 (!), S. 2 u. Anm. 6.
5. S. **M. Schalles-Fischer**, 1969, S. 270f. und **M. Gockel**, 1970, S. 28 f.; dort auch die Auseinandersetzung mit **W. Metz** (z.B.) Das karolingische Reichsgut 59, der das Urbar „dem ersten Drittel des 9. Jahrhunderts" zuweist (a.a.O., S. 59). K. Glöckner hatte das nunmehr herausgehobene Argument noch nicht so hoch veranschlagt (vgl. Anm. 28).
6. **E. E. Metzner**, Weshalb Rucilin, S. 14 und 18. Auch das Presseamt in Rüsselsheim hatte 1978 unter Verweis auf das Lorscher Urbar „aus den Jahren 834 bis 850" schon den damaligen Stand zur Kenntnis gegeben (vgl. Anm. 4).
7. Wobei aber leider bis heute nicht erkennbar geworden ist, ob man damals die neue Datierung 834–850 überhaupt kannte bzw. warum man sie nicht akzeptierte. S. **M. Steen** in: Rüsselsheim vom Mittelalter, o.S. Inzwischen ist aber auch die offizielle, auch museale Verlautbarung, nicht aber der Text im Museum geändert worden; vgl. Aus der Geschichte der Stadt Rüsselsheim, o. S., zum Lorscher Reichsurbar, „dessen ursprüngliche Entstehungszeit heute von der Geschichtsschreibung im allgemeinen in die Zeit zwischen 834–850 angesetzt wird". S. a. **E. Metzner**, Ältere Geschichte des Raums Rüsselsheim, in dem zum Stadtjubiläum erschienenen „Rüsselsheimer Rundwege"1, S. 28; vgl. Anm. 4 und 6.
8. Vgl. Literaturverzeichnis.
9. Vgl. Literaturverzeichnis; hervorzuheben sind noch die Bemerkungen von H. Kahl und M. Beumann.
10. S. den Diskussionsbeitrag von F. Schwind zum Vortrag von E. E. Metzner: Das Lorscher Reichsurbar. S.9.
11. S. Codex Laureshamensis 3, 2. Nr. 3770. S. 256.
12. Vgl. Literaturverzeichnis.
13. **E. E. Metzner**: Namenkundliche Bemerkungen, bes. S. 43 und 48ff. (zum großen, schon frühkarolingischen Alter des Reichsurbars wegen des Fehlens bestimmter Königsgut-Orte, zur -heim-Namengebung noch im 8. Jahrhundert).
14. Vgl. vor allem **M. Schalles-Fischer**, S. 29 – 84; s. a. **E. Orth**, Frankfurt am Main; S. 11ff.
15. Eine besondere Arbeit über die Aussagekraft der Frankfurter Gründungs- bzw. Benennungssagen, die Karl den Großen verantwortlich machen, bezüglich einer Namengebung schon am Anfang des 8. Jahrhunderts durch Karls des Großen gleichnamigen Großvater Karl Martell ist fast abgeschlossen; s. vorläufig die herkömmliche Behandlung der Sage(n) bei **M. Schalles-Fischer**, S. 82ff. und **E. Orth**, Die deutschen Königspfalzen 1, S. 133. Vgl. u. zu Anm. 77. – Ein weiterer, bisher nicht einbezogener Überlieferungskomplex zum Frankfurt der Zeit Karl Martells, Karlmanns und Pippins dürfte die archäologischen und philologischen Resultate entscheidend unterstützen.
16. S. **W. Metz**: Zur Erforschung, passim; vgl. auch **M. Gockel**, S. 30. Vgl. u. (zu) Anm. 85.

17. **W. Metz:** Zur Erforschung, S. 28f.

18. **M. Gockel:** Karolingische Königshöfe, S. 47. Vgl. zu ‚sors' n. (zu) Anm. 52 ff.

19. **W. Kuhn:** Flämische und fränkische Hufe, S. 13.

20. **K. Glöckner:** Codex Laureshamensis, S. 174 faßt die Nennungen zu 3673 unter der Überschrift „Um die Dreieich" zusammen, in der Erkenntnis, daß die West- und Nordgrenze des beschriebenen Bezirks mit der des später bezeugten Wildbanns Dreieich zusammenfällt; in einem präziseren Sinne aber trifft die Bezeichnung für das Urbar, weil „Dreieich" allem Anschein nach der namengebende Gerichtsort eines ursprünglichen Dreieichforst- bzw. Wildbanns an einer dreigeteilten Eiche zwischen Frankfurt und Trebur gewesen ist, zu einer Zeit, als noch nicht (wohl um 794) das südöstliche Drittel des späteren Wildbannes im Maingau hinzugekommen war; der Umfang jenes älteren Wildbanns um die ‚Drieich' für die Fiski Trebur und Frankfurt stimmte wohl mit dem Bezirk des Urbars überein, das aber noch von einer organisatorischen Einheit der Reichsgutsverwaltung in diesem Bereich ausgeht (vgl. **E. E. Metzner**, Frühkarolingische Forstnamen, passim).

21. S. Codex Laureshamensis (3,2), S. 173; zur Rolle Gernsheims nach dem Lorscher Urbar s. **M. Gockel,** Karolingische Königshöfe, S. 40ff; zur Rolle und zum Alter des u.a. Gernsheim zugeordneten Wildbanns „Forehahi" aber auch a.a.O., S. 72ff. und **E. E. Metzner:** Frühkarolingische Forstnamen, passim.

22. **M. Gockel:** Karolingische Königshöfe, S. 35.

23. **M. Gockel,** a. a. O., S. 30.

24. A. a. O. u. ö.; vgl. auch **K. Glöckner,** Ein Urbar, S. 387f.

25. S. etwa die zögerliche Formulierung bei **W. Metz:** Zur Erforschung, S. 29: „Haupthöfe ... Frankfurt und vielleicht Trebur"; ders.: Das karolingische Reichsgut, S. 55 („Fiskus Frankfurt – Trebur").

26. Die Nennung von „Askmunde*stein*" läßt sich, wenn auch mit einigen Schwierigkeiten, auf „A*stheim*" beziehen, auf das **Glöckner:** Codex Laureshamensis, S. 174, Anm. 1 zu 3673, wenn auch mit Bedenken, beide ähnlichen Nennungen des Urbars bezieht. In verschiedenen Vorträgen, u.a. in Nauheim, habe ich dagegen das „Askmuntesheim" der ersten Nennung, das unmittelbar nach „Niuenheim" (= „Nauheim" = neues Heim) genannt wird, mit dem vom Namen ‚Nauheim' vorausgesetzten älteren Siedlungsplatz identifiziert und den Ort einst an der Stelle der einstigen St. Jacobs-Kirche außerhalb von Nauheim westlich des Schwarzbachs eben an der alten Fernstraße zwischen Worms, Trebur und Frankfurt, deren frühe Existenz u.a. (s. u. zu Anm. 62ff.) durch das Urbar und die Lagerung der einbezogenen Fisci wahrscheinlich wird, gelegen gedacht; als „Namengeber" wäre natürlich derselbe „Askmund" anzunehmen, der im Namen „Askmundestein" (= „Astheim") an der Schwarzbachmündung begegnet, der auf eine Steinbefestigung an diesem Ort verweist: Ein urtümlicher Besitzkomplex am Schwarzbachverlauf deutet sich an. Die Frage bedarf noch der eingehenden Untersuchung, vor allem auch des Namens „Astheim".

27. Vgl. etwa **M. Gockel:** Karolingische Königshöfe, S. 128ff. Auch der umgekehrte Vorgang, die Angleichung eines „-heim"-Namens an einen „-stein"-Namen, ist denkbar.

28. Vgl. etwa **Gockel,** a.a.O., S. 28ff. **K. Glöckner:** Ein Urbar S. 395, hatte dem Argument „Langen" (s. u.) darum nicht Beweiskraft zugebilligt, weil „die Orte der Dreieich ... anscheinend nicht vollständig" aufgezählt seien – die hier vorgeschlagene Frühdatierung erklärt ein Fehlen in der westlichen Dreieich (s.u. III m), und die Arbeit von **E. Metzner:** Frühkarolingische Forstnamen, passim, das Fehlen der Ortsnamen aus dem Osten der Dreieich: Der Forst bzw. der Wildbann Dreieich in der historischen Ausdehnung existierte noch nicht, bzw.: die östliche Dreieich gehörte überhaupt zum Bereich eines nicht vom Urbar erfaßten Fiskus.

29. Vgl. Codex Laureshamensis ed. **Glöckner** 1, Chronik Nr. 25, S. 307f. und **M. Gockel,** a.a. O., S. 28.

30. Vgl. **Gockel,** a.a.O., S. 28f. Immerhin hält **Gockel** a.a.O., S. 29 die Identifizierung des erwähnten Grafen durch Glöckner mit Rupert III. für „nicht völlig gesichert". Natürlich ist die Existenz des 764 bereits toten Vaters Rupert I., des Klostergründers von Lorsch, kein Beweis, daß der im Urbar genannte Graf Rupert im Wormsgau mit ihm identisch ist – aber die Identität erscheint sehr gut möglich. S. die Diskussion in Marburg, a.a.O., S. 12 mit dem Beitrag von M. Gockel. Vgl. auch u. Anm. 69.

31. Im Codex Laureshamensis erscheint der Name Langens u.a. in folgenden Formen: „de Langenen" (spätere Überschrift für die Schenkungsurkunde Ludwigs des Deutschen von 834; Chronik 25, a.a.O., I, S. 307), „Langungon" (Schenkungsurkunde von 834, a.a.O., I, A. 308), „Langunge" (Überschrift der Markbeschreibung, m. E. von 833/4, a.a.O., III, Nr. 3770, S. 256), „ad Langunga"

(Markbeschreibung, a.a.O.), „Langen" (Hubenverzeichnis Nr. 3678, a.a.O., III, S. 178) neben „Erhardeshusen", eingetragen frühestens im 10. Jahrhundert, s. **Glöckner,** a.a.O., S. 177, Anm. 1 zu 3678); dazu **F. Staab,** Untersuchungen, S. 322: Die dortigen Vermutungen über den Umfang der Schenkung von Lorsch 834 wird durch die Vordatierung der Langener Markbeschreibung durch **E. E. Metzner:** Frühkarolingische Forstnamen, hinfällig; der erkennbare Zusammenhang zwischen ‚Langen' und ‚Erzhausen' bedarf aber durchaus einer Erklärung, die ein konzipierter Aufsatz erbringen soll. Vgl. **A. Bach:** Deutsche Namenskunde II. 1 § 203 ab 1b (S. 172), zum Namen Langen § 196 (S. 162ff. zu den „-ingen"-Namen). Zum relativen Alter der „-ingen"/„-ungen"-Namen im Untersuchungsgebiet s. jetzt **E. E. Metzner:** Namenkundliche Bemerkungen, S. 36ff. und 47f. Zum Alter Langens vor den Erstnennungen von 833/4 und 834 aufgrund der dortigen Angaben s.u. (zu) Anm. 71 und 72.

32. **S. M. Schalles-Fischer,** S. 266; vgl. die Diskussionsbeiträge in Marburg im Anhang zu **E.E. Metzner:** Das Lorscher Reichsurbar, S. 10 und S. 12. Der betreffende lat. Ausdruck: „*iuxta* fiscum nostrum Franchonfurt".
33. **S. M. Gockel:** Karolingische Königshöfe, S. 34; dort eine Erklärung für das Fehlen, die nicht mit der Vergrößerung des Königsbesitzes nach Abfassung des Urbars rechnet.
34. Neben den Punkten, die 1980 (in **E. E. Metzner:** „Rucilensheim", S. 41–44) genannt sind und die in modifizierter Form hier erneut vorgebracht werden, sind die Punkte c, j, l und m hinzugekommen, z.T. bereits 1981 im Kolloquium.
35. Diese Einheit wäre als Folge einer zeitweiligen Vereinigung der Fisci anzusehen, die nach 834 anzusetzen ist, s. **M. Gockel,** Karolingische Königshöfe, S. 33, Anm. 40. Daneben beschreibt Gockel den komplizierten Sachverhalt aber im Haupttext als „Einschub der Beschreibung des Frankfurter in die des Treburer fiscus" (a.a.O., S. 32). Sicherlich ist mit Verwirrung zu rechnen, und die Reihenfolge der Nennungen erscheint nicht selbstverständlich, auch nicht bei Annahme noch eines ursprünglichen Großfiskus Trebur mit Einschluß Frankfurts. Vgl. u. Kap. IV.
36. **M. Schalles-Fischer,** S. 266f. und **E. E. Metzner,** Frühkarolingische Forstnamen, S. 579ff.
37. Für die dominierende Rolle Frankfurts im *ganzen* Bezirk „Um die Dreieich" des Urbars sprechen die Bezugnahme auf den Ort bei Griesheim *und* Königstädten. Zur Frage s. abschließend unten Kap. IV am Ende des Beitrags. Zum Gedanken der Ausdehnung eines ursprünglichen Königsgutsbezirks um Trebur nach NO über Frankfurt hinaus zuerst **E. E. Metzner:** Vergangenheit am Untermain, IX: Warum Frankfurter zu Gericht bei Rüsselsheim mußten (S. 34ff.) und X: Des einen Leid ... (S. 37ff.). Vgl. auch u. (zu) Anm. 78.
38. **K. Glöckner,** Ein Urbar, S. 395 und **A. Gockel:** Karolingische Königshöfe, S. 29f. Die Diskussion in Marburg ließ weiter skeptisch werden; der Punkt sollte aber wegen seiner Rolle in der älteren Diskussion (z.B. bei Glöckner) weiter aufgeführt werden.
39. Zur Frühgeschichte Frankfurts s. **M. Schalles-Fischer,** S. 15ff. und **E. Orth,** Frankfurt am Main, S. 9ff.
40. **M. Gockel,** a.a.O., S. 29 nach dem germanistischen Experten E. Schröder (Exkurs I in Bd. 1 von **A. Dopsch:** Die Wirtschaftsentwicklung der Karolingerzeit, vornehmlich in Deutschland 1–2, [3]1962; das Zitat dort S. 119). Bei Gockel u.a. auch die weniger entschiedenen Stellungnahmen des germanistisch vorgebildeten K. Glöckner und von W. Kaufmann. Noch interessanter aber ist z.B. die archaisch anmutende Schreibung „osterstofa" bei Florstadt (Nr. 3675), während die jüngeren, modernisierten Formen als „osterstupha" bei Königstädten (Nr. 3673) und „osterstuapha" bei Nierstein begegnen (Nr. 3672): langes o (= ō) ist im Fränkischen *„schon um 800"* überall diphthongiert (s. **W. Braune,** Ahd. Grammatik, § 39, bes. § 39c). Auch wenn man mit interessanten Resten archaischer Schreibung der Zeit vor 834 rechnet, ganz sicher sind die Schreibungen des Urbars in aller Regel durch Abschreiber modernisiert, auch über den Sprachstand von 834–50 hinaus; s. u. Kap. IV, Anm. 76.
41. S. **W. A. Kropat,** Reich, Adel und Kirche, S. 14 und **E. E. Metzner,** Namenkundliche Bemerkungen, S. 49f. Allgemein: **A. Bach** II zu den „-heim"-Namen § 581–585; vgl. die nützlichen Zusammenstellungen und skeptischen Bemerkungen bei **F. Staab,** Untersuchungen, S. 234, bes. Anm. 355. Die Datierungen im Text betreffen präzise nur den Sprachgebrauch des Mittelrheingebiets; anderswo ist mit „Verschiebungen" zu rechnen – vgl. die Diskussion in Marburg, S. 18f., bes. den Beitrag von H. Kahl.
42. S. etwa **K. Bosl,** Franken um 800, S. 41 und **W. Haubrichs,** Der Codex Laureshamensis, S. 154. Allgemein: **A. Bach** II zu den „-hausen"-Namen § 608.

43. S. etwa **M. Gockel**, Karolingische Königshöfe, S. 33 und **M. Schalles-Fischer** Pfalz und Fiskus, s. 80ff.

44. Vgl. etwa **K. Lepper**, Lampertheimer Heimatbuch, S. 27f. und **A. Bach**, Deutsche Namenkunde II, § 313 und § 698. Der These entsprechend dürfte Lampertheim ursprünglich im Königsbesitz gewesen sein, wie Sachsenhausen; doch ist mit früher Weggabe zu rechnen.

45. Vgl. **Schalles-Fischer**, Pfalz und Fiskus, S. 83ff. und **E. Orth**, Frankfurt am Main, S. 11f. Die Skepsis von **F. Staab**, Untersuchungen, S. 228, der alle „Sachsen"-Orte in seinem mittelrheinischen Untersuchungsgebiet von dem Personennamen „Sacho" gebildet sein läßt, wird von seinem Gewährsmann A. Bach später keineswegs mehr geteilt (s. **A. Bach**, II § 313 und § 489, wo direkt mit Zitat von Quellen auf die Sachsendeportationen unter Karl dem Großen hingewiesen wird. Zu noch älteren Möglichkeiten s. **R. Wenskus**, Sächsischer Stammesadel, S. 162 u.ö.).

46. Die erschließbare Pfalzerhebung 794 ging offenbar parallel mit einer Neustrukturierung des dazugehörigen (vergrößerten) Wildbanns mit der Schaffung einer "Zentrale" bei (Dreieichen-)hain, s. **E. E. Metzner**, Frühkarolingische Forstnamen, passim S. 591 und 579 und Anm. 61 (unter Verweis auf den Hinweischarakter des „sächsischen" Worts „Hengst", wie es etwa von **K. Bosl**, Franken, S. 15 gesehen wird).

47. „Sachsenheim" ist, ohne daß hier genauere Angaben gemacht werden sollen, viel seltener als „Sachsenhausen", was darauf hinweist, daß die meisten Umsiedlungen von Sachsen erst im Verlauf der relativ späten Sachsenkriege Karls des Großen erfolgten; die Gegenprobe beweist die Richtigkeit des Gedankengangs: Wenn man das Verhältnis der zahlreichen „Schwabenheim" und „Thüringerheim" zu den entsprechenden Namen auf „-hausen" bedenkt. Schwaben und Thüringer wurden von den Franken früher unterworfen als die Sachsen: als (nur) „-heim", noch nicht „-hausen" als Namenelement üblich war.

48. S. die Diskussion bei **Schalles-Fischer**, S. 83 und **E. Orth**, Frankfurt am Main, S. 12; vgl. auch Anm. 45.

49. S. **M. Gockel**, Karolingische Königshöfe, S. 33f; Gockel sieht darin allerdings keinen Hinweis auf eine Frühdatierung, sondern auf ein gewisses Weiterbestehen der überragenden Bedeutung von Worms, etwa als Verkehrsmittelpunkt, bis zumindest zur Zeit Ludwigs des Frommen.

50. **Schlesinger**, Vorstudien, S. 26f.

51. **W. Schlesinger**, a.a.O., S. 27: „Die Lorscher Mönche, die die folgenden, alle in Lorsch geschriebenen Urkunden schrieben, kamen aus Gorze, und es scheint, daß sie von dort das Wort *sors* für Hufe mitbrachten ... Wir haben mit diesem Befund ein Beispiel für den eingangs erwähnten Einfluß der Schreibergewohnheiten auf die Überlieferung vor uns".

52. **W. Schlesinger**, a.a.O., S. 73. „Das Wort sors ist ein Fremdkörper im Reichsurbar; in Lorsch selbst, wo es in der Frühzeit ja üblich war ..., kann es schwerlich nachträglich hinzugefügt worden sein ...". Die irrtümliche Annahme einer späten Entstehung, nach 834, bereitet also unlösbare Irritation. In der späteren Veröffentlichung Schlesingers, Die Hufe, von 1979, wird die Irritation bezüglich des Reichsurbars und seiner Spätdatierung weniger deutlich, doch wird immerhin bemerkt, daß „hier nochmals das Wort sors in der Bedeutung von Hufe bezeugt ist, während die Bedeutung von mansus wieder zweifelhaft wird" (S. 58) – eine Frühdatierung würde die doppelte Schwierigkeit („nochmals" – „wieder") beheben. Trotz der Berufung auf die Datierung von **M. Gockel** (z.B. a.a.O., S. 58, Anm. 115) setzt Schlesinger sich leider nicht expressis verbis mit dessen älterer Auffassung auseinander, die nicht Gorzer Sprachgebrauch erwägt; demnach wäre „sors" ein Ausdruck im Urbar nicht für „Hube" allgemein, sondern für „huba(mansus) servilis", während „mansus" ebenfalls nicht für „Hube" allgemein, sondern für „huba (mansus) ingenualis" stehe (s. **M. Gockel**, Karolingische Königshöfe, S. 31, bes. Anm. 27). Gegen Gockels Interpretation spricht im übrigen auch das Auftreten von „mansi et sortes serviles" in der Summe von Kaiserslautern (vgl. **W. Schlesinger**, Vorstudien, S. 73).

53. Entsprechend den Vorarbeiten von Metz, Gockel und Schlesinger ist anzunehmen, daß eine Kommission in der „dinumeratio" Auskünfte Ort für Ort zusammenstellte, wonach in einem zweiten Arbeitsgang in einer „summa" eine abschließende Redaktion erfolgte: Diese lag dem Wortgebrauch zufolge in der Hand von dem einen oder anderen Lorscher Mönch aus Gorze, mit der einzigen Ausnahme des Fiskus Florstadt in der (lorschfernen!) Wetterau; doch auch die „dinumeratio" für den Ort Bauschheim (in unmittelbarer Nähe des Gerichtsorts ‚Haselberg'!; vgl. zur neu zu bestimmenden Lage vorläufig **E.E. Metzner**, Vergangenheit, VIII 1–3, S. 24ff) scheint ein Gorzer Mönch formuliert zu haben, wohl „vor Ort" während einer Zusammenstellung für den gesamten damaligen,

damals wohl noch umfänglicheren Gerichtsbezirk ,Haselberg', in dem der Fiskus Frankfurt/Trebur (=,Um die Dreieich') gelegen haben dürfte (s. **E. E. Metzner**, Vergangenheit, IX: Warum Frankfurter zum Gericht bei Rüsselsheim mußten, S. 34ff.).

54. Doch kann natürlich auch die bisherige Ansicht richtig sein, daß das Urbar in einer Abschrift erst zusammen mit dem Übergang des Fiskus Gernsheim an Lorsch, 897, spätestens 909, nach Lorsch gekommen sei, wo auch die Umstellung des Fiskus Gernsheim an die Spitze erfolgt sei (vgl. **M. Gockel**, Karolingische Königshöfe, S. 35 und S. 66f.).

55. **M. Gockel**, a.a.O., S. 56, bes. Anm. 165.

56. A.a.O., S. 56, Anm. 165 (nach CDF 198).

57. A.a.O.

58. S. die Zusammenstellung und Erörterung bei **F. Staab**, Untersuchungen, S. 234, bes. Anm. 255 und die Diskussionsbeiträge von M. Gockel bei **E. E. Metzner**, Das Lorscher Reichsurbar, S. 14.

59. **M. Gockel**, Karolingische Königshöfe, S. 56, Anm. 165.

60. Annales Fuldenses, ed. **Buchner**, S. 21. Von einer Diskussion der Gesamtüberlieferung zu Pippins Itinerar a. 763–5 wird hier abgesehen.

61. Nur der Sprachgebrauch eines einzigen lothringischen Mönchs ist zu postulieren, so daß der Einwand von F. Schwind in der Diskussion (s. **E. E. Metzner**, Das Lorscher Reichsurbar, S. 10) hinfällig wird, zumal nicht nur 12, sondern 16 Mönche 764 nach Lorsch kamen; einer davon konnte doch wohl zeitweilig abgestellt werden, auch in der Gründungsphase (vgl. Codex Laureshamensis Bd. 1, S. 271: Lorscher Chronik c. 3).

62. S. **M. Gockel**, Karolingische Königshöfe, S. 33, wendet sich gegen die Erwägung **K. Glöckners** (in: Das Reichsgut im Rhein-Main-Gebiet, Archiv für Hess. Geschichte 18, 1934, S. 195–216, S. 197ff.) und die Behauptungen von **W. Metz** (Das karolingische Reichsgut, S. 157), daß eine Straße von Metz über Worms und über Frankfurt als Ursache zu denken sei. Da die Aufzählung weder am südwestlichen noch am nordöstlichen Ende beginne oder begonnen habe, sondern ursprünglich wohl mit Worms (in der geographischen Mitte) und im übrigen nicht klar sei, ob alle urspünglich erfaßten Bezirke noch gespiegelt werden, meint Gockel kritisch sein zu müssen (vgl. auch zu Punkt j). Die Frühdatierung ergibt aber eine bessere Motivation für die Erfassung nur des Königsguts entlang einer Straße ebendieser Richtung: Es mag sich um Vorsorge für die Versorgung des Heers auf einer Aufmarschstraße in künftigen, vorgesehenen Sachsenkriegen handeln, um eine Vorsorge des schon älteren Pippin, in deren Genuß dann allerdings erst der junge Sohn Karl gekommen wäre. Wenn die Erfassung von Worms aus organisiert wurde, wie es scheint, spricht auch nichts dagegen, daß der Abschnitt über den Fiskus Worms zuerst erstellt und niedergeschrieben wurde. – Nicht mehr zurückkommen darf man nach **M. Schalles-Fischer**, S. 332ff., auf die Annahme von E. Metz bezüglich eines Frankfurter ,ministeriums' dieses Umfangs.

63. **M. Gockel**, Karolingische Königshöfe, S. 33; vgl. a.a.O., S. 147ff. zur „Wormser Straße" unter zustimmendem Verweis auf **M. Schalles-Fischer**, S. 71, die die rechtsrheinische „Wormser Straße" von Frankfurt nach Worms als bereits unter Karl dem Großen zum Zweck seiner Sachsenkriege angelegt denkt, kaum (s. S. 77) aber der vielleicht älteren „(Alten) Frankfurter Straße" gedenkt (s. Anm. 64 und 65). Die Skizze S. 75 gibt ein falsches Bild!

64. S. **M. Schalles-Fischer**, S. 71ff. Die a.a.O. S. 71 Anm. 435 angeführten Fälle früher Benutzung 822, 828, 836, 858, 859 bezeugen nur eine Verbindung Worms-Frankfurt; dann kommt 861 (a.a.O. 528) Bürstadt ins Spiel.

65. Die zentrale Frage in diesem Zusammenhang ist die Verkehrssituation Treburs, das bisher in der Regel nicht an einer Durchgangsstraße (zwischen Worms und Frankfurt über Nierstein/Nackenheim) gelegen gedacht wurde; immerhin hätte der Zug der „Alten Frankfurter Straße" von Königstädten (bzw. Trebur) durch den Wald an der „Drieich (lahha)" vorbei stutzig machen müssen (vgl. **E. E. Metzner**, Frühkarolingische Forstnamen, S. 589 unter Hinweis z.B. auf **A. Kurt**, Zur Geschichte, S. 94 bez. der „Alten Frankfurter Straße"), dazu die Itinerare, die einen *direkten* Weg von Worms über Trebur nach Frankfurt und umgekehrt nahe legen. Eine genaue neue Untersuchung über die „Alte Frankfurter Straße", mit ergänzender Fortführung von Kurt, ist ebenso nötig, wie eine neue Beurteilung der „Wormser Straße" im Hinblick auf den Niedergang Treburs als Pfalzort. A. Kurts alte Straße „Frankfurt-Trebur" („Alte Frankfurter Straße") wird jedenfalls ursprünglich über Trebur hinaus geführt haben!

66. **M. Schalles-Fischer**, Pfalz und Fiskus, S. 71ff. und **M. Gockel**, Karolingische Königshöfe, S. 148ff.

67. S. Anm. 65.

68. S. **M. Gockel,** Karolingische Königshöfe, S. 146, bes. S. 150. Die Strophen 1514f. des Nibelungenliedes (entstanden um 1204) berichten nur vom Zug von Worms ins donauländische Hunnenland.

69. Vgl. **M. Gockel,** Karolingische Königshöfe, S. 298ff, bes. Anm. 739, und **W. Haubrichs,** Der Codex Laureshamensis, S. 119 mit der dort genannten Literatur. Zur Wormser bzw. mittelrheinischen Verwurzelung der Rupertiner schon seit dem 7. Jahrhundert vgl. **Gockel,** a.a.O., S. 300: „Die machtvolle Stellung der Rupertiner in der zweiten Hälfte des 8. Jahrhunderts und in den ersten Jahrzehnten des 9. Jahrhunderts, die ihre Basis in den mittelrheinischen Gauen hatte..., wird weit eher verständlich, wenn sich die Familie auf Machtpositionen stützen konnte, die sie bereits im 7. Jahrhundert ... am Mittelrhein aufgebaut hatte". Zur Zugehörigkeit des Bischofs Rupert von Worms um 700 S. 300ff. Nach den Zusammenstellungen von **F. Staab,** Untersuchungen, S. 416f., wäre vor dem 15.6.754 bzw. nach dem 23.7.754 im Wormsgau Raum für den Ansatz eines Grafen Rupert I.

70. S. **E. E. Metzner,** Frühkarolingische Forstnamen, bes. S. 579ff.

71. S. Codex Laureshamensis Nr. 3770, Bd. 3, S. 256; vgl. „Et hec nomina uirorum qui iurauerunt presente Ruthardo comite et misso regis Ludouuici iunioris". **K. Glöckner** verweist auf Nr. 218 zu 836 mit derselben Grafennennung; vgl. Namenregister Bd. 3, S. 330 sub „Ruthart", wo aber die Markbeschreibung „um 840", also erst nach dem Übergang an Lorsch, angesetzt wird, von dem die Beschreibung (noch) nichts weiß – man kommt so auf eine Datierung *vor* der Schenkung bzw. aus Anlaß von ihr. Vgl. auch **F. Staab,** Untersuchungen, S. 420, bes. A. 827, der schon am 10.4.837 einen Nachfolger für Graf Ruthart kennt. Zur Bezeichnung des jungen Königs Ludwigs des Deutschen noch zu Lebzeiten seines gleichnamigen Vaters Ludwigs des Frommen als „der Jüngere" s. **E. E. Stengel,** Urkundenbuch des Klosters Fulda I, S. 409f. (hier z.n. **E. E. Metzner,** Frühkarolingische Forstnamen, S. 582, A. 32), wo natürlich noch nicht auf die Markbeschreibung verwiesen wird. Herrn Prof. Beumann sei hier für den diesbezüglichen Beitrag in der Marburger Diskussion noch einmal ausdrücklich gedankt.

72. Codex Laureshamensis, Bd. 3, S. 256: „ ... serui regis de Triburen eandem siluam per uim intrauerunt et sibi eam deinceps uendicare ceperunt".

73. Vgl. **E. E. Metzner,** Frühkarolingische Forstnamen, bes. S. 589ff.

74. Zum Königsgut in diesem Raum vgl. bes. **M. Schalles-Fischer,** Pfalz und Fiskus, S. 266ff.; s. ebenso **F. Schwind,** Die Grafschaft „Bornheimer Berg", passim. Vgl. **E. E. Metzner,** Namenkundliche Bemerkungen, S. 43: „Wenn aber gerade bestimmte frankfurtnahe „-heim"-Namen ... auffälligerweise im Lorscher Reichsurbar (als Auflistung karolingischen Königsguts auch um Frankfurt) trotz nachmaliger Reichsguteigenschaft fehlen, ohne daß aus den so benannten Orten frühe Schenkungen aus Privatbesitz bezeugt werden, so ist das ... wohl nicht so sehr ein Hinweis auf ... Bruchstückhaftigkeit der Aufzeichnungen, wie **J. Steen** (S. 78) ... mit älterer Forschung annimmt, sondern eher ein zusätzliches Indiz für eine doch größere Altertümlichkeit der wichtigen Quelle ...".

75. S. **W. Metz,** Zur Erforschung, S. 30f.; vgl. **W. Metz,** Das karolingische Reichsgut, S. 72ff. unter besonderem Verweis auf den Abschnitt über Nierstein im Urbar. Kritisch dazu **M. Gockel,** S. 100ff.

76. S. Codex Laureshamensis Nr. 3673, Bd. 3, S. 174f.; die Beobachtungen sprechen für mehrfache ‚Bearbeitung' eines Urtexts; dies u.a. ist gegen **M. Gockel,** Karolingische Königshöfe, S. 35f. zu bedenken. Die philologischen Schlüsse zu den Namen „Rüsselsheim" und „Frankfurt" im Urbar werden im übrigen von der sonstigen alten Namenüberlieferung bestätigt. Im Fall „Rüsselsheim" hat man das lange nicht so zu sehen vermocht.

77. **S. M. Schalles-Fischer,** Pfalz und Fiskus, S. 57ff., bes. S. 82; vgl. dazu und zu **J. Steen,** Königtum und Adel, bes. S. 131ff. und S. 266ff. schon **E. E. Metzner,** Namenkundliche Bemerkungen, S. 44f.; bei der Skizze von Frau Schalles-Fischer zur Vorgeschichte Frankfurts ist vor allem ihre fast gänzliche Außerachtlassung der sog. „Alten Frankfurter Straße" aus dem Raum Trebur-Nauheim-Königstädten zu bemängeln, wobei allerdings auch die zitierte Forschung nicht konsequent genug gefragt hatte; s.o. zu Anm. 62–68, bes. zu Anm. 65.

78. Vgl. **E. E. Metzner,** „Rucilensheim", passim, bes. S. 41, aber auch **E. E. Metzner,** Vergangenheit, S. 31–41.

79. S. **E. E. Metzner,** Das Lorscher Reichsurbar, Diskussion, S. 9ff. Gerade wenn man mit **W. Schlesinger,** Die Hufe, S. 59ff., der übrigens das Hypothetische seiner diesbezüglichen Vermutungen mehrfach betont, die Einführung der generellen „mansus"-Berechnung aufgrund der Gleichsetzung von „mansus" und „Hufe" Karl dem Großen um 780 zuschreibt, wäre doch festzuhalten, daß

gerade das Reichsurbar von einer derartigen generellen Ordnung nichts weiß – *noch nichts* weiß, wie man vermuten könnte (vgl. **Schlesinger,** a.a.O., S. 61, aufgrund seiner bzw. der herkömmlichen Spätdatierung des Urbars: „Selbst im Lorscher ... Reichsurbar hat sich der beabsichtigte Schematismus nicht völlig durchsetzen können"). Leichter nachzuvollziehen ist da doch die Annahme, daß Karl von älteren Zuständen, wie sie das Reichsurbar spiegelt, ausging und von dortigem Sprachgebrauch, der – wenn man von den Gorzer Einflüssen absieht – z.B. in der Gleichsetzung von „mansus" und „huba" in den dinumerationes durchaus dem Sprachgebrauch in den Urkunden seit Karlmann und Pippin nicht widerspricht (vgl. **W. Schlesinger,** Vorstudien, S. 58ff., bes. S. 61: „... scheint mir für die Zeit Pippins, Karlmanns und Karls die Vermutung gerechtfertigt, daß mansus und Hufe in den Diplomen identisch sind"). Es ist ja auch völlig unwahrscheinlich, daß Karl der Große ohne Rückgriff auf schon bestehende, in der Königsgutverwaltung des östlicheren Herrschaftsbereichs übliche Gleichsetzungen den erschlossenen „Bedeutungswandel des Wortes mansus" (**W. Schlesinger,** Die Hufe, S. 61) gewissermaßen per Dekret hätte durchsetzen können, und so zitiert denn auch Schlesinger zustimmend seinen Lehrer R. Kötzschke (a.a.O.): „Wenn auch nach dem bisherigen Stand unseres Wissens nicht behauptet werden kann, daß diese später so ungemein häufige Landhufe unter Karl und seiner Verwaltung eingeführt worden sei, so hat sie gewiß damals weite Verbreitung gefunden und sich zu einer immer mehr angewendeten Norm des bäuerlichen Besitztums entwickelt ...". Mit einer solchen Aussage aber ist gerade die des neu datierten Lorscher Reichsurbars zu vereinbaren, und wenn man sich noch erinnert, daß schon 704 im nordöstlichen Thüringen „auf hobae und casatae" ansässig gemachte Leute genannt werden (s. **W. Schlesinger,** a.a.O., S. 66f.), dann muß man auch nicht annehmen, wie es in der Diskussion in Marburg unter Berufung auf Schlesinger vertreten wurde (s. dort S. 10f.), daß „casata" bis etwa 770/80 in von der Reichsregierung ausgehenden Quellen allein der Ausdruck für Hufe im Sinne einer bäuerlichen Wirtschaftseinheit gewesen sei; schon die Äußerungen Schlesingers über die Urkunden Pippins, Karlmanns und Karls sprechen dagegen (s.o.). Und zu fragen wäre doch, ob nicht zwischen „casatae" und „hobae" ein Unterschied anzusetzen – alles Gegenstände erneuter eingehender Untersuchung! Und gerade was den Bedeutungswandel von „mansus" anlangt und die ursprüngliche Bedeutung von „Hufe" ist wohl noch einiges zu eruieren und zu präzisieren.

80. Vgl. **M. van Rey,** Einführung, S. 30ff, und **W. Heß,** Geldwirtschaft, S. 27.
81. **M. van Rey,** a.a.O., S. 29.
82. **M. van Rey,** a.a.O., S. 30.
83. **W. Heß,** a.a.O., S. 41.
84. S. **W. Heß,** a.a.O., S. 44 und die Karte 4, S. 43.
85. S. **M. Gockel,** Karolingische Königshöfe, S. 30. Immerhin sei darauf verwiesen, daß sich eine Fülle von Einzelbegriffen und Wendungen des Urbars in den sprachlichen Zeugnissen bereits zur Zeit Pippins und Karlmanns nach 741 und z.T. nur in solchen Parallelen wiederfinden, z.B. die „Osterstufe" bei Nierstein, Königstädten und Florstadt (vgl. **K. Lindner,** Untersuchungen, S. 81f.) und die „Försterhuben" bei Kaiserslautern usw. (vgl. **W. Schlesinger,** Vorstudien, S. 59f).
86. S. die Diskussion nach **E. E. Metzner:** Das Lorscher Reichsurbar, S. 9ff.

Bibliographie

Annales regni Francorum/Reichsannalen: In: Quellen zur karolingischen Reichsgeschichte I. Neubearbeitet von **R. Rau.** Darmstadt 1966 (= Ausgewählte Quellen zur deutschen Geschichte im Mittelalter. Freiherr vom Stein-Gedächtnisausgabe V).

Aus der Geschichte der Stadt Rüsselsheim. Hg. vom Magistrat der Stadt Rüsselsheim. Redaktion: Städtisches Museum, Dr. Wolfram Heitzenröder sowie Presse- und Verkehrsamt. Rüsselsheim 1990.

A. **Bach:** Deutsche Namenskunde II, 1 und 2, Heidelberg 1913 f.

Blick in die Geschichte der Stadt Rüsselsheim. Hrsg. vom Magistrat der Stadt Rüsselsheim – Presseamt – 1978.

E. **Betzendörfer:** Geschichte der Stadt Langen. Mit einem Beitrag über Früh- und Vorgeschichte von Karl Nahrgang. Langen/Hessen 1961.

K. **Bosl:** Franken um 800. Strukturanalyse einer fränkischen Königsprovinz. München [2]1969.

K. **Bosl:** Probleme der Reichsgutforschung in Mittel- und Süddeutschland. In: Jb. f. fränk. Landesforschung 20 (= FS für E. Schwarz), 1960, S. 305–324.

W. **Braune:** Althochdeutsche Grammatik. 14. Aufl., bearb. von H. Eggers. Tübingen 1987.

Codex Laureshamensis, Bd. 1–3, bearb. und neu hg. von **K. Glöckner.** Darmstadt 1929–36 (= Arbeiten der historischen Kommission für den Volksstaat Hessen).

K. **Glöckner:** Ein Urbar des rheinfränkischen Reichsgutes aus Lorsch. In: Mitteilungen d. Inst. f. österr. Geschichtsforschung 38 (1920), S.381–398.

W. **Görich:** Eine Hohe Straße von Heidelberg nach Frankfurt? Zur Frage der frühen Fernwege in der mittleren Dreieich. In: Archiv f. hess. Geschichte und Altertumskunde N. F. 28 (1963), S. 7–29.

M. **Gockel:** Karolingische Königshöfe am Mittelrhein. Göttingen 1970 (= Veröffentlichungen des Max-Planck-Inst. f. Geschichte 31).

W. **Haubrichs:** Der Codex Laureshamensis als Quelle von Siedlungsnamen. In: Ortsname und Urkunde. Frühmittelalterliche Ortsnamenüberlieferung. Münchener Symposion 10. bis 12. Oktober 1988, hg. von **R. Schützeichel,** Heidelberg 1990 (= Beiträge zur Namenforschung N. F. Beiheft 29), S. 119–175.

W. **Heß:** Geldwirtschaft am Mittelrhein in karolingischer Zeit. In: Blätter f. dt. Landesgeschichte 98 (1962), S. 26–63.

C. **H. Hoferichter:** Kleine Geschichte des Kreises Groß-Gerau. In: Landkreis Groß-Gerau. Monographie einer Landschaft. Worms 1969, S. 25–48.

W. **A. Kropat:** Reich, Adel und Kirche in der Wetterau von der Karolingerzeit bis zur Stauferzeit. Marburg 1965 (= Schriften des Hess. Amts für geschichtl. Landeskunde 28).

H. **Kühlmann/O. Wenske:** Unser Heimatkreis Groß-Gerau. Frankfurt 1967.

W. **Kuhn:** Flämische und fränkische Hufe als Leitformen der ma. Ostsiedlung, wieder in: **W. Kuhn:** Vergleichende Untersuchungen zur ma. Ostsiedlung. Köln, Wien 1973, S. 1–53).

A. **Kurt:** Zur Geschichte von Straße und Verkehr im Land zwischen Rhein und Main. Diss. masch. Frankfurt/M. 1956.

K. **Lindner:** Untersuchungen zur Frühgeschichte des Bistums Würzburg und des Würzburger Raumes. Göttingen 1972 (= Veröffentlichungen des Max-Planck-Inst. f. Geschichte 35).

Landkreis Groß-Gerau. Kultur- und Wirtschaftsporträt. München 1978. Darin die Beiträge von E. Schneider, S. 85, S. 99, S. 105, S. 106.

K. **Lepper:** Lampertheimer Heimatbuch. München 1957.

W. **Metz:** Beobachtungen zum Lorscher Reichsurbar. In : Deutsches Archiv zur Erf. d. Ma. 14 (1958), S. 471–480.

W. **Metz:** Das karolingische Reichsgut. Eine verfassungs- und verwaltungsgeschichtliche Untersuchung, Berlin 1960.

W. **Metz:** Forschungen zum Reichsgut im Rhein-Main-Gebiet. In: Geschichtl. Landeskunde 7 (1972), S. 209–217.

W. **Metz:** Zur Erforschung des karolingischen Reichsgutes. Darmstadt 1971.

E. **E. Metzner:** Ältere Geschichte des Raums Rüsselsheim: Von der frühen Römerzeit bis ins späte Mittelalter. In: Rüsselsheimer Rundwege. Mit einer Einführung in die Landschaft und Geschichte des Stadtgebiets, hg. von E. E. Metzner und A. Helm, Bd. 1. Rüsselsheim 1987, S. 21–32.

E. **E. Metzner:** Das Lorscher Reichsurbar – ein frühkarolingischer Text aus der Zeit König Pippins? In: Protokoll der 117. Arbeitstagung des Konstanzer Arbeitskreises für ma. Geschichte, am 10. Jan. 1981 in Marburg, S. 3–8; dazu die Diskussionsbeiträge S. 9–23.

E. **E. Metzner:** Frühkarolingische Forstnamen im Mittelrheingebiet. „Flurnamen"-Befragungen als Beiträge zur frühmittelalterlichen Verfassungs- und Institutionsgeschichte des rheinfränkischen Raums. In: Gießener Flurnamen-Kolloquium 1.–4. Oktober 1984, hg. von **R. Schützeichel.** Heidelberg 1985 (= Beiträge zur Namenforschung Beiheft 23), S. 571–599.

E. **E. Metzner:** Namenkundliche Bemerkungen zu Franken und Alemannen im Rhein-Main-Gebiet. In: Beiträge zur Namenforschung, N.F., hg. von **R. Schützeichel.** Bd. 19 (1984), Heft 1, S. 28–61.

E. **E. Metzner:** „Rucilensheim" – älter als 1200 Jahr' mitsamt dem Lorscher Reichsurbar. Neue Erkenntnisse über Ort, Art und Alter der Erstnennung von Rüsselsheim, Königstädten, Bauschheim, Mörfelden, Nauheim, Trebur, usw. In: Rucilin. Rüsselsheim im Vergangenheit und Gegenwart. Sonderausgabe 75 Jahre Heimatverein Rüsselsheim. Rüsselsheim 1980, S. 34–46.

E. **E. Metzner:** Vergangenheit am Untermain – gegenwärtig. 20mal Geschichte zur Sprache und Sprache zum Sprechen gebracht. Hg. von der Gesellschaft f. Bodendenkmalpflege und der Volkshochschule Rüsselsheim, Einleitung und Bearbeitung A. Helm. Rüsselsheim 1982.

E. **E. Metzner:** Weshalb „Rucilin"? War der erste Rüsselsheimer ein Franzose aus der Pfalz? – Oder: Wohin Philologie führen kann. In: Rucilin. Rüsselsheim und Umgebung in Geschichte und Gegenwart. Berichte des Heimatvereins Rüsselsheim. Rüsselsheim 1978, S. 13–20.

K. **J. Minst:** Lorscher Codex deutsch. Urkundenbuch der ehemaligen Fürstabtei Lorsch. Ins Deutsche übertragen von K.J. Minst. Lorsch 1966ff., bes. Bd. V (Schenkungsurkunde Nr. 2911–3836).

W. Müller: Hessisches Ortsnamenbuch, Bd. 1: Starkenburg, Darmstadt 1937.

E. **Orth:** Frankfurt. In: Die deutschen Königspfalzen. Bd. 1: Hessen. Göttingen 1985, S. 131–368.

E. **Orth:** Frankfurt am Main in Früh- und Hochmittelalter. In: Frankfurt am Main. Die Geschichte der Stadt in neun Beiträgen. Sigmaringen 1991 (= Veröffentlichungen der Frankf. Histor. Kommission XVII), S. 9–52.

M. **Schalles-Fischer:** Pfalz und Fiskus Frankfurt. Eine Untersuchung zur Verfassungsgeschichte des fränkisch-deutschen Königstums. Göttingen 1969 (= Veröffentlichungen des Max-Planck-Inst. f. Geschichte 20).

W. **Schlesinger:** Die Hufe im Frankenreich. In: Untersuchungen zur eisenzeitlichen und frühmittelalterlichen Flur in Mitteleuropa und ihrer Nutzung, hrsg. v. H. Beck, D. Denecke, H. Jankuhn, Teil I, Göttingen 1979 (= Abh. d. Ak. d. Wiss. in Göttingen, phil.-hist. Kl. III, Nr. 115), S. 41–70.

W. **Schlesinger:** Vorstudien zu einer Untersuchung über die Hufe. In: Kritische Bewahrung. Beiträge zur deutschen Philologie. FS für Werner Schröder zum 60. Geburtstag, hg. von E. J. Schmidt. Berlin 1974, S. 15–85.

E. **Schneider:** (Verschiedene Beiträge in:) Landkreis Groß-Gerau. Kultur- und Wirtschaftsporträt. München 1978, vgl. S. 85, S. 99, S. 105 und S. 106.

F. **Schwind:** Die „Grafschaft" Bornheimer Berg und die Königsleute des Fiskus Frankfurt. In: Hess. Jb. f. Landesgeschichte 14 (1964), S. 1–21.

F. **Staab:** Untersuchungen zur Gesellschaft am Mittelrhein in der Karolingerzeit, Wiesbaden 1975.

F. **Staab:** Zur Methode der Identifizierung karolingischer Ortsnamen in Lorscher und Fuldaer Überlieferung. In: Hess. Jb. f. Landesgeschichte 30 (1980), S. 46–93.

F. **Staab:** Zur Organisation des früh- und hochmittelalterlichen Reichgutes an der unteren Nahe. In: Beiträge zur mittelrheinischen Landesgeschichte. FS für J. Baumann. Wiesbaden 1980 (= Geschichtliche Landeskunde, Bd. 21), S. 1–29.

J. **Steen,** Königtum und Adel in der frühmittelalterlichen Siedlungs-, Sozial- und Agrargeschichte der Wetterau. Studien zum Verhältnis von Landnahme und Kontinuität am Beispiel einer Randlandschaft des Merowingerreichs. Frankfurt 1979 (Schriften des Historischen Museums Frankfurt am Main XIV).

M. **Steen:** Ausstellungsschwerpunkt: Rüsselsheim von der Zeit der fränkischen Landnahme bis zum Bau der Festung. In: Rüsselsheim vom Mittelalter bis zum Beginn der Industrialisierung (Hauptabteilung II des Museums), Rüsselsheim 1979, o. S.

M. **van Rey:** Einführung in die rheinische Münzgeschichte des Mittelalters. Mönchengladbach 1983.

R. **Wenskus:** Sächsischer Stammesadel und fränkischer Reichsadel. Göttingen 1976 (= Abhandlungen der Akademie d. Wissenschaften in Göttingen, phil.-hist. Klasse, 3. Folge, 93).

Wolfgang Martin

Weltliche und geistliche Beziehungen von und zu den Herren von Breuberg und dem Breuberger Land im 13. bis 15. Jahrhundert

Diese Arbeit kann schon aus räumlichen Gründen keine umfassende Darstellung bieten. Ausgehend von Bekanntem, soll sie vorwiegend Neues vermitteln oder doch wahrscheinlich machen. Unvermeidlich ist es dabei, im Kontext mitunter thematisch wie zeitlich etwas auszuholen. In den Überschriften der einzelnen Abschnitte stehen Ortsnamen, nach denen Geschlechter benannt sind, auch für diese.

I. Breuberg und Weinsberg, Konnubien und Besitz

Von den beiden namengebenden Burgen ist der Breuberg im nordöstlichen Odenwald, errichtet auf einem weit ins untere Mümlingtal hineinragenden Bergsporn, außerhalb Südhessens weniger bekannt als die Heilbronn am Neckar benachbarte Burg Weinsberg, im Volksmund „Weibertreu" genannt nach einer Überlieferung, deren historischer Kern längst nicht mehr bezweifelt wird[1]: Da hatte nach langer Belagerung ein erzürnter Stauferkönig den zähen Verteidigern 1140 den Tod geschworen, ihren Frauen aber freien Abzug zugesichert unter Mitnahme dessen, was sie auf dem eigenen Rücken hinwegtragen könnten. Konrad III. aber stand zu seinem Wort, als durch das zur Übergabe geöffnete Burgtor die listigen Frauen ihre Männer herabbrachten.

Das Dynastengeschlecht, das sich seit Beginn des 13. Jahrhunderts „von Breuberg" nannte, „muß in seinen besitzgeschichtlichen Ursprüngen aus einem anderen Raum kommen, was nicht ausschließt, daß es diesen Besitz – soweit er fuldisches Lehen war – vielleicht einer Erbschaft verdankt und somit einem genealogischen Zusammenhang, der sich bisher freilich nicht nachweisen läßt ... Mit den Schlössern Breuberg und (Kirch-) Brombach trug die Familie die nachmaligen Centen Höchst und Kirch-Brombach als fuldische Lehen, welche Abhängigkeit aber zunehmend zur reinen Formalität absank. Dabei führte die Besitz- und Rechtsverquickung mit Mainz im Raume Wörth/Klingenberg zu weitgehender Ausrichtung auf die allgemeine Politik des Erzstiftes Mainz"[2]. Allerdings gab es auch Verbindungen zu Würzburg, so durch die heute allgemein den „Vor-Breubergern" zugerechneten Würzburger Domherren Heinrich Reiz (1155) und Conrad Reiz (1172–1195)[2], dann aber auch durch Sibodo von Breuberg, Sohn Conrads I. Reiz von Breuberg und 1257 Domkapitular zu Würzburg[3].

Auch mehrere Herren von Weinsberg, Angehörige eines im Reichsdienst aufgestiegenen Ministerialengeschlechts, das ursprünglich wohl aus dem Raum Schwäbisch Gmünd stammte, sind in Würzburg als Kleriker belegt[4]. Man wird davon ausgehen dürfen, daß es dort schon Berührungspunkte zwischen Mitgliedern der beiden Familien gab. Gemeinsames urkundliches Auftreten ist belegt zu 1269, als Gerlach Reiz von Breuberg Zeugendienste leistete für Bischof Berchtold von Bamberg, der

Pfalzgraf Ludwig den Strengen mit der „Konradiner Erbschaft" belehnte[5]; mitbezeugt wurde dies durch Engelhard V. von Weinsberg.

Von Engelhards V. Ehefrau kennt man leider nicht den Namen, wohl aber ihr Wappen, das drei Spitzen zeigt[6]. Hierauf gründet die Vermutung, sie sei den von Heusenstamm zuzurechnen, womit sie eine Verwandte der Herren von Münzenberg wäre[7]. Wegen Eigengütern dieser Heusenstammer und derer von Weiterstadt, die ein Friedrich von Stein (-Kallenfels) in Weiterstadt erworben hatte, gab es einen 1252 beigelegten Streit mit Konrad II. Reiz von Breuberg[8]. Offenbar erhob dieser gewisse Ansprüche, was auf frühere Erbengemeinschaft hindeuten könnte. Andererseits wären Beziehungen Engelhards V. von Weinsberg, sofern seine Gattin wirklich eine von Heusenstamm gewesen sein sollte, zu Breuberg auch schon vor 1269 denkbar. Besitznachbarschaft gab es schon einige Zeit infolge der Büdinger Herrschaft der Breuberger und der münzenbergischen der Weinsberger[9].

Zum Konnubium zwischen beiden Geschlechtern kam es dann um 1322[3]. Zu diesem Zeitpunkt standen die Breuberger kurz vor dem Aussterben im Mannesstamm; die Weinsberger aber waren seit Ende des 13. Jahrhunderts durch Teilungen, Streitigkeiten und große Aufwendungen im Reichsdienst zu immer größeren Notverkäufen gezwungen, so z.B. 1335 an das Erzstift Mainz (später dann 1412 bis 1450 an die Kurpfalz)[10]. Vom Münzenberger Erbe aber war – nach kleineren anderweitigen Verfügungen – der weinsbergische Anteil an den Burgen und Städten Münzenberg, Assenheim und Dreieichenhain 1270 an die Herren von Falkenstein verkauft worden[11].

Konrad V. von Weinsberg, in erster Ehe verheiratet mit Adelheid von Hanau, in zweiter seit etwa 1322 mit Luckarde von Breuberg, starb 1328[7]. Er hinterließ als einzigen Sohn Konrad VI. genannt von Breuberg, der 1365 Margaretha Schenkin von Erbach zur Frau nahm. 1333 war er noch minderjährig gewesen, wie eine Urkunde vom 12. März dieses Jahres zeigt: Da nämlich benötigte sein Stiefvater Gottfried von Eppstein, als er den Frankfurter Salhof verkaufen wollte, einen Bürgen für Konrads VI. Verzicht[12]. Dieser nahm 1365 November 11 bei Engelhard von Hirschhorn ein Darlehen von 400 fl. auf und setzte dafür Wernher Duborn als Bürgen[13]. Und schließlich verglich er sich mit den Herren von Trimberg sowie mit Eberhard von Eppstein über die Besetzung der Pfarrei Schotten und der Altäre zu Schotten, Ortenberg und Konradsdorf[14], beurkundet 1366 Februar 2. Noch im selben Jahr starb Konrad VI., wohl noch keine 40 Jahre alt; nur 2 1/2 Jahre später folgte ihm sein einziger Sohn Konrad VII. im Kindesalter. Erloschen war damit im Mannesstamm die der Herrschaft Breuberg und dem Büdinger Erbe verbundene Linie der Herren von Weinsberg.

Spuren der ehelichen Verbindung zwischen Breuberg und Weinsberg finden sich am Rand des südlich des Neckars gelegenen Kleinen Odenwaldes auch 1419 noch: Da nämlich verkauften Konrad VIII. von Weinsberg (ein entfernter Vetter des 1368 als Kind verstorbenen) und seine Gattin Anna von Hohenlohe dem Pfalzgrafen Ludwig die Veste Schwarzach (südlich Eberbach am Neckar) samt mehreren Dörfern[15], die einstige Morgengabe, welche Luckardes von Breuberg erster Ehemann Konrad V. von Weinsberg (+1328) ihr nach der Hochzeit überschrieben hatte. Einen Verkauf durch Gottfried IV. von Eppstein, seinen Sohn Gottfried V. und dessen Gemahlin Luckarde von Breuberg (verwitwete von Weinsberg) hatte es bereits 1335 Mai 15 gegeben, wobei aber die Käufer, der Ritter Arnold Kreiß von Lindenfels, seine Frau Adelheid und ihr Bruder Gerung von Helmstatt, den Vorbehalt der Wiedereinlösung durch Eppstein akzeptieren mußten – so handelte es sich eigentlich nur um eine Verpfändung[16]. Finanzielle Engpässe könnten es auch gewesen sein, deretwegen die inzwischen in zweiter Ehe verwitwete Luckarde 1343 gern die Gelegenheit wahrnahm, im Rahmen der kaiserlichen Acht gegen die Stadt Regensburg deren Tuchtransporte auszurauben[17].

Geld gekostet hatte ja auch die Unterhaltung der Veste Schwarzach, deren Anfänge in die frühe Staufer-, wenn nicht gar in die Salierzeit zurückreichen[18]. So mußte Luckarde schon 1329 ihrem Schwarzacher Amtsvogt dafür 20 Pfd. Heller anweisen. Geraten hatten ihr dazu ihr „Oheim" Schenk Konrad von Erbach – vermutlich Konrad IV., Schwiegervater Engelhards VII. von Weinsberg (Halbbruder von Luckardes verstorbenem erstem Gatten) – und Hermann Duborn II., Burgvogt zu Fürstenau[19]. Daß man auch ihn hinzuzog, könnte ein Indiz für familiäre Bande ebenso sein wie die Bürgschaft, die 1365 Hermanns Sohn Werner Duborn für Konrad VI. von Weinsberg, Luckardes Sohn, leistete[20]. In dieselbe Richtung weist das Allianzwappen über dem Portal der St. Aegidiuskapelle zu Mümling-Grumbach südlich Höchst/Odw., das auf der Männerseite (heraldisch rechts, vom Beschauer aus links) die drei Ringe im Schrägbalken der Duborn/Starkerad von Breuberg zeigt, auf der Frauenseite aber die drei Schildchen (2 : 1) der Herren von Weinsberg. Wahrscheinlich stammt dieses Elternwappen aus dem zweiten Drittel des 14. Jahrhunderts und wurde angebracht durch einen bisher unbekannten Sohn eines Duborn/ Starkerad und einer Weinsbergerin, der besondere Beziehungen zur Kirche von Mümling-Grumbach gehabt haben muß. Sollte vielleicht die Mutter Werners Duborn dem Hause Weinsberg entstammt sein und neben Werner einen weiteren Sohn gehabt haben, der Kleriker war[21]?

II. Konradsdorf und Heimbach, Breuberg und Weinsberg

In dem büdingischen, später breubergischen Hauskloster Konradsdorf (etwa 10 km nordwestlich Büdingen) scheint schon vor der 1322 stattgefundenen Heirat zwischen Luckarde von Breuberg und Konrad V. von Weinsberg ein Angehöriger seines Hauses als Laienbruder gewesen zu sein. In einer Verkaufsurkunde des Klosters von 1308 Februar 22 erscheint nämlich hinter Gutwinus de Selbolt als zweiter der Zeugen ein „frater Conradus dictus Winisberg de Conradisdorf"[22], der in den bekannten Stammtafeln fehlt. Nun ist der Vorname „Conrad" bei den Weinsbergern recht häufig, wobei offenbar nicht einmal alle Vorkommen erfaßt sind. Zu den nicht verzeichneten zählen z.B. ein Cunradus des Winsperc, genannt im Kloster Amorbach zu 1291 Juni 18[23], sowie ein gleichnamiges Brüderpaar, belegt zu 1286 als "Chunradus et Chunradus fratres de Winesberg" als Urkundenzeugen für ihre münzenbergischen Miterben, die Herren von Pappenheim[24].

Das Auftreten des „frater Conradus dictus Winisberg de Conradisdorf" fällt zeitlich etwa zusammen mit einer 1309 erfolgten Schenkung an zwei bis vor kurzem unbekannte Konradsdorfer Nonnen, deren eine einen Breuberger zum Vater, die andere eine Breubergerin zur Mutter hatte: Kuntze von Breuberg und Lyse von Erbach[25]. Beider Onkel Eberhard II. von Breuberg verzichtete als „Canonicus ecclesiae in Moguncia et Plebanus in Budingen" 1271 zugunsten von Meisterin und Konvent zu

Haugk[26] auf den dortigen Zehnten, der ihm als Pfarrherr in Büdingen zustand, gegen Zahlung von 4 Talenten leichter Münze[27]. 1274 begegnen wir ihm dann aber als Kaplan der Johanniter-Kommende in Heimbach (ca. 16 km südwestlich Speyer)[25]. Und 1277 erscheint er erneut in einer Konradsdorf betreffenden Angelegenheit: Seiner Zustimmung bedurfte es nämlich, als Propst und Meisterin des Klosters dessen Einkünfte zu Büdingen, Allenrode und Dudenrode der Pfarrkirche zu Büdingen im Tausch überließen gegen deren Einkünfte zu Katzenditbach; die hierüber ausgestellte Urkunde bestätigten Propst und Kapitel der Kirche St. Maria ad gradus in Mainz[28]. Sollte dort Eberhard II. vielleicht residiert und es sich in Büdingen und Heimbach/Pfalz nur um Pfründen gehandelt haben?[29] Die Herkunft im Fall Büdingen ist leicht zu erklären als Erbteil Eberhards durch seine Vorfahren von Mutterseite, die Herren von Büdingen. Bei Heimbach gibt es dagegen vorerst keinerlei Anhaltspunkt, zumal wir nicht einmal wissen, wann und wie die Kontakte der Breuberger zu dieser Johanniterkommende zustande gekommen sind. Gegründet worden war sie 1185 durch Kaiser Friedrich I. Barbarossa (vielleicht sogar durch ihn persönlich)[30], ihre Privilegien bestätigte 1207 König Philipp von Schwaben[31].

Die im Endkampf der Staufer eingetretene Polarisierung führte u.a. dazu, daß die Johanniter und die ihnen zugeneigten Geschlechter sich auf die päpstliche Seite schlugen – im Gegensatz zum kaisertreuen Deutschen Orden. Nicht selten aber ging die Spaltung quer durch die Familien. Von den Breubergern ist uns bekannt, daß Eberhard Reiz, der Vater des Büdinger Pfarrherrn und Kaplans der Heimbacher Johanniterkommende, 1242 durch Erzbischof Siegfried von Mainz dessen Hof in Wallstadt (d.h. im rechtsmainischen Wallstad episcopi = Klein-Wallstadt) zum Pfand für eine versprochene Zahlung von 200 Mark Kölnischer Pfennige erhielt – der Lohn dafür, daß der Breuberger samt seinen Vasallen Beistand leiste gegen „Fridericum dictum imperatorem", also „den sogenannten Kaiser Friedrich"[32]. Es dauerte dann noch 24 Jahre, bis 1268 Oktober 29 die Staufer-Ära endete mit der Enthauptung des noch nicht 16-jährigen Konradin zu Neapel. Eberhard Reiz, erster Träger eines bis dahin im Hause Breuberg unbekannten Vornamens, hat diesen Untergang einer Dynastie lang überlebt; er starb zwischen 1282 und 1285.

In Eberhard Reiz' Sohn Gerlach Reiz haben wir den bedeutendsten Vertreter der Familie vor uns, stark engagiert im Dienst des Reiches, so bei der Durchsetzung des Landfriedens, als Reichslandvogt in der Wetterau und bei mancherlei Aufgaben im Elsaß und in Thüringen. Viele Jahre erscheint er in Urkunden des Königs[33], dem er mehrfach beträchtliche Geldmittel lieh. Daneben gelang es ihm 1293 März 23 die zuletzt den Grafen von Löwenstein gehörige Burg Magenheim unweit Heilbronn am Neckar zu erwerben, was beigetragen hat zu der irrigen Meinung, Gerlachs Gattin Luckardis könne eine geborene von Magenheim gewesen sein[34]; Wolfram Becher vermutete in ihr dagegen eine Angehörige der Herren von Crumbach und Erbträgerin der Cent Kirch-Brombach[34]. Ob allerdings seine Ansicht, daß „die – immer noch nicht sichere – Familienherkunft seiner (Gerlachs) Frau Luckardis eine Rolle gespielt" haben könnte bei dem 1298 Februar 14 erfolgten Verkauf des Dorfes Schmachtenberg/Spessart an den Deutschen Orden zu Mergentheim[35], erscheint doch sehr fraglich angesichts der Tatsache, daß Gerlach ausdrücklich von „titulo proprietatis ex successione paterna" (Eigentum aus väterlicher Erbfolge) spricht, worauf auch das erforderlich gewesene Einverständnis seines Bruders Arrosius hinweist.

Zum Johanniterorden, dessen Kaplan in Heimbach/Pfalz Eberhard II. von Breuberg 1274 war, gab es bei Elisabeth, Witwe des Frankenstein-Erbauers Konrad II. Reiz von Breuberg, schon 1264 Beziehungen: Da nämlich schenkte sie dem Johanniterhaus Mosbach/Odw. einen Hof zu Biebigheim[37]. Auf ihre Familie geht dieser Besitz – ebenso wie zwei 1267 am selben Ort verkaufte Höfe[38] – aber nicht zurück, sondern auf die ihres verstorbenen Mannes. Dies geht daraus hervor, daß 1274 in Biebigheim auch Elisabeths Schwager Eberhard Reiz von Breuberg (der Vater des Büdinger Pfarrherrn und Heimbacher Kaplans) mit Gütern auftrat[39]. Andererseits scheinen Eberhard Reiz, der Frankenstein-Erbauer Konrad II. Reiz und der Würzburger Domkapitular Sibodo von Breuberg einen weiteren Bruder gehabt zu haben: Jenen Johannes de Vrankenstein, der um 1239/1247 bekundete, daß er Heinrich Scobelin für dessen in Kensheim gelegenes, durch Johannes persönlich übertragenes Lehen jetzt und immer Währschaft leisten werde; da er aber selbst kein Siegel hatte, ließ er das des Schenken von Erbach anhängen[40]. Hellmuth Gensicke, der als erster auf den wahrscheinlichen genealogischen Zusammenhang hingewiesen hat, bemerkt dazu u.a.: „Dieser (Johannes) dürfte bereits vor 1246 gestorben sein oder sein Erbteil durch Eintritt in einen Orden aufgegeben haben, da er damals schon nicht mehr neben den drei bekannten Brüdern von Breuberg erscheint"[41]. Gegangen war es 1246 um den Zehnten zu Wackenburnen[42], den die Gebrüder Arnold, Hertwig und Albert genannt Wackenburne „auf Anstehen" der Breuberger Eberhard Reiz, Conrad II. Reiz und Sibodo dem Kloster Höchst/Odw. überließen – eine offenbar recht bedeutsame Angelegenheit, zu der nicht weniger als 22 Zeugen aufgeboten wurden, an der Spitze der Höchster Propst Johannes; den Schluß bildeten Heinrich, Sohn des Vogtes und dessen Sohn Herbord[43].

III. Rimhorn, Rups und Sulzbach

Rimhorn, 4 km südlich des Breubergs und der Mümling gelegen, birgt noch so manches Rätsel. Erst 1953 wurden im Verlauf von Restaurierungsarbeiten an der evangelischen Kirche deutliche Stilmerkmale des 11. Jahrhunderts sichtbar, so am Gewände der beiden Eingänge, am Mauerwerk des Kirchenschiffs und des Chors sowie an der Emporenpforte im Westgiebel; vermutlich handelt es sich um die aus Steinen römischer Ruinen erbaute Kapelle eines Herrenhofes[44]. Spuren römischer Besiedlung gibt es tatsächlich nordwestlich des Dorfes, etwa auf halbem Weg zu dem 325 m hohen Bo(h)rberg auf Dusenbacher, einst zum Höchster Zentwald gehöriger Gemarkung. Von diesem Berg berichtet die Sage, ursprünglich sei er als Standort für den Bau der Burg Breuberg ausersehen gewesen, doch habe der Teufel dies verhindert, indem er dreimal nächtlicherweise die bereitgelegten Steine zu dem jenseits des Tales aufragenden Breuberg hinüberschaffte[45]. Hier könnte eine frühe Erinnerung an kontroverse Absichten ebenso durchscheinen wie der Versuch, eine Erklärung für den auf dem Bo(h)rberg wohl im Mittelalter in Richtung Rimhorn angelegten Abschnittswall zu finden[46], der noch in Spuren erkennbar ist.

Als erste urkundliche Erwähnung des Namens „Rimhorn" wird im allgemeinen eine Verkaufsurkunde Markwards von Rosenbach von 1273 Februar 4 angesehen[47], in der unter den Zeugen ein „Manegolgus de Riemhurne" erscheint. 15 Jahre später lernen wir zu 1288 August 29 Udelhildis, Witwe des weiland Theodoricus miles dictus de Rimhorn, kennen[48], dessen Bruder der Manegold von 1273 gewesen sein könnte. Weit früher aber anzutreffen ist ein Heinrich von Rimhorn im Güterverzeichnis von

1211 des Klosters Eberbach im Rheingau; dieser hatte für das Seelenheil seines (leider nicht mit Namen genannten) erschlagenen Bruders Ackerland tradiert. Aufhorchen läßt hierbei die Besitznachbarschaft zweier Herren von Weiterstadt: Schenkungen durch Heinrich von Rimhorn sowie durch Ulrich, Sohn Ulrichs von Weiterstadt, waren in „Izeldal"[49] zu verzeichnen, solche in Gehaborn durch Heinrich von Rimhorn sowie durch den Jungherrn Cunradus de Witherstad mit seiner Mutter[50].

Vom Dorf Rimhorn selbst ist urkundlich erstmals die Rede 1321 November 19[51]: Da nämlich bekundete Heinrich von Crumpach, Kanonikus am Dom zu Mainz, daß sein Schwager Ernst der Vrie[52] den Hof in Rimhorn mit allem Nutzen, als er ihn gehabt und gemeinsam mit seinem Bruder Arreis selig[53] von ihren Eltern erblich bekommen, an den Ritter Starkerad von Breuberg verkauft habe.

Zwischen 1211 und 1273 anzusetzen ist wohl ein Herbordus de Rinhurne in einer Mainzer Heberolle aus dem 13. Jahrhundert[54]. Zwar enthält sie keine Datumsangaben, wohl aber Personen, die wir zeitlich einzuordnen vermögen: „E(berhardus) Rezo de Bruberch" (1239–1282) und „Hemo de Hoste", in dem man gewiß jenen Heimo erblicken darf, der 1246 März 6 mit seinem Sohn Friedrich für das Kloster Höchst/Odw. als Zeuge auftrat[43].

Schwerer fällt es, eine Antwort zu finden auf die Frage, ob bzw. wie Träger des Namens „von Rimhorn" untereinander verwandt gewesen sein könnten. Die Tatsache, daß bisher drei verschiedene Wappen bekannt sind[55] (meist jedoch leider keines), bietet zwei Möglichkeiten: Zugehörigkeit zu völlig verschiedenen Familien, die sich nur gemeinsam nach Besitz in Rimhorn nannten, oder aber cognatische Verwandtschaft, wobei das Wappen jeweils von der (vielleicht alteingesessenen?) Linie der Mutter übernommen worden wäre. In beiden nachstehenden Fällen ist allerdings ein genealogischer Zusammenhang sicherlich auszuschließen:

1353 März 3 verpflichtete sich Heinrich von Rymmehorn, Edelknecht, nichts mehr gegen Ulrich von Hanau, seine Herrschaft und „Zugewandten" zu unternehmen. Heinrich selbst und seines Vetters Sohn Konrad Bernhold hingen ihre Siegel an, die dasselbe Wappen zeigten: Im geteilten Schild oben einen wachsenden Löwen[56] (wie es auch die von Rosenbach und die von Raibach führten).

1361 Februar 19 gelobte der Edelknecht Diemar von Rymhorn, der von Konrad Bernhold gefangen genommen worden war, nichts mehr gegen Ulrich von Hanau, seine Herrschaft und seine Diener zu unternehmen. Diemars Siegel wies einen gespaltenen Schild auf, in dem ein Rechtsbalken über beide Teile in verwechselten Farben fortgeht[57] (so auch geführt von den Fock von Wallstadt).

Der Unterschied ist evident: Beidesmal war Konrad Bernhold involviert, aber mit dem Unterschied, daß er 1353 mit seinem Siegel dem Sohn seines Vetters beistand, 1361 dagegen einen Widersacher gefangengenommen und offenbar auch ausgeliefert hatte. Eine Verwandtschaft ist hier nicht nur nicht erwähnt, sondern auch nicht anzunehmen.

Neben den beiden gerade genannten von Rimhorn-Wappen ist ein weiteres bekannt mit drei Ringen im Schrägbalken, das sich also der Gruppe Duborn-Starkerad-Echter zuordnen läßt[55]. Wo ein Wappen überhaupt fehlt, ist eine Zuordnung fast immer unmöglich, so wie bei einem 1310 als Schultheiß zu Aschaffenburg genannten

Gerhard von Rimhorn[58]. Von einem Gleichnamigen (demselben?) wissen wir immerhin, daß er 1311 März 15 starb und einen 1327 im September verstorbenen Bruder Conrad hatte[59].

Später begegnen wir „von Rimhorn" an verschiedenen Orten, zunächst aber nochmals in Aschaffenburg: 1351, 1367 und 1370 einem Syfrid als Vikar[60], 1384 einem Heinrich[61] und 1390 einem Edelknecht Merckel von Rymhorn samt Gattin Irmele, Inhaber eines Hofs zu Pflaumheim[62].

Der Stadt Frankfurt am Main sagte um 1380 ein Balthasar von Rimhorn die Fehde an; wie es heißt, war er gerade im Begriff, „dem Grafen von Württemberg zuzuziehen"[63] – offenbar als Helfer des Grafen Ulrich in dessen Krieg gegen die Städte. Dieser Balthasar hatte einen Namensvetter in Balthasar Starkerad, der 1383 nach verlorener Fehde gegen Frankfurt Urfehde schwören mußte[64], und vielleicht noch einen zweiten in Hautzo von Lützelbach[65], der 1344 Januar 14 zu Aschaffenburg einen Güterverkauf mitbezeugte[66]. Ob die Gleichheit der Vornamen nur zufällig ist oder auf gemeinsame Aszendenz hinweist, ist vorerst nicht zu entscheiden.

Einen Conrad von Rymhorn enthält sodann 1426 Juni 20 die Zeugenreihe eines „Notariatsinstruments" über die Beilegung eines Streits wegen des „Paffstangengutes" zu Hausen hinter der Sonne, der zwischen dem Aschaffenburger Stift und dem Junker Jorg Bache ausgebrochen war[67]. Danach aber taucht, wie noch zu zeigen sein wird, der Name „von Rimhorn" in einer ganz anderen Gegend auf: In Buchen/Odw. bzw. dem benachbarten Hettingen – und dies in Verbindung mit einem „Rups".

Erwähnungen von Leuten namens Rups/Raups/Rewps/Rips/Riwps sind weit verstreut und darum in unserer Gegend wenig bekannt. Da die Vorkommen aber mit recht aufschlußreichen Details verbunden sind, sollen im folgenden jene aus der Zeit vor 1500 chronologisch dargestellt werden[68]:

1) 1244 III Lauda — C. Rups bezeugt für Ludwig Graf von Rieneck die Überlassung von Zehnten an die Marienkirche Gerlachsheim[69].

2) 1297 VII 4 — Cunrad Rips, Dechant von Mosbach/Elz und Pfarrer von Grünsfeld, siegelt Urkunde des Ritters Rüdiger Pfal und dessen Gattin Alheit betr. Schenkung an das Deutschordenshaus Mergentheim[70].

3) 1297 IX 17 — Hildebrand Rupis Zeuge für Graf Eberhard von Katzenelnbogen und dessen Tochter Bertha (Gattin des Grafen Thomas von Rieneck), Graf Lutz von Rieneck und Ulrich von Hanau mit Gattin Elisabeth (geb. von Rieneck) betr. Ansprüche an die Herrschaft Rieneck[71].

4) 1297 X 30 — Hilteprantus dictus Rups de Grunsvelt Zeuge für Konrad von Bocksberg betr. Mühlenverkauf an Kloster Schönthal[72].

5) 1317/1322 — Boppo dictus Rupz im Lehenbuch des Hochstifts Würzburg mit Kornzehnten zu Jagsthausen73.

6) 1322/1333 — Belehnung wie 5)[73].

7) 1326 — Konrad Rups von Hettingen verkauft seine Gerechtsame zu Rinschheim an die Frühmesse zu Buchen/Odw.[74].

8) 1362	Johannes Raup, Edelknecht, führt Siegel mit Wappen, darin 2 : 1 Lilien[75].
9) 1385 VIII 29	Růps von Hassinrode genannt auf dem zweiten der beiden Zettel, die dem Fehdebrief Ulrichs von Hanau an die von Mörle beiliegen und offenbar die Aufgebotenen nennen, an der Spitze Diether Gans der älteste und der junge, Heinrich Meynloch von Heumaden u.a.[76].
10) 1390	Conzchin Rubs von Isenbach erhebt Forderung gegen den Frankfurter Diener Hermann Rode[77].
11) 1390–1395	Konz Rüps genannt in Aufzeichnungen betr. Feindschaften Frankfurts mit Heinrich von Elkerhausen unter dessen Anhängern[78].
12) 1395 II 1	Kunz Rupff von Senfelden und seine Gattin Agnes verkaufen Güter an das Johanniterhaus Mosbach/Odw., was Diether von Amorbach, Oheim der Agnes, besiegelt[79].
13) 1396 I 11	Heinz Rups von Eisenbach bestätigt, daß er gefangen und um 120 fl. geschatzt wurde, wofür ihn Graf Johann von Wertheim entschädigt hat[80].
14) 1397 III 30	Contzchin Rups von Amerbach genannt als Bürge für Diether von Amerbach, der an Winther von Wasen ein Viertel einer Wildhube zu Schaafheim verkauft[81].
15) 1400 IX 17	Heintze Rups von Isenbach wird durch Johann Erzbischof von Mainz belehnt mit 10 fl., fallend zu Martini zu Mönchberg, ledig geworden durch den Tod des Fritz von Aulenbach[82].
16) 1402 II 1	Nydung Rups verkauft Güter in Karbach und (Markt-) Heidenfeld an Richold von Elm[83].
17) 1404 X 13	Riwpz genannt zwischen Hartmann (und?) Hamann Waltmann sowie Hamann Echter mit dem Vermerk, daß sie „leihen ihm ihr knecht" (gegen Rothenburg ob der Tauber)[84].
18) 1409 I 23	Cunz Riwps' Knecht Meynlach soll dabei gewesen sein, als den Rothenburgern Pferde entführt wurden[84].
19) 1420	Heintz Rupsche zu Ysenbach genannt als Burgmann zu Mengebure (Mönchberg/Spessart)[85].
20) 1421 I 30	Henricus Rupps von Itstein, Kleriker der Diözese Mainz, bezeugt Notariatsinstrument über Kurien- bzw. Benefizientausch zwischen Johannes Symonis von Munden und Johannes Rympach[86].
21) vor 1425 I	Johannes Rups wählt ... (unleserlich) als Testamentsvollstrecker. Hierzu hatte das Landkapital Montad alle Pastoren und Rektoren der Pfarrkirchen sowie Vikare und übrige Personen des Landkapitels aufgefordert[87].
22) 1432 IX 28	Peter Rups genannt im Mainzischen Vertrag zwischen Wertheim und Eppstein, wobei seine Abgaben zu Wallbach/Odw. erwähnt sind[88].

23) 1433	Cuntze Rupsche von Isenbach, Sohn des Henne Rupsch von Isenbach selig, wird belehnt mit 10 fl. zu Mönchberg/Spessart, die ledig wurden durch den Tod der Patze (Petrissa) von Aulnbach selig[89].
24) 1436 VI 24	Heintzchin Rups' Frau wird zu (Groß-) Umstadt angeklagt durch Jungherrn Diether von (Wald-) Amorbach, daß sie ein Gütchen zu Amorbach nicht herausgebe[90].
25) 1440	Hans Raups genannt als Schultheiß zu Buchen/Odw.[91].
26) 1443 X 29	Hans Raups von Isenbach bekundet als Schultheiß zu Buchen/Odw. eidliche Aussagen über Hans Münch von Rosenberg zustehende Zehnten aus Buchener und Hainstädter Gemarkung[92].
27) 1444	Cuntze Raups hat von Wertheim den Hof zu Eisenbach zu Lehen und was in der Mark Obernburg dazu gehört[93].
28) 1447 IV 24	Contz Rups und Hans von Rimhorn werden zu (Groß-) Umstadt wegen Nichteinhaltung einer Abrede angeklagt durch Madern Bache[94].
29) 1449 I 27	Contz Rups klagt zu (Groß-) Umstadt gegen Hans von Rimhorn auf Schadenersatz[95].
30) 1449 IX 3	Hans Rups von Isenbach hat mit anderen der Stadt Rothenburg „von wegen Markgraf Jakobs widersagt"[96].
31) 1454	Lenhard Ruppß genannt im Otzberger Hebregister unter „Wächtersbach" mit 4 sh. und 1 Huhn[97].
32) 1457	Qups (sic!) Erben zu Wörth haben 8 fl., Eberhart von Ysenbach 6 fl. der Walpurg von Reinstein, Dietrichs von (Wald-) Amorbach selig Witwe, zu Leibgeding zu geben[98].
33) 1473 II 22	Der Edelknecht Hans von Rimhorn und seine Frau Margareta Rewpsin verkaufen ihre Hofgült von der Hälfte des Hofs zu Hettingen an die Heiligkreuzkapelle zu Buchen/Odw. und den dortigen Bürger Hans Löher. Der Hof ist freieigen und von dem edeln Conz Rawps ererbt, besessen hat ihn zeitweilig Walburg von Reinstein. Siegler: Hans von Rimhorn und – auf dessen Bitte – der Rat der Stadt Obernburg[99].
34) 1487 XII 5	Hans Rups genannt Spelzen Hans bezeichnet als „lieber Vetter und Schwager selig" durch Lenhart Muller aus Langen-Brombach, Lenhart Dyetz aus Hoe(ch)st, Contz Garrecht aus der Neuenstadt unterm Breuberg und Hans Düme von Langen-Brombach. Sie bestätigen, von Hans Rups als dessen nächste Erben zu Pfeddersheim 93 1/2 fl. geerbt und für 57 fl. an die Stadt Pfeddersheim verkauft zu haben. Siegler: Der veste Vit von Helmstadt[100].

„Rups" im Sinn des Deutschen Wörterbuchs der Brüder Grimm („rascher Zugriff") hätte in einer stark durch Fehden und Überfälle geprägten Zeit so mancher heißen können; ein genealogischer Zusammenhang ist also bei Gleichnamigkeit nicht ohne weiteres vorauszusetzen. Von einem solchen wird man in den angeführten Fällen jedoch ausgehen dürfen angesichts der Parallelen bei namengebenden Orten, Wohnsitzen und Lehnschaften sowie aufgrund von Auseinandersetzungen, deren Gründe erkennbar oder doch wahrscheinlich Erbangelegenheiten waren.

Nachstehend folgen Kommentare zu den einzelnen Regesten. Die diesen vorangestellten Nummern werden jeweils in Klammern wiedergegeben.

In Gerlachsheim (1), heute Stadtteil von Lauda-Königshofen, hatte 1197 Siboto von Zimmern, Enkel des Bronnbach-Mitbegründers, ein Nonnenkloster gestiftet. Als Gatte seiner Tochter Adelheid wird zu 1213 Gerhardus comes de Rienecke genannt[101]; andererseits sind Niederadlige „von Gerlachsheim" im Gefolge der Grafen von Rieneck wie derer von Wertheim von 1221 bis um 1360 anzutreffen[102]. Zu dem der Rienecker gehörten ja 1244 C. Rups (1) und zweifellos auch 1297 Hildebrand Rupis (3). Dessen um diese Zeit relativ seltenen Vornamen trug auch der 13. Abt des Klosters Bronnbach, Hildebrand von Gamburg, der seine Amtszeit 1282 begann und 1288 April 16 starb[103].

Wie die Rups zu Besitz im Gebiet der Edelherren von Dürn gelangt sind, läßt sich nur vermuten. Urkundlich belegt ist er erst ab 1317 (5, 6, 7, 12, 25, 26, 33), doch schließt dies ein früheres Vorhandensein natürlich nicht unbedingt aus. Dann aber könnte dazu die um 1243 geschlossene Ehe zwischen Euphemia von Rieneck und Boppo I. von Dürn[104] geführt haben. Auch der Vorname des Boppo dictus Rups (5) gibt Anlaß zu Überlegungen. Ihn finden wir nicht allein bei den Edelherren von Dürn, sondern auch bei ihrem Ministerialen Boppo von Dürn/von Amorbach. Dieser erbaute 1298 zwischen Buchen und Möckmühl jene Burg, nach der sich die nachfolgenden Generationen „von Adelsheim" nannten. Boppo von Adelsheim aber, der Enkel des Burgenbauers, hinterließ 1369 bei seinem Tod eine Kunigunde als Witwe, deren Zugehörigkeit zu den Pfal von Grünsfeld das Siegel erweist, das sie 1347 als „Kunigundis uxor Bopponis militis de Adlolsheim" benützte, den Rumpf eines Esels oder einer Hirschkuh zeigend[105]. Namengebender Ort ihrer Familie, die seit 1229 in Urkunden begegnet, ist das nordöstlich Lauda gelegene Grünsfeld. Daneben sind seit 1243 die Hundelin von Grünsfeld anzutreffen; später hören wir auch von einem Dietrich Gundelwin von Grünsfeld, der vor 1369 verstarb[106].

Aus Verbindungen zu den Edelherren von Dürn wird sich wohl am ehesten die Zeugenschaft des Hilteprantus dictus Rups von 1297 für Konrad von Bocksberg (4) ergeben haben. Konrad, verheiratet mit Kunigunde von Wertheim, war der Sohn einer Tochter Ruperts III. von Dürn[107]. Dazu ins Bild passen auch die Beziehungen der Rups zu Buchen und Hettingen(7), wo im 12.–14. Jahrhundert Dürner Besitz urkundlich nachgewiesen, bzw. zu Jagsthausen (5, 6) und Rinschheim (7), wo er erschlossen ist[108].

Das Siegel, das Johannes Raup (8) 1362 benützte, zeigt 2 : 1 Lilien und war damit dem Wappen gleich, welches die sich nach einem Dorf am Südoststrand des Taunus nennenden Herren von Sulzbach führten. Ob aber diesen Sulzbachern auch ein Wolfram von Sulzbach und sein Sohn Conrad zuzurechnen sind, die 1294 Januar 16 bei einem Güterstreit mit dem Kloster Schmerlenbach in Erscheinung traten[109], muß offen bleiben. Es ging dabei u.a. um 6 Joch Äcker, die einstmals einem gewissen Cengelin gehört hatten, sowie um bebautes Land „im besagten Dorf Solzbach" – und das hatte Wolfram käuflich erworben von einem Fredericus Preco und dessen Sohn Bitterolf. Im Hinblick auf die Seltenheit des Namens darf man davon ausgehen, daß es sich um Verwandte eines Hermannus Preco handelt, der ein Haus besaß und hiervon Abgaben zu leisten hatte an den Aschaffenburger Kramer Berthold. Als dieser mit seiner Gattin Jutta 1283 Januar 29 ein Testament machte und dabei mit Legaten u.a. das Aschaffenburger Spital, die Kirchenbaufonds von St. Agatha und St. Katharina, die Kirchen in (Klein-) Wallstadt, Obernau und Ruchelnheim sowie die Spessartklöster Schmerlenbach und Himmeltal bedachte, da wurde auch bestimmt, daß an das Kloster Meerholz (bei Gelnhausen) vom Haus des Hermannus Preco 1 Schilling Pfennige zu geben sei[110]. Hier dürfte also der nahe Bezug zu Aschaffenburg an das nur 8 km entfernte Sulzbach als namengebenden Ort für Wolfram und Conrad denken lassen. In einem anderen Fall, wo das Breuberger Zinsbuch von 1426 einen Henne von Sulzbach unter „Äcker in der Nuwenstat und in der Breydenbacher marcke" aufführt[111], handelt sich wohl nur um die Herkunftsbezeichnung eines Hofmanns o.ä.

Die Frage der Zugehörigkeit der 1294 in Verbindung mit Schmerlenbach genannten von Sulzbach ist von erheblicher Bedeutung und deshalb etwas eingehender behandelt; für den 1426 in Neustadt unterm Breuberg belegten Henne von Sulzbach gilt dies wegen der weit späteren Zeit nur in geringerem Maße. Es sind nämlich jene von Sulzbach, die eindeutig ihren Ursprung westlich Frankfurt hatten, im und am Odenwald nach unserer Kenntnis nicht südlich des Raumes um Lengfeld anzutreffen. Dies aber führt zu der nächsten Frage: Ob es wirklich keine Alternative gibt zu der Möglichkeit, daß „Starkerad", bei den Duborn zunächst 1314 als Vorname auftretend und dann zu einer Art Familienname geworden, auf diese von Sulzbach zurückgeht. Wir können das Thema nicht erschöpfend behandeln und müsssen uns auf den Hinweis beschränken, daß z.B. mehrere Starkerade mit und ohne Zunamen im Güterverzeichnis von 1211 des Klosters Eberbach im Rheingau enthalten sind[112]; ferner war 1232 März 3 unter den Zeugen, als dem Kloster Bronnbach/Tauber Güter zu Winden des Klosters Seligenstadt durch dessen Abt Gotfrit übertragen wurden, ein Starcradus[113] – vielleicht der spätere, u.a. 1253 März 9 urkundende Abt[114]?

Auf Sulzbach im Taunusvorland weist zweifelsfrei das Siegel der Jutta vonSulzbach hin, die 1347 April 23 als Witwe mit ihren fünf Kindern Güter zu Huppelnheim (wüst bei Lengfeld/Odw.) an ihren Bruder Rudolf Wambold verkaufte[115]. Ihr inzwischen verstorbener Gatte, Georg von Sulzbach, war es gewesen, der 1339 Dezember 17 die Teilung des Schlosses Habitzheim unter den bickenbachischen Erben mitbezeugte[116]. Jutta selbst lebte 1355 Juli 10 nicht mehr, als ihre Kinder ihrem Oheim Rudolf Wambold (von Umstadt) auch noch Besitz in (Groß-) Umstadt, Wächtersbach (wüst bei Groß-Umstadt), Habitzheim, Hergershausen, Babenhausen und Hildenhausen (wüst bei Harreshausen) käuflich überließen[117]. In (Groß-) Umstadt und Wächtersbach gab es wamboldischen Besitz[118], so daß dieser an die von Sulzbach durch die Heirat der Jutta gekommen sein wird. Gleiches ist für den 1355 sonst noch verkauften anzunehmen.

Wappen mit 2 : 1 Lilien finden sich am Nordostrand des Odenwaldes an zwei markanten Stellen:

a) Auf einem Wappenstein vom Neustädter Hof (bei Mömlingen), jetzt deponiert im „Römerhaus" zu Obernburg am Main[119]. Um 1400 in Stein gehauen, sind hier von rechts nach links abgebildet die Elternwappen des Jorge Bach von Nuwenstat (wachsender Löwe in der oberen, Schildteilung in der unteren Hälfte für den Vater, d.h. Bache; 2 : 1 Lilien für die Mutter) und seiner Gattin Agnes von Erlebach (eine Gans für den Vater, d.h. von Erlebach; ein Sparren für die Mutter, d.h. Schelris)[119].

b) Im Kreuzgang des Klosters Schmerlenbach (bei Aschaffenburg) auf dem Epitaph der wohl 1501 verstorbenen Nonne Maria Geipel von Schöllkrippen[120]. Dieser zeigt oben rechts Köcher mit Pfeilen für den Vater, d.h. Geipel; oben links zwei gebogene Hörner, unten schräggekreuzt und nach innen eingerollt, dazwischen eine gestielte aufgerichtete Weintraube für die Mutter, d.h. die Familie Stephan(i) von Orb; unten 2 : 1 Lilien wahrscheinlich für die Großmutter von Vaterseite.

In beiden Fällen wurden die 2 : 1 Lilien früher ausschließlich als Wappen der Herren von Sulzbach angesehen und damit sowohl Jorge Bach als auch die Schmerlenbacher Nonne den Nachkommen der Sulzbacher zugerechnet. Hieran sind nun Zweifel aufgekommen – einmal aus den bereits geschilderten regionalen Gründen, dann aber auch im Hinblick auf die ebenfalls mit 2 : 1 Lilien siegelnden und häufig den Beinamen „von Isenbach" führenden R(a)ups, über deren hier vorgetragene Verbreitung bisher kaum etwas bekannt war. Sie wollen wir nun weiterverfolgen.

Ein Namensträger erscheint z.B. auch in Wächtersbach, wenngleich erst im Otzberger Hebregister von 1454. Diesem zufolge hatte ein Lenhard Ruppß (31) 4 sh und 1 Huhn zu entrichten[97] – vermutlich war er Inhaber eines Lehens, worüber uns leider Einzelheiten fehlen.

Weiter zurück reicht die einmalige Erwähnung des nach Hassenroth benannten Růps (9) zu 1385. Der Ort selbst, zwischen Höchst/Odw. und Brensbach gelegen, erscheint urkundlich erst seit 1408[121] – dies aber stets nur mit dem vielleicht auf einen Hazo hindeutenden Präfix „Hassen-" und nie nur als „Rode" o.ä. allein. Daher ist die Gleichsetzung eines Ulrich von Roden, der 1400 Dezember 16 von Pfalz das „Mitteldorf zu Kintze" (Mittel-Kinzig) zu Lehen bekam, mit einem nach „Hassenroth St. Kr. Erbach" benannten[122] falsch.

Als namengebenden Ort jenes Růps hätte man nun zwar recht gut auch das früher „Hassenrode", heute aber „Aschenrode" genannte Dorf bei Gemünden am Main in Betracht ziehen können. Dieses war nämlich bis 1316 Juni 8 rieneckischer Besitz[123], und für Graf Ludwig von Rieneck war ja der erste bekannte Rups 1244 als Zeuge aufgetreten (1). Doch blickt man auf die 1385 durch Ulrich von Hanau mitaufgebotenen Diether Gans (von Otzberg) und Heinrich Meynloch von Heumaden (9), so kann Růps von Hassinrode seinen Beinamen nur von Hassenroth im Odenwald gehabt haben. Wie es dazu kam, ist ebenso unklar wie manches andere aus der Geschichte des Dorfes. So z.B. zählten um 1540 zur Zent Kirch-Brombach die wertheimischen (d.h. breubergischen) Güter, obwohl der Ort außerhalb der Herrschaft lag[124]. Dies und anderes veranlaßte Wolfram Becher zu der Frage, ob 1247 bei Abschluß des Vertrags zwischen Pfalz und Mainz u.a. wegen Wallhausen und Otzberg das Kirchspiel Kirch-Brombach „überhaupt schon breubergisch oder (noch!) crumbachisch war"[125]. Auch die Tatsache, daß 1455 Hassenroth zur Zent Umstadt gehörte[126], der ganze Zehnte aber noch im 17. Jahrhundert dem Kloster Höchst/Odw. zustand[127], ist ein Zeichen für weit ältere Zusammenhänge. Aus späterer Zeit ist sodann von Interesse, wer 1455/56 von Wertheim belehnt war[128]: „Hans Waltmann. (Item) Hassenrode, das der Bachen gewest ist, mit allen sinen zu- und ingehorunge. Item Hassenrode halbs, das Henne von Reubachs seligen gewest ist, mit allen sinen zugehorunge... Knebel Stumpffe. (Item) Hassenrode mit seinen zugehorunge". So liegt es also im Bereich des Möglichen, daß Herren Bache und von Raibach einer früheren Generation Nachbarn des Růps von Hassinrode um 1385 waren. Der Knebel Stumpffe aber, der 1456 als Vetter eines Heincze Stumpf und dessen Miterbe von „auferstorbenen" Lehengütern des Henne von Raibach bezeichnet wurde, war sicherlich ein Verwandter jenes Knebel von Schweinberg, der 1386 zu Aschaffenburg dem Stift St. Peter und Paul die Verpflichtung zu einem Zins bestätigte[129]. Wobei der alte Herkunftsort „Schweinburg" u.a. an alte Beziehungen zu den Herren von Dürn denken läßt, in deren Gebiet die Rups seit 1317 mit Lehen und Gerechtsamen nachgewiesen sind.

Daß zwischen 1390 und 1457 mehrere nach Eisenbach benannte oder dort ansässige Rups vorkommen (10, 13, 15, 19, 23, 26, 27, 30), haben wir gesehen. Personengleichheit wird man wohl bei Conzchin Rubs von Isenbach (10) und Konz Rüps (11) annehmen dürfen angesichts desselben Vornamens und der gegenüber Frankfurt bestehenden Forderungen und Differenzen. Wenigstens nahe Verwandtschaft ist auch bei Kunz Rupff von Senfelden (12) und Contzchin Rups von Amerbach (14) zu vermuten; jedenfalls bestehen beidesmal enge Beziehungen zu Diether von (Wald-) Amorbach. Der 1396 genannte Heinz Rups von Isenbach (13) aber ist wohl derselbe wie der von 1400 (15) und vielleicht auch noch wie der von 1420 (19). Das offenbar gute Verhältnis zu Mainz, das sich in Belehnungen manifestiert (15, 19), legt den Gedanken nahe, ob nicht auch der Mainzer Kleriker Henricus Rupps von Ittstein (20) zur Familie gehört.

Bei „Nydung", wie jener Rups hieß (16), der 1402 Güter zu Karbach und (Markt-) Heidenfeld veräußerte, handelt es sich um einen sehr alten, wenig gebräuchlichen Namen. Ihn trug 1193 in Würzburg ein Zeuge bei Schlichtung eines Streites der Aschaffenburger Kanoniker[130], und 1346 wird in Kreuzwertheim ein Rüdiger genannt Nydunk als Anlieger erwähnt[131].

Auch der Vorname des Peter Rups (22), der 1432 in Wallbach u.a. 15 Heller Zins von einer halben Hube zu entrichten hatte, ist nach unserer Kenntnis bei den Rups erstmalig. Er dürfte zurückgehen auf eine Verbindung mit den Herren von Amorbach[132], bei denen 1382 März 9 zwei Brüder namens Diether und Peter für geliehene 30 fl. quittieren[133]. Hierauf wird gleich nochmals zurückzukommen sein.

Mit Ausnahme der zu 1395 angesprochenen Verschwägerung des Kunz Rupff von Senfelden mit denen von Amorbach (12) waren wir hinsichtlich Verwandtschaften bisher auf Indizien angewiesen. Nun aber wird zu 1433 eine Filiation eindeutig erkennbar: Der 1400 durch Mainz mit 10 fl. zu Mönchberg/Spessart belehnte Heintze Rups von Isenbach (15) war der Vater des 1433 an seiner Statt belehnten Cuntze Rupsche von Isenbach (23). Des Vaters Name kehrt dann wieder beim Gatten der 1436 durch Diether von Amorbach Beklagten, woraus sich zweierlei ableiten läßt: Dieser jüngere Heintzchin (24) dürfte ein Bruder des Cuntze Rupsche von Isenbach (23) gewesen, Heintzchins Ehefrau aber von Vater- oder Mutterseite von den von Amorbach abgestammt sein – beim Gang vor Gericht 1436 handelte es sich doch offensichtlich um Erbstreitigkeiten. Andererseits wird der 1395 genannte Kunz Rupff von Senfelden (12) durch seine Heirat mit Agnes, deren Oheim Diether von Amorbach war, jenen Besitz bekommen haben, den er im selben Jahr verkaufte; danach verschwindet er aus unserem Gesichtsfeld.

STAMMTAFELN DER R(A)UPS UND DER VON AMORBACH 1390–1473

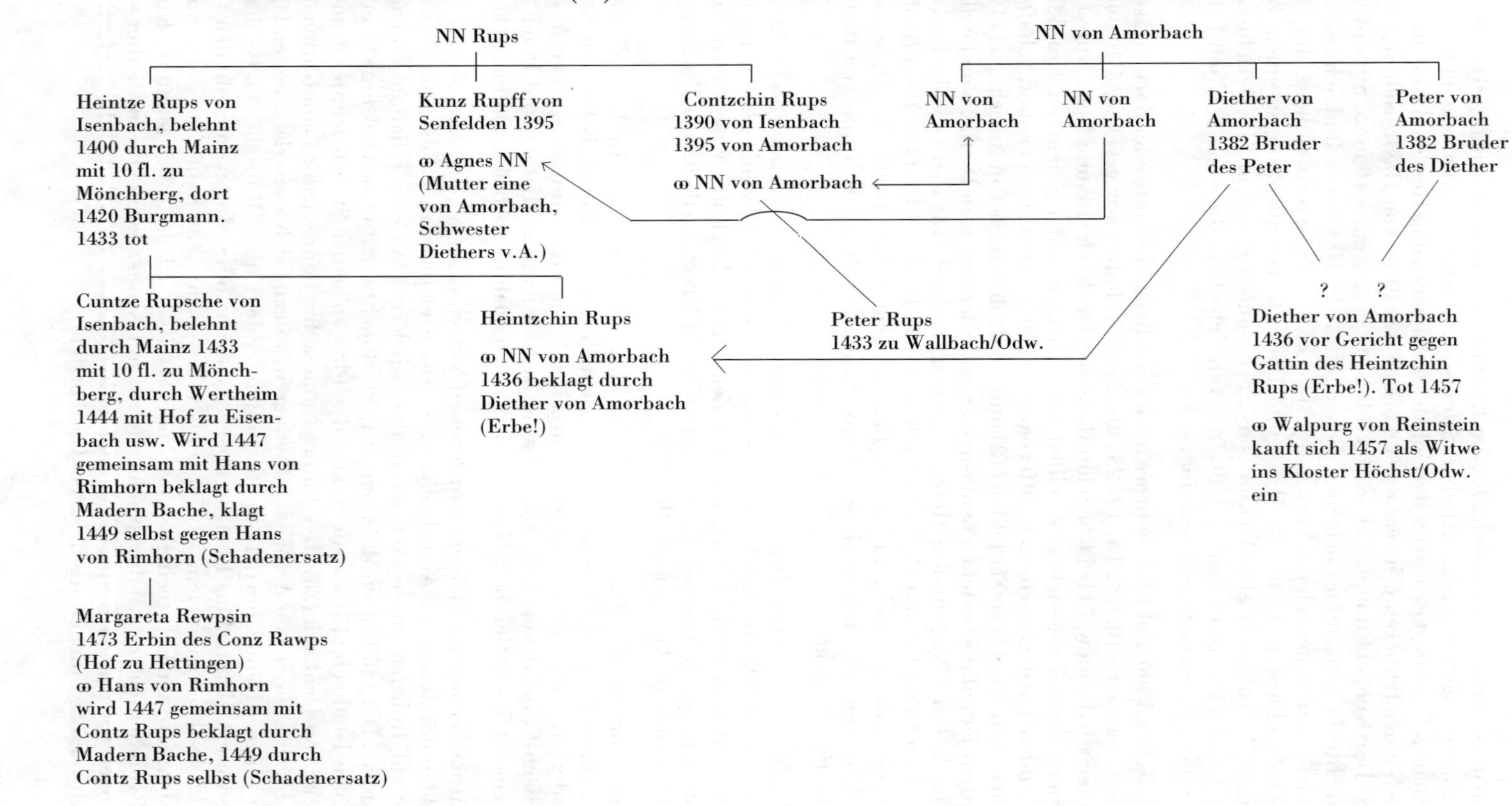

Conzchin Rubs von Isenbach (10, 11), 1390–1395 mit Forderungen bzw. Feindschaften gegen Frankfurt in dessen Aufzeichnungen erfaßt, ist zweifellos derselbe, der 1396 durch Wertheim entschädigt wurde für Haft und Schatzung (13), und wohl auch der 1397 erwähnte Contzchin Rups von Amerbach (14); denn durch seine Heirat mit einer von Amorbach war er nicht allein mit deren Familie verbunden, sondern gewiß auch zu Besitz gelangt. Der Name „Rups von Amorbach" erscheint freilich nur dieses einzige Mal.

In Buchen/Odw., wo 1326 an die Frühmesse ein Konrad Rups von Hettingen seine Gerechtsame zu Rinschheim verkauft hatte (7), hören wir zu 1440 von einem Schultheißen Hans Rups (25), der ohne Frage derselbe ist wie der 1443 Oktober 29 genannte Schultheiß Hans Raups von Isenbach (26). Daß weitere enge Verbindungen zwischen dem Raum Buchen und dem Gebiet am unteren Mümlingtal bestanden, zeigt ein Eintrag im Pfarrarchiv Buchen von 1473 Februar 22: Danach hatte der Edelknecht Hans von Rimhorn eine Margareta Rewpsin zur Frau, Erbin eines freieigenen Hofs von Conz Rawps – doch wohl Margaretas Vater (33). Den Hof hatte zeitweilig Walburg von Reinstein besessen, die sich dann 1457 April 3 als Witwe Dieterichs von Amorbach selig beim Kloster Höchst/Odw. als Laienschwester einkaufte. Hierzu diente ihr ein Leibgeding, das ihr „zu Werde uff Qups Erben" sowie von Eberhart von Ysenbach zustand[98]. Hier läßt sich also in Wörth am Main indirekt ein weiterer Rups fassen, verborgen hinter dem verstümmelten „Qups" – ein angeheirateter Verwandter der Walburg wohl ebenso wie Eberhart von Ysenbach.

In welcher Weise jene aus Langen-Brombach, Höchst/Odw. und Neustadt unterm Breuberg stammenden Pfeddersheimer Bürger mit dem 1487 Dezember 5 von ihnen als „lieber Vetter und Schwager selig" apostrophierten Hans Rups genannt Spelzen Hans wirklich verwandt waren, entzieht sich leider unserer Kenntnis. Immerhin hinterließ er ihnen (Einkünfte von) 93 1/2 fl., die sie an die Stadt Pfeddersheim verkauften[100].

Soweit sich anhand urkundlicher Aussagen oder von Indizien Verwandtschaften belegen oder wahrscheinlich machen ließen, sind sie in vorstehender Übersichtstafel zusammengestellt. Für weiterführende Hinweise ist der Verfasser jederzeit dankbar. Dies ganz besonders auch im Zusammenhang mit dem an die Anmerkungen, Quellen und Literaturhinweise anschließenden Exkurs „Zur (vorbreu-bergischen?) Besitzgeschichte von Lützelbach."

Anmerkungen, Quellen- und Literaturhinweise:

1. Näheres darüber bei **Robert Holtzmann:** Die Weiber von Weinsberg. Zugleich ein Beitrag zur Kritik der Paderborner Annalen (in: Württembergische Vierteljahreshefte für Landesgeschichte NF XX, Stuttgart 1911, S. 469 ff.)
2. Wörtliche Zitate aus: **Wolfram Becher**, Geschichte des Breubergs bis zum 14. Jahrhundert (in: **W. Wackerfuß** (Hrsg.), Burg Breuberg im Odenwald, Selbstverlag des Breuberg-Bundes, Breuberg-Neustadt 1984, S. 43–46).
3. **Walther Möller:** Stamm-Tafeln westdeutscher Adels-Geschlechter im Mittelalter, Band I (Darmstadt 1922), S. 74.
4. Konrad d.J. von Weinsberg, 1212–1220 Archidiakon in Würzburg; C. de Winsperg iunior, genannt um 1320 im würzburgischen Lehenbuch mit Burg Scheuerberg und der Stadt (Neckar-) Sulm, die schon C. de Winsperg senior dem Hochstift als Ersatz für Burg und Stadt Widdern übertragen hatte – Lehensbeziehungen, die offenbar kaum bekannt sind. Daneben gab es in der folgenden Generation allein drei Kanoniker bzw. Domherren zu Würzburg aus dem Haus Weinsberg.

5. **Carolus Ludovicus Tollnerus:** Historia Palatina seu Primorum & Antiquissimum Comitum Palatinorum ad Rhenum (Frankfurt/Main 1700), S. 80. Handbuch der historischen Stätten Deutschlands, Band VII/Bayern (Stuttgart 1981, S. XLVI – allgemeine Zusammenhänge).
6. **Walther Möller** (wie Anmerkung 3), Tafel XIX.
7. Dies über Eberhard Waro von Hagen, dessen Sohn Johannes „cognatus Ulrici de Minzenberg" genannt wird (siehe **Johann Friedrich Böhmer/Friedrich Lau:** Urkundenbuch der Reichsstadt Frankfurt, 1. Band/794 – 1314, Frankfurt 1901, S. 50 f. Nr. 98).
8. **Ludwig Baur:** Hessische Urkunden, Band I / Starkenburg und Oberhessen 1016–1399 (Darmstadt 1860), S. 24 Nr. 31.
9. Heirat des Eberhard Reiz von Breuberg mit Mechthild, Erbtochter Gerlachs von Büdingen, sowie der Brüder Engelhard IV. und Konrad II. von Weinsberg mit Töchtern Ulrichs I. von Münzenberg.
10. Das Land Baden-Württemberg, Band IV/Regionalsbezirk Stuttgart und Regionalverbände Franken und Ostwürttemberg (Stuttgart 1980), S. 29 f. Ein Notverkauf könnte auch schon 1273 die Veräußerung von zwei Teilen an einem Hof zu Grüningen (Lahn-Dillkreis) gewesen sein, die sicherlich aus münzenbergischem Erbe stammten (**Gustav Simon,** wie Anmerkung 14, S. 28 Nr. XXIV).
11. **Hans Otto Keunecke:** Die Münzenberger. Quellen und Studien zur Emancipation einer Reichsdienstmannenfamilie (Quellen und Forschungen zur hessischen Geschichte, Band 35, Darmstadt/Marburg 1978), S. 222, Nr. 426.
12. **Helfrich Bernhard Wenck:** Hessische Landesgeschichte, 2. Band/Urkundenbuch (Frankfurt/Leipzig 1797), S. 328 Nr. CCCXXII.
13. Hofrat **Wagner:** Beiträge zur Geschichte erloschener Familien (in: Archiv für hessische Geschichte und Alterthumskunde, Band 6 Darmstadt 1851, S. 39).
14. **Gustav Simon:** Die Geschichte des reichsständischen Hauses Ysenburg und Büdingen, 3. Band/Urkundenbuch (Frankfurt/Main 1865), S. 28, Nr. XXIV
15. Generallandesarchiv Karlsruhe, Kopialbuch P 67/878, S. 16'.
16. Hessisches Hauptstaatsarchiv Wiesbaden, Abt. 333, Nr. 41, S. XIV.
17. **Carl Theodor Gemeiner:** Der Regensburgischen Chronik zweiter Band (Regensburg 1803), S. 38.
18. Das Land Baden-Württemberg, Band V/Regierungsbezirk Karlsruhe (Stuttgart 1976), S. 262.
19. Hessisches Hauptstaatsarchiv Wiesbaden, Abt. 3002, Nr. XIII, 2, 1, S. CLII.
20. **Ludwig Baur** (wie Anmerkung 8), S. 448, Nr. 656.
21. Solche Überlegungen wurden auch schon angestellt in: **Alfred F. Wolfert:** Wappengruppen des Adels im Odenwald-Spessart-Raum (in: W. Wackerfuß (Hrsg.), Beiträge zur Erforschung des Odenwaldes und seiner Randlandschaften, Band II, Breuberg-Neustadt, 1977, S. 338). **Wolfram Becher:** Anmerkungen zum Versuch einer genealogischen Übersicht der adligen Familie „Duborn-Starkerad" (von Breuberg) und verwandter Geschlechter (in: Der Odenwald, 32. Jahrgang, Heft 2/Juni 1985, S. 63).
22. **Heinrich Reimer:** Hessisches Urkundenbuch, 2. Abt./Urkundenbuch zur Geschichte der Herren von Hanau und der ehemaligen Provinz Hanau, 2. Band/1301–1349 Leipzig 1892), S. 73, Nr. 68.
23. **Richard Krebs:** Das Kloster Amorbach im 14. und 15. Jahrhundert (in: Archiv für hessische Geschichte und Alterthumskunde NF VII, Darmstadt 1910, S. 237).
24. **Johann Adam Grüsner:** Diplomatische Beyträge, 3. Stück (Frankfurt/Hanau/Leipzig 1776), S. 205 f.
25. **Wolfgang Martin:** Konradsdorf und Breuberg – Ergänzungen zu Geschichte und Genealogie (in: Der Odenwald, 37. Jahrgang, Heft 2/Juni 1990, S. 60 ff.). Der Ort der einstigen Johanniter-Kommende Heimbach befindet sich nördlich der Bundesstraße zwischen Weingarten und Niederhochstadt, westlich der Kreuzung mit der Landstraße Zeiskam–Freimersheim. Es handelt sich um ein deutlich erkennbares, erhöhtes Rechteck von etwa 135 x 60 m, an dessen südlicher Längsseite der Hainbach in Richtung Speyer entlangfließt. Es liegt im Durchschnitt etwas mehr als 1 m über dem Niveau der näheren Umgebung und hat steil abfallende Ränder. Das Plateau ist stark überwachsen, auch mit Büschen und Bäumen, und scheint teilweise als Müllkippe verwendet worden zu sein. Nach Aussage des Bürgermeisters von Lustadt (zu dessen Gemarkung das Gelände früher gehört hatte), Herrn Lothringen, sind im Boden noch Mauerreste vorhanden. Auf älteren, genaueren Landkarten ist ein (inzwischen verlandeter) „Klosterweiher" verzeichnet. Von Einheimischen war zu hören, daß dort der Sage nach eine goldene Kutsche vergraben sei.

26. Zisterzienserinnenkloster bei Büdingen, später verlegt nach Niedernhausen und dort „Marienborn" genannt.

27. **Gustav Simon** (wie Anmerkung 14), S. 26 Nr. XXII.

28. Hessisches Staatsarchiv Marburg, Repertorium O II b / Kloster Konradsdorf, S. 18.

29. Dann hätte Eberhard II. sich gemäß damaligen Brauch vor Ort vertreten lassen in Dienstgeschäften durch einen Vikar, wobei diesem eine „portio congrua" (gebührender Anteil) zugekommen, dem Pfarrherrn selbst aber der größere Teil verblieben wäre.

30. **Volker Rödel:** Der Johanniterorden. Seine Geschichte und die Erwerbung Boxbergs (Sonderdruck aus „Mein Boxberg" 23/1989), S. 21.

31. **W. Wattenbach:** Regesten der auf der Großherzoglichen Universitäts-Bibliothek zu Heidelberg verwahrten Urkunden-Sammlung (in: Zeitschrift für die Geschichte des Oberrheins, Band 24, Karlsruhe 1872, S. 161)

32. **Georgius Christianus Ioannis:** Tabularum Litterarumque Veterum Usque Huc Nondum Editarum Spicilegium (Frankfurt/Main 1724), S. 375 f.

33. **Wolfgang Bläsing:** Gerlach von Breuberg. Eine Studie zum Verhältnis von Königtum und Edelfreiheit nach dem Interregnum (in: W. Wackerfuß (Hrsg.), Beiträge zur Erforschung des Odenwaldes und seiner Randlandschaften III, Breuberg-Neustadt 1980, S. 1–52).

34. **Wolfram Becher** (wie Anmerkung 2), S. 51 bzw. 49.

35. **Wolfram Becher:** Klingenberger Zwischenbilanz 1969 (unveröffentlichtes Manuskript), S. 22.

36. **Valentinus Ferdinandus de Gudenus:** Codex diplomaticus anecdotorum res Moguntinas illustrantium, Band IV (Frankfurt/Leipzig 1758), S. 979 f., Nr. CI.

37. **Johann Wilhelm Christian Steiner:** Alterthümer und Geschichte des Bachgaus im alten Maingau, 1. Teil: Geschichte und Topographie der alten Grafschaft und Cent Ostheim und der Stadt Obernburg am Main (Aschaffenburg 1821), S. 337, Nr. 14.

38. **J. W. C. Steiner** (wie Anmerkung 37), S. 340 f. Nr. 18.

39. **Matthias Thiel:** Urkundenbuch des Stifts St. Peter und Alexander zu Aschaffenburg, Band 1/861–1325 (Veröffentlichungen des Geschichts- und Kunstvereins Aschaffenburg e.V., Band 26, Aschaffenburg 1986), S. 245 f., Nr. 91.

40. **Heinrich Reimer** (wie Anmerkung 22), 1. Band/767–1300 (Leipzig 1891), S. 185, Nr. 248. Kensheim/Kinzheim = heute der Kinzigheimer Hof bei Mittelbuchen/Hanau.

41. **Hellmuth Gensicke:** Untersuchungen zur Genealogie und Besitzgeschichte der Herren von Escholllbrücken, Weiterstadt, Lützelbach und Frankenstein (in: Archiv für hessische Geschichte und Altertumskunde NF 28, Damrstadt 1963, S. 103). Auffällig und vielleicht als Hinweis in andere Richtung zu werten ist, daß der Name „Johannes" in den bekannten Stammtafeln der Herren von Breuberg/Frankenstein nirgends vorkommt, dagegen bei denen von Frankenstein/Pfalz in drei aufeinanderfolgenden Generationen zwischen 1230 und 1329 (Hessisches Staatsarchiv Darmstadt, Abt. O 61/Nachlaß Walther Möller, Fasz. 7/5). Dies könnte an Bedeutung noch dadurch gewinnen, daß in der Urkunde von 1314 September 12, mit der Pfalzgraf Ludwig für den Fall seiner Wahl zum König dem Erzbischof von Mainz beträchtliche Versprechungen machte, in der Zeugenreihe auf Engelhard von Weinsberg und Eberhard von Breuberg ein Wilhelmus de Franckenstein folgt – Träger eines ebenfalls nur bei den von Frankenstein/Pfalz (nicht aber bei den von Breuberg/Frankenstein) bekannten Vornamens (**Gudenus** – wie Anmerkung 34 – Band III, S. 103, und Hohenlohisches Urkundenbuch Band II, S. 64). Übrigens hieß der zu 1214 belegte Vater Johanns I. von Frankenstein/Pfalz „Friedrich", trug also denselben Vornamen wie einer der Söhne des Frankenstein-Erbauers Konrad II. Reiz.

42. Wackenburne, ein ausgegangener Hof, dessen Name noch in der Flurbezeichnung „Backenbrunn" zu Breuberg-Neustadt weiterlebt. Hiernach benannten sich nicht nur die drei Urkundenaussteller von 1246 März 6, sondern auch ein 1258 urkundlicher Wortwinus de Wackenburnen (siehe: Der Odenwald, 36. Jahrgang, Heft 3/September 1989, S. 111).

43. **Gustav Simon:** Die Geschichte der Dynasten und Grafen zu Erbach und ihres Landes (Frankfurt/Main 1858), 3. Teil/Urkundenbuch, S. 292 f., Nr. 3.

44. **O. Müller:** Rimhorn besitzt eine der ältesten Kirchen des Odenwaldes (in: Der Odenwald, 2. Jahrgang, Heft 4/1955, S. 123).

45. **Wolfram Becher** (wie Anmerkung 21/2), S. 66 f.

46. **Werner Jorns:** Breuberg-Bund und Bodendenkmalpflege (in: Der Odenwald, 4. Jahrgang, Heft 2/

3, 1957, S. 60). Verzeichnet auf der Topographischen Karte 1 : 25 000, Nr. 6120/Obernburg am Main des Bayerischen Landesvermessungsamtes München. Einen Borberg gibt es auch im Hainer Forst (Topographische Karte 1 : 25 000, Nr. 5921/Schöllkrippen des Bayerischen Landesvermessungsamtes München; er ist 433 m hoch. 1980 haben dort Forstleute eine Ringwallanlage entdeckt und vermessen. Die nahen Flurlagen „Burgbergwiesen" und „Kleiner Burgberg" dürften auf das Mittelalter hinweisen. Zur Etymologie: „Bor", althochdeutsch „por" und mittelhochdeutsch „bor", lebt fort in unserem „empor" und bedeutet „Höhe".

47. So in „825 Jahre Lützelbach" (herausgegeben im Auftrag des Gemeindevorstandes von **Winfried Wackerfuß** 1988), S. 101, unter Bezugnahme auf **Gustav Simon** (wie Anmerkung 43). Ebenso schon bei **Wolfram Becher** (wie Anmerkung 21/2), für dessen Vermutung, die Brüder Albert und Johannes Hurnz de Bruberg könnten in irgendeiner Weise „anzuhängen" sein, sich bisher kein Anhaltspunkt fand.

48. **Gustav Simon** (wie Anmerkung 43), S. 293 f., Nr. 7.

49. Izeldal (auch: Izeldan) war bislang nicht zu identifizieren. Es muß wohl in der Nähe von Weiterstadt zu suchen sein und ist vielleicht ortsgleich mit »Mizeldale". Ähnliche Namen nennt zu 789 August 1 der Lorscher Codex als „Gewann Isandal" nördlich Heidelberg-Handschuhsheim; daneben gehörte zu Bergheim (wüst bei Wohnbach/Wetterau) 1469 eine Flur „an dem Isendale".

50. **Heinrich Meyer zu Ermgassen:** Der Oculus memoire, ein Güterverzeichnis von 1211 des Klosters Eberbach im Rheingau (Veröffentlichungen der Historischen Kommission für Nassau XXXI, Wiesbaden 1984), Teil 2, S. 358 § 97; S. 358 § 104 und S. 360 § 115.

51. Hessisches Hauptstaatsarchiv Wiesbaden, Abt. 333, Nr. 8.

52. Ernst der Vrie, als „Schwager" bezeichnet durch Heinrich von Crumpach, kann nur mit einer Schwester von diesem verheiratet gewesen sein. Heinrich selbst war Kanonikus und daher zweifellos ledig. Denkbar erscheint Personengleichheit oder zumindest Verwandtschaft mit einem Ernst Frey, von dessen Bruder eine Gudenus-Urkunde von 1319 Februar 27 (wie Anmerkung 36, Band IV, S. 1026 f., Nr. CXLIII) sagt: „Eberhart Vrie. Huic nomini (Frey) apponitur: de Restenhusen, in litteris anno 1317, de eo, ac fratre ipsius Ernesto mentionem facientibus", d.h. daß dem Namen „Frey" dieses Eberhart ein „von Reistenhausen" angefügt wurde. Benannt nach einem zwischen Klingenberg und Stadtprozelten am rechten Mainufer gelegenen Dorf, ist er zu 1320 als Burgmann „des zu Clingenberg" bezeugt (**Nickles:** Zent zur Eich, S. 46). Ein Zusammenhang könnte bestehen zwischen dem Personennamen „Vrie/Frey" und der 1341 für Groß-Heubach verwendeten Bezeichnung „Frigen Heidebach", die auf königliche Freie im Umkreis eines Königshofs hindeuten dürfte (Historischer Atlas Miltenberg, S. 34 und 54).

53. Arrosius von Crumbach trägt einen recht seltenen Namen. Daß dieser auch im Haus Breuberg auftritt, läßt eine eheliche Verbindung beider Familien vermuten.

54. **H.A. Erhard:** Erzbischöflich-Mainzische Hebe-Rolle aus dem 13. Jahrhundert (in: Zeitschrift für vaterländische Geschichte und Altertumskunde, Band 3, 1840, S. 12 f.).

55. **Alfred F. Wolfert:** Aschaffenburger Wappenbuch (Veröffentlichungen des Geschichts- und Kunstvereins Aschaffenburg e.V., Band 20, Aschaffenburg 1983, S. 142).

56. **Heinrich Reimer** (wie Anmerkung 22), 3. Band/1350–1375 (Leipzig 1894, S. 61, Nr. 57, Anmerkung).

57. **Heinrich Reimer** (wie Anmerkung 56), S. 389, Nr. 346, Anmerkung.

58. **Matthias Thiel** (wie Anmerkung 39), S. 436, Nr. 206.

59. **Matthias Thiel** (wie Anmerkung 39), S. 463 ff., Nr. 223, Anmerkung.

60. Regesten des Stifts St. Peter und Alexander zu Aschaffenburg Nr. U 226 und U 2613 (im Stadt- und Stiftsarchiv Aschaffenburg, maschinenschriftlich, ohne Register). **J. Kittel:** Das Cisterzienserinnenkloster Himmeltal (in: Archiv des historischen Vereins von Unterfranken und Aschaffenburg, 47. Band, Würzburg 1905, S. 269, Nr. 123).

61. Regesten des Stifts Aschaffenburg (wie Anmerkung 60/1) Nr. U 2014.

62. Regesten des Stifts Aschaffenburg (wie Anmerkung 60/1) Nr. U 2283.

63. **Heinrich Reimer** (wie Anmerkung 22), 4. Band/1376–1400 (Leipzig 1897), S. 44, Nr. 46, besonders die Anmerkungen. Inventare des Frankfurter Stadtarchivs, 2. Band (Frankfurt/Main 1889), S. 156, Nr. 353. Graf Ulrich von Württemberg war 1380 Januar 25 der Gesellschaft mit dem Löwen beigetreten (ihr Zeichen das Wappentier der Grafen von Katzenelnbogen als offenbar der treiben-

den Kraft). Diese sagte 1380 August 16 der Stadt Frankfurt/Main die Fehde an, wobei als Hauptmann Johann von Reifenberg und unter den Teilnehmern Ulrich von Kronberg, Ulrich Graf zu Württemberg, Ulrich von Hohenlohe u.a.m. genannt wurden (**Konrad Ruser:** Zur Geschichte der Gesellschaften von Herren, Rittern und Knechten in Süddeutschland während des 14. Jahrhunderts, in: Zeitschrift für Württembergische Landesgeschichte, Jahrgang 1975/76, Stuttgart 1978, S. 31 f., 61 und 81).

64. **Johann Daniel Wolfart:** Gründliche ... Untersuchung der Frage, ob ... mit denen Graffen und Herren zu Hanau ... die ohnlängst ausgestorbenen von Carben in Vergleichung zu stellen seyen? (Hanau 1743), S. 42.

65. Für „Balthasar" wurde als Kurzform mancherorts „Hauser" verwendet (**Wolfgang Ribbe/Eckart Henning:** Taschenbuch für Familiengeschichtsforschung, Neustadt/Aisch 1980, S. 331), als solche könnte vielleicht auch das ungebräuchliche „Hautzo" gedient haben.

66. Regesten des Stifts Aschaffenburg (wie Anmerkung 60/1), Nr. U 1501.

67. Regesten des Stifts Aschaffenburg (wie Anmerkung 60/1), Nr. U 1974.

68. An dieser Stelle sei Herrn Alfred F. Wolfert, Berlin 47, für mehrere Hinweise zum Thema sowie für langjährigen Gedankenaustausch mit vielen Anregungen herzlich gedankt.

69. **F. von Weech:** Pfälzische Regesten und Urkunden (in: Zeitschrift für die Geschichte des Oberrheins, Band 32/1880, S. 230).

70. Württembergisches Urkundenbuch, 11. Band (Stuttgart 1913), S. 59 f.

71. **Heinrich Reimer** (wie Anmerkung 40), S. 564 ff., Nr. 771. **Karl E. Demandt:** Regesten der Grafen von Katzenelnbogen (Veröffentlichungen der Historischen Kommission für Nassau 11) Band 1 (Wiesbaden 1953), S. 156 f., Nr. 390.

72. **Karl Weller:** Hohenlohisches Urkundenbuch, Band I/1153–1310 (Stuttgart 1899), S. 420, Nr. 592.

73. **Hermann Hoffmann:** Das älteste Lehenbuch des Hochstifts Würzburg 1303–1345 (Quellen und Forschungen zur Geschichte des Bistums und Hochstifts Würzburg, Band XXV, Würzburg 1972), S. 108, Nr. 1031 und S. 224, Nr. 2098.

74. **Werner Eichhorn:** Fränkische Kirchenorganisation und Landkapitel Odenwald (in: Breuberg-Bund Sonderveröffentlichung 1972. Beiträge zur Erforschung des Odenwaldes und seiner Randlandschaften I, Breuberg 1972, S. 270).

75. Katalog der genealogisch-heraldischen Ausstellung des Hessischen Staatsarchivs Darmstadt aus seinen Beständen anläßlich der Tagung des Wappen-HEROLD Deutsche Heraldische Gesellschaft e.V. (Darmstadt 1964), S. 31, Nr. 19/Siegelsammlung Bodmann – siehe dazu auch Anmerkung 105! (Für Hinweise ist Herrn Alfred F. Wolfert, Berlin, zu danken).

76. **Heinrich Reimer** (wie Anmerkung 63), S. 345 f., Nr. 399.

77. Inventare des Frankfurter Stadtarchivs, 1. Band (Frankfurt/Main 1888), S. 17 Nr. 247.

78. Inventare (wie Anmerkung 77), 3. Band (Frankfurt/Main 1892), S. 187, Nr. X, 115b–117a.

79. Hofrat **Wagner** (wie Anmerkung 13), S. 72. Die Güter werden lokalisiert als „unter dem Hölzengesesse gelegen", wobei es sich um eine Wüstung zwischen Heubach und (Wald-)Amorbach handelt – daher die Besiegelung durch Diether von (Wald-)Amorbach, einem Angehörigen der Schelle von Amorbach. – Der für Kunz Rupffs Beinamen maßgebliche Ort Senfelden ist sicherlich nicht der Sensfelder Hof bei Gräfenhausen/Wixhausen, sondern das 1975 zu Adelsheim eingemeindete Sennfeld. Hierfür spricht nicht zuletzt die geographische Nähe von Hettingen/Buchen (7) und Jagsthausen (5, 6).

80. Staatsarchiv Wertheim, Gemeinschaftliches Archiv, Repertorium Urkunden-Nachträge 1247/1253–1809 zu 1396 Januar 11.

81. Hessisches Staatsarchiv Darmstadt, Abt. B 19/Urkunden zum Jungen, Repertorium S. 28, Nr. 78.

82. Staatsarchiv Würzburg, Mainzer Ingrossaturbuch Nr. 13, S. CCIIr/200r.

83. Staatsarchiv Wertheim (wie Anmerkung 80) zu 1402 Februar 1.

84. Staatsarchiv Nürnberg: Reichsstadt Rothenburg Nr. 86 (Ältestes Urphedebuch), S. 119 linke Hälfte und S. 96 linke Hälfte (eingesehen als Mikrofilme im Stadtarchiv Rothenburg ob der Tauber). Zu Hintergründen und Zusammenhängen sei verwiesen auf **Wolfgang Martin:** Fehden und Überfälle zwischen nördlichem Odenwald und Tauberraum um 1399/1424 (in: Schnellerts-Bericht 1988, S. 26–64). Daß dabei (und schon früher) die Burg Breuberg als Stützpunkt diente, erhellt u.a. aus dem

1396 Dezember 20 abgeschlossenen „Vertrag zwischen den Schenken von Erbach und den Pfalzgrafen bei Rhein über gegenseitigen Schutz und Hilfe gegen die feindseligen Überfälle aus dem Schlosse Breuberg" (**Gustav Simon,** Urkundenbuch Erbach, S. 139 ff., Nr. CXL).

85. Staatsarchiv Würzburg, Mainzer Lehenbuch Nr. 1/1419–1434, S. 262'.
86. Regesten des Stifts Aschaffenburg (wie Anmerkung 60) Nr. U 721.
87. Regesten des Stifts Aschaffenburg (wie Anmerkung 60) Nr. 4245. Das Regest ist datiert „ca. 1418–1433". Da aber der u.a. aufgeführte Neustädter Pfarrer Petrus Kobin bereits 1425 Januar 22 als tot bezeichnet wird, muß die Niederschrift spätestens 1424 erfolgt sein. (Siehe dazu **Wilhelm Engel:** Urkundenregesten zur Geschichte der kirchlichen Verwaltung der Grafschaft Wertheim 1276–1499 Sonderveröffentlichung des Historischen Vereins Wertheim e.V., Wertheim 1959, S. 87, Nr. 163!).
88. **Joseph Aschbach:** Geschichte der Grafen von Wertheim von den ältesten Zeiten bis zu ihrem Erlöschen im Mannesstamme 1556, 2. Teil/Urkundenbuch (Frankfurt/Main 1843), S. 224–232, Nr. CLVII.
89. Staatsarchiv Würzburg (wie Anmerkung 85), S. 242.
90. **Johann Friedrich Conrad Retter:** Heßische Nachrichten, 4. Sammlung (Frankfurt/Main 1741), S. 163.
91. **F. J. Mone:** Urkunden über den Untermain (in: Zeitschrift für die Geschichte des Oberrheins, 15. Band, Karlsruhe 1863, S. 339).
92. Pfarrarchiv Buchen/Odw., S. 271. Für Beschaffung und Hinweise ist dem Leiter des Stadtarchivs Buchen, Herrn Rainer Trunk, zu danken.
93. **Alfred Friese:** Der Lehenhof der Grafen von Wertheim im Späten Mittelalter (Mainfränkische Hefte 21, Würzburg 1955), S. 23, Nr. 47.
94. **J. F. C. Retter** (wie Anmerkung 90), S. 178.
95. **J. F. C. Retter** (wie Anmerkung 90), S. 179..
96. **Richard Fester:** Regesten der Markgrafen von Baden und Hachberg 1050–1515, 3. Band (Karlsruhe 1907), S. 231 f., Nr. 6993.
97. Hessisches Staatsarchiv Darmstadt, Abt. C 2/Salbücher Nr. 85/2, Otzberger Hebregister 75a von 1454, S. 171.
98. **J. F. C. Retter** (wie Anmerkung 90), S. 235–239.
99. Pfarrarchiv Buchen/Odw. (wie Anmerkung 92), S. 357.
100. **C. W. Freiherr Heyl zu Herrnsheim:** Urkundenbuch der früheren Freien Reichsstadt Pfeddersheim (Frankfurt/Main 1911), S. 299, Nr. 329. Die Wiedergabe in vorliegender Arbeit erfolgt nach dem eigentlichen Text, von dem die Inhaltsangabe der Überschrift sachlich abweicht.
101. **Karl-Heinz Mistele:** Billigheim (Veröffentlichungen des Historischen Vereins Heilbronn a.N., Band 6/1969, S. 128).
102. Das Land Baden-Württemberg (wie Anmerkung 10), S. 330.
103. **P. Gregor Müller:** Chronik des Klosters Bronnbach (in: Cistercienser Chronik Nr. 73, 7. Jahrgang, März 1895, S. 67).
104. **Hans Liebler:** Die Edelherren von Dürn (in: 700 Jahre Stadt Amorbach 1253–1953, Beiträge zu Kultur und Geschichte von Abtei und Stadt. Amorbach 1953, S. 79/Stammtafel).
105. Hessisches Staatsarchiv Darmstadt, Abt. C 1 D Nr. 58 (Siegelzeichnungen Bodmann), S. 1. – Daß Kunigunde nicht das Siegel ihres Gatten mit dem Steinbockshorn verwendete, dürfte damit zu erklären sein, daß Boppo sich zu dieser Zeit in Gefangenschaft des Bischofs von Würzburg befand (er und Beringer von Adelsheim hatten mit Gewalt ihren Bruder Friedrich in eine Domherrenpfründe eingesetzt. Siehe **Heiner Heimberger:** Der „Götzenturm" zu Hettigenbeuern, in: Der Odenwald, 2. Jahrgang, Heft 4/1955, S. 122).
106. **Alfred F. Wolfert:** Wappengruppen des Adels im Odenwald-Spessart-Raum (in: W. Wackerfuß (Hrsg.), Beiträge zur Erforschung des Odenwaldes und seiner Randlandschaften, Band II, Breuberg-Neustadt 1977, S. 383–385).
107. **Frank Baron Freytag von Loringhoven:** Europäische Stammtafeln, Band V (Marburg 1978), Tafel 17.

108. **Werner Eichhorn:** Die Herrschaft Dürn und ihre Entwicklung bis zum Ende der Hohenstaufen (Winterthur 1966), S. 218, 219 und 221.

109. **J. Kittel:** Urkunden und Personalstand des ehemaligen Klosters Schmerlenbach (in: Archiv des historischen Vereins von Unterfranken und Aschaffenburg, 45. Band, Würzburg 1905, S. 142, Nr. 68).

110. **Matthias Thiel** (wie Anmerkung 39), S. 274 f., Nr. 108.

111. **Karl Hallstein:** Das älteste Zinsbuch der Herrschaft Breuberg aus dem Jahr 1426, Inhalt und Besonderheiten (in: Der Odenwald, 15. Jahrgang, Heft 1/März 1968, S. 29).

112. **Heinrich Meyer zu Ermgassen** (wie Anmerkung 50), S. 93 § 82, S. 84 § 101, S. 240 § 70.

113. **F. J. Mone:** Urkunden über die Maingegenden von Würzburg bis Mainz (in: Zeitschrift für die Geschichte des Oberrheins, Band 4, Karlsruhe 1853, S. 417, Nr. 9).

114. **Eckhart G. Franz:** Kloster Haina, Regesten und Urkunden, Band 1 Veröffentlichungen der Historischen Kommission für Hessen und Waldeck, Band 5, 1962), S. 121, Nr. 204.

115. Staatsarchiv des Kantons Luzern, Gatterer-Apparat Nr. 529. Für die Überlassung einer Fotografie der Originalurkunde ist dem Staatsarchiv zu danken.

116. **Gustav Simon** (wie Anmerkung 43), S. 34 ff., Nr. XXXIII.

117. **Ludwig Baur:** Hessische Urkunden, Band V/1070–1499 (Darmstadt 1873), S. 365, Nr. 396.

118. **Wilhelm Müller:** Hessisches Ortsnamenbuch, 1. Band/Starkenburg (Darmstadt 1937), S. 266 und 723.

119. **Wolfram Becher:** Der Wappenstein vom Neustädter Hof (in: Der Odenwald, 5. Jahrgang, Heft 3/ 1958, S. 67–73).

120. **Alfred F. Wolfert:** Der Grabstein der Nonne Maria Geipel von Schöllkrippen im Kloster Schmerlenbach bei Aschaffenburg (unveröffentlichtes Manuskript vom 12.02.1988).

121. **Gustav Simon** (wie Anmerkung 43), S. 162, Nr. CLIX.

122. **Graf L. von Oberndorff:** Regesten der Pfalzgrafen am Rhein 1214–1508, 2. Band (Innsbruck 1939), S. 24, Nr. 307, dazu falsche Identifizierung im Register auf S. 584. Richtiggestellt bei **Elisabeth Kleberger:** Territorialgeschichte des hinteren Odenwald (Quellen und Forschungen zur hessischen Geschichte 19, Darmstadt/Marburg 1958/1987), S. 159, Anmerkung 345: „Eigentlich von Asbach gen. von Rodau".

123. Historisches Archiv für Franken, Hrsg. **Andreas Sebastian Stumpf,** Heft 2 (Bamberg/Würzburg 1804), S. 174, Nr. 15.

124. **Elisabeth Kleberger** (wie Anmerkung 122/2), S. 156.

125. **Wolfram Becher:** Name und Ursprung der Burg Otzberg (in: Der Odenwald, 26. Jahrgang, Heft 1/März 1979, S. 23, Anmerkung 27).

126. **Barbara Demandt:** Die mittelalterliche Kirchenorganisation in Hessen südlich des Mains (Schriften des Hessischen Landesamtes für geschichtliche Landeskunde, 29. Stück, Marburg 1966), S. 114, Nr. 83.

127. **Wilhelm Müller** (wie Anmerkung 118), S. 301.

128. **Alfred Friese** (wie Anmerkung 93), S. 49 f. Nr. 119 und S. 50, Nr. 121.

129. **Alfred F. Wolfert:** Anmerkungen und Ergänzungen zu W. Bechers „Versuch einer genealogischen Übersicht der Familien, die im Odenwald unter dem Namen „Stumpf" urkundlich nachgewiesen sind" (in: Der Odenwald, 37. Jahrgang, Heft 3/September 1990, S. 110.

130. **Matthias Thiel** (wie Anmerkung 39), S. 145–148, Nr. 35.

131. **Wilhelm Engel:** Urkundenregesten zur Geschichte der kirchlichen Verwaltung der Grafschaft Wertheim 1276–1499 (Sonderveröffentlichung des Historischen Vereins Wertheim e.V., Wertheim 1959), S. 11, Nr. 8.

132. Hier wie im folgenden steht „von Amorbach" für den nach(Wald-) Amorbach benannten Niederadel. Der Ort selbst hieß früher „Wüsten-Ammerbach", „Wüstamorbach" u.ä., sein Name wird hier weiterhin mit „Wald-Amorbach" angegeben.

133. **J. F. C. Retter** (wie Anmerkung 90), S. 233.

134. Hessische Landes- und Hochschulbibliothek Darmstadt, Handschrift Hs 4019 („Copirte Brieffschaften und Documenten aus dem allhießigen Gemeinschaftl. Archiv, copiret Anno 1724"); Text unten als Nachtrag!

135. Stadtarchiv Hanau, Marburger Findbuch Nr. 3, S. 87; Text unten als Nachtrag!

Nachtrag zu den Regesten

15 a) um 1400 — Junker Henrich Rups gemäß „Copia Kundtschafft über den Hof zu Eißenbach de Ao 1433" dessen früherer Besitzer. Dies bestätigen Heintz Decker und Ulrich Rütze, beide zu Eisenbach gesessen, von einem Cuntz Hoffmann, einem „alten gebure zu Eißenbach", beeidet gehört zu haben, wie daß der Hof, „den Ulrich Dienst zu der zeit inne hette, zinste und gülte der Herrschafft zu Wertheim"[134].

23 a) 1408 IV 21 — Heinz Rüps zusammen mit Engelhard von Frankenstein, Wortwin von Babenhausen, Eberhard Schotte und Rudolf Geyling (von Altheim) genannt als Schiedsrichter in bereits geschlichteter Streitsache zwischen Eberhard von Fechenbach und Reinhard sowie Johann von Hanau[135].

Nach Redaktionsschluß im Dezember 1990 erschienene Veröffentlichungen sind nicht berücksichtigt. Für die **Rups** betrifft dies vor allem die Monographie von Winfried Wackerfuß „Kultur-, Wirtschafts- und Sozialgeschichte des Odenwaldes im 15. Jahrhundert. Die ältesten Rechnungen für die Grafen von Wertheim in der Herrschaft Breuberg (1409–1484)" (Breuberg-Neustadt 1991) – siehe Personenregister S. 463!

Es hat den Anschein, als wären Nachkommen dieser **Rups** zumindest noch bis in die Mitte des 18. Jahrhunderts im Raum Klingenberg/Wörth am Main aufgetreten. So nennen die Regesten des Stiftarchivs St. Peter und Alexander zu Aschaffenburg im Zusammenhang mit einem Streit um den Chorbau der Pfarrkirche St. Wolfgang zu Wörth unterm 30. Januar 1751 als ersten der Zeugen einen Antonius **Raubs** von Trennfurt, des Gerichts.

Exkurs

Zur (vor-breubergischen?) Besitzgeschichte von Lützelbach

Als erste Nennung einer Kirche zu Lützelbach unterm Breuberg gibt Barbara Demandt 1390 an[1], Herbert Wilhelm Debor 1375[2]. Existiert haben muß eine solche aber schon 1357 April 26: Da nämlich vertrugen sich Eberhard Graf zu Wertheim und Konrad Herr zu Weinsberg mit Zustimmung der Frau Lukardis zu Eppenstein[3] – Eberhards Muhme und Konrads Mutter – über die strittigen, zur Herrschaft Breuberg gehörigen Kirchsätze, darunter dem zu Lützelbach. Festgelegt wurde zugleich, daß bei aufeinanderfolgenden Vakanzen die erste und zweite Pfründe durch Wertheim, die dritte durch Weinsberg zu verleihen sei. Auch eine Regelung über die Vergabe der zur Herrschaft Breuberg gehörenden Mannlehen kam zustande, wovon uns u.a. der Passus interessiert, daß beim kinderlosen Tod Konrads (VI.) von Weinsberg alle Rechte an seine Mutter und deren Erben (d.h. Eppstein) fallen sollten.

Als er diese Abmachung einging, dürfte Konrad von Weinsberg, der 1330 noch unmündig und 1336 mündig war, etwa Mitte Vierzig gewesen sein. Lebende Kinder besaß er zu diesem Zeitpunkt offenbar nicht; das einzige uns bekannte, das den Vornamen seines Vaters trug, nennt ein Grabstein auf dem Heiligenberg bei Jugenheim zu 1368 jung verstorben[4]. Wollte man schon 1357 Vorsorge für den Erbfall treffen? Was aber würde bei Konrads Ableben mit Allodialbesitz geschehen, den er von Mutterseite geerbt hatte?

Kein Zusammenhang hiermit war bisher erkennbar bei einem Pfalzgrafenregest von 1361 Februar 12[5]. Diesem zufolge setzte Pfalzgraf Ruprecht I. für 500 Florentiner Gulden den Konrad von Weinsberg in die Vogtei Höchst ein, wofür Konrad „der Pfalz Mann" wurde. In Betracht gezogen wurde dabei die Möglichkeit, daß „der Pfalzgraf kein Recht daran haben sollte" (an der Vogtei). Für diesen Fall sagte er Konrad „die Beweisung genannter Summe anderwärts" zu (hier zeigt sich also ein weiteres Mal, wie unklar die Rechte an der Vogtei Höchst oft waren[6]). Neue Gesichtspunkte aber eröffnet nun eine zweite Urkunde, ausgestellt genau am selben Tag wie die eben erwähnte[7]. Der Bedeutung wegen sei sie im vollen Text wiedergegeben (Interpunktion sowie Groß- und Kleinschreibung an heutigen Regeln angepaßt): „Ich Chunrad von Winsperg erkennen uffenlich mit diesem Briefe für mich und alle mine Erben und Nachkommen ewiclich, daß ich dem Hochgeborn Fürsten und Herrn, Herrn Ruprecht dem Eltern, Pfalzgrafen an dem Rine, des Heiligen Römischen Richs oberstem Druchseßen und Herzogen in Beyern, mime lieben gnedigen Herren, sinen Erben und Nachkommen Pfalzgrafen bei Rine, ime zwene Hofe gelegen abin in dem Dorffe zu Lutzelbach, die genannt sint zu Wydenbuch, mit allen Frizugehörungen uff geben haben und uff geben mit diesem gegenwertigen Brieffe ewiclichen, für rechtes frey Eigen, für fünfhundert Gulden von Florenz, die ich in mime Nutz kuntlich empfangen han. Und han ich die egenant zwen Hofe vorder von myme vorgt. gnedigen Herren zu rechtem Mannlehen empfangen, und sprechen auch als .ure (?) als ich sprechen sol. Daß sie frieigen sint und sol ich und min Erben sie ewiclichen zu rechtem Mannlehen haben, tragen und enpfahen von mime egn. Herrn Herzog Rupert dem Eltern, sine Erben und Nachkommen Pfalzgrafen by Rine und in darvon warten, dienen und gehorsam sin ewiclich, als ein Man sime Herrn billichen sin sol. Des zu Urkunde geben ich dem egt. mime gnedigen Herrn, sinen Erben und Nachkommen, für mich und alle min Erben diesen Brief besigelt mit mime hangend Ingesigel. Der geben ist zu Heidelberg den nehesten Fricdach für den Suntag Invocavit Anno Domini Millesimo CCC° sexagesimo primo".

Ein Geldgeschäft also, denn durch die Lehnsauftragung an Pfalz verschaffte Konrad von Weinsberg sich 500 fl., die er anlegte, indem er sich die mit Einkünften verbundene Vogtei Höchst übertragen ließ. Das Auftragungsobjekt aber waren zwei allodiale Höfe, von deren Existenz wir bisher keinerlei Kenntnis hatten, „oben in dem Dorf zu Lützelbach, die genannt sind zu Wydenbuch" – freieigen und also nicht zur Herrschaft Breuberg gehörig (und nicht von Fulda rührend). Leider ließ sich über ihr weiteres Schicksal (noch) nichts eruieren. Sucht man aber nach ihrer Herkunft, so erinnert man sich u.a,, daß Gerlach Reiz von Breuberg, Großvater der in erster Ehe mit Konrad V. von Weinsberg verheiratet gewesenen Luckardis von Breuberg, eine Luccardis unbekannter Abstammung zur Frau hatte[8]. Oder sollte gar an die alten Herren von Lützelbach und ihre ebenfalls unbekannten Konnubien zu denken sein?

Anmerkungen, Quellen- und Literaturhinweise zum Exkurs

1. **Barbara Demandt:** die mittelalterliche Kirchenorganisation in Hessen südlich des Mains (Schriften des Hessischen Landesamtes für geschichtliche Landeskunde, 29. Stück, Marburg 1966), S. 130, Nr. 147.
2. **Herbert Wilhelm Debor:** Lützelbach (in: 825 Jahre Lützelbach, herausgegeben im Auftrag des Gemeindevorstandes von **Winfried Wackerfuß**, Lützelbach 1988), S. 61.
3. **Wilhelm Engel:** Urkundenregesten zur Geschichte der kirchlichen Verwaltung der Grafschaft Wertheim (Sonderveröffentlichung des Historischen Vereins Wertheim e.V., Wertheim 1959), S. 20, Nr. 34.
4. **Walther Möller:** die Frühkirche auf dem Heiligenberg bei Jugenheim (in: Der Odenwald, 7. Jahrgang, Heft 1/April 1960), S. 26.
   Walther Möller: Stamm-Tafeln westdeutscher Adels-Geschlechter im Mittelalter, Band 1 (Darmstadt 1922), Tafel XIX.
5. **Adolf Koch/Jakob Wille:** Regesten der Pfalzgrafen am Rhein 1214–1400, Band I (Innsbruck 1894), S. 195, Nr. 3274.
6. Siehe dazu die Angaben bei **Wilhelm Müller:** Hessisches Ortsnamenbuch, Band I/Starkenburg (Darmstadt 1937), S. 349!
7. Hessisches Staatsarchiv Darmstadt, Abt. A 13/Sammlung Häberlin, Nr. 469.
8. **Walther Möller:** Stamm-Tafeln (wie Anmerkung 4 b), S. 74.

Hermann Ehmer

Graf Asmus von Wertheim (1453?–1509)

Ein Lebensbild

Bei den adligen Familien des Mittelalters, zumal bei Grafen und Fürsten, war es üblich, daß die nicht für die Nachfolge in die Herrschaft bestimmten Kinder in den geistlichen Stand traten, damit der Besitz der Familie nicht durch eine Erbteilung geschwächt wurde. Den Söhnen und Töchtern, die in ein Dom- oder Stiftskapitel, in einen Ritterorden oder in ein Kloster eintraten, wurde in der Regel eine Aussteuer oder ein Leibgeding zuteil, die jeweils nur einen Bruchteil dessen betrugen, was etwa bei der standesgemäßen Heirat einer Tochter als Mitgift aufgewendet werden mußte, ganz zu schweigen von den Ansprüchen, die ein nachgeborener Sohn im weltlichen Stand an das väterliche Erbe stellen konnte. Die Kirche bot hier vielfältige Möglichkeiten der standesgemäßen Versorgung der nachgeborenen Kinder des Adels, denen damit aber auch Aufstiegschancen eröffnet wurden, da die Domkapitel ihren Bischof oder Erzbischof aus ihrer Mitte wählten und ein Domherr aus dem niederen Adel – sofern er über die Befähigung und die nötigen Verbindungen verfügte – es somit bis zum Reichsfürsten bringen konnte, da mit der geistlichen zugleich auch die weltliche Würde verbunden war. Ein solcher Aufstieg trug selbstverständlich auch zur Mehrung des Ansehens und des Einflusses der betreffenden Familie bei[2].

Bei der Familie der Grafen von Wertheim ist ein solches Verhalten selbstverständlich ebenfalls festzustellen. Unter den nachgeborenen Söhnen finden wir Domherren in Würzburg, Bamberg, Eichstätt, Straßburg, Mainz, Köln, Trier und Erfurt, oder an zweien oder dreien dieser Orte zugleich, ferner Stiftsherren in Aschaffenburg und Deutschordensritter, unter den Töchtern Nonnen und Äbtissinnen in Gerlachsheim, Unterzell, Schmerlenbach, Seligental, Konradsdorf und Marienborn in der Wetterau, Kirchheim im Ries und anderwärts[3]. Immerhin ein Wertheimer Graf gelangte auf einen Bischofsstuhl, nämlich Albrecht, ein Sohn des Grafen Eberhard I. und Bruder Johanns I., der 1398–1421 Bischof von Bamberg war. Dies gedachte man zwei Generationen später zu wiederholen, indem man in einem doppelten Anlauf versuchte, einen der Söhne Johanns II. auf den Würzburger Bischofsstuhl zu bringen. Dieser mißlungene Griff nach dem Bistum und dem Hochstift Würzburg kennzeichnet zugleich den Höhepunkt, aber auch den Niedergang der Macht der Grafen von Wertheim[4].

Selbstverständlich ging es in der Regel nicht in dieser dramatischen Weise um die Machtfrage, viel eher um die Frage der standesgemäßen Versorgung. Maßgebend war seit 1398 das von Graf Johann I. erlassene Hausstatut[5], wonach es künftig zwei regierende Herren von Wertheim geben sollte. Diese Bestimmung war darin begründet, daß Johann I. zweimal verheiratet war und von beiden Frauen Kinder hatte. Offenbar wollte er die Kinder von der zweiten Frau, der Herzogin Uta von Teck, nicht benachteiligen, weshalb er die Herrschaft Breuberg zur Sekundogenitur bestimmte, die sein jüngerer Sohn Michael I. erhielt. Es wurden somit zwei Linien des Wertheimer Grafenhauses begründet, was sich später als kluge Maßregel erweisen sollte, da so die Breuberger Linie den Gesamtbesitz übernehmen konnte, als 1497 mit Johann III. die Wertheimer Hauptlinie ausstarb.

Die nachgeborenen Söhne und Töchter, die in den geistlichen Stand traten, hatten einen vertraglichen Verzicht auf das väterliche und mütterliche Erbe zu leisten. Dieser Verzicht stand jedoch stets unter dem Vorbehalt, daß diese Ansprüche wieder auflebten, wenn der für die Nachfolge in die Herrschaft bestimmte Sohn ohne Erben sterben würde. Dies konnte sogar so weit gehen, daß ein bereits im geistlichen Stand befindlicher Sohn wieder weltlich werden mußte, um die Herrschaft antreten zu können. Eben dies war der Fall, als 1447 Graf Georgs I. von Wertheim ältester Sohn Eberhard starb, weshalb der nachgeborene Sohn Johann, der bereits Domherr in Köln war, wieder in den Laienstand treten mußte und als Johann III.[6] 1454 dem Vater in der Regierung nachfolgte. Es muß jedoch fraglich bleiben, ob die Tatsache, daß Johann III. unverehelicht blieb, darauf zurückzuführen ist, daß er ursprünglich im geistlichen Stand gewesen war.

Dieser Vorgang zeigt deutlich, daß über die für den geistlichen Stand bestimmten Abkömmlinge einer solchen Familie nach Bedarf verfügt wurde. Sie wurden für eine Laufbahn bestimmt, die möglichweise nicht ihren Neigungen entsprach und mußten diese gelegentlich auch wieder aufgeben, wenn es die Familienpolitik erforderte. Freilich entspricht es neuzeitlichem Denken, hier ein Problem zu sehen, das für die Menschen des Mittelalters vielleicht gar nicht bestand. Kennzeichnend ist nämlich, daß Proteste gegen die erwähnten Erfordernisse der Familienpolitik – zumindest in der Wertheimer Grafenfamilie – nur aus der Spätzeit des Mittelalters bekannt sind[7]. Es handelt sich hierbei einmal um Guta, die Tochter des Grafen Michael I. aus der Breuberger Linie, die um 1470 aus dem Kloster Königsfelden in der Schweiz floh und den elsässischen Adligen Albrecht von Rinach heiratete[8]. Der andere Fall ist der des Grafen Asmus, der hier dargestellt werden soll.

Asmus stammt – ebenso wie Guta – aus der Breuberger Linie. Er ist ein Sohn des Grafen Wilhelm I. und der Gräfin Agnes von Isenburg und damit ein Neffe der Gräfin Guta. Der zur Nachfolge des Vaters bestimmte ältere Bruder war Michael II., der wohl 1452 geboren wurde[9]. Wann Asmus geboren wurde, darüber fehlt uns eine direkte Nachricht. Das Jahr kann allenfalls daraus erschlossen werden, daß er am 19. August 1477 als Kanoniker der Aschaffenburger Stiftskirche aufgenommen wurde[10]. Geht man davon aus, daß Asmus diese Würde im kanonischen Alter von 24 Jahren übertragen wurde, wäre er somit 1453 geboren.

Der Wechsel des Asmus vom heimatlichen Breuberg ins nahe Aschaffenburg ist auch belegt durch die Breuberger Amtsrechnung des Jahres 1477/78, die offensichtlich einen Teil der Ausstattung des jungen Stiftsherrn verbucht. So erhält ein Schuhmacher von Aschaffenburg 2 fl. für nicht weniger als 21 Paar Schuhe, die er *mym hern Erasmo gemacht*. Ferner werden 37 Albus 4 Pfennige, also etwa 1 1/2 fl., einem Schneider in Aschaffenburg *fur duch und machlon* bezahlt. Ein Pfund Pfennige ging an den *schulmeinster zu Aschaffenburg von hern Asmus wegen*[11]. Hierbei handelte es sich wohl um eine Gebühr, die der Scholastikus, einer der Aschaffenburger Stiftsherren, von neu eintretenden Kanonikern zu beanspruchen hatte.

Darin, daß Graf Asmus – so die fast durchgängig verwendete Kurzform für Erasmus – keinen der traditionellen Namen aus der väterlichen oder mütterlichen Familie erhielt, darf wohl schon die Absicht gesehen werden, diesen nachgeborenen Sohn für den geistlichen Stand zu bestimmen. Mit dieser Namengebung verband sich also schon eine Vorstellung, die wohl wesentlich von dem Bild des Heiligen bestimmt war, dessen Name man dem Kind in der Taufe beigelegt hatte. Der heilige Erasmus, Bischof von Antiochia, ein Märtyrer der diokletianischen Christenverfolgung[12], ist einer der vierzehn Nothelfer; seine berühmteste Darstellung ist wohl die 1520–25 entstandene Tafelmalerei von Grünewald, die den Heiligen, der die Züge des Kardinals Albrecht von Mainz trägt, zusammen mit dem heiligen Mauritius zeigt[13]. Immerhin hatte schon einmal ein Wertheimer Graf den Namen Erasmus getragen, ein Onkel unseres Asmus, der ebenfalls im geistlichen Stand war, zuerst als Domherr in Köln, dann aber dort in den Kartäuserorden eintrat und zuletzt Prior der Kartause Grünau wurde, wo er starb und wohl auch begraben ist[14].

Die Tatsache, daß Graf Asmus für den geistlichen Stand bestimmt war, ist Joseph Aschbach, dem Geschichtsschreiber des Wertheimer Grafenhauses, noch verborgen gewesen[15]. Daß Graf Asmus mit dem Aschaffenburger Kanoniker von 1477 identisch ist, konnte endgültig erst durch einen glücklichen Urkundenfund erwiesen werden. Als Einband einer Wertheimer Zinsamtsrechnung von 1528/29 fand sich eine Urkunde vom 11. November 1482, in der die Rede davon ist, daß Asmus den geistlichen Stand verlassen habe[16]. Dies geschah also zu einem unbekannten Zeitpunkt zwischen 1477 und 1482. Über Asmus' Motive kann freilich nur spekuliert werden. Vielleicht mochte er es als Zurücksetzung empfinden, daß ihm nur eine Stiftsherrenstelle in Aschaffenburg zuteil wurde, wo vor allem Niederadlige und Bürgerliche bepfründet waren, während sein Bruder Wilhelm Domherr in Mainz war. Doch findet sich in der Familie der Wertheimer Grafen noch ein weiterer Aschaffenburger Stiftsherr, nämlich Poppo, ein Bruder Eberhards I., der als Propst dort 1374 starb[17]. Man wird also wohl annehmen müssen, daß es Asmus, wie seine weitere Geschichte zeigt, in der Hauptsache darum ging, selbst ein regierender Herr zu werden.

Mit seinem Austritt aus dem geistlichen Stand hatte das Leben des Grafen Asmus eine bedeutsame Wendung genommen. Da er den Stand verlassen hatte, für den ihn der Vater bestimmt hatte, mochte der Anlaß für diesen Schritt gerade der Tod des Vaters[18] gewesen sein. Bei der daraufhin vorgenommenen Erbteilung tritt er nämlich schon nicht mehr als Geistlicher auf. Zum ersten Mal erscheint Asmus im Laienstand, als die Gräfinwitwe Agnes am 30. April 1482[19] über die Benennung eines Bevollmächtigten für die Einnahme der Huldigung der Untertanen des Schlosses Schweinberg und des Amtes Hardheim urkundet. Diese Güter waren ihr demnach aufgrund eines tags darauf beurkundeten Vertrags[20] mit ihren Söhnen Wilhelm, Domherrn zu Mainz, Michael und Erasmus, Grafen zu Wertheim, als Witwensitz zugewiesen worden.

Mit dem Schloß Schweinberg war seit alters als Lehen das Amt eines Kämmerers des Hochstifts Würzburg verbunden. Dieses Lehen konnte die Gräfin selbstverständlich nicht empfangen, weshalb Bischof Rudolf diesen ihren beiden Söhnen, Michael und Asmus, am 21. Juni 1482 gemeinschaftlich verlieh[21]. Diese Belehnung stellt den endgültigen Beleg dafür dar, daß Asmus jetzt wieder im weltlichen Stand war. Wir müssen vermuten, daß der Belehnung eine Erbauseinandersetzung zwischen Michael und Asmus vorausging und Asmus schließlich bei dem Bischof durchsetzen konnte, mitbelehnt zu werden. Jedenfalls war diese Belehnung für ihn der erste Erfolg bei seinem Versuch, einen Anteil an der Herrschaft zu erlangen.

Graf Michael II. hat sich zweifellos – und mit Recht – gegen die Ansprüche seines Bruders gewehrt. Erst unter Mitwirkung des Wertheimer Vetters Johann III. kam eine Einigung zustande, die mit der bereits erwähnten Urkunde vom 11. November 1482[22] festgehalten wurde. Asmus hatte nachgeben und auf einen Anteil an der Herrschaft verzichten müssen. Hierfür erhielt er ein Leibgeding, eine jährliche Pension von 200 fl., die sich nach dem Tode der Mutter auf 400 fl. erhöhen sollte. Als Pfand für diese Pension wurden Zent und Amt Kirch-Brombach sowie der Zehnte zu Wersau bestimmt[23].

Die Pension von 200 fl. war nicht gerade üppig, vollends für einen Mann mit den Ambitionen des Grafen Asmus. Dennoch scheinen die Brüder in der Folgezeit gut miteinander ausgekommen zu sein, wie auch später ersichtlich wird, denn 1486 war Asmus anstelle Michaels in Frankfurt bei der Wahl Kaiser Maximilians I. zugegen[24].

Da es ihm nun nicht gelungen war, seinen Bruder zur Teilung der Grafschaft zu bewegen, mußte Asmus einen anderen Weg einschlagen, um an sein Ziel zu gelangen. Am einfachsten war wohl eine aussichtsreiche Heirat. Eine Frau fand Asmus in der verwitweten Landgräfin Dorothea von Leuchtenberg, die im nahen Grünsfeld residierte[25]. Sie war die Tochter des Grafen Philipp d.Ä. von Rieneck und dessen Ehefrau Amalia, einer gebürtigen Pfalzgräfin, Tochter des Pfalzgrafen Otto I. aus der kurpfälzischen Seitenlinie Pfalz-Mosbach. Dorothea wurde um 1445/49 geboren und hatte in erster Ehe den Landgrafen Friedrich von Leuchtenberg geheiratet, dem – nach Aussage der Zimmernschen Chronik – damit die Sanierung seiner wirtschaftlichen Verhältnisse gelungen sein soll[26]. Der Ehe mit dem Leuchtenberger, der 1487 starb, entsprangen ein Sohn und zwei Töchter[27].

Graf Philipp d.Ä. von Rieneck, der selbst in Grünsfeld residierte, hatte diese Herrschaft 1486 gegen den Widerstand seines Bruders, mit dem er die Grafschaft geteilt hatte, seinem Leuchtenberger Schwiegersohn übergeben[28]. Als Landgraf Friedrich am 19. Mai 1487 starb, sicherte Graf Philipp d.Ä. von Rieneck die Herrschaft Grünsfeld angesichts der mit seiner Familie entstandenen Schwierigkeiten dadurch ab, daß er sich am 24. November 1487 mit seiner Tochter, der verwitweten Landgräfin Dorothea, und deren Sohn, Landgraf Johann von Leuchtenberg, auf zwölf Jahre in Schutz und Schirm des Kurfürsten Philipp und des Pfalzgrafen Otto II. nehmen ließ[29].

Als Graf Philipp d.Ä. von Rieneck am 5. Dezember 1488 starb, stand Landgräfin Dorothea – wenn man von ihrem gerade 18jährigen Sohn absieht – allein da, ohne männlichen Schutz, dazu noch in einer unsicheren Rechtsposition, aufgrund deren es ungewiß war, ob sie die Herrschaft an ihren Sohn Johann aus der Ehe mit dem Leuchtenberger würde vererben können. Unmittelbar nach dem Tod des Vaters muß sie deshalb Graf Asmus von Wertheim die Ehe versprochen haben. Die Interessen der beiden waren anscheinend miteinander zu vereinen: Dorothea benötigte männlichen Schutz, Asmus war gesonnen, endlich ein regierender Herr zu werden. Aufgrund einer 1409 zwischen Graf Johann II. von Wertheim und Graf Thomas II. von Rieneck geschlossenen Erbeinung der beiden Häuser Wertheim und Rieneck[30] konnte er davon ausgehen, daß er Rechte auf die Herrschaft Grünsfeld mit Erfolg würde geltend machen können, zumal die Einung ausdrücklich auch auf Grünsfeld ausgedehnt worden war[31]. Dorothea war freilich ihrerseits gesonnen, die Herrschaft an ihren Sohn, den Landgrafen Johann von Leuchtenberg zu vererben. Man wird die Ehe der beiden deshalb – den Gepflogenheiten der Zeit entsprechend – weniger als Liebesheirat, vielmehr als politische Heirat bezeichnen müssen, wobei sich offenbar jeder Teil über die eigentlichen Zwecke des anderen hinwegtäuschte.

Den Entschluß, miteinander die Ehe einzugehen, hatte das Paar ohne Mitwirkung anderer gefaßt, da jeder mit diesem Schritt seine persönlichen Zwecke verband. Dies war durchaus unüblich; eine Ehe wurde sonst aufgrund von Absprachen zwischen den beiden beteiligten Familien geschlossen. Auffallend ist nämlich, daß ein für adlige Heiraten eigentlich unumgänglicher Heiratsbrief erst ausgestellt wurde, nachdem sich die beiden die Ehe versprochen hatten, nämlich am 7. Januar 1489[32]. Unüblich ist ferner, daß der Vertrag nicht von beiden Seiten, also der gräflich Wertheimer Familie und der der Dorothea, abgeschlossen worden ist, sondern von der pfalzgräflichen Verwandtschaft, dem Kurfürsten Philipp und dem Pfalzgrafen Otto II., ausgestellt wurde. Diese hatten offenbar die Vormundschaft über die Kinder der Dorothea und waren von dieser Heirat überrascht worden und mußten jetzt die notwendige Klärung der rechtlichen Verhältnisse vornehmen, insbesondere aber die Rechte der leuchtenbergischen Kinder sichern.

Für die ansonsten so nüchterne Sprache der Urkunden will es einiges heißen, daß die beiden Aussteller des Heiratsbriefes feststellen, daß sich Dorothea mit Asmus vermählt habe, obwohl sie *gemeynt, das sie solichs iren kinden zu gut nit gethon solt haben.* Es wird ferner festgestellt, daß Asmus nichts weiter in die Ehe bringt, als das Leibgeding von seinem Bruder, sowie das, was er etwa noch von seiner Mutter als Erbe zu erwarten hat. Hingegen verschreibt ihm Dorothea eine Morgengabe auf Schloß, Stadt und Amt Lauda, die jedoch nicht mehr als 10 000 fl. betragen darf. Ihren übrigen Besitz, nämlich Schloß und Stadt Grünsfeld, hatte Dorothea ihrem Sohn Landgraf Johann zu übermachen, so daß die Untertanen diesem zu huldigen hatten. Dorothea wurde jedoch auf Lebenszeit der Sitz in Grünsfeld und die Nutznießung der Herrschaft zugesichert. Für den Fall – *ob es gott fuge* –, daß Asmus und Dorothea gemeinsame Kinder hätten, sollte nach einem eventuellen Tod der Dorothea dem Landgrafen Johann Grünsfeld *zu voruß* zufallen und nur das übrige Erbe unter allen Kindern zu gleichen Teilen geteilt werden. Für den Fall, daß Dorothea stirbt, ohne mit Asmus Kinder gehabt zu haben, fällt das gesamte Erbe an Johann, während Asmus lediglich die Nutznießung der ihm verschriebenen 10 000 fl. auf Lebenszeit erhält. Gräfin Dorothea mußte sich verpflichten, ihre beiden Töchter mit Aussteuern zu versehen und ihren Besitz, die beiden Ämter Grünsfeld und Lauda, weder zu versetzen noch zu verpfänden oder sonst mit Schulden zu beschweren. Unter den sonstigen Bestimmungen muß noch hervorgehoben werden, daß Asmus für den Fall, daß Dorothea vor ihm stirbt, lediglich ein Drittel der Fahrhabe seiner Frau erbt, während ihr Sohn Johann die beiden anderen Drittel erhält.

Besiegelt wurde die Urkunde nicht nur vom Kurfürsten und dem Pfalzgrafen, sondern auch von Asmus und Dorothea sowie von Landgraf Johann von Leuchtenberg und Graf Ludwig von Isenburg-Büdingen, der der Verhandlung als Zeuge – wohl von Seiten des Grafen Asmus – beiwohnte. Die eingehenden Bestimmungen zeigen, daß man alle Eventualitäten berücksichtigen wollte und sogar den Fall bedachte, daß Dorothea von Asmus eines oder mehrere Kinder bekommen würde. Dies war nun freilich wenig wahrscheinlich, da sie mindestens schon vierzig Jahe – eher mehr – zählte. Die Möglichkeit, daß Asmus vor Dorothea sterben würde, brauchte hingegen nicht in Betracht gezogen zu werden, da er doch nichts weiter als sein Leibgeding hatte, das mit seinem Tod enden würde. Es war Asmus damit vor Augen geführt worden, daß er ein Habenichts war und man ihm nichts weiter als die Rolle eines Prinzgemahls zugestand[33].

Diese Feststellungen dürften Asmus wohl nicht sehr beeindruckt haben. Mit der Heirat hatte sein Leben eine weitere bedeutsame Wende genommen: Er hatte sein Ziel erreicht und war ein regierender Herr geworden. Dabei dürfte ihn wenig gestört haben, daß ihm hinsichtlich der Verfügungsrechte über die Herrschaft Grünsfeld-Lauda enge Grenzen gesetzt waren. Grünsfeld mit Zubehör stammte aus dem Rienecker Erbe, doch konnten hier gegenüber der Verfügung Philipps d.Ä. zugunsten seines leuchtenbergischen Enkels ältere Wertheimer Rechte geltend gemacht werden. Anders verhielt es sich mit der Herrschaft Lauda, die 1450 von Pfalzgraf Otto I. von Pfalz-Mosbach um 10 000 fl. an seinen Schwiegersohn Graf Philipp d.Ä. von Rieneck verpfändet worden war[34]. Allerdings besaß der Bischof von Würzburg seit langer Zeit das Wiedereinlösungsrecht an Lauda, das er jederzeit geltend machen konnte.

Die Bindung des Grafen Asmus an die Kurpfalz als derjenigen Macht, die seine Rechtsstellung in Grünsfeld und Lauda festgelegt hatte, wurde dadurch noch verstärkt, daß er sich 1490 auf fünf Jahre zum Kriegsdienst für den Kurfürsten gegen jedermann verpflichtete. Dies war offensichtlich eine Dienstverpflichtung „von Haus aus", d.h. daß Graf Asmus vom Kurfürsten, von dem er dafür eine jährliche Besoldung erhielt, bei Bedarf einberufen werden konnte[35].

Asmus und Dorothea hatten ihren Wohnsitz im Grünsfelder Schloß, von wo aus sie ihr kleines Territorium verwalteten. 1492 werden die Kanzlei des Grafen und sein Sekretär Konrad Kappel genannt[36]. Zu der Wahrnehmung der Herrschaftsrechte gehörte auch die Abwehr vermeintlicher oder tatsächlicher Übergriffe der Nachbarn. So kam Asmus mit den Hund von Wenkheim in Streit wegen der Gerichtsrechte in Vilchband und Impfingen. Dieser Streit wurde, wie üblich, schiedsgerichtlich entschieden, indem Wilhelm Sützel von Mergentheim und Hans von Dottenheim, Amtmann zu Bütthard, am 28. April 1495 entschieden, daß die Gerichte zu Vilchband und Impfingen ihr Herkommen „weisen" sollten, damit künftig danach verfahren werden könne[37].

Im Gegensatz zu solchen Rechtsstreitigkeiten, die in Urkunden und Akten überliefert sind, vermögen bauliche Überreste heute noch eher einen Eindruck von herrschaftlichem Wirken zu vermitteln. Einige solcher Zeugnisse von Graf Asmus und Gräfin Dorothea haben sich bis auf unsere Tage erhalten. So stifteten sie 1496 einen Ölberg sowie eine Totenleuchte und eine Michaelskapelle auf dem Friedhof bei der Kirche in Grünsfeld[38]. Außer den zerstreuten plastischen Teilen des Ölbergs ist von dieser Stiftung vor allem die Totenleuchte erhalten geblieben, die heute noch vor der Kirche steht. Ihre Säule trägt folgende Inschrift: *Da ma[n] nach xps* [Christi] *gepu[r]t 1496 czalt da hat der wolgeborn Asmus Graff czu Wertheim und die Wolgeborne Fraue Dorothea Grefin czu rineck sein gemahel czu lob und Eren der hochgelobten junckfrowe[n] Maria diß we[r]ck lassen machen*[39].

Es muß vermutet werden, daß diese Stiftung des Ehepaars Asmus und Dorothea, die der Grünsfelder Kirche, wo sie selber ihre letzte Ruhe zu finden gedachten, und deren Begräbnisplatz galt, im Zusammenhang steht mit einer Seelgerätstiftung, die ihnen in ihrem Heiratsvertrag von der Pfälzer Verwandtschaft ausdrücklich zugestanden worden war, wobei sie jedoch von den Einkünften des Schlosses Lauda nur bis zu 500 fl. für eine solche Stiftung zugunsten ihres Seelenheils anlegen durften.

Diese Bestimmung des Heiratsvertrags hatte den Zweck, eine finanzielle Belastung der Herrschaften Grünsfeld und Lauda durch Aufnahme von Schulden zu verhindern. Selbstverständlich war es Asmus und Dorothea – ebenso wie anderen ihrer Standesgenossen – nicht möglich, ohne Kredite auszukommen. Die Gründe für solche Kreditaufnahmen konnten vielfältiger Natur sein; es mußte nicht immer bedeuten, daß man über seine Verhältnisse lebte. Möglich war z.B., daß gerade nicht so viel Bargeld flüssig war, wenn man es für eine größere Ausgabe benötigte, weshalb diese zwischenfinanziert werden mußte. Andererseits suchten Leute, die Kapitalien besaßen, auch vertrauenswürdige Kreditnehmer, von denen sie eine regelmäßige Zinszahlung erhoffen konnten. Von Graf Asmus kennen wir aus diesem Zeitraum drei Schuldurkunden: 1490 lieh er sich von dem Ritter Ludwig von Hutten 1000 fl. für ein Jahr, wofür er 50 fl. Zins zu zahlen versprach[40]. 1495 gewährte ihm eine Kunigunde Zwingerin einen Kredit von 100 fl., wofür sie jährlich 5 fl. Zinsen erhalten sollte[41]. Von Konrad von Neuenstein lieh sich Asmus 1497 450 fl. und wollte davon jährlich die üblichen fünf Prozent, nämlich 22 1/2 fl. bezahlen[42]. Bei diesen Kreditaufnahmen ist zu bemerken, daß die beiden Ämter Grünsfeld und Lauda dafür nicht in Anspruch genommen wurden und Asmus somit die Bestimmungen des Heiratsvertrags eingehalten hat. Anders verhielt es sich mit Landgraf Johann, dem Stiefsohn von Asmus und Erben seiner Mutter, der ebenfalls Kredit benötigte. Seine Mutter und sein Stiefvater gestatteten 1495, daß die zur Herrschaft Grünsfeld gehörige Gemeinde Distelhausen für ihn beim Stift Mosbach 600 fl. aufnahm[43].

Ebenso wie sein Bruder Michael II., der die Burgen Breuberg und Wertheim zu neuzeitlichen Festungen ausbaute, war Asmus – wenn auch vorerst in kleinerem Maßstab – auch als Bauherr tätig. Er ist der Erbauer des Oberen Tors in Lauda, als welcher er sich durch das Wappen Wertheim-Breuberg und die Inschrift *Asmus Graf czu Wertheim 1497*[44] erweist. Wenige Jahre später sollte Asmus Gelegenheit bekommen, in Freudenberg noch mehr zu bauen. Zusammen mit seinem Bruder Michael war Asmus schon 1489 in der Reichsmatrikel unter den Reichsgrafen erschienen[45]. Das bedeutet, daß er jetzt auch im politischen Kräftefeld der Main-Tauber-Region einen Platz einnahm. Dies zeigt sich einmal daran, daß ihn der Kurfürst von der Pfalz – wie bereits erwähnt – zu seinem Dienst verpflichtete, zum andern aber auch an der Tatsache, daß ihn die Nachbarn in ihre Bündnisse zogen. So schloß Asmus 1493 auf sechs Jahre einen Vertrag mit Graf Johann III. von Wertheim, Graf Philipp zu Hanau-Lichtenberg und Graf Michael II. von Wertheim, wonach sie sich gegen Erzbischof Berthold von Mainz beistehen wollten[46].

Bei diesem Bündnis, das gegen den Mainzer Erzbischof gerichtet war, scheint es sich freilich nur um eine vorübergehende politische Konstellation gehandelt zu haben, denn Graf Asmus nahm 1497, ähnlich wie seinerzeit bei Kurpfalz, Dienste bei Erzbischof Berthold, dem er versprach, mit seinen reisigen Knechten und Pferden auf fünf Jahre zu dienen. Wie üblich, legte der Bestallungsvertrag fest, gegen wen Asmus nicht einberufen werden konnte, nämlich gegen Kurfürst Philipp von der Pfalz, Markgraf Friedrich von Brandenburg, Graf Michael von Wertheim und den Grafen von Hanau. Für diese Verpflichtung wurde Asmus eine Jahresbesoldung von 100 fl. ausgesetzt. Schäden und Verluste, die bei einem solchen Dienst entstanden, wurden besonders vergütet. Dies ist daran ersichtlich, daß Asmus anläßlich seiner Teilnahme am Schweizerkrieg 1499 im mainzischen Kontingent ein Pferd verlor, wofür er am 11. November 1499 25 fl. zusammen mit der noch rückständigen Jahresbesoldung erhielt. Am 31. Oktober 1499 hatte Asmus dem Erzbischof vorzeitig den Dienst aufgekündigt, was dieser ohne weiteres akzeptierte. Fraglich ist jedoch, ob diese Kündigung im Zusammenhang steht mit einer ein halbes Jahr zuvor an Asmus ergangenen Aufforderung, sich zu rüsten und zur Hilfeleistung für den Erzbischof bereit zu sein[47].

Eine erneute und bedeutsame Wende nahm das Leben des Grafen Asmus 1497, als der Wertheimer Vetter, Graf Johann III., kinderlos starb und sein Erbe an Graf Michael II. fiel[48]. Dessen Bruder Asmus war aber nicht gesonnen, dies einfach hinzunehmen. Jetzt konnte er sich nämlich auf das Hausstatut Johanns I. berufen, wonach es zwei regierende Herren von Wertheim geben sollte. Michael mußte nachgeben und Asmus einen Anteil an dem einräumen, was ihm von Johann III. zugefallen war. Schon am 18. Juni 1497[49] einigten sie sich unter Vermittlung ihres Bruders Ludwig, des Deutschordensritters, und der Adligen Kunz von Bibra und Anselm von Eicholzheim dahingehend, daß Asmus Stadt und Schloß Freudenberg erhielt. Von diesem Besitz wurden ihm 500 fl. jährliche Einkünfte zugesichert, wozu die Einnahmen des Freudenberger Mainzolls beigezogen werden konnten. Daneben hatte Asmus aber die ihm 1482 ausgesetzte Pension von 200 fl. weiterhin zu beziehen. Nach dem Tod der Mutter sollte er auch noch deren Wittum Schweinberg und den Hof Hoffeld bei Pülfringen erhalten, den Johann III. besessen hatte. In dem Vertrag stellte Asmus ausdrücklich fest, daß er auf weitere Erbanfälle nicht verzichtete.

Freudenberg und Schweinberg waren seit alters würzburgische Lehen der Wertheimer Grafen, weshalb zu dem Vertrag zwischen Michael II. und seinem Bruder Asmus die Einwilligung des Lehensherrn notwendig war. Diese war offensichtlich nicht so leicht zu erlangen, zumal es zwischen den beiden Brüdern deswegen noch zu Unstimmigkeiten kam[50]. Erst am 14. November 1498[51] verlieh Bischof Lorenz von Würzburg dem Grafen Asmus, als dem nunmehr alleinigen Lehensträger seiner Mutter, das Kammeramt mit dem Schloß Schweinberg, wozu ein Drittel des Zehnten zu Schweinberg gehörte. Dazu verlieh ihm der Bischof noch Burg und Stadt Freudenberg mit ihrem Zubehör, das erst am 25. Juli 1497 zusammen mit den anderen würzburgischen Lehen von Bischof Lorenz dem Grafen Michael verliehen worden war[52].

Graf Asmus verlegte seine Aktivitäten nach Freudenberg, das er unverzüglich zur Residenz ausbaute. Offensichtlich auf seine Veranlassung wurde 1499 das heutige Freudenberger Rathaus erbaut, das über seiner Westtür eine Tafel mit der Inschrift trägt: *Asmus Graf czu werthem*[53]. Besonders aber baute der Graf die Burg Freudenberg aus. Die Verstärkung der Zwingermauer durch die innen vorgelegten Arkaden und eine Erhöhung des Bergfrieds dürfte auf Asmus' Baumaßnahmen zurückgehen, sicher aber die großzügige Anlage der Vorburg. Das Haupttor der Burg trägt eine Wappentafel mit der Jahreszahl 1499[54].

Von der Baulust der beiden Brüder Michael II. und Asmus finden sich auch einige Spuren in ihrem Briefwechsel. Asmus hatte seinen Bruder gebeten, ihm einen *zug*, den er ihm geliehen habe, wieder zurückzugeben. Michael erwiderte, daß sich dieser auf dem Breuberg befinde und dort möglicherweise aufgeschlagen sei. Im letzteren Fall könne er ihn nicht entbehren. Am 18. April 1498 antwortete ihm Asmus und bat ihn nochmals, ihm den *zug* zuzusenden, *oder aber zug päm 40 schuch lang unnd pfeten darzw*. Es handelte sich hierbei offenbar um eine Art Baukran oder Material dazu, wie die erwähnten, rund 12 m langen „tannenen Zugbäume" zeigen, die nach Asmus' Aussage in der Freudenberger Gegend in dieser Länge nicht zu haben waren. Gleichzeitig bat Asmus seinen Bruder um Salpeter, den er zur Herstellung von

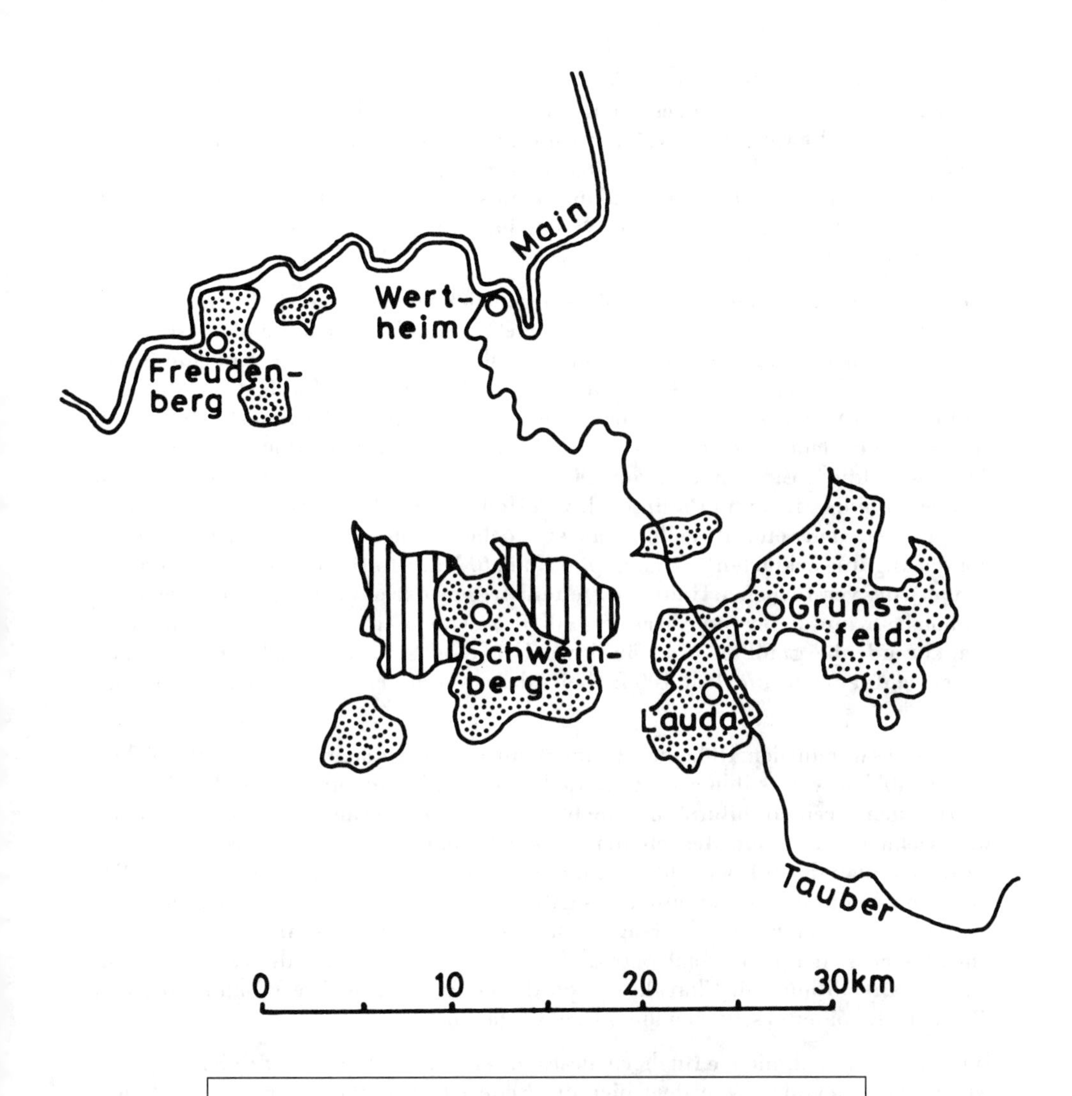

Besitzungen des Grafen Asmus von Wertheim

Schweinberg

1482 – 1497 zusammen mit Gf. Michael II.

1497 – 1509 allein

Grünsfeld Lauda	1497 – 1509
Freudenberg	1497 – 1509
	Teilbesitz

Schießpulver benötigte, da er *ettlich puchßen gein Frewdenberg furen lassen*[55]. Hieraus wird ersichtlich, daß es Asmus zugleich mit der Befestigung seiner Residenz auch um deren Bewaffnung ging. Interessant ist, daß zwei der von Asmus seinerzeit für Freudenberg beschafften Geschütze noch zwei Jahrhunderte später vorhanden waren. Diese auf 1497 datierten und mit Asmus' Namen versehenen Stücke zählten nämlich noch 1682 zur Artillerie der Wertheimer Burg und wurden erst 1798 – wohl als Altmetall – verkauft[56].

Die Bautätigkeit in Freudenberg widerspiegelt sich auch in einer Reihe von Kreditaufnahmen. Am 22. Februar 1499 verwilligte Michael II. seinem Bruder Asmus die Aufnahme einer Schuld von 1000 fl. auf den Zoll zu Freudenberg bei Kunigunde von Dottenheim, der Witwe des Ruprecht von Stettenberg[57]. Von Paulus von Absberg, Amtmann zu Gunzenhausen, hatte er 450 fl. entliehen, wie er am 31. März 1500 beurkundete; dem Heinrich von Seinsheim und dessen Frau Dorothea wurde er 800 fl. schuldig[58]. Einen Kredit von 1000 fl. zahlte Asmus am 25. Februar 1501 den Brüdern Philipp d.Ä. und Philipp d.J. von Helbe zu Sulzfeld zurück. Die Gläubiger versprachen, den Schuldbrief binnen vier Wochen zurückzugeben, widrigenfalls sie ihn für ungültig erklärten[59]. Wenig später, am 6. März 1501, entlieh Asmus von den Kindern des verstorbenen Hans von Stettenberg von deren Vormündern Anselm von Eicholzheim und Peter von Ehrenberg 100 fl. zu einem Zinssatz von 5 %[60]. Auch die Stadt Freudenberg mußte – wohl für die von Graf Asmus veranlaßten Baumaßnahmen – Geld aufnehmen und lieh 100 fl. bei Adam Koder, einem reisigen Knecht des Grafen[61].

Graf Asmus war auf dem Höhepunkt seiner Laufbahn angekommen. Mit Zielstrebigkeit – und Glück – war es ihm gelungen, an Tauber und Main ein kleines Territorium aufzubauen. Freilich wußte Asmus nicht, ob seinem Erfolg auch Stetigkeit verliehen war, vielmehr war er ein Mensch, der von der Wandelbarkeit des Glücks wußte und deswegen auch darauf bedacht war, diesem Glück in die Karten zu schauen. Dies kann von Asmus mit Bestimmtheit gesagt werden, denn von ihm ist ein sogenanntes Losbuch[62] überliefert, ein Wahrsagebuch, das eigens für ihn geschrieben worden ist, und das er sicher manchmal befragt haben mag. Der Inhalt dieses Buches hat durchaus traditionellen Charakter, von dieser Art sind mehrere handschriftlich überliefert; später erschienen auch Drucke davon.

Im Gegensatz zu ähnlichen Büchern dieses Inhalts, deren Besitzer wir nicht kennen, wurde das Exemplar, von dem hier die Rede ist, eigens für den Grafen Asmus angefertigt, wie die Schlußschrift ausweist: *Anno d[omi]ni vierhundert unnd in dem zweyundneunzigisten joren am freitag nach Sant Pauls bekerung hab ich heinrich Meise*[63] *von Wurtzburgk diß buch zu Grunßfelt in des wolgebornen herrn herren Asmusen graven zw Wertheim unnd inn seiner gnaden Cantzellei vollenndt unnd geschriben in beywesen seiner gnaden secretari Conradi kappels.* Gewiß ist dieser Eintrag genau genommen nur ein Beleg dafür, daß diese Handschrift in der Kanzlei des Grafen Asmus vollendet wurde; daß er aber tatsächlich der Auftraggeber war, zeigt das Wertheim-Breuberger Wappen, das sich im Buch selbst findet[64]. Das Büchlein läßt deshalb nicht nur Rückschlüsse auf die allgemeine Geisteswelt des Spätmittelalters zu, sondern vermag auch Hinweise auf das Denken und die Mentalität einer bestimmten Person, des Grafen Asmus, zu geben.

Das Büchlein enthält vier Teile. Der erste und umfangreichste Teil stellt ein Los- oder Orakelbuch[65] dar, mit dessen Hilfe Antwort auf 24 Fragen in allgemein menschlichen

Situationen gefunden werden kann. Dazu gehören Fragen wie: *Ob dich dein freunde lieb haben oder nicht; Ob ein dragende frawe ein sone oder ein dochter trage; Ob gut sei, zu der ee zu greyfen oder nichtt; Ob ein mensch geistlich oder werntlich sey oder nit;* usw. Jede dieser 24 Fragestellungen ist mit einer Kombination aus zwei Buchstaben versehen, die in einer Tabelle aufzusuchen ist, deren senkrechte Spalten mit diesen Buchstabenkombinationen bezeichnet sind. Die zwölf waagrechten Spalten sind mit den Namen der Apostel[66] versehen. Die zutreffende waagrechte Spalte wurde ganz offensichtlich ermittelt durch eine kreisförmige Figur, die auf der Innenseite des Vorderdeckels des Büchleins angebracht und in zwölf Sektoren eingeteilt ist, die mit den Apostelnamen bezeichnet sind. Zeifellos besaß diese Figur einen drehbaren Zeiger in der Art eines Roulettes, so daß hierdurch das Zufallsmoment bei dieser Art des Wahrsagens ins Spiel kam.

An der Stelle der erwähnten Tabelle, die durch Bestimmung der senk- und waagrechten Spalte ermittelt worden war, findet sich nun ein Hinweis auf einen von 24 Ringen und einen der zwölf Sektoren, in die diese Ringe jeweils eingeteilt sind. Von diesen Ringen wurden bereits der Wappen- und der Städtering erwähnt. Es gibt ferner z.B. einen Monatsring, der die 12 Monate, oder den Berge- und den Flüssering, in denen die Sektoren jeweils mit tatsächlichen oder mythologischen Namen bezeichnet sind. Die so ermittelten Sektoren enthalten ihrerseits wieder einen Hinweis auf eines von 24 „Büchern", die die Namen biblischer Bücher und Gestalten tragen. Diese Bücher bestehen aus je zwölf Vierzeilern, die wiederum mit den Apostelnamen gekennzeichnet sind. Diese Reime ergeben dann – teils recht sibyllinisch – die Antwort auf die eingangs gestellte Frage.

Ist z.B. die bereits erwähnte Frage gestellt, *ob ein dragende frawe ein sone oder ein dochter trage,* so findet man diese Frage mit den Buchstaben *DT* bezeichnet. Hat man dazu im Apostelkreis den Namen *Andreas* ermittelt, wird man in der Tabelle auf den Sektor *Babilonia* im Städtering verwiesen. Dort heiß es: *Andream. Such in Amos buch.* Dort findet sich die Antwort:

Es spricht sant Andree
es thue wol oder wee
ein sone die frawe gebiert
der ein gut munch wiert.

Der zweite Teil des Büchleins besteht aus einem Punktierbuch[67]. Es handelt sich hier um eine uralte Orakelmethode, die Geomantie oder Weissagung aus der Erde, d.h. aus den Figuren, die mit einem Stock oder einem anderen Instrument wahllos in die Erde „gestupfte" Punkte ergeben[68]. Unser Büchlein bringt diese Figuren freilich in dem einleitenden Text, einer Art Gebrauchsanweisung, in Verbindung mit den Figuren der Sternbilder und bietet dann eine vereinfachte Methode, indem die Punkte mit einem Halm in vier Linien gestupft werden.

Die sich dabei ergebende Figur, die den Augen auf einem Würfel gleicht und deshalb auch durch viermaliges Würfeln erzeugt werden kann, wird dann in den senkrechten Spalten einer Tabelle aufgesucht, deren waagrechte Spalten 16 Fragengebiete des menschlichen Lebens, wie Heirat, Erben, Krankheit und Schwangerschaft enthalten. Die Schnittpunkte der Spalten sind hier mit den Namen von 16 „Richtern" bezeichnet, die nach Verballhornungen alttestamentlicher Namen klingen, wie *Gabao, Garson, Mereari* usw. Diese 16 Richter bestehen aus je 16 Zweizeilern, denen die Figuren und Fragegebiete zugeordnet sind. So heißt es im 14. Richter *Saphae* zum Thema *Kriege:*

Wollauff zu dem kriege wan
du uberwindest die bosen feinde.

Unter *Swanger* ist zu lesen:

Aus dem leibe des weibs komt ein
tochter, die vast bulen wurt.

Es versteht sich, daß – wie auch sonst bei solchen Praktiken – beim Punktieren gewisse allgemeine Regeln zu beachten sind: *Du solt auch das thun in einer geheym, das dich nymant irre und das du keyn geschrey horest. Auch so magstu nit mere dann zwu frage auff einen tag thun vor der sonnen auffgangk oder nach irm untergangk, auch so sol man dhein frage thun am Dinstag, Donnerstag und Sontag. Auch ehe du die puncktlein machst oder wurffest mit dem wurffel, so sprich das hernachgeschriben gebet mit andacht got dem hernn.*

Der dritte Teil des Büchleins besteht aus einer Anleitung zur Bestimmung des Lebensplaneten[69]. Die Bestimmung des Planeten gewinnt seine Bedeutung daraus, daß jedem Planeten bestimmte Eigenschaften zugeschrieben wurden, die natürlich auch den „Kindern" eines solchen Planeten zukommen[70]. Auch hier verbindet das Büchlein wieder Geheimnisvolles mit möglichst praktikablen Anweisungen. Es werden einfach die aus einer beigegebenen ringförmigen Tabelle ermittelten Zahlenwerte der Anfangsbuchstaben der Namen des Probanden und seiner Mutter addiert und mit 9 subtrahiert, so oft, bis sich ein Wert von 9 oder darunter ergibt. Dafür wird auch ein Beispiel gegeben: *Mein muter heysset Agnes und ich Johannes* ... Dieses ergibt: 1 + 9 = 10 – 9 = 1. In diesem Fall ist die Sonne der Planet des betreffenden Menschen. Außer der Sonne enthält die entsprechende Tabelle auch noch die sechs weiteren Planeten, die es nach der damaligen Anschauung gab, nämlich Venus, Merkur, Mond, Saturn, Jupiter und Mars. Deren Bedeutung wird nur bei dreien kurz angegeben (Jupiter: *fridsam*, Saturn: *pessimus*, Mars: *et etiam pessimus*), weshalb man annehmen muß, daß die Eigenschaften der Planeten ansonsten allgemein bekannt waren[71].

Der vierte und letzte Teil des Losbuchs enthält eine primitive Monatsregel zur Bestimmung der guten und bösen Tage, *die haben gemerckt die krichischen meister*[72]. Hier wird einfach eine Art Kalender geboten, in dem jeder Tag mit einem *o* wiedergegeben ist, wobei einzelne Tage, wie der 2., 3., 4. und 6. Januar, als glückliche mit einem *f* (= felix), andere, wie der 17. Februar, mit einem *p* (= pessimus) gekennzeichnet sind. Es wird auch – anhand einiger Beispiele – die Bedeutung der bösen Tage aufgezeigt, wie: ... *were ein weip neme an den bosen tagen einem, so lebten sie beyde nit langk*, oder: *Welcher außzeucht ins felt an derselbigen tag einem, der kompt nit herwider, unnd ob er schon wider kompt, so nymt er doch schaden an seinem gut*[73].

Das Losbuch des Grafen Asmus gibt uralte Traditionen und Praktiken wieder. Diese sind zum Teil mit einem, meist oberflächlichen, christlichen Anstrich versehen, wie an der Verwendung der Namen der Apostel und der biblischen Bücher im Losbuch zu sehen ist, ferner an dem Gebet mit der Anrufung Jesu Christi im Punktierbuch und der Anweisung, das Vaterunser, Ave Maria und das Credo zu sprechen. Obwohl versucht wird, diese Praktiken mit einer Aura des Geheimnisvollen zu umgeben, sind sie doch zumeist recht einfach und durchschaubar. Gleichwohl übt dergleichen bekanntlich auch heute noch eine gewisse Faszination auf den Menschen aus, um so mehr auf einen Menschen des Spätmittelalters, wie den Grafen Asmus, der mehrfach sein Glück „probierte", der, getrieben vom Willen zur Macht und zur Herrschaft, eine zwar nicht sehr bedeutende, aber doch gesicherte Existenz im geistlichen Beruf mit dem weltlichen Stand vertauschte und durch einige glückliche Wendungen auch sein Ziel erreichte, sich mit der Hoffnung auf weitere Glücksfälle aber auch größeren Gefährdungen aussetzte.

Wohl gegen Ende des Jahres 1500 nahm das Leben des Grafen Asmus eine erneute Wendung. Diesmal waren seine Sterne im Sinken und sein Glück im Abnehmen, wenngleich er offensichtlich nie die Hoffnung verlor, daß es wieder einmal anders kommen würde. Zunächst wurde er von häuslichem Ungemach befallen. Er geriet mit seiner Frau Dorothea in Streit, wobei leicht zu vermuten ist, worum es ging[74]. Asmus behauptet in einer wohl aus dem Jahre 1505 stammenden Bittschrift an König Maximilian, daß Bischof Lorenz von Würzburg *ein ursacher gewessen, darmitt ich unnd mein haußfrow zu unfriden unnd zersterrung der ee kummen, dann er meinem widerwertigen stieffsun Johan landgraffen zum Leichtenberg alls einem freund anhenngig, mich der possession unnd besitzung Grünßfeldt und Lawda helfen enntsetzen unnd den gedachten lanndgraffen darein gesetzt unnd darbei gehanndthabt, auß dem fürsatz, das gedachte herschafft und gutter ... im, dem bischoff, zugeaigett unnd alls dann von ime und seinen nachkummen zu lehen empfangen wurdt*[75].

Diese Darstellung ist gewiß nicht unparteiisch, dürfte aber doch einen wahren Kern haben. Die Übergabe der Herrschaft an den Landgrafen Friedrich von Leuchtenberg war seinerzeit von der Rienecker Verwandtschaft heftig bestritten worden. Von Asmus mochte Dorothea erwartet haben, daß er sie in dem Vorhaben unterstützte, die Herrschaft auf ihren Sohn Johann zu vererben. Hier scheint Asmus aber – im Bewußtsein der Wertheimer Rechte – letztlich doch nicht mitgespielt zu haben. Vielmehr mußten Dorothea und ihr Sohn wohl befürchten, daß er die Herrschaft wieder den Rieneckern oder gar der Grafschaft Wertheim zubringen würde, da es doch sicher war, daß er zusammen mit Dorothea keine Kinder haben würde. Da Asmus sich schließlich doch nicht dazu bereitfand, die ihm von Dorothea zugedachte Rolle zu spielen, sah sie zusammen mit ihrem Sohn offenbar nur die eine Lösung, nämlich Asmus aus Grünsfeld und Lauda zu verdrängen. Hierfür mußten die beiden sich natürlich auch einen Rückhalt verschaffen, um den Bestrebungen der beiden Häuser Wertheim und Rieneck die Stirn bieten zu können. Die Kurpfalz als Schutzmacht scheint jetzt wohl nicht mehr in Frage gekommen zu sein, weshalb man sich an den Bischof von Würzburg wandte, dem damit eine Möglichkeit geboten wurde, seinen Einfluß im Taubertal zu verstärken. Der Ausgang der Sache zeigt, daß Asmus die Rolle des Bischofs von Würzburg bei dem Scheitern seiner Ehe wohl zutreffend wiedergegeben hat.

Seine Verdrängung aus Grünsfeld und Lauda war zweifellos auch eine persönliche Schmach für Asmus, *dan wu sich ewr gnad von der kuchen dringen lost,* wie ihm Ritter Jörg von Rosenberg einmal schrieb, *ist es eurnthalb nit gut, dan wer euch vor fur ein grave von Wertheim gehalten hat, der wurdt euch ytzt nit anseen.* Asmus drohte daher, sich mit Gewalt wieder Eintritt in Grünsfeld und Lauda zu verschaffen. Gegen diese Bedrohung hatte sich Gräfin Dorothea an das Reichsregiment in

Nürnberg um Hilfe gewandt und erwirkte ein Mahnschreiben des Königs an Asmus, das freilich nichts fruchtete. Hierauf erging am 15. Juli 1501 ein weiteres königliches Schreiben an den Grafen, der erneut an die Einhaltung des Landfriedens und die auf dessen Störung gesetzten Strafen erinnert wurde. Man setzte dann einen Verhörtag in Nürnberg an, auf dem Dorothea durch ihren Sohn Johann vertreten war; von einem Erscheinen des Grafen Asmus ist nicht die Rede[76].

Im Frühjahr 1501 befaßten sich – auch auf königliche Veranlassung – verschiedene Mittelspersonen mit den Ehestreitigkeiten des gräflichen Paares. Der erste ist der bereits erwähnte Ritter Jörg von Rosenberg, der Asmus am 21. Mai schrieb, daß Gräfin Dorothea und ihr Sohn Johann ihn gebeten hätten, zu ihnen zu kommen, daß er ihnen aber diesen Wunsch abgeschlagen habe, weil er unparteiisch bleiben wolle. Vielmehr sei er der Meinung, daß sich Graf Michael nach Grünsfeld begeben sollte, um die Sache wieder richtig zu machen.

Wohl unabhängig von Dorotheas Klage beim Reichsregiment fühlte sich der fränkische Adel, die Grafen, Ritter und Herren im Land zu Franken, von diesem Skandal betroffen, weshalb sich von dieser Seite beauftragte Mittelspersonen einschalteten. Auch von der Kurpfalz aus machte man Miene, zwischen Asmus und Dorothea vermitteln zu wollen. Landgraf Johann hätte es offenbar am liebsten gesehen, wenn die kurpfälzische Verwandtschaft die Vermittlung übernommen hätte, denn er vermutete, daß die Abgesandten der Ritterschaft, die am zweiten Pfingstfeiertag in seiner Abwesenheit seine Mutter in Grünsfeld aufsuchten, zu Asmus hielten. Er hatte deshalb von König Maximilian ein Schreiben erwirkt, in dem dieser am 26. Juli Grafen, Herren und Ritterschaft im Land zu Franken ermahnte, Asmus bei seinem Vorhaben nicht zu unterstützen[77]. Dorothea wollte deshalb auch nicht auf den ritterschaftlichen Vermittlungsversuch eingehen, ohne vorher ihren Sohn befragt zu haben. Auch daraus wird deutlich, daß sich Mutter und Sohn gemeinsam gegen den Ehemann und Stiefvater gekehrt hatten.

Asmus hatte seinerseits auf eine Aufforderung von Kurfürst Philipp von der Pfalz in eine Verhandlung eingewilligt, bei der kurfürstliche und ritterschaftliche Vermittler die Angelegenheit bereinigen sollten. Er war um so eher dazu bereit, weil ihm daran lag, *uff das dye warheyt des mutwilligen geubten handels ann tag bracht werde*. Er war also sicher, daß er von Frau und Stiefsohn ungerecht behandelt worden war und ging davon aus, daß die Ritterschaft zu ihm halte, *als einem frumen graffen wol zimbt*.

Alsbald kam es zu Verhandlungen, wobei die Schlichtungskommission gebildet wurde durch Graf Ludwig von Löwenstein[78], der offenbar die kurpfälzische Seite vertrat, während Ludwig von Hutten, Amtmann zu Trimberg, und Sigmund von Thüngen zu Sodenberg als ritterschaftliche Vertreter anwesend waren. Wir kennen lediglich das Ergebnis der Verhandlungen, nämlich einen Vertrag vom 6. August 1501[79], durch den die *irrung und zwitracht zwischen den wolgebornen Aßmus graven zw Werthem, an eynem, unnd Dorothea frawen von Werthem, geborne greffin von Rineck, eelicher gemahel, auch dem hochgebornen Johannsen landtgrave zum Leuchtenberge, irem sone, andersteyls*, beendet wurde.

Die Vermittler entschieden zunächst, wie auch sonst bei solchen Gelegenheiten üblich, daß beide Parteien den gegeneinander gefaßten Unwillen ablegen sollten. Sodann bestimmten sie, daß Asmus den Pfandbrief über Lauda, den er im Besitz hatte, bei den Mittelspersonen zu hinterlegen habe. Dagegen wurde ihm das Recht zugesprochen, mit den Seinen, jedoch mit nicht mehr als 12 Pferden, zuerst in Grünsfeld, dann in Lauda einzuziehen, wo er in Schloß und Stadt eingelassen und empfangen werden und sich aufhalten sollte. Mit diesem Einzug in beide Städte und die dazugehörigen Schlösser wollte man ihn offenbar von der Schmach des Hinauswurfs befreien. In Grünsfeld sollte Asmus acht oder zehn Tage bleiben und dort Jörg von Riedern als Amtmann einsetzen, der nicht nur auf ihn, sondern auch auf die Gräfin Dorothea verpflichtet werden sollte. Im übrigen durfte dieser Amtmann keine wesentlichen Entscheidungen ohne Vorwissen der Gräfin treffen. Nach Ablauf von acht oder zehn Tagen, so der Vertrag weiter, sollte sich Graf Asmus nach Lauda verfügen, wo er sich nach seinem Gefallen aufhalten konnte. Das notwendige Futter, Speise und sonstiger Aufwand für seine Hofhaltung waren von Gräfin Dorothea zu stellen. Asmus verpflichtete sich dagegen, *seiner gemahel, iren underthan oder verwanten keinen gewalt thun oder zwfugen, auch nichts auß den flecken oder herschaft füren oder wenden* und den Einzug der Einkünfte, die Dorothea aus Lauda zu beziehen hatte, nicht zu behindern. Für Asmus' Wohlverhalten in diesen Angelegenheiten hatten die Grafen Michael von Wertheim und Johann von Hohenlohe zu bürgen[80]. Gräfin Dorothea verpflichtete sich dagegen, ihrem Ehemann bis Kathedra Petri (22. Februar 1502) 8500 fl. zu geben, wobei sie die rund 5000 fl. Schulden, die Asmus hatte, damit ablösen, oder auch mit den Einkünften, die sie in Lauda und sonst in Asmus' Machtbereich besaß, verrechnen konnte. Asmus hingegen hatte das Recht, Lauda so lange zu besitzen, bis ihm die genannte Summe bezahlt worden war. In diesem Falle mußte der hinterlegte Pfandbrief wieder an Asmus ausgehändigt werden. Sobald aber Asmus ausbezahlt war, sollte der Amtmann Jörg von Riedern nicht mehr auf ihn verpflichtet sein, ferner hatte Asmus dann Lauda wieder abzutreten und auch auf das ihm im Heiratsbrief zugesagte Drittel der Fahrhabe seiner Frau, als sein Erbe im Falle ihres Todes, zu verzichten.

Gräfin Dorothea verpflichtete sich noch eigens durch eine besondere Urkunde zur Bezahlung der 8500 fl. an ihren *lieben gemahel.* Diese Summe war also der immer noch namhafte Rest der Morgengabe, die sie laut ihrem Heiratsvertrag Asmus zubringen sollte, wobei der für Asmus günstigere Umstand eingetreten war, daß diese Summe ihm jetzt nicht mehr nur in Form einer Verschreibung, sondern in bar zustand. Auch Landgraf Johann erklärte sich mit der Zahlung an Asmus einverstanden, indem er mit seiner Mutter die von ihr ausgestellte Urkunde besiegelte[81].

Nachdem man sich so große Mühe gegeben hatte, wenn schon nicht die Ehe, so doch zumindest die Rechtsverhältnisse des gräflichen Paares ins Reine zu bringen, zeigte es sich, daß Asmus offenbar nicht der Mann war, eine erlittene Schmach einfach hinzunehmen – auch nachdem man versucht hatte, ihm Genugtuung zuteil werden zu lassen. Möglicherweise hatte Dorothea auch nicht versäumt, ihn spüren zu lassen, daß er schon einmal unterlegen war. Jedenfalls fand sie schon im Herbst Grund zur Klage gegen Asmus, der ihr den zu Lauda liegenden Wein, den sie für ihre Haushaltung benötigte, vorenthielt. Da Asmus gleichzeitig um die Zusendung des Jagdgeräts aus Grünsfeld gebeten hatte, ließ sie ihn wissen, daß sie es ihm erst schicken werde, wenn er aufhöre, eigenmächtig über ihr Eigentum zu verfügen. Auch habe er gedroht, wie sie Graf Michael klagte, denjenigen zu erstechen, der die neue Weinlese der Gräfin aus Lauda wegfahre. Dorothea forderte Graf Michael auf, seinen Bruder zurechtzuweisen und beteuerte, daß sie ihrerseits bereit sei, den geschlossenen Vertrag zu halten.

Graf Michael schrieb umgehend an seine Schwägerin, daß er bei seinem Bruder *müglichen vleys ankeren* wolle. Doch scheint er von einem Erfolg dieser Bemühungen nicht sonderlich überzeugt gewesen zu sein, denn er riet ihr, diese Vorfälle auch denen zu berichten, die seinerzeit den Vertrag zustande gebracht hatten. Dieser Trost hielt freilich nur wenige Tage, denn kaum eine Woche später berichtete Dorothea dem Grafen Michael, daß Asmus ihre Leute in Lauda bedränge und gedroht habe, zusammen mit seinen Leuten zu verhindern, daß der ihr zustehende Zehntwein aus Oberlauda weggeführt werde. Für Dorothea war jetzt das Maß voll, sie bediente sich nun einer Bestimmung der Bürgschaftsurkunde, die Graf Michael für seinen Bruder ausgestellt hatte, und forderte ihn auf, zu sechst nach Tauberbischofsheim in der Mörlerin Haus zu ziehen und dort so lange zu bleiben, bis ihr das Ihrige ausgefolgt werde. Es handelt sich hierbei um eine Aufforderung zum Einlager, die übliche Form einer Zwangsmaßnahme für säumige Bürgen, die sich zumeist als wirksam erwies, da der Bürge die Kosten des Einlagers selbst zu bestreiten und darüber hinaus auch noch um seinen Ruf zu fürchten hatte.

Graf Michael ließ sich aber nicht davon schrecken, daß seine Schwägerin jetzt schon schweres Geschütz auffuhr. Er hatte sich, wie er ihr schrieb, bei Asmus nach dem Sachverhalt erkundigt, der aber die Beschuldigungen seiner Frau rundweg abgestritten hatte. Michael hielt sich daher nicht für verpflichtet, der Mahnung zum Einlager Folge zu leisten. Dorothea sandte ihm daraufhin einen weiteren Beschwerdebrief, in dem sie ein noch längeres Sündenregister ihres Mannes aufzählte[82]. Demnach hatte er der Bestimmung, den Pfandbrief über Lauda den Schiedsleuten zu übergeben, bisher noch nicht Folge geleistet. Sie betonte, daß sie ihrerseits den Bestimmungen des Vertrags nachkomme und Proviant für zwölf Leute in Asmus' Begleitung in Lauda bereitstelle, daß er sie aber daran hindere, über die sonstigen Vorräte dort zu verfügen, wie jene 70 Fuder Wein, die sie zum Hausgebrauch und zum Verkauf benötige, um Asmus und auch andere Schulden mit dem Erlös zu bezahlen. Er verweigere ihr auch Fässer und Kufen, die sie für diesen Herbst benötige, desgleichen ihre Einkünfte zu Lauda. Darüber hinaus habe er ihre Zehnten auf dem Odenwald einziehen und nach Lauda führen lassen und ihre Diener in Lauda mit Gewalt bedroht. Dorothea verlangte nun von Michael und dem Grafen Johann von Hohenlohe, den Bürgen ihres Ehemannes, daß sie binnen eines Monats Abhilfe schüfen.

Wenige Tage später wandte sich Gräfin Dorothea auch an die Schiedsleute und ließ sie fragen, ob ihnen Asmus bereits den besagten Pfandbrief übergeben habe; zugleich klagte sie wegen ihrer Zehnten, die sie benötigte, um Asmus vertragsgemäß auszahlen zu können. Auch Dorotheas Sohn Johann war inzwischen nicht müßig gewesen. Er hatte in Worms den Grafen von Löwenstein getroffen und ihm die Schwierigkeiten geklagt, die Asmus seiner Mutter machte. Graf Ludwig schrieb deshalb am 18. Oktober an Graf Michael und bat ihn, seinen Bruder zu ermahnen, daß er den geschlossenen Vertrag einhalte[83].

Ungeachtet dessen verstrich die Monatsfrist, die Gräfin Dorothea den beiden Bürgen gesetzt hatte, ohne daß ihren Beschwerden abgeholfen worden wäre. Demnach hatte Asmus den Pfandbrief immer noch nicht ausgeliefert, er verweigerte ihr den Zugriff auf ihren in Lauda liegenden Wein, verkaufte diesen sogar, oder ließ ihn sonst wegführen. Darüber hinaus hatte Asmus die ihr zustehenden Einkünfte zu Lauda eingezogen. Dagegen hatten die Bürgen bislang nichts unternommen, weshalb Dorothea sie am 20. November erneut aufforderte, sich nach Tauberbischofsheim zum Einlager zu stellen.

Graf Michael folgte auch dieser neuerlichen Aufforderung nicht, so daß ihm seine Schwägerin wenige Tage später einen geharnischten Brief schrieb und drohte, die Sache seinen nächsten Verwandten zu berichten und diesen auch eine Kopie der zwischen ihr und Asmus errichteten Verschreibung zuzusenden, mit Bitte, ihn zu ermahnen, sich so gegenüber ihr zu verhalten, *als einem frommen graven zustet*. Nachdem sich Michael immer noch nicht gerührt hatte, schlug Dorothea drei Tage später, am 28. November, einen wesentlich schärferen Ton an. Schon die Anrede in diesem Brief macht dies deutlich, denn jetzt ist nicht mehr vom „wohlgebornen, lieben Schwager" die Rede, vielmehr beginnt der Brief kurz und barsch mit *Michel grave zu Werthem*. Sie habe vermerkt, schreibt Dorothea, daß Michael sie *boßlich betriegen wolt* und gibt ihm eine letzte Frist von vier Tagen. Geschieht dann immer noch nichts, will sie nicht nur seinen Verwandten, sondern auch den Schiedsleuten schreiben und klagen, daß Michael an ihr *treweloße und maynaidig werden* wolt. Wenn dann nach acht Tagen noch nichts geschehen ist, *so mergk ich, das dinthen und bappier an euch verlornn ist*. Dorothea wird sich dann an den König, alle Kurfürsten, Fürsten, Grafen, Herren, Ritter und Knechte, an alle Stände des Reichs wenden und Michael verklagen, daß er die Verschreibung nicht eingehalten habe. Dazu will sie ihn *an allen enden und orternn malen, anslagenn* lassen. Das heißt, daß Graf Michael gewärtigen mußte, allerorten Schandgemälde und Karikaturen von sich selber vorzufinden, die ihn als wortbrüchigen Menschen kennzeichneten.

Gräfin Dorothea scheint ihr Vorhaben zumindest in der ersten Stufe verwirklicht zu haben. Bei den Akten liegt ein Brief an den Grafen Reinhard von Hanau, den sie als Verwandten beider Bürgen anspricht und ihm klagt, daß diese planten, sie *umbzufuren, bis sanndt Peters tag verscheint, domit die verschreibung aws ir krefftung kome*. Dieser in durchaus moderatem Ton gehaltene Brief an den Hanauer Grafen ist vom 7. Dezember 1501. Bis zum Peterstag, dem 22. Februar 1502, an dem sie die Abfindung für Asmus zu zahlen hatte, war es nicht mehr allzu weit. Wir wissen nicht, inwieweit Gräfin Dorothea noch weitere Stände des Reichs auf das Unrecht aufmerksam machte, das ihr angetan wurde.

In Graf Michael von Wertheim hatte Gräfin Dorothea freilich einen schwierigen Widerpart. Er galt als ein kauziger Sonderling, der auf Reichstagen in schäbiger Kleidung erschien und dem es eine diebische Freude bereitete, wenn ihn jemand für einen dienstbaren Geist hielt, um dann zu entdecken, daß er einen Grafen des Reichs vor sich hatte[84]. Auch wenn er sich, ebenso wie sein Bruder Asmus, der älteren Rechte der Grafen von Wertheim an der Herrschaft Grünsfeld bewußt war, wird er sich aber doch davor gescheut haben, seine Schwägerin zum Äußersten zu treiben und künftig im ganzen Reich als treulos und meineidig zu gelten.

Es kam daher doch noch zu einem Vergleich zwischen Asmus und Dorothea, der durch Ludwig von Hutten vermittelt wurde[85]. Demnach sollten von den an Asmus zu zahlenden 8500 fl. immerhin 1012 fl. für den von ihm beschlagnahmten Wein abgehen. Die von Asmus eingezogenen Zehnten wurden geteilt, hinsichtlich der von Gräfin Dorothea zu liefernden Lebensmittel und des Futters wurden genaue Festlegungen getroffen und ausdrücklich festgestellt, daß das Übrige der Gräfin verbleiben sollte. Demnach scheint es wohl keine Schwierigkeiten mehr gegeben zu haben, so daß Asmus am vorgesehenen Tag, dem 22. Februar 1502, seiner Frau über den Empfang von 8500 fl. quittieren konnte[86].

Einen Schlußstrich unter die ganze Angelegenheit zogen Dorothea und ihr Sohn Johann im selben Jahr noch dadurch, daß sie am 9. Mai 1502 ihre Herrschaft Grünsfeld dem Bischof von Würzburg zu Lehen auftrugen[87]. Damit war für jedermann klar, daß derjenige, der Landgraf Johann von Leuchtenberg künftig den Besitz der Herrschaft streitig machen würde, es mit diesem mächtigen Fürsten zu tun bekam. Dies zeigte sich bei Lauda, das der Kurfürst von der Pfalz 1502 von Gräfin Dorothea einlöste[88]. Bischof Lorenz machte hier umgehend seine Interessen geltend, indem er 1503 kundtat, daß er das ihm zustehende Lösungsrecht ausüben wolle. Finanziert wurde der Übergang Laudas an Würzburg durch den reichen Ludwig von Hutten, der die Herrschaft Lauda zunächst kaufte und sie dann 1506 an den Bischof gelangen ließ[89].

Aus der Auseinandersetzung zwischen Asmus und Dorothea erwuchs die Fehde, die der Graf seit 1501 mit dem Ritter Jörg von Rosenberg führte[90]. Der in Boxberg[91] ansässige Rosenberger hatte – wie bereits erwähnt – schon früh gegenüber Asmus beteuert, daß er sich in dessen Auseinandersetzung mit seiner Frau nicht einmischen wolle. Es läßt sich nun nicht entscheiden, ob dies eine Schutzbehauptung war, oder eine Bemerkung, die Asmus' Mißtrauen erst weckte. Jedenfalls soll Jörg von Rosenberg der Gräfin Dorothea in der Auseinandersetzung mit Graf Asmus behilflich gewesen sein und ihr mit Rat und Tat beigestanden haben, weshalb Asmus ihn bezichtigte, der Urheber des zwischen den beiden Ehegatten entstandenen Unfriedens zu sein. Er schalt den Rosenberger einen Bösewicht und forderte ihn mit einem Schreiben vom 17. Dezember 1501 zum Zweikampf auf, um somit ein Gottesurteil herbeizuführen. Dieser Zweikampf sollte entweder unter dem Schutz des Kurfürsten Philipp von der Pfalz oder des Markgrafen Friedrich von Brandenburg stattfinden.

Jörg von Rosenberg wies die Anschuldigungen des Grafen zurück und verlangte eine gütliche Verhandlung, wobei er den pfälzischen Kurfürsten, dem ja beide Kontrahenten verpflichtet waren, als Vermittler anrief. Daneben versuchte Jörg von Rosenberg mehrfach Graf Asmus umzustimmen[92], und nicht nur der Kurfürst, sondern auch eine in Würzburg tagende Versammlung von Grafen, Herren und Rittern im Land zu Franken legten sich – wenngleich fruchtlos – ins Mittel. Als alles nicht nutzte, Asmus umzustimmen, lud Kurfürst Philipp beide streitenden Parteien auf den 8. März 1502 nach Amberg, damit sie sich dort vor ihm verantworten sollten.

Asmus beantwortete die kurfürstliche Ladung mit der Erklärung, daß er bei seiner Forderung nach einem Zweikampf bleibe und zu dem Termin nicht erscheinen werde. Gleichwohl wurde die Ladung aufrechterhalten; Jörg von Rosenberg erschien am 8. März vor dem Kurfürsten und seinem Hof in Amberg, Asmus jedoch nicht. Die morgendliche Sitzung wurde daraufhin auf den Nachmittag vertagt, an dem der schließlich ein Bote von Asmus erschien, der ein Schreiben vorlegte, in dem Asmus seine Beschuldigungen und seine Aufforderung zum Zweikampf erneuerte und eine Frist bis zum Walpurgistag [1. Mai] setzte. Hierauf verteidigte sich Jörg von Rosenberg ausführlich gegen diese Anschuldigungen. Der Kurfürst und seine Räte entschieden daraufhin, daß Jörg von Rosenberg sich hinreichend verantwortet habe und es deshalb eines Zweikampfes nicht bedürfe[93].

Für Asmus war die Sache damit natürlich nicht ausgestanden, weshalb er die Fehde gegen den Rosenberger eröffnete[94]. Jörg von Rosenberg verklagte den Grafen deswegen beim Landgericht in Würzburg, das ihn auf den 26. April 1502 vorlud[95]. Asmus erschien jedoch nicht, da er als Graf von Wertheim vom würzburgischen Landgericht befreit war[96]. Im übrigen hätte ein Urteil des Landgerichts gegen Asmus erst einmal – mit Gewalt – durchgesetzt werden müssen.

Von besonderem Interesse ist Asmus' Fehde mit dem Rosenberger vor allem deswegen, weil sich daran die Wertheimer Sage vom Zweikampf im Kürisgarten oder Kürlesgarten anknüpft, die von einem Zweikampf zwischen Graf Asmus und Ritter Jörg von Rosenberg erzählt. Diese Sage scheint ihren Hintergrund tatsächlich in dem Duell zu haben, das Graf Asmus dem Rosenberger angetragen hatte. Nach der einen Version der Geschichte soll Gräfin Dorothea von dem Rosenberger entführt worden sein, worauf Asmus diesen mit Hilfe von „Kaiser Max I." zwang, sie wieder in Freiheit zu setzen, weshalb Rosenberg den Grafen zum Zweikampf herausforderte. Während der Zweikampf am Tauberufer stattfand, läuteten Dorothea und die anderen gräflichen Damen die Glocken der Burgkapelle, um die Wertheimer Bürger auf den Kampfplatz zu rufen. Doch überwand Graf Asmus seinen Gegner allein, hob den Gestürzten dann auf und tauchte ihn dreimal in das Wasser der Tauber. „Da dieser Zweikampf um 3 Uhr Nachmittags stattfand", schließt die Erzählung, „so wird zum ewigen Gedächtniß dieses denkwürdigen Ereignisses, seit dem Jahre 1500 bis auf den heutigen Tag, täglich um diese Stunde mit einer kleinen Glocke geläutet, und der Garten, wo der Kampf sich ereignete, heißt seitdem der Küraß=Garten"[97].

In dem Reisetagebuch des Frankfurter Pfarrers Gerhard Friederich von 1823 ist eine andere Version der Geschichte enthalten. Es wird dort die Ballade ‚Der Kürißgarten' des Barons von Stölting zitiert, der Gesellschafter am Hofe der Fürstin Ernestine von Löwenstein-Wertheim-Rosenberg (+1824) war[98]. Die Geschichte ist hier freilich ziemlich verfremdet: Die Hauptpersonen sind neben „Junker Asmus" eine gewisse Ida und Kunz von Rosenberg. Der Streit entzündet sich anläßlich eines Turniers, bei dem Asmus aus der Hand der Ida den Siegespreis erhält, was den Rosenberger veranlaßt, Asmus bei einem Zusammentreffen in Wertheim zum Zweikampf herauszufordern. Der überwundene Rosenberger wird dann von Asmus dreimal in der Tauber untergetaucht. Es findet sich auch bei dieser Geschichte die Verbindung mit einem Glockenzeichen, doch ist es hier das Vesperläuten, die um acht Uhr geläutete Abendglocke. Im übrigen trägt die Ballade von Stöltings deutliche Zeichen der frühen Ritterromantik an sich und belegt damit, daß es sich hier um eine aitiologische Sage handelt, die den Namen Kürisgarten, eines Geländes an der Tauber in der Nähe der Stadtmühle, erklären will, und zugleich die Verbindung herstellt mit dem Glockenläuten. Möglicherweise gab die damals schon aus den Akten bekannte Aufforderung zum Zweikampf den Anlaß, diese Geschichte zu entwickeln.

Gräfin Dorothea hat die Auseinandersetzungen mit ihrem Ehemann nicht lange überlebt. Sie starb am 24. März 1503 und wurde in der Kirche zu Grünsfeld begraben. Durch ihr von Tilman Riemenschneider geschaffenes Grabmal hat die Gräfin – wenn auch erst lange nach ihrem Tod – einige Berühmtheit erlangt[99]. Neben der schon seit längerer Zeit betonten künstlerisch Aussage dieser bedeutenden Grabplastik ist erst neuerdings auf den Singehalt der Ahnenprobe aufmerksam gemacht worden, die das Grabmal mit seinen sechs (ursprünglich acht) Wappen in sich trägt[100]. Während auf der Vaterseite (der vom Beschauer linken Seite) die

Wappen einem regelmäßigen genealogischen Schema folgen, und neben dem (fehlenden) des Vaters die Wappen der Familien von Großmutter, Urgroßmutter und Ururgroßmutter angebracht sind, findet sich diese Regelmäßigkeit auf der Mutterseite nicht. Hier zeigen die mit Bedacht ausgewählten Wappen, daß Gräfin Dorothea von königlichen und fürstlichen Häusern abstammte (Sizilien-Aragon, Wittelsbach und Burggrafen von Nürnberg). Das Erscheinen des Wappens der Landgrafen von Hessen ist aber nicht anders zu deuten, als daß damit auf Dorotheas Abstammung von der heiligen Elisabeth von Thüringen hingewiesen werden soll.

Die Ahnenprobe der Gräfin Dorothea ist eines von zahllosen Beispielen dafür, daß der Ahnenstolz eine wichtige Grundlage adliger Mentalität war. Bei dem Grabmal der Gräfin zeigt sich zusätzlich, daß gewisse Ahnentraditionen besonders gepflegt wurden und die Gräfin sich nicht nur ihrer Abstammung von der wichtigsten adligen Heiligen des Mittelalters bewußt war, sondern auch eine besondere Verehrerin der heiligen Elisabeth gewesen sein muß. Das Grabmal erweist sich somit als ein bemerkenswertes Selbstzeugnis der Gräfin Dorothea.

Als Asmus von Frau und Stiefsohn aus Grünsfeld verdrängt worden war, kehrte er anscheinend nicht nach Freudenberg zurück, sondern nahm Dienste beim Markgrafen von Brandenburg-Ansbach und wurde Amtmann in Crailsheim. Als solcher zeichnet er in seinen Briefen gegen Ende 1500/Anfang 1501[101]. Diese Dienstverpflichtung kann jedoch nicht lange gedauert haben, da sie sonst nicht wieder erscheint[102]. Sie gewinnt aber ihre Bedeutung daraus, daß in der Nationalbibliothek in Budapest ein Reisemeßbuch[103] aus dem Besitz des Grafen Asmus verwahrt wird, das mit dieser Dienststellung, die er nur kurze Zeit inne hatte, in Verbindung gebracht werden muß. Als Besitz des Grafen Asmus ist dieses *Missale itinerantium* ausgewiesen durch das ganzseitig wiedergegebene Wertheimer Wappen auf Bl. 1v[104] und die Beischrift *Asmus G*[raf] *z*[u] *W*[ertheim][105]. Am Fuß der gegenüberliegenden Seite 2r ist ein Engel als Schildhalter dargestellt, der in seiner Rechten das Wappen der hohenzollerischen Markgrafen von Brandenburg, in der Linken das königlich polnische Wappen hält[106]. Das Ehepaar, das mit diesen beiden Wappen dargestellt wird, ist Markgraf Friedrich V. von Brandenburg-Ansbach-Bayreuth und Markgräfin Sophia, Tochter des Königs Kasimir IV. von Polen.

Die Zusammenstellung der genannten Wappen ist wohl so zu erklären, daß dieses Reisemeßbuch ein Geschenk des markgräflichen Paares an Graf Asmus war, wobei freilich ungewiß bleibt, ob es tatsächlich seine eher kurzfristigen Amtmannsdienste in Crailsheim waren, mit denen Asmus dieses wertvolle Geschenk verdient hatte[107]. Denkbar wäre freilich auch, daß dieses Reisemeßbuch mit der für Anfang 1501 geplanten Reise des Grafen Asmus ins Heilige Land in Verbindung zu bringen ist, wofür es ihm das markgräfliche Paar geschenkt haben könnte[108].

Würden wir von Asmus nur das oben besprochene Losbuch kennen, so hätten wir von ihm, dem ehemaligen Kleriker, der ja als Literat gelten muß, einen unzutreffenden Eindruck. Das Losbuch als Gebrauchsbuch wurde mit bescheidenem Aufwand erstellt, das Meßbuch hingegen zählt ohne Zweifel zu den Spitzenstücken der Buchkunst des ausgehenden 15. Jahrhunderts, die trotz der Konkurrenz der bereits etliche Jahrzehnte bestehenden Buchdruckerkunst beachtliche Leistungen hervorgebracht hat.

Das Meßbuch enthält auf 37 gezählten Blättern die Meßtexte der wichtigsten Feiertage, nämlich Ostern, Pfingsten, Trinitatis und Fronleichnam. Es folgen die Texte für Engel-, Heiliggeist-, Heiligkreuz-, Marien- und Totenmessen, dann der Ordo missae und das Commune sanctorum. Jeder Abschnitt beginnt mit einer Initiale, die meist mit Figuren ausgemalt ist, einzelne Seiten sind dann noch mit floralen Randmustern verziert. Die Illumination des Buches wird dem Umfeld der bayerischen und der damit zusammenhängenden Salzburger Buchmalerei zugeschrieben.

Das Reisemeßbuch des Grafen Asmus ist vorzüglich erhalten, wobei gefragt werden kann, ob dies auf geringen oder schonenden Gebrauch zurückgeht. Jedenfalls ist noch der – wohl originale – Holzkasten erhalten, der das wertvolle Stück schützte. Da Asmus vor allem in seinen letzten Lebensjahren viel unterwegs war, ist gut denkbar, daß er dieses Meßbuch auch gebraucht hat.

Die Reisen des Grafen Asmus waren in erster Linie dadurch veranlaßt, daß die letzte Periode seines Lebens gekennzeichnet war von der Auseinandersetzung mit Bischof Lorenz von Würzburg. Dieser hatte schon bei den Streitigkeiten zwischen Graf Asmus, Gräfin Dorothea und deren Sohn im Hintergrund gestanden, weshalb es nicht verwunderlich ist, daß Asmus gleichzeitig mit dem Bischof auch noch anderwärts Schwierigkeiten bekam. Dieser verweigerte ihm nämlich das untere Schloß in Hardheim, das zu Asmus' Anteil an der Grafschaft gehörte. Die Burg, von der heute nur noch der Bergfried vorhanden ist, erscheint seit 1401 als wertheimisches Lehen[109], doch gelang es Würzburg seit der Mitte des 15. Jahrhunderts, hier Einfluß zu gewinnen, so daß die Verhältnisse einigermaßen unklar waren. Bischof Gottfried von Würzburg (1443–1455) hatte nämlich das Schloß Hardheim erobert, da aus ihm Räubereien verübt worden waren. Daraufhin behielten er und seine Nachfolger das Schloß gewissermaßen kraft Kriegsrechts[110]. Demgegenüber konnte sich Graf Asmus einmal auf eine Urkunde aus dem Jahre 1313 berufen, durch die den Wertheimer Grafen die Nachfolge der Herren von Boxberg in das würzburgische Kammeramt zugesichert wurde, zum andern auf einen Entscheid des Bischofs Gottfried aus dem Jahre 1455 in dem Streit über die Verleihung der wertheimischen Lehen zwischen Graf Johann III. von Wertheim und seinem breubergischen Vetter Graf Wilhelm, in dem das Schloß Hardheim ausdrücklich erwähnt wird, und zwar im Zusammenhang mit dem als Zubehör des Kammeramts den Wertheimer Grafen verliehenen Amt Schweinberg[111].

Auf dieser Rechtsgrundlage konnte Graf Asmus ohne weiteres den Bischof um Herausgabe des Schlosses ersuchen. Anläßlich einer Begegnung in Augsburg hatte der Bischof ihn auf den schriftlichen Weg verwiesen, den Asmus um die Weihnachtszeit 1500 beschritt. Bischof Lorenz beschied Asmus, daß er festgestellt habe, daß seine Vorgänger dieses Schloß *ettwan manche jor innen gehabt, genutzt unnd besessen* hätten. Dabei wollte er es jetzt auch bleiben lassen. Asmus gab freilich nicht auf. Er forderte eine gütliche Verhandlung und hatte sich bereits an das Domkapitel gewandt, von dessen Mitgliedern er adlige Solidarität und eine nachhaltige Fürsprache beim Bischof erwarten konnte. In gleicher Weise bat er den Kurfürsten Philipp von der Pfalz, in dessen Diensten er ja noch war, beim Bischof ein gutes Wort für ihn einzulegen. Dieser brachte es fertig, daß Asmus seine Drohung, seine würzburgischen Lehen aufzukündigen und mit Gewalt gegen das Hochstift vorzugehen, vorerst nicht wahr machte.

Hierüber hatte man sich im Frühjahr 1501 verständigt; der Schriftwechsel weist nun eine Lücke bis 1503 auf, wobei es sich zeigt, daß in der Sachlage inzwischen keine Änderung eingetreten war. Inzwischen war Asmus bemüht, durch einen Beauftragten am königlichen Hof ein Mandat gegen die Klage des Rosenbergers am Würzburger Landgericht zu erwirken, wofür er bereit war, 500 fl. auszugeben[112]. Schließlich gelang es Asmus persönlich, vom König in Nördlingen die Kassation des Urteils des Würzburger Landgerichts und die Aufhebung der gegen ihn verhängten Acht zu erlangen[113].

Ende Mai 1503 wandte sich Asmus in der Hardheimer Angelegenheit hilfesuchend an eine in Windsheim tagende Versammlung der Gesandten verschiedener Fürsten, die ihn jedoch offensichtlich ergebnislos vertrösteten. Gleichzeitig bat Asmus wieder das Würzburger Domkapitel um Vermittlung, nicht nur wegen der Hardheimer Sache, sondern auch wegen der immer noch schwebenden Klage des Jörg von Rosenberg vor dem Würzburger Landgericht. Mit Asmus' Berufung auf das Gerichtsstandsprivileg der Wertheimer Grafen hatte er freilich das heiße Eisen der Beziehungen zwischen Wertheim und Würzburg angefaßt. Demgegenüber berief sich der Bischof auf seine Eigenschaft als Landesherrn der Wertheimer und seine Pflicht, Streitigkeiten zwischen den Grafen, Herren und dem Adel in seiner Landesherrschaft zu entscheiden. Auch in der Hardheimer Sache blieb der Bischof bei seiner schon früher geäußerten Auffassung, daß Graf Asmus an dem Schloß kein Recht habe.

Die Auffassung des Bischofs, daß er eine Art Oberhoheit über die Grafschaft Wertheim habe, konnte Asmus natürlich nicht unwidersprochen lassen, weshalb er auf die Reichs- und böhmischen Lehen der Grafschaft hinwies, ferner darauf, daß der König durch ein Mandat das vom Landgericht gegen ihn ergangene Urteil und die über ihn erkannte Acht aufgehoben habe. Hinsichtlich des vom Bischof beanspruchten Richteramts über den Stiftsadel erkannte Asmus deutlich, daß dieser nicht unparteiisch war, sondern dem *vorgenanten Jergen gar vill baß dan unß mit gnaden genaigt gewest und villeicht noch sey*. In der Hardheimer Frage erbot er sich, sein Recht mit *brieflicher urkhunt* zu erweisen und bat wiederum um Ansetzung einer gütlichen Verhandlung. Das Domkapitel brachte es tatsächlich fertig, einen solchen Termin zustande zu bringen, und lud Asmus auf den 4. Juli 1503 nach Würzburg, um dort sein Recht darzulegen. Würzburg war Asmus jedoch – wohl aus guten Gründen – keineswegs genehm, weshalb er absagte und bat, die Tagung an einem anderen Ort abzuhalten.

Damit beruhte die Sache wiederum für eine Zeitlang auf sich. Inzwischen bahnte sich in der hohen Politik eine Entwicklung an, die für Asmus wiederum eine bedeutende Wende seines Lebens zu bringen versprach[114]. Dem schon über anderthalb Jahrhunderte geteilten Herzogtum Bayern stand nämlich die Wiedervereinigung bevor, da Herzog Georg der Reiche von Bayern-Landshut keine Söhne hatte und gemäß den wittelsbachischen Hausverträgen von der Münchener Linie beerbt werden sollte. Herzog Georg hatte jedoch seine Tochter Elisabeth zur Erbin vorgesehen und diese mit Ruprecht, einem Sohn des Kurfürsten Philipp von der Pfalz, verheiratet. Es wiederholte sich hier in größerem Maßstab, was mit dem rieneckischen Grünsfeld geschehen war, wo die Abweisung der Rienecker und Wertheimer Ansprüche zu den schweren Auseinandersetzungen zwischen Graf Asmus, seiner Frau und seinem Schwiegersohn geführt hatte. Das Ringen um das weitaus bedeutendere Landshuter Erbe mußte daher auch entsprechend größer sein, und Graf Asmus gedachte, hierin ebenfalls eine Rolle zu spielen und seinen Vorteil daraus zu ziehen.

Nach dem Tod des Herzogs Georg besetzte Pfalzgraf Ruprecht im Frühjahr 1504 mit Unterstützung seines kurfürstlichen Vaters Landshut und verschiedene andere niederbayerische Städte. Damit hatte er den Frieden gebrochen und verfiel der Acht des Königs und gab somit Herzog Albrecht von Bayern-München und dessen Verbündeten, unter denen auch König Maximilian, der Schwäbische Bund, Württemberg und Hessen waren, den Anlaß zum Eingreifen. Auf der Kurpfälzer Seite standen lediglich Bischof Lorenz von Würzburg und – Landgraf Johann von Leuchtenberg. Es war somit klar, daß sich Graf Asmus, da sich seine alten Feinde zur Kurpfalz hielten, auf die Seite König Maximilians stellte, womit er selbstverständlich auch der reichstreuen Tradition seines Hauses folgte[115].

Als Parteigänger des Pfälzers war Landgraf Johann von Leuchtenberg ebenfalls der königlichen Acht verfallen, die am 23. April 1504 über ihn ausgesprochen wurde. Damit war seinen Gegnern, zuallererst Graf Asmus, ebenso aber auch den Rieneckern, die rechtliche Handhabe zum Eingreifen gegeben. Während Graf Thomas von Rieneck auf eine politische Lösung der Grünsfelder Frage setzte, drängte Asmus zum Handeln, da er die schwere Auseinandersetzung, die das ganze Reich erschütterte, dazu benutzen wollte, um mit seinem Leuchtenberger Stiefsohn Abrechnung zu halten. Der König bestellte Graf Asmus am 20. Oktober 1504, als die Kampfhandlungen schon längst zu ungunsten der Kurpfalz entschieden waren, zu seinem Diener, um ihm mit 10 Pferden, wohl ausgerüstet, gegen jedermann mit seinen Schlössern Freudenberg und Schweinberg um 200 fl. Jahrgeld zu dienen[116]. Ferner erlangte Asmus Mandate des Königs gegen Jörg von Rosenberg und Landgraf Johann[117].

Zunächst schädigte Asmus den Rosenberger durch Brand und Plünderung. Hiervon berichtet das undatierte Konzept eines Warnungsschreibens[118] an den Pfarrer zu Uiffingen, den Asmus davon in Kenntnis setzte, daß er Feind des Rosenbergers und der Seinen sei. Asmus teilte dem Pfarrer mit, daß er *insonderhait nit genaigt, wider die geystlikeyt zu thun,* verlangte aber von ihm, da er *uff veynds güttern wonet,* eine Brandschatzung von 120 fl., widrigenfalls er drohte, er wolle alle *ewre wonung und sitze in grundt verbrennen.* Der Pfarrer mißachtete diese – in Fehden durchaus übliche – Erpressung, weshalb ihm Asmus sein Vieh wegnahm, worüber sich der Geschädigte in Würzburg beschwerte. Die Statthalter des gerade beim König weilenden Bischofs hielten Asmus mit einem Schreiben[119] vom 1. Dezember 1504 vor, *das er eyn geystliche personen, dem von Roßenberg gar nichts verwant,* geschädigt habe, *was wider bebstlichs, auch seiner ko. mt. selbst vorfaren, ro. keysern und konicklichen privilegien und freyhayt* sei. Im übrigen habe er in dem Brief an den Pfarrer das an ihn ergangene königliche Mandat überhaupt nicht erwähnt, weshalb zu vermuten sei, *als ob ir die dingk fur euch selbst furnemet.* Asmus wurde deshalb aufgefordert, er wolle dem *briester seyn genomen vyhe wider behendigen.*

Asmus ging in seiner Antwort auf das Vieh des Uiffinger Pfarrers überhaupt nicht ein. Vielmehr ließ er seinem alten Groll gegen Würzburg freien Lauf, indem er darauf hinwies, daß man seine Ehe zerstört habe und ihm das untere Schloß in Hardheim vorenthalte. Im übrigen war Asmus jetzt gesonnen, Tatsachen zu schaffen, da Graf Thomas von Rieneck weiterhin zögerte, mit ihm den kaiserlichen Auftrag auszuführen, Stadt und Amt Grünsfeld einzunehmen. Nachdem Graf Asmus am 4. Dezember 1504 das kaiserliche Mandat erhalten hatte, fiel er zwei Tage später in die Herrschaft Grünsfeld ein und nahm Besitz von Dittigheim und Impfingen. Dies ging nicht ohne

Gewalttätigkeiten ab, denn die Dittigheimer Kirche mußte zwei Jahre später neu geweiht werden, weil im ,Graf-Asmus-Krieg' etliche Bauern darin erstochen worden waren[120]. Außerdem war ein unter dem Schutz Eberhards von Hardheim stehender Jude in Impfingen mißhandelt worden, worüber sich der Hardheimer bei Asmus beschwerte[121].

Der Handstreich des Grafen Asmus hätte vielleicht glücken können, wenn Landgraf Johann nicht etliche Jahre zuvor die Herrschaft Grünsfeld dem Bischof von Würzburg zu Lehen aufgetragen hätte. Die Hilfe des Bischofs ließ deshalb nicht lange auf sich warten. Bereits zwei Tage nach Asmus' Einfall kam der Würzburger Marschall mit einer Streitmacht nach Grünsfeld, um die Stadt zu schützen. Dittigheim und Impfingen wurden Asmus umgehend, jedoch nicht kampflos, wieder abgenommen. die königlichen Wappen, die Asmus zum Zeichen der Besitzergreifung in den Orten hatte aufrichten lassen, wurden herabgerissen, *unerlich zu der erden geworffen unnd darauff schmelich mit fussen getretten*. Etliche seiner Leute wurden gefangen genommen und ins Gefängnis geworfen. Das ganze Unternehmen, das Asmus *ob die achttausent gulden meins aygin gelts* gekostet hatte[122], war gescheitert.

Die bischöflichen Statthalter in Würzburg richteten eine ernste Warnung[123] an Asmus, weil er *ettlich dorffer gein Grünsfelt gehörig, das dan mit seinen zu- und eingehörungen unsers gnedigen hern und seiner gnaden stifft eygenthumb ist, geplundert und gebrantschatzt, auch ettliche derselbigen inwoner gefangen habe*. Asmus wurde aufgefordert, von weiteren Maßnahmen abzulassen und die Gefangenen unentgeltlich freizugeben. Asmus' letztes Schreiben in dieser Angelegenheit klingt dann doch etwas kleinlauter, da er versicherte, im Auftrag des Königs der Feind des Landgrafen Johann von Leuchtenberg geworden zu sein, *der zuversicht, von ko. mt. wegen sich niemant gegen uns ader den unsern dawider stellen solle*.

Nachdem durch das rasche militärische Eingreifen der Würzburger der Einfall des Grafen Asmus in die Herrschaft Grünsfeld zurückgeschlagen worden war, konnte es sich bei dem folgenden Schriftwechsel mit den Würzburger Räten nur noch um Wortgefechte handeln, durch die Asmus nichts mehr gewinnen konnte. Er reiste deshalb nach Innsbruck[124], um sich bei König Maximilian zu beklagen. Dieser schickte am 14. Februar 1505 Paul von Lichtenstein, den Marschall der Innsbrucker Regierung, als Gesandten nach Würzburg, um dem Bischof zu befehlen, *sein furnemen gegen ... graff Aßmußen abzustellen und im dis abgedrungen dorffer widerumb in seinen handen zu stellen*[125]. Es versteht sich, daß Bischof Lorenz sich nicht um diesen Befehl des fernen Königs kümmerte.

Wenigstens kam durch Vermittlung von Graf Michael II. von Wertheim und Johann von Schwarzenberg am 16. Mai 1505 ein vorläufiger Vergleich zwischen Asmus und dem Bischof zustande, wonach sie die Entscheidung ihres Streits dem König anheimstellen wollten. Die von beiden Seiten gemachten Gefangenen waren gegen Urfehde freizulassen; Asmus sollte sich vom Bischof neu belehnen lassen[126]. Hinsichtlich der Lehensfrage wurde drei Tage später von denselben Vermittlern noch ein eigener Vergleich abgeschlossen. Wie üblich, hatte Asmus dem Bischof vor der Eröffnung der Feindseligkeiten seine Lehenspflicht aufgesagt. Diese hatte er als Voraussetzung für eine Neubelehnung binnen vier Wochen wieder aufzunehmen, ungeachtet dessen, daß die Entscheidung des Streits dem König vorbehalten blieb[127].

Der königliche Schiedsspruch im Streit zwischen Bischof Lorenz und Graf Asmus war nicht leicht zu erlangen, zumal Asmus ohne Zweifel am kürzeren Hebel saß und als Bittsteller dem königlichen Hof nachreisen mußte. Der Streit im Hause Wittelsbach sollte im Juli 1505 in Köln durch den Schiedsspruch König Maximilians beendigt werden. Graf Asmus, der eigentlich auf der Seite der Sieger des Landshuter Krieges stand, war ebenfalls in Köln anwesend, um hier sein Recht zu suchen[128]. Es kam aber hier offenbar nicht zu einer mündlichen Verhandlung vor dem König, vielmehr hatten beide Seiten ihre Vorstellungen schriftlich einzureichen. Bei diesem schriftlichen Verfahren bekam Asmus den Eindruck, daß es dem Bischof gelungen war, *mich armen graven in ain zirlichen proceß unnd lanngk rechtvertigung* zu führen. Dies war für ihn recht mißlich, allein wegen der Kosten, die ein Aufenthalt am Reichstag erforderte.

Die Angelegenheit wurde, wie Asmus schon vermutet hatte, in Köln nicht zum Abschluß gebracht, auch nicht in Ulm, wohin Asmus dem König nachreiste. Erst am 28. Juni 1507 schlichtete König Maximilian in Konstanz den Streit zwischen Bischof Lorenz und Graf Asmus, indem er verfügte, daß aller Unwille zwischen den beiden Parteien abgetan und Graf Asmus die Lehen Freudenberg und Schweinberg neu empfangen sollte[129]. Damit war die Angelegenheit freilich noch lange nicht erledigt, wenn auch Asmus nach wie vor im Besitz von Freudenberg gewesen ist. Allerdings mußte er, dem die Streitigkeiten mit Bischof Lorenz und Jörg von Rosenberg nach eigenem Bekunden Schäden in Höhe von 50 000 fl. verursacht hatten[130], Schweinberg schließlich an seinen Bruder Michael verkaufen[131]; er war also wirtschaftlich am Ende.

Nichtsdestoweniger fand Asmus Helfer, mit denen er Fehdehandlungen gegen Würzburg eröffnen konnte. Über die einzelnen Aktionen in dieser Fehde sind wir nicht unterrichtet. Bekannt sind immerhin die Würzburger Reaktionen darauf, unter anderem ist die Rede davon, daß Boxtal zweimal verbrannt und auch versucht wurde, das Freudenberger Vieh zu rauben. Es fehlt auch nicht an einem Mordanschlag auf den Grafen Asmus, den der Würzburger Bischof veranlaßt haben soll. Diese Nachrichten sind einem gedruckten Ausschreiben zu entnehmen, das Asmus unter dem Datum vom 1. Oktober 1508[132] veröffentlichte, und in dem er noch einmal alle seine Beschwerden gegen den Bischof aufzählte. Er griff damit – ebenso wie schon früher sein Gegner Jörg von Rosenberg – zu publizistischen Mitteln, die ihm die verhältnismäßig junge Buchdruckerkunst an die Hand gab.

Auf diese Fehde kam es noch einmal zu einem Entscheid zwischen den beiden streitenden Parteien, den Erzbischof Uriel von Mainz am 10. Januar 1509 in Miltenberg fällte[133]. Die einzelnen offenen Fragen sollten freilich erst in einer besonderen, noch anzuberaumenden Verhandlung entschieden werden. Asmus mußte sich vorab verpflichten, seinen Helfer Hans von Seinsheim und dessen Genossen zu entlassen; beide Seiten sollten ihre Gefangenen freigeben. Bischof Lorenz erkannte wenige Tage später die von Erzbischof Uriel getroffene Entscheidung an[134].

Zu der vorgesehenen Verhandlung ist es wohl nicht mehr gekommen. Graf Asmus von Wertheim starb wenig später, am 28. Februar 1509, und wurde in der Wertheimer Stiftskirche zu seinen Vätern bestattet. Auf seinem heute noch erhaltenen Totenschild heißt es: *An*[n]*o do*[mini] *md und Im ix i*[ar am] *mitw*[och] *nach* [sant] *mathe*[s] *tag sta*[rb der] *wolgebor*[n] *h*[e]*r her Asimus grave zu werthem dem go*[t gnad][135]. Bischof Lorenz verlieh daraufhin Graf Michael II. von Wertheim am 21. April 1509 das Kammeramt des Stifts Würzburg und das Schloß Schweinberg mit Zubehör sowie Burg und Stadt Freudenberg mit Zubehör, wie er es von seinem verstorbenen Bruder Asmus geerbt hatte[136].

Über den Tod des Grafen Asmus berichtet Graf Froben Christoph von Zimmern fünf Jahrzehnte später in seiner Chronik: *Derselbig* [Graf Asmus] *hab uf ein zeit ein gespenst in ainer kammer gehört, sei er über alles trewlichs warnen und vermanen unerschrocken und ohne ein liecht hinein gangen, die thür nach im zugethon und mit eim schwert umb sich gefochten. Das hab ein kleine weil geweret, da sei es still worden. Wie nun seine diener die cammer wider geöffnet und iren herren gesucht, do hab in das gespenst under ein truchen geschlaift, das man in nit wider herfür kinden bringen. Man hab die truchen ufheben müesen, hab aber gleichwol noch ain wenig gelept, doch ohne allen verstandt oder rede hingefaren, und soll ein übelschwerender, ungotzförchtiger mensch gewest sein*[137]. Es ist deutlich, daß dieser Geschichte die Faustsage zugrunde liegt, die man auf den Grafen Asmus übertragen hat, dessen bewegtes Leben in adligen Kreisen wohl bekannt gewesen sein muß und dem man deswegen einen solchen unversehenen Tod zutraute. Gleichwohl wird man bei der Vorliebe des Grafen von Zimmern für derlei Gespenstergeschichten den tatsächlichen Gehalt dieser Erzählung recht gering veranschlagen dürfen.

Asmus gehört zu den Wertheimer Grafen, die wir am besten kennen; er ist wohl derjenige, der uns als Persönlichkeit am deutlichsten wird. Die beiden Bücher, die aus seinem Besitz überliefert sind, das Meßbuch und das Losbuch, zeigen, wie nahe bei einem Menschen des Mittelalters Glaube und Aberglaube beieinander sein konnten. Zugleich erweist sich Asmus als Mensch einer neuen Zeit, der sich seiner Persönlichkeit bewußt war und sich deshalb gegen die ihm vom Vater im Namen der Familie auferlegte Bestimmung zum Kleriker aufgelehnt hat. Mit den Vorzügen des weltlichen Standes übernahm Asmus freilich auch dessen Gefährdungen. Auf unsicheren Rechtspositionen fußend, wurde er letztlich ein Opfer der unnachgiebigen Territorialpolitik des Bischofs Lorenz von Würzburg. Es zeigt sich hier die prekäre Stellung der Grafen zwischen dem Reichsoberhaupt und den Territorialfürsten, die ein Jahrhundert später für die Grafschaft Wertheim in eine existenzbedrohende Krise führen sollte.

Bei alledem ist deutlich, daß Graf Asmus ein Mensch war, der seinem Glück vertraute, der mit überraschenden Wendungen rechnete und solche auch bewußt herbeizuführen suchte. Er hatte freilich den Gipfel seines Schicksalswegs längst überschritten und war im Niedergang, als ihn der Tod ereilte. Wir wissen freilich nicht, ob er vor seinem Ende noch zu der Einsicht gekommen ist, daß sein Versuch, sich die Konstellationen der Reichspolitik zunutze zu machen, gescheitert war. Auf Graf Asmus von Wertheim paßt daher zweifellos das im Mittelalter häufig anzutreffende Bild vom Glücksrad, das den einen hinaufträgt, während es den anderen hinunterwirft[138]:

Fortune rota volvitur
descendo minoratus
alter in altum tollitur
nimis exaltatus.

Abb. 1: Wappen und Besitzvermerk des Grafen Asmus von Wertheim aus seinem Reisemeßbuch (aus: Missale. Kísérötanulmány az országos Széchenyi könyvtár. Cod. lat. 221. Jeslzetü úti misekönyvének hasonmás Kiadásához. Írta Soltész Zoltánné [Budapest] 1989, fol. 1r).

2

In die Resurrectionis domini Introitus.
Resurrexi et adhuc tecum sum
alleluia. posuisti super me
manum tuam alleluia. mi
rabilis facta est scientia tua
alleluia alleluia V. Domine
probasti me et cognovisti me
tu cognovisti sessionē meā
et resurrectionem meam:
Gloria patri. Oratio.
Deus qui hodierna die per unigenitum tu
um: eternitatis nobis aditum devicta
morte reserasti. vota nostra que prevenien
endo aspiras. etiam adiuvādo prosequere. P. eu.
Fratres. expurgate Ad Corinthios:
te vetus fermentū ut sitis nova consper
sio: sicut estis azimi. Etenī pascha nrm
immolatus est xpus. Itaque epulemur non
in fermēto veteri. neqz in fermēto malitie et nequi
tie. sed in azimis sinceritatis et veritatis. Grad.
Hec dies quā fecit dominus exultemus et letemur in
ea. V. Confitemini dño: qm bonus qm in secula miseri
cordia eius. Alleluia. V. Pascha nrm immolatus
est xpus V. Epulemur in azimis sinceritatis et veritat
Victime paschali laudes immolent Sequentia.
christiani Agnus redemit oves xpus in

Abb. 2: Erste Textseite des Reisemeßbuchs des Grafen Asmus mit den Wappen von Markgraf Friedrich V. von Brandenburg und seiner Gattin Sophia Prinzessin von Polen (aus: Missale ... (s. Abb. 1) fol. 2).

Abb. 3: Grabmal der Gräfin Dorothea von Wertheim geb. von Rieneck (†1503) in der Stadtkirche in Grünsfeld, ein Werk Tilman Riemenschneiders.

Aufn.: Foto-Besserer/Lauda-Königshofen

Abb. 4: Totenleuchte vor der Stadtkirche von Grünsfeld, im Jahre 1496 von Graf Asmus von Wertheim und seiner Gemahlin Dorothea gestiftet. Aufn.: W. Wackerfuß

Abb. 5: Oberes Tor zu Lauda. Im Jahre 1497 durch Graf Asmus von Wertheim erbaut.

Abb. 6: Das Wappen Wertheim-Breuberg mit der Inschrift „Asmus Graf czu Wertheim 1497" am oberen Tor zu Lauda.

Abb 7: Inschrift des Grafen Asmus über der Westtür des im Jahre 1499 offensichtlich auf seine Veranlassung erbauten Freudenberger Rathauses.

Aufnahmen: W. Wackerfuß

Abb.8: Stadt und Burg Freudenberg, von 1497–1509 Residenz des Grafen Asmus von Wertheim (nach einer Zeichnung von Fr. Bamberger aus dem Jahre 1840).

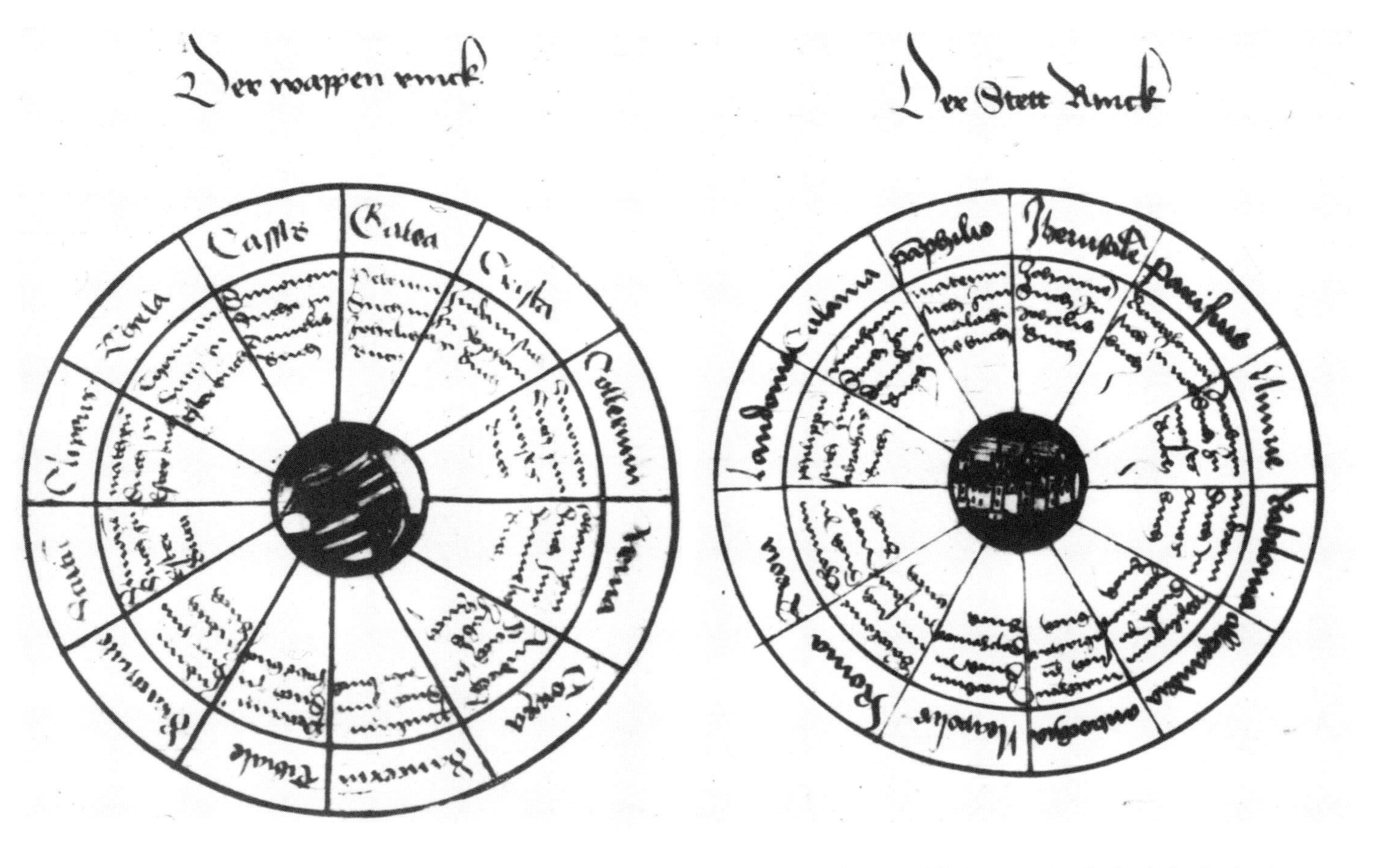

Abb. 9: „Der wappen rinck". Figur aus dem Losbuch des Grafen Asmus mit dem Wertheimer Wappen.

Abb. 10: „Der Stett Rinck". Figur aus dem Losbuch des Grafen Asmus.

Anno dmi Tausent Vierhundert
vnnd jm dem zweyvnndneunzi
gisten iaren am freitag nach Sant
Pauls bekerung tag: Hab ich heinrich
Weyß von wurtzpurgk dits buch
zu Breunfelt jn des Wolgeborne
herrn herren Asmusen Grauen
zu Wertheym vnd jnn seiner
gnaden Cantzlei vollendt vnnd
geschriben In beywesen seiner gnade
Secretarii Conradi Kappels.

Abb. 11: Schlußschrift des Losbuches des Grafen Asmus vom 27. Januar 1492.

Abb. 12: Totenschild des Grafen Asmus von Wertheim (†1509) aus der Stiftskirche in Wertheim (nach dem Umschlagbild auf dem „Wertheimer Jahrbuch" 1957).

Anmerkungen:

1. Die vorliegende Arbeit geht zurück auf einen Vortrag mit dem Titel ,Graf Asmus von Wertheim und sein Losbuch – Ein Beitrag zur Geschichte des Abgerglaubens im Spätmittelalter', der bei der Kurztagung des Breuberg-Bundes am 14. Juni 1987 in Freudenberg gehalten wurde, desgleichen auf einen Vortrag mit dem Titel ,Graf Asmus von Wertheim' beim Historischen Verein Wertheim am 20. April 1988. – Die Freudenberger Tagung wurde aus Anlaß der 700-Jahr-Feier der Stadt veranstaltet, zu der auf der Burg ein von Paul und Gerda Pagel verfaßtes historisches Drama ,Graf Asmus. Burgherr von Freudenberg' aufgeführt wurde, in dem die Person des Grafen in dichterischer Freiheit dargestellt ist.

2. Diesen Sachverhalt untersucht z.B. **Gerhard Fouquet,** Das Speyerer Domkapitel im Spätmittelalter (ca. 1350–1540). Adlige Freundschaft, fürstliche Patronage und päpstliche Klientel, Tl. 1–2 (Quellen und Abhandlungen zur mittelrheinischen Kirchengeschichte Bd. 57), Mainz 1987.

3. Vgl. dazu die Angaben bei: **Frank Baron Freytag von Loringhoven,** Europäische Stammtafeln. Stammtafeln zur Geschichte der europäischen Staaten, Bd. 3, Marburg 1956, Nr. 103 f.

4. Vgl. **Hermann Ehmer,** Geschichte der Grafschaft Wertheim, Wertheim 1989, S. 74–77.

5. **Ehmer,** Geschichte, S. 62–64; ein Abdruck der Urkunde findet sich bei **Joseph Aschbach,** Geschichte der Grafen von Wertheim von den ältesten Zeiten bis zu ihrem Erlöschen im Mannsstamme im Jahre 1556, Frankfurt a. M. 1843, Tl. 2, Nr. 124, S. 163–168.

6. Vgl. **K. Wagner,** Graf Johann III. von Wertheim, in: Archiv des historischen Vereins von Unterfranken und Aschaffenburg 38 (1887) S. 3–13; Ehmer, Geschichte, S. 78 ff.

7. **Ehmer,** Geschichte, S. 92 f.

8. **Peter Albert,** Guta Gräfin von Wertheim, in: Zeitschrift für die Geschichte des Oberrheins 53 (1899) S. 28–43; allerdings mit der unzutreffenden genealogischen Einordnung der Gräfin in die Wertheimer Linie.

9. In der Inschrift des Grabmals Michaels II. in der Wertheimer Stiftskirche heißt es, daß dieser *ad annos LXXXX* gelebt habe, vgl. Die Inschriften des badischen Main- und Taubergrundes. Wertheim-Tauberbischofsheim, bearb. von **Ernst Cucuel** und **Hermann Eckert** (Die Deutschen Inschriften, Bd. 1) Stuttgart 1969, Nr. 215. Hier liegt wohl ein Versehen des Steinmetzen vor, der ein *X* zuviel eingemeißelt hat, so daß die Inschrift so zu verstehen ist, daß Michael II. beinahe 80 Jahre alt geworden ist. Damit würde auch die Angabe einer Wertheimer Chronik übereinstimmen, die Aschbach, Tl. 2, S. 383 wiedergibt, wonach Michael 1452 geboren wurde.

10. **August Amrhein,** Die Prälaten und Canoniker des ehemaligen Collegiatstiftes St. Peter und Alexander zu Aschaffenburg, in: Archiv des historischen Vereins von Unterfranken und Aschaffenburg 26 (1882) S. 1–394, hier S. 205.

11. **Winfried Wackerfuß,** Kultur-, Wirtschafts- und Sozialgeschichte des Odenwaldes im 15. Jahrhundert. Die ältesten Rechnungen für die Grafen von Wertheim in der Herrschaft Breuberg (1409–1484), Breuberg-Neustadt 1991, S. 358, 375.

12. Vgl. **Hiltgart L. Keller,** Reclams Lexikon der Heiligen und der biblischen Gestalten, Stuttgart 1968, S. 180 f.

13. Demnach hat sich der aus dem Hause Hohenzollern stammende Kardinal mit diesem Heiligen identifiziert. Die Tafel befindet sich heute in der Alten Pinakothek München, vgl. Alte Pinakothek München, Erläuterungen zu den ausgestellten Gemälden, München 1983, S. 232 f.

14. **James Hogg,** Die Kartause Grünau, in: Wertheimer Jahrbuch 1981/82, S. 37–54, hier S. 43, Anm. 28.

15. **Aschbach,** Geschichte der Grafen von Wertheim, Tl. 1, S. 282, meint gar, freilich ohne Begründung, daß „Asmus nicht, wie sonst die Brüder der regierenden Grafen thaten, den geistlichen Stand wählte, sondern weltlich blieb".

16. Staatsarchiv Wertheim, Gemeinschaftliches Archiv (StAWt-G) Zinsamtsrechnungen. Aufgrund dieses Fundes konnte **Elmar Weiß,** Geschichte der Stadt Grünsfeld, Grünsfeld 1981, S. 75, erstmals

auf die geistliche Vergangenheit des Grafen Asmus verweisen. Die dort Anm. 3 angegebene Signatur ist jedoch zu berichtigen.

17. Europäische Stammtafeln, Bd. 3, Tf. 103.

18. Zu dem Totenschild des Grafen Wilhelm aus der Wertheimer Stiftskirche, auf dem allerdings die Jahreszahl nicht mehr zu lesen ist, vgl. Die Inschriften des badischen Main- und Taubergrundes, Nr. 167. Die Jahreszahl 1482 findet sich z.B. in der Kurzen Chronik der Grafen von Wertheim bei Aschbach, Tl. 2, S. 383.

19. StAWt-G III A 112.

20. Druck: **Aschbach,** Tl. 2, Nr. 193, S. 296–298.

21. StAWt-G Würzburger Lehenbriefe 17.

22. Einband der Zinsamtsrechnung 1528/29.

23. Verpflichtungsurkunde Michaels II. vom 25. November 1482, StAWt-G XIII 28.

24. **Aschbach,** Tl. 1, S. 282.

25. Vgl. zu ihr: **Theodor Ruf,** Die Grafen von Rieneck. Genealogie und Territorienbildung (Mainfränkische Studien Bd. 32/I-II) Würzburg 1984, hier Bd. I, S. 99–103; **Hermann Ehmer,** Die Ahnenprobe der Gräfin Dorothea von Wertheim geb. von Rieneck auf ihrem Grabmal in Grünsfeld, in: Mainfränkisches Jahrbuch für Geschichte und Kunst 41 (1989), S. 169–182.

26. Zimmerische Chronik, hrsg. von **Paul Herrmann,** Bd. 1–4, Meersburg und Leipzig [1932], hier Bd. 4, S. 72: *Hat landtgraf Friderrich ein grefin von Reineck verheirat, war ein ainzige dochter; die bracht im die herrschaft Grünsfeldt und sonst groß guet zu. Das half im wol wider in satel.*

27. Zum Folgenden vgl. **Weiß,** Grünsfeld, S. 66 ff.

28. **Ruf,** Die Grafen von Rieneck, Bd. I, S. 101.

29. StAWt-G XXXIIIa Nr. 4–5.

30. Druck: **Aschbach,** Tl. 2, Nr. 136a, S. 183–186. Die Bedeutung dieses Vertrags ist daran ersichtlich, daß nach dem Tode Johanns III. von Wertheim die Grafen Thomas und Johann von Rieneck (beide Domherren an verschiedenen Stiftern) zugunsten von Graf Michael II. von Wertheim ausdrücklich auf ihr Recht an der Wertheimer Erbschaft verzichteten, damit *die graffschaf nit zu trandt ader in ein verdürpnisse gesaczt* würde; Aschbach, Tl. 2, Nr. 201, S. 308 f.

31. In einer Urkunde vom 20. Februar 1412, die einen Zusatzvertrag zu der Erbeinung von 1409 darstellt, heißt es: *Als der edel Thomas grave zu Rienecke, unser liber ohem und bruder sich besonnen und bedacht hat, das wir und unser kint siner graveschaft zu Rienecke recht erben sin … so hat er … uns und unsern erben Grunsfelt, burgk und stat, mit lande, mit luden, mit allen nuczen und rechten recht und redelichen erblichen und ewiclichen geben;* **Aschbach,** Tl. 2, Nr. 136b, S. 186.

32. StAWt-G III A 99.

33. Zu diesem Begriff vgl. **Peter Rassow,** Der Prinzgemahl. Ein pactum matrimoniale aus dem Jahre 1188 (Quellen und Forschungen zur Verfassungsgeschichte des Deutschen Reiches in Mittelalter und Neuzeit 8,1) Weimar 1950.

34. Generallandesarchiv Karlsruhe 43 Sp./128 (1450 Jan. 29). Vgl. auch **Karl Schreck,** Lauda. Schicksale einer ehemaligen fränkischen Oberamtsstadt, Lauda 1973, S. 112.

35. StAWt-G 51/93.

36. Die Schlußschrift der unten zu besprechenden Heidelberger Handschrift aus dem Besitz des Grafen ist aus seiner Kanzlei in Grünsfeld datiert.

37. StAWt-G XIII 55.

38. Die Michaelskapelle war durch eine Jahreszahl im Türgesims auf 1496 datiert. Sie diente auch als Beinhaus und wurde 1861 abgebrochen. Der Ölberg zwischen zwei Pfeilern des Chors der Kirche

wurde 1904 beseitigt, die Figuren in einer Ecke des Friedhofs aufgestellt. Die Madonna, mit der der Ölberg bekrönt war, und die beiden sie begleitenden Tafeln mit den Wappen der Stifter (Wertheim und Rieneck) befinden sich heute in der Kirche. Vgl. dazu **Weiß,** Grünsfeld, S. 513 ff.

39. Die Inschriften des badischen Main- und Taubergrundes, Nr. 513.

40. StAWt-G UN (1490 März 8).

41. StAWt-G UN (1495 Febr. 23).

42. StAWt-G UN (1495 April 26).

43. StAWt-G UN (1495 Sept. 10).

44. Die Inschriften des badischen Main- und Taubergrundes, Nr. 23. – Das Original des Wappensteins wurde im Zweiten Weltkrieg zerstört und später aufgrund der erhaltenen Reste durch eine Nachbildung ersetzt.

45. **Aschbach,** Tl. 1, S. 282. Die Grafen Johann, Michael und Asmus von Wertheim werden z.B. bei den auf dem Wormser Reichstag 1495 beschlossenen Abgaben für die eilende Hilfe und den Gemeinen Pfennig gemeinschaftlich veranlagt, vgl. Deutsche Reichstagsakten. Mittlere Reihe, Bd. 5, bearb. von **Heinz Angermeier,** Göttingen 1981. S. 483, 496 und 1215.

46. StAWt-G XIII, 27 und 168a. Druck: **Aschbach,** Tl. 2, Nr. 198, S. 303 f.

47. StAWt-G XXIX Nr. 7, 8a-d.

48. Wohl am 25. Mai, vgl. **Aschbach,** Tl. 1, S. 259, nach dem Bronnbacher Nekrolog.

49. StAWt-G XIII, 30. Druck: **Aschbach,** Tl. 2, Nr. 200, S. 305–308.

50. Darauf deutet ein Brief des Grafen Asmus an Graf Michael II. vom 15. Oktober 1497, StAWt-G 52/113.

51. StAWt-G Würzburger Lehenbriefe Nr. 19.

52. Ebd. Nr. 18.

53. Die Inschriften des badischen Main- und Taubergrundes, Nr. 24.

54. Vgl. Die Kunstdenkmäler des Amtsbezirks Wertheim (Die Kunstdenkmäler des Großherzogthums Baden 4,1) Freiburg i. Br. 1896, S. 101–109.

55. StAWt-G 52/113.

56. **Ferdinand Wibel,** Die alte Burg Wertheim und die ehemaligen Befestigungen der Stadt, Freiburg i.Br. und Leipzig 1895, S. 129 f. (Freundlicher Hinweis von Erich Langguth, Kreuzwertheim).

57. StAWt-G UN (1499 Febr. 22). Dieser Kredit bestand noch 1506, als Asmus der Gläubigerin für fünf verstorbene Bürgen Ersatzleute stellte, StAWt-G UN (1506 Jan. 10).

58. StAWt-G UN (1500 März 31, 1500 Okt. 15).

59. StAWt-G UN (1501 Febr. 25).

60. StAWt-G UN (1501 März 6).

61. StAWt-G UN (1500 März 12).

62. Universitätsbibliothek Heidelberg Cod. Pal. Germ. 552. Auf diese Handschrift hat erstmals aufmerksam gemacht **Walter M. Brod,** Fränkische Schreibmeister und Schriftkünstler (Mainfränkische Hefte 51) Würzburg 1958, S. 17 ff., danach **Weiß,** Grünsfeld, S. 75 f. Die dort Anm. 6 angegebene Signatur ist zu berichtigen. – Auf welchem Wege das Buch in die Bibliotheca Palatina gekommen ist, kann wohl nur vermutet werden, Bekannt ist, daß Kurfürst Ottheinrich mit Graf Michael III. wegen des Erwerbs von Antiquitäten in Verbindung stand, StAWt-G 52/104, Schreiben vom 7. und 10. April 1551. Das Interesse der Pfälzer Kurfürsten für Astrologie und verwandte Künste ist dokumentiert durch das unter Kurfürst Philipp, einem Zeitgenossen von Asmus, entstandene sogenannte Heidelberger Schicksalsbuch, ein reich illuminiertes astrologisches Hand-

buch; vgl. dazu **Günther Kowa,** Ratschläge aus dem Heidelberger Schicksalsbuch, in: Baden-Württemberg 34 (1987) Heft 1, S. 36–43.

63. Aufgrund des traditionellen Charakter des Inhalts der Handschrift kann Meise nur als Schreiber, bestenfalls als Kompilator, nicht als Verfasser dieser Schrift gelten. Er erscheint deswegen wohl zu Unrecht in: Die deutsche Literatur des Mittelalters. Verfasserlexikon. Hrsg. von **K. Langosch,** Bd. 5, Berlin 1955, Sp. 674 f.

64. Bl. 15 r. Das Wappen erscheint hier eher beiläufig im Zentrum einer Figur, die als *Der wappen rinck* betitelt ist. **Weiß,** Grünsfeld, S. 76, mit Farbtafel nach S. 256, möchte gar vermuten, daß die kleine Stadtansicht in *Der stett rinck* Grünsfeld darstellt.

65. Bl. 1 r–40 v. Vgl. dazu **Johannes Bolte,** Zur Geschichte der Punktier- und Losbücher, in: Jahrbuch für historische Volkskunde 1 (1925) S. 184–214; Art. Losbücher, in: Handwörterbuch des deutschen Aberglaubens, hrsg. von **Hanns Bächtold-Stäubli,** ND Berlin–New York 1987, Bd. 5, Sp. 1386–1400.

66. Es handelt sich hierbei um die Apostelfolge, wie sie sich v. a. auf den Predellen spätmittelalterlicher Tafelaltäre findet, also mit Paulus, wobei zur Wiederherstellung der Zwölfzahl nur ein Jakobus (also nicht Jakobus d. Ä. und d. J.) aufgeführt wird. Vgl. dazu Reclams Lexikon der Heiligen und biblischen Gestalten, S. 49 f.

67. Bl. 41 v–51 v. Beginn: *Hie hebt sich an das buch des glucks lauffs ...*

68. Vgl. Art. Geomantie, in: Handwörterbuch des deutschen Aberglaubens, Bd. 3, Sp. 635–647.

69. Bl. 52 v–54 r.

70. Vgl. Art. Planeten, in: Handwörterbuch des deutschen Aberglaubens, Bd. 7, Sp. 36–294.

71. Die Lehre von der Bedeutung der Planeten war durch zahlreiche bildliche Darstellungen verbreitet, vgl.: Die bildlichen Darstellungen der Planeten und Planetenkinder, in: Handwörterbuch des deutschen Abgerglaubens, Bd. 7, Sp. 263–285. Am bekanntesten sind heute noch die Planetenbilder des sogenannten Hausbuchmeisters, deren Entstehung auf 1475–1485 angesetzt wird. Vgl. dazu: Vom Leben im späten Mittelalter. Der Hausbuchmeister oder Meister des Amsterdamer Kabinetts, Katalog des Rijksmuseums Amsterdam und der Städtischen Galerie im Städelschen Kunstinstitut Frankfurt am Main 1985, bes. S. 205–221. – In diesem Zusammenhang ist auch hinzuweisen auf die Planetenstatuen des Wertheimer Engelsbrunnens von 1574, die ja konkreten Personen (und deren Eigenschaften) zugeordnet sind.

72. Bl. 54 v.–55 r.

73. Es handelt sich hier hinsichtlich der genannten Tage und der Bedeutung der Unglückstage ebenfalls um eine von der Tradition vorgegebene Zusammenstellung, vgl. Art. Unglückstage, in: Handwörterbuch des deutschen Aberglaubens, Bd. 8, Sp. 1427–1440.

74. Die folgende Darstellung beruht im wesentlichen, wo nichts anderes bemerkt, auf den Aussagen der Akten StAWt-G 51/6.

75. StAWt-G 19 I 58. Dieselben Vorwürfe erscheinen noch in Asmus' weiter unten zu besprechenden Druckschrift vom Jahre 1508.

76. StAWt-G 51/7.

77. StAWt-G 51/7.

78. Graf Ludwig von Löwenstein (1464–1524) war der Sohn des Pfälzer Kurfürsten Friedrich I. aus dessen Ehe mit der Augsburgerin Klara Dett und Großvater des Grafen Ludwig III. von Löwenstein, der 1566 einen Anteil an der Grafschaft Wertheim erheiratete; **Ehmer,** Geschichte, S. 130 ff.

79. Abschrift StAWt-G 51/6.

80. Abschrift dieser Bürgschaftsurkunde vom selben Datum (6. August 1501) StAWt-G 51/6.

81. Abschrift StAWt-G 51/6.

82. Ein solches, etwas später von Landgraf Johann verfaßt, findet sich ebenfalls bei den Akten StAWt-G 51/6.

83. **Aschbach,** Tl. 2, Nr. 203, S. 309 f.

84. Die Chronik der Grafen von Zimmern, hrsg. von **Hansmartin Decker-Hauff** und **Rudolf Seigel,** Bd. 1–3, Darmstadt 1964–1972, hier Bd. 2, S. 94 f.

85. **Schreck,** Lauda, S. 114.

86. Abschrift der Quittung StAWt-G 51/6.

87. **Ruf,** Die Grafen von Rieneck, Bd. I, S. 102.

88. Generallandesarchiv Karlsruhe 43/128 (1502 Febr. 12).

89. Würzburg besaß seit 1387 das Lösungsrecht an Lauda, vgl. **Schreck,** Lauda, S. 115.

90. Das Folgende – soweit nicht anders bemerkt – nach Georg Veesenmeyer, Nachricht von zwei Rosenbergischen Fehden: 1) Jörgen, Adolphs und Friedrichs von Rosenberg mit dem Bistume Würzburg, 1486; 2. Jörgen von rosenberg mit Asmus, Grafen von Wertheim, 1501–1502, in: Verhandlungen des Vereins für Kunst und Alterthum in Ulm und Oberschwaben, 12. Bericht (1860) S. 41–56. Den Inhalt dieser Veröffentlichung referiert: [**Ottmar Schönhuth**], Graf Asmus von Wertheim und Ritter Georg von Rosenberg, in: Württembergisch Franken 5,2 (1858/61) S. 317 f. – Veesenmayers Aufsatz beruht auf den in dem Streit zwischen Graf Asmus und Jörg von Rosenberg gewechselten Schreiben, die letzterer zu seiner Verteidigung und Ehrenrettung im Druck an verschiedene Stände hat ausgehen lassen. Das von Vesenmayer benutzte Exemplar war das an die Stadt Ulm gesandte, das er aus dem Nachlaß des Prälaten Johann Christoph von Schmid (+ 1827) erworben hatte. Es handelt sich hierbei um die Druckschrift mit dem Incipit *WJr Asmus graue zu wertheim Enbieten dir Jorgen von Rosenberg Ritter*... Würzburg: Martin Schubart 1502, 11 Bl. 2°. Ein Exemplar dieses frühen Zeugnisses adliger Publizistik ist in der Staatsbibliothek München nachgewiesen, vgl. Verzeichnis der im deutschen Sprachbereich erschiene Drucke des XVI. Jahrhunderts, I. Abt., Bd. 17, Stuttgart 1991, R 3118.

91. Ritter Jörg von Rosenberg erbaute auf der Burg Boxberg 1480–1493 den Bergfried, genannt Luginsland. Die Bauinschrift (heute im Landesmuseum Karlsruhe) zeigt ihn und seine Frau Osann von Eicholzheim in Lebensgröße, vgl. Die Inschriften des badischen Main- und Taubergrundes, Nr. 21.

92. **Veesenmayer,** S. 47, Anm. **, stellt in dem über den Jahreswechsel 1501/02 gelaufenen Briefwechsel eine „Verwirrung" fest, die er „chronologisch nicht heben" kann. Dies rührt daher, daß in der Datierung der Korrespondenz der Weihnachtsstil gebraucht wird (Beginn des neuen Jahres am 25. Dezember). Daher hat **Veesenmayer** auch einige der folgenden Daten unrichtig aufgelöst.

93. Eine undatierte Abschrift des Entscheids findet sich in StAWt-G 52/82. Das Datum 8. März 1502 (Dienstag nach Lätare) bei **Veesenmeyer,** S. 51.

94. Das Folgende nach StAWt-G 52/82.

95. Die obengenannte Druckschrift ist daher nach dem Amberger Tag am 8. März und der Klageerhebung beim Würzburger Landgericht entstanden und wurde diesem wohl vorgelegt.

96. StAWt-G 57 Hardheim 6. – Kaiser Sigismund hatte Graf Johann II. 1422 ein Gerichtsstandsprivileg verliehen, das die Grafen und die Grafschaft von fremden Gerichten, ausgenommen das des Königs und sein Hofgericht, befreite; gedruckt bei **Aschbach,** Tl. 2, Nr. 149, S. 211–213.

97. Diese Version der Sage findet sich bei: **G[eorg] F[ürst] L[öwenstein],** Die Stadt Wertheim und ihre Schloßruine, Wertheim 1847, S. 83–89. Es sind freilich Zweifel daran angebracht, ob es sich bei dieser Sage um altes Überlieferungsgut handelt. Da die Tatsache der Fehde und des von Asmus dem Rosenberger angetragenen Zweikampfes schon früh aus den Akten bekannt war, zumal die Arbeit von **Georg Veesenmayer** (1760–1832) erst Jahrzehnte später posthum veröffentlicht worden ist, wird es sich wohl um eine romantische Ausdeutung dieses Sachverhalts handeln.

98. **Gustav Rommel,** Wertheim in einem Reisetagebuch des Jahres 1823, in: Wertheimer Jahrbuch 1950, S. 45–56, hier S. 51 f. Baron von Stölting hatte 1810 in Paris beim Brand der österreichischen

Gesandtschaft, bei dem zahlreiche Gäste der Hochzeitsfeier Napoleons ums Leben kamen, die nachmalige Fürstin Ernestine von Löwenstein-Wertheim-Freudenberg aus den Flammen gerettet.

99. Vgl. Die Kunstdenkmäler des Amtsbezirks Tauberbischofsheim (Die Kunstdenkmäler des Großherzogthums Baden, Bd. 4,2) bearb. von **Adolf von Oechelhäuser**, Freiburg i. Br. 1898, S. 40 f.; **Leo Bruhns**, Die Grabplastik des ehemaligen Bistums Würzburg während der Jahre 1480–1540, Leipzig 1912, S. 45; Die Inschriften des badischen Main- und Taubergrundes, Nr. 197; **Weiß**, Grünsfeld, S. 494 ff.

100. **Ehmer**, Die Ahnenprobe der Gräfin Dorothea. – Die beiden fehlenden Wappen sind die Elternwappen (also Rieneck und Pfalz).

101. Vgl. das Kopiar StAWt-G 57 Hardheim 6. Aus der dort chronologisch wiedergegebenen Korrespondenz geht deutlich der Gebrauch des Weihnachtsstils hervor, wonach das neue Jahr an Weihnachten begann. Deutlich wird dies darüber hinaus an dem Datum *sambstags sand Steffans tag*... 1501 = 26. Dezember 1500.

102. Bei Durchsicht der Crailsheimer Amtsbestände im Staatsarchiv Ludwigsburg konnten keine Hinweise auf Graf Asmus als Amtmann zu Crailsheim festgestellt werden. (Freundliche Mitteilung von Oberarchivrat Dr. Norbert Hofmann).

103. Dieses *Missale itinerantium*, das 1832 mit der Sammlung des ungarischen Bibliophilen Miklós Jankovich in die Ungarische Nationalbibliothek in Budapest gelangte (Sign.: Cod. lat. 221), wurde der Wertheim-Forschung erst neuerdings bekannt, als aus Anlaß einer geplanten Faksimileedition die darin enthaltenen Wappen bestimmt werden sollten. Diese Faksimileedition ist inzwischen erschienen unter dem Titel: Missale. Kísérötanulmány az országos Széchenyi könyvtár. Cod. lat. 221. Jeslzetü úti misekönyvének hasonmás Kiadásához. Írta Soltész Zoltánné [Budapest] 1989. Die hier gemachten Ausführungen beziehen sich u.a. auf das deutsche Beiwort der Edition, einer Kurzfassung des ungarischen Beiworts.

104. Hierbei fällt auf, daß das quadrierte Wertheim-Breuberger Wappen des Grafen Asmus auf nicht ganz gewöhnliche Weise wiedergegeben ist. Üblichweise erscheint in Feld 1 und 4 das Wertheimer, in den beiden anderen das Breuberger Wappen, so noch im Totenschild des Grafen Asmus, vgl. die Abbildung auf dem Umschlag des Wertheimer Jahrbuchs 1957. Das Meßbuch des Grafen Asmus zeigt die beiden Wappen vertauscht, eine Darstellungsweise, wie sie offenbar in der Wertheim-Breuberger Linie beliebt war, wie z.B. auf dem Grabmal Michaels I. in der Wertheimer Stadtkirche, vgl. Die Inschriften des badischen Main- und Taubergrundes, Nr. 138. Darauf deutet auch, daß Asmus' Wappen vom Grünsfelder Ölberg (heute in der Kirche) dieselbe Aufteilung zeigt, wie jenes im Meßbuch, vgl. die Abbildungen in **Weiß**, Grünsfeld, S. 477 und 515. Das Wappen in dem oben erwähnten Losbuch ist jedoch wieder in der gewöhnlichen Weise gestaltet.

105. Laut Beiwort findet sich auf der vorderen Innenseite des Bucheinbandes ein weiterer, im Faksimile jedoch nicht wiedergegebener Besitzvermerk: *Erasmus Grafe zu Wertheyn.*

106. Durch Vermittlung der Universität Tübingen gelangte die Anfrage von Frau Dr. Elisabeth Soltész, die mit der Abfassung des Beiworts zur Faksimileedition betraut war, wegen der Bestimmung der auf Bl. 2r des Missale wiedergegebenen Wappen nach Wertheim. Obwohl die beiden fraglichen Wappen die gängigsten Wappentiere (Löwe und Adler) zeigen, bereitete es keine große Mühe, diese zu bestimmen. Der von Rot und Silber gestückte Bord des Löwenwappens wies dieses als das der Burggrafen von Nürnberg und Markgrafen von Brandenburg aus. Da es sich bei dieser Zusammenstellung von zwei Wappen um ein Ehepaar handeln mußte, war das Wappen, das einen silbernen Adler im roten Feld zeigt, ohne weiteres als das der Könige von Polen zu identifizieren. Zu bemerken ist allerdings, daß das Blattsilber der Wappendarstellungen inzwischen oxydiert ist und schwarz erscheint.

107. Auf eine engere Verbindung Asmus' zum markgräflichen Hof deutet auch, daß er anläßlich des Streits mit Jörg von Rosenberg neben Kurfürst Philipp auch Markgraf Friedrich als Schutzherrn des von ihm angestrebten Zweikampfes benennt.

108. Diesen Reiseplan des Grafen Asmus kennen wir zunächst nur durch Jörg von Rosenberg, vgl. Veesenmayer, S. 51, der gerüchtweise davon gehört hatte. In einer undatierten, wohl aus dem Jahre 1505 stammenden Bittschrift an König Maximilian sagt Asmus, daß er in diesem Zeitraum *auser lannd* gewesen sei, StAWt-G 19 I 58, ohne freilich einen Hinweis darauf zu geben, wo er gewesen sein könnte.

109. StAWt-G Aktivlehen Hardheim 3 (1401 Okt. 18).

110. Vgl. das Schreiben von Bischof Rudolf vom 29. Jan. 1475 an Graf Wilhelm von Wertheim auf dessen Bitte, ihm das Schloß wieder einzuräumen, StAWt-G 57 Hardheim 6. Es ist deshalb anzunehmen, daß die 1455 durch Graf Wilhelm vorgenommene Belehnung des Horneck von Hornberg d. J. mit einem Drittel an dem (unteren) Schloß zu Hardheim, das zuvor Raban von Helmstatt innegehabt hatte, nur formeller Natur war; vgl. Der Lehenhof der Grafen von Wertheim im späten Mittelalter (Mainfränkische Hefte 21, 1955), hrsg. von Alfred Friese, Nr. 127.

111. Beide Urkunden finden sich abschriftlich in den Akten über die Hardheimer Frage, StAWt-G 57 Hardheim 6 und G 19 XII 137. Es liegen unter diesen Signaturen insgesamt drei Kopiare, die im wesentlichen denselben Grundbestand an Schriftstücken enthalten.

112. Vgl. das Schreiben von Asmus' Beauftragten aus Donauwörth vom 25. März 1502, StAWt-G 19 I 58. Daselbst weitere undatierte, jedoch wohl ins Jahr 1503 gehörige Schreiben eines in Nürnberg tätigen Agenten, der u.a. damit befaßt war, gegen die Verpfändung von Kleidern und Kleinodien Geld aufzutreiben.

113. So in einer undatierten, wohl im Juli 1505 entstandenen Bittschrift an den König, StAWt-G 19 I 58.

114. Zum Folgenden vgl. **Meinrad Schaab,** Geschichte der Kurpfalz, Bd. 1, Stuttgart 1988, S. 213 ff.

115. Zum Folgenden, wo nichts anderes angemerkt, vgl. **Weiß,** Grünsfeld, S. 89 f.

116. StAWt-G XXIX Nr. 9.

117. Das königliche Mandat gegen alle, *so wider ko. mat. handeln oder thun,* teilte Asmus mit Schreiben vom 21. November 1504 Statthalter und Räten des Bischofs von Würzburg mit, StAWt-G 57 Hardheim 6.

118. StAWt-G 52/82.

119. StAWt-G 57 Hardheim 6, wo sich auch der folgende Schriftwechsel zwischen Asmus und Würzburg findet.

120. Nach Asmus' Darstellung in einer undatierten Bittschrift an den König, StAWt-G 19 I 58, waren es seine Leute, die *ynn der kirchen vor dem wirdigenn sacrament unnd ausserhalb der kirchenn erstochen* wurden.

121. StAWt-G 51/6.

122. So Asmus' eigene Angabe in einer undatierten Bittschrift an den König, StAWt-G 19 I 58.

123. StAWt-G 51/6.

124. So die undatierte Bittschrift an den König, StAWt-G 19 I 58.

125. Abschrift der Instruktion des Gesandten, StAWt-G 19 I 58.

126. StAWt-G XIII Nr. 33; Druck: **Aschbach,** 2. Tl., Nr. 205, S. 311–313.

127. StAWt-G XIII Nr. 31.

128. Dies geht aus verschiedenen undatierten Bittschriften Asmus' an den König und die königlichen Räte hervor, StAWt-G 19 I 58.

129. StAWt-G UN (1507 Juni 28).

130. Nach einer undatierten Bittschrift an den König, StAWt-G 19 I 58.

131. So in dem nachstehend zitierten gedruckten Ausschreiben. Eine Urkunde über diese Transaktion ist nicht bekannt.

132. StAWt-G unverz., abgebildet bei **Weiß,** Grünsfeld, S. 91.

133. StAWt-G XIII 98.

134. StAWt-G XIII 34; Druck: **Aschbach,** Tl. 2, Nr. 206, S. 313 f.

135. Nach: Die Inschriften des badischen Main- und Taubergrundes, Nr. 199, wo jedoch das Datum falsch aufgelöst ist. Es handelt sich nicht um Mittwoch nach dem Matthäustag (= 26. September), sondern nach dem Matthiastag (= 28. Februar), zumal Graf Asmus bereits tot war, als sein Bruder am 21. April mit Freudenberg und Schweinberg belehnt wurde. Die Unsicherheit bei der Datierung kam dadurch auf, daß die Umschrift vielfach erloschen und beschädigt war. Sie ist inzwischen restauriert, wobei Ergänzungen vorgenommen wurden, vgl. die Abbildung auf dem Umschlag des Wertheimer Jahrbuchs 1957.

136. StAWt-G Würzburger Lehenbriefe 21.

137. Zimmerische Chronik, hrsg. von **Paul Herrmann**, Meersburg und Leipzig [1932], Bd. 4, S. 160.

138. Aus der im 13. Jahrhundert entstandenen Sammlung Carmina Burana:

Des Glückes Rad, es dreht sich um
Ich sinke, werde weniger,
Den andern trägt es hoch hinauf,
gar zu weit nach oben.

Rainer Gutjahr

Der städtische Weinheimer Salzhandel (1601 – 1745)

Zur Geschichte eines Handelsmonopols zwischen landesfürstlicher Fürsorge und merkantilistischer Fiskal- und Wirtschaftspolitik.

Vorwort

Die Beschäftigung mit unterschiedlichen Bereichen der Weinheimer und Kurpfälzer Geschichte führte an Thema und Quellen heran. So entstand der Plan, dem städtischen Weinheimer Salzhandel eine geschichtliche Darstellung zu widmen. Die Möglichkeit, den dabei zu bearbeitenden Zeitabschnitt vom Thema her klar einzugrenzen, lieferte den zusätzlichen Anreiz zur Skizzierung einer verhältnismäßig geschlossenen Miniatur zur Weinheimer Stadtgeschichte.

Vielleicht hat sich schon der Weinheimer Lokalhistoriker Karl Zinkgräf (1873 – 1939) mit einem ähnlichen Plan getragen. Sein im Stadtarchiv Weinheim verwahrter Nachlaß enthält ein Fundstellenverzeichnis zur Erwähnung des Salzhandels in den Weinheimer Ratsprotokollen, das zur Kontrolle und Ergänzung hilfreich herangezogen werden konnte. Auch hat Zinkgräf 1935 einen knappen Abriß von wenigen Zeilen zu diesem Thema veröffentlicht, der unten Erwähnung finden wird.

Erleichtert wurde die Arbeit durch vielfältige Hilfe und freundliches Entgegenkommen, wofür hier gedankt werden soll. Mein Dank gilt zunächst Herrn Studiendirektor i.R. Josef Fresin, dem früheren Betreuer des Stadtarchivs Weinheim, ebenso wie seinen Nachfolgern und Verantwortlichen in Archiv und Museum der StadtWeinheim, Frau Claudia Buggle und Herrn Michael Kirschke; uneigennützige Zuarbeit aus dem Stadtarchiv Weinheim leistete Herr Hans Peter Herpel. Einen wichtigen Literaturhinweis und Materialien aus dem Stadtarchiv Schwäbisch Hall lieferte Herr Dr. Kuno Ulshöfer. Aus dem Archiv der Stadt Schotten, Vogelsbergkreis, hat Frau Hysky aufschlußreiche Auskünfte gegeben. Für zum Teil unbürokratische Hilfsbereitschaft danke ich nicht zuletzt den Mitarbeitern des Stadtarchivs Heidelberg und des Generallandesarchivs Karlsruhe.

Abkürzungsverzeichnis

ABW	Weinheimer Amtsträgerbuch (StAW Rep 1 Nr. 35)
fl.	Gulden
GLA	Generallandesarchiv Karlsruhe
hlr.	Heller
KBW	Weinheimer Kontraktenbuch I (StAW Rep 3 Nr. 104)
mltr.	Malter
Rodensteiner	Der Rodensteiner. Heimatbeilage für den Odenwald und die Bergstraße. Beilage zu den „Weinheimer Nachrichten"
RPW	Weinheimer Ratsprotokolle (StAW Rep 1 Nr. 100 ff)
Rtlr.	Reichstaler
StAW	Stadtarchiv Weinheim
WGbl	Weinheimer Geschichtsblatt
Windeck	Die Windeck. Blätter für Heimatgeschichte und Volkskunde. Beilage zum „Weinheimer Anzeiger"
xr.	Kreuzer

Einleitung

Eine eingehende Betrachtung des städtischen Weinheimer Salzhandels erscheint aus mehreren Gründen lohnenswert. Einmal deckt diese Betrachtung einen Teilaspekt der Weinheimer Wirtschaftsgeschichte ab, die in anderen Bereichen aufgrund der Beschaffenheit des Quellenmaterials für das 17. und 18. Jahrhundert nur umrißhaft faßbar wird. Ähnliches gilt für die Geschichte der städtischen Finanzen. Da der Ertrag des Salzhandels in den Stadtsäckel floß, liefert eine Betrachtung des Weinheimer Salzhandelsmonopols auch einen begrenzten Beitrag zur Kenntnis des städtischen Finanzwesens.

Der Blick auf die am Salzhandel beteiligten Personen – Beständer, Salzverwalter und Salzmesser – ist insbesondere von sozialgeschichtlichem Interesse. Die als Anhang beigegebene Liste dieser Personen ist so vollständig, wie die Quellen es erlaubten.

Ein beträchtlicher Abschnitt der Zeitspanne, während der die Stadt das Salzhandelsprivileg genoß, ist von den Daten der großen Kriege des 17. Jahrhunderts umgrenzt. Die Auswirkungen dieser Kriege sind auch für Weinheim in einigen Bereichen bereits eingehend dargestellt; es erscheint dennoch nicht ohne Reiz, die Zusammenhänge zwischen dem Geschehen auf der politisch-militärischen Ebene und dessen Auswirkungen auf die Stadt und ihre Bewohner auch am Beispiel des Salzhandels aufscheinen zu lassen.

Eine kurze Darstellung des städtischen Salzhandels findet sich in der „Geschichte der Stadt Weinheim" von J. G. Weiß[1]; eine eingehende Behandlung des Themas verbot sich dort von selbst. Die Ausführungen von Weiß sind zudem an einigen Stellen unrichtig, was durch die verkürzte Darstellung verursacht sein mag. Insbesondere datiert Weiß das Ende des städtischen Salzhandels auf den „Anfang der Regierung Philipp Wilhelms" (1685 – 1690); der endgültige Entzug des Privilegs geschah indessen erst im Jahre 1745.

Karl Zinkgräf würdigt in seinem bereits erwähnten Beitrag vor allem die Bedeutung des Salzhandels für die städtischen Finanzen, geht aber ebenfalls davon aus, daß die Stadt den Salzhandel schon 1686 endgültig verloren habe[2]. Auch in der „Geschichte der Stadt Weinheim" von Josef Fresin findet sich zum Salzhandel nichts, was über die Ausführungen von Weiß und Zinkgräf hinausgeht. Somit ließ auch der bisherige Wissensstand eine Vertiefung des Themas lohnenswert erscheinen.

Die lokalgeschichtliche Bedeutung des Themas Salzhandel ist unmittelbar einsichtig; schwieriger ist sein Emporheben auf eine typische Ebene, auf der erst „das Einzelne (...) als das Besondere eines Allgemeinen" zum Vorschein kommen kann[3]. Diesem wünschenswerten Unterfangen steht vor allem die Tatsache hinderlich im Wege, daß eine historische Gesamtschau der Finanz-, Handels- und Wirtschaftspolitik des kurpfälzischen Staates für den hier behandelten Zeitabschnitt bislang ebensowenig zur Verfügung steht, wie eine allgemeine Wirtschaftsgeschichte der Kurpfalz überhaupt.

Immerhin konnten die Arbeiten von Gerhard Biskup und Volker Sellin[4] für die Regierungszeit des Kurfürsten Karl Ludwig (1649 – 1680) herangezogen werden. Auch erlauben die Veröffentlichungen von Willi A. Boelcke[5] eine ungefähre Einordnung der Kurpfälzer Salzhandelspolitik im 18. Jahrhundert in den größeren wirtschaftspolitischen Zusammenhang. Mehr als diese Annäherung ist aber aufgrund des Forschungsstandes bisher nicht zu vollziehen.

Vor diesem Hintergrund kann eine Geschichte des Weinheimer Salzhandels – mit der gebotenen Bescheidenheit – auch als Mosaikstein für das noch zu erstellende Gesamtbild einer Wirtschaftsgeschichte des Pfälzer Kurstaates verstanden werden.

Die vorliegende Arbeit stützt sich vor allem auf verschiedene Bestände des **Stadtarchivs Weinheim,** insbesondere auf die Ratsprotokolle, das Buch der städtischen Amtsträger und auf die Urkunde vom 31. August 1601. Im **Generallandesarchiv Karlsruhe** steuerten in erster Linie die Abteilungen 77 „Pfalz Generalia" und 188 „Weinheim, Amt und Stadt" entsprechendes Material bei. Daneben konnte hier zurückgegriffen werden auf die Bestände 43 „Pfalz (Urkunden)", 61 „Protokolle", 66 „Beraine", 67 „Kopialbücher" und Zc „Verordnungen". Eine nur geringe Ausbeute vermochte das **Stadtarchiv Heidelberg** zu bieten; hier wurde vornehmlich das Ratsprotokoll für 1698/99 ausgewertet. Auskünfte wurden eingeholt aus den **Archiven** der Städte **Schwäbisch Hall** und **Schotten.** Zur genaueren Klärung der Herkunft des in Weinheim gehandelten Salzes wurde auf die entsprechende Literatur zurückgegriffen, sie ist in den betreffenden Anmerkungen genannt.

An neueren, umfassenden Monographien zum Thema Salz seien hier genannt: **Jean-François Bergier:** Die Geschichte vom Salz. Frankfurt/Main u. New York 1989; sowie: **Hans-Heinz Emons** u. **Hans-Henning Walter:** Alte Salinen in Mitteleuropa. Leipzig 1988. Beide Werke enthalten ausführliche bibliographische Angaben.

I. DER WEINHEIMER SALZHANDEL UND DIE ENTWICKLUNG SEINER RAHMENBEDINGUNGEN VON 1601 BIS 1686

Die allgemeinen wirtschaftlichen und rechtlichen Voraussetzungen

Als Beauftragte des Kurfürsten Friedrich IV. von der Pfalz übertrugen der Faut des Oberamtes Heidelberg Heinrich von Schwerin und der Landschreiber Philipp Finck mit Urkunde vom 31. August 1601 der Stadt Weinheim ein Salzhandelsprivileg[6].

Den rechtlichen Rahmen für diesen Akt lieferte das landesherrliche Salzregal, das grundsätzliche Recht des Fürsten, Gewinnung und Vertrieb des lebensnotwendigen Minerals zu monopolisieren. Ursprünglich in der Hand des Königs gelegen, war das Salzregal der mittelalterlichen deutschen Verfassungsentwicklung gemäß in die Verfügungsgewalt der Territorialherren gelangt[7]. Zum Zeitpunkt der Verleihung des Privilegs an die Stadt Weinheim schöpfte die kurpfälzische Landesherrschaft ihr Salzregal allerdings nur am Rande aus. Sie verfügte bei (Bad-) Dürkheim über eine einzige, noch im Aufbau befindliche Saline, die den Dreißigjährigen Krieg nicht überdauerte und erst im 18. Jahrhundert als „Philippshall" neu entstand[8]. Das im Lande benötigte Salz mußte also eingeführt werden. Dem Nichtvorhandensein einer leistungsfähigen Saline entsprach das Fehlen einer landesherrlichen Salzregie; es wurde auch keine besondere Salzsteuer erhoben. Lediglich an den Zollstellen warf das eingeführte Salz, anderen Gütern gleich, Erträge für die Herrschaft ab.

Vor diesem Hintergrund vollzog sich die Verleihung eines Salzhandelsprivilegs an die Stadt Weinheim. Ähnliche Privilegien genossen weitere kurpfälzische Städte, so beispielsweise Neckargemünd, Wiesloch, Edenkoben, Neustadt (Weinstraße), Frankenthal und (Kaisers-) Lautern[9]. Die Übertragung eines solchen Privilegs auf Weinheim ist demnach nicht als vereinzelte Maßnahme zu verstehen. Sie ist vielmehr als ein Mittel in den Händen der Landesherrschaft zu begreifen, das benutzt werden konnte, um die Finanzkraft der pfälzischen Landstädte zu heben, ohne gleichzeitig landesherrliche Einkünfte schmälern zu müssen. Das Privileg freilich, die Zukunft sollte dies erweisen, stand und fiel mit der Beständigkeit der Kurpfälzer Fiskal- und Wirtschaftspolitik, die ihrerseits in diesem besonderen Fall mit der Entwicklung des Salinenwesens in Kurpfalz eng zusammenhing.

Wie bereits angedeutet, beschritten die Bürgermeister und der Rat der Stadt Weinheim sowie die Oberbeamten des Amtes Heidelberg einen durchaus zeitgemäßen Weg, als sie, laut Vorrede der Verleihungsurkunde, gemeinsam überlegten, wie das Finanzaufkommen der Stadt verbessert werden könnte, ohne die Bürger mit neuen Abgaben zu belasten. Dem Wortlaut der Urkunde zufolge geschah die Beratung vor dem Hintergrund einer fortwährenden Teuerung – der vieldiskutierten „Preisrevolution" des 16. Jahrhunderts[10] –, die verschärft wurde durch Mißernten und die Kriege in den Niederlanden und in Ungarn, worunter der Freiheitskampf der Niederländer gegen die spanische Macht und die Auseinandersetzungen an den Grenzen des habsburgischen Machtbereiches im Donauraum zu verstehen sind.

Als Ergebnis der Beratungen kam es zum Vorschlag an die Landesherrschaft, Weinheim ein Salzhandelsmonopol für das Gebiet der Stadt selbst und ihrer näheren Umgebung zu gewähren, Bürgermeister und Rat zu ermächtigen, Salz gegen Nüsse einzutauschen und einen Weinschank im neuerbauten Kaufhaus einzurichten. Dieser Vorschlag diente als Grundlage für das Privileg, welches Kurfürst Friedrich IV. durch Faut und Landschreiber des Oberamtes Heidelberg der Stadt Weinheim verkünden ließ.

Das Privileg vom 31. August 1601

Mit der Urkunde vom 31. August 1601 erhielten Bürgermeister und Rat der Stadt Weinheim das ausschließliche Vorrecht auf Ankauf von Salz und seinen Wiederverkauf an die Verbraucher für das Gebiet der Stadt und der benachbarten kurpfälzischen Orte in einem Umkreis von einer halben Meile übertragen.

Den Käufern war möglichst einmal monatlich zu einem vorher bekanntgemachten Termin Gelegenheit zu geben, ihren Bedarf an Salz im städtischen Salzhaus zu einem besonders günstigen Preis zu decken, wie dem Rat überhaupt zur Auflage gemacht wurde, das Monopol nicht zu mißbrauchen und den Aufschlag beim Wiederverkauf so niedrig wie möglich zu halten. Diesem Ziel sollte auch die Verpflichtung dienen, das Salz rechtzeitig und zu einem vorteilhaften Preis zu erwerben und auf gewissenhafte Amtsführung der mit dem Verkauf beauftragten Salzmesser zu achten.

Eine weitere Bestimmung regelte den Tausch von Salz gegen Nüsse, die ein typisches Erzeugnis der Bergstraßengegend darstellten. Nur die Stadt sollte fortan berechtigt sein, Salz im Tausch gegen Nüsse von den die Stadt besuchenden Salzhändlern zu erwerben. Zwar blieb es den Bürgern freigestellt, ihre Nußernte beliebig zu verkaufen; sie waren nicht gehalten, sie der Stadt zum Erwerb anzubieten. Es wurde ihnen aber ausdrücklich untersagt, ihre Nüsse anderswo gegen Salz zu tauschen, sie sollten vielmehr ihr benötigtes Salz im städtischen Salzhaus käuflich erwerben.

Schließlich sollte die Einrichtung eines Weinschanks im neuerbauten Kaufhaus den durch die Baukosten belasteten Stadthaushalt zusätzlich entlasten.

Da die Urkunde an zwei Stellen vom neuerbauten Kaufhaus spricht und die Verleihung des Privilegs in einen engen Zusammenhang mit diesem Bau stellt, läßt sich neben der obengenannten Begründung – Teuerung, Mißwachs und Kriege – eine weitere spezielle Erklärung für die Ausstattung der Stadt mit einem derartigen Privileg erkennen. Salzhandel und Weinschank sollten der Stadt nicht nur eine zusätzliche Finanzquelle erschließen, sondern zugleich zur Auslastung des neuen, vergleichsweise geräumigen Kaufhauses beitragen.

Die Erneuerung des Privilegs am 28. August 1650

Eine Erneuerung des Privilegs geschah im Jahre 1650. Zuvor hatte der Westfälische Friede der Linie Pfalz-Simmern die Herrschaft über Kurpfalz zurückgegeben und damit 1649 den Regierungsantritt des Kurfürsten Karl Ludwig möglich gemacht. Der Weinheimer Rat nahm diesen grundlegenden Vorgang zum Anlaß, umgehend eine Bestätigung der städtischen Freiheiten zu betreiben; er erreichte sein Ziel bereits am 25. Januar 1650[11]. Darüber hinaus ließ sich der Rat das Salzhandelsprivileg in einem besonderen Akt durch das Oberamt Heidelberg bestätigen, der Behörde also, die seinerzeit die Urkunde von 1601 ausgefertigt hatte.

Unmittelbarer Anlaß, das Salzhandelsmonopol gesondert bekräftigen zu lassen, war das Bestreben der Gemeinde Lützelsachsen, die Verpflichtung abzuschütteln, ihren Salzbedarf in Weinheim zu decken. Rat und Gemeinde der Stadt Weinheim beschlossen deshalb am 20. Juli 1650, dem Faut und dem Landschreiber des Oberamtes bei deren erwartetem Besuch in Weinheim „das privilegium in originali" vorzulegen[12]. Dies scheint auch geschehen zu sein; am 9. August nämlich beschloß der Rat, die Bestätigung des Privilegs beim Oberamt zu beantragen, wobei gleichzeitig „angedeutet" werden sollte, daß der Kurfürst bereits „alle privilegia confirmiret" habe. Bei diesem Beschluß konnte sich der Rat auf ein Schreiben des Oberamtes berufen, in welchem er förmlich eingeladen worden war, um „Confirmation" des Privilegs beim Oberamt nachzusuchen[13].

Die Erneuerung des Privilegs trägt das Datum vom 28. August 1650; sie geschah in der Form eines Vidimus. Der Faut des Oberamtes Johann Friedrich von Landas und der Landschreiber Johann Christoph Mayer inserierten den vollen Wortlaut des Privilegs von 1601 in eine neue, von ihnen gesiegelte Urkunde[14].

Damit war der alte Rechtszustand bekräftigt; freilich findet sich in der neuen Urkunde der einschränkende Zusatz, es geschehe dies „außerhalb gnädigster herrschafft anderwertlichen gnädigster beliebigen disposition und verordnung". Genau dieser Zusatz aber sollte eine Entwicklung präjudizieren, die ab 1686 zunächst vorübergehend, 1745 schließlich endgültig den Verlust des Privilegs bringen sollte.

Die Verteidigung des Privilegs gegen Eingriffe Dritter

Die Übertragung des Privilegs hatte den Rat im Jahre 1601 vor ein neues Aufgabenfeld gestellt. Einmal ging es darum, eine entsprechende Organisation, einen Apparat zu errichten und zu unterhalten – davon wird weiter unten zu berichten sein. Zum anderen sollte es sich erweisen, daß das Privileg stets gegen Versuche geschützt werden mußte, die auf Umgehung, Schmälerung oder gar Entzug des Monopols abzielten.

Lästig, gleichwohl das Monopol nicht grundätzlich in seinem Bestand bedrohend, waren die zahlreichen Verstöße Weinheimer Einwohner gegen das Salzhandelsprivileg ihrer Stadt; sei es, daß sie Salz zum Weiterverkauf in die Stadt brachten oder aber von unberechtigten Anbietern in der Stadt erwarben. So mußte beispielsweise am 28. Dezember 1628 auf Befragen durch den Rat der Bürger Wendel Rückhardt zugeben, daß seine Frau „bisweilen Salz von Worms bringe", um es gegen Erzeugnisse allerlei Art einzutauschen[15]. Im Januar 1629 bestrafte der Rat einige Jaufferten (Beisassen), die unberechtigt mit Salz gehandelt hatten, und verbot ihnen „dergleichen Handel"[16]. Dazu wäre anzumerken, daß die Beisassen für derartige Geschäfte besonders anfällig waren, da sie zu „bürgerlichen" Erwerbsquellen keinen Zugang hatten.

Am 7. Februar 1646 befaßte sich der Rat mit den Eingriffen des Schultheißen von Birkenau in den Weinheimer Salzhandel. Dem Vernehmen nach habe der Schultheiß sich „gelüsten" lassen, Salz von Frankfurt „anhero in die Stadt zu führen und zu verkauffen". Der Beschluß des Rates ging dahin, zunächst Kundschaft einzuziehen, um dann gegebenenfalls den Eindringling zu bestrafen[17].

Im Jahre 1663 erregte erneut ein Schultheiß von Birkenau das Mißfallen des Weinheimer Rates. Dieses Mal ging es darum, daß der Beschuldigte „viele Nüsse allhier" gekauft und damit das „privilegium" der Stadt verletzt habe, die, wie erwähnt, die Nüsse als Tauschmittel beim Einkauf des Salzes einsetzte[18].

Die Strafen für derartige Verstöße konnten recht hoch ausfallen. Dies mußte der Bürger Asmus Pfrang erfahren, der 1656 vor dem Oberamt beklagt wurde, „einen unerlaubten, heimlichen Salzhandel und Nußtausch" getrieben zu haben. Das Oberamt belegte ihn deshalb mit einer Strafe von 15 fl., die der Rat der Stadt zusätzlich um 6 fl. erhöhte[19].

Bessere Möglichkeiten, das Weinheimer Monopol unentdeckt und damit ungestraft zu unterlaufen, hatten vermutlich die Einwohner der Nachbargemeinden in der Halbmeilenzone, die durch das Privileg von 1601 zur Deckung ihres Salzbedarfs nach Weinheim verwiesen waren. So klagte 1628 der Salzverwalter, daß außerhalb der Stadt „ihren Privilegien zuwider" zu Birkenau „der Judt", zu Großsachsen Wolf Ulrich Demuth und zu Lützelsachsen der Krämer Wilhelm mit Salz handelten[20]. Da die Einwohner dieser Orte nicht der Jurisdiktion des Weinheimer Rates unterstanden, mußte der Rat um Rechtshilfe bei den entsprechenden Instanzen nachsuchen. Dies wird deutlich in einem Ratsbeschluß vom 22. Oktober 1633, demzufolge gebeten werden sollte, „daß Herr Landschreiber wolle die Saltzstöhrer, so der Stadt Schaden zufügen und habenden Privilegien zuwider thun, abzuschaffen und dem Centengebüttel hierüber ernsten Befehl ertheilen"[21]. Am 30. November 1654 zeigte der Ratsverwandte Georg Wagner an, er habe am Vortag in des Schultheißen Hof zu Hohensachsen einen fremden Kärcher gesehen, der Nüsse gegen Salz eingetauscht habe, „und wehren die Leuthe heuffig herbeygangen". Gleichergestalt sei eine Antwort des Schultheißen von Großsachsen ausgefallen, der ihn, Wagner, gefragt habe, wer es ihnen denn verwehren sollte, Salz gegen Nüsse oder anderes einzutauschen? Die Antwort des Rates auf diese erneute Verletzung des Privilegs bestand in dem Beschluß, beim Oberamt vorstellig zu werden und zu diesem Zweck als Deputierte den Ratsverwandten Wagner und den Stadtschreiber nach Heidelberg zu entsenden[22]. Das Oberamt ging auf die Weinheimer Beschwerden ein. Unter dem Datum vom 14. Dezember 1654 wies es die Stadt an, sich bei Zuwiderhandlungen gegen das Privileg der Salzfahrer und ihrer Waren zu bemächtigen und weiterer Verordnung des Oberamtes gewärtig zu sein. Ein gleichzeitiger Befehl des Oberamtes verbot unter Androhung einer Strafe von 10 fl. den Schultheißen von Groß- und Hohensachsen weitere Beeinträchtigungen des Weinheimer Monopols[23].

Das ungesäumte Vorgehen des Rates gegen die Schultheißen von Groß- und Hohensachsen erklärt sich wohl nicht zuletzt auch aus den bereits erwähnten Versuchen der Gemeinde Lützelsachsen, die Bindung an das Weinheimer Monopol abzuschütteln. Der Abwehr dieser Versuche hatte die von der Stadt betriebene und am 28. August 1650 erlangte Bestätigung des Salzhandelsprivilegs gegolten; auch dies ist schon oben ausgeführt. Mit der Bestätigung des Privilegs war der Streit des Rates mit der Gemeinde Lützelsachsen nicht endgültig beigelegt. Die Auseinandersetzung trat nur für einige Zeit in den Hintergrund, da die Stadt den Salzhandel zum 21. Oktober 1650 dem Bürger Wolf Ulrich Demuth auf vier Jahre in Bestand gab[24]. Zum termingerechten Auslaufen des Vertrages beschloß der Rat, den Salzhandel wieder in eigene Regie zu übernehmen und billigte zu diesem Zweck am 20. Oktober 1654 den Wortlaut einer dem Oberamt zu übergebenden „Supplication zur Wiederaufrichtung des Salzhandels"[25]. Darauf folgte eine den Rat anscheinend völlig überraschende Antwort der Gemeinde Lützelsachsen. Sie legte den Weinheimern ein Kanzleidekret der kurpfälzischen Regierungskanzlei vom 23. November des Jahres 1650 (!) vor, demzufolge Schultheiß, Gericht und ganze Gemeinde Lützelsachsen auf ihr Ansuchen „bei ihrem hergebrachten Salzkauf und Verkauf" zu lassen seien, „allermaßen ihnen solches hiermit und kraft dieses bestätiget und confirmirt wird". Ein darauf Bezug nehmendes Oberamtsdekret vom 18. November 1654 bestätigte der Gemeinde Lützelsachsen diese „Specialconcession", „jedoch mit dem ausdrücklichen Beding, daß sie solches Herbringen nicht weiter als auf ihren Flecken extendiren". Das „Conclusum" des Weinheimer Rates dazu lautete kurz und bündig: „Man solle sich hierüber an gehörigen Orten beschweren"[26]. Auf die Beschwerde hin erging das bereits zitierte Oberamtsdekret vom 14. Dezember 1654, das den Weinheimer Rat für den Fall einer Verletzung des Privilegs zum Zugriff auf die Salzfahrer und ihren Waren ermächtigte[27]. Es wird freilich nicht ganz klar, ob sich diesem Bescheid zufolge die Gemeinde Lützelsachsen dem Weinheimer Monopolanspruch zu beugen hatte. Sicher ist nur, daß ein Ende der gegenseitigen Animositäten nicht erreicht war; als nämlich 1662 der Schultheiß von Hohensachsen dem dort ansässigen Juden den Handel mit Salz verbot, das dieser aus Weinheim zu beziehen pflegte, geschah dies nach Meinung des Rates „sonder Zweifel aus Antrieb der Lützelsachsener". Es solle deswegen ein Bericht aufgesetzt und durch zwei Deputierte zum Amt gebracht werden[28].

Es gab indes nicht nur Versuche, sich dem Weinheimer Privileg zu entziehen, vielmehr läßt sich auch in einem Falle der Versuch der Stadt belegen, ihren Monopolbereich auszuweiten. 1619 führte die damals kurpfälzischer Pfandherrschaft unterstehende Gemeinde Trösel Klage gegen die Stadt Weinheim, „daß man die Salzführer nicht zu ihnen wolle passiren lassen, sondern dahin weisen und nöttigen, daß sie ihr Salz hier [in Weinheim] abholen sollen". Die den Zugang von der Bergstraße nach Trösel beherrschende Stadt Weinheim wurde daraufhin durch das Oberamt angewiesen, „die Salzführer hinführo passiren zu lassen", womit der Versuch gescheitert war, die Gemeinde Trösel an den Weinheimer Salzhandel anzubinden[29].

Die Verteidigung des Privilegs gegen Eingriffe durch die Herrschaft

Größere Gefahren als die bisher beschriebenen drohten dem Weinheimer Monopol aufgrund von Veränderungen der Rahmenbedingungen durch die Landesherrschaft. Ein derartiger Vorgang ist erstmals belegt für das Jahr 1626, zur Zeit der bayerischen Herrschaft über Kurpfalz. Am 10. November dieses Jahres klagte der Salzverwalter Johann Antes über eine neue „von der hochlöblichen Regierung vorhabenden Salzordnung", die zur Schmälerung der „gemeinen Stadtintraden" führen werde[30]. Über den Inhalt der projektierten neuen Salzordnung findet sich in diesem Eintrag im Ratsprotokoll nichts. Vielleicht läßt sich aber ein Eintrag vom 29. November 1626 dazu in Beziehung setzen. Zu diesem Datum referierte der Salzverwalter vor dem Rat, daß auf sein Ansuchen der „Herr Zahlmeister" heute angelangt sei; dieser hatte dem Salzverwalter bedeutet, daß „wegen beschwerlichen Zufuhren und bößer Wege" die Scheibe Salz zu 5 Rtlr. anzunehmen sei; falls zukünftig das Salz „der Fuhren halben bequemlicher beigebracht würd können", so sollte die Scheibe zu 4 1/2 Rtlr. „gelassen" werden. Ferner heißt es: „Die Nüß gegen Salz mit den Hessen zu vertauschen, ist ein ehrsamer Rat, solches supplicando bei hochlöblicher Regierung zu suchen, durch Herrn Zahlmeistern angewiesen worden"[31]. Es ist demnach wahrscheinlich, daß die bayerische Regierung in Heidelberg dem Weinheimer Salzhandel Salz aufzuzwingen versuchte. Dies bedeutete, daß die herkömmlichen Handelsbeziehungen der Stadt mit den „hessischen" Salzkärchern abzureißen drohten, was wiederum den Absatz Weinheimer Ausfuhrprodukte wie Nüsse oder Wein erschweren mußte.

Ähnliches ist für 1630 im Umrittsprotokoll des Rentamtes Heidelberg berichtet. Auf eine Einwendung des Weinheimer Rates, daß man das Salz anderwärts günstiger beziehen könne als zu Heidelberg, „ist inen gesagt worden, weiln derzeit guet und vill besser Salz in wolfailem Khauf als vor zu Heidelberg vorhanden, wolle man nit dafürhalten, das sie sich der Abhollung billichmessig zu beschweren haben werden". Was die Klagen der Weinheimer wegen der Verletzung ihrer Salzhandelsprivilegia angehe, „von welchen man aber noch zur Zeit nichts waiß", so werde ihnen die kurfürstliche Regierung „die Billichkhait verhelfen, [...] wann sie es gebirender Massen suchen werden"[32].

1634, während der „Schwedenzeit", sollte durch eine neue Akzisordnung auch das bisher akzisfreie Salz mit einer Abgabe von 3 Batzen (= 12 xr.) auf das ausgemessene Malter belastet werden. Dies rief den Protest der Stadt hervor, da man, so der Ratsbürgermeister am 9. April 1634, befürchtete, „daß durch den neuen Accis der Stadtsalzhandel gar in Abgang käme", weder Salzführer noch Weinführer sich mehr anmelden und somit die Stadt „merklichen Verlust" erleiden würde[33]. In einem von der Regierung auf den Protest der Stadt hin angeforderten Bericht, „wie es wegen der Hessenkercher alhier gehalten, sintemahl Bericht einkommen, ob solten die Hessenkärcher dessen alhier befreyt sein", antwortete der Rat, es sei keinem hessischen Salzkärcher erlaubt, in der Stadt Salz zu verkaufen. Vielmehr besitze die Stadt dazu das Privilegium und entrichte dafür auch ihre Gebühr. Die Hessen hätten außerdem noch jedesmal ihre Zollzeichen aufgewiesen[34], den Beleg für die an Kurpfalz entrichteten Zollgebühren. Von weiteren Auseinandersetzungen in dieser Frage ist nichts berichtet, was mit dem Ende der schwedischen und der Wiederaufrichtung der bayerischen Herrschaft in Kurpfalz zusammenhängen könnte.

Ähnliches wiederholte sich 1658. Am 21. Januar dieses Jahres zeigte der kurpfälzische Zöllner zu Weinheim Hans Veltin Gremm an, daß er, einem neuen Befehl zufolge, von allen Gütern, die hier abgeladen würden, Zoll zu fordern habe; er müsse demgemäß von jedem Malter Salz 2 Batzen (= 8 xr.) Zoll erheben „und itzo bei einem Hessen, so Salz abgeladen, den Anfang machen". Der Rat befürchtete, es werde aus diesem Grunde „ein groß Geschrei auf der Straßen" entstehen und wies deshalb den Zöllner an, den Salzkärcher frei passieren zu lassen. Die Stadt werde für den Zoll einstehen und die Gebühr entrichten. Inzwischen aber wolle man der Rechenkammer remonstrieren, „daß solches zu der Stadt Salzhandel gänzlichem Ruin gereichen werde, dann die Hessen die Straßen nicht mehr passiren werden"[35]. Über die weitere Entwicklung dieser Frage ließ sich eine eindeutige Aussage nicht erzielen. Biskup führt aus, daß etwa ab 1658 das eingeführte Salz mit dem sogenannten Kreuzergeld belegt worden sei[36]; bei Reimer findet sich dazu nichts, was möglicherweise auf einen Erfolg des Weinheimer Rates in dieser Sache deuten könnte[37].

Mit einiger Gewißheit läßt sich dagegen feststellen, daß der Weinheimer Salzhandel mit dem Ende der 1650er Jahre in seine eigentliche Blüteperiode eintrat. Dem Anlauf ab 1601 war die Zeit des Dreißigjährigen Krieges gefolgt, der das Monopol in seiner rechtlichen Grundlage wie auch in wirtschaftlicher Hinsicht wiederholt erschütterte. Auch nach 1648 blieb das Privileg, wie gezeigt, zunächst nicht unangefochten. All dies war jedoch ungefähr um das Jahr 1660 überwunden. Der Salzhandel schien fortan festgegründet. Um so härter mußte es die Stadt treffen, als ihr im Oktober 1686 das Monopol in der bisherigen Form entzogen wurde.

Der erstmalige Entzug des Privilegs zugunsten der Stadt Heidelberg im Oktober 1686

Allem Anschein nach wurde der Rat von dieser Maßnahme der Landesherrschaft überrascht. Zwar hatte der Stadtschreiber unter dem Datum vom 8. Mai 1686 ein Schreiben der Universität Heidelberg zu Protokoll genommen, das sich auf ein Kapital von 600 fl. bezog, welches die Universität bei der Stadt Weinheim stehen hatte und dessen Zinsen aus dem Ertrag des Salzhandels zu zahlen waren. Es muß aber dahingestellt bleiben, ob der Rat hinter dieser Anfrage den drohenden Entzug des Privilegs vermuten konnte[38].

Unter dem 1. Oktober 1686 erging ein Ausschreiben der kurfürstlichen Regierung an die Oberämter Heidelberg, Boxberg, Bretten, Mosbach und Umstadt den Salzhandel in der Kurpfalz „diesseits Rheins" betreffend. Es heißt darin, daß der Salzhandel in diesem rechtsrheinischen Teil des Kurterritoriums auf sechs Jahre an Bürgermeister, Rat und Gemeinde „unserer" Residenzstadt Heidelberg gnädigst verliehen worden sei. Die ein Salzhandelsprivileg genießenden Städte hätten für die Dauer des neuen Kontrakts ihren bisherigen Salzhandel einzustellen und „von diesem [Heidelberger] Monopolio zu dependiren". Gleichzeitig wurde den betroffenen Städten eine noch näher festzulegende Entschädigung in Aussicht gestellt. Die Amtleute sollten die Bestimmungen des Kontrakts den Schultheißen des ihnen anvertrauten Amtes vorlesen, erläutern und über die künftige Einhaltung der Bestimmungen wachen[39].

Von einer gewissen Überstürzung in dieser Sache zeugt ein Beschluß des Geheimen Rates, der zur gleichen Zeit zur Ausführung kam. Dem Beschluß zufolge hatten die Ämter und die von der Regierung „immediate dependirende[n]" Städte Erkundigung darüber einzuziehen, „welche Orte des Salzhandels berechtigt zu sein" prätendierten. Die in Frage kommenden Orte sollten vidimierte Kopie „des darüber habenden Privilegii" vorlegen, ferner einen Extrakt aus drei aufeinanderfolgenden abgehörten Jahresrechnungen ihres Salzhandels samt schriftlichen Rechnungsbelegen. Alle diese Unterlagen waren binnen 14 Tagen „a dato dieses" [=1. Oktober 1686] zur Regierung einzusenden[40].

Unter Beifügung der angeforderten Stücke antworteten Bürgermeister und Rat der Stadt Weinheim am 14. Oktober 1686 auf den ihr durch das Oberamt in Abschrift mitgeteilten Regierungsbefehl. Das Schreiben belegt, daß bis zu diesem Datum die Übertragung des Privilegs an die Stadt Heidelberg dem Rat noch nicht offiziell eröffnet worden war. Es heißt in dem Schreiben, es sei dem Rat zwar „unbewußt, zu waß Endt ein solches erfordert worden"; [...] „wegen entstandenem gemeinen Gespräch, als ob diesfalls einige Veränderung obhanden sein sollte", sehe man sich freilich vorsorglich veranlaßt, entsprechende Bedenken zu äußern. Zunächst wies der Rat darauf hin, daß der städtische Salzhandel Herrn Dr. de Spina[41], modo löblicher Universität Heidelberg mit 600 fl. Kapital „verhaftet" sei, mithin aus dem Ertrag des Salzhandels „die jährliche Pension zum fördersten bezahlt werden" müsse. Der dann noch verbleibende Restbetrag sei, so gering er auch sein möge, „dennoch der Stadt vornehmstes Mittel, womit dieselbe noch einigermaßen ein und andere unumgängliche Ausgaben abstatten kann, ohne welchem es sonsten unmöglich wäre". Man hege nun gar keine Zweifel daran, daß der Stadt das Privileg „ohngekränkt" erhalten bleibe, „so unter andern bei geleisteter Huldigung uns gnädigst confirmirt worden"; wenn aber „dem erschollenen Ruf nach [...] Beifuhr und Einkauf des Salzes" anders als bisher geregelt würde und das Salz „etwa von oberländischen Orten angenommen werden sollte", so wäre dies für die gnädigste Herrschaft nicht weniger schädlich und von Nachteil als für die Stadt und die Bürgerschaft. Es würde nämlich in diesem Fall die „vor so langen Jahren zuwegen gebrachte und bisher erhaltene Zufuhr" aus Hessen, Thüringen und anderswoher „gänzlich verschlagen" werden und der Austausch von Salz gegen Wein und Nüsse nicht mehr stattfinden. Dies wiederum hätte zur Folge, „daß dieser Ort vollends in gänzliche Abnahm gebracht und mehrenteils die Bürgerschaft untüchtig gemacht werden würde, gnädigster Herrschaft Schuldigkeiten ferners beizutragen". In „Abführung des Weins" nämlich bestehe „des Orts vornehmste Nahrung", und die Herrschaft schneide sich ins eigene Fleisch, wenn sie durch einen Eingriff in die bestehenden Handelsbeziehungen die ihr zukommenden Zoll-, Weinauflag- und Umgeldeinnahmen beschneiden würde, „maßen dergleichen Zufuhr von oberländischen Orten zuwege zu bringen, gar keine Hoffnung zu machen"[42].

Ähnlich ablehnend äußerten sich die anderen betroffenen kurpfälzischen Städte, brachten damit aber die Regierung nicht dazu, von ihrem einmal gefaßten Beschluß wieder abzurücken.

Endgültige Klarheit über die für die Stadt nachteilige Neuordnung des Salzhandels in Kurpfalz erhielt der Rat anscheinend erst Ende Oktober. Unter dem Datum vom 28. Oktober 1686 übertrug der Stadtschreiber die das Weinheimer Monopol außerkraftsetzenden Bestimmungen des Privilegs für Heidelberg in das Ratsprotokoll. Zwar fand der Rat im Artikel 3 des Privilegs einen Passus, der auch seinen Vorstellungen entsprach, wenn dort die „Contrahenten" – Bürgermeister, Rat und Gemeinde der Stadt Heidelberg – aufgefordert wurden, „sonderlich sich angelegen sein zu lassen, das hessische Fuhrwerk in bisherigem Gang zu unterhalten und keineswegs in Abgang kommen zu lassen"; das änderte jedoch nichts an der Tatsache, daß der gesamte Salzhandel im rechtsrheinischen Teil des Kurfürstentums, mit Ausnahme der Stadt Mannheim und der Festung Friedrichsburg, der Stadt Heidelberg als neuer Monopolinhaberin übertragen war. Das Monopol sollte zunächst auf sechs Jahre befristet sein und galt als Äquivalent für eine Summe von 12.000 fl., welche die Stadt Heidelberg der kurfürstlichen Regierung „hergeschossen" hatte[43].

II. DER WEINHEIMER SALZHANDEL UND DIE ENTWICKLUNG SEINER RAHMENBEDINGUNGEN VON 1686 BIS 1745

Die Stadt Weinheim als Beständerin des Heidelberger Salzhandels

Der Weinheimer Rat nahm die Entscheidung der kurpfälzischen Regierung zur Kenntnis, zeigte sich aber nicht gewillt, die neue Lage als endgültig zu betrachten. Vielmehr nahm er Verhandlungen auf zwei Ebenen auf; einmal galt es, den Schaden möglichst zu begrenzen, den die Übertragung des Privilegs auf die Stadt Heidelberg für Weinheim bedeutete, zum anderen richtete der Rat sein Bemühen darauf, das verlorene Monopol zurückzuerlangen.

Der Eingrenzung der Nachteile dienten Verhandlungen mit dem Heidelberger Rat. Diesen Verhandlungen förderlich war zweifelsohne das Interesse, das auch die Stadt Heidelberg an einem gegenseitigen Übereinkommen haben mußte. Artikel 3 des Privilegs erlegte der Stadt Heidelberg die Pflicht auf, für eine ausreichende Versorgung der rechtsrheinischen Kurpfalz mit Salz Sorge zu tragen. Der überstürzte, schlecht vorbereitete und ungenügend durchdachte Eingriff in die hergebrachten Strukturen des Salzhandels mußte aber gerade eine ausreichende Versorgung zumindest anfangs gefährdet erscheinen lassen. Aus Groß-Umstadt beispielsweise schrieb unter dem 31. Oktober 1686 Amtmann Johann von Curti an die Regierung, er habe den Befehl vom 1. Oktober wegen des Heidelberger Salzhandels am 24. Oktober erhalten und alsbald im Amt Otzberg publizieren und den Untertanen „umständlichen" erläutern lassen. Er fuhr fort: „Allein, weilen besagte Untertanen einwenden, daß die Stadt Heidelberg bis dato noch keinen Factor ins Amt geschickt, weniger einen Salzkasten daselbsten aufgerichtet, als wird man bei Oberamt ihnen nicht füglich verwehren können, ihre Notdurft von denen Spessarter Salzkärchern insolang einzukaufen, bis mehrgedachte Stadt Heidelberg einen wirklichen Anstalt, das Amt diesfalls genugsam zu versehen, wird gemacht haben"[44]. Der Amtskeller zu Groß-Umstadt Naurath hatte der Regierung auf die zitierte Umfrage bereits am 22. Oktober berichtet, es habe in Amt und Stadt Umstadt sowie im Amt Otzberg nie einen Salzhandel gegeben, „und zwar dahero, daß uns aus der Nachbarschaft von Urbis, einer in dem kurmainzischen Amt Aschaffenburg gelegene Salzsieden, durch die Kärcher in großer Quantität [...] das Salz hergebracht wird". Es hätten sich zwar mehrmals zwei Umstädter Juden um den Bestand des Salzhandels beworben, wegen der (im Kondominat Umstadt) bestehenden Streitigkeiten zwischen Kurpfalz und Hessen sei der „zu dem gemeinen Wesen dienlicher [!] Salzhandel, wie andere nützliche Anordnungen mehr, zu Wasser gangen"[45].

Aus diesen Schreiben wird deutlich, worin die Schwierigkeiten lagen, die sich mit der Übertragung des Handelsmonopols auf die Stadt Heidelberg verbanden. Hatte es schon den Weinheimer Rat Mühe gekostet, sein Monopol nur in den Orten des Halbmeilenbereiches durchzusetzen, so mußten die Probleme, die der Heidelberger Rat zu bewältigen hatte, umso größer sein. Andererseits konnte sich die Stadt Heidelberg eines Lösungsweges bedienen, den der Weinheimer Rat bereits beschritten hatte: das Aufrichten eines Bestandes in den Orten, die dem Monopol unterworfen waren. Dies bedeutete zwar den Verzicht auf einen Teil der zu erzielenden Einnahmen. Diese Einbuße konnte aber dadurch wettgemacht werden, daß sich der Aufbau einer eigenen Handels- und Kontrollorganisation weitgehend erübrigte.

In diesem Sinne begannen wohl gleich im November 1686 die Verhandlungen zwischen den Städten Heidelberg und Weinheim. Grundsätzlich mußte beiden Teilen an einer baldigen Übereinkunft gelegen sein, schon um die Versorgung der Bevölkerung mit Salz nicht zu behindern. So heißt es auch zum 20. November 1686 im Weinheimer Ratsprotokoll, es solle „wegen des Salzhandels ein endlicher Schluß gemacht" werden[46]. Ende Dezember aber hatte man noch kein Ergebnis erzielt; zwar bestand grundsätzlich Einverständnis darüber, daß die Stadt Weinheim den Salzhandel nunmehr als Beständerin fortsetzen sollte, strittig blieb aber die Höhe des Bestandszinses. Während der Heidelberger Rat einen jährlichen Zins von 150 fl. forderte, war man in Weinheim nur zur Zahlung von 125 fl. bereit. Auf eine „Erinnerung" der Stadt Heidelberg hin beschied der Weinheimer Rat am 27. Dezember 1686 den in Weinheim anwesenden Heidelberger Ratsverwandten Kichelier dahingehend, es sei ganz unmöglich, mehr als 125 fl. zu geben, und fügte als Begründung hinzu, „es habe den Salzhandel die Stadt allhier, der Rat zu Heidelberg oder jemand anders, so könne das Salz höher nicht als in dem Preis, wie es jetzt ausgemessen wird, bezahlt werden". Schließlich hätte es „dem Stadtrat zu Heidelberg wohl angestanden[...], wann er der Stadt Weinheim part gegeben hätte, als man den Accord antreten wollen"[47].

Der Streit war noch im Mai 1687 unentschieden und beschäftigte inzwischen die Kurpfälzer Zentralinstanzen. So kam am 10. Mai 1687 aus der Hofkammer der Vorschlag an die Regierung, eine Schlichtungskommission aus Vertretern der beiden Städte und des Oberamtes einzusetzen. Die Kommission sollte ein Gutachten darüber geben, „wie das Werk dergestalt zu schlichten seyn möchte, damit der Handel und Wandel ufrecht erhalten, der Stadt Heidelberg Concession nicht zuwider gehandelt, daneben auch der Stadt Weinheim geholfen werde"[48]. Die Regierung griff den Vorschlag auf und erteilte dem Hofgerichtsrat und Advocatus Fisci Reichenbach den Auftrag, unter Zuziehung eines Deputierten aus der Hofkammer mit den beiden Städten zu verhandeln, was mit Datum vom 27. Mai 1687 der Hofkammer mitgeteilt wurde[49].

Ob der Vergleich tatsächlich aufgrund dieser Bemühungen zustandekam, ist bislang unbekannt. Ebensowenig ließ sich auch der Zeitpunkt des Vertragsabschlusses genauer ermitteln. Letzte Klarheit fehlt schließlich bezüglich der Vertragsbestimmungen[50]. Immerhin ermöglichen zwei Quellenbelege eine einigermaßen gesicherte Aussage hierzu. Der erste Hinweis findet sich in einem Schreiben, das Bürgermeister, Rat und Gemeinde der Stadt Weinheim am 5. April 1688 an den Kurfürsten richteten. Als Bittsteller wiesen sie zunächst darauf hin, daß der Kurfürst den ehemals privilegierten Städten beim Entzug des Monopols „gnädigst versprochen habe", den aus dem Salzhandel „bisher [...] gehabten Genuß gutzutun". Sie erinnerten ferner daran, daß „auf allhiesigem Salzhandel auch 600 fl. Capital die Universität Heidelberg stehen und jährlichen 30 fl. Pension davon zu praetendiren" habe. Die Stadt Heidelberg aber habe den Weinheimer Salzhandel „also hochgetrieben, daß man nicht wohl das verglichene Contingent der jährlichen 150 fl. daraus erhalten, viel weniger die 30 fl. Pension der Universität bezahlen" könne. Unter fernerem Hinweis auf die geringen Einkünfte und die hohen Belastungen der Stadt baten sie darum, die versprochene Entschädigung zu gewähren oder wenigstens die der Universität Heidelberg zustehende Pension aus Staatsmitteln zu finanzieren[51]. Die zweite in diesem Zusammenhang wichtige Erwähnung des Vertrages mit der Stadt Heidelberg entstand in der Auseinandersetzung des Weinheimer Rates mit dem Stadtschultheißen und Keller Alexander Dellinger. Dieser forderte 1690 – ohne Rechtsgrundlage – von der Stadt eine Besoldung für seine Tätigkeit als Stadtschultheiß [52]. Der Rat wehrte diese Forderung unter anderem mit dem Hinweis ab, daß der Salzhandel als Einnahmequelle nicht mehr zur Verfügung stehe, seit dieser Handel der Stadt Heidelberg überlassen worden sei, „von welcher man selbigen wieder bestehen und gemelter Stadt Heidelberg den Profit davon geben muß"[53].

Somit scheint die Stadt Heidelberg in den Verhandlungen ihre Forderung auf einen jährlichen Bestandszins von 150 fl. durchgesetzt zu haben. Es sollte sich indessen zeigen, daß diese Summe zu hoch angesetzt war. Schon aus der Bittschrift an den Kurfürsten von 1688 geht hervor, daß der Ertrag aus dem Salzhandel nicht ausreichte, um die Forderung der Heidelberger Salzkontrahenten zu befriedigen. Ein weiterer Quellenbeleg bestätigt diese Feststellung: Am 16. Januar 1691 präsentierte der Heidelberger Ratsverwandte Kichelier dem Weinheimer Stadtschreiber eine schriftliche Aufforderung des Landschreibers, „den verglichenen Ausstand wegen des gedachten Salzhandels [...] zu entrichten", benötige doch die Stadt Heidelberg wegen der schweren Einquartierungslasten das Geld dringend[54]. Da jedoch der Pfälzer Erbfolgekrieg mit Sicherheit zu Störungen im Salzhandel geführt, die Erträge gemindert und auch sonst, wie vielfach belegt, die Stadt Weinheim starken Anforderungen ausgesetzt hatte, dürfte die inhaltlich nicht überlieferte Antwort des Rates vom 18. Januar 1691 nicht zur Zufriedenheit der Stadt Heidelberg ausgefallen sein[55].

1688: Ein gescheiterter Versuch zur Rückgewinnung des Salzhandelsprivilegs

Ansprechpartner des Weinheimer Rates bei seinen Bemühungen, das Salzhandelsmonopol ungeschmälert zurückzuerhalten, mußte in erster Linie die Landesherrschaft selbst sein. Der Rat richtete seine Hoffnungen hier zunächst auf ein Projekt, das, wäre es zur Ausführung gelangt, den alten Rechtszustand wiederhergestellt und damit die Quelle der geschilderten Mißhelligkeiten nachhaltig ausgetrocknet hätte.

Anfang Februar 1688 hatte der Rat auf herrschaftliches Geheiß die Frage zu erörtern, ob die Stadt zusammen mit den anderen betroffenen Kommunen bereit sei, sich an einer Umlage mit dem Ziel zu beteiligen, der Stadt Heidelberg das der Herrschaft vorgeschossene Geld auf diesem Wege zurückzuerstatten. Die Stadt könne alsdann den Salzhandel „wie vorhero frei genießen". Bürgermeister, Rat und die Vertreter der Gemeinde zeigten sich in ihrem Antwortschreiben an das Oberamt vom 5. Februar 1688 grundsätzlich bereit, auf den Vorschlag einzugehen. Mit Genugtuung vermerkten sie, es ruhe „einem hochlöblichen Oberamt zweifelsohne annoch in frischem Andenken", daß die Stadt das Beschreiten eben dieses Weges in mehreren, „so wol an gnädigste Herrschaft als auch an ein hochlöbliches Oberamt abgelassenen und übergebenen [...] Memorialen und Berichten" angeregt habe,

„wozu wir es aber dazumahl nicht bringen können". „Nachmahlen" seien sie ihres „Orts zufrieden, daß solches geschehe", knüpften aber ihre endgültige Zustimmung an die Erfüllung zweier Bedingungen. Einmal verlangten sie, daß die der Stadt Heidelberg bereits zugeflossenen Gelder beim Festlegen des „Austeilers" der Umlage zu berücksichtigen seien, daß ferner als Grundlage des „Austeilers" die Zahl der „Hauswesen" in den jeweiligen Orten zu dienen habe. Keinesfalls nämlich könne man einem Umlageverfahren zustimmen, das den „Austeiler" auf den Schatzungsfuß radiziere, es seien doch „die allhiesige Güter und Hantierungen zu hoch gegen andere Orte ausgelegt und dazu über hundert Ausmärker, welche kein Salz alhier kaufen, unter dem Schatzungskapital begriffen"[56].

Landschreiber Clapmeyer vom Oberamt Heidelberg berichtete mit Schreiben vom 19. März 1688 der Hofkammer über die Weinheimer Stellungnahme. Er zeigte sich dabei skeptisch gegenüber dem Weinheimer Verlangen, die bereits geleisteten Zahlungen an die Stadt Heidelberg in der Umlage entsprechend zu berücksichtigen; „diese Clausel werden die Salzcontrahenten nicht eingehen", meinte Clapmeyer[57]. Es muß offenbleiben, ob es tatsächlich der von Clapmeyer vorausgesehene Widerstand der Heidelberger Salzkontrahenten war, der das Projekt zum Scheitern brachte oder ob dieses Scheitern auf andere Ursachen zurückzuführen ist.

Wollte er nicht aufgeben, so blieb dem Weinheimer Rat nun nichts anderes übrig, als seine bereits angesprochene Politik fortzusetzen. Konstante dieser Politik war der bei jeder passenden Gelegenheit wiederholte Hinweis auf die geschwächte Leistungsfähigkeit der Stadt und die nachteiligen Folgen, die sich damit, aus Weinheimer Sicht, für die Landesherrschaft ergaben. So findet sich unter dem Datum vom 16. September 1692 in den Ratsprotokollen ein Bericht an das Oberamt erwähnt; hier schreibt der Rat, die Stadt könne wegen des entzogenen Salzhandels die geforderten Kriegslasten nicht tragen[58]. Es wäre denkbar, daß der Rat diesen Hinweis zu eben diesem Datum bewußt einsetzte, um angesichts des bevorstehenden Auslaufens des Vertrages der Herrschaft mit den Heidelberger Salzkontrahenten nachdrücklich auf die Notwendigkeit einer Wiederinkraftsetzung des Weinheimer Privilegs aufmerksam zu machen.

1692: Die Verlängerung des Heidelberger Salzhandelsprivilegs

Mit dem Datum vom 9. September 1692 verlängerte Kurfürst Johann Wilhelm den Vertrag mit den Heidelberger Salzkontrahenten um weitere drei Jahre. Bereits 1690 hatten die Heidelberger Salzkontrahenten – Rat, Bürgermeister und Gemeinde – darum gebeten, den ihnen für 12.000 fl. überlassenen Salzhandel noch für einige Jahre zu „prolongiren"; als Begründung für dieses Ersuchen führten sie an, sie hätten wegen des Krieges große Einbuße erlitten „und wenig davon genossen"; nun sollte die erbetene Verlängerung des Privilegs „einige Ersetzung" des erlittenen Schadens bewirken[59].

Das kurfürstliche Dekret vom 9. September 1692, das insbesondere dem widerspenstigen Amt Lindenfels die genaue Befolgung anbefahl, kam dem Weinheimer Rat erst am 4. Oktober 1692 zur Kenntnis und wurde mit dem Beschluß zur Aufsetzung eines Protestschreibens beantwortet[60]. Wie zu erwarten, blieb aller Protest erfolglos, und so erschien am 3. Februar 1693 der Heidelberger Ratsverwandte Kichelier in Weinheim. Er legte einen gesiegelten „Schein" der Hofkammer vor, aus dem zu ersehen war, daß den Heidelberger Salzkontrahenten „gegen Entrichtung einer gewissen Jahresrecognition" der bisher geführte Salzhandel „in Dero Ämtern diesseits Rheins annoch auf 3 Jahr, vom Ersten dieses laufenden Monats Januar an zu rechnen, [...] gnädigst verlängert" worden sei. Daneben produzierte Kichelier eine Vollmacht des Heidelberger Rates, „daß er mit der Stadt [Weinheim] aufs neue contrahiren oder solchen Salzhandel an Privatos auf 3 Jahre verlehnen solle". Der Weinheimer Rat, der „nicht einmal zur Hälfte beisammen" war, antwortete, er werde binnen acht Tagen einen Abgesandten mit dem entsprechenden Entschluß nach Heidelberg schicken[61]. Der Inhalt der angekündigten „Resolution" ist nicht überliefert; mit dem Beginn des Jahres 1693 verschlechtert sich die Quellenlage für unser Thema, insbesondere machen sich Lücken in den Weinheimer Ratsprotokollen bemerkbar, die auf die Wirren des Pfälzischen Erbfolgekrieges zurückgehen dürften. Entsprechende Heidelberger Überlieferungen fehlen aus der gleichen Ursache.

Mit der Zerstörung Heidelbergs am 22. Mai 1693 und der Flucht seiner Einwohner dürfte die Stadt Weinheim noch vor dem Auslaufen des neuen Heidelberger Kontrakts zumindest de facto für einige Zeit ihr Salzhandelsprivileg wieder genossen haben.

1698 bis 1704: Die Admodiation für Isaac Beer, Lämble Moyses und Konsorten

Mit dem Jahr 1698 trat eine Neuerung im kurpfälzischen Salzhandelswesen ein, die sich ganz offensichtlich am französischen Vorbild orientierte, den Salzhandel zum Objekt der landesherrlichen Fiskalpolitik machte und damit einer zeittypischen Strömung entsprach, die als „Monopolisierung und Regalisierung" des Salzhandels beschrieben wird[62]. Das dabei verfolgte Ziel erhellt aus einem Schreiben des Kurfürsten Johann Wilhelm an den „Kurmainzischen Geheimrat und Oberamtmann in der Bergstraß, Herrn von und zu der Heeß", datiert Benrath, 5. Juni 1699[63]. Auf entsprechende kurmainzische Beschwerden wegen der Neuordnung des Salzhandelswesens in Kurpfalz antwortete Kurfürst Johann Wilhelm, daß man es ihm „nit verdenken" könne, wenn er seine „durch das leidige Kriegswesen sehr verfallenen Land- und Cameralgefäll durch alle zulässige Wege so gut möglich wiederaufzurichten suche".

Aus Frankfurt, 21. März 1698, datiert zunächst das Dekret Johann Wilhelms zur „Wiederaufbringung und Cultivierung der gänzlich verbrannten, zerstörten und verheerten Churfürstlichen Haubt- und Residentzstatt Heydelberg". Im Abschnitt 9 dieses Dekretes heißt es, der Kurfürst wolle zum „besseren Aufnehmen" von Stadt und gemeiner Bürgerschaft hinfort keine „schädliche Monopolia" mehr gestatten und ferner „wegen des hievor introducirten Salzhandels nach Verfliesung der disfals accordirten Bestands-Jahren es wiederum in vorigen Stand stellen lassen"[64]. In gewissem Widerspruch hierzu steht der Inhalt eines gedruckten Patents, das unter dem Datum vom 31. Dezember 1698 aus Weinheim erging, wohin im Juli Hof und Regierung übersiedelt waren. Mit dem Patent gab der Kurfürst bekannt, daß er den Salzhandel seinem Hoffaktor, dem Juden Isaac Beer von Frankfurt und dem Schutzverwandten und Juden Lämble Moyses und Konsorten von Mannheim, auf zehn Jahre in Bestand gegeben habe[65]. Nur sie, ihre Faktoren und Provisoren sollten zum Salzhandel berechtigt sein.

Aus den Quellen läßt sich nicht zweifelsfrei erkennen, wie der Salzhandel in Weinheim unter den Bedingungen dieses neuen Bestandes tatsächlich ausgeübt wurde; es läßt sich mit einiger Vorsicht vermuten, daß Beer, Lämble Moyses und Konsorten den Salzhandel vor Ort ihrerseits an Beständer vergaben, die im Ratsprotokoll vom 21. März 1704 als die „Herren Admodiatoren" erscheinen – davon wird zu berichten sein[66].

Im Patent vom 31. Dezember 1698 wurde den ein Salzhandelsprivileg genießenden Städten zugesagt, sie „dißfalß anderwerts specialiter indemnisiren" zu lassen. Wie wenig man auf ein solches Versprechen bauen konnte, hatten die betroffenen Städte bereits erfahren müssen, als der erste Heidelberger Kontrakt abgeschlossen worden war. Auch dieses Mal scheint die gegebene Zusage nicht eingelöst worden zu sein. Der Weinheimer Rat wenigstens beschloß am 27. Januar 1700, eine entsprechende Eingabe an die Regierung zu richten, unter dem Hinweis darauf, daß „der Salzhandel versetzet und so wohlen die verfallene als laufende Pensiones jedoch bezahlt sollen werden, [...] um Remedur zu bitten"[67]. Ein Erfolg war dieser Eingabe nicht beschieden, was aus einem Beschluß von Rat und Gemeinde vom 28. Juli 1706 hervorgeht, der erneut das Aufsetzen eines Berichtes „wegen des Salzaequivalents" vorsah[68].

Der städtische Salzhandel von 1704 bis 1719

Zum Zeitpunkt dieses Beschlusses bestand der Kontrakt zwischen Kurpfalz einerseits, Isaac Beer, Lämble Moyses und Konsorten andererseits nicht mehr. Die Admodiation war, für die Betroffenen überraschend, bereits im Frühjahr 1704 durch eine erneute Richtungsänderung im kurpfälzischen Salzhandelswesen vorzeitig beendet worden. Die neue Ordnung stützte sich auf die Arbeit der dem Kriegskommissariat zugeordneten sogenannten Salzkommission, der auch der Weinheimer Keller und Stadtschultheiß, Hofkammerat Alexander Dellinger, angehörte[69].

Am 21. März 1704 protokollierte der Stadtschreiber einen Befehl des Oberamtes vom 13. März, durch den der Rat zu Weinheim angewiesen wurde, das benötigte Salz ein- und wieder zu verkaufen, dagegen von jedem Pfund den gebührenden Licent zu entrichten[70]. Am gleichen 21. März befaßten sich Rat und Gemeinde mit der Salzadmodiation. Im Verlauf der ungewöhnlich stürmischen Sitzung erklärten die anwesenden „Herren Admodiatoren", die vermutlichen Unter-Beständer, nach Einsichtnahme in das Dekret des Oberamtes, ihre Admodiation sei dadurch nicht aufgehoben. Dem Keller und Stadtschultheißen Dellinger warfen sie vor, „er handle in seiner Salzcommission nicht recht" und verlangten, seine Instruktionen zu sehen. Dellinger lehnte dies mit der Bemerkung ab, er sei „das niemand als der Gemeind zur Legitimation [...] zu eröffnen schuldig" und berief sich auf ein „an ihne iterato ergangene[s] Decret" des löblichen Kriegskommissariats. Als anschließend der Achter und frühere Salzverwalter Zinkgräf für „das gemeine Wesen" das Wort ergreifen wollte, wurde ihm bedeutet, „er solle das Maul halten, oder man wolle ihm die Tür weisen"; darauf verließen die Achter zum Zeichen ihres Protestes die Sitzung[71].

Das fiskalische Interesse, welches zum vorzeitigen Ende der Admodiation zumindest beigetragen hatte, erhellt aus der berührten Instruktion für Alexander Dellinger. Unter dem Datum vom 11. März 1704 beauftragte ihn das Kriegskommissariat, seine im Amt Heidelberg begonnene Tätigkeit in den Ämtern diesseits Rheins fortzusetzen. Er hatte dabei zunächst zu ermitteln, an welchen Orten Monopole bestanden hatten, ferner hatte er die Stärke der Haushalte („Familien"), ihre Konsumtionsfähigkeit und den damit von ihnen „auswerfenden" Licentertrag festzustellen; schließlich sollte er den jährlichen Salzverbrauch einer jeden Haushaltung taxieren und den davon vierteljährlich fälligen Licentertrag berechnen[72]. Auf diesen Vorbereitungen fußend, wurde, in Weinheim nachweislich seit 1705, eine neue direkte Steuer unter dem Namen Salzlicent oder Salzgeld erhoben, deren Höhe von der tatsächlich verbrauchten Menge an Salz unabhängig war. 1717 schließlich wurden das Salzgeld, die dänischen Dotalzinsen, die Einquartierungskosten und ähnliche Abgaben zusammengefaßt und daraus eine neue Rate gebildet, die von der Stadt jährlich abzuführen war[73].

Mit dem Ende der Admodiation 1704 hatte die Stadt größere Freiheit im Salzhandel zurückgewonnen, ohne freilich eine förmliche Bestätigung ihres alten Privilegs von 1601 zu erlangen. Am 24. Januar 1715, anläßlich der „Abhör gemeiner Stadtrechnung" durch das Oberamt, erreichte der Rat „auf vorgekommene Klag gegen die Krähmer wegen des verkaufenden Salzes" eine Verordnung des Inhaltes, daß „künftighin alle Krähmer, Juden oder wer sie sonsten sein mögen, sich von allem Salzverkauf gänzlich enthalten" sollten. Begründet wurde diese Verordnung einmal mehr mit dem bekannten Hinweis, daß der städtische Salzhandel „einer löblichen Universität Heidelberg gegen 600 fl. Capital verhypothecirt" sei und „die davon fallende Pensiones necessario geworfen werden" müßten[74]. Wenige Tage zuvor, am 16. Januar 1715, war ein Vergleich zwischen der Universität Heidelberg und der Stadt Weinheim zustandegekommen, der die Modalitäten zur Ablösung des Kapitals festlegte. Aus dem Vertrag geht hervor, daß die Stadt in den Kriegszeiten zwischen 1689 und 1714 keine Zinsen mehr entrichtet hatte und somit ein Ausstand von 780 fl. aufgelaufen war[75].

1719 – 1721: Die Admodiation für Julien Prouvôt und Joseph Firbin

Der seit 1704 bestehende Zustand des Weinheimer Salzhandels endete im Jahre 1719. In seiner Sitzung vom 27. Oktober 1718 befaßte sich der Rat mit der Beantwortung einer Umfrage der Landesherrschaft vom 20. Oktober. Die sieben vorgelegten Fragen lauteten:

1. Welche Art Salz wird im Bereich des Oberamtes Heidelberg gehandelt: lothringisches, kölnisches oder hessisches?
2. Wie hoch ist der Preis pro Simmer oder Pfund?
3. Ist der Preis beständig?
4. Wieviel Simmern faßt ein Malter?
5. Wieviel ergibt das in Heidelberger Maß?
6. Wieviel Pfund kommen auf ein Simmer?
7. Wird „einerlei" Salz eingeführt? Wie hoch ist der Preis in Friedenszeiten, wie hoch in Kriegszeiten? Welcher Preis kann dem Untertan „reguliert" werden, ohne ihn zu beschweren? Welche Person kann den Verkauf des eingeführten Salzes übernehmen? Welche Orte haben diesen Salzhandel bisher ausgeübt und „quo titulo" ist dies jeweils geschehen?

Der Rat antwortete darauf:
1. Es wird meistens Hessensalz „anhero gebracht".
2. Das Simmer kostet ungefähr 30 xr.

3. Das Malter Salz steigt oder fällt „zu Zeiten" um einen Ortsgulden (= 15 xr.), je nachdem die Wege gut oder böse sind, viele oder wenige „Hessenfuhrleut" ankommen.
4. Das Weinheimer Malter faßt acht Simmern und ist damit
5. der Heidelberger Messung gleich.
6. Ein Simmer Hessensalz wiegt je nach Feuchtigkeitsgrad 16 bis 18 Pfund.
7. Über die anderen Orte kann man nichts sagen. Was Weinheim angeht, so hat man das „Hessensalz" bisher „vor das profitierliche befunden"; einerseits, weil es nicht so „wässerisch" wie anderes Salz ist; andererseits, weil die Stadt und die Untertanen „den Vortheil und Nutzen davon haben", daß letztere nicht nur jederzeit Salz zu billigem Preis bei der Stadt erhalten können, „als welche jederzeit mit einer zimlichen Quantität versehen", sondern auch dadurch, daß die das Salz „hereinbringende Fuhrleuth" Wein, Tabak, Nüsse und andere Waren mit zurücknehmen „und dardurch das Commercium im Land befördert wird".

In wohl böser Vorahnung fügte der Rat den ausdrücklichen Hinweis auf den Inhalt des Privilegs von 1601 und seiner Bestätigung von 1650 hinzu samt der Bitte an den Kurfürsten, daß „Ihro Churfürstliche Durchlaucht uns diesethalben in richtigem Genuß sothanen Salzhandels – welcher wenige Gewinn als vom mltr. 10 xr. zu gemeiner Stadt Nutzen und Erhaltung der Gebäu employirt und verrechnet wird – zu lassen gnädigst geruhen mögden"[76].

Die Bitte geschah vergeblich. Mit Wirkung vom 12. August 1719 übertrug Kurfürst Karl-Philipp dem Generaleinnehmer des lothringischen Amtes Conflans Julien Prouvôt (oder Preuvost) und dessen Associés die alleinige Lieferung, Einfuhr und Debitierung des in Kurpfalz benötigten Salzes und den völligen Salzhandel auf sechs Jahre. Als „General-Admodiator" sollte Prouvôt dafür eine jährliche Zahlung von 32.800 fl. an die Hofkammerkasse leisten, außerdem blieb ihm die Schaffung einer Vertriebs- und Verkaufsorganisation überlassen; es ist in diesem Zusammenhang die Rede von Faktoren, Provisoren und Kommis, Aufsehern und Verkäufern, die zu diesem Zweck auf Kosten der Generaladmodiation bestellt werden sollten mit der ausdrücklichen Auflage, dazu „aber keine Juden zu gebrauchen". Den mit Salzhandelsprivilegien ausgestatteten Städten und Flecken blieb der bekannte Trost, der Kurfürst werde sie „gestalter Sachen nach [...] anderwerths zu begnädigen wissen"[77].

Mittels einer gedruckten Bekanntmachung vom 12. Juni 1719 hatte Prouvôt bereits alle „vermögenden Personen, so eine sattsame Caution" zu stellen in der Lage seien, aufgefordert, ihre Angebote auf „Unter-Verpachtungen" zu machen, zu welchem Zweck er in der letzten Juniwoche zu Heidelberg in den „Drei Königen" logieren werde[78].

Nur zwei Jahre später, am 8. August 1721, wird der Vertrag mit Prouvôt als hinfällig bezeichnet; Prouvôt habe die Vertragspflichten nicht erfüllen können. An seine Stelle trat unter dem genannten Datum der bisherige Associé der „Salzadmodiationscompagnie" Joseph Firbin als „Obrist-Salzadmodiator" in Vertrag mit Kurpfalz zu den gleichen Bedingungen wie zuvor Prouvôt[79]. Firbin konnte jedoch „kein Kredit" erhalten, womit der mit ihm als „Salzentrepreneur [...] aufgerichtete Kontrakt" hinfällig wurde[80].

Der Schaden, welcher der Stadt und den Bürgern durch die Admodiation entstanden war, ist offenkundig. Anders als zur Zeit der Heidelberger Admodiation erlitten nicht nur die städtischen Finanzen spürbare Einbuße, es wurde vielmehr auch der herkömmliche Austausch des „Hessensalzes" gegen Weinheimer Landwirtschaftsprodukte unterbrochen. Das ausschließlich beim „Salzcommis" zu erwerbende Admodiationssalz war nämlich lothringischer Herkunft[81].

Über die Handhabung des Salzhandels in Weinheim während der Admodiation liegen freilich nur spärliche Notizen vor. Unter dem 11. Februar 1720 erging eine Anweisung der Hofkammer an den Rat, „die von der General-Salz-Admodiation bestellten Commis-Subalternen und Salzauswieger in gewöhnliche Pflichten dahin zu ziehen, damit dieselben ein richtig abgezogenes Gewicht oder Maas sich gebrauchen, auch kein verfälschtes Salz verkaufen"[82].

Ein Schreiben des Oberamtes vom 26. Februar 1720 gab dem Rat ferner auf, die Bürgerschaft dahingehend zu instruieren, „daß ein jeder Bürger und Einwohner" beim Einkauf von Salz jedesmal seinen „Salzzettel" vorzulegen habe, um von Commis oder Krämer das „einkaufende Quantum" darauf verzeichnen zu lassen[83].

Das Amt des „Salzcommis" in Weinheim hatte 1721 ein gewisser Hardt inne, dem vermöge eines Hofkammerbefehls vom 16. August dieses Jahres aufgetragen wurde, dem Generalsalzadmodiator Firbin oder dessen Bevollmächtigtem „auf Anmelden" 350 fl. auszuzahlen[84]. Unklar bleibt, ob es sich bei dem „Salzcommis" Hardt um den Weinheimer Stadtschreiber Johann Hardt handelt; der Weinheimer „Hauptnahrungszettel" für 1721 kennt außer ihm keinen weiteren Träger dieses Namens[85].

Bevor die Landesherrschaft endgültige Konsequenzen aus dem gescheiterten Unternehmen Prouvôt-Firbin zog, veranlaßte sie eine Anhörung der Untertanen. Die „Einwohner und Untertanen" – so der Oberamtsbefehl vom 20. Oktober 1721 – sollten Stellung beziehen zur Alternative einer erneuten Admodiation oder einer Wiedereinführung des Salzgeldes, „wie es vorhin zum löblichen Kriegscommissariat bezahlt worden[...] gegen Verstattung des freien Salzeinkaufs und Handels"[86].

Die Antwort der Weinheimer Bürger, die zu diesem Zweck in ihren jeweiligen Stadtvierteln durch die „Herren von der Gemeind" versammelt wurden, fiel eindeutig aus. Es heißt darin, die Bürgerschaft wolle es für eine kurfürstliche Gnade erkennen, wenn die Salzadmodiation aufgehoben und der freie Handel und Wandel wieder eröffnet werden sollte, „womit dann die Stadt Weinheim wegen ihres privilegirten Salzmonopolii wieder in possession kommen würde". Zu einem Salzgeld könne sich die Bürgerschaft aber auch nicht verstehen, „weilen sie ohnedem mit Zahlung der Schatzung, Beeth und anderen herrschaftlichen Geltern nicht mehr aufzukommen wüßten"[87].

1721 –1738: Die herrschaftliche Administration des Salzhandels

Die beschriebenen Erwartungen der Weinheimer Bürgerschaft sollten sich größtenteils nicht erfüllen. An die Stelle der Admodiation trat nach einer Übergangszeit die sogenannte Administration des Salzhandels durch die Kurpfälzer Hofkammer. Dazu wurden an verschiedenen Plätzen Salzmagazine unterhalten, die anscheinend überwiegend mit kölnischem Salz beschickt wurden und aus denen die kurpfälzischen Untertanen ihren Salzbedarf zu decken hatten. Als Standorte solcher Magazine erscheinen Heidelberg, Mannheim, Neckarelz und wohl auch Bacharach, Kreuznach, Oppenheim, Neustadt, Germersheim und Bretten[88].

Zu Beginn der Administration erwarb die Hofkammer 13.310 Sack Salz für insgesamt 66.163 fl. bei Gererd Meuser in Köln, dem Juden Schmuhl und dem Handelsmann Porta zu Bingen, bei Johann Coblentz zu Mainz und dem Italiener Carolo Cetti zu Mannheim[89].

Die Stadt Weinheim konnte ihren Salzhandel während der Administration in etwa im Rahmen ihres Privilegs ausüben. Eine Einschränkung mußte allerdings der Umstand bedeuten, daß sie beim Einkauf des Salzes nicht frei, sondern an das herrschaftliche Magazin und seine Preise gebunden, der als so vorteilhaft geltende Austausch Weinheimer Produkte gegen Salz damit unterbrochen war. Außerdem wurde mit der Administration weiterhin ein Salzgeld als Abgabe erhoben. Auch dieses neue Salzgeld war keine eigentliche Verbrauchssteuer. Ähnlich anderen Abgaben, wie zum Beispiel das „Schloßbaugeld", kann es als zusätzliche direkte Steuer verstanden werden. 1724 entfiel auf die Stadt ein Betrag von 455 fl. Salzgeld, 1734 ein Betrag von 488 fl., den der Rat auf die Bürger umlegen mußte, wobei 1724 die herrschaftliche Anweisung ergangen war, die Subrepartition am Schatzungskapital des jeweiligen Steuerpflichtigen auszurichten[90].

1738: Die Admodiation für Heuss und Consorten

Im Januar 1738 erfolgte die nächste, im Juli des gleichen Jahres die übernächste Änderung im kurpfälzischen Salzhandelswesen. Ein Befehl der Hofkammer vom 18. Januar 1738 setzte den Weinheimer Rat vom Ende der Administration und von der Errichtung einer neuen Admodiation in Kenntnis. Als neue Generaladmodiatoren traten der kurpfälzische Rat Heuss und Consorten auf [91].

Rat und Gemeinde beschlossen daraufhin am 20. Februar 1738 die Entsendung einer Deputation, bestehend aus dem Ratsverwandten Thylo und dem Achter Weißbrod; diese sollten unter Vorlage des Weinheimer Privilegs bewirken, daß die Stadt „das Salz bei dem Generaladmodiator, Herrn Rat Heuss, gegen bare Bezahl sackweise nehmen und nomine der Stadt aufwiegen dörfte"[92]. Die Verdebitierung des Admodiationssalzes begann in Weinheim dann tatsächlich am 18. April 1748[93]. Damit kam gleichzeitig, wie verfügt, auch das Salzgeld in Wegfall; es wurde im April letztmals erhoben[94].

1738 – 1745: Der eingeschränkt freie Salzhandel der Stadt

Unter dem Datum vom 29. Juli 1738 hob Kurfürst Karl-Philipp die Generalsalzadmodiation wieder auf. Zur Begründung heißt es in dem gedruckten Patent, das die Aufhebung verkündete, die Admodiation sei eingeführt worden, um die Untertanen von den Salzgeldern und Kaminfegereigeldern zu befreien. Die Erfahrung habe aber gezeigt, daß sich die Untertanen in einigen Oberämtern noch mehr als zuvor beschwert fühlten. Den bisherigen Admodiatoren wurde gestattet, das noch vorrätige Salz holländischer Herkunft das Pfund für 3 xr. auszuverkaufen[95].

Eine Anordnung der Regierung vom 3. September 1738 trug den Untertanen, „so nicht würcklich an die Schönfelder Saline angewiesen sind", auf, ihr benötigtes Salz anderwärts nach Willkür zu besorgen. Zugleich aber wurde angeraten, sich vorzüglich mit holländischem Salz zu versehen, da es bekanntlich von höherer Güte als das übrige fremde Salz sei. Der Weinheimer Rat setzte sich über diese Empfehlung hinweg. Er sah endlich die Möglichkeit gekommen, den Salzhandel wieder völlig in die alte Bahn zu lenken und wies deshalb am 18. September 1738 den Salzverwalter an, den Handel mit den Hessen wieder anzuknüpfen, sei man doch mit dem „Hessensalz" jederzeit am besten gefahren[96].

Weniger Freude dürfte in Weinheim wie auch anderswo darüber bestanden haben, daß das Salzgeld, so wie es bis in das Frühjahr 1738 erhoben worden war, mit dem Ende der Admodiation für Heuss und Consorten wieder eingeführt und ab Oktober dieses Jahres erneut erhoben wurde[97]. Unangenehm betroffen war man in Weinheim von Schutzmaßnahmen zugunsten der kurpfälzischen Saline Schönfeld, die in diesen Jahren ausgebaut wurde und den Namen Philippshalle erhielt[98]. So sollte vom Sack verkauften fremden Salzes von den Krämern 1 fl. erlegt werden; der gleiche Betrag war bei der Einfuhr fremden Salzes an der ersten kurpfälzischen Zollstätte zu entrichten. Gleichzeitig sollte das eingeführte Salz aber nicht teuerer als das im Lande produzierte verkauft werden[99].

Der Rat scheint in dieser Sache vorstellig geworden zu sein, wurde er doch einmal mehr vom Oberamt am 23. Februar 1739 dazu aufgefordert, die auf den Salzhandel sich beziehenden Dokumente dem Oberamt zur Prüfung vorzulegen[100]. Von einer Entscheidung in dieser Sache ist nichts bekannt, sie erübrigte sich durch eine Verordnung von höherer Stelle. Am 16. April 1739 protokollierte der Stadtschreiber eine Verordnung, derzufolge ab sofort alles im Oberamt Heidelberg zum Verkauf kommende Salz ausschließlich aus der Saline zu beziehen sei. Gleichzeitig wurde der Rat aufgefordert, Stellungnahme zu 5 Fragen beziehungsweise Anordnungen zu beziehen:

1. Es soll kein ausländisches Salz im Oberamt Heidelberg mehr verdebitiert werden.
2. Es ist eine Visitation des noch bei den Krämern vorrätigen ausländischen Salzes vorzunehmen.
3. Krämer oder andere Untertanen, die Schönfelder Salz feilbieten wollen, sind nach Mannheim zur Salzkommission zu verweisen.
4. Wieviele Stunden liegt der Ort von der Schönfelder Saline entfernt; was ist pro Sack Salz an Brücken-, Weg- und anderen Geldern sowie an Zoll zu entrichten?
5. Was hat der Ort bisher jährlich an Salzgeldern geliefert?

Zu „1" erinnerte der Rat an das Weinheimer Salzhandelsprivileg und daran, daß man bis dato den Salzhandel überwiegend mit den „Hessenfuhrleuten" getrieben und dabei Tabak, Wein, Nüsse und dergleichen gegen Salz getauscht habe, „wodurch das Geld im Land und Handel und Wandel offen geblieben". Auch sei dadurch das Salz um so wohlfeiler, nämlich für etwa 4 fl. der Malter eingekauft worden. Man bat deshalb untertänigst, der Stadt aus den genannten Gründen das Privileg zu belassen.

Zu „2" wurde angegeben, daß die Weinheimer Krämer aufgrund des städtischen Monopols kein Salz zum Verkauf anböten. Im Salzhaus der Stadt befänden sich zur Zeit nur 6 Sack kölnisches und von Herrn Rat Heuss erkauftes Admodiationssalz; in der Salzkammer und in des Salzauswiegers Kasten noch etwa 2 1/2 Sack.

Zu „3" heißt es, man werde sich bei der Salzkommission gebührend anmelden, wenn die Stadt „zur Gebrauchung des Schönfelder Salzes absolute angehalten werden sollte"; gleichzeitig wurde der Erwartung Ausdruck verliehen, „wegen des Privilegii einen desto billigeren Accord zu erhalten".

Der zur Beantwortung von „4" angestellten detaillierten Berechnung zufolge sollte der Transport des Malters Salz von der 9 Stunden entfernten Saline nach Weinheim 1 fl. 44 xr. an Kosten verursachen.

Unter „5" wurde angegeben, daß die Stadt jährlich 455 fl. an Salzgeldern zu entrichten habe[101].

Der Anspruch auf ausschließliche Versorgung des Oberamtes Heidelberg aus der herrschaftlichen Saline Schönfeld ließ sich nicht ohne weiteres durchsetzen. So wurden auf Befehl der Salzkommission vom 18. Juni 1739 „zur Vermeidung großen Unterschleiffs" die Salzbücher wieder eingeführt, den Untertanen damit erneut die Beweispflicht ordnungsgemäßen Salzerwerbes auferlegt[102].

Unter dem Datum Schwetzingen, 5. August 1739 erging eine gedruckte Salzordnung, die den Fortbestand der Saline Schönfeld gewährleisten sollte. Dem Wortlaut der Ordnung ist zu entnehmen, daß den an die Saline Schönfeld gebannten Untertanen das Salzgeld erlassen worden war. Vielerorts aber hatte der Salzkonsum den dadurch entstandenen Steuerausfall nicht ausgeglichen; Schönfelder Salz im Wert von mehreren tausend Gulden war unverkauft liegengeblieben. Um diesen Ausfall wettzumachen, erging unter Strafandrohung der geschärfte Befehl an die Betroffenen, künftig ausschließlich Schönfelder Salz zu erwerben. Sofern dennoch der Salzabsatz den Steuerausfall nicht wettmachen würde, so sollte der Untertan seinen Minderverbrauch mit einem entsprechend hohen Salzgeld ausgleichen[103].

Das Bestreben des Weinheimer Rates in dieser Lage zielte darauf ab, nicht völlig an das Schönfelder Salz gebunden zu werden. Dem kam ein neuer Befehl der Herrschaft vom 6. Februar 1740 entgegen, das Salzgeld wieder in alter Höhe zu zahlen; damit war gleichzeitig das Angebot verbunden, „auf kurfürstlich gnädigste Genehmhaltung" einen fünfjährigen Akkord über die zu beziehende Menge an Salz und die Höhe des Preises zu schließen. In seiner Antwort betonte der Rat, daß er bereit sei, das geforderte Salzgeld weiterhin zu zahlen, bat aber darum, die Stadt „mit Schließung eines Accords und Preises [...] zu verschonen". Er führte dabei aus, „daß man auch, sofern aus der kurfürstlichen Saline so viel zu kaufen nicht im Stand sein sollte, hierselbstigen Salzhandel vermög in Händen habender Salzprivilegien von selbsten zu treiben und das Salz, wo solches zu bekommen, erkaufen dörften, umso mehr, weilen dahiesige Stadt wegen sothanen Salzes bis zur Zeit in großen Verlust geraten [...][104].

Die „ex speciali commissione Serenissimi" mit „Überbruck von Rodenstein" unterzeichnete Entscheidung der Hofkammer (?)[105] ist datiert Mannheim, 2. November 1740; die Entscheidung kam den Vorstellungen des Rates für den Augenblick zwar entgegen, verhieß aber für die Zukunft wenig Günstiges. Gegen Entrichtung des Salzgeldes in der bisherigen Höhe wurde der Stadt der „freie Salzeinkauf" zugestanden, „ohne an das hiesige [= Mannheimer] Salzmagazin gebunden zu sein", und zwar so lange, „bis dahin Ihre Churfürstliche Durchlaucht ein anderes inner Jahreszeit à dato dieses" verfügen werde. Dem Rat wurde ferner aufgegeben, „dahin besorgt zu sein, damit von dem einbringenden fremden Salz künftighin der herkömmliche Zoll an den kurpfälzischen Zollstätten jedesmal entrichtet werde"[106].

Am 9. Mai 1744 wurde im Rat ein Befehl der Salinenkommission vom vorangegangenen 31. März behandelt, der die Untertanen bei Strafandrohung dazu anhielt, ihre Salzbüchlein in Ordnung zu halten. Der Rat kam zu dem Schluß: „Weilen der Stadt die Salzprivilegia und Handlung hinwieder gnädigst gestattet worden, als concernirende [!] solches dahiesige Stadt nicht"[107]. Mit einiger Vorsicht läßt sich der Wortlaut dieses Beschlusses als Beleg dafür heranziehen, daß die Stadt seit der Entscheidung vom November 1740 den Salzhandel gemäß ihrem Privileg hatte betreiben können.

1745: Der endgültige Entzug des Privilegs

Von gleicher Kürze wie die Antwort des Rates vom 9. Mai 1744 waren die nächsten herrschaftlichen Anordnungen. Ein Regierungsbefehl vom 12. Dezember 1744 verlangte die ungesäumte Einsendung der Weinheimer Privilegien; ein Befehl der Salinenkommission vom 1. April 1745 forderte, daß in Weinheim unverzüglich ein Salzkommis „anzuordnen", der Salzbedarf aus dem herrschaftlichen Magazin zu decken und „alles hier befindliche frembde Salz ab- und fortzuschaffen" sei[108].

Angesichts dieser Entwicklung wandten sich Stadtschultheiß, Bürgermeister und Rat unmittelbar an den Kurfürsten. In ihrer Eingabe vom 12. Mai 1745 behaupteten sie, die Stadt sei bereits 1404 von König Ruprecht und 1601 von Kurfürst Karl Ludwig mit einem Salzhandelsprivileg ausgestattet worden; daran ist bemerkenswert, daß die erste Behauptung nicht zutrifft und die zweite die Verleihung von 1601 mit ihrer Bestätigung von 1651 zusammenwirft. Jetzt werde die Stadt angehalten, so heißt es weiter, ihr Salz aus der Saline Philippshalle zu beziehen. Die Stadt brauche aber die Einkünfte aus dem Salzhandel zur Erhaltung der in der Urkunde (von 1601) genannten Baulichkeiten und bitte deshalb um Konfirmierung ihrer Privilegien[109].

Der Kurfürst beauftragte unter dem Datum vom 24. Mai 1745 die Regierung mit einer Stellungnahme, die in Beratung mit der Hofkammer und der Salinenkommission erarbeitet werden sollte. In der Stellungnahme der Salinenkommission, datiert Philippshalle, 17. Juli 1745, heißt es, daß zum Zeitpunkt der Verleihung des Privilegs an Weinheim und andere kurpfälzische Städte Kurpfalz noch nicht über ein eigenes „Nationalsalz" verfügt habe. Jetzt aber seien drei der Herrschaft gehörende Salinen vorhanden, und damit entfalle die Notwendigkeit, ausländisches Salz, „als worüber dergleichen Privilegia in vorigen Zeithen ertheilet worden", in ersagten privilegierten Städten verdebitieren zu lassen. Dank des nun genugsam vorhandenen eigenen Salzes brauche man kein Geld mehr ins Ausland verschleppen und keine derartigen Privilegien künftig mehr bestehen zu lassen. Weinheim, wie auch (Kaisers-) Lautern, Germersheim, Neustadt, Neckargemünd und andere seien damit „ohne ein vorzügliches Praerogativ" zur Annahme des kurpfälzischen Nationalsalzes anzuhalten[110].

Am 7. Juli hatten sich Schultheiß, Bürgermeister und Rat erneut an den Kurfürsten gewendet und dabei spezifiziert, wozu die Stadt die Erträge aus dem Salzhandel benötige, nämlich zur Bezahlung der Rektoren der drei Konfessionen, zur Erhaltung der städtischen Gebäude und zur Ersetzung der Schäden, die der „wilde Wäschnitzbach" jedes Jahr in den Feldern verursache[111].

Am 11. August erklärte sich die Hofkammer für konform mit dem Antrag der Salinenkommission auf Abweisung des Weinheimer Gesuchs [112]. Die Regierung trug am 14. August dem Oberamt Heidelberg auf, die Stadt Weinheim nochmals anzuhören und beglaubigte Kopien der Privilegien anzufordern[113].

Der Rat lieferte die angeforderten Kopien, die der Weinheimer Stadtschreiber Johann Adam Friedrich Kern vidimiert hatte. Ebenso gab der Rat nochmals eine umfangreiche Erklärung darüber ab, weshalb die Stadt auf den Salzhandel nicht verzichten könne. Angesichts der herrschenden „betrübten Zeiten", womit auf den Österreichischen Erbfolgekrieg Bezug genommen wurde, würde durch eine „Supprimirung dieses unseres Salzprivilegii der Stadt vollends der Garaus gemacht", sei die Stadt doch, wie bekannt, härter als andere Orte durch „Durchmarch und Remarchen", hohen Abgaben, Fronden und dergleichen heimgesucht und mitgenommen, „zu geschweigen deren bishero nacheinander erfolgten Weinmißwachsjahren und viel erlittener Wasserschaden". Der Entzug des Privilegs bedeute den Ruin der Stadt, ohne dem „churfürstlichen Aerario" einen Vorteil zu bringen. Diese Feststellung wurde damit begründet, daß das eingeführte Salz stets gegen Nüsse eingetauscht oder aber der Erlös zum Ankauf von Wein oder Tabak benutzt werde, „durch welches Commercium dann gnädigster Herrschaft ein zweyfacher Zoll in Zufuhr des Salz und Abführung des Weins, Taback oder Nüß zugewachsen". Das Argument der Salzkommission, daß durch die Salzeinfuhr Geld außer Landes fließe, sei also abzulehnen, es werde im Gegenteil Geld ins Land gebracht. Außerdem habe der „Bürgersmann" das Salz zu einem günstigeren Preis, „nemblich wie es im Ankauf gewesen" erstehen und somit „das Utile wie die Stadt selbsten" genießen können. Aus all diesen Gründen bitte man um Erhaltung des Privilegs[114]. Unterstützung erhielt die Stadt durch das Oberamt; bei der Weiterleitung der Weinheimer Unterlagen an die Regierung bemerkte die Heidelberger Behörde am 6. Dezember 1645, sie halte es allerdings für hart, der Stadt Weinheim das seit langen Jahren ruhig genossene Privileg zu entziehen[115].

Die Fürsprache durch das Oberamt kam zu spät; sie konnte den endgültigen Entzug des Privilegs nicht mehr verhindern. Bereits am 29. November hatte der Stadtschreiber einen Befehl der „hochlöblichen" Salinenkommission vom 25. November protokolliert, des Inhalts, „daß vermög des unterm 18ten gnädigst ergangenen Rescripti die wegen praetendirenden freien Salzhandelsprivilegien oder statt dessen umb ein Aequivalent eingekommenen Städte mit ihrem Gesuch ein- für allemahl ab- und zur Ruhe verwiesen seyen"[116].

Damit hatte sich die Salinenkommission mit ihrem Bestreben durchgesetzt, den Absatz des kurpfälzischen „Nationalsalzes" zu sichern und gleichzeitig auch die nach wie vor notwendige Einfuhr fremden Salzes ihrer Regie zu unterstellen [117].

Mit dem Privileg verschwand gleichzeitig ein Relikt der vorabsolutistischen Zeit; die Stadt Weinheim büßte ein Stück ihrer Freiheiten zugunsten der zentralstaatlichen Institution ein. Der Rat nahm die Entscheidung anscheinend resignierend hin. Alles, was sich an Protest findet, ist der von früher her bekannte, bei passender Gelegenheit stets wiederholte Hinweis darauf, daß die Stadt eine geforderte Leistung nur schwer erbringen könne, da man ihr den Salzhandel entzogen habe. So heißt es unter dem 22. November 1749, „daß die Stadtrevenuen nicht hinlänglich [...], weilen der Salzhandel, Schild- und Feuergerechtigkeit, ohne das versprochene Aequivalent davor gereicht zu bekommen, der Stadt als ihre vorherige Hauptsource entzogen worden"[118].

Für die Weinheimer bedeutete der Verlust ihres Privilegs, daß sie, wie alle kurpfäzischen Untertanen, fortan ihr Salz unter Vorlage des „Salzbüchleins" beim „Salzcommis" zu kaufen hatten. Nutznießer der veränderten Rechtslage waren einzelne Weinheimer Krämer. Sie versprachen sich, wie die entsprechenden Gesuche zeigen, von der Tätigkeit als Salzkommis eine zusätzliche Einnahmequelle. 1752 werden erwähnt als Salzkommis die Krämer Thomas Bruny und Friedrich Kammerloch[119], 1755 die Krämer Bürn, Geiger und Kammerloch. Um „Dispute" unter den Krämern abzustellen und um „Gravamina" der nicht mit dem Salzhandel begabten Krämer künftig zu vermeiden, beschloß der Rat am 18. Dezember 1755, „bei hochlöblicher Salinencommission Antrag zu tun, daß man der Stadtwaag das Salzauswiegen überlassen mögte"[120]. Damit wäre die Stadt selbst zum Salzkommis geworden; offensichtlich blieb aber der Antrag unberücksichtigt, da 1759 erneut der Salzkommis Bruny erwähnt ist [121]. Auch die Unzufriedenheit unter den Weinheimer Krämern blieb somit bestehen. Noch 1798 forderte die Salzkommission den Rat auf, das Salzauswiegen in Zukunft einem Bürger zu übertragen, der sonst keinen Handel treibe, um die Beschwerden verschiedener Weinheimer Handelsleute zu beheben. Die bisherigen „Salzauswieger" Andreas Callioni und eine Witwe Gemming blieben indessen weiterhin mit dem Auswiegen des Salzes betraut: Callioni wies darauf hin, er habe seine Spezereihandlung aufgegeben und verkaufe nur noch selbstverarbeiteten Tabak; die Witwe Gemming betrieb lediglich einen „geringen" Handel mit Seife und Lichtern[122].

III. BESTANDSVERGABEN

Verschiedentlich verzichtete der Rat auf die unmittelbare Ausübung des Salzhandels durch städtische Amtsträger und vergab den Handel an Interessierte in Pacht oder Bestand. Erstmals läßt sich diese Praxis für die Jahre 1636 und 1637 feststellen. Vorausgegangen war das völlige Erliegen des städtischen Salzhandels infolge der Kriegsereignisse des Jahres 1634. Der Zusammenbruch der schwedischen Machtstellung nach der Schlacht von Nördlingen ließ das Land an der Bergstraße und am unteren Neckar bis in den Sommer 1635 hinein zum Kriegsschauplatz werden. Mit der Einnahme Mannheims, des Heidelberger Schlosses und des Dilsbergs errangen die kaiserlichen Truppen den endgültigen Sieg über die Schweden und die mit ihnen verbündeten Franzosen. Die rechtsrheinische Pfalz geriet damit abermals bis zum Ende des Krieges in den Zugriff der Bayern; bereits zum 11. November 1634 wird der „bayerische" Schultheiß und Keller Johann Peter Wolff wieder im Weinheimer Ratsprotokoll erwähnt[123]. Diese Entwicklung unterbrach vermutlich die Zufuhr von Salz aus den Salinen des hessischen Raumes, von wo aus der Weinheimer Salzhandel ganz überwiegend beliefert wurde. Rechnet man die sonstigen Auswirkungen des Kriegsgeschehens hinzu, so leuchtet es ein, daß der Weinheimer Rat niemanden mehr fand, der bereit gewesen wäre, das Amt eines Salzverwalters und die damit verbunden Risiken zu übernehmen.

Am 15. Oktober 1634 beschloß der Rat, die seitherigen Salzverwalter Philipp Kuntzelmann und Hans Philipp Menges „dahin zu vermögen", ihr Amt weiter zu tragen. Da diese aber bei den „gefährlichen Läuffen und unsicheren Zeiten große Mühe und Gefahr" fürchteten, verdoppelte der Rat ihre jährliche Besoldung von 10 auf 20 fl.[124], nachdem bei der Ämterbesetzung vom Vortag keine Salzverwalter hatten bestellt werden können[125]. Aufgrund der Lücken im Ratsprotokoll muß dahingestellt bleiben, ob Kuntzelmann und Menges das Angebot des Rates, das ohnehin mit den „Herren von der Gemeinde", den Achtern, nicht abgesprochen war, annahmen. Aus der nächsten Nachricht, sie datiert vom 28. April 1636, geht jedenfalls hervor, daß der Salzhandel ruhte, Salzverwalter nicht bestellt waren. Zu diesem Datum trug Stadtschultheiß Johann Peter Wolff dem Rat und „denen von der Gemeind" eine Anregung der Regierung „zur Erhaltung der Stadt Weinheim alter Gerechtigkeit" vor. Dem Rat wurde dabei aufgegeben, den Salzhandel einem zahlungskräftigen Interessenten zu übertragen, „der sich dahin nach Heidelberg verfügen und die Scheibe pro 16 fl. Bargeld abholen solle". Sollte sich aus Weinheim dazu niemand bereiterklären, so war nach Meinung des Schultheißen ein „Ausländischer" zum Salzhandel zuzulassen. Die Achter gaben darauf zur Antwort, sie würden zwar einen solchen Salzhandel gern annehmen, hätten dazu aber die notwendigen Mittel nicht; der Rat äußerte sich im gleichen Sinne. Für den Fall jedoch, so der Rat weiter, daß unter den Bürgern einer sei, der das Geld vorschießen könne, „es seien ihr wenig oder viel", so wolle man diesem den Salzhandel auf ein Vierteljahr vergönnen. Die Achter gaben sich mit dieser Antwort aber nicht zufrieden; sie forderten, einer der Ratsverwandten solle den Salzhandel akzeptieren und „zu Observirung alter Gerechtigkeit der Stadt ein Leidenliches daraus geben pro tempore, bis so lang mans wiederum in alten Stand bringen [könne], alsdann die Billigkeit daraus gereicht werden solle". Der Rat fand sich daraufhin bereit, den Salzhandel gesamter Hand einen Monat ohne irgendeine Verpflichtung zur Probe auszuüben, um zu sehen, „wie es ausgehen mögte"; alsdann sollte ein entsprechender Vertrag mit einem möglichen Interessenten geschlossen werden. Die Achter als Vertreter der Gemeinde stimmten diesem Kompromißvorschlag zu [126]. Gegen Ablauf dieser vier Wochen, am 22. Mai 1636, forderte der Gemeindebürgermeister im Namen der Achter den Rat dazu auf, den Salzhandel fortzusetzen, aber als Gebühr „inner Vierteljahrsfrist" der Stadt 15 fl. daraus zu geben und zu liefern[127].

Es ist unklar, ob der Bestand in dieser auffälligen Form – der Rat gesamter Hand als Pächter des Salzhandels – fortgeführt wurde. Sicher ist dagegen, daß im Sommer 1636 Schultheiß Johann Peter Wolff mit weiteren Teilhabern den Salzhandel für drei Monate in Bestand nahm, der am 18. November 1636 auf ein Jahr verlängert wurde: „Ist Herrn Kellern uf ein Jahr lang pro 200 Rtlr. verliehen, dergestalt, daß es an seiner Schuld abgekürzt werden soll"[128]. Das heißt, daß der Schultheiß der infolge des Krieges finanziell schwer bedrängten Stadt Geld vorgestreckt und sich dafür den Salzhandel hatte verschreiben lassen[129]. Zu Ablauf dieses Bestandsjahres beschlossen Rat und Gemeinde am 15. Oktober 1637, den Salzhandel zum Nutzen der Stadt wieder einzuziehen und fortzuführen[130]. Mit dieser Rückkehr zum Herkommen war, dies ist bereits erwähnt, die Neuordnung des Salzverwalteramtes verbunden, was sich in der Erstellung des Salzverwaltereides vom November 1637 niederschlug [131].

Der nächste Bestand wurde freilich schon zum 5. November 1641 errichtet. Beständer war der Bürger Wolf Ulrich Demuth; ihm wurde der Salzhandel für 150 fl. – „quartaliter 25 fl." – auf ein Jahr verliehen; tatsächlich hatte Demuth der Stadt insgesamt nur 100 fl. zu entrichten, der Rest von 50 fl. sollte ihm „an seiner gegen die Stadt habenden Forderung abgekürzt" werden. Es sollte ihm dabei freistehen, den bisherigen Salzmesser Jakob Planck zu behalten oder einen anderen zu bestellen[132]. Grundlage für diesen Bestand war demnach erneut die Verschuldung der Stadt bei einem Privaten. Nach Ablauf des Bestandes nahm der Rat den Salzhandel im November 1642 wieder in städtische Regie[133].

Im November 1646 wurde der Salzhandel abermals in Bestand gegeben. Beständer war ein Jakob Finckel, der den Salzhandel auf zwei Jahre, von Martini 1646 bis

Martini 1648, für 400 fl. pachtete. Im Bestandsvertrag wurde ihm auferlegt, jedes Quartal 50 fl. zu erlegen, wobei die Stadt „des Geldes einzig von ihm und keinem anderen gewärtig" zu sein beanspruchte; außerdem mußte Finckel eine geringe Menge noch vorrätigen Salzes zu dem Preis übernehmen, zu dem es bisher verkauft worden war. Umgekehrt verpflichtete sich der Rat, beim Auslaufen des Bestandes das möglicherweise dann vorhandene Salz, „im Fall er solches zu Treue geben wollte, zu aestimiren"[134].

Jakob Finckel scheint freilich nicht auf seine Kosten gekommen zu sein; am 4. Dezember 1647 bat er um Nachlaß des Pachtzinses, „alldieweil [der Salzhandel] bei solchen Zeiten nichts abgebe und er Schaden leiden müßte". Er erhielt indessen den Bescheid, daß er den Bestand „auszuhalten schuldig seie"[135]. Als der Bestand im November 1648 auslief, war der Beständer mit 30 fl. Zins im Rückstand. Außerdem war keinerlei Salzvorrat mehr vorhanden, so daß die neuen Salzverwalter am 2. Dezember 1648 den Rat ersuchten, ihnen Mittel zu schaffen, um den Salzhandel fortführen zu können. Der Rat stellte dazu fest, daß den „alten Salzverwaltern" (zur Zeit des Finckelschen Bestandes) etliche Male Salz ausgeliefert worden sei; diese sollten deshalb binnen acht Tagen „solches in natura oder das Geld davor liefern"[136].

Der nächste Bestand wurde zwei Jahre später errichtet. Beständer war eben der Wolf Ulrich Demuth, der bereits 1641/42 den Salzhandel gepachtet hatte. Am 21. Oktober 1650 wurde ihm von Rat und Gemeinde der städtische Salzhandel auf vier Jahre verliehen. Wie bereits 1641/42, so hatte Demuth auch jetzt eine Forderung an die Stadt zu richten; diesmal konnte er eine Schuldverschreibung („Brief") über 600 fl. vorweisen, die er von „weiland Georg Ohrmanns Tochter Anna Maria" erkauft hatte.

Im Bestandsvertrag wurde nun unter anderem festgelegt, daß Demuth nach Ablauf des vierjährigen Akkords den „Hauptbrief" (Schuldverschreibung) dem Rat zur Kassation auszuliefern hatte; zweitens sollte Demuth der Stadt jährlich 55 fl. Zins in vierteljährlichen Raten „ohne einige exception" zahlen; drittens sollte er jährlich ein Malter Salz dem Herrn Landschreiber (des Oberamtes Heidelberg) unentgeltlich „behändigen"; schließlich hatte er die Besoldung des Salzmessers zu übernehmen[137].

Der Bestand des Wolf Ulrich Demuth lief tatsächlich über die vereinbarte Zeit. Am 16. Oktober 1654 wurden wieder zwei Salzverwalter bestellt: der Apotheker Jost Christoph Heinemann „des Rats" und Hans Wolf Demuth „von der Gemeind"[138]. Am 20. Oktober erinnerten „die von der Gemeind", daß nach zu Ende gegangenem Bestand der bisherige Beständer Wolf Ulrich Demuth den „Brief" aufs Rathaus liefern solle, „solchen zu cassiren". Der Rat stimmte diesem Verlangen zu[139]. In der gleichen Ratssitzung hatten die neuen Salzverwalter die Zuweisung von Mitteln beantragt, um Salz einkaufen zu können; der Rat beschloß darauf, 50 fl. von den „Reißgeldern" zu „entlehnen, den Salzhandel damit anzufangen"[140].

Am 4. Juli 1670 befaßte sich der Rat mit dem Ansuchen des kurpfälzischen Zöllners zu Großsachsen Philipp Nickel, ihm den Salzhandel für Großsachsen um ein billig Stück Geld zu verleihen, da doch die Stadt Weinheim wegen des Salzhandels auf eine halbe Meile privilegiert sei. Der Rat zeigte sich gewillt, dem Gesuch zuzustimmen; sofern der Zöllner das Salz aus Weinheim beziehen würde und der Stadt daraus kein Nachteil erwüchse, wolle man ihm gegen Hinterlegung eines Reverses diesen Handel auf ein Jahr zu einem Zins von sechs Rtlr. verleihen[141]. Da weitere Nachrichten in dieser Sache fehlen, läßt sich nicht sagen, ob der Bestand in der beschriebenen Form tatsächlich errichtet wurde.

Eine besondere Notlage veranlaßte Rat und Gemeinde zu einer weiteren, der letzten nachweisbaren Bestandsvergabe des Weinheimer Salzhandels. Im Verlauf des sogenannten Holländischen Krieges verwüsteten im Juni 1674 französische Truppen unter Turenne die pfälzische Bergstraßengegend. Die Weinheimer hofften, durch einen Schutzbrief, den sie sich für angeblich 600 fl. erkauften, Unheil von der Stadt abwenden zu können. Sie mußten freilich erleben, daß sie der Brief nicht vor einer völligen Ausplünderung durch die Franzosen schützen konnte, als Turenne sein Quartier nach Weinheim verlegte; immerhin wurde die Stadt nicht in Schutt und Asche gelegt, wie dies anderen pfälzischen Orten in diesem Sommer des Jahres 1674 geschah[142]. Um das Geld für den Schutzbrief aufbringen zu können, hatte die Stadt 100 Rtlr. bei dem Bürger Hans Rick aufgenommen; dafür verschrieb man ihm den Salzhandel, „denselben bis zu Ablegung [Rückzahlung] der 100 Rtlr. anstatt Interesse (Zins) zu gebrauchen"[143].

Bereits im Januar 1675 stellten Rat und Gemeinde Überlegungen an, wie man den an Hans Rick verliehenen Salzhandel wieder in städtische Verfügung bekommen könnte; es seien sonst keine Mittel vorhanden, noch zu erwerben, um die „Stadtdiener" zu erhalten. Rat und Gemeinde kamen zu dem Schluß, daß man Rick den Salzhandel mit der Begründung entziehen könne, er habe ihn nur auf Wucher „gehabt und genossen [...], solches aber eines Ehrsamen Rats Meinung nicht gewesen, zumaln dergleichen wucherliche Contracten in Churpfältzischen Landrechten gänzlich verbotten" seien. Hans Rick zeigte sich freilich nicht geneigt, dieser allzu durchsichtigen Argumentation von Rat und Gemeinde zu folgen, sondern kündigte an, er werde „sich weiter Bescheids erholen"[144]. Tatsächlich blieb Rick anscheinend ungehindert weiterhin im Besitz des Salzhandels. In der Ratssitzung vom 21. Juni 1675 erinnerte der Schultheiß, man solle dahin bedacht sein, daß die Stadt den Salzhandel des Hans Rick wieder an sich ziehe[145]. Daraufhin verhandelte der Rat am 19. August 1675 mit Rick über die Rückgabe des Salzhandels. Man stellte Rick vor, er habe den Salzhandel nunmehr ein Jahr genossen und müsse diesen, „weilen ganz und gar kein Mittel bei der Stadt vorhanden, notwendig wiederum cediren, damit man wiederum einige Mittel bey der Stadt haben möge". Von dem Vorwurf des Wuchers war hier nichts mehr zu hören, eher klingt die Bitte des Rates heraus, Rick möge der Stadt abermals aus einer Notlage helfen. Weiter heißt es im Ratsprotokoll, „Hans Rick ist dessen wohl zufrieden gewesen, derowegen [er] hierauf den Salzhandel der Stadt wiederum überlassen"[146]. Von einer Rückzahlung der von Rick vorgestreckten 100 Rtlr. war dabei nicht die Rede; die Stadt war dazu wohl nicht in der Lage. Deshalb scheint Rick den Salzhandel zumindest in gewissem Umfang fortgesetzt zu haben. Genaueres läßt sich angesichts der kriegsbedingten Lücke in den Ratsprotokollen nicht feststellen. Erst am 3. Februar 1676 kamen Hans Rick einerseits, Rat und Gemeinde andererseits überein, „daß man auf künftigen Herbst ihn, Rick, anstatt der 100 Rtlr. 100 fl. mit Wein in billigem und läufigem Preis bezahlen wolle, und sollen die übrigen 50 fl. wegen des genossenen Salzhandels fallen, dagegen er, Rick, das Salzverkaufen von nun an gänzlich einstellen [werde][147].

Damit scheint der letzte Bestand zu einem Ende gekommen zu sein; vom Rat bestellte Salzverwalter lassen sich freilich erst wieder ab 1679/80 nachweisen [148].

IV. DER ORGANISATORISCHE RAHMEN DES WEINHEIMER SALZHANDELS

Die Salzverwalter

Die Nutzung des Privilegs durch die Stadt setzte einen Apparat voraus, der sich mit Einkauf, Lagerhaltung und Verkauf des Salzes zu befassen hatte. An der Spitze der Organisation standen die beiden Salzverwalter, die das Amt kollegial ausübten. Sie wurden jeweils für die Dauer eines Jahres von Martini zu Martini vom Rat mit der Aufgabe betraut und in Pflicht genommen. Im Idealfall stellte der Rat aus seiner Mitte den einen, die „Gemeinde", das heißt die Achter als Vertreter der acht Stadtviertel, den anderen Salzverwalter. Erstmals eindeutig faßbar wird diese Gewohnheit im Jahre 1615. Am 10. Dezember dieses Jahres legten die beiden Salzverwalter Peter Demuth und Helfferig Löser „ihr nun ettlich Jahr hero getragenes Ampt" nieder. Die dadurch nötig werdende Neubesetzung fiel auf Leonhard Haber „des Rats" und Hans Trommeter „von der Gemeindt"[149]. Leonhard Haber und Peter Demuth sind übrigens die ersten mit ihrem Namen überlieferten Salzverwalter; sie trugen das Amt gemeinsam schon einmal 1611/12, wobei jedoch nur Haber mit dem Zusatz „des Rats" näher gekennzeichnet wurde[150].

Eine von diesem Gebrauch abweichende Begrifflichkeit findet sich nur selten, so etwa bei der Ämterbesetzung vom 16. November 1643, wo zu Salzverwaltern bestellt wurden Velten Antz „des Raths" und Hans Eyermann „aus der Bürgerschaft"[151].

Eine noch auffälligere Abweichung findet sich im Ratsprotokoll vom 11. November 1638, wo es heißt: „Ist Herr Rathsbürgermeister [Stefan Höchster] zum Salzherrn von E.E. Rath erwöhlt worden. Eo die [am gleichen Tag] ist Jacob Finckel wegen der Gemeindt ihme zum Salzhendler undt Gesellen adiungiret worden"[152].

Wie sich anhand der Ratsprotokolle und des Buches der städischen Amtsträger nachweisen läßt, war die Doppelbesetzung des Salzverwalteramtes bis zum Ausgang des 17. Jahrhunderts die durchgängige Regel. Schon 1691 allerdings, während der Heidelberger Admodiation, findet sich nur ein Salzverwalter, dem freilich durch Ratsbeschluß vom 31. Mai dieses Jahres der Rechenmeister und Ratsverwandte Georg Friedrich Vogler als Kontrollorgan zugeordnet wurde, womit das Herkommen wieder Beachtung fand. Der neubestallte Salzverwalter „des Rats" sollte den zweiten Schlüssel zur Salzkammer in seiner Verfügung haben, um der beanstandeten unkontrollierten Entnahme von Salz aus der Kammer durch den bisher allein amtierenden Salzverwalter „von der Gemeind" Johann Friedrich Zinkgräf ein Ende zu bereiten. Dem Rat war hinterbracht worden, „daß der Salzverwalter Zinkgräf seither diesen troublen [Orléansscher Erbfolgekrieg] dem alten Herkommen zuwider das Salz [...] in seinem Haus verkaufen tue, solches aber selbst aus der Cammer sich zumesse und der Stadt keinen Überschuß liefere, daher großen Profit daran haben müsse [...][153].

Nach einer wohl nur kurzlebigen Neuordnung im Jahre 1696, von der noch berichtet werden wird, scheint der Rat den Salzverwalter nur noch aus seiner Mitte, beziehungsweise ohne Beteiligung der Gemeinde bestellt zu haben, womit die Doppelbesetzung des Amtes endgültig aufhörte; genauere Aussagen erlaubt die Quellenlage nicht. Immerhin liegt die Vermutung nahe, daß die geschilderten wiederholten Richtungsänderungen in der kurpfälzischen Salzhandelspolitik seit Beginn des 18. Jahrhunderts zu einem Abreißen der alten Kontinuität in der Besetzung des

Weinheimer Salzverwalteramtes geführt hatten. Am 25. Januar 1726 dekretierte das Oberamt, daß der „ohne Vorwissen und Consens" neu angenommene Salzverwalter Herbert bis Jahresende in seiner Funktion zu belassen sei, daß dann aber die Salzverwaltung zum gemeinen Besten einem anderen tauglichen Subjekt, vorzüglich einem Achter – sofern sich einer dazu bereitfinde – zu übertragen sei. Auch könne man „bey Oberambt nimmermehr gestatten [...], daß dahiesiger Stadtrath sich eine anmaßliche besondere praerogativam [Vorrecht] und einseithige Direction über diesen vom gemeinen Stadtwesen blos und allein dependirenden [abhängigen] Salzhandel attribuire [zuspreche] [...]". Diese, anscheinend auf Betreiben des Achterkollegiums ergangene Entscheidung wurde vom Rat nicht unwidersprochen hingenommen, lief sie doch allzu eindeutig dem alten Gebrauch zuwider. Die Besetzung des Salzverwalteramtes war stets ohne Mitwirkung des Oberamtes geschehen. Der Rat beschloß deshalb, das Oberamt zu ersuchen, die Sache bis zu einer mündlichen Verhandlung „in suspenso" zu lassen. Sollte sich eine Kränkung der Gerechtsame des Rates durch die Achter ergeben, so war der Rat willens, die Angelegenheit mit Zustimmung des Oberamtes an höherem Ort anhängig zu machen[154].

Beiden Salzverwaltern floß eine jährliche Vergütung von ursprünglich je 10 fl. zu[155]; später erfolgte eine Erhöhung auf je 15 fl., was sich erstmals für 1683 belegen läßt[156]. 1634 wurde den beiden Salzverwaltern Philipp Kuntzelmann und Hans Philipp Menges eine einmalige Zulage von je 10 fl. bewilligt, die sie unter Hinweis auf die „gefährlichen Läufte und unsicheren Zeiten" vom Rat erbeten hatten[157]. Weitere, aber erfolglose Vorstöße zu einer Erhöhung der Bezüge lassen sich wiederholt belegen.

1663 erinnerte Paulus Kern den Rat daran, daß man versprochen habe, ihn wachtfrei zu halten, „als man ihn wieder zum Salzverwalter angenommen"[158]. Bei der Bestellung der Salzverwalter vom 19. Dezember 1666 gestand der Rat dem erneut angenommenen Paulus Kern die Freiheit von Wachtdienst und Einquartierung sowie von sonstigen Frondiensten, unter Ausnahme der vier „Hauptfronden", zu[159]. Eine Erklärung für diese Vergünstigungen läßt sich nicht finden. Der Vorgang ist umso auffälliger, als derartige Vorstöße der Salzverwalter vom Rat regelmäßig abgewiesen wurden.

Abgelehnt wurde am 20. Oktober 1654 auch der Vorschlag der beiden Salzverwalter Jost Christoph Heinemann und Hans Wolf Demuth, ihnen „anstatt ihres salarii" das städtische Nußhandelsmonopol zu übertragen. Rat und Gemeinde schlugen dieses Ansinnen mit der Begründung ab, man besorge „einige Nachrede von der Bürgerschaft", versprachen dabei freilich zugleich, eine „fleißige" Amtsführung der Salzverwalter entsprechend honorieren zu wollen[160]. Vielleicht erklärt sich dieses Versprechen aus der besonderen Situation des Jahre 1654, in welchem der Rat nach dem Ende des Bestandes des Wolf Ulrich Demuth den Salzhandel wieder in städtische Regie zurücknahm und gleichzeitig das Privileg gegen herrschaftliche Eingriffe verteidigt werden mußte.

Über die Aufgaben der Salzverwalter berichtet, neben der Urkunde von 1601, die Formel des Salzverwaltereides, die freilich erst 1637 erstellt wurde. Ein Ratsbeschluß vom 31. Oktober 1633 hatte vorgesehen, künftig den Salzverwaltern ein „Jurament" aufzusetzen[161]. Es dauerte dann nochmals vier Jahre, bis am 19. November 1637 die Eidesformel verabschiedet wurde, die für sich in Anspruch nimmt, altes Herkommen zu normieren [162]; sie lautet:

„Salzverwalterayd

Demnach ihr nunmehr zu einem Salzverwalter von E.E. Rath uff- und angenommen worden, und damit demselbigen in allen Puncten und Artickuln getreülich und fleissig nachgelebet werde, wie von alterß herkommen ist.

1. *Alleß, waß yederzeit an Salz von einem und dem andern einkaufft wird, mit seinen darzugehorigen Urkunden von dem Verkaüffer beylegen und beurkunden.*
2. *Item, solche Urkunden in die Kisten einlegen, einer soll die Kist und der ander den Schlüssel haben.*
3. *Es soll keiner ohne den Andern über das Gelt gehen und davon nehmen, sondern sollen alle beede beysamen sein.*

Diese itzt gesetzte Puncten sollet ihr yederzeit wohl in Achtung nehmen, denselben getreu und fleissig nachkommen ohne alle Falscheit[!] und Gefehrde und hierüber ein leiblichen Eid zu Gott und dem heyligen Evangelio schweren."

Wie es scheint, wurde insbesondere der Punkt „3" des Eides nicht immer eingehalten. So zeigte am 22. Januar 1685 Salzverwalter Zinkgräf dem Rat an, daß „bei Ausnehmung des Geldes aus dem Stock" des Salzmessers ein Betrag von mehreren Gulden gefehlt habe, „so durch die [im Kaufhaus einquartierten] Soldaten mit Kartenblättern herausgenommen worden". Mitverantwortlich für diesen Verlust sei der Ratsverwandte Koch, der sich geweigert habe, Zinkgräf zur Erhebung des Geldes aus dem Stock zu begleiten; weil es ihm, Zinkgräf, nicht gebühre, „das Geld allein auszunehmen", sei dies zunächst unterblieben und somit der Diebstahl möglich geworden[163].

Im Ratsprotokoll vom 31. Oktober 1633 heißt es, daß alter Ordnung nach, an allen Bettagen das Salz „ausgeruffen und wolfeyler gegeben" werden solle[164]. Damit ist eine weitere Aufgabe der Salzverwalter berührt, über die das Ratsprotokoll vom 20. Juni 1696 nähere Auskunft gibt. Zu diesem Datum wurde ein Wechsel im Salzverwalteramt nötig, was der Rat zum Anlaß nahm, den neuen Verwalter daran zu erinnern, daß er und der „Herr vom Rat" als Mitsalzverwalter am monatlichen Bettag nach der Predigt „wie Herkommens" das Salz vierlingsweise „gesamter Hand" zu verkaufen und sich dabei zum Ausmessen des Salzes des geschworenen Mitterers zu bedienen hätten. Das dabei erlöste Geld, wie auch das vom Salzmesser aus dem Stock gelieferte, sei in einer „absonderlichen" Kiste zu verwahren, über die „keiner allein die Gewalt [...], sondern ein jeder einen absonderlichen Schlüssel", „also jedesmalen beieinander sein sollen". Wie die Geldkiste sei auch die Salzkammer künftig, „wie Recht ist", mit zwei Schlössern zu versehen, damit „keiner allein, es sei in Kaufen oder Verkaufen, darüber gehen" könne[165].

Der Verkauf von Salz durch die Salzverwalter an den Bettagen geschah „dem alten Herkommen" zufolge „aus der Kammer" des Salz- oder Kaufhauses[166], wo der Salzvorrat verwahrt lag, zu der der Salzmesser als der eigentliche Salzverkäufer keinen Zutritt hatte.

Neben der erwähnten Pflicht, einmal im Monat am Verkauf des Salzes persönlich mitzuwirken, oblag den Salzverwaltern die Aufgabe, den Salzvorrat stetig zu ergänzen[167]. Gewöhnlich geschah dies durch Ankauf von Salz, das ihnen von den die Stadt besuchenden „Salzführer[n]" angeboten wurde[168]. Blieben diese aus, wie das für die Zeit des Dreißigjährigen Krieges wiederholt zu belegen ist, mußten die Salzverwalter versuchen, das benötigte Salz selbst zu beschaffen. 1642 erhielten die Salzverwalter die Garantie des Rates, daß die Stadt „bei so beschaffenem gefährlichen Zustand" sie in „allem schadlos" halten werde, wenn „im ohnverhofften Fall gemeltes Salz denen Salzverwaltern abgehen" sollte[169]. Als 1644 erneut ein großer Mangel an Salz festzustellen war, beauftragte der Rat die Salzverwalter, das Salz „uff der Stadt Gewihn und Verlust [...] zu Franckfurth, oder wo sie es zu bekommen wissen", einzukaufen[170].

Ihre Geschäftsführung hatten die Salzverwalter in der jährlichen Salzverwalterrechnung gegenüber dem Rat und dem Stadtschultheißen offenzulegen, damit diese Rechnung wie die aller städtischen Amtsträger, dem üblichen „Verhör" unterzogen werden konnte[171]. Leider sind mit Ausnahme der Jahre 1683, 1684 und 1685 die Rechnungen nicht erhalten; für das Rechnungsjahr von Martini 1628 auf Martini 1629 ist der Gesamtumfang des Salzhandels in Einnahmen und Ausgaben summarisch überliefert[172]. Schon 1729 widersetzte sich der Rat der Anordnung des Oberamtes, die „Salzmanualien" zu extradieren, seien doch „deren schon einige in kurzen Jahren bereits aus der Repositur entwendet worden"[173]. Häufig sind jedoch die Hinweise auf Rezesse, die teilweise beträchtliche Summen ausmachten und deutlich werden lassen, daß sich mit dem Amt finanzielle Risiken für den Inhaber verbinden konnten. So klagte 1626 Salzverwalter Hans Jakob Most über einen Rezeß von über 300 fl., den sein Vorgänger Heinrich Koch hinterlassen hatte [174]. Bei Abhörung der Salzrechnung des Johann Friedrich Zinkgräf von 1687 ergab sich ein Rezeß von 82 fl., der sich anscheinend aus späterer erneuter Amtsführung Zinkgräfs nochmals vergrößerte, als „Zinkgräfischer Rezess" sich nachweisbar bis in das vierte Jahrzehnt des 18. Jahrhunderts fortschleppte und zu wiederholten Auseinandersetzungen der Erben des Johann Friedrich Zinkgräf mit Stadt und Oberamt führte[175].

Ein ständiges Risiko erwuchs den Salzverwaltern aus einem natürlichen Vorgang; während der Lagerung trocknete feucht eingekauftes Salz, was zu einem Schwund führte, der in der Endabrechnung den Salzverwalter belastete. Die Salzverwalter versuchten dieser Gefahr schon bei Abnahme des Salzes zu begegnen, indem sie zu weiche und zu feuchte Ware beanstandeten[176]. Das Problem blieb aber grundsätzlich bestehen, nicht zuletzt wohl auch deshalb, weil man oft keine andere Wahl hatte, als das angebotene Salz, so wie es war, zu übernehmen. Dies zeigt sich auch in einem Ratsbeschluß vom 20. Juni 1696, in dem es heißt: „zumalen auch weil mehrmahls kommt, daß das Salz sehr feucht, also einen großen Abgang hat, daß solchen Falls keiner [der Salzverwalter] vor den Abgang, da sich einiger über die Gebühr finden sollte, stehen oder selbigen zu bezahlen angehalten werden könne und solle, sondern, wann sich ein Überschuß oder Abgang finden wird, solcher der Stadt zufallen solle; und ist zu künftiger Nachricht also hierher zu Protocoll gebracht auf Herrn Kellers und Rats Begehren"[177].

Der Salzmesser

Der mit dem eigentlichen Verkauf des Salzes hauptsächlich befaßte städtische Amtsträger war, wie erwähnt, der Salzmesser. Als erster in diesem Amt nachweisbar ist Asmus Hammelbach, der am 22. Oktober 1607 als offenbar todkranker Mann sein Testament diktierte[178].

Wie die übrigen städtischen Ämter, wurde auch das Amt des Salzmessers jeweils um Martini durch den Rat für die Dauer eines Jahres vergeben. Vor Antritt des Amtes hatte der neue Inhaber den Amtseid zu leisten beziehungsweise Handtreue zu geben[179]. Daneben wurde für den Fall, daß der Amtsbewerber kein Bürger oder Bürgersohn war, die Leistung einer Kaution verlangt. So heißt es unter dem 17. Januar 1678: „Ingleichen wegen Annehmung eines neuen Salzmessers ins Kaufhaus: ist unter etlichen so darum angehalten haben, gegen Leistung Caution erwehlt und angenommen worden Heinrich Emanuel Weyland, Schuhmacherhandwerks, ledigen Stands, aus Westfalen in der Grafschaft Lippe zu Haustenbek und reformirter Religion"[180]. Bei der Amtsbesetzung am 2. November 1682 erschienen vor dem Rat Hans Jakob Kreher, „Schuldiener zu Leutershausen" und sein Sohn Hans Velten Kreher; der Vater erklärte: „weilen sein Sohn gewillet, die Bürgerschaft allhier anzunehmen, wann ihm das Salzmesser- und Marktmeisteramt anvertraut werden könnte, daß er [der Vater] auf allen Fall vor ihn cavirn [bürgen] und wann ein Fehler vorgehen sollte, daß er davor stehen und zahlen wolle". Der Rat nahm des Anerbieten an, „und hat der Vater seine Handtreu davor abgegeben"[181].

Die Aufgaben des Amtes finden sich umrissen im „Juramentum des Salzverkäuffers und Wiegmeisters"[182]. Entsprechend der Bedeutung des Salzmessers für die tagtägliche Abwicklung des Salzhandels wurde die Eidesformel schon früh erstellt; zwar ist das „Juramentum" im Weinheimer Amtsträgerbuch nicht datiert, der Eintrag verrät jedoch eindeutig die Handschrift des Stadtschreibers Philipp Finck des Jüngeren, muß also spätestens 1611 entstanden sein[183].

Juramentum des Salzverkäuffers und Wiegmeisters

Ihr sollet geloben und schwehren zu Gott dem Allmechtigen, das ihr eurem Salzverkäuffer- und zugleich Wiegmeisterampt getreu und redlich vor sein.

1. *Erstlichen, belangend das Salzverkäufferampt, alles Salz, so von denn Salzverwaltern euch zu verkauffen ufgelieffert würd, einem Armen sowol als dem Reichen mit rechtem, vollkommenen, des Weinheim Kennzeychen bezeychnetem Meeß, gegen bahren Geld erbar und bescheydenlich darmessen.*
2. *Das Geld sobalden und in Angesicht des Käuffers in deme darzuegehör[igen] Stock und nit uf denselben oder sonsten anderswohin legen.*
3. *Jeder Gattung Salz in ihrem gesetzten Tax verkauffen.*
4. *Niemand, sonderlichen aber, wan euch junge Kinder zu Hauß geschickt werden, das schlechtere Salz vor das beste betrüglich ufhencken.*
5. *Auch einigen Heller oder Pfennig bei eurem geschwornen Aid von dem Salzgeld/ auch eure Besoldung, so ihr nit von selbsten euch einzuheimbsen, sondern von denn Salzverwaltern zu empfahen hapt/nit in euern Nutz wenden.*
6. *Ebenmeßig auch euer aigen Salz, so ihr zu euern Haußhaltung [be]dürfftig sein und hinnemmen möget, gleich allen andern bezahlen und das Geld in den Stock legen.*
7. *Ohne Vorwissen Herrn Schultheißens, Bürgermeister oder der Salzverwalter nit verreyßen.*
8. *Euch ieder Zeit in loco zu Hauß finden oder zum wenigsten euere Hausfrau daheimb bleiben laßen, und also jedermann, der Salz begehrt, zu allen und jeden Zeiten unvertrossen gewärtig sein.*
9. *Niemand, wer der auch sei, mit bösen Worten zorniglich anfahen, sondern euch aller Bescheidenheit gebrauchen.*
10. *In euerer zu diesem Ampt oder Dienst verordneten Wohnung still und eingezogen euch verhalten.*

11. Dazu keinen Anhang noch dergleichen beschwerliche Geläuff einführen.
12. Abends und morgens das Salz- und Kaufhauß zu rechter Zeit öffnen und wider zueschließen.
13. Darzue dan auch euere Hausfrau mit allem Ernst anweisen.
14. Betreffend das Wiegmeisterampt, euch derselben Ordnung, wie ihr hernach zu vernemmen, allerdings gemeß bezeygen.
15. Und in Summa also verhalten sollet und wollet, wie einem uffrichtigen und redlichen Bidermann zu handlen und laßen gebührt und wolanstehet; alles erbar, getreulich und ohne Gefährde.
Dagegen hapt ihr zur Besoldung jerlich oder des Jars von dem Salzverkäufferampt oder -dienst 10 fl., von dem Wiegmeisterdienst --."

Die wenigen das Jurament ergänzenden Angaben lassen erkennen, daß dem Salzmesser jeweils eine gewisse Menge an Salz durch die Salzverwalter aus der „Salzkammer" im Kaufhaus überstellt wurde. Dieses zum täglichen Verkauf bestimmte Salz verwahrte der Salzmesser im „Salzkasten", der ebenfalls seinen Platz im Kaufhaus hatte. Das eingenommene Geld legte der Salzmesser oder seine ihn vertretende Frau in den verschlossenen „Stock", aus dem es zu gegebener Zeit durch die beiden Salzverwalter, wie bereits beschrieben, erhoben wurde[184].

Dem Rat oblag es, die Amtsführung des Salzmessers zu überwachen und, wenn nötig, entsprechend einzuschreiten. 1646 beschuldigte der Rat den langjährigen Salzmesser Velten Flach, daß er das Salz „gar zu vortheilhafftig messe, der Salzhandel dadurch verschlagen werde"; es wurde ihm deshalb eingeschärft, sich dieses Mißbrauchs zu enthalten „und jedem, wie Brauch und Recht, auch gegen Gott verantwortlich, um sein Geld rechte Maß zu geben, sonsten [...] er wohl vor Ausgang des Jahrs dörfte verstossen werden"[185]. Dieses war seinem unmittelbaren Vorgänger im Amt, Thomas Fischer, seinerzeit widerfahren; der Veruntreuung von Wein überführt und der Entwendung von Brot bezichtigt, wurde Fischer durch Rat und Gemeinde am 16. März 1633 kurzerhand seines Amtes enthoben und Velten Flach als neuer Salzmesser und Wiegmeister in Pflicht genommen[186].

Kennzeichnend für das Amt des Salzmessers ist seine wohl ständige Kombination mit anderen städtischen Ämtern, vor allem mit dem Amt des Wiegemeisters, wie das schon aus dem „Juramentum" hervorgeht. 1632 war der Salzmesser gleichzeitig Wiegemeister und Brotwieger[187]. 1643 findet sich die Kombination Salzmesser und Marktmeister[188]. 1654 wird der Salzmesser damit beauftragt, das neueingeführte Standgeld bei den beiden Viehmärkten einzufordern[189]. Am 10. Dezember 1660 wurde der Schneider Hans Heinrich Falckenstein zum Salzmesser, Wieg- und Marktmeister angenommen und im Oktober 1661 in diesen Ämtern bestätigt[190]. In den Jahren nach 1690 findet sich das Salzmesser- und Wiegemeisteramt dann wieder getrennt vom Amt des Marktmeisters[191]. Es gibt ferner Belege dafür, daß der Salzmesser auch mit der Verwaltung des Kirchenalmosens betraut war[192]; 1742 wird der Salzmesser ausdrücklich in der Funktion des „reformierten Almosenpflegers" genannt[193].

Die Besoldung des Salzmessers sollte sich laut „Juramentum" auf jährlich 10 fl. belaufen[194]. In dieser Höhe ist die Besoldung noch 1684 nachweisbar; am 7. Oktober dieses Jahres bestätigte Salzmesser Hans Velten Kreher dem Salzverwalter Zinkgräf die Auszahlung von 10 fl. Jahresbesoldung[195]. Gegen Ende des Jahrhunderts scheint sich eine Änderung durchgesetzt zu haben. Auf eine Anfrage von Regierung und Oberamt, wie es mit Besoldung und Personalfreiheit des Weinheimer „Salzausmessers" gehalten werde, beschloß der Rat am 17. November 1742 den Bericht, „daß selbiger keine Besoldung, auch dermalen als reformierter Almosenpfleger die Personalfreiheit genießen täte"[196]. Eine Erklärung für den Wegfall der üblich gewesenen Besoldung des Salzmessers liefert vielleicht das Anerbieten des Hans Velten Kreher vom 14. November 1691. An diesem Tag bewarb sich Kreher erneut beim Rat um „das Kaufhaus" und das Salzmesseramt. Unter Verzicht auf eine feste Besoldung für die Ämter des Wiegemeisters und Salzmessers und mit dem zusätzlichen Anerbieten auf Zahlung von 40 fl. für die Beauftragung mit diesen Ämtern forderte er Freiheit von Wacht, Fron und Einquartierung sowie den Genuß von 1 xr. für den auf der Waage ausgewogenen Zentner Ware[197].

Es wäre also möglich, daß die stetige Kombination von verschiedenen Ämtern mit dem des Salzmessers zu einem schließlichen Verschwinden der eigentlichen Besoldung des Salzmesseramtes beigetragen hat. Einige Beispiele für die Vielfalt der Einkünfte aus der Ämterkombination seien hier abschließend angeführt. Am 30. Oktober 1662 erhielt Jost Künemund das Amt des Salzmessers, Wieg- und Marktmeisters übertragen; seine Besoldung sollte sich belaufen auf 10 fl., sodann wegen des Kirchenalmosens 10 fl.; von jedem ausgezapften Fuder Weins 2 fl.; freier Sitz „im Haus"; wenn er seine Almosenrechnung abgelegt haben und sein Fleiß verspürt werden würde, sollte ihm noch etwas vom Almosen zugelegt werden[198]. 1657 bat der Salzmesser Johann Schuhmann, ihm für jedes Fuder ausgezapften städtischen Weines 1 fl. „pro labore" (für die Arbeit) zu bewilligen[199]; ein Beschluß des Rates auf dieses Begehren ist nicht überliefert. 1661 allerdings bewilligte der Rat dem Salzmesser Heinrich Falckenstein die „Ergötzlichkeit" von einem Königstaler für jedes ausgezapfte Fuder „Almosenwein"[200]. Im Dezember des gleichen Jahres bat Falckenstein weiter, ihm wegen der Marktwaage einen Gehilfen zu „adjungieren" und seine eigene Besoldung zu bessern[201]. Falckenstein, dem wiederholt Untreue bei der Verwaltung des Weines vorgeworfen wurde, setzte sich dann im Sommer 1662 „insalutato hospite [ohne Abschied] wider Pflicht und Eid" unter Zurücklassung seiner Frau aus Weinheim ab [202].

Neben seiner eigentlichen Besoldung genoß der Salzmesser regelmäßig die „zu diesem Ampt oder Dienst verordnete Wohnung", so der Wortlaut der oben zitierten Eidesformel[203]. Im Testament des Salzmessers Asmus Hammelbach vom 22. Oktober 1607 wird diese Dienstwohnung als eine mit Bett und Ofen ausgestattete Wohnstube „in gemeiner Stadt habenden Salzhaus, unden am Marckt gelegen", beschrieben[204]. Noch 1728 ist die Rede von der unteren „im Nebenbau [des Kaufhauses] seyende Stuben[...], so jedesmahl einem zeitlichen Salzmesser zu bewohnen oder zu verleyhen" gebühre. Zu dieser Zeit hatte ein im Kaufhaus einquartierter Hauptmann die Stube eigenmächtig in Beschlag genommen, um dort sein Pferdegeschirr unterzubringen. Waagmeister und Salzmesser Simon Albert beschwerte sich deshalb beim Rat und bezifferte den ihm dadurch entgangenen Nutzen auf wenigstens 12 fl. jährlich [205]. Zeitweilig scheint sich die Dienstwohnung des Salzmessers auch im Hauptgebäude des Kaufhauses befunden zu haben; als der bisherige Salzmesser, Wieg- und Marktmeister Benedikt von Biern am 2. November 1680 abdankte, aber wieder „an- und in Handtreu" genommen wurde, erging der Ratsbeschluß, ihm „die obere Stub im Kaufhaus" alsbald reparieren zu lassen[206].

Wie oben bereits erwähnt, genoß der Salzmesser zumindest seit dem Ende des 17. Jahrhunderts Personalfreiheit, die Befreiung also von Wacht, städtischem Frondienst und Einquartierung. Der Versuch des Salzmessers Johann Schuhmann, sich von der Leistung des „Soldatengeldes" aufgrund seines Amtes befreien zu lassen, scheiterte im Dezember 1656 am Widerstand des Rates[207].

Weitere städtische Amtsträger im Dienst des Salzhandels

Wie vor allem aus den für 1683 bis 1685 in Auszügen überlieferten Rechnungen des Salzverwalters hervorgeht, waren mit gewisser Regelmäßigkeit weitere städtische Amtsträger für den Salzhandel tätig[208].

Dies gilt zunächst für den Stadtschreiber, der die Jahresrechnungen des Salzverwalters „in duplo" in Reinschrift brachte und dafür 3 fl. Entschädigung zu fordern hatte. Der Stadtschreiber bestätigte jeweils auch die Menge des angelieferten Salzes und den vom Salzverwalter dafür ausgezahlten Betrag.

In die Organisation des Salzhandels war ferner der vereidigte Mitterer einbezogen; er wirkte beim Verkauf des Salzes durch die Salzverwalter an den Bettagen und beim jeweiligen Sturz des Vorrates mit. Davon berichtet zunächst die Eidesformel „Eines zeitlichen Stattmittererseyd" im Buch der städtischen Amtsträger[209]. Dem Mitterer wird hier aufgegeben, „daß ihr euerem ahnvertrauten Mütterambt, sowohl in Maässung Früchten, Salz und Nüßen einem jedem, so euch darzue verlangen wird, willig sein und niemand aufhalten, auch der Stadt bey Maässung Salz, wie vor Alters Herkommens, daß Simmern ad 1 1/2 Zoll hoch ebenhin mit der Mitte greiffen und abstreichen, auch getreulich abwarthen[...] wollet".

Für die Zeit vom 18. April 1683 bis zum 12. Februar 1684, „da der Vorrath Salz wieder gestürzt worden", erhielt der Mitterer Georg Pfleger eine Entschädigung von 2 fl. 12 xr. 4 hlr.; seiner Aufstellung gemäß hatte er in diesem Zeitraum 265 Malter Salz für Salzverwalter Zinkgräf „in allhiesigem Salzhandel gemessen" und einen „Mitterlohn" von 2 d. für den Malter zu fordern[210]. In einem Beschluß vom 20. Juni 1696 forderte der Rat ausdrücklich, daß der „geschworene" Mitterer das Salz auszumessen hatte, das von den Salzverwaltern „aus der Kammer" verkauft würde[211].

Neben den Einnahmen „so aus dem Stock erhoben" (Verkauf durch den Salzmesser) und „so aus der Cammer verkaufft worden" (durch die Salzverwalter) erscheint in den Salzrechnungen von 1683 bis 1685 eine dritte Rubrik „Innahm Gelt aus erlöst, so vom Karch verkaufft worden"[212]. Die genauen Umstände dieses dritten Verkaufsmodus „vom Karch" sind nicht zu klären, sicher ist nur, daß auch hier der Mitterer beteiligt war; so erscheint 1684 in den Beilagen zur Salzrechnung eine Ausgabe von 2 fl. 50 xr. 4 hlr. „Mitterers Belohnung, das Salz vom Karch zu messen"[213].

Der Anteil dieser drei verschiedenen Verkaufsarten am Gesamtertrag des Salzhandels stellt sich für die Jahre 1683 bis 1685 wie folgt dar[214]:

	1683	**1684**	**1685**
„aus dem Stock"	450 fl.	374 fl.	331 fl.
„aus der Cammer"	186 fl.	278 fl.	291 fl.
„vom Karch"	194 fl.	331 fl.	213 fl.

An den Bettagen, so erinnerte der Rat am 31. Oktober 1633, sollte alter Ordnung nach das Salz ausgerufen und billiger verkauft werden[215]. Das Ausrufen geschah durch einen nicht näher bezeichneten „Salzausrufer"; er erhielt 1683 für seine Mühe, „zu verschiedenen Malen das Salz auszurufen", eine Entschädigung von 28 xr.; 1685 waren es 36 xr. Im Jahre 1683 wurden ferner 12 xr. ausgegeben „vor ein blechen Tröchter, dem Salzausrufer"[216].

Das Salzhaus

Im Salzhaus befand sich, wie erwähnt, die Dienstwohnung des Salzmessers. Der Begriff „Salzhaus" selbst erscheint erstmals bereits in der Urkunde vom 31. August 1601, dann erneut am 22. Oktober 1607 in der oben angeführten letztwilligen Verfügung des Salzmessers Asmus Hammelbach, die „in gemeiner Stadt habenden Salzhaus, unden am Marckt gelegen", errichtet wurde[217]. Es handelt sich dabei um den Nebenbau des Kaufhauses. Ehemaliges Kaufhaus und ehemaliges Salzhaus werden heute unter dem Sammelbegriff „Altes Rathaus" geführt. Im 17. und 18. Jahrhundert aber, solange der städtische Salzhandel betrieben wurde, unterschied man beide Gebäude mit den entsprechenden Bezeichnungen. Als am 16. März 1633 der Salzmesser Thomas Fischer seines Dienstes enthoben wurde, geschah dies mit der Begründung, er habe in der vorvergangenen Nacht Wein in einem Zuber aus dem Kaufhaus entwendet, um ihn in das Salzhaus zu tragen; dabei sei er an der Staffel gestolpert und habe den Wein verschüttet[218]. Noch im Ratsprotokoll vom 16. Februar 1728 wird der Nebenbau des Kaufhauses ausdrücklich als das Salzhaus bezeichnet, dessen untere Stube dem Salzmesser zur Nutzung zustehe[219]. „Im Salzhaus sein" bedeutete im Weinheimer Sprachgebrauch folglich: „das Amt des Salzmessers tragen"[220].

Die Salzkammer

1739 ist in einem Bericht des Rates an das Oberamt davon die Rede, daß im Salzhaus zu dieser Zeit ein gewisser Vorrat an Salz gelagert werde; eine geringere Menge befinde sich außerdem in der Salzkammer und im Kasten des Salzmessers[221]. Die Salzkammer, in der der Salzvorrat eigentlich verwahrt wurde, und zu der nur die beiden Salzverwalter gemeinsam Zugang haben sollten, scheint sich freilich stets im Kaufhaus befunden zu haben. So heißt es für 1638, die Salzherren sollten fortan den Vierling Salz im Kaufhaus für 10 Batzen verkaufen[222]. Für 1638 ist vermerkt, daß die Salzverwalter und einige Salzkärcher das dem städtischen Salzhandel zum Kauf angebotene Salz gemeinsam in das Kaufhaus gebracht und dort abgeladen hätten[223]. Am 18. Februar 1657 entstand im Rat eine Auseinandersetzung über das Vorgehen des Ratsbürgermeisters Georg Wagner, der trotz Einspruchs des Salzverwalters Nickel Bayer einem hessischen Salzkärcher einige Malter Salz abgekauft hatte. Wagner verteidigte sich unter anderem mit dem Hinweis, er habe Hans Jörg Lutz damit beauftragt, einen Teil dieses Salzes ins Kaufhaus zu liefern, wohin er den noch in seinem Haus lagernden Rest folgen lassen werde[224]. Als der Rat im Jahre 1719 den Konsorten Löw Baruch und Leeser zur Einrichtung einer Tabakmanufaktur Räume im Kaufhaus vermietete, geschah dies unter der Auflage, „daß die Tabakspinner und deren Gesind das obere Privet [Abort], umb der Salzcammer keinen Schaden zuzufügen, nicht gebrauchen, sondern ihren Gang unten im Hof haben" sollten[225].

Der Salzkasten

Im Kaufhaus hatte anscheinend auch der Salzkasten seinen Platz, aus dem der Salzmesser seine Kunden bediente. Laut Beilage zur Salzhandelsrechnung von 1683 erhielt der Schreiner Heinrich Merki 2 fl. 12 xr. für einen neuen Salzkasten „ins Kaufhaus"; zur Anfertigung dieses Kastens hatte die Stadt sechs Borte und einen Rahmenschenkel beigesteuert. Schlosser Hans Michael Koch erhielt 12 Batzen dafür, daß er den neuen Salzkasten „im Kaufhaus" mit einem neuen Schloß versehen sowie den Beschlag der alten Kiste zugerichtet und wieder angeschlagen hatte[226]. 1739 wird im oben erwähnten Bericht des Rates an das Oberamt nochmals des „Salzausmessers Kasten" erwähnt; der Aufstellungsort des Kastens geht allerdings aus dieser Quelle nicht klar hervor[227].

V. DAS SALZ

Regionale Herkunft

Das im Weinheimer Salzhandel gehandelte Salz stammte regelmäßig aus den Salinen des hessischen und thüringischen Raumes. Durchbrochen wurde diese Regel nur in den geschilderten Fällen landesherrlicher Eingriffe in das Weinheimer Salzhandelsprivileg. Für die Zeit von 1653 auf 1654, während der Vergabe des Handels an den Beständer Wolf Ulrich Demuth, läßt sich der Bezug von Salz aus der Saline von (Schwäbisch) Hall nachweisen. Von April 1653 bis März 1654 wurden 160 „Meß" Haller Salzes nach Weinheim geliefert[228].

Die Salinen selbst, in denen das in Weinheim vorzugsweise gehandelte, pauschal so genannte „Hessensalz" erzeugt wurde, werden in den Quellen nicht näher bezeichnet. Gleiches gilt für die Salzführer „aus Hessen" oder „Hessenkärcher" als Betreiber des „Hessenfuhrwerks". Zum 8. Dezember 1638 immerhin erscheint im Weinheimer Ratsprotokoll ein Kaspar Schlörp „von Schotten aus der Landgrafschaft Hessen-Darmstadt". Schlörp führte aus, „was gestalten vor ungefehr 8 Wochen, als er damahls in anderen seinen Geschefften alhier zu Weinheim zu thun gehabt, wegen des Salzhandels bey den Herren Salzverwaltern sich angemeldet, weilen er hiebevor mit denselben gehandelt, Salz gegen Wein etlich Mahl ausgetauscht und zu Kauff gegeben, were er bedacht, weitter mit den Herrn zu handeln, worauff ihme von den Salzhendlern der Bescheid ertheilt, sofern er gutt Salz heraufschaffen werde, sie, die Herrn Salzverwalter, zufrieden, weitter mit ihme zu handeln, wie vor diesem beschehen, hierauf er, Caspar, durch sein Sohn etliche Malter Salz anhero nacher Weinheim geschickt und das Malter pro 4 1/2 Rtlr. zu Kauff gegeben". Nach dieser Vorrede verwahrte er sich gegen den ihm angeblich gemachten Vorwurf, das in seinem Auftrag durch seinen Sohn Hans Georg Schlörp nach Weinheim gelieferte Salz sei von minderer Qualität gewesen. Die zu diesem Vorwurf gehörten Salzverwalter Jost Liebener und Hans Schöffer bestritten, sich in diesem Sinne geäußert zu haben. Schlörp setzte sich weiterhin vor dem Rat gegen die Salzverwalter zur Wehr, die einem weiteren Schottener Salzführer namens Peter Schlörp betrügerische Absichten unterstellt und behauptet hätten, Schlörp habe, „reverenter zu melden", die Stadt „beschissen". Salzverwalter Liebener stellte in Abrede, diese Worte gebraucht zu haben; allerdings, so Liebener, sei das von Peter Schlörp angelieferte Salz tatsächlich „etwas weich und feucht" gewesen, weshalb man den Salzführer ermahnt habe, zukünftig „trücken Salz" zu liefern. Ähnlich äußerte sich

Weinheim. Altes Rathaus, ursprünglich Kaufhaus. (Ältere Aufnahme).

auch Salzverwalter Schöffer[229]. Kaspar Schlörp, dem es offenbar auf einen ungestörten Fortgang seiner schon länger bestehenden Handelsbeziehungen mit der Stadt ankam, erreichte tatsächlich etwa zwei Wochen darauf, am 23. Dezember 1638, eine Schrift des Weinheimer Rates, in der dem Schottener Salzführer bescheinigt wurde, man sei mit seiner Ware stets „wohl content" gewesen und hoffe auf weitere Handelsverbindungen mit ihm[230].

Für 1683 schließlich werden genannt die Salzführer Hans und Clos Eichmann „aus dem Amt Bilstein "(zwischen Werra und Meißner südlich Bad Sooden-Allendorf) und Christoph Hübethal aus Eschwege[231].

In der Ratssitzung vom 25. Oktober 1644 wurde ein großer Mangel an Salz festgestellt und die Salzverwalter beauftragt, „Salz zu Franckfurth oder wo sie es zu bekommen wissen" zu beschaffen und die Stadt damit zu versorgen[232].

Mit diesen Angaben ist wenigstens ungefähr der Raum abgesteckt, der das „Hessensalz" lieferte. Gewonnen wurde dieses Salz demnach in den Salinen der Wetterau wie (Bad) Homburg vor der Höhe, (Bad) Nauheim, (Bad) Orb, (Bad) Salzhausen und Wisselsheim. Auch die Saline von (Bad) Soden im Taunus könnte als Produzent des in Weinheim verkauften „Hessensalzes" in Betracht kommen. Die Salzkärcher aus Eschwege und dem Amt Bilstein brachten aller Vermutung nach Salz aus der Saline von (Bad Sooden-) Allendorf nach Weinheim. Das erwähnte Thüringer Salz dürfte in der Saline von (Bad) Salzungen gewonnen worden sein[233].

Gründe dafür, daß man in Weinheim das „Hessensalz" so deutlich bevorzugte, nennt die bereits zitierte Stellungnahme des Rates vom 27. Oktober 1718[234]. Von besonderem Gewicht dürfte tatsächlich die Erfahrung gewesen sein, daß sich die Weinheimer Produkte wie Wein, Nüsse und Tabak im Tausch gegen das „Hessensalz" regelmäßig und mit großer Zuverlässigkeit absetzen ließen. Aus Weinheimer Sicht konnte also ein Bruch mit diesem Herkommen nur unnötige Risiken beinhalten.

Transportiert wurde das Salz in Fässern oder Säcken; vermerkt das Ratsprotokoll vom 11. November 1612 den Verkauf von Salzfässern, „deren dis Jahr 33 Stück gewesen", so scheinen später, nach Ausweis der Quellen, die teueren und zusätzliches Ladegewicht verursachenden Fässer durch Säcke als Transportmittel verdrängt worden zu sein[235].

Maß und Gewicht

Das gewöhnliche Weinheimer Salzmaß war das Malter zu 4 Viernzel oder 8 Simmer oder 16 Vierling. Laut Angabe des Rates von 1718 war das Weinheimer Salzmaß „der Heidelberger Messung gleich"; ein Simmer „Hessensalz" wiege trocken 16 Pfund, naß 18 Pfund[236]. Damit hätte das Malter etwa 130 Pfund gefaßt.

Diese Berechnung findet ihre Stütze in einer Verordnung von Hofkammer und Oberamt vom 9. beziehungsweise 12. Januar 1722, der zufolge das kölnische Salz zu 12 Pfennig (das Pfund) verkauft werden sollte[237]. Wenn schließlich der Weinheimer Rat am 18. Dezember 1638 den Salzverwalter anwies, das Pfund Salz für 2 1/2 xr. zu verkaufen[238], so errechnet sich auch aus dieser Angabe, verglichen mit dem durchschnittlichen Salzpreis, eine Zahl von etwa 130 Pfund pro Malter[239].

Preis

Solange sich die Stadt im ungestörten Besitz des Privilegs befand, war der Rat in der Lage, den Verkaufspreis des Salzes, in Grenzen, frei festzusetzen. Als Leitlinie mochte dabei der in der näheren Umgebung jeweils übliche Preis gelten. Daneben ergab sich zwangsläufig ein Konflikt aus dem Interesse der Verbraucher an einem möglichst niedrigen Preis und dem Interesse des Rates an einem möglichst hohen Profit zugunsten der städtischen Finanzen. Ein im Vergleich mit anderen Orten zu hoher Preis mußte auch Anreiz bieten, Salz von dort unter Verletzung des Privilegs in die Stadt und die Orte des Halbmeilenbereiches einzuschwärzen.

Von den Grenzen der Preisgestaltung zeugt das Ratsprotokoll vom 30. September 1626. Zu diesem Datum beschloß der Rat in Gegenwart der Vertreter der Gemeinde, den Vierling Salz zukünftig für 10 Batzen zu verkaufen, „sintemal man bei diesem hohen Werth [...] ein Mangel der Käufer und zu sonderbahrem der Stadt Nachteil und Schaden verspürt worden"[240].

Die nachstehende Tabelle zeigt die Preisentwicklung von 1626 bis 1739; zur Vereinfachung ist dabei jeweils der Preis in der Regel auf das Malter bezogen, das auf 130 Pfund veranschlagt ist.

Einkauf	Datum	Verkauf	Datum
1 Scheibe: 5 Rtlr. (RPW I, 119)	1626 Nov. 29 (RPW I, 83)	1 Malter: 6 fl. 40. 40 xr.	1626 Sept. 30
		1 Malter: 5 fl. 1634 Juni 20 (RPW II, 38 ff)	
1 Scheibe: 16 fl. (RPW II, 76)	1636 Apr. 28		
1 Malter: 4 1/2 Rtlr. (RPW II, 208)	1638 Dez. 8	1 Malter: 6 fl. 40 xr. (RPW II, 199)	1638 Aug. 18
		1 Malter: 6 fl. 24 xr. (RPW II, 583)	1644 Sept. 8
1 Malter: 3 fl. 3 fl. 10 xr. 3 fl. 40 xr. (GLA 77/5507)	1683	1 Malter: 4 fl. 40 xr. (GLA 77/5507)	1683
1 Malter: 3 fl. 5 xr. 3 fl. 40 xr. (GLA 77/5507)	1684	1 Malter: ca. 4 fl. (GLA 77/5507)	1684
1 Malter: 3 fl. 3 fl. 20 xr (GLA 77/5507)	1685	1 Malter: ca. 4 fl. 20 xr. (GLA 77/5507)	1685
		1 Malter: 4 fl. 4 fl. 16 xr. (RPW XIII, 241)	1687 Sept. 4
		1 Malter: 4 fl. 4 fl. 15 xr. 3 fl. 45 xr. (abhängig vom Zustand der Straßen und der Angebotsmenge/RPW XIX, 112 ff)	1718 Okt. 27
		1 Malter: ca. 6 fl. 30 xr. (RPW XIX, 434)	1722 Jan. 15
		1 Malter: ca. 5 fl. 25 xr. (RPW XXI, 382)	1738 Sept. 18
1 Malter: ca. 4 fl. (herkömmlicher Einkaufspreis/ RPW XXI, 430 f)	1739 Apr. 16		

Zwei weitere Angaben mögen diese Übersicht ergänzen. Im Zusammenhang mit dem Übergang Weinheims an Baden hatte der Rat am 3. November 1802 die Frage zu beantworten, ob der Salzkauf in Weinheim frei sei, oder ob das Salz von der Landesherrschaft gegen seinen festgesetzten Preis geliefert werde. In der Antwort des Rates heißt es, daß die kurpfälzischen Salinen jenseits des Rheins durch den Krieg zerstört und zur Zeit von der „übrigen Rheinpfalz" abgetrennt seien; mithin sei der Salzkauf frei. Vor dem Krieg aber seien die Einwohner verbunden gewesen, das pfälzische „Nationalsalz" von den Salzmagaziniers das Pfund zu 3 xr. zu beziehen (GLA 188/422); dies entsprach einem Malterpreis von 6 fl. 30 xr. Kriegszerstörung und Anfall der linksrheinischen Kurpfalz mit ihren Salinen an Frankreich hatten gegen Ende des 18. Jahrhunderts den Salzpreis hochgetrieben. Als am 13. Januar 1798 die Weinheimer Salzverkäufer Andreas Callioni und Witwe Gemming in ihrer Konzession bestätigt worden waren, begründete der Rat seine Entscheidung in einem Schreiben an die Salzkommission damit, daß beide sich bereitgefunden hätten, das Salz zu 4 1/4 xr. pro Pfund zu verkaufen (d.h. 9 fl. 12 xr. pro Malter!); andere Bewerber um das Salzdebit hätten 4 1/2 xr. pro Pfund fordern wollen, was aber vor allem für die Armen, „deren sehr viele dahier sind", eine neue Last bedeutet hätte (GLA 188/578).

Salzhandel und Stadthaushalt

Die ungünstige Quellenlage erlaubt nur ungenügende Aussagen darüber, welche Bedeutung den Erträgen aus dem Salzhandel für den städtischen Haushalt beizumessen ist. Die fortlaufenden Stadtrechnungen sind erst ab 1786 erhalten; ausführliche Salzrechnungen sind nur für 1683, 1684 und 1685 überliefert.

Aus dem Vergleich der Einkaufs- mit den Verkaufspreisen läßt sich, wie oben gezeigt, ein Rohgewinn von etwa 1 fl. bis etwa 1 fl. 30 xr. pro Malter ermitteln. Zur Feststellung des Reingewinnes wären davon der Aufwand für die Vorratshaltung sowie die sonstigen Personal- und Sachkosten abzuziehen, die durch die Organisation des Salzhandels bedingt waren.

Die Salzrechnungen für 1683, 1684 und 1685 erlauben dazu diesen Überblick[241] (Zahlen gerundet):

Jahr	1683	1684	1685
verkauftes Salz	174 mltr.	230 mltr.	192 mltr.
Erlös insgesamt	830 fl.	986 fl.	835 fl.
Erlös pro Malter	4 fl. 46 xr.	4 fl. 20 xr.	4 fl. 20 xr.
den städtischen Finanzen zugeführt	297 fl.	175 fl.	139 fl.

Setzt man den an die städtischen Kassen abgeführten Betrag mit dem Reingewinn gleich, so errechnet sich für 1684 ein Reingewinn von 45 xr. pro Malter, für 1685 von 43 xr. pro Malter. Für 1683 läßt sich eine derartige Berechnung nicht anstellen, da hier ein Rezeß von 473 fl. aus dem Jahr 1682 mit in die Rechnung einfloß und die Zahlen für 1682 sonst nicht bekannt sind.

1718 bezifferte der Rat den Reingewinn pro Malter auf etwa 10 xr.[242].

Aus den Salzrechnungen für 1683 bis 1685 läßt sich ein jährlicher Salzumsatz von etwa 200 Malter ermitteln. Noch 1751 meldete der Rat in einem Bericht an die „Salzkommission", eine Anhörung der hiesigen Krämer habe ergeben, daß in Weinheim jährlich ungefähr 200 Malter Salz verbraucht würden[243]. Der Salzkonsum war natürlich abhängig von der Entwicklung der Kaufkraft und der Bevölkerungszahl. Letztere war gerade im 17. Jahrhundert infolge der Kriege starken Schwankungen ausgesetzt, doch läßt sich für 1683 bis 1685 und für 1750 mit einiger Vorsicht eine Zahl von etwa 2.000 Einwohnern annehmen[244].

Die ungefähre Höhe des jeweils zu erwartenden Reingewinns dürfte sich in den Beträgen spiegeln, zu denen der Salzhandel wiederholt in Bestand gegeben wurde. Wie oben ausgeführt, sah der Bestandsvertrag von 1636/37 eine Pachtsumme von 200 Rtlr. vor, der Bestandsvertrag von 1641/42 150 fl., während aus dem Bestand von 1646 – 1648 200 fl. pro Jahr zu entrichten waren[245].

All diesen Zahlen ist freilich nichts über den Anteil zu entnehmen, den der Reingewinn aus dem Salzhandel zur Finanzierung des städtischen Gesamthaushaltes beisteuerte, welchen Stellenwert der Salzhandel also unter den verschiedenen Einnahmequellen der Stadt besaß. Wie der Rat diesen Anteil einschätzte, wissen wir bereits aus den Äußerungen, die im Zusammenhang mit den wiederholten Eingriffen der Herrschaft in das Salzhandelsprivileg enstanden sind. Es sei deshalb nur noch einmal aus der Stellungnahme von Bürgermeister und Rat vom 14. Oktober 1686 zitiert, in der es heißt, der Salzhandel sei „[...] der Stadt vornehmstes Mittel, womit dieselbe noch einigermaßen ein und andere unumgängliche Ausgaben abstatten kann, ohne welchem es sonsten unmöglich wäre"[246].

Im Umrittsprotokoll des Rentamts der bayerischen Regierung zu Heidelberg von 1630 findet sich ein summarischer Überblick über die Weinheimer städtischen Finanzen vermutlich zum Rechnungsjahr von Martini 1628 auf Martini 1629[247]. Aus den Zahlen dieser Extrakte läßt sich immerhin die Bilanzsumme des städtischen Haushaltes mit der des Salzhandels in ein Verhältnis setzen; ob die Zahlen freilich als repräsentativ angesehen werden können, muß mangels weiterer Angaben dahingestellt bleiben.

Rechnung des Ratsbürgermeisters

Einnahmen:	707 fl.	53 xr.	
Ausgaben:	526 fl.	47 xr.	

Rechnung des Gemeindebürgermeisters

Einnahmen:	830 fl.	59 xr.	2 hlr.
Ausgaben:	845 fl.	41 xr.	4 hlr.

Rechnung des Baumeisters

Einnahmen:	308 fl.	59 xr.	
Ausgaben:	425 fl.	40 xr.	4 hlr.

Gerundete Addition dieser drei Teilhaushalte

Einnahmen:	1.848 fl.
Ausgaben:	1.799 fl.

Die Salzrechnung verzeichnet:

Einnahmen:	1.289 fl.	5 xr.	3 hlr.
Ausgaben:	1.288 fl.	28 xr.	5 hlr.

Einen weiteren ebenfalls nur wenig aussagekräftigen Hinweis liefert die Rechnung des Ratsbürgermeisters über das Rechnungsjahr von Martini 1698 bis Martini 1699[248]; in dieser Rechnung stehen sich gegenüber:

Einnahmen:	561 fl.	26 xr.	2 hlr.
Ausgaben:	993 fl.	41 xr.	2 hlr.

Die übrigen städtischen Teilhaushalte dieses Rechnungsjahres sind nicht überliefert; der Salzhandel war zu dieser Zeit der Stadt bekanntlich entzogen.

Von Bedeutung war ferner der Umstand, daß aus dem Verkauf des Salzes bares Geld in die Kassen des Salzmessers und der Salzverwalter floß, auf das der Rat dann zurückgreifen konnte, wenn in den sonstigen städtischen Kassen Bargeld nicht vorrätig war. Drei Beispiele sollen dies verdeutlichen. Am 13. März 1648 bestätigte der Ratsalmosenpfleger den leihweisen Empfang von 10 fl. aus dem Salzhandel, „bis man Wein verkaufen kann, alsdann wieder mit Dank bezahlt werden solle"[249]. 1685 erhielt der Rechenmeister 20 fl. zur Abstattung einer Steuer, des „Dragonerpferdgeldes"; er sagte dabei die baldige Wiedererstattung „aus dem Hebregister", also nach geschehener Umlage auf die Bürger, zu[250]. Am 16. Februar 1628 beschloß der Rat, die städtischen Feldgüter künftig mit eigenen Pferden und Geschirr zu bebauen; der Salzverwalter erklärte sich bereit, das zum Ankauf der Pferde nötige Geld vorzuschießen[251].

Der Salzhandel und sein Ertrag wurden auch herangezogen, wenn es galt, aufzunehmende Darlehen zu sichern und die daraus fälligen Zinsen zu entrichten. Erwähnt wurde diese Funktion des Salzhandels bereits im Zusammenhang mit der Bestandsvergabe; wie geschildert, wurde der Salzhandel wiederholt an Personen verpachtet, die Forderungen gegen die Stadt geltend machen konnten.

Ein Kapital von 600 fl. nahm die Stadt um 1665 bei Johann Stefan Maier, gräflich erbachischem Amtmann zu Schönberg und Schwiegersohn des Weinheimer Kellers und Stadtschultheißen Hermann Taurinus, auf. Als Maier 1667 seine „Jahrespension" aus diesem Kapital einforderte, beschloß der Rat, daß die Zinsen „aus dem Salzhandel" gezahlt werden sollten[252].

600 Rtlr. Kapital hatte das „Stift zu Heidelberg" (Heiliggeist?) bei der Stadt Weinheim stehen und erhielt dafür 1648 zu zwei Terminen insgesamt 137 fl. 30 xr. an Pension aus dem Salzhandel[253]. Nicht zu klären war, wann dieses Kapital aufgenommen und zu welchem Zeitpunkt die Schuld getilgt wurde.

In der Salzrechnung für 1685 erscheint eine Ausgabe von 30 fl. an Pension „von 600 fl. Capital, so auf den Salzhandel daselbst angelegt"; als Empfänger der „auf Fastnacht 1685 verfallenen Zinsen" und damit vermutlich als Inhaber des Forderungstitels quittierte am 30. November 1685 Dr. Johann de Spina[254], Professor und Inhaber eines Lehrstuhles an der juristischen Fakultät der Universität Heidelberg. In einem Schreiben von Bürgermeister und Rat der Stadt Weinheim an das Oberamt Heidelberg vom 14. Oktober 1686 heißt es, daß der Weinheimer Salzhandel „Herrn Dr. de Spina, modo löblicher Universität Heidelberg mit 600 fl. Capital verhaftet" sei[255]; demnach war die Universität im Jahre 1686 in den Besitz der Forderung gelangt; die näheren Umstände dieses Übergangs sind ungeklärt.

Als Bürgermeister, Rat und Achter den Kurfürsten in einer Bittschrift vom 5. April 1688 um eine Entschädigung für den entzogenen Salzhandel angingen, verwiesen sie darauf, daß die Universität Heidelberg 600 fl. Kapitat „auf allhiesigem Salzhandel [...] stehen und jährlichen 30 fl. Pension davon zu praetendiren" habe; die Stadt sehe sich außerstande, die der Universität zustehenden Zinsen zu entrichten[256]. Aus einem Vergleich zwischen der Stadt Weinheim und der Universität Heidelberg vom 16. Januar 1715 geht dann hervor, daß zwischen 1689 und 1714 die Stadt keine Zinszahlungen mehr geleistet hatte; bei einem jährlichen Zins von 30 fl. errechnete sich somit ein Zinsrückstand von 780 fl.[257]. Am 24. Januar 1715 befahl deshalb das Oberamt allen Krämern, Juden, „oder wer sie sonsten sein mögen, sich [in Weinheim] von allem Salzverkauf gänzlich" zu enthalten, „weilen der Salzhandel einer löblichen Universität Heidelberg gegen 600 fl. Capital verhypotecirt [sei] und die davon fallende Pensiones necessario geworfen werden müssen"[258].

Entsprechend der geschilderten Entwicklung des Weinheimer Salzhandels war es auch nach diesem Vergleich von 1715 um die Zinszahlung schlecht bestellt, von einer möglichen Tilgung der Schuld ganz zu schweigen. Davon berichtet ein Nachtrag von 1755 im entsprechenden Zinsregister der Universität Heidelberg; bezüglich der „ablößigen Pensiones ad Facultatem Theologicam" heißt es da: „sage dreyßig Gulden Pension auf Fastnacht von 600 fl. Capital die Stadt Weinheim von deßen [!] Salzhandel, dieweilen aber der Salzhandel entzogen und die Obligation nicht mehr vorhanden, wird auch keine Pension mehr entrichtet". Das Kapital samt rückständigen Zinsen sei laut den Rechnungen von 1717 bis 1720 mit 800 fl. „abgelegt" worden[259].

Der Salzhandel bewies seine Nützlichkeit für die Stadt ferner, wenn es galt, landesfürstlichen Beamten die übliche „Verehrung" zu reichen; zu diesem Zweck entnahm der Rat dem Salzhandel wohl ziemlich regelmäßig gewisse Mengen in natura. So wurden zum 7. (?) März 1613 die Oberbeamten des Amtes Heidelberg mit einem Salzgeschenk bedacht: „Eodem hat man auch Juncker Fauth – Johann Engelbert von Lautter – und Herrn Landschreibern iedem ein Malter, und dem Amptschreiber 1/2 Malter Salz verehrt"[260]. Am 19. November 1656 erhielten „Herr Marschall Johann Friedrich von Landas, Faut des Oberamtes Heidelberg" – und „Herr Landschreiber" unter anderem auch ein Malter Salz zur Verehrung; „Herrn Amtsschreiber soll auch ein Fäßlein, so er anhero geschickt, gefüllt werden"[261].

Von der Regelmäßigkeit, mit der diese Verehrungen aus dem Salzhandel geschahen, zeugt ferner ein Passus aus dem Bestandsvertrag für Wolf Ulrich Demuth vom 21. Oktober 1650, wo es heißt, der Beständer habe jährlich dem Herrn Landschreiber ein Malter Salz unentgeltlich zu überreichen[262]. Am 22. August 1662 schließlich trug der Rat dem Salzverwalter auf, den Amtleuten das gewöhnliche Malter zu liefern; da das Amt des Landschreibers derzeit noch nicht besetzt sei und der Amtschreiber „viel Mühe" habe, so solle ihm der halbe Teil interimsweise gegen Quittung gegeben werden[263].

Anhang I

Liste der Weinheimer Salzverwalter und Salzmesser

Vorbemerkung: Zur Kontrolle und Ergänzung der Daten und sonstigen Angaben zur Person der Amtsträger wurden herangezogen: Hans Peter Herpel, Weinheimer Schultheißen und Bürgermeister in fünf Jahrhunderten (= WGbl 33/1987); Philipp Pflästerer, Weinheim um 1721 (= WGbl 19/1947); Karl Zinkgräf, Weinheimer Bürgerbuch I (= WGbl 18/1936); da diese Schriften über detaillierte Register verfügen, konnte hier auf die Einzelnachweise in der Regel verzichtet werden.

Jahr	Salzverwalter	Salzmesser
1606/07	?	Asmus Hammelbach (KBW I, 634).
...		
1614/15	Peter Demuth, des Rats; Handelsmann? Helfrich Löser, von der Gemeinde; (legen beide am 10.12.1615 „ihr nun ettlich Jahr hero getragenes Ampt" nieder; RPW OI, 197).	?
1615/16	Leonhard Haber, des Rats; Hans Trometer, von der Gemeinde; Schuhmacher (RPW OI, 197).	?
...		
1618/19	Leonhard Haber, des Rats (WGbl 33/1987, 51).	?
...		
1624/25	Heinrich Koch, des Rats (RPW I, 53).	?
1625/26	Hans Jakob Most, des Rats; Bäcker und Gastwirt (RPW I, 68).	?
1626/27	Johann Anthes, des Rats; Rotgerber (RPW I, 116).	?

1627/28	Johann Anthes; vgl. 1626/27 (RPW I, 127).	?
…		
1630/31	Philipp Wilwaldt, des Rats (RPW I, 218); Hans Philipp Schremgen, von der Gemeinde (RPW I, 248).	?
1631/32	Philipp Wilwaldt, des Rats; Hans Philipp Schremgen, von der Gemeinde (RPW I, 259).	Thomas Fischer (RPW I, 259).
1632/33	Philipp Kuntzelmann, des Rats; Hans Philipp Menges, von der Gemeinde (RPW I, 349).	Thomas Fischer; wegen Unregelmäßigkeiten am 16.3.1633 ersetzt durch den Schuhmacher Velten Flach (RPW I, 380).
1633/34	Philipp Kuntzelmann, des Rats; Hans Philipp Menges, von der Gemeinde (RPW I, 447).	Velten Flach (RPW I, 447).
1634/35	Philipp Kuntzelmann, des Rats; Hans Philipp Menges, von der Gemeinde (RPW II, 5).	Velten Flach (RPW II, 5).
1636	**Beständer:** der Rat insgesamt (RPW II, 76; 92).	?
1636/37	**Beständer:** Keller und Stadtschultheiß Johann Peter Wolff und Konsorten (RPW II, 109).	Velten Flach (RPW II, 26).
1637/38	Martin Appel, des Rats; Rotgerber (RPW II, 179).	?
1638/39	Jost Liebener, des Rats; Hans Schöffer (Schäfer), von der Gemeinde (RPW II, 201).	Jakob Planck (RPW II, 201).

	Am 11.11.1638 wird der Ratsbürgermeister Stephan Höchster zum „Salzherrn" gewählt; Jakob Finckel von der Gemeinde wird ihm als „Salzhändler und Geselle" adjungiert (RPW II, 203). Zum 8.12.1638 werden Jost Liebener und Hans Schöffer erneut als Salzverwalter genannt (RPW II, 208).	
...		
1640/41	?	Jakob Planck (RPW II, 370).
1641/42	**Beständer:** der Handelsmann Wolf Ulrich Demuth (RPW II, 370).	„der vorige Salzmesser" Jakob Planck (unklar ob weiter bestallt) (RPW II, 370).
1642/43	?	Velten Flach (RPW II, 464).
1643/44	Velten Antz, des Rats; Hans Eyermann, aus der Bürgschaft (RPWII, 546).	Velten Flach (RPW II, 546).
1644/45	Stephan Höchster, des Rats; Nickel Bayer, aus der Bürgerschaft (RPW II, 592).	Velten Flach (RPW II, 592).
1645/46	Jakob Kern, des Rats (?) (genannt zum 5.8.1646) (RPW III, 43).	Velten Flach (RPW II, 663).
1646/47	**Beständer:** Jakob Finckel (RPW III, 53).	Neubewerbung des Velten Flach; über seine Annahme hat der Beständer zu entscheiden (RPW III, 51).
1647/48	**Beständer:** Jakob Finckel (RPW III, 84).	?
1648/49	Hans Jörg Menges, des Rats (RPW III, 108).	Der Salzverwalter Hans Jörg Menges (!) (RPW III, 108).
1649/50	Vermutlich Hans Gärtner, des Rats (RPW IV, 119).	Hans Jörg Menges (RPW III, 139).
1650/51	Hans Philipp Appel, des Rats; Gerber; Jakob Finckel, von der Gemeinde (?) (RPW III, 238).	Nikolaus Kreßmann (RPW III, 266).

	Umbesetzung zum 21.10.1650: **Beständer:** Wolf Ulrich Demuth (wie schon 1641/42) (RPW III, 242).	?
1651/52	**Beständer:** Wolf Ulrich Demuth.	?
1652/53	**Beständer:** Wolf Ulrich Demuth.	?
1653/54	**Beständer:** Wolf Ulrich Demuth (RPW IV, 457).	?
1654/55	Jost Christoph Heinemann, des Rats; Apotheker („Löwenapotheke"); Hans Wolf Demuth, von der Gemeinde (?) (RPW IV, 457).	Nikolaus Kreßmann (RPW V, 2).
1655/56	Hans Ludwig Müller, des Rats; Hans Wolf Demuth, von der Gemeinde (?) (RPW V, 211).	Johann Schuhmann (RPW V, 206).
1656/57	Hans Philipp Appel, des Rats; Gerber; Nickel Bayer, von der Gemeinde (RPW V, 381).	Johann Schuhmann (RPW V, 372).
1657/58	Peter Fleschenträger, des Rats; Nickel Koch, von der Gemeinde; Küfer (RPW V, 505).	Rudolf Mercki; Schuhmacher (RPW V, 505).
1658/59	?	Rudolf Gebhardt (RPW VI, 48).
1659/60	Hans Weißbrodt, des Rats; Paulus Kern, von der Gemeinde (?) (RPW VI, 192).	Nickel Bitzel (ausgestrichen!) (RPW I, 181).
1660/61	?	Hans Heinrich Falckenstein (RPW VI, 319).
1661/62	?	Hans Heinrich Falckenstein (RPW VI, 391); wegen Unregelmäßigkeiten in der Amtsführung zum 22.8.1662 ersetzt durch Hans Bartel Gräber (RPW VI, 484).

1662/63	Velten Antz, des Rats; Hans Jakob Kumpf; sogleich ersetzt durch Paulus Kern, von der Gemeinde (?)(RPW VI, 527).	Jost Künemund (RPW VI, 508).
1663/64	?	Jost Künemund (RPW VII, 126).
1664/65	?	Benedikt von Biern (Büren); Schuhmacher (RPW VII, 238); definitiv bestellt zum 17.1.1665 (RPW VII, 250).
1665/66	?	Benedikt von Biern (RPW VII, 366).
1666/67	Hans Mack, des Rats; Müller; Paulus Kern, von der Gemeinde (?) (RPW VIII, 60).	Benedikt von Biern (RPW VIII, 44).
1667/68	Hans Philipp Appel, des Rats. (RPW VIII, 160).	Benedikt Randol (RPW VIII, 160).
1668/69	?	Benedikt Randol (RPW IX, 96).
1669/70	?	Benedikt Randol (RPW IX, 249).
1670/71	?	Benedikt Randol (RPW X, 116).
1671/72	Wolf Kern (RPW XI, 31).	Benedikt Randol (RPW XI, 15).
1672/73	?	Benedikt Randol (RPW XI, 115).
1673/74	?	?
1674/75	Beständer: Hans Rick (RPW XI, 262).	Hans Georg Bangert (RPW XI, 118).
1675/76	Der Beständer für 1674/75, Hans Rick, setzt den Salzverkauf noch 1676 fort (RPW XI a, 7).	Vermutlich Hans Georg Bangert.
1676/77	?	Hans Georg Bangert (RPW XII, 10).
1677/78	?	Hans Georg Bangert (RPW XII, 10); seit dem 17.1.1678 Heinrich Emanuel Weyland (RPW XII, 13).
1678/79	?	Emanuel Weyland (RPW XII, 43).

1679/80	Hans Ludwig Kreher, des Rats; Metzger; Hans Wolf Kern, von der Gemeinde (?) (ABW 117).	Benedikt von Biern (RPW XII, 117).
1680/81	Hans Heinrich Mercki, des Rats; Schreiner; Hans Wolf Kern, von der Gemeinde (?) (ABW 117).	Benedikt von Biern (RPW XII, 117).
1681/82	Georg Friedrich Vogler, des Rats; Ackerbürger; Hans Wolf Kern, von der Gemeinde (?) (ABW 117).	Benedikt von Biern (RPW XII, 191).
1682/83	Hans Adam Höchster, des Rats; Metzger (GLA 77/5507); Hans Wolf Kern; nach seinem Tod ersetzt durch Johann Friedrich Zinkgräf, von der Gemeinde; Barbier; am 17.4.1683 (RPW XIII, 29). Das Buch der städtischen Amtsträger nennt für 1682/83 (nachträglich eingeschoben ?) Hans Peter Menges, des Rats; Rotgerber; Johann Friedrich Zinkgräf (s.o.) (ABW 117).	Hans Velten Kreher (RPW XIII, 1 f.; ABW 7).
1683/84	Nikolaus Koch, des Rats; Küfer (vgl. 1657/58); Johann Friedrich Zinkgräf (s.o.) (GLA 77/5507; RPW XIII, 57; ABW 117).	Hans Velten Kreher (RPW XIII, 55; ABW 7).
1684/85	Nikolaus Koch, des Rats (s.o.); bis Februar 1685; im März 1685 folgt ihm Jakob Emich, des Rats; Küfer. Johann Friedrich Zinkgräf, von der Gemeinde (s.o.) (GLA 77/5507; RPW XIII, 104; ABW 117).	Hans Velten Kreher (RPW XIII, 99; ABW 7).
1685/86	Hans Jakob Beyer, des Rats; Johann Friedrich Zinkgräf, von der Gemeinde (s.o.) (ABW 117).	Hans Velten Kreher (ABW 7).
1686/87	Hans Adam Höchster, des Rats (vgl. 1682/83); Johann Friedrich Zinkgräf, von der Gemeinde (RPW XIII, 221; ABW 117).	Hans Velten Kreher (RPW XIII, 203; ABW 7).

1687/88	Hans Paulus Soller, des Rats; Hutmacher; Johann Friedrich Zinkgräf, von der Gemeinde (s.o.) (ABW 117).	Hans Velten Kreher (RPW XIII, 249; ABW 7).
1688/89	Hans Jakob Reinig, des Rats; Huf- und Waffenschmied; Johann Friedrich Zinkgräf, von der Gemeinde (s.o.) (ABW 117).	Hans Velten Kreher (RPW XIII, 338; ABW 7).
1689/90	Hans Adam Höchster, des Rats (vgl. 1686/87); Johann Friedrich Zinkgräf, von der Gemeinde (s.o.) (ABW 117).	Hans Velten Kreher (ABW 7).
1690/91	Georg Friedrich Vogler, des Rats (vgl. 1681/82) (seit 31. Mai 1691); Johann Friedrich Zinkgräf; von der Gemeinde (s.o.) (RPW XIV, 64; ABW 117).	Johann Nikolaus Lampert (Lamprecht) (RPW XIV, 248).

Mit dem Amtsjahr 1691/92 kommt Unklarheit in die Liste der Salzverwalter. Die Ratsprotokolle liefern nur wenige Anhaltspunkte zur Überprüfung der offenbar nicht immer zuverlässigen Angaben im Buch der städtischen Amtsträger. Hier finden sich ab 1691/92 je drei bis vier Salzverwalter pro Amtsjahr genannt, ohne daß sich zweifelsfrei feststellen ließe, ob die genannten Personen das Amt gleichzeitig oder nacheinander innehatten. Außerdem scheint sich der Termin der Besetzung des Salzverwalteramtes von November (Martini) auf den Mai verschoben zu haben.

1691/92	Michael Göpfinger, des Rats; Färber; Johann Friedrich Zinkgräf, von der Gemeinde (s.o.); Hans Philipp Waltz, des Rats; Hufschmied (unklar, ob für dieses Jahr) (ABW 117).	Johann Nikolaus Lampert (RPW XIV, 248; ABW 7).
1692/93	Michael Göpfinger, des Rats (s.o.); Johann Friedrich Zinkgräf, von der Gemeinde (s.o.); Hans Philipp Waltz, des Rats (s.o.) (ABW 117).	Johann Nikolaus Lampert (RPW XIV, 248; ABW 7).
1693/94	Hans Jakob Reinig, des Rats (vgl. 1688/89); Nikolaus Koch, des Rats (gest. 28.8. 1694) (vgl. 1657/58 u. 1683/84).	Johann Nikolaus Lampert (ABW 7).

	Hans Jakob Beyer, des Rats (vgl. 1685/86); Johann Friedrich Zinkgräf, von der Gemeinde (s.o.), „bedankt sich wegen des Salzverwalteramtes wie herkommens" am 7. Mai 1694; an seiner Statt wird angenommen auf ein Jahr Gerhard Mephius, von der Gemeinde (?); Kaufmann. (RPW XIV, 307; ABW 117).	
1694/95	Gerhard Mephius (s.o.) (RPW XIV, 307).	Johann Nikolaus Lampert (ABW 7).
1695/96	Gerhard Mephius; bis 20.6.1696, will „als nunmehr Ratsverwandter" das bisher geführte Salzverwalteramt nicht mehr versehen. Angenommen wird als „alter Salzverwalter" Johann Friedrich Zinkgräf (s.o.); erwähnt wird Hans Jakob Emich als „nunmehr angehender Salzverwalter vom Rat" (vgl. 1684/85); das Amt geht aber an Johann Jakob Mercki, von der Gemeinde (?); Schreiner (RPW XIV, 402 ff).	Johann Nikolaus Lampert (RPW XIV, 386 XIV, 386; ABW 7).
1696/97	Hans Jakob Emich, des Rats (s.o.); Johann Jakob Mercki, von der Gemeinde (?) (s.o.) (beide Amtsträger vom 1.5.1696 bis zum 1.1.1697) (ABW 117).	Johann Nikolaus Lampert (ABW 7).
1697/98	?	Johann Nikolaus Lampert (ABW7).
1698/99	?	Johann Nikolaus Lampert (ABW 7).
1699/1700	?	Emanuel Weinand (identisch mit E. Weyland (?), vgl. 1678/79) (ABW 7).
1700/01	?	Emanuel Weinand (ABW 7).
1701/02	?	Emanuel Weinand (ABW 7).
1702/03	?	Emanuel Weinand (ABW 7).

1703/04	Johann Jakob Mercki (vgl. 1696/97); Johann Friedrich Zinkgräf (vgl. zuletzt 1695/96) (RPW XVI, 183).	Emanuel Weinand (ABW 7).
1704/05	?	Emanuel Weinand (ABW 7).
1705/06	?	Emanuel Weinand (ABW 7).
1706/07	?	Emanuel Weinand (ABW 7).
1707/08	?	„ist ad interim verblieben Emanuel Weinand, bis man sihet, obs mit ihme seiner Krankheit halber besser werde oder nicht" (ABW 7).
1708/09	?	Emanuel Weinand (RPW XVI, 857).
1709/10	?	Hans Philipp Mercki; Schreiner (?) (ABW 7).
1710/11	?	Hans Philipp Mercki (ABW 7).
1711/12	?	Hans Philipp Mercki (ABW 7).
...		
1714/15	?	Hans Jörg Leyer; Schneider (?) (RPW XVIII, 291).
1715/16	?	Michael Prössler (Preßler); Ackerbürger (?) (RPW XVIII, 533).
...		
1722	?	Johann Baptista Michaeli, des Rats; Krämer, beschwört als „jetztmaliger Salzauswieger" am 2.4.1722 vor versammeltem Rat ein von der Hofkammer übersandtes „formulare juramenti" (Eidesformel) (RPW XIX, 458). Ratsbürgermeister Johann Baptista Michaeli wird zum 11.12.1722 als verstorben bezeichnet (RPW XIX, 542).

…		
1725/26	(Johann Kaspar) Herbert (Herwerth); Barbier, Gemeindebürgermeister 1724 (RPW XIX, 894).	?
…		
1728/29	?	Simon Albert; Schuhmacher (?) (RPW XX, 82)
…		
1731/32	?	Simon Albert (RPW XX, 296).
…		
1733/34	Johann Kaspar Herbert (vgl. 1725/26).	Hans Jörg Herbold (RPW XX, 449).

Ohne genaue Zuordnung zu einem bestimmten Amtsjahr werden als Salzverwalter erwähnt:
Michael Kürle, hat das Amt des Gemeindebürgermeisters getragen (wann?), ist als Ratsverwandter nachweisbar von 1620 bis 1635, als Ratsbürgermeister 1627. Am 20.6.1634 wird über einen Rezeß von 20 Malter Salz in seiner Salzrechnung verhandelt (RPW II, 38).

Stefan Höchster, als Gemeindebürgermeister nachweisbar 1632, als Ratsverwandter von 1637 bis 1666, trug das Amt des Salzverwalters wie erwähnt 1644/45; ob er das Amt nochmals innehatte, läßt sich nicht mit Bestimmtheit angeben. 1668 jedenfalls verhandelt sein Sohn Hans Adam Höchster mit dem Rat wegen eines Rezesses von 10 fl., den sein Vater „in abgelegter Salzrechnung" schuldig geblieben war (RPW IX, 41).

Ebenfalls nicht zuordnen läßt sich Salzverwalter Scholl (Hans Martin Scholl, Zunftmeister der Bäcker und Müller, Achter ab 1650, Ratsverwandter ab 1666, gest. 1672); 1675 erinnert der Schultheiß daran, daß innerhalb von acht Tagen „der Kumpf allhier" auf dem Rathaus erscheinen solle, um „wegen des verstorbenen Herrn Schollen seelig geführten Salzrechnung Erläuterung" zu geben (RPW XI, 266).

Der erwähnte „Kumpf allhier" ist wohl Hans Jakob Kumpf, der für 1662/63 zum Salzverwalter bestellt, aber offenbar alsbald nach der Bestallung ersetzt wurde durch Paulus Kern (vgl. 1662/63) (RPW VI, 527). Der Wortlaut der „Erinnerung" des Schultheißen von 1675 könnte darauf schließen lassen, daß Kumpf zusammen mit Scholl das Amt des Salzverwalters in einem nicht mehr feststellbaren Zeitraum getragen hatte.

Anhang II
Das Weinheimer Salzhandelsprivileg von 1601 Aug. 31 [1601 Sept. 10 n. St.]

StAW U 84. Gesiegelte Ausfertigung, Pergament, H.: 30 cm, B.: 56,5 cm; an Pergamentpressel anhängendes Siegel des Heinrich von Schwerin in Holzkapsel; Siegel des Philipp Finck abgefallen (fehlt), Pergamentpressel noch vorhanden.

Vorbemerkung:

Unter dem Titel: „Privilegien der Stadt Weinheim gegeben, den Salzhandel betreffend, unter Friedrich IV., Churfürsten von der Pfalz, im Jahr 1601. Von dem Original abgeschrieben" findet sich ein Abdruck der Urkunde in: Friedrich Peter Wundt, Beschreibung der pfälzischen Bergstraße; beigebunden an: ders., Carl Theodors Verdienste um die Berichtigung und Erweiterung der Rheinpfälzischen Landesgeschichte, Mannheim 1794, Beilage II, S. 193–197.

Ein Teilabdruck des Privilegs findet sich ferner bei: F. J. Mone, Gewerkschaften für Eisen, Glas und Salz vom 11. bis 17. Jahrhundert, in: ZGO 12, 1861, S. 424.

Der nachfolgende Abdruck folgt in seiner Einrichtung den „Empfehlungen zur Edition frühneuzeitlicher Texte" veröffentlicht im Jahrbuch der historischen Forschung in der Bundesrepublik Deutschland, Berichtsjahr 1980, Stuttgart 1981, S. 85–96. Die in der Urkunde willkürlich gebrauchte Schreibweise „vndt", „vnndt", „vnd", „vnnd" wird regelmäßig als „und" wiedergegeben. Die Gliederung des Textes in Abschnitte folgt der Vorlage.

Text:

„Wir, Heinrich von Schwerin, churfürstlicher Pfaltz rath, vicehoffrichter und fauth zu Heydelberg, und landtschreiber daselbsten, Philips Finckh, urkhunden und bekhennen hiemitt dißem brieff,

das neben uns die ersame, weisen burgermeister und rath unsers anbefohlenen ampts der statt Weinheim an der Bergstrassen embsigs vleis betrachtet, wie gemeiner statt einkommen ohne beschwerung der burgerschafft und angrentzender pfältzischer, auch anderer benachparten herrschafften underthanen möge verbessert und also vermehret werden, das bei itzigen ein zeithero eingerissenen und noch immerwehrenden teuren zeitten, die sich je mehr und mehr wegen ereügender krieg in den Niderlanden und Hungarn, auch anderstwo, und besonders etlicher mißwachsender jahr, erholen, ihre statt gebeu an thürnen, pforten, stattmauern, bronnen, p. erhalten und sonsten nothwendige unvermeidenliche außgaben geführt und entrichtet werden möchten,
und darauff uns mit ermelten burgermeister und rath vereinigt und dem durchleuchtigsten hochgeborenen fürsten und herren, herren Friderichen, pfaltzgraven bei Rhein, deß heyligen Römischen Reichs ertztruchsessen und churfursten, hertzogen in Bayern p., unserm gnedigsten herren underthenigst unser rathsam bedencken eröffnet, das nemblich ermelte burgermeister und rath innahmen gemeiner burgerschafft den saltzkauff und verkauff derortts in berüerter statt und angrentzenden pfältzischen dorffen allein haben und führen, auch sich deß nüßhandels und weinschanks in ihrem neuerbauten kauffhauß geprauchen möchten, welches ihre churfürstliche gnaden als ein miltter herr und fürderer, auch

liebhaber gemeiner statt und flecken nutzens ihnen gnedigst belieben lassen, auch uns anfangs genanten, ihrer churfürstlichen gnaden beampten, gnedigst befohlen, itzgedachter statt Weinheim nicht allein ihrer churfürstlichen gnaden bewilligung zu eröffnen, sondern auch amptswegen den saltzkauff, nußhandel und weinschanckh nachvolgender maß und gestaltt inen zu confirmirn und sie dabei handzuhaben,

und soll demnach mehrgedachter statt Weinheim burgermeister und rath in nahmen gemeiner burgerschafft nun fürbaß und so lang inen geliebt den salzkauff und verkauff allein und sonsten niemandt in und außerhalb der statt Weinheim uff ein halb meil wegs in churfürstlicher Pfaltz dorffen, es sei mit maltern, scheuben, groß oder kleinen meß zu kauffen und verkauffen macht haben, darin ihnen vonn niemanden, wer der sei, in oder ausserhalb der statt uff ein halb meil wegs einigen eintrag thun soll, sonder frei ungehindert lassen, auch wer vonn den ortts ingesessenen, auch burgern und inwohnern zu seinem haußgebrauch saltz zu kauffen benöttiget, dasselb in der statt Weinheim saltzhauß kauffen und in billichem werth zahlen soll,

jedoch, damit der arme man desto erträglicher sein saltz kauffen könne, uff welchen dan jeder magistrat billichen sehen und dessen gelegenheit auch uffnehmen betrachten soll,

so ist ebenmessig von höchstgedachter ihrer churfürstlichen gnaden geschlossen, das die verordnete salzkäuffer je zun zeitten und irgend monatlichen /: wie in anderen stetten bei wolbestelten saltzhändeln auch üblich und in gebrauch :/ ein gewissen tag bestimmen, der burgerschafft offentlichen verkünden und den burgern das meeß etwas näher und wolfeiler und so nahe, als immer uber abzug kauffgelts und uncostens sein mag, umb bahre bezahlung außmessen und volgen lassen,

daneben insonderheit auch dahin sehen, das die verordtnete zu dißem saltzhandel zu rechter und wolfeiler zeitt einkauffen, damit dessen sowol der arme bauersman als auch gemeine statt nutzen empfangen und spüren möge,

darzu auch, daß der saltzmesser mit ein oder ausmessen vleissig und treulich handle, das darin gegen arm und reich kein vortel oder betrug gebraucht werde, sonder eim jeden umb sein geltt recht und billichs widerfahre,

betreffendt am andern den nußhandel und daß je zue zeitten fuhrleuth ankommen, welche saltz gegen nüssen außtauschen und verwechßlen,

so sollen ermelte burgermeister rath solches auch macht haben, mit nüssen gegen saltz zu tauschen, dieselben, wer ihnen die nüß mit guttem willen zu kauffen geben will, zu seiner zeitt und gantzen jahrs einzukauffen, doch soll kein burger verbunden sein, die jenige nuß, so ihme erwachsen, den burgermeistern oder verordneten zum saltzkauff zu verlassen, sondern, wo er will, seines gefallens zu verkauffen, aber umb saltz vor sich zu vertauschen oder zu verwechßlen, daß soll er nicht macht haben, sondern seine nüß zu verkauffen, wo er will, das saltz aber in der stadt Weinheim saltzhauß keüfflich nehmen,

zum dritten und letzsten sollen und mögen berüerte burgermeister und rath uff ihrem neuerbauten kauffhauß derortts /: damit sie dessen widerumb geniessen und deß baucosten ergötzung haben können :/ ein weinschanckh anordnen, doch dergestalt, das unserm gnedigsten churfürsten und herren das gewohnlich weinumbgeltt treulich und uffrecht davon entricht und gelüffert werde, wie es gepreüchlich und herkommen,

wofern nun jemanden ausserhalb der statt Weinheim hohe oberkeitt wissentlich hierwider thette und sie in diser churfürstlichen begnadigung, sowol im saltzhandel als nüß- und weinschanckh, molestirte oder eintrag zufügte, den oder dieselben sollen beruerte burgermeister und rath uns anpringen, die sollen in krafft der churfürstlichen begnadigung mit ernster und unnachlessiger straff angesehen werden,

dessen zu urkundt und confirmation, so haben wir obgenante fauth und landtschreiber unsere ampts und insigel thun hencken,

geben zu Heydelberg am letsten tag augstmonats im jahr nach Christi, unseres einigen erlosers und seligmachers geburtt thausendt sechtzehenhundert [!] und eins."

Anmerkungen

1. **John Gustav Weiß:** Die Geschichte der Stadt Weinheim an der Bergstraße. Weinheim 1911, S. 72, 169, 216, 255, 349.
2. **Karl Zinkgräf:** Ein Bordhandelsmonopol der Stadt Weinheim im 17. u. 18. Jahrhundert; in: Die Windeck, 11. Jahrgang 1935, Nr. 9, S. 35 f.
3. **Volker Sellin:** Die Finanzpolitik Karl Ludwigs von der Pfalz. Staatswirtschaft und Wiederaufbau nach dem Dreißigjährigen Krieg. Stuttgart 1978, S. 13.
4. wie Anm. 3; **Gerhard Biskup:** Die landesfürstlichen Versuche zum wirtschaftlichen Aufbau der Kurpfalz nach dem 30jährigen Kriege (1648 – 74). Ein Beitrag zur Wirtschaftsgeschichte der Pfalz. Diss.rer.pol. Frankfurt/M. 1930.
5. **Willi A. Boelcke:** Neuerungen in der Wirtschaft am Oberrhein während des 18. Jahrhunderts; in: Barock am Oberrhein, Hrsg. V. Press u. a., Karlsruhe 1985, S. 133 – 151 (= Oberrheinische Studien Bd. 6, 1985, Hrsg. Arbeitsgemeinschaft für geschichtliche Landeskunde am Oberrhein). Ders.: Wirtschaftsgeschichte Baden-Württembergs von den Römern bis heute. Stuttgart 1987.
6. StAW U 84.
7. **Joseph Höffner:** Wirtschaftsethik und Monopole im 15. und 16. Jahrhundert. Stuttgart ^{2}1969, S. 27 (= unveränderter Neudruck der Ausgabe Jena 1941). **Heinrich Mitteis und Heinz Lieberich:** Deutsche Rechtsgeschichte. München ^{11}1969, S. 50 f, 107, 173.
8. Biskup (wie Anm. 4), S. 94; **Johann Goswin Widder:** Versuch einer vollständigen Geographisch-Historischen Beschreibung der Kurfürstlichen Pfalz am Rheine. Teil 2. Frankfurt/M. u. Leipzig 1786, S. 323.
9. GLA 77/5507.
10. **Hans Aubin** und **Wolfgang Zorn (Hrsg.):** Handbuch der deutschen Wirtschafts- und Sozialgeschichte. Bd. 1. Stuttgart 1971, S. 397 ff. **Friedrich Wilhelm Henning:** Das vorindustrielle Deutschland 800 bis 1800. Paderborn 1974, S. 179 ff.
11. Weiß (wie Anm. 1), S. 84.
12. RPW III, 219.
13. RPW III, 221.
14. GLA 43/255 (1650 Aug. 28).
15. RPW I, 158.
16. RPW I, 162.
17. RPW II, 689.
18. RPW VII, 128.
19. RPW V, 245, 275.

20. RPW I, 157.
21. RPW I, 439.
22. RPW V, 23 f.
23. RPW V, 35.
24. RPW III, 242 f.
25. RPW IV, 459.
26. RPW V, 22.
27. Wie Anm. 23.
28. RPW VI, 512 (13.11.1662).
29. RPW OI, 357.
30. RPW I, 116.
31. RPW I, 119.
32. GLA 61/6166, 74 f. Für 1628 und 1629 sind Bestrebungen der bayerischen Instanzen belegt, die Absatzchancen Reichenhaller Salzes in der Unteren Pfalz zu vergrößern (**Franz Maier:** Die bayerische Unterpfalz imDreißigjährigen Krieg, Frankfurt/M. 1990, S. 162; GLA 61/6165).
33. RPW I, 428 f, 510.
34. RPW II, 46 (11.6.1634).
35. RPW V, 529 f.
36. **Biskup** (wie Anm. 4), 111.
37. **Klaus Reimer:** Das Steuerrecht in der Stadt Weinheim vom Beginn der Neuzeit bis zum Anschluß an Baden. Diss. jur. Heidelberg 1968.
38. Vgl. dazu: **Karl Zinkgräf:** Bilder aus der Geschichte der Stadt Weinheim nach den Weinheimer Ratsprotokollen der Jahre 1682 – 1693. Weinheim 1904, S. 32.
39. GLA 77/5507.
40. Ebd.
41. Zur Person de Spinas vgl.: **Kurt Stuck:** Eine Glöcknerverwandtschaft in den kurpfälzischen Zentralbehörden und im Rektorat der Universität Heidelberg im 16. und 17. Jahrhundert; in: Pfälzer Familien- und Wappenkunde, XXII 1973, Bd. 7, Heft 10, S. 346.
42. GLA 77/5507.
43. RPW XIII, 199 ff; GLA 77/5507.
44. GLA 77/5507.
45. Ebd.
46. RPW XIII, 204.
47. RPW XIII, 213.
48. GLA 77/5507.
49. Ebd.
50. Heidelberger Ratsprotokolle, die die Lücken der Weinheimer Ratsprotokolle in diesen Fragen ausgleichen könnten, existieren für die betreffende Zeit nicht; auch die Heidelberger Stadtrechnungen helfen hier nicht weiter. Ein Passus in der Heidelberger Stadtrechnung für das Rechnungsjahr 1691 – 1692 läßt das Vorhandensein eines außerhalb der Zuständigkeit des Stadtrechners geführten besonderen Salzrechnungswesens erkennen; unter der Rubrik „Einnahm Geld ohne Verzinsung uffgenommen", heißt es dort: „Aus dem Salzhandel ist mihr [dem Stadtrechner; d. Verf.] von Herrn Bürgermeister Buschberger und Herrn Gabel und Herrn Gückelier gelieffert worden: 218 fl. 58 xr." (Stadtarchiv Heidelberg, Stadtrechnung für 1691/92, S. 75).
51. GLA 77/5507.
52. Vgl. dazu: **Rainer Gutjahr:** Das Weinheimer Schultheißenamt. Weinheim 1975, S. 24 – 27 (= Weinheimer Geschichtsblatt 27, 1975).
53. RPW XIV, 15.
54. RPW XIV, 32.
55. RPW XIV, 33.

56. GLA 77/5507.
57. Ebd.
58. RPW XIV, 217.
59. GLA 61/9861, 279.
60. RPW XIV, 228.
61. RPW XIV, 263.
62. **Boelcke:** Neuerungen (wie Anm. 5), S. 150.
63. GLA 77/8229, 11.
64. GLA 66/1656, 320 f.
65. GLA Zc 1003, 27; auch GLA 67/1571, 58.
66. RPW XVI, 177 f.
67. RPW XV, 575.
68. RPW XVI, 503.
69. RPW XVI, 16 f (5.2.1703); Keller Dellinger läßt dem Rat ausrichten, er müsse nach Mannheim zur Salzkommission, welche auf ihn warte.
70. RPW XVI, 171. Der Licent vom Pfund Salz betrug 1 1/2 xr.; vgl. dazu: **Reimer** (wie Anm. 37), Anlage 37.
71. RPW XVI, 177 f.
72. RPW XVI, 191 f.
73. RPW XVIII, 646 f.
74. RPW XVIII, 301. Am 20. April 1704 händigte Salzverwalter Mercki dem früheren Salzverwalter Zinkgräf 100 fl. „zu Einkaufung Salzes" aus (RPW XVI, 183).
75. RPW XVIII, 326 ff.
76. RPW XIX, 112 ff.
77. GLA 77/5504, 7 ff: Verordnung vom 12. Juni 1719; GLA Zc 1003, 49: Gedrucktes Patent, Heidelberg, 16. Juni 1719.
78. GLA Zc 1001.
79. GLA 77/5504, 16 ff.
80. GLA 77/5508.
81. RPW XIX, 398.
82. RPW XIX, 235.
83. RPW XIX, 240.
84. RPW XIX, 393.
85. **Philipp Pflästerer:** Weinheim um 1721. Weinheim 1947 (=Weinheimer Geschichtsblatt 19, 1947).
86. RPW XIX, 404.
87. RPW XIX, 408 f.
88. RPW XIX, 793; GLA 77/5508.
89. GLA 77/5508.
90. RPW XX, 442; RPW XXI, 144.
91. RPW XXI, 310.
92. RPW XXI, 321.
93. RPW XXI, 372.
94. RPW XXI, 310, 372.
95. GLA Zc 1003, 97.
96. RPW XXI, 382.
97. RPW XXI, 388.

98. **Widder** (wie Anm. 8), S. 324.
99. RPW XXI, 395, 411.
100. RPW XXI, 420.
101. RPW XXI, 430 ff.
102. RPW XXI, 459.
103. GLA Zc 1010, 314 –320.
104. RPW XXI, 490.
105. Franz Kaspar von Überbrück ist 1734 Hofkammerdirektor (Kurpf. Staatskalender für 1734, S. 8).
106. RPW XXI, 521.
107. RPW XXI, 705.
108. RPW XXI, 775, 832 ff.
109. GLA 188/577.
110. Ebd.
111. Ebd.
112. Ebd.
113. Ebd.; RPW XXI, 884.
114. Ebd.
115. Ebd.
116. RPW XXII, 19.
117. Die drei kurpfälzischen Salinen Philippshalle/Dürkheim, Karlshalle und Theodorshalle/Kreuznach, zu denen nach 1756 noch die Saline Elisabetha-Augusta-Halle bei Mosbach kam, konnten den kurpfälzischen Bedarf offensichtlich nicht decken; deshalb wurde noch in den 1780er Jahren Schwäbisch Haller Salz eingeführt. (**Widder** (wie Anm. 8), Teil 4. Frankfurt/M. u. Leipzig 1788, S. 31; **Theophil Lang:** Die Hauptstadt der Kleinen Pfalz, Bilder aus der Vergangenheit des zwölfhundertjährigen Mosbach. Mosbach 1936, S. 70 f; Die Landkreise in Rheinland-Pfalz, Bd. 1, Landkreis Kreuznach. Speyer 1954, S. 201; **Kuno Ulshöfer:** Der hällische Salzhandel; in: **Kuno Ulshöfer** und **Herta Beutter** (Hrsg.): Hall und das Salz. Beiträge zur hällischen Stadt- und Salinengeschichte. Sigmaringen 1982, S. 95 –111).
118. RPW XXII, 870.
119. RPW XXIII, 458.
120. RPW XXIV, 403.
121. RPW XXVI, 5.
122. GLA 188/578.
123. RPW II, 15.
124. RPW II, 7.
125. Ebd.
126. RPW II, 76 f.
127. RPW II, 92.
128. RPW II, 109.
129. Vgl. dazu: **Weiß** (wie Anm. 1), S. 235; **Gutjahr** (wie Anm. 52), S. 23.
130. RPW II, 173.
131. RPW II, 180.
132. RPW II, 370.
133. RPW II, 464, 469.
134. RPW III, 53.
135. RPW III, 84.
136. RPW III, 111.
137. RPW III, 242 f.

138. RPW IV, 457 f.
139. RPW IV, 460.
140. RPW IV, 459.
141. RPW X, 69.
142. **Ludwig Häusser:** Geschichte der Rheinischen Pfalz, Bd. 2, Heidelberg 1845, S. 631 ff.
143. RPW XI a, 7.
144. RPW XI, 235 f.
145. RPW XI, 258.
146. RPW XI, 262.
147. RPW XI a, 7.
148. ABW 117.
149. RPW OI, 197.
150. RPW OI, 129.
151. RPW II, 546.
152. RPW II, 203.
153. RPW XIV, 64 f; **Hans Peter Herpel:** Weinheimer Schultheißen und Bürgermeister in fünf Jahrhunderten. Weinheim 1987, S. 62 f (= Weinheimer Geschichtsblatt 33, 1987).
154. RPW XIX, 894 ff.
155. RPW II, 7.
156. GLA 77/5507.
157. RPW II, 7.
158. RPW VII, 61.
159. RPW VIII, 60.
160. RPW IV, 459.
161. RPW I, 451.
162. RPW II, 180.
163. RPW XIII, 104.
164. RPW I, 452.
165. RPW XIV, 402, 403.
166. RPW XIV, 64 f.
167. RPW I, 248.
168. RPW II, 208 f.
169. RPW II, 496.
170. RPW II, 587.
171. RPW I, 53; RPW X, 111.
172. GLA 61/6164, 76 f; GLA 77/5507.
173. RPW XX, 169 f.
174. RPW I, 68.
175. RPW XIII, 221; RPW XVIII, 547; RPW XX, 196 f, 200, 245.
176. RPW II, 208 f.
177. RPW XIV, 403.
178. KBW 634.
179. RPW II, 201; RPW XIII, 43 u.ö.
180. RPW XII, 13.
181. RPW XIII, 1.
182. ABW 134.
183. Im Testament vom 12. Januar 1612 erscheint er als „gewesener Stadtschreiber" (KBW 280).
184. RPW II, 681; RPW VII, 13, 104, 231; RPW XIV, 402 ff; GLA 77/5507.
185. RPW II, 681.
186. RPW I, 380.
187. RPW I, 259.
188. RPW II, 546.
189. RPW IV, 347.
190. RPW VI, 319, 391.
191. RPW XIV, 111, 248, 331, 386; RPW XV, 11.

192. RPW VI, 508 (30.10.1662); RPW VI, 361 (1.8.1661).
193. RPW XXI, 627.
194. ABW 134.
195. GLA 77/5507.
196. RPW XXI, 627.
197. RPW XIV, 111.
198. RPW VI, 508.
199. RPW V, 474.
200. RPW VI, 361.
201. RPW VI, 201.
202. RPW VI, 438, 440, 480.
203. ABW 124.
204. KBW 634.
205. RPW XX, 82 f.
206. RPW XII, 117.
207. RPW V, 393.
208. GLA 77/5507.
209. ABW 123; undatierte Handschrift Anfang 18. Jahrhundert, Vorlage wohl älter.
210. GLA 77/5507.
211. RPW XIV, 402 ff.
212. GLA 77/5507.
213. Ebd.
214. Ebd.
215. RPW I, 452.
216. GLA 77/5507.
217. KBW 634.
218. RPW I, 380.
219. RPW XX, 82.
220. RPW V, 393; RPW VII, 244.
221. RPW XXI, 430 ff.
222. RPW II, 199.
223. RPW II, 208 f.
224. RPW V, 421 f.
225. RPW XIX, 151.
226. GLA 77/5507.
227. RPW XXI, 430 ff.
228. **Werner Matti:** Verfassung und Wirtschaftspolitik der Saline Schwäbisch Hall bis zum Jahre 1803. Diss. Tübingen 1952 (Maschschr.), S. 250. 160 Meß entsprechen 5.120 Pfund hällischen Gewichts; vgl. dazu: Ulshöfer (wie Anm. 117), S. 100.
229. RPW II, 208 f.
230. RPW II, 213 f.
231. GLA 77/5507.
232. RPW II, 587.
233. **Elsa Blöcher:** Salinen und Salzhandel in der Wetterau mit besonderer Berücksichtigung von Nauheim im 17. und 18. Jahrhundert. Diss. phil. Marburg 1931; **Johann Büttel:** Geschichte der Stadt und Saline Orb. Würzburg 1901 (Neudruck Orb 1978); **Karl August Eckhardt:** Politische Geschichte der Landschaft an der Werra und der Stadt Witzenhausen. Marburg 1928 (= Beiträge

zur Geschichte der Werralandschaft, Heft 1); **Hans-Heinz Emons** u. **Hans Henning Walter:** Alte Salinen in Mitteleuropa. Leipzig 1988; **Martin Otto Johannes:** Bad Sooden-Allendorf. Führer durch die Stadt und ihre Umgebung. Witzenhausen 1959; **W. Killmer:** Geschichte der Lande um den Meissner, der Grafschaft Bilstein und ihrer Dynasten. Allendorf 1913; **Carl Köbrich:** Chronik des hessischen Berg-, Hütten- und Salzwesens (=Archiv f. hess. Geschichte u. Altertumskunde NF XIX, 1935, S. 275 – 326); **Kurt Nebe:** Die Verfassung der Saline Sooden a.d. Werra seit der sog. ewigen Lokation vom 3. Mai 1586 bis zu ihrem 1866 erfolgten Übergang an Preußen. Diss. jur. Göttingen 1932; **Claus Priesner:** Das deutsche Salinenwesen im frühen 17. Jahrhundert. München u. Düsseldorf 1980 (= Deutsches Museum, Abhandlungen und Berichte, 48. Jahrgang 1980, Heft 3), setzt die kurpfälzische Saline Schönfeld fälschlich „'nicht weit von Türkheim' im heutigen Landkreis Colmar" anstatt richtig zu (Bad) Dürkheim/Weinstraße; **Adolf Reccius:** Geschichte der Stadt Allendorf in den Soden. Marburg 1930 (= Beiträge zur Geschichte der Werralandschaft, Heft 3); Adolf Schneider: Die Geschichte des Salzhandels zu Frankfurt a.M., Diss. Frankfurt/M. 1934; **Lothar Süß:** Das Salzmuseum des Hessischen Staatsbades Bad-Nauheim. Friedberg[2] 1982.

234. RPW XIX, 112 ff.
235. RPW OI, 129; RPW XXI, 430 ff; GLA 77/5507.
236. RPW XIX, 112 f.
237. RPW XIX, 434.
238. RPW XXI, 382.
239. Dies steht freilich im Widerspruch zu anderen Angaben, denen zufolge auf das pfälzische Malter Salz 220 bis 225 Pfund kamen (GLA Zc 1010, 314 – 320; Ulshöfer (wie Anm. 117), S. 102).
240. RPW I, 83.
241. GLA 77/5507.
242. RPW XIX, 112 ff.
243. RPW XXIII, 232.
244. **Josef Fresin:** Die Geschichte der Stadt Weinheim. Weinheim 1962, S. 241.
245. RPW II, 370; RPW III, 53.
246. GLA 77/5507.
247. GLA 61/6166, 76 f.
248. GLA 188/236.
249. GLA 77/5507.
250. Ebd.
251. RPW I, 127.
252. RPW VIII, 86; auch **Gutjahr** (wie Anm. 52), S. 58.
253. RPW III, 101, 111.
254. GLA 77/5507.
255. Ebd.
256. Ebd.
257. RPW XVIII, 236 ff.
258. RPW XVIII, 301.
259. GLA 65/2118, 60 f; mit Bezug auf Universitätsarchiv Heidelberg IX, 4b Nr. 25.
260. RPW OI, 2.
261. RPW V, 381.
262. RPW III, 242 f.
263. RPW VI, 484.

Hans Dörr

Ein Darmstädter Kaufmann als Spion im Dienste Hessen-Darmstadts zu Beginn des 19. Jahrhunderts

1. GEHEIMNISVOLLE BRIEFE

Am 10. Juni 1801 schrieb der Darmstädter Kaufmann Carl Wilhelm Becker an den hessen-darmstädtischen Staatsminister v. Barkhaus-Wiesenhütten:

> *„Die Briefe von Z. können Eu. Excellenz nach Gutdünken sammeln, vernichten oder mir bei Gelegenheit zurückgeben. Auch mit den meinigen werden Eu. Excellenz unbezweifelt solche Vorkehrungen treffen, daß sie zu keiner Zeit von einer ungeweihten Hand zu meinem Nachteil auf irgend eine Art mißbraucht werden können."*

Die geheimnisvollen Briefe, um die Becker so besorgt war, wurden nicht vernichtet, aber auch nicht zurückgegeben, sondern kamen mit den Akten des Ministeriums in die Bestände des Staatsarchivs[1]. Es handelt sich dabei um 71 Briefe und Berichte, die zwischen April 1801 und Januar 1802 von C. W. Becker selbst und einem Notarius Zimmermann aus Frankfurt verfaßt worden waren. Bevor wir ihr Geheimnis lüften, wollen wir zunächst einen Blick auf die politische Situation in Deutschland und Europa zu Beginn des 19. Jahrhunderts werfen, in die Zeit also, in der die o.g. Briefe verfaßt wurden.

2. DER FRIEDEN VON LUNÉVILLE UND SEINE FOLGEN

Am 9. Februar 1801 wurde der zweite Koalitionskrieg durch den Frieden von Lunéville beendet. Er bestimmte den Rhein als Grenze zwischen Frankreich und dem verbleibenden Reichsgebiet. Zahlreiche deutsche Fürstentümer verloren ihre linksrheinischen Territorien und sollten dafür nach einer geplanten Säkularisation der geistlichen Fürstentümer auf der rechten Rheinseite großzügig entschädigt werden.

Zu den Betroffenen gehörte auch Hessen-Darmstadt, das durch den Friedensvertrag seine gesamten elsässischen Besitzungen verloren hatte. Es ist verständlich, daß sich die enteigneten Fürsten bereits vor der Neuaufteilung des Reiches, die auf dem Reichstag zu Regensburg erfolgen sollte, nach entsprechenden Entschädigungsgebieten umsahen. In Darmstadt dachte man bei solchen Überlegungen besonders an das östlich angrenzende kurmainzische Gebiet um Dieburg, Seligenstadt, Steinheim und Aschaffenburg. Durch die Angliederung dieses Territoriums wäre man dem alten Wunschtraum von einem „Großhessen" zwischen Rhein, Main und Neckar ein großes Stück näher gekommen[2]. Somit stand das Untermaingebiet bei den beginnenden Verhandlungen in Paris und später in Regensburg ganz oben auf der Wunschliste der Darmstädter Unterhändler. Darüber hinaus dachte man bei den Entschädigungsüberlegungen auch an die freie Reichsstadt Frankfurt, die ihren seitherigen Status eventuell verlieren und einem der angrenzenden Fürstentümer angegliedert werden sollte.

Es gab im hessen-darmstädtischen Staatsministerium auch Überlegungen, bei günstiger Gelegenheit bereits vor dem endgültigen Abschluß der Verhandlungen durch eine Besetzung der angrenzenden Kurmainzer Gebiete vollendete Tatsachen zu schaffen. So war es für die Verantwortlichen in Darmstadt sehr wichtig, über alle Vorgänge in der Nachbarschaft stets die neusten Informationen zu erhalten.

Hier beginnt nun die Geschichte des Darmstädter Kaufmanns Carl Wilhelm Becker und die seiner Briefe.

3. SPION ALS GETREIDEHÄNDLER GETARNT

Als man die technischen Hilfsmittel der High-Tech-Spionage unserer Tage noch nicht kannte, war man auf Kundschafter und Agenten angewiesen, wenn man Informationen über Pläne, Ziele und Möglichkeiten der Gegenseite erhalten wollte. So hielt sich der Darmstädter Kaufmann C. W. Becker 1801/02 im Auftrag seines Landesherrn als Getreidehändler getarnt im Untermaingebiet auf, um im Vorfeld der Neuaufteilung des Reichsgebietes Informationen über Militärbewegungen, über diplomatische Aktivitäten, über die Stimmung der Bevölkerung und über die wirtschaftlichen Verhältnisse in diesem Gebiet zu sammeln. Er „arbeitete" vorwiegend in Aschaffenburg und Würzburg, hielt sich vorübergehend auch in Frankfurt auf und ging dann nach einem längeren Zwischenaufenthalt in Darmstadt mit neuem Auftrag an den Rhein[3].

Die Informationen, die er dabei sammelte oder die ihm von seinen Mittelsmännern übermittelt wurden, gab er an das Staatsministerium in Darmstadt weiter. Natürlich mußte Becker – wie er selbst schrieb – *„um sich herum ein Täuschungsgebäude aufrichten"*, um bei seinen „Gastgebern" keinen Verdacht aufkommen zu lassen. Er gab sich deshalb als Getreidehändler aus, der eine russische Lieferung erwartete, und er erklärte seinen langen Aufenthalt am Main mit Verzögerungen und einem *„zeitweiligen Stillstand"* des Geschäftes.

Doch lassen wir C. W. Becker selbst berichten. Am 12.5. schrieb er über sein „Täuschungsmanöver"[4].

„Meine angebliche Geschäften und die Schritte, die ich wirklich zur Unterstützung jener Angaben mit allen möglichen Wendungen bisher machte, haben wirklich den höchsten Grad der Täuschung bewirkt, die umso merkwürdiger wird, wenn man den Zeitpunkt meiner Erscheinung mit der gespannten und bedenklichen Lage aller Umstände zusammenhällt ... und besonders das in diesem Gefolge sich stets befindende Mißtrauen in Anschlag bringt ... Ich habe allen schwierigen und unangenehmen Erscheinungen mit allen Kräften die Stirne geboten, und meinen Zweck nicht einen Augenblick aus dem Auge verlohren ... Weniger überrraschend, ich will nicht genauer sagen – gefahrvoll ... wäre manches ... gewesen, wenn ich, bekannt mit allem vorhergeschehenen, alles in meinen Plan hätte aufnehmen und mich darauf gefaßt machen können ... Ich erzählte, daß ich eigentlich in Würzburg solange warten sollte, um auf jeden Fall [für das Getreidegeschäft] gleich bei der Hand zu seyn; daß ich aber Aschaffenburg wegen meinen alten Freunden, und da ich in 3/4 Tagen doch in Würzburg seyn könnte, vorziehe – habe ich bißher Glauben gefunden ... Freilich mußte ich in der Gegend von Aschaffenburg ... manchen Streifzug machen. Ich habe mich dabei mit Gutsbesitzern in unmittelbaren Verkehr gebracht ..., mit Schiffleuten über den Transport scheinbar unterhandelt, auch verschiedene kleine accorde geschlossen, wo ich mit dem Verlust des unbedeutenden Draufgeldt

durchkommen kann. Ich habe diese schon geschlossenen Ankäufe aber für beträchtlich in Aschaffenburg angegeben und mir von Rechtsgelehrten Gutachten ertheilen lassen, wie ich auf den Fall, daß die zu erwartenden Nachrichten den Handel ganz aufheben sollten, ... auf die unschädlichste Art von diesen Contracten loskommen konnte.

Inzwischen betrachtet man mich ... in dem Circel worinnen ich mich, zwar abwechselnd aber doch notwendig, bewegen muß, mit mehr Aufmerksamkeit als ich brauchen kann, und dieser muß ich auf alle mögliche Weise zu entgehen suchen ...

Es erforderte bisher eine Aufmerksamkeit und Künsteley, um in keiner Stelle mich auch nur auf den mindesten Wiederspruch ertappen zu lassen, welche mir blos ein guter Genius unseres Vaterlandes – die treue Liebe und Hochachtung gegen unseren durchlauchtigsten Fürsten verleihen konnte."

4. BRIEFE UND BERICHTE AUF UMWEGEN NACH DARMSTADT

Seine ersten Lageberichte ließ Becker durch Boten von Aschaffenburg nach Darmstadt besorgen; mehrfach wird dabei ein Hofgerichtssekretär Bender als Botengänger erwähnt. Am 12. Mai schrieb Becker jedoch an seinen Bruder: *„Ich werde nun meine Briefe zum Theil einen anderen Weg nehmen lassen, weil die Botten manche Aufmerksamkeit erregt und mich einige mal in Verlegenheit gebracht haben. Was eilt, werde ich nun den kürzesten Weg nehmen lassen."*

Dieser „kürzeste Weg" führte über den hessen-darmstädtischen Amtsort Schaafheim, der unweit der Mainzer Landesgrenze lag. Becker war von Aschaffenburg aus mehrfach selbst dorthin gereist, und wir dürfen annehmen, daß er dabei seine Nachrichten persönlich dem dortigen Amtmann Chelius übergab, der sie dann durch seinen Amtsboten nach Darmstadt überbringen ließ. Die meisten Briefe Beckers wurden jedoch mit der Post befördert – allerdings auf einem Umweg über Frankfurt. Becker schrieb in diesem Zusammenhang am 15. Mai an seinen Bruder: *„Vor der Hand soll mir H.N.Z.[5] die Briefe welche von mir unter seiner Adresse mit der Post kommen, in einem Umschlag unter deiner Adresse weiter besorgen und verschiedenes, was Bezug auf unser Geschäft hat, ohne Verzug an H.K. Zimmerm[6]. als Mitglied der Frucht Compagnie melden."*

Danach war Beckers Bruder in Darmstadt zunächst Empfänger der Briefe; er überbrachte sie sofort nach Empfang in das Staatsministerium. Fast täglich wurde auf diesem Weg ein Brief nach Darmstadt geschickt. Damit dabei kein Verdacht auf Becker fiel, mußte er natürlich in Aschaffenburg auch Antwortbriefe erhalten. Er schrieb am 12. Mai: *„Inzwischen betrachtet man mich ... mit mehr Aufmerksamkeit, als ich brauchen kann ... Ich werde es nun hier einleiten, daß ich wenigstens gleichgültige Briefe erhalte, um mich auch von dieser Seite zu decken, da ich noch keinen einzigen erhalten, sondern solche immer selbst auf der Post abgeholt zu haben vorgab. Herr Notarius Zimmermann ... muß mir von jetzt an den Schein günstig erhalten helfen."* So geschah es dann auch. Zimmermann lieferte fast täglich einen Situationsbericht aus Frankfurt, den Becker meistens im Original gemeinsam mit seinen Nachrichten wiederum auf dem Umweg über Zimmermann in Frankfurt nach Darmstadt an seinen Bruder schickte.

Offensichtlich war es aber auch dabei zu Unregelmäßigkeiten gekommen, denn Zimmermann schrieb am 27. Mai: „*Alle deine Briefe an mich erwarte ich durch die Dilligence, nicht mit der Post*[7]. *Ich habe meine Ursachen dazu. Ich werde mit dem Secretäire hier die Verabredung nehmen, daß sie mir nicht ins Haus geschickt werden, indem ich sie jedes mal selbst abholen will, auch dazu habe ich meine Gründe. Hast du etwas schnell zu besorgendes mir zu senden, und es geht gerade die Dilligence nicht, so muß ich dir die Besorgung des Briefs allerdings allein nach deinem Gutdünken überlassen, aber die Post – vorzüglich die Kaiserliche Post verbitte ich durchaus ... Also die Post vermeiden – und Vorsicht!*" Um sicherzugehen, daß die Briefe auch wirklich ausgehändigt wurden, vereinbarten Becker und Zimmermann, den Empfang im nächsten Brief jeweils zu bestätigen. Becker versuchte aber auch auf andere Art und Weise, seine Informationen vor fremden Einblicken zu schützen. So schrieb er am 28.4.: „*Ich habe es für nöthig gefunden, über einiges in Bezug des Ankaufs dunkel zu schreiben. Da sie [Anmerk.: die evtl. den Brief öffnen] keine Handelsleute sind, so verstehen sie die Sprache nicht – dir aber soll das Dunkelste ... doch deutlich und für Deine Masregel, soweit möglich, brauchbar gewesen seyn.*"

Die erwünschte Übernahme der Kurmainzer Gebiete nannte Becker in seinen Berichten nicht beim Namen; er sprach nur von dem „erwünschten Fall", von dem „Ein- oder Ankauf", von „unseren Speculationen". Das Staatsministerium erwähnte er als „Frucht Compagnie" oder als „unsere Gesellschaft." Daneben gab es einen Code, den man Becker wohl zum Verschlüsseln seiner Informationen übergeben hatte[8].

„Schlüssel zu den Briefen des Kaufmanns Becker

Infanterie - Korn-1 Mann-1 S^{er}		Churfürst -	Hr. Adam
Cavallerie - Haber. d.	d.	Albini -	Scholl
Artillerie - Weitz.-d.	d.	Rathenhausen -	Ulrich"
1 Canone - 1 Ohm frucht Brandwein		Molitor -	Klotz
1 Haubitze - 1 Ohm ordin. d.		Cämmerer -	Freund
Landjäger - Heu- 1 Ctr.	-1 Mann	Will -	Nord
Bauern - Stroh - 1 Geb.	1 Mann	Chelius -	Alt

Der Schlüssel wurde von Becker allerdings nur ganz selten verwendet; lediglich in seinem ersten Brief aus Aschaffenburg vom 25.4. schrieb er: „*Über die Parthie der verschiedenen Früchte, welche ich hier in der Gegend finden werde, kann ich noch nichts melden, weil ich erst nähere Erkundigungen einziehen muß ... Noch zur Zeit sind die Angaben sehr verschieden. Im ganzen aber stimmen sie doch darinnen über ein, daß man wohl 1250 Malter finden kann, wenn Korn, Hafer und Weizen zusammengenommen wird.*"

Aus dem weiteren Zusammenhang ergibt sich ganz eindeutig, daß die genannten Fruchtmengen verschlüsselte Angaben über die Truppenstärke in und um Aschaffenburg waren.

Später muß sich Becker wohl sicherer gefühlt haben, denn in seinen Briefen und Berichten tauchen die vereinbarten Codewörter für die unterschiedlichen Truppen-

Schlüssel zu den Briefen des Kaufmann Becker.

Infanterie. Korn. 1 Mann 1 St.

Cavallerie. Haber d. d.

Artillerie. Weizen d. d.

1 Kanone. 1 Ohm Franzbrandwein.

1 Haubitze 1 Ohm ordinär d°.

Landjäger. Heu. 1 Ctr. 1 Mann.

Bauern. Stroh. 1 [illegible]. 1 Mann.

Großherzog. Hr. Roland.

Albini — Schell.

Rathsamhausen — Ulrich.

Molitor — Holz.

Lämmermann — Hermann

Hill — Wörth

Galand — Alt.

Schlüssel zu den Briefen des Kaufmanns Becker.

gattungen und deren Waffenausrüstungen nicht mehr auf. Auch die Decknamen für die im Schlüssel genannten Persönlichkeiten wurden kaum noch verwendet; lediglich im Zusammenhang mit den Marschbewegungen des Albinischen Freicorps ist einmal von „H. Scholl" die Rede. Dagegen wurden die Namen in den Briefen häufig abgekürzt; meistens schrieb Becker nur die Anfangsbuchstaben (z.B. Z. für Zimmermann oder A. für Albini). Es fällt auf, daß sowohl die „Zulieferer" als auch Becker selbst in den Briefen keine Anreden verwendeten. So wurden die Briefe Zimmermanns aus Frankfurt an Minister v. Barkhaus fast ausschließlich mit P.P. eingeleitet.

Beckers Briefe kamen offensichtlich bis auf den Schreibtisch des Landgrafen. Minister v. Barkhaus schrieb am 6. Mai 1801: *„Ich würde die Anlagen von Kaufmann Becker wegen der faden Raisentiments, die sie enthalten gar nicht zu Eurer hochfürstl. Durchlaucht kenntniss kommen laßen, wenn die Beilagen nicht soviel Interesse hätten ..."*[9].

Daß Beckers Berichte aber durchaus den Beifall des Landgrafen fanden, beweist eine Aktennotiz unter dem o.g. Brief – wohl von dem Landgrafen selbst geschrieben, in der es heißt: *„Er hat bisher seine Mission so gut ausgerichtet, daß seine weitere Versorgung derselben in aller Rücksicht vorteilhaft sein wird. Deswegen ist es gut, wenn er noch länger auf Kundschaft ausgeht"*[10].

Landgraf Ludwig X.
Zeichnung von Friedrich J. Hill (um 1800) St. A. Darmstadt.
R 4/12804.

5. „HEBEL UND STÜTZEN DES UNTERNEHMENS"

Am 12. Mai 1801 schrieb C.W. Becker: *„Meine alten Freunde waren Hebel und Stützen meines kleinen Gebäudes, das mir umso viel mehr Mühe machte, je weniger ich auf solche Geschäfte mich vorbereiten ... konnte."* Wer waren diese Freunde? Wie unterstützten sie Becker bei der Ausführung seiner Aufträge?

5.1. Der kurmainzische Artilleriehauptmann Caemmerer

Ihm war es mit großer Wahrscheinlichkeit überhaupt zu verdanken, daß Becker mit dieser Kundschaftermission betraut wurde. Staatsminister v. Barkhaus-Wiesenhütten hatte in einem Brief an den Landgrafen auf Beckers Freundschaft mit dem Mainzer Offizier hingewiesen und betont: *„Becker scheint mir durch seine Verbindung mit Hauptmann Caemmerer vollkommen im Standt zu sein, ein Verständnis auf den zu erwartenden Fall vorzubereiten."* Ludwig X. vermerkte auf dem gleichen Schreiben in einer Aktennotiz: *„Durch seine Verbindung mit Hauptmann Caemmerer kann er uns noch vielen Nutzen schaffen"*[11]. So war es dann auch: Caemmerer versorgt Becker mit wertvollen Informationen über Stärke, Ausrüstung und Pläne der Mainzer Truppen. Auch über die Stimmung unter den Soldaten war Becker stets bestens unterrichtet.

Die Aufstellungen, die er in Schaafheim über die Mannschaftsstärke, Ausrüstung und über die „Dislocationen" der Mainzer Truppen erstellte, basierten in der Hauptsache auf den Angaben, die Becker von Caemmerer erhalten hatte (siehe Tabelle unter Anlage C). Wie es zu dieser Freundschaft gekommen war, ist nicht bekannt. Unklar ist auch, ob Caemmerer von der geheimen Mission Beckers Kenntnis hatte, oder ob er ihn wirklich „nur" für einen Kaufmann hielt, der sich wegen seiner Geschäfte ganz einfach für die politische und militärische Entwicklung interessierte. Auch als Becker seine Mission im Raum Aschaffenburg abbrechen mußte, blieb der Kontakt zu Caemmerer weiter bestehen.

5.2 Der hessen-darmstädtische Amtmann Georg Philipp Chelius[12]

Während seines Aufenthaltes in Aschaffenburg war der hessen-darmstädtische Amtssitz Schaafheim, der unweit der Kurmainzer Grenze lag, für Becker eine wichtige Anlaufstation. Der dortige Amtmann G.P. Chelius war über die eigentliche Mission Beckers unterrichtet. Becker schrieb in diesem Zusammenhang am 5. Mai nach Darmstadt: *„Herr Amtmann Ch. läßt sich Eu. Excellenz unterthänigst empfehlen und verspricht mit Eifer fortzufahren. Er hat in meine Arbeiten gesehen und mich um eine Abschrift des Summarischen Auszugs gebeten. In allem unterrichtet, habe ich es ihm nicht verweigern mögen, allein ich melde es Eur. Excellenz – damit Sie es wissen und daß es außer Ihnen und H.A. es niemand weiß. Sollte er einen Mißbrauch davon machen oder unvorsichtig seyn – so bin ich unschuldig. Ich habe es ihm zwar sehr ernstlich und wichtig gemacht. Er ... hat alles versprochen ... Dieser Beamte kann durch einige gnädige Worte sehr erfreut und mit neuem Muth belebt werden."* Zwischen Amtmann Chelius und dem Mainzer Vicedomamtsdirektor Karl Josef Will in Aschaffenburg bestand über die Landesgrenze hinweg eine *„gut nachbarliche Freundschaft"*. In Darmstadt wußte man von den gegenseitigen Besuchen beider Amtsträger, und es war naheliegend, daß man Chelius beauftragte, über Will an Informationen *„von der Mainzer Seite"* zu gelangen.

Als sich im April und Mai 1801 die französischen Truppen aus dem Untermaingebiet zurückzogen, gab Will seinem *„nachbarlichen Freund"* fast täglich einen Lagebericht über die *„Bewegung der Franken"* (siehe Anlage A). Über C.W. Becker wurden die Berichte im Original nach Darmstadt weitergeleitet. Als sich Becker nicht mehr im Raum Aschaffenburg aufhielt, gab Chelius Informationen, die er über Will erfahren hatte, direkt an Staatsminister v. Barkhaus weiter (siehe Anlage B).

5.3 Notarius Zimmermann in Frankfurt

Der kaiserliche Notarius Zimmermann, der im „*Weißen Adler*" in Frankfurt logierte, war – wie Becker selbst vermerkte – ein „*wichtiger Stein in dem Täuschungsgebäude*". Über ihn liefen die Berichte Beckers nach Darmstadt, und über ihn erhielt Becker seine Instruktionen aus der Residenz.

Am 12. Mai 1801 schrieb er über den wichtigen Mittelsmann: „*H. Notarius Z. ist mein ältester und bewährtester Freund – ein Mann der in Rücksicht seiner Vaterlandsliebe – er ist gebohrener Darmstädter – seiner Kenntnise, Verstand und guten Herzens, alle Achtung und Vertrauen verdient, muß mir von jezt an den Schein günstig erhalten helfen. Er wird demungeachtet nicht mehr erfahren, als gerade für den Zweck nöthig ist und für seine ewige Verschwiegenheit bürge ich.*" Am 15. Mai heißt es in einem Bericht Beckers über Notarius Zimmermann: „*Ich habe ihm verschiedene Gegenstände besonders empfohlen und die Einleitungen, die er bereits gemacht hat, wird er nach Möglichkeit schnell erweitern und nichts unversucht lassen, aus den besten Quellen schnell und sicher zu schöpfen ... Ich habe mich recht sehr gefreut, jemand mehr in dem Geschäft zu wissen, der dafür glühet.*" Am 16. Mai schrieb Becker anläßlich eines Besuches Zimmermanns in Darmstadt. „*Ich habe ihn mündlich auf alle mögliche Art aufgemuntert, in Bezug Ffurts selbst – ja alles zu erforschen was nur einigermasen Eu. Excellenz wichtig seyn kann ...*"[13]. Am 29. Mai fügte Becker hinzu: „*... Zimmermann wird sich alle mögliche Mühe geben, aber daß es bei jeziger Lage der Dinge sehr schwer ist, in das innere Heiligthum der Geheimniße zu dringen: kann nicht bezweifelt werden*".

Wie Zimmermann bei seinen Nachforschungen vorging, darüber berichtet er selbst am 24. Juni: „ *Meine Nachrichten über die Mainzischen Gegenstände ziehe ich aus den mir möglichen Quellen: d.h. wenn sich ein Offizier hier sehen läßt, der Traitabel zu seyn scheint, so mache ich mich an ihn und inquiriere in Gesellschaft oder bey einem Glas Wein über die Gegenstände, die mir in meinen Kram zu taugen scheinen ... Als Evangelium kann ichs dennoch nicht geben, aber so viel und lauter, als ich erfahren konnte, habe ich es wieder gemeldet.*"

5.4. Kammerrat Zimmermann in Darmstadt

Dieser hessen-darmstädtische Beamte war Anlaufstation für die Becker'schen Berichte im Staatsministerium, von ihm gingen auch die Instruktionen für Becker und Notarius Zimmermann aus. In unserer Zeit würde man ihn wohl als „Führungsoffizier" der beiden Spione bezeichnen. In den Becker'schen Berichten ist Zimmermann „Mitglied der Fruchtkompanie" – sprich: Regierungsbeamter. Über ihn liefen wohl auch die Geldzuweisungen an Becker, denn dieser schrieb in einem undatierten Brief: „*Ich habe auch H. Kammer Rath Zimmermann noch nicht mein Compliment machen, die spezifizierte Rechnung noch nicht ganz beendigen und den Rest baar übergeben können*".

6. IN GEHEIMEM AUFTRAG AN MAIN UND RHEIN

Im Frühjahr 1801 übernahm C.W. Becker den Spionageauftrag. Er versicherte seinem Auftraggeber: „*Was ich zur Verwirklichung des Falles thun kann, werde ich so lang mit der größten Sorgfalt thun als E. Ex. und der gnädigste Fürst anbefehlen und für gut finden sollten*".

6.1 In Aschaffenburg, Würzburg und Frankfurt

Am 25. April 1801 schrieb C.W. Becker erstmals aus Aschaffenburg. Er gab folgende Adresse an: *„WB. Kaufmann aus Darmstadt im Freyhof"* . Dieses Quartier wählte er auch bei späteren Aufenthalten in der Stadt. Der Freyhof, der neben dem Schönborner Hof stand, schien ihm als Standort für seinen Auftrag besonders geeignet. *„Hier kann ich am besten alles einmarschieren sehen,"* schrieb er an seine Auftraggeber in Darmstadt. Beckers Interesse galt besonders den „Dislocationen" der Mainzer Truppenverbände, die den Auftrag hatten, nach dem Rückzug der Franzosen diesen *„beständig den Main hinunter bis Cahsel* [Mainz-Kastel] *nachzurücken."* Seine eigenen Beobachtungen konnte er durch die detaillierten Lageberichte ergänzen, die er über den hessen-darmstädtischen Amtmann Chelius von dessen *„nachbarlichem Freund"*, dem Vicedomamtsdirektor Will in Aschaffenburg, erhielt (siehe Anlage A).

Blick vom „Freihof" auf den Stiftsberg in Aschaffenburg
Aquarell von Georg Schneider um 1800.

Am 28. April bemerkte Becker in einem Brief an seinen Bruder: *„Meine Geschäfte gehen langsam. Es ist in dieser Gegend hier alles zu sehr jetzt durcheinander. Erhälst du vom 29ten keinen Brief von mir ..., so sey es dir ein Zeichen, daß ich ... nicht mehr hier bin"*.

So kam es auch; Becker ging, wie angekündigt, am 29. April für 4 Tage nach Würzburg, weil er dort *„alles viel besser in Augenschein nehmen konnte"*. Auch in der Bischofsstadt versuchte er möglichst viel über Mannschaftsstärken, Ausrüstung und über die Marschziele der Mainzer Truppen zu erfahren (siehe Anlage C).

Eine Begebenheit am Rande zeigt die große Verehrung Beckers zu seinem Landesfürsten. Als er die Würzburger Hofkellerei besuchte, erwarb er dort *„3 Boutiellen ... vom besten 81er, 83er und von dem berühmten Strohwein"*, ließ diese Staatsminister v. Barkhaus überbringen und stellte es in dessen Ermessen, *„diese sonst nicht wohl so rein zu erhaltenen vorzüglichen Weine in einer kl. Probe Sr. regierenden H. Landgrafen H.S. Durchlaucht mitzutheilen"*.

Becker kehrte am 4. Mai nach Aschaffenburg zurück. Er klagte, daß er *„durch die ... schlaflose Reise sehr ermattet sei"* und kündigte einen zweitägigen Aufenthalt im benachbarten hessen-darmstädtischen Amtssitz Schaafheim an. Dort wollte er *„in Sicherheit nochmals alles durchgehen"* und versprach: *„Vom Militaire Etat und den Dislokationen der M. Truppen werde ich in Schaffheim so genau ich es noch im Kopf habe, eine deutlichere Übersicht fertigen und es Eu. Excellenz so bald wie möglich überschicken."* (siehe Anlage C mit Tabelle).

Becker gab für seinen Aufenthalt in Schaafheim aber noch einen zweiten Grund an. Er schrieb am 5. Mai: *„Damit meine Abwesenheit von Aschaffenburg mit meinen Angaben in Rücksicht meiner Geschäften deren angeblichen Wendung und Reiße nach Frankfurt übereinstimmen, und ich mir von der Seite keinen Verdacht zuziehe, war es nothwendig, daß ich mich einige Tage von dort entfernt hielte. In Darmstadt wollte ich nicht seyn, daher blieb ich diese paar Tage hier bei dem H. Amtmann, der mich in Rücksicht E. Excellenz außerordentlich freundschaftlich aufnahm und bewirthete."* Im selben Brief bat Becker, daß Chelius ihm seine Auslagen ersetzen darf. Er schrieb: *„Diese Reise und andere unvermeidliche Ausgaben haben viel gekostet, und die Ausgaben um zu meinen Zwecken zu gelangen kann ich nicht vermeiden – oder ich erfahre nichts. Ich muß mich überall mit Anstand zeigen und mir Freunde und Vertrauen erwerben können"*.

Am 6. Mai war Becker wieder in Aschaffenburg, fuhr aber am Tag darauf nach Obernburg, um dort den Einzug der Mainzer Artillerie, die unter dem Kommando seines *„besten Freundes"*, Hauptmann Caemmerer, stand, mitzuerleben. Becker wurde von der Frau und der Schwägerin des Offiziers begleitet. In den darauffolgenden Tagen war Becker mehrfach mit Caemmerer zusammen; so besichtigte er mit ihm u.a. das Waffenarsenal im Aschaffenburger Jagdzeughaus *„mit großem Interesse"* (siehe Anlage C).

Das Staatsministerium empfahl Becker, wieder nach Würzburg zurückzugehen, um *„dort gleich zugreifen zu können"*. Er aber bat in Aschaffenburg bleiben zu dürfen. Er schrieb am 8. Mai: *„Ich bin hier lieber als bei den theueren unhöflichen Würzburgern und in weniger als einem Tag dort, wenn ich ordres erhalte. Hier habe ich Freunde, dort keinen Menschen – außer Sterkel – der mich intreßirt"*[14]. Doch Becker kam in Aschaffenburg immer mehr in Bedrängnis: Seither hatte er seinen Aufenthalt damit erklärt, daß sich die von ihm erwartete russische Getreidelieferung für England wegen der gespannten Lage zwischen beiden Staaten verzögert habe und daß er sich deshalb hier am Untermain aufhalte, um *„auf jeden Fall gleich bei der Hand zu sein"*. Auch seinen regen Briefwechsel und seine Reisen nach Würzburg und Frankfurt konnte er so erklären, genauso wie seine Ausgaben, die angeblich von einem „Frankfurter und Amsterdamer [Handels]Haus" gedeckt wurden. Das „Täuschungsgebäude" war geschickt aufgebaut, und Becker konnte feststellen: *„Ich habe bisher bei allen Glauben gefunden"*: Aber die Lage änderte sich schlagartig, als im Mai 1801 nach der Ermordung des seitherigen Zaren Paul I. dessen Nachfolger

Alexander I. die Verständigung mit England suchte, und das Gerücht aufkam, daß u.a. auch die zurückgehaltenen Getreidelieferungen an den Inselstaat ausgeliefert werden dürfen. Becker war verunsichert; er schrieb nach Darmstadt: „*Von Frankfurt erwarte ich die Nachricht, ob der Einkauf fortgesetzt ... oder ob das ganze Geschäft abgebrochen werden soll ... Wenn ich bedenke, daß nun alles vergeblich sein dürfte und Rußland wirklich die freye Fruchtausfuhr nach England erlaubt hat. Es muß sich bald aufklären. Inzwischen sitze ich hier unthätig.*"

Am 12. Mai fuhr Becker für 2 Tage nach Frankfurt. Er meldete sich von dort noch am gleichen Tag: „*Verschiedene Ursachen haben es nöthig gemacht und mich bestimmt, auf einen Augenblick hierher zu gehen.*" Offensichtlich wurde in Frankfurt die neue Lage besprochen und Becker die Erlaubnis erteilt, in das Getreidegeschäft einzusteigen. – Er kaufte zunächst „*nur einen kleinen Theil jenes Quantums*" an, versicherte jedoch, „*das angeblich gekaufte ganze Quantum – an welchem 7/8 noch fehlen – auf den Fall schnell anschaffen zu können, wenn die Ausländer es in natura verlangen sollten*". Erleichtert konnte Becker nun feststellen: „*Ich werde immer und so lange ich keine Ordres – entweder zum ferneren Ankauf und der Reise nach Würzburg etc. – oder zur Rückkehr von Frankfurt erhalte – hier den Stammort meines Aufenthaltes und Wartens bey behalten, nach Vorschrift mich nach allem erkundigen, umsehen und vorzubereiten suchen, was möglich ist, um dann, bei bestimmten Nachrichten, diesen Vortheil der Bekanntschaften von Vorrath, Preiß und Transport schneller und besser anwenden und benutzen zu können.*"

Becker interessierte sich bei seinem Aufenthalt in Aschaffenburg und dem Umland außer für die militärische Entwicklung besonders für die Stimmung unter der Bevölkerung. Im Hinblick auf den bevorstehenden „Fall", war wegen der unterschiedlichen Abgabe- und Steuerpraxis, aber auch wegen der unterschiedlichen Religion mit Problemen zu rechnen. Deshalb wurden die Becker'schen Berichte zu diesen Fragen in Darmstadt mit ganz besonderem Interesse gelesen (siehe Anlage C 2 u. 3).

Am 19.5. kündigte Becker, in einem Brief an seinen Bruder für den 22. Mai die Rückkehr des Kurfürsten Friedrich Carl Joseph v. Erthal nach Aschaffenburg an. Er berichtete dabei ausführlich über die geplanten Empfangsfeierlichkeiten (siehe Anlage D) und vermerkte: „*Wenn mich die Frucht Versteigerung den 21 ten in Umstadt nicht aufhällt, dann sehe ich gewiß alles und melde dir dann viel*". Doch Becker konnte das Versprechen nicht einhalten, er kam nicht mehr nach Aschaffenburg zurück.

6.1 Zwischenaufenthalt in Darmstadt

Eine Erkrankung zwang Becker, zu seiner Familie nach Darmstadt zurückzukehren. Daß seine Beschwerden ernsterer Natur gewesen sein müssen, zeigt die Briefpause zwischen dem 19. und 29. Mai[15]. Auch in seinem „*nun niederen Kreis*" wollte Becker „*Beweiße seiner guten Absicht und Ergebenheit erbringen*". Sein Haus stand in unmittelbarer Nähe des Gasthofes „Zur Traube", so daß er von seiner Wohnung aus beobachten konnte, welche prominenten Gäste dort abstiegen. Er vermerkte genau, wer wen besuchte, wer mit wem ausfuhr, er notierte die Dauer der Besuche und versuchte, auch etwas über die Absichten der Besucher zu erfahren. Mit großem Mißtrauen beobachtete er z.B. die Kontakte zwischen dem kurmainzischen Gesandten Graf v. Stadion, dem Herren von Wambold und dem Geschäftsträger Frankreichs am hessen-darmstädtischen Hof Helfinger.

Gasthof „Zur Traube" in Darmstadt (um 1800). Stadtarchiv Darmstadt.

Becker argwöhnte: *„Es ist höchstwahrscheinlich, daß H.v. Wambold bei seinem Aufenthalte benuzzet wird. Wie kann man es unter solchen Umständen auch bequehmer haben? Während von Hanau fast alle Emigrirten Mainzer adliche Familien schon vor 8 Tagen in ihre vorherige Wohnorte zurückgekehrt sind, bleibt W. immer hier. Wenn die besondere Gnade unserer Durchl. Landesmutter gegen die Fr. v.Wambold letzterer mögliche Erkundigungen nur nicht erleichtert. Die Fr. v. Wambold hat mehr Scharfsinn und Gewandheit als ihr ehemaliger Husarengemahl – und war immer als eine Person von vorzügl. Talenten bekannt. Diese in genauer Verbindung mit H. und Madame Helfinger sich zu denken – ist mir äußerst unangenehm – noch weiß ich nichts davon aber es wäre insgeheim möglich – und der Hof biedet die erwünschte Gelegenheit dar. Es ist möglich, daß beim Eintreten unserer wichtigsten Erwartung, dieses alles sich auf der Seite verliert, aber doch auch nothwendig, den Gegenwirkungen, die daraus entstehen müssen, so gut möglich vorzubringen oder sie unschädlich zu machen"*.

Die Briefe Zimmermanns aus Frankfurt kamen nun an Becker direkt, der sie sofort in das Staatsministerium besorgen ließ. Über ihn liefen nun auch alle Instruktionen und Aufträge der Regierung für Zimmermann. Persönlich sprach Becker nicht im Ministerium vor. Er wollte *„keinen Aufenthalt verursachen und durch mündliche Mittheilung Er. Excellenz kostbare Zeit nicht schmählern und Aufsehen vermeiden"*.

Becker las alle Zeitungen, deren er habhaft werden konnte und interessierte sich dabei besonders für alle Hinweise, die sich mit der Entschädigungsfrage beschäftigten. Am 30. Mai schrieb er in diesem Zusammenhang an Minister Barkhaus: *„Gestern las ich in der Reichspostzeitung die Beibehaltung der geistlichen Churfürsten* *mit wahrem Grim. Sollte es denn gar kein Mittel geben, diese drei theils halbtoten und kranke Menschen ganz entbehren zu können".*

Die Krankheit Beckers zog sich länger hin. Am 1. Juni schrieb er: *„Ich bin noch keines Wegs gesund, aber mein Geist ist ... gestärkt und heiter."* Offensichtlich konnte er inzwischen an manchen Tagen das Haus verlassen, denn er berichtete wiederholt von Aktivitäten im Club, wobei er auch hier besonders die Kontakte des französischen Geschäftsträgers Helfinger mit Mainzer Adligen beobachtete. Am 18. Juni vermerkte er: *„H. Helfinger hat äußerst presante Besuche seit kurzem im Trauben zu machen. Vorgestern und gestern lief er mehr hinein als er ging."* Wenig später fügte er hinzu: *„Er. Excellenz werden darüber – wenn ich manchmal höchst unwichtige Erscheinungen mittheilen sollte, nicht ungnädig werden. Ich denke es ist besser etwas zuviel, als zu wenig – besonders da ich nicht von allem Kenntnis haben, den ganzen Zusammenhang nicht wissen und nicht immer richtig beurtheilen, folglich leicht etwas für wichtiger halten kann, als es in sich nicht ist. Wenn Eure Excellenz dabei nur die Gnade haben, und dieses alles sich als Beweiß meiner guten Absicht und Ergebenheit nachsichtsvoll gefallen lassen wollen".*

6.3 In neuer Mission am Rhein

Im Friedensvertrag von Lunéville hatte sich Frankreich verpflichtet, seine Truppen vom rechten Rheinufer abzuziehen und dabei u.a. auch Kastel aufzugeben. Am 14. Mai räumten sie die Festung, und Kurmainzer Truppen nahmen ihren Platz ein. Kaum drei Wochen später kamen völlig überraschend die Franzosen nach Kastel zurück. Beckers Mittelsmann in Frankfurt – Notar Zimmermann – gab in seinem Bericht vom 3. Juni dafür folgende Erklärung: *„Nach Aussage eines kaum eine Stunde von Mainz Angekommenen haben die Franzosen um deßwillen die Räumung von Caßel verlangt, weil nach der getroffenen Übereinkunft die teutschen Truppen eine Stunde von der Festung entfernt bleiben sollen. Diesem zufolge sollen die Mainzer nach Hochheim verlegt werden ..."* Am 6. Juni ergänzte Zimmermann seinen Bericht: *„Dr. Jahsoy, welcher heute von einer Reiße nach Kreutznach zurückgekommen, hat die gemeinschaftliche Besetzung der Franzosen mit den Mainzern von Caßel bestättigt, zugleich aber auch soviel mitgebracht, daß kein Mensch in Mainz und jenseits das wie – oder warum zu enthrätseln im Stande ist. Alles sperrt zwar die Augen darüber angelweit auf, allein im Ganzen herrscht eine dumpfe gespannte Stimmung in den rheinischen Departments. Alle fremden Zeitungen sind aufs strengste verboten, und alle Gegenstände sind über die Gebühr mit Militaire belegt, so daß man glauben sollte – es ginge wieder von Neuem los".*

In Darmstadt wurde diese Entwicklung mit großem Mißtrauen beobachtet, schließlich verfolgte man eigene Pläne mit Kastel. Nach Eintritt „des Falles", nach der Enteignung des Kurmainzer Territoriums zugunsten Hessen-Darmstadts, war es als Handelsstützpunkt an der Mainmündung eingeplant. Becker erhielt deshalb von seinen Auftraggebern in Darmstadt die Instruktion, die Entwicklung an der Mainspitze *„vor Ort in Augenschein zu nehmen"* und dabei auch Erkundigungen über die Erhebung der Rheinzölle nach der Besetzung des linken Rheinufers durch die Franzosen anzustellen. Doch als sich Becker am 21. Juni erstmals aus Mainz meldete, hatte sich die Lage um Kastel bereits wieder entspannt. Er schrieb nach Darmstadt: *„Schon in Kostheim erfuhr ich, daß die Französische Truppen am verflossenen Mittwoch – den 17 ten huj. Castel ganz wieder verlassen hätten. Ich fand diese*

Nachricht wahr und wunderte mich über den sonderbaren Gang der Dinge ... Es heißt allgemein, daß blos die genaue Aufnahme des gegenwärtigen Zustands der geschleiften Werke von Castel die alleinige Veranlassung zu diesem Vorfall gegeben haben. Sowie am Mittwoch dieses Geschäft beendigt ... war, zogen die Franken ab".

In Mainz traf Becker seinen alten Freund, den kurmainzischen Artilleriehauptmann Caemmerer. Becker berichtete über dieses Zusammentreffen: *„Er brachte mich mit einer Gesellschaft zu Herrn v. Zweyer nach Cahsel [= Kastel], der die Musik vom Schneitherrischen Corps nach Cahsel kommen lies und einen Freyball gab".* Zu dieser Gesellschaft gehörte das gesamte Mainzer Offizierscorps, und Becker konnte, wie er selbst vermerkte, *„viel hören"*. Durch die Vermittlung Caemmerers hatte er Gelegenheit, mit Herrn v. Zweyer, dem Oberkommandierenden der Mainzer Truppen, ins Gespräch zu kommen. Er schrieb darüber in seinem Bericht: *„Herr v. Zweyer und mit ihm mancher anderer glauben, daß die Franken Cahsel behalten hätten, wenn er abgezogen wäre ... Er gibt die verschiedenen Mittel, wodurch er seinen Posten behauptete sehr Ehrenvoll für sich an. Albinis Geist ist dabei nicht zu verkennen. H. v. Zweyer ist doch etwas mehr, als ich ehemals her wußte. Immer aber mehr Soldat als Politiker".*

Freiherr Franz von Albini. (Stiftsarchiv Aschaffenburg).

Am 25.6. berichtete Becker über den Einzug Albinis in Kastel: *„Um 10 oder 1/2 11 Uhr diesen Vormittag ist H. v. Albini in Cahsel angekommen. Das Militär war in Parade mit den Husaren ausgerückt, stand an der Straße. Eine Menge Böller Schüsse fiel und schon weit im Feld nach Hochheim zu fieng es an. Alle Glocken haben geleitet, und ein beständiges Vivat begleitete seinen Einzug. Es war sehr feierlich und erweckte hier viel Verdruß ... Die Ankunft von Albini in Cahsel – daß man ihn auch ein Stück mitsamt den Bedienten gezogen und so unbegreiflich tobend empfangen hat – hat hier den Haß aller vermehrt. Man hällt dieses alles für vorsätzliche Neckereyen. Albini ging denselben Nachmittag noch ins Rheingau und das ganze Rheingau biß Geisenheim schoß biß in die nacht mit Katzenköpf. H. v. Zweyer hat sich durch diese Veranstaltung bei diesem gränzenlos Ehrgeizigen Manne gewiß sehr empfohlen".*

Natürlich hatte Becker als echter Darmstädter Patriot auch bei seinem neuen Auftrag am Rhein stets „den Fall" vor Augen. So schrieb er am 26. Juni: *„Cahsel* *müssen wir bekommen, da wäre etwas zu machen ... Man glaubt und sagt bestimmt, längstens in 6 Wochen müßten sich die Sachen* [mit der Entschädigung] *entschieden haben ...*" Aus sicherer Quelle hatte er erfahren, daß in Regensburg die Pläne „*für die Säkularisation und Entschädigungssache*", fertig seien. „*Wenn Cahstel unser wäre*", fügte er hinzu, „*dann könnten wir vom Rhein ... gewiß für den Handel und nach Umständen als Staats Einnahme ... großen Nutzen hoffen. Man denkt hier im Ganzen gut gegen uns. Viele ergeben ihren Verdruß zu erkennen, daß die Mainzer und wir nicht Cahstel besetzten und hoffen das beste noch immer ... In Cahstel – wann die Douane am Ufer bleiben sollte, liese sich für die Folge ... ein nahrhafter Ort etablieren*".

Die Besetzung des linken Rheinufers und die damit verbundene Verlegung der französischen Douane bis an den Strom führten zu starken Beeinträchtigungen des Handels. Die Franzosen verboten die Einfuhr englischer Waren in die auf der linken Rheinseite gelegenen Länder und untersagten auch die Ausfuhr bestimmter Artikel – wie z. B. Brenn- und Bauholz oder Getreide aller Art aus diesen Ländern. Durch die strengen Reglementierungen verlagerte sich der Handel mehr auf die rechte Rheinseite, und auch Kastel gewann dadurch als Umschlageplatz an Bedeutung. Becker bekam deshalb über seinen Verbindungsmann zum Staatsministerium in Darmstadt, Assessor Scriba, Instruktionen, die Entwicklung um Kastel weiter genau zu beobachten und darüber hinaus alle erreichbaren Informationen über die Neuregelung der Rheinzölle nach Darmstadt weiterzugeben.

Becker hatte sein Quartier, „*der Schiffleute wegen*" direkt am Rhein, in der „Weißen Burg" aufgeschlagen. Was die Zölle anbetraf, waren die Rheinschiffer die besten Informanten. In seinem Bericht vom 20. Juni schrieb Becker aus Mainz: „*Wegen dem Zoll auf dem Rhein ist es beinahe unmöglich, hier in Mainz gründliche Kenntnisse zu bekommen. Die Handelsleute bezahlen dem Schiffmann pro Centner von Mainz nach Cöln 45 xer von allen Waren Fracht, wobei Zoll und alles eingeschlossen ist und lassen den Schiffmann dafür sorgen, wie er an den Zollstätten durchkommt. Ich habe nun drei verschiedene Commihsionen gegeben, um von Zoll zu Zoll ein Verzeichniß der gesetzlichen Taxen für jeden einzlen Artickel biß Holland zu erhalten, bezweifle aber, ob ich es nur biß Cölln richtig bekommen kann. Jetzt werden wieder auf den beiden Ufern Zölle erhoben. Früchte lassen die Franken auch nicht am Ufer der rechten Seite hinunter passieren. Viele nehmen dann doch als ausgemacht die Gränze über dem Thalweg nach dem rechten Ufer als den Teutschen schon gehörig an und hoffen auf eine freye Fahrt des ganzen Strohms. Es war mir auffallend, wie schlecht unterrichtet fast alle, die ich darum angegangen, sind ... Die alten Gesetze über die Zölle bestehen noch, mit kleinen Abänderungen. Das Verboth der Einfuhr [und] Ausfuhr so vieler Artickeln, und die Anlage der Douane auf hiesigem Platze stört und bringt die Einwohner sehr auf. Es ist eine Deputation von hier nach Paris kürzlich deßfalls abgegangen, wovon man viel Gutes hofft ... Ich will das mögliche hier zu erfahren keine Mühe ... sparen; allein im Einzlen durchaus biß Holland ist das schlechterdings hier nicht möglich. Wie es unter Cölln sich verhällt, darinnen ist jedem hier der Kopf vernagelt.*"

Am 28. Juni konnte Becker trotzdem erste Erfolgsmeldungen in Sachen Zoll nach Darmstadt weitergeben. Die Informationen stammten von „*Citoyen Stoeber, Chef au Bureau du Droit de Peage et de Transit*", der gerade aus Paris zurückgekommen war. In Beckers Bericht, den er der Dringlichkeit des Inhalts wegen diesmal nicht von Kastel aus mit der Post nach Darmstadt schickte, sondern über einen herrschaftlichen

Knecht, den er zufällig auf der Straße traf, überbringen ließ, hieß es: „*Der Wasserzoll – sowie der Transit Zoll werden hier nach den alten Vorschriften und Gebräuchen durch neuere Arrétés bestätigt, erhoben. Der französische Bürger hat dabei 1/3 der Taxe Nachlaß. Da aber schon die älteren Taxen noch zu Erzbischöflichen Zeiten 1/3 Nachlaß erhalten hatten und dieses geheim gehalten wird, so wird den Bewohnern des linken Rheinufers die Hälfte, aber das über 1/3 im geheimen und willkürlich nachgelassen. Jeder Bewohner des rechten Ufers muß also im Grunde noch einmal so viel Zoll hier bezahlen.*

Jeder Zoll anderer Plätze hat ein anderes Tariff, bestättigt also meinen Vorschlag, dieses an jedem Orte selbst zu untersuchen und Tariffe zu fordern. Auch der französische Bürger muß alle Zölle biß jetzt noch – auch über dem Thalweg, den Gränzen auf dem rechten Ufer, alle Schiffleute ohne Ausnahme, die Zölle des rechten und linken Ufers bezahlen. Vom linken Ufer übt man inzwischen neuere, durch das Recht des Siegers angemaßte Vorrechte auf dem ganzen Strohm aus. Was von der Seite geboten wird, muß geschehen ... Wie es künftig gehalten werden soll und wird, ist noch nicht erklärt. Stoeber versichert mich aber, daß daran gearbeitet werde. Von ihm habe ich die feste Versicherung ..., daß von Straßburg biß Holland auf jeder Seite des Rheins nur 10 Zollstellen, folglich im Ganzen nur 20 auf beiden Rheinufern künftig bestehen und in weiteren Entfernungen errichtet und festgesezzet werden sollen.

Dieses bestättigt also, daß Zölle künftig sind und bleiben sollen, wenn der Consul ja sagt – und das wird nicht fehlen, da außerdem wenigstens auf dieser Seite von diesen Einnahmen die Rheinufer, Brücken etc. unterhalten werden müssen. Dies scheint mir aufzufordern, uns eine solche Zollstelle auf irgend einem passenden Platz unserer Rheinufer Gränze, die wir haben oder bekommen durch alle mögliche Mittel zu verschaffen zu suchen.

Man sagt mir von guter Hand, daß Usingen Bibrich auch begünstigt werde und daß man schon davon gehört habe als ob es Castel bekommen – wenigstens bald besetzen würde. Die meisten aber behaupten es von uns und wünschen dieses mehr. Überhaupt habe ich es mir sehr angelegen seyn lassen unter den hiesigen von entscheidendem Einfluß eine solche gute Meinung gegen unsern gnädigsten Fürsten – gegen unsern Staatsminister und das Ganze einzuflößen, wovon ich gleich die besten Folgen: Freude, Neigung, Vertrauen Mittheilung und Gebrauch bei den Höchsten bemerkte und erfuhr. Die abschreckenden Neckereyen der Mainzer in Caßel; der Judenzoll den Albini freyzugeben verweigerte – und der schreckliche Haß gegen alles was Mainzisch ist – habe ich gut benutzt und es kam mir sehr zu statten".

Becker bat um Instruktionen, wie er sich weiter verhalten sollte und deutete an, daß er in der Rheinzollsache „ohne eine Reise von Zoll zu Zoll biß nach Holland" keine verläßlichen Informationen geben könne. In der ersten Juliwoche muß ihm diese Erlaubnis von seinem Mittelsmann Assessor Scriba überbracht worden sein, denn am 18. Juli meldete er sich aus Köln und berichtete über die Fahrt dorthin: „*... daß mich kein abgehendes Frachtschiff – allen Empfehlungen ungeachtet theils mitnehmen konnte, theils wollte und daß endlich der starke Wind am 8. und 9. July – nachdem ich mit Schiffer Tarsch (?) von Caub übereingekommen war, die Abfahrt verzögerte – waren Ursachen, die die Abreise biß zum 10. früh aufhielten. Wind und sonstige Behinderungen des Schiffmannes – er hat unterwegs auch noch einige Tage geladen – verursachten, daß ich erst den 17 ten frühe hier in Cöln ankommen konnte.*

Nach meinem Plan wollte ich einige Tage in Cöln verweilen, um alles möglich zu erfahren allein die Umständ verbieden es mir. Es fällt unglaublich schwer schon in Mainz einen willigen Frachtschiffer zu finden. Da die Dilligence täglich gehn, so stuzt jeder über einen solchen Auftrag – und wirklich sind die Leute in ihrem engen Schiffraum überhaupt – besonders aber wegen der geheimen Zollgeschäfte sehr genirt. Ich habe letzeres auffallend deutlich bemerkt. Es mag dies freilich mit daran liegen, weil sich der Schiffer Tag und Nacht mit Ohren und Augen von mir stets bewacht und verfolgt sah und leicht bemerken konnte, daß ich alle Erscheinungen – zwar so kurz wie möglich – aber doch immer notirte. Besonders das Anfahren an den Zoll machte ihn stuzen. Ich habe ihn nacher unter mancherlei Vorwand zu beruhigen gesucht".

In Köln bemühte sich Becker um eine Mitfahrgelegenheit nach Rotterdam auf einem holländischen Frachtschiff, doch überall wurde er abgewiesen. Erbost stellte er fest: *„Es kann keine eigensinnigere sonderbarere Menschen geben als diese Holländer. Alle schlagen es mir ab, und nicht vor 100 Rhtl. sagt mancher dieser argwöhnischen Käsekrämer."* Becker wollte schon die Reise auf dem Landweg fortsetzen, als er durch die Vermittlung einer ihm bekannten Handelskompanie doch noch einen Platz auf dem Schiff des holländischen Schiffers Stephan Barlen bekam. Wie es Becker auf der Fahrt erging, ist nicht bekannt. Die Briefe, die er aus Holland abschickte, kamen nicht in Darmstadt an.

Am 30. August war Becker wieder daheim. Er schrieb seinem Auftraggeber, bei der Reise alle Gelegenheiten genutzt zu haben, *„wie es für den beabsichtigten größeren Plan ... am nützlichsten"* war. Auf Einzelheiten der Reise ging er nicht ein; er wollte seinen Bericht *„im Zusammenhang schriftlich erstatten"*.

Es folgte nun eine Briefpause bis zum 4. Oktober. Becker entschuldigte sich bei Herrn v. Barkhaus: *„Mit Furcht und Zittern denke ich Tag und Nacht an meine Zusage und das Geschäft, das ich zu beendigen habe ... Meine körperlichen Übel haben mich sehr aufgehalten und zurückgesetzt ... Es vereinigte sich alles, Familie und andere Verhältniße, mich aufzuhalten, meinen Plan getreu gründlich und nicht zu langsam zu arbeiten. Das niederschlagendste dabei für mich ist der beängstigende Gedanke, daß sich dadurch die gnädigen Gesinnungen Eur. Excellenz gegen mich vermindern, und diese Gnade, die ich für mein höchstes Glück halten muß verlieren und unwürdig scheinen könnte. Es kann aber in der Welt niemand leben, der Eur. Excellenz mit mehr Treue, Liebe und Ergebenheit anhinge wie ich, des bin ich vollkommen in meinem Herzen überzeugt und hoffe auch noch Gelegenheit zu erhalten dieses beweisen zu können. Darum ... bitte ich unterthänigst um gnädigste Verzeihung und Nachsicht. Ich will die Arbeit nun sobald möglich zu beendigen suchen"*. Ob es noch dazu kam, wissen wir nicht. In den Akten des hessen-darmstädtischen Staatsministeriums befinden sich keine Unterlagen, die darauf schließen lassen. Wahrscheinlich bestand inzwischen auch kein allzu großes Interesse mehr daran, denn in Regensburg war im Sommer1802 bei den Entschädigungsverhandlungen die Entscheidung gefallen. Hessen-Darmstadt waren u.a. die ehemals kurmainzischen Ämter an der Bergstraße zugesprochen worden, und es hatte nach langwierigen Tauschverhandlungen auch noch das ursprünglich Nassau-Usingen zugeteilte Oberamt Steinheim mit Dieburg und Seligenstadt erhalten. Somit war der von Becker in seinen Briefen immer wieder beschworene „Fall" teilweise eingetreten. Der Wunschtraum nach einem Großhessen über Aschaffenburg hinaus war allerdings genausowenig in Erfüllung gegangen, wie der Wunsch, Kastel als Handelsstützpunkt an der Mainmündung für Hessen-Darmstadt zu sichern.

Im Herbst 1802 besetzten Darmstädter Truppen die neuen Gebiete. Die Tatsache, daß die Besetzung ohne größere Zwischenfälle verlief, spricht dafür, daß man im Ministerium die Beckerschen Berichte über die militärische Situation sowie über Land und Leute im benachbarten Kurmainz gründlich ausgewertet und danach die Übernahme entsprechend vorbereitet hatte.

ANLAGE A

Briefe des Vicedomamtsdirektors Karl Josef Will in Aschaffenburg an den hessen-darmstädtischen Amtmann Chelius in Schaafheim[16]

Aschaffenburg, d. 19ten April 1801

P.P.

1) Von dem Marsch der Preußen weiß man noch nichts. Das Mainzische Brigade, welches in englischen Sold gewesen, befindet sich zwischen Schweinfurt und Bamberg. Der dabei angestellte Lieferant Dessauer schrieb ganz kurz de dato Hassfurt d. 14. April 1801, daß die Marschordres zum weiteren Marschieren noch eine zeit lang ausbleiben mögten. Das andere Mainzische Corps hat sich von Hammelburg in die Ämter Orb und Burgjoß gezogen. Doch ist das Hauptquartier davon in Hammelburg.

2) Die Augereauische Armee macht den Rückzug ganz nach der Marschrutte. Nach derselben gehet das Hauptquartier den 25ten April von hier nach Selgenstadt und d. 27ten von da über Frankfurt weiter. D. 26ten aber gehet das 4te Dragonerregiment von Aschaffenburg ab, wo die Augereauische Armee uns ganz in Aschaffenburg verlasset. Dieser Tag oder der darauffolgende ist critisch, und kläret die weitere Besetzung von anderen Truppen auf.

Französische Truppen auf dem Rückmarsch. Zeichnung von Kobell, in: Heimat und Geschichte, 1939

3) Das Moreauische Corps hat sich noch nicht weiter ausgedehnet. Die Excesse haben sich noch nicht geändert. Sie übersteigen nach den Erzählungen der Quartierträger alle Begriffe. Der Obrist des 23ten Regiments Casseurs à cheval, welches auf der rechten Mainseite von Kleinwallstadt bis Großheubach liegt, heiset Cambaceres und ist ein Bruder des Consuls Cambaceres.
N.S. ad 1: Ein Schifmann von Kitzingen sagt so eben aus, daß das Moreauische Corps auf dem linken Mainufer den Augereauischen bei Wirzbug nachrücke und daß die Preußische Truppen auf den 25ten April aufbrechen, wohin seye noch unbekannt.

Will

Aschaffenburg, d. 22ten April 1801 (Morgends frühe 6 Uhr)

P.P.

1) Von dem Marsch der Preußen weiß man bis diese Stund noch nichts. Alles glaubt, Aschaffenburg und die rechte Mainseite würde von den Kurmainzischen Truppen besetzet. Der Kurf. Rittmeister Schroeder, welcher mit den Kurmainzer Husaren in Orb liegt, ist gestern mit 3 Kurmainzischen Husaren in privat Angelegenheiten anher gekommen. Man sagt nun, die Kurmainzischen Truppen wären gestern in Lohr eingerückt. Verlässig kann man es indessen noch nicht sagen.

2) Das Augereauische Corps marschieret streng der Marschrute. D. 26ten April gehet der Rest ab. Ich bin begierig welche Truppen als dann dahier einrücken. Der französische General Malher, welcher Commandant superieur dahier ist, äußerte sich desfals nicht bestimt.

3) Das Moreauische Corps liegt unbeweglich auf der rechten Mainseite bei Kleinwallstadt p.p. Auf der linken Mainseite rücket die Infanterie von oben herunter. Gestern sind im Bachgau 3000 Man Infanterie einquartieret worden, welche heut weiter abwärts angeblich gegen Mainz marschieren. Die Cavalerie hiese es, marschiere auch ab; allein man sieht noch keine Bewegung. Man sagt, es rücke um das Moreauische Corps den Main herunter. Es muß sich bald aufklären. Franzosen vom Augereauischen Corps erzählen, daß 60 Mann vom Moreauischen Corps vorgestern in Wirzburg auf der rechten Mainseite wären einquartieret worden. Ich halte es noch nicht für wahr, bis Ich nähere überzeugende Beweiß erhalte.

4) Man glaubt die nordische Coalition gegen England seye geendiget, ja man glaubt einen allgemeinen Frieden. Letzteres ist für das Wohl der Menschheit allzeit zu wünschen.

Will

Aschaffenburg d. 24ten April 1801 (Morgends vor 6 Uhr)

Von dem Marsch der Preusen ist immer noch nichts bekannt. Niemand glaubt es. Dagegen haben die Mainzer Truppen gestern Lohr am Main besetzt.

2) Das Augereauische Corps geht noch genau nach der Marschrutte zurück. Der Generalen chef par interim H. Divisions General Barbon ist vorgestern hier angekommen und gehet heut nach Frankfurt ab. Ich habe mit demselben gesprochen und von demselben vernommen, daß das Moreauische Corps seines Wissens auf dem linken Mainufer den Marsch nach Mainz fortsetzen müsse, daß man daselbe auf das rechte Mainufer nicht marschieren lassen solle, und daß im Fränkischen kein Mann vom Moreauischen Corps auf dem rechten Mainufer seye, gleich wie die Stadt Wirzburg auf der rechten Mainseite kein Mann vom Moreauischen Corps sich befinde.

D. 26ten d. gehet der Rest des Augereauischen Corps vollends von Aschaffenburg nach Selgenstadt ab.

3) Moreauische Corps: Sowohl Infanterie als Cavalerie marschieret stark durch hiesige Gegend nach Mainz und an den Rheinstrohm. Nach den Marschrutten sind diese Truppen in die Garnisonen nach Mainz, Koblenz, Bonn Kölln, p.p. bestimt.

Vorgestern sind ungefehr 3000 Mann Infanterie angekommen. Sie waren so gedrängt, daß Sie sich auf das rechte Mainufer ausdehnten und 2 battaillons marschierten durch Aschaffenburg. Man glaubte schon durch das Moreauische Corps sich besetzt. Allein Sie sind sämtlich gegen den Rheinstrohm marschieret. Gestern verlangten 3 Kompagnien des Moreauischen Corps die Einquartierung in Aschaffenburg. Der Commandant Superieur dahier verlangte die Einsicht der ordres vom Etat Major der Rheinarmee. Diese konnten nicht vorgelegt werden und daher wurde die Einquartierung verweigert. Sie zogen in das erste beste Ort auf dem linken Mainufer. Heut sind wirklich einige Kompagnien Infanterie nach Kleinostheim auf dem rechten Mainufer auf eine Nacht angesagt, weil auf dem linken Mainufer kein Ort leer ist. Die anfangs nähergekommene Cavalerie von der Moreauischen Armee liegt noch in den Cantonierungen im Bachgau auf der linken Mainseite und in Kleinwallstadt und weiter aufwärts bei Grosheubach auf der rechten Mainseite. Die grose Excesse mindern sich. Man glaubt nun allerseits dahier, daß diese Cavalerie die Orten besetzt habe, um der Division Grenier von der Moreauischen Armee die Orten zum Durchmarsch zu erhalten.

4) Das Handelshaus Bethmann hat vorgestern 11 Uhr Morgends die Nachricht des zwischen England und Frankreich geschlossenen Präliminarfriedens erhalten, worin vor der Hand die Herausgabe des linken Rheinufers mit dem östereichisch Belgien an Teutschland stipuliert worden seye. Wenn dieses sich bestättiget, so entstehet eine große Abänderung in der teutschen politischen Lage.

Will

Aschaffenburg d. 26ten april 1801

P.P.

Von dem Marsch der Preußen weiß man bis diese Stund noch nichts.

2) Die Augereauischen Truppen haben uns heut frühe ganz verlaßen und den Kur-Mainzer Truppen den Schlüssel der Stadt Aschaffenburg übergeben, so daß die Kurmainzer Truppen unter Commando des Hrn. Rittmeister Schroeder die Stadt Aschaffenburg besetzet haben.

3) Die Moreauische Truppen marschieren ohne vorherige Anzeige und Marschrutte, so daß gestern 2700 mann Cavalerie und Infantrie durch Aschaffenburg allein marschierte, ohne jenes zu rechnen, was in noch größerer Zahl auf dem linken Mainufer rückwärts marschierte. Die betroffenen Orten sind so stark belegt, daß 10 bis 30 Mann in den Häuser lagen und daß man Brod, Fleisch und Bier in Schifen von Aschaffenburg in die Orten fahren lassen mußte.

4) Von politischen Sachen hat man bestimtes nichts erfahren. Briefe aus Mainz enthalten, daß die Russen das linke Rheinufer Mainz, p. besetzten. Ich glaube es nicht, so wie ich noch nicht glaube, daß der Tod des Kaisers Paul auf Teutschland Bezug haben solte.

Will

Aschaffenburg d. 27. April 1801

P.P.

Herr Hofkanzler Freiherr von Albini ist gestern Nachmittag um halb sechs Uhr mit einem Theil der Kurmainzischen Truppen in Aschaffenburg noch eingerückt, so daß die Stadt und Gegend nun stark besetzt ist.

Weiteres neues weiß ich nicht. Ich lege diese Nachricht in keinen besonderen Brief an, weil Ich wegen der mitgetheilten Danksagung glaube, daß man keine weitere Nachricht von mir haben wolle. Im anderen Fall werde Ich auf dero weitere Antwort fortfahren – bei uns bleibt es allzeit bei der guten Nachbarschaft und Freundschaft.

Will

Aschaffenburg d. 29ten April 1801

P.P.

1) Vom Marsch der Preußen hat man nichts erfahren.

2) Das Augereauische Corps hat uns gänzlich verlassen und die Kurmainzische Truppen haben die von denselben verlassenen Kurmainz. Plätze und Orten auf dem rechten Mainufer besetzt.

3) Das Moreauische Corps fähret mit seinen Excessen fort und ruinieret die Gegend vollends. Die Reichstruppen rücken dem Moreauischen Corps nach. Da man die Nachricht hat, daß das Moreauische Corps morgen oder übermorgen, oder längstens d. 2ten Mai die hiesige Gegend ganz verlassen werde, so werden die Reichstruppen jeden Reichsstands in die Orten derselben einrücken. Eben ist heut die erste Helfte der Kurtrierischen Truppen hierdurch passiert. Nach der von mir gemachten Marschrutte kehren dieselbe nach Limburg und dasige Kurtrierische Ämter. Selbst S. Kurf. Durchlaucht von Trier sollen nächstens nach Ehrenbreitstein in das dasige sehr schöne neue Schloß rückkehren.

4) In politische Sachen ist nichts neues weiter bekannt.

Will

Aschaffenburg, d. 3. Mai 1801

P.P.

1) Von dem Marsch der Preusen kann man noch nicht das geringste erfahren. Man behauptet nun, daß der Tod des Russischen Kaisers Paul großen Einfluß auf das teutsche Reich habe. Allein, es sind nur muthmaßliche Behauptungen, welche auf feste Gründe nicht beruhen.

2) Das rechte Mainufer wird heut von der Moreauischen Armeé geräumet und durch die Kur-Mainzischen Truppen heut besetzet. Man hoffet die baldige Räumung des linken Mainufers desto sehnlicher, je größer die Excessen dieser französischen Truppen sind. Man kann sicher angeben, daß dieselbe übler mit dem zugrundgerichteten Land hausen als es im vollen Krieg nicht geschehen ist. Ich habe die trifftigste Reklamationen gemacht, welche mit Schimpfungen beantwortet und ohne

Remedur gelassen worden sind. In dem Kurf. Amt Bischofsheim an der Tauber, Amt Krautheim, Amt Neudenau sind Kurmainzische Truppen eingerückt.

Will

Aschaffenburg, d. 8ten Mai 1801

P.P.

Nach dem Reichtstags Concluso ist S. Majestät dem Kaiser allein das Entschädigungs Geschäft überlassen worden. Der Marsch der Preußischen Truppen ist nach erhaltenen Briefen eingestellet.

2) Die Wahl des Coadjutors zur Deutschmeisterwürde ist ausgeschrieben. Man glaubt S. königl. Hoheit Erzherzog Karl werden die Stimmen erhalten. Briefen aus Mergentheim enthalten große Freuden, weil man hieraus die Existenz des Teutschmeisterthums für gewiß haltet.

3) Die Kurmainz. Truppen haben nun alle Mainzische Ämter auch das Rheingau besetzt. Den 10ten Mai werden sie Kassel (= Kastel) occupieren.

4) S. Kurf. Gnaden werden im Monat Mai in Aschaffenburg erwartet. Man machet hiezu alle Vor- und Zubereitungen im hiesigen Schloß.

5) Man setzet seine ganze Hofnung auf den Frieden zwischen England und Frankreich, und glaubet die Widerherausgabe des linken Rheinufers samt den österreichischen Niederlanden durch Verwendung von Rußland, zumal von Seiten Englands hierauf fest bestanden werde.

Will

ANLAGE B

Briefe des hessen-darmstädtischen Amtmannes Chelius (Schaafheim) an Herrn Minister v. Barkhaus-Wiesenhütten[17]

23. Oktober 1801

Am Sontag Nachmittag, weil W. wegen einem Catharr nicht in den Schönen Busch kommen konte, war ich bei ihm zu A. und kam in der Rückkehr in einen abscheulichen Regen Guß.

Man hält den H.v.A. für unbestechlich ...[18] *Ich sagte zu W. Es ist wohl kein Zweifel, daß Chur Mainz zu unserer Entschädigung Ämter abgeben muß, Lage und Umstände erfordern es. Ich wünschte in Rücksicht der Nachbarschaft und unsrer Aussichten, daß solches in freundschaftlichem Benehmen geschähe. Der H.v.A. könte alles darzu beitragen, wolten Sie ihn wohl darüber sondiren, ich könt dieseits darzu beitragen, es muß aber unter uns bleiben – daraus folgte von selbst eine gemeinschaftliche Unterstützung –. Sie dürfen mich nennen.*

W. antwortete mir: Unsere bisherige nachbarliche Freundschaft ist allgemein bekannt, ich will es thun, so bald ich ausgehen kan und die schickliche Gelegenheit darzu finde, und die Antwort will ich ihnen alsdann gleich bekannt machen.

Ich bin also begierig auf den Erfolg, und so bald ich solchen erhalte, werde [ich] solchen mittheilen.

Inzwischen nochmals unterthänigen Dank vor die mir erzeigte Gnade, in wahrer Verehrung

Chelius

26. Oktober 1801

Die mir von meinem Freund mitgetheilte Antwort des H.v.A– ist wörtlich diese gewesen:
„Der Grundsatz dieseits sey, vor der Hand und ehe die Entschädigung für Jeden Erbfürsten bestimt sey, sich in nichts einzulaßen. Wenn aber dieser Punct berichtigt seye, dann wäre man nicht abgeneigt, sich wegen nachbarlichen Ausgleichungen in freundschaftl. Benehmen einzulaßen. Kur Mainz gehöre zu jenen geistlichen Staaten welche bestimt nicht in die Secularisation kommen und noch Entschädigungen hoffe. Derlei Anträge müßen jenen geistlichen Staaten geschehen, deren Theil in die Secularisation fielen.
Im Vertrauen sagten Sie, daß gleiche Anträge von Heßen Caßel und von Naßau geschehen seyen, welchen gleiches geantwortet worden seye.
Mein Freund fügt bei, der H.v.A– habe eben viele Geschäfte gehabt, doch habe er in obigem Grundsatz eine solche Festigkeit bemerket, daß eine Abänderung in keinem Fall zu erwarten stehe…

Ich erkundigte mich neulich um die Vermögens Umstände des H.v.A– und erhielt zur Antwort, von sich habe er nichts gehabt, von seiner gemalin schäze man das Vermögen auf ohngefähr 10.000 fl. dermalen schäze man aber sein Vermögen auf 200.000 fl. Kan ich weiters zu etwas beitragen, so stehe ich zu Befehl.

Mit wahrer Verehrung p.p.

Chelius

ANLAGE C

Ausschnitte aus den Lageberichten Beckers über die Truppenbewegungen und über die Stimmung unter der Bevölkerung

1. „Dislocationen" Mainzer und französischer Truppenverbände

In Damstadt interessierte man sich sehr für die Truppenbewegungen in den angrenzenden Gebieten. Alle Veränderungen wurden deshalb von Becker sofort gemeldet. Durch seine Informationen und die Berichte Wills (siehe Anlage A) war man in Darmstadt stets bestens unterrichtet.

Ausschnitte aus den Briefen Beckers:

25.4.1801

Gestern, heute und morgen geht der Rest der Augeroischen Armee theils hier durch, theils jenseits des Mains nach dem Rhein zu. Auch von der Division von Maureau, welche am Main hinauf liegt, sollen … bereits mehrere Abtheilungen den Main hinnunter abmarschirt sein. Kaiser Franz soll Maureau zu Gefallen diesen Theil seiner Armee wegen Mangel an Lebensmitteln in diese bessere Gegend angewiesen haben.
Der hiesige Französische Commandant General [Matheur?] hat den Abtheilungen der Maureauischen Armee, welche den Main hinunter gehen – den Durchmarsch hiesiger Stadt versagt. Man gibt Stolz als Ursache an. Heute sind vom 4. Dragoner von Augereaus Armeerest beiläufig 260 Mann hier eingerückt und es sollen noch mehrere kommen…
In Dieburg wird das Schloß zur Wohnung für H. von Albini eingerichtet. Man liebt und schätzt diesen wackeren Mann sehr, und alles freut sich ihn in einigen Tagen

hier zu sehen. Morgen sollen die ersten Mainzer, deren Vortrupp nur 2 Stunden von hier steht, mit den drei Grenadier Comp. und Albinischen Freicorps sicher hier einrücken. Caemerer hat von einem Ort bei Schweinfurt vom 20ten seiner Frau geschrieben, daß er nun ganz sicher wisse, daß ihre Bestimmung Aschaffenburg sey, und daß er ordre erhalten habe mit seinem Artillerie Parck dahin aufzubrechen, sowie die Franzosen weiter abwärts rücken.

26.4.1801

Die Division vom 4ten Dragoner Regiment, die letzten von Augeraus Armee, welche von Würzburg kommen und über Nacht hier waren, zogen heute frühe ab. Nach einer geheimen Convention der Stadt oder H.v.Albini, der sich rastlos bemüht den bedrohten Umständen zuvorzukommen – mit dem bisherigen hiesigen Französischen Commandanten General Mallee – welcher eine schöne Summe erhalten hat – wurde den Mainzischen Truppen, nach dem Abzug des Rests von Augereaus Armee die Besetzung Aschaffenburgs zugesagt und vom Tag des Abzugs der letzten Fr. Truppen in Zeiten Nachricht gegeben.

Albini war vorgestern noch in Hammelburg, gestern in Rothenbuchen – vier Stunden von hier. Seine Vorposten-Husaren und sogenannte Revier Jäger [waren] gestern schon nur 2 Stunden von hier. Das Corps oder Bataillon Jäger, was seinen Namen führt, [war] in Rothenbuch, und der Rest seines ganzen Corps, die 4 Grenadier Compagnien, noch weiter rückwärts. Der französische Commandant hat zugesagt, daß von Moreaus Armee kein Mann hier durchgehen, und die Mainzer Besatzung es im fordernden Fall ernstlich verweigern solle...

Um 8 bis 9 Uhr kam die 2. Escad. von Mainzer Husaren von Rittmeister Schröder, 96 Mann stark mit Offizier Trompeter etc. – im Carrier ans Thor – wo ihnen der Schlüssel der Stadt von einer Magistratsperson übergeben wurde. Sie besetzten das Schloß und einige andere Posten auf der Stelle, und gleich nach ihnen kamen die sogenannten Revier Jäger – 67 Mann mit allem stark. Einige von letzteren sollen noch bei der Bagage zurück seyn. Es sind schöne Leute, lauter gelernte Jäger, gut gekleidet. Jeder führt seine gewöhnte gezogene Büchse . Ein wahrer Schrecken den Franzosen sollen diese braven Jäger, meistens aus dem Spessart – seyn. Auch die Husaren sind prächtige Leute, vortrefflich beritten und voll militärischen Geistes. Ihr Rittmeister Schröder ist sehr geliebt und geschätzt. Die Jäger haben einige Thore besetzt. Der Fr. Commandant zog ganz in der Stille hinten herum ab, als die M. Husaren schon in der Stadt waren. Mit Herrn v. Albini ist nach seinem Willen verabredet, ihm gleich wie die Husaren und Jäger die Stadt besetzt hätten, und der Commandant abgezogen, nach Rothenbug die Nachricht zu schicken, worauf er gleich selbst mit noch mehr Leute kommen würde.

Diesen Nachmittag eben jetzt erwartet man die schon angekündigten Leute von dem sogenannten Albinischen Corps, dessen Stärke ich nicht weiß nebst der ersten Husaren Escardron Rüd – und ihn selbsten ... Morgen sollen die vier Grenadier Compagnien nachkommen. Alles ist in Eilmärschen anmarschiert ...

Briefe von Caemerer an seine Frau vom 23ten und 25ten von Würzburg sagen bestimmt, daß er nun, nach einer Ordre des General Breidenbach, welcher jene Brigarde commandirt – durch den Speßart mit seiner Artillerie, nach Aschaffenburg marschiren, und daß da die ganze Feldartillerie 14 Canonen und 5 Haubitzen ihren Standort vor der Hand erhalten sollten...

Den 25ten ist der Bischof von Würzburg unter großen Feuerlichkeiten wirklich in Würzburg angekommen. Bei der Illumination am Abend hatte ein Herrschaftl.

Diener, der in Paris in den jetzigen Reichsangelegenheiten gebraucht worden und kürzlich zurückgekommen soll seyn – die Aufschrift mit Bezug auf den Fürsten an seinem Haus: „Noch lange wirst Du bestehen." Ob er das wohl von Paris mitgebracht hat?

Herr v. Albini ist gestern Abend um 6 Uhr mit seinem Staab H.v. Radenhausen, Molitor etc. und mit 12 Husaren hier eingerückt. Gleich nach ihm kam eine Comp. Grenadier von circa 100 Mann – die mit gelb – ehemals von Rüd ...

28.4.1801

Schon gestern sollten die übrigen Truppen des Albinischen Corps von Orb und Lohr kommend theils noch hier einrücken – theils durchmarschiren und in die nächsten Ortschaften verlegt werden ...

So wie man mich versichert, besteht dieser Rest noch 1) in dem Albinischen Freycorps von circa 250 bis 300 Mann, wovon viele Desertirt sind, und jeder Ausländer, wenn er es verlangt, täglich seinen Abschied erhält – wodurch es soweit herunter gekommen und täglich noch kleiner wird. 2) in 3 Comp. Grenadier – nemlich die v. Gimnich, Faber u.v. Knorr. Die von Rüd ist am Sonntag schon hier eingetroffen. 3) in der ersten Escadron Husaren, die vielleicht heute hier noch einrückt und ebenfalls nicht stärker als die 2te seyn soll. 4) in einer oder 2 Comp. sogenannte oberrheinische Kreistruppen von circa 150 Mann. 5) in circa 40 Mann, eine Art Jäger, welche mit den wirklichen gelernten Jägern Dienst thun müssen, ungefähr ebenso gekleitet und bewafnet sind und unter dem Oberlieutenant Wacker stehen.

Es sollen auch noch 2 Compagnien Musquetirs vom v. Knorrischen Regiment von Erfurt, ungefährt 40 Mann Wormser Militair und 5 biß 7 Stück verschiedenes Artillerie Geschütz dabei seyn. Wieviel Artilleristen weiß ich nicht. Stelle dir diesen Zug vor, diese alle sollten unter Türkischer Musik in Parade hier einziehen, auf dem Schloßplatz aufmarschiren, und dann sollte eine feuerliche Millitair Messe gehalten werden ...

Aber meine Freude und mein warten war vergeblich. Nun weiß ich daß H. v. Albini noch gestern Ordre gab – daß gleich, alle diese Truppen in Ortschaften um Aschaffenburg herum, von 1 biß 3 Stunden Entfernung auf der rechten Main Seite einquartirt werden ... und beständig den Franzosen den Main hinunter biß Cassel [Kastel] nachrücken sollten. H.v. Zweyer, der unter H.v. Albini dessen ganzes Corps commandirt, ein braver Offizier, ist bestimmt, den Vortrupp von Husaren der 2ten Escadron ... zu führen und zu commandiren. Das Scheiderische Corps, welches die ganze Zeit des letzten Feldzuges unter General von Breidenbach – bei der Kaiserlichen Armee unter Simbschen stand, soll – nach ziemlich guten Nachrichten ebenfalls ordres zum Abmarsch aus der Gegend von Würzburg durch den Spessart erhalten haben, in Lohr schon eingetroffen – und nach Höchst bestimmt seyn. Seine Stärke wird sehr verschieden zu 5 bis 600 Mann angegeben. Dessertion verringert es tägl. und jeder glaubt, daß weder dieses noch das Albinische Freycorps noch die gelernten Jäger – bestehen, sondern in Kurzem entlassen werden würden.

Wer jetzt Truppen bräuchte und brav Handgeld zahlte, könnte sie bald alle bekommen. Es hiese ohnehin hier, daß in Darmstadt Husaren errichtet und die Dragoner vermehrt würden – worauf mehrere vom Albinischen Freycorps ihren Abschied gefordert haben sollen. Die Pferde der Artillerie und des Fuhrwesens sollen gleich nach der Rückkehr hierher verkauft werden und die 3 Regimenter Musquetier von Rüd, Faber, Gimnich von Würzburg aus an die Bergstraß marschiren. Eile ist ihnen sehr empfohlen. Von den Preußen weiß man noch gar nichts, der Abmarsch der Collonen von Moreaus Armee am linken Mainufer hinab dauert heute fort.

7.5.1801

So eben komme ich aus Obernburg ... Als Neuigkeiten, die du so sehr im Detail liebst, kann ich dir bei dieser Gelegenheit melden: Caemerer ist wohl, zieht eben mit seiner Artillerie hier ein und wird wahrscheinlich bei seiner Frau bleiben könen, obgleich seine Leute und das Fuhrwesen in Ortschaften nahe von hier verlegt werden. Eine Division vom Fabrischen Regiment – circa 400 Mann stark – welche mit der Artillerie und dem Fuhrwesen von Miltenberg in Obernburg ankam, geht nach Groß Ostheim, bleibt heute da über Nacht und wo nicht ganz doch größtentheils morgen nach Dieburg, und man sagt – von da nach der Bergstraße.

Am 24ten ist das Scheidherrische Freycorps circa 400 Mann stark hier durch in Parade marchirt. Es war mir leid es nicht gesehen zu haben, es sollen brave schöne Leute gut gekleidet gewesen seyn. Es liegt vor der Hand im Mainzischen Freygericht bei Dettingen und der Gegend. Die zwei Kanonen hat es hier gelassen. Seine weitere Bestimmung ist Höchst. Gestern sind die letzten französischen Truppen von Moreaus Armee den Main hinunter marchirt. Von diesen hätten wir also weiter nichts mehr zu befürchten und wenn auch noch einige hin und wieder zurück wären, so könnte unser Geschäft doch voran gehen.

Auf 50 Husaren sollen beiläufig in die Bergstraße kommen. In Auerbach wird es diesen Sommer dadurch sehr lustig werden.

8.5.1801

Ich war mit Caemerer im Jagd Zeughaus in der Fasanerie ... Ich habe den schönen Vorrath an Geschütz etc. beieinander gesehen. 12 Stk. Kanonen 6 x 3 Pfd. er; 1 ganz große und 1 kleinere Haubitze und 31 Munitionswagen stehen schön geordnet vor dem Haus und haben mich sehr gefreut ...

Ende dieses Monats wird Caemerer mit den andern seine Pferde verkaufen müßen, weil dann der Engl. Kriegssold und die Fourage aufhört ... Beim Zug der Artillerie über den Schloßplatz sprach H.v. Albini sehr freundschaftlich mit Caemerers Schwiegervater von mancherlei in Bezug auf dies Artillerie Fuhrwesen – unter anderm: daß sie dieses alles selbst angeschafft – und nicht nöthig hätten die Bauern mit Vorspann zu plagen ... Jetzt täthen sie es abwarten und zusehen; sie würden nicht angreifen aber sich auch nicht angreifen lassen ...

Von Stockstadt sind gestern die letzten Franzosen aufgebrochen ... Heute werden von den Mainzer Truppen theils nach Dieburg theils in die Bergstraße marchiren und dort bleiben. H. General Breidenbach, der die Brigade commandirt, hat mir das gestern in Obernburg selbst gesagt. Diese Truppen sind hier garnicht eingerückt, sondern haben in Großostheim gestern übernachtet.

12.5.1801

Das Scheidherrische Corps ist 4 Comp. stark und ganz wie ein regulaires Bataillon eingetheilt. Es kann etwas über 350 Mann gegen 380 stark seyn, ist seit 3 oder 4 Tagen aus dem Mainzischen Freigericht bei Hanau nach Höchst abmarchiert, und die größtentheils in der Gegend von Orb bißher noch gelegenen Albinisch Jäger daselbst eingerückt. Ich habe mich überzeugt, sie liegen biß Hanau auf dem rechten Mainufer.

Diese Jäger können ebenfalls noch etwas über 250 Mann stark seyn. Allein ist noch nachzuholen, daß bei dem combinirten Bataillon noch zwei Compag. zusammmen von 160 biß 180 Mann stark sich befinden, welche der bekannte Mayiau, ein

Franzose der sich auflehnte und erschossen worden, errichtete. Sie sind jetzt wie das Knorrische Regiment in Erfurt weiß mit grün montirt. Auch liegen noch 4 Compagnien vom Regiment Knorr in Erfurt.

... Gewiß ist: daß die Infantrie Regimenter bereits ordre haben von jeder Comp. eine mir noch unbekannte Zahl Leute zu beurlauben. Mit Caemerer ritt ich gestern nach Goldbach Hösbach etc. wo die Kanonier liegen und hörte ganz bestimmt wie er seinen Feuerwerkern die Ordre mittheilte daß sich diejenigen wo Urlaub verlangten nun melden sollten. Allen Officier ist es nochmals angekündigt, daß mit Ende Monat keiner Fourage weiter erhielte, und daß sie ihre Pferde verkaufen sollten. Rekruten werden keine jetzt nachgezogen. Die schlechten Pferde sind schon zum Verkauf bestimmt und die andern mit Ende des Monats ebenfalls.

... Ich weiß noch nicht sicher, ob noch Mainzer Millitair in Dieburg liegt und liegen bleibt. Der Grundsatz steht noch immer bei Albini fest: das ganze Mainzer Land über all in allen kleinen Theilen zu besetzen – die nicht sonderliche Artillerie ins Jagdzeughaus zu sperren – durch Abschied der Ausländer und Beurlaubten zu erspahren.

Das waren die letzten Nachrichten, die Becker über die Militärbewegungen im Raum Aschaffenburg nach Darmstadt weitergab.

2. Über Land und Leute

Neben den militärischen Entwicklungen und den politischen Aktivitäten interessierte man sich in Darmstadt besonders für die Stimmung unter der Bevölkerung in den benachbarten Kurmainzer Gebieten.

In Dieburg war es zwischen hessen-darmstädtischen Offizieren und Kurmainzer Beamten zu einem Zwischenfall gekommen, auf den Becker am 25. April in einem Brief an seinen Bruder näher einging:

„Es war mir unangenehm zu hören, daß zwei unserer Officiers in Dieburg den Beamten gewissen Ordres ohne Volmacht ertheilt haben sollen, die gegen Darmstadt bei den Mainzern eine üble Wirkung hervorgebracht haben.

Auch an der Bergstraße, auch wegen Kloster Früchten, sollen dergleichen Schritte, angeblich, gemacht worden und sehr übel aufgenommen worden seyn. H. von Albini hat nach dem Fall in Dieburg erklärt: Daß er mit seinen Leuten durch die französische Linie durch nach Dieburg gehen und jede Eingriffe mit Gewalt abtreiben werde. Man spricht sogar von möglich ernstlichem Auftritt, und nimmt Darmstadts Macht gegen die Mainzer sehr sehr gering auf. Stelle dir vor, wie leid mir dergleichen Dingen seyn müßen. Sie verschließen dem besten Freund [Caemmerer?] *den Mund und erfüllen sein Herz mit Argwohn ...*

In Dieburg wird das Schloß zur Wohnung für H. von Albini eingerichtet. Man liebt und schätzt diesen wackeren Mann sehr, und alles freut sich, ihn in einigen Tagen hier zu sehen. Auch ich freue mich darauf ...“

Während seines Aufenthaltes in Schaafheim hörte sich Becker unter der Bevölkerung der benachbarten kurmainzischen Bachgaudörfer[18] um und schrieb an seine Auftraggeber:

„Ach das Mainzische ist gar zu gutes schönes Land. Ich werde mich ebenso sehr über den Erwerb freuen als ich mich über getäuschte Hoffnungen betrüben ... würde. Nachzutragen habe ich:

daß sich die unserem Land näher liegende Mainzer gemeine Unterthanen bei einer Abtretung an uns hauptsächlich dafür fürchten.

1) Für dem Recruttenausheben, in so großer Anzahl und auf solange Zeit – 6 Jahre ist bei ihnen Capitulationszeit.

2) Für den meist stärkeren Abgaben auf Grundstücken – wonach sie sich schon erkundigt hätten – und

3) Für dem Accis auf Caffee und Taback – das hassen sie sehr und machen demüthigende Bemerkungen.

Auch die Tranksteuer haben sie als übermäßig hoch gegen die ihrige angegeben. Ich weiß dieses nun nicht, allein ich habe es auf alle Fälle als übertrieben und unwahr widersprochen und für mich behauptet, daß bei einer solchen Erwerbung unser sehr gnädiger und gerechter Fürst gewiß die Mainzer Unterthanen bei ihren Rechten und bisherigen Einrichtungen in geistlichen uns weltlichen Sachen schützen, ganz verschieden nach ihren Gesetzen und Abgaben von seinen übrigen Landen väterlich behandeln und nur solche Abänderungen treffen würde, welche jede Gemeinde etwa selbst als nothwendig und nützlich fordern oder erkennen würde.

Dies hat unter anderem auch in Dieburg sichtbarlich gewirkt, und ich glaube, daß wenn es erst einmal soweit ist – es vielleicht besser geht als man jetzt noch glaubt. Auf alle Fälle muß man jedoch gefaßt seyn, und ich glaube daß es sehr gut wäre, wenn E. Excellenz in Zeiten eine recht zweckmäsige und beruhigende Proklamation an die Mainzer Unterthanen fertigen, die dann nur geschwind gedruckt und vertheilt zu werden brauchte. So etwas kann Wunder wirken und viel Verdruß vermeiden.

Nach allen Unthersuchungen bleibt es ausgemacht, daß das Ganze für Beibehaltung des Bißherigen unverkennbar webt und lebt, daß es sogar äußerst ungern größtentheils sich fügen – aber doch höchstwahrscheinlich bei richtiger Einleitung ohne Widerstand sich fügen würde, in sofern die höheren Umstände dahin wirkten und kein tollkühner Albini nochmals täuschen und Lerm blasen lassen könnte.

Inzwischen hoffe ich, daß man diesen Menschen der einen unglaublichen Einfluß und Vertrauen aller Classen beinahe hat, noch in Zeiten, wenn der Fall eintritt, wird gewinnen oder entfernen können. Selbst das geistlich Millitäir, sonst sehr von seinem H. vernachlässigt und beleidigt, lebt in dem allmächtigen Kriegs ... Minister jetzt ganz auf."

Es deutete vieles darauf hin, daß man im hessen-darmstädtischen Staatsministerium mit dem Gedanken spielte, die benachbarten Kurmainzer Gebiete schon vor einer Entscheidung bei den Verhandlungen in Paris und Regensburg zu besetzen. Becker schrieb in diesem Zusammenhang am 12. Mai:

„Es ist richtig, daß mancher den Wechsel gewünscht zu haben scheint. Da man sich darüber jetzt sehr in Acht nimmt, so fällt es schwer, Gewißheit daran zu erlangen ... So viel ist gewiß, daß die unseren Gränzen nahe gelegenen Unterthanen gar leicht sich diesen Wechsel hätten gefallen lassen. Sie haben mit Erbitterung ihre Regierung betrachtet, die sie so lange und anhaltend den größten Bedrückungen und Beschädigungen der Franken und des Krieges überhaupt blosstellte, während ihre Nachbarn unter der Sorgfalt einer weisen Väterlichen Regierung alle Segnungen des Friedens ungestört genossen. Von diesen war kein Wiederstand zu besorgen. Allein jetzt ist der Zeitpunkt vorüber. Jetzt ist die Ursache Unzufriedenheit fort und gehoben ..."

Ähnliche Bedenken hatte bereits am 24. April Amtmann Chelius geäußert: *„Was von mir anhanget, werde ich mit Wahrer Diener Treue [mich] bethätigen so viel mir in meinen geringen Kräften stehet. Ich gestehe aufrichtig, daß mich das Zugreifen*

erschröckt ... Zum Zugreifen, wobei immer ein Wiederstand denkbahr, scheinen mir sonst unsere Kräfte nicht hinlänglich"
Zu den Ängsten und Bedenken der Mainzer Untertanen, über die Becker in seinem Bericht vom 5. Mai (s.o.) berichtet hatte, äußerte sich Chelius am 15. Mai in einer Stellungnahme, die Darmstadt von ihm angefordert hatte:
„Die Nachricht, daß die Mainzer Unterthanen unter dieseitiger Hoheit mehrere Abgaben befürchten und aus diesem Grund eine Abneigung haben sollen, scheint mir nach näherer Überlegung keines Wegs weder glaublich noch wahrscheinlich ... Wenn man bedenket, daß neue erworbene Länder bei der herkomlichen Verfaßung besondere Rechte und Gerechtigkeiten noch zur Zeit zu belaßen und die Einwohner hierinnen durch Proklamationen zu beruhigen die Klugheit erfordert, und solche nur in der Folge der Zeit mit der äußersten Vorsicht und Überlegung umgemodelt werden können, so fällt die Bedenklichkeit und die angebliche Abneigung von selbst weg ... Ich bin versichert, daß wenn die Entscheidung von denen Frieden schließenden Potentaten festgesezet ist, kein Wiederstand zu befürchten sey. Darauf wird alles ankommen..."[20].

3. „Die Religion, ein Hemmschuh für den Fall"
Becker erwartete für *„den Schritt, ein katholisches Land einem protestantischen Fürsten zu unterstellen"*, große Schwierigkeiten. Er schrieb am 12. Mai 1801:
„Die Religion ist ein unverwüstbarer Strebepfeiler gegen die Protestanten... Der Religionsunterschied und die abergläubische Feindschaft gegen die Ketzer sind noch gar zu mächtig, wie ich schon tausend Proben erhalten habe und bewirken schnell, was eine andere Regierung mit ihren Pfaffen und anderen Mitteln nicht so leicht vermag. Der Aberglauben und Religionshaß ist ein Unkraut, das von selbst bei den Katholiken wuchert und von den Klugen auf alle Art mißbraucht werden kann. Sie können es dem Luther noch immer nicht verzeihen, daß er die große Ärgerniß gegeben, den 30 Jährigen und alle Kriege bißher herbeigeführt, Sittenverderbniß und Unglauben des heiligsten veranlaßt – ihre alleinseeligmachende Kirche getrennt – und den Dienern der Religion vom Erzbischof und Pabst biß zum Kloster Bruder ihr schweres Amt schwerer und lächerlich – und ihren sauer verdienten Lohn der Kirchen geschmälert und leichter gemacht habe. So sprechen noch Männer von Bildung und Verstand. Es ist also leicht zu erachten, daß der gemeine Mann nicht wohl gesundere begriffe haben, und sich also nicht gerne den gehaßten Ketzern fügen kann. Inzwischen ist es doch wahr, daß man selbst unter den gemeinsten Bürgern und Landleuten andre Erkenntniße und Urtheile häufig findet. Gewöhnlich sind das aber Menschen, die ihr natürlicher Verstand gehoben hat und die sich unter der Geißel des Aberglaubens nicht fügen wollten oder vielleicht ohne jenen frühen künstlichen Unterricht geblieben sind. Ebenso gewiß aber sind die Männer von Geist und Bildung welche mit so viel Erbitterung jene Sprache führen – und sich selbst auf der einen Seite über die Schande hinaus setzen – Classe Heuchler, die überall die gefährlichsten sind.
So lange ihnen ihr Verstand nicht das Wort: muß – deutlich zeigt – so lange stiften sie Unglück wo sie können, fischen im Trüben und sind nicht leicht zu gewinnen. Mit den älteren ist das ganz der Fall – denn diese vertheidigen noch heute mit aller Erbitterung die Irrungen ihrer Jugend und der finstersten Zeiten."

ANLAGE D

Berichte Beckers über den geplanten Empfang des Kurfürsten Friedrich Karl Josef von und zu Erthal in Aschaffenburg.

Aschaffenburg, den 16ten Mai 1801

... Neuigkeiten, der Churfürst kommt nun schon den künftigen Freytag den 22ten May ganz gewiß hier an. Er geht über Würzburg, bleibt dort einen Tag und wird hier mit großen Feuerlichkeiten empfangen werden. Aus 12 Kanonen, wovon 6 ohnweit der Stadt gegen die Chaussee von Esselbach aus dem Spessart kommend und 6, welche ohnweit dem Schloß aufgeführt werden, werden 100 Schuß zum Empfang beim Einfahren gethan. Sämtliches Millitaire der ganzen umliegenden Gegend muß in Parade hier einrücken und paradieren. Großer brillanter Gottesdienst, so wie Illumination der Stadt – am Abend ist entweder verordnet oder freiwillig – das weiß man noch nicht – und sonst noch mancherlei Feste sollen veranstaltet werden. Wenn mich die Frucht Versteigerung den 21ten in Umstadt nicht aufhällt dann sehe ich gewiß alles und melde Dir dann viel.

Kurfürst Friedrich Carl Joseph von Erthal (1774–1802).
Stiftsarchiv Aschaffenburg.

Aschaffenburg, den 19ten Mai 1801

... Er soll wirklich einen Besuch bei seinem ehemaligen Domdechant von Fechenbach, jezzigem Fürst Bischof von Würzburg bei dieser hierher Reise ablegen; daselbst über Nacht bleiben – verschiedene Beredungen und Absprachen halten – sich des Glücks

Aufmarsch des Mainzer Landsturms vor dem Aschaffenburger Schloß, in: Mainzer Landsturmsalmanach 1800.

ihrer Rückkehr in ihre wohlerworbenen Lande gemeinschaftlich zu erfreuen – und nachmittages gegen 2 Uhr hier eintreffen. Ich möchte die Empfindungen dieser Regenten begreifen und fühlen können – die sie, nach einer langen Ungewißheit über ihre künftige Macht – und bei vielen gegründeten Zweifeln, jemals ihre gute Unterthanen als die ihrigen wieder begrüßen zu können – und als Regent mit Liebe und Anhänglichkeit begrüßt und aufgenommen zu werden – nun erfüllen und beleben müssen.

... Der Ausschuß oder der Landsturm ist ebenfalls zum Theil befehligt unter Gewehr zu treten, den Churfürsten an der Gränze bei Esselbach zu empfangen und so Plätz weiß durch den Spessart sich aufzustellen. Auch Ortschaften vom linken Mainufer haben ordres herüber zu kommen und ihren Landesvater begrüßen zu helfen.

Auf wie viel Ämter oder Ortschaften sich dieses erstreckt weiß ich nicht. Auch wird eine Deputation höherer Stände ihn schon an der Gränze bewillkommen und eine Vermischung wird ihn begleiten. So wie er von Bessenbach heraus an den letzten Abhang von der Chausseé gegen die Stadt und in das Gesicht der Stadt kommt, wird er von hier aus bewillkommt werden. Es ist dazu ein Punkt bestimmt. Von da an, gegen die Stadt, wird zuerst der Ausschuß, Landmiliz-Landsturm in zwei Linien die Chausseé bestellen, an diesen soll sich auf gleiche Art das Militair aus Grenadier Jäger – Albinisches Corps p.p. bestehend anschließen – und bis an die Stadttore reichen wo wieder die Bürgerschaft etwa 700 Mann stark sich anschließt und biß zum Schloß die Straße besetzt. Alles muß Gewehr haben, präsentieren, das Volkslied singen, feuern und Vivat rufen. Die Zahl der Canonen Schüsse ist nun biß auf 300 vermehrt worden. Sie beginnen, so wie die auf einer Höhe gegen den Spessart postierte Canonier der ersten 6 Canonen den Churfürsten auf jenem Punkt zu Gesicht bekommen – und erreichen ihre Zahl Schüsse, biß er die Stadt oder Schloß erreicht hat.

Dann fängt die andere Abteilung von 6 Canonen in der Gegend des Schlosses aufgestellt an, und alle zum Empfang in den Straßen und vor dem Thor in Parade gestandene Mannschaft, die Bürger zuerst, formieren sich in Companien, Zügen und Sekzienen – wie es am schicklichsten gehen will – und marschieren in Parade nach und nach mit dem Militär, woran sich auch Cavalerie und zuletzt Artillerie nach Beendigung des Donnerns anschließen, samt dem Geschütz – über den Schloßplatz. Alles wird auf einen grossen Staat und Glanz angelegt. Die Illumination, die die ausgewanderte Mainzer Dienerschaft projectierte, dem Churfürsten bekannt geworden seyn soll, ist gestern den Bürgern verboten worden, Schonung der Bürger soll der Grund seyn. So viel ich auf der anderen Seite gehört habe, würden die Aschaffenburger sich in diesem Stück mit ihrer Freude sparsam ausgenommen haben und aus diesem Grund ist es besser um Unzufriedenheit und Nachrede vorzubeugen.
Gestern abend erzählte man hier im Wirtshaus, daß man Vorkehrungen getroffen habe, daß die Metzger und Fuhrleute den Churfürsten – wie bei seinem Einzug in Mainz nach Eroberung der Preußen – die Pferde ausspannen und ihm mit seinem Wagen durch die Stadt in das Schloß ziehen sollten. Beigelegtes Volkslied – auf diesen wichtigen Tag von einem Präfecten Professor Haus, besonders zum Gesang der im Gewehr und Reihen stehenden Mannschaft aller Arten – während der Durchfahrt des Churfürsten und zu mancherlei Zwecke wahrscheinlich angefertigt, weißt ziemlich auf jenes Ausspannen hin.
Dergleichen Sachen verlieren bei mir allen Werth, wenn der freye und ungezwungene Wille, Liebe und Begeisterung nicht die ungestörten Triebfedern solcher Feste sind. Ich möchte als Fürst in einem solchen Fall nicht bemerken, daß man mich mit Liebe und Freude scheinbar nur täuschen wolle und daß Strafbefehle, wie hier der Fall mit dem Ausrücken der Bürger ist – eingetretten wären, um die Täuschung zu vermehren. Von diesen sonderbaren Erscheinungen und Wiedersprüchen könnte ich dir noch manches wichtige erzählen, allein es ist mir unangenehm daran zu denken. Ich werde, wann ich noch hier bin, mich gewiß recht freuen den alten Mann hier einziehen zu sehen …
… Soeben reiten circa 20 Husaren in die Stadt um den Empfang zu verherrlichen. Ich habe mein Pferd einem gewissen Hofkammerrath zu dem Bewillkommensritt nahe bei der Stadt, auf den Fall, daß ich den 22ten noch hier wäre – zugesagt. Er hat mir auch schon Freundschaft erwiesen. Auch die Juristen, Studenten, Academicer 12 Mann hoch reiten dem Churfürsten entgegen und begleiten ihn in die Stadt und Schloß.
Wenn also bis Freytag Nachmittag die 300 Canonendonner deine Ohren berühren, so weißt du es zu deuten und daß es friedlich gemeint ist. In dem Volkslied sind einige Strophen, welche mir vergangene und noch bestehende Besorgnisse auszudrücken scheinen nicht an ihrem Ort. Die Husaren rücken biß an die Gränze und begleiten nachher. Auch ein Carmina der Schüler wird übergeben und von mir nachgesand werden. Auch das Militair wird drey Salven geben…[21].

Amtmann Chelius bemerkte in einem Brief zu dem Kurfürstenempfnag:

„Die Metzger und Schiffleute haben die Gnade gehabt, den Kurfürsten Wagen zu ziehen. Einige sollen bemerkt haben, das hätten sie nicht gebraucht, er wäre doch gekommen. Wozu all dies Blendwerk? Wäre man sicher, so wärs thörigt. Man will dadurch der Welt eine besondere Anhänglichkeit vorspiegeln. Vor ein gutes Trankgeld gegen ihn … [ginge?] die nehmliche wieder hinaus."

ANLAGE E

Bei

der Ankunft

Fridrich Karl Josephs

Kurfürsten zu Mainz

in Aschaffenburg den 22ten Mai 1801.

Ein Volkslied

Im Tone: Auf, auf ihr Brüder! und seid stark.

[1] Auf, Brüder! vor das Thor hinaus:
Der gute Vater kömmt.
Vergessen sei der lange Schmerz,
Und alles, was das leidend' Herz
Mit bangem Kummer klemmt.

[2] Hinaus zum Thore: Fridrich kömmt, —
Nicht als Gebiether: — nein.
Als Vater nach der langen Reis'
Wird er nun ewig in dem Kreis
Von frohen Kindern sein.

[3] Ha! sehet in Gewölken dort
Den Staub schon wirbeln sich.
Er kömmt. — Die Wonne und das Glück
Von seinem Volke kömmt zurück. —
Es lebe Friderich!

[4] Willkomm, mein theurer Fürst und Herr!
Schau unsre Reihen durch,
Wie heute jung und alt entzückt
Mit Freudenthränen auf Dich blickt
Im treuen Aschaffsburg?

[5] Der Säugling lallet Vivat Dir
Von seiner Mutterbrust:
Und Vivat hallen tausendfach
Weib, Knabe, Mann und Mädchen nach
Aus voller Herzenslust.

[6] Sieh', Fürst und Vater deines Volks!
Wie Straße, Markt und Thor, —
Weeg, Fenster, Dach sind vollgezwängt? —
Wie Fuß an Fuß sich eifernd drängt
Zu deinem Wagen vor?

[7] Der Sieche selber rafft getrost
Von seinem Lager sich,
Und glaubet, daß ihm besser sei,
Als Arzt und alle Arzenei,
Ein Blick von Friderich.

[8] Und röchelnd spricht der Vater noch
Dort an des Grabes Rand:
Er kömmt: und ach! ich küsse nicht,
Eh mir das matte Auge bricht,
Des guten Fürsten Hand.

[9] Er trägt so lang im Herzen uns,
Ruft dankbar Stadt und Land.
Weg, weg die Pferde: traget ihn, —
Den Vater, — im Triumphe hin
Zum Schlosse, auf der Hand.

[10] Man schreiet sonst: ich sterbe gern,
Weil ihn mein Auge sah.
Nein, Brüder! laßt uns wünschen so:
Wir wollen leben lang und froh:
Denn Fridrich ist nun da.

Angaben zur Mannschaftsstärke und Ausrüstung der ***Mainzer Brigade*** *unter General Breidenbach*
(Aufstellung nach der Originaltabelle W. Beckers)

I. Die in Engl. Sold und unter dem Commando des General von Breidenbach stehende Mainzer Brigarde, welche sich bisher bei der kaiserlichen Armee und zuletzt in der Gegend von Schweinfurt befand, bestehet.	Infantrie im Ganzen				Cavallerie	Artillerie und was dazu gehörig						4spännische Brigade		Dislocation sämtlicher Truppen vom 26. Aprill biß den 2ten Mai	Vorläufig weitere Bestimmung dieser Truppe
	Alte bestandne regulaireRegimenter u. Compagn.		In diesem Krieg angeworbene Corps.		Husaren Mann	Artillerie im Ganzen		Kanonen Stück	Haubitzen Stück	Munitionswg. Stück	Pferde Stück	oder Bagage Fuhrwesen			
												Wagen Stück	Pferde Stück		
	Grenadier Mann	Musquetier Mann	Frey Corps Mann	wirkl. Jäger Mann	Blend Jäger Mann	wirkl. Kanonier	Handlanger								
1) In den 3 alten Garnisonsregimentern v. Mainz. Jedes ist 7 Comp. stark, nämlich 1 Grenadier u. 6 Musqued. Comp. jede Comp. aber beiläufig 100-110, auch einige 120 Mann. NB: die Gren. Comp. befinden sich bei dem Albinischen Corps.															**Nota:** Diese Gegenden und Orten sollen eilend und auf dem Fuße den Franzosen nach besetzt werden. Außer dem Scheidherrischen Corps steht die ganze Brigade auf dem linken Mainufer
a) Regiment **Faber,** weiß mit hochrot, 6 Comp. Musqud. à 110		660												In der Gegend von Bischofsheim u. Miltenberg	I. d. Amt Starkenburg in die Bergstr. und Gernsheim
b) Regiment **Gimnich,** weiß mit hellblau, 6 Comp. à 110		660												In derselben Gegend und dem Taubergrund	In das Amt Krautheim-Walthürn - Amorbach etc.
c) Regiment Rüd, weiß mit gelb, 6 Comp. à 110		660												daselbst u. rückwärts a. d. Würzburger Grenze	In das Amt Bischofsheim an der Tauber
2) Das sog. **Scheidherrische Corps.** Leichte Infantrie, eine Art Jäger. Jeder Ausländer soll seinen Abschied jetzt erhalten können, u. die wollen, in den Dienst d. Engl. Ostind. Comp. gehen. Es hat durch Desertion gelitten – nach allen Angaben zwischen 3 und 400 Mann stark.			350											Am 28., 29., 30ten auf dem Marsch von Schweinfurt durch den Spessart über Lohr nach der Gegend von Aschaffenburg	Vorläufig nach Höchst am Main. Es soll aufgelöst werden, sagt man.
3) Die **Artillerie** dieser Brigarde besteht aus 4 Stück 6 Pfund und zwei 4 Pfd. Das Scheidh. Corps hat auch 2 Kanonen. Keine einzige Haubitze ist dabei. Bei jeder Kanone sind 5 Mann														**NB.** Das Geschütz ist nicht sonderlich und nebst dem Albinischen alles, was Mainz brauchbar hat.	

wagen. Die 5 Wagen mehr können also Gewehrmun. geladen haben. Jede Canone u. jeder Wagen hat 2 Knechte ud. 4 Pferde.															
a) R. Faber						12	14	26 Pfd.		6	24			Die Artillerie der drei Regimenter hat sich in Bischofsheim an der Tauber gesammelt. Ist ganz von den Regimentern u. nebst den Brigadefuhren dem Comando des Artillerie Hauptmann Caemerer übergeben worden.	Soll nach Aschaffenburg in das Jagdzeughaus in der Fasanerie gebracht und die Mannschaft nahe dabei, auf Ortschaften theils und in Aschaffenburg verlegt werden.
b) R. Gimnich						12	14	26 Pfd.		5	20				
c) R. Faber						12	14	26 Pfd.		3	12				
d) Scheidherrisches Corps						12	14	2		3	12				
4.) **Brigade oder Bagagewagen** Sie sind 4 spännisch – biß auf einige Wagen. Sie führen Zelte, Feldkessel, Provieant, etc. Bei 2 Pferden 1 Knecht. Jedes Regiment hat 6 Stück Brigade und ein Staabswagen.														in Bischofsheim und der Gegend	nach Aschaffenburg. Die sämtlich Fuhrpferde, auch die der Artillerie sollen gleich verkauft werden.
a) 3 Regimenter à 7 Wagen												21	84	nach Aschaffenburg und Höchst bestimmt und auf dem Marsch	„
b) Das Scheidherrische Corps nach diesem Verhältnis												7	28	„	„
Nota: Bei dem General und Staab sind Husaren...					3										
Die Brigade in Summa		1980	350		3	48	52	8		17	100	28	112		

Zusammenfassung:

Infantrie:	1980	Cavalerie	3
„	350	Artillerie	48
	2330	„	52
In Summa		2433 Mann	
Canonen		8 Stück	
Munitionswagen		17 Stück (NB. mit den Kl. Patronen)	

Der Contract mit England über diese Brigade ist auf 3 Jahr abgeschlossen worden. Es ist dabei so lange der Krieg dauert, Kriegs Sold, und dann nach dem Frieden, ein geringerer Friedens Sold bedungen. Mit Ende Mai hört der Kriegs Sold auf. Dann sind 14 Monat nach Abschluß des Contracts verlaufen, und der Friedens Sold tritt ein und dauert noch 22 Monate. Dieser Friedens Sold soll monatl. etlich und zwanzig tausend Gulden betragen. Von Leipzich (?) soll der Kurfürst auf einmal jetzt Einhundert etlich und dreysigtausend Gulden von Engl. erhalten.

*Angaben zur Mannschaftsstärke und Ausrüstung des **Albinischen Corps** unter Freiherr von Albini (Aufstellung nach der Originaltabelle W. Beckers)*

	Infantrie im Ganzen					Cavallerie	Artillerie und was dazu gehörig						Vierspänniges Fuhrwerk		Dislocation dieser Truppen vom 26. April bis zum 2. Mai	Vorläufig weitere Bestimmung derselben
	Regulaire bestandne Regimenter u. Comp.		In diesem Krieg neu angeworbene und errichtete Corps				Artillerie im Ganzen									
	Grenadier	Musquetier	Frey Corps	wirkl. gelern. Jäger	Blend Jäger	Husaren Mann	Kanonier Mann	Handlanger Mann	Kanonen Stück	Haubitzen Stück	Munitionswg. Stück	Pferde Stück	Wagen Stück	Pferde Stück		
II. Das Albinische Corps – welches unter Albinis Obercommando – getrennt von der Mainzer Brigarde halten (man sagt: größtentheils von dem der Brigarde beschnittenen Sold der Engländer) – im Fuldischen, von Orb bis Hammelburg – gestanden, bestehet 1) In den 3 Grenadier Compagnien den 3 alten Garnisons Regimentern von Mainz und der Grenadier-Comp. von **Knorr** – wovon die Musquetier in Erfurt, die Grenadier Comp. aber ebenfalls immer in Mainz lagen. a) Die Grenadier Comp. vom Regiment **Faber 96** biß 100 Mann b) Die Grenadier Comp. vom R. **Gimnich** – dergl. c) Die Grenadier Comp. vom R. **Rüd** – dergl. d) Die Grenadier Comp. **Knorr** – weiß mit grün.	100 100 100 100														a, b und d sind den 27.28. und 29. April von Hammelburg und Lohr her in die Ortschaften 1, 2 und 3 Stund von Aschaffenburg den Main hinauf und herunter auf der rechten Mainseite verlegt worden. c ist den 26ten in Aschaffenburg eingerückt und besetzt Schloß u. Stadt.	Die 4 Comagn. sollen theils abwechselnd die Posten in Aschaffenburg besehen theils den Main abwärts bestimmt seyn. Den 2ten schon sollen davon nach Seligenstadt marschieren.
2) In dem sogenannten **Combinirten Bataillon –** a) 2 Compagnien von **Knorr** aus Erfurt – weiß mit grün (man sagt auch diese Comp. seien neu errichtet) nach den Comp. aller Regimenter angenommen à 100 Mann. b) Die oberrheinischen Kreistruppen – nach allen Nachrichten höchstens zusammen im Ganzen c) Die ehemalige Garnison v. Worms – beiläufig		200 150 40													a, b und c sind ebenfalls in der Gegend von Aschaffenburg – zwischen dem Spessart und dem Hanauischen auf der rechten Mainseite in kleinen Ortschaften sehr zertheilt verlegt.	Sind ebenfalls bestimmt, den Franken auf dem Fus zu folgen und biß in das Rheingau vorzuerücken.
3. Das Albinische Freycorps – (d. Albinische Jäger) hat viele Deserteur – und jeder Ausländer, der seinen Abschied verlangt, soll ihn erhalten. Nach allen Nachrichten zwischen 2 und 300 Mann stark – mit Sicherheit kann man annehmen…			250												Ist ebenfalls in Ortschaften bei Aschaffenburg 28. Apr. verlegt worden	Soll schnell den Franken nach… mit 1 Escadron Husaren voraus den Main hinunter marschieren und Cassel bei Mainz besetzen. Übrigens soll es ebenfalls ganz

gelernten Jägern bestehend. Nach genauen Nachrichten sind nur 18 gelernte Jäger dabei, alle aber sind geübte gute Büchsenschützen u. führen ihre gewöhnte eigenen Büchsen. Jeder hat Tägl. 30 x				70											und am 28ten ausgerückt – auf ein Ort 1 Stunde von Aschaffenburg entfernt – rechte Main Seite.	schieren. Sobald die Franken Platz machen. Soll aufgelöst werden.
5. Die sogenannten Blendjäger. Ihr Zweck war dem Feind das gelernte Jäger Corps stärker vor das Aug zu stellen als es wirklich war. Letzteres hat runde, die gelernten Jäger eckige Hüte. Nach allen Nachrichten kaum noch …					40										In allem mit W.A. gleich, nur rücken sie am 26ten nicht mit in Aschaffenburg ein.	wie die vorhergehenden
6. Die **Cavallerie** besteht blos aus **Husaren.** und befand sich allein und zusammen bei dem Albinischen Corps. Es sind zwei Escadronen a) 1 Escadron **von Rüd** zwischen 90 biß 100 M. b) 1 Escadron **von Schröder –** 96 biß 100 M						100 100									Ist nicht in Aschaffenburg eingerückt sondern daherum verlegt worden. Ist den 26ten morgens frühe zuerst in Aschaffenburg eingerückt- nur den 28ten 2 1/2 Stunden Main abwärts verlegt worden.	Den 2ten Mai waren 30 Mann davon auf dem linken Main Ufer in Obernburg eingerückt. Bestimmt nach Cassel bei Mainz – und überhaupt vertheilt zu gebrauchen.
7. Artillerie Nach der Einrichtung der Brigade kann man höchstens annehmen, daß 1, 2 und 3 jedes 2 Stück Geschütz hat. Gewiß sind aber 2 Haubitzen darunter und bei dem Albinischen Corps allein. Man kann also vorderhand nur 4 Ka. u. 2 H. annehmen. a) Kanonier nach jenem Verhältnis p.St. 6 Mann b) Handlanger p.St. 7 Mann c) Munitionswagen pr. Corps 3 Wagen d) Artillerie Pferde zusammen							36	42	4	2	9	60			Die Artillerie befand sich noch bei jedem Corps, soll aber mit der Brigade in Aschaffenburg zusammentreffen und in das Jagdzeughaus gestellt werden.	Auch davon sollen die Pferde verkauft werden. In Erfurt soll noch einiges unbrauchbare Geschütz seyn.
8) Brigade Wagen pro Corps nur 6 Stck. angenommen Pferde													18	72		
Ohne den Staab u. das übrige Personal in Summa	**400**	**390**	**250**	**70**	**40**	**200**	**36**	**42**	**4**	**2**	**9**	**60**	**18**	**72**		

Anmerkungen:

1. Staatsarchiv Darmstadt (St.A.Dst.) E 1/M92/4.
   Soweit nachfolgend beim Zitieren der Becker'schen Briefe keine anderen Belege genannt werden, gilt die obige Quellenangabe für den gesamten Beitrag.

2.a) **J. R. Dietrich:** Die Politik Landgraf Ludwigs X. von Hessen-Darmstadt von 1790 – 1806, in: AHG/NF, Bd. VII, Darmstadt 1910.

b) **D. Karenberg:** Die Entwicklung der Verwaltung in Hessen-Darmstadt unter Ludwig I (1790 – 1830), Darmstadt 1964.

c) **H. Reichert:** Studien zur Säkularisation in Hessen-Darmstadt, Mainz 1927.

3. Auch Fürst Carl Friedrich Wilhelm zu Leiningen, der ebenfalls seine linksrheinischen Territorien verloren hatte und entschädigt werden sollte, hatte einen Kundschafter beauftragt, Informationen über das vorgesehene Entschädigungsland im Raum Mosbach (Neckar) einzuholen. Siehe: **Bruno König:** Mosbach im Fürstentum Leiningen (1803 – 1806), in: Der Odenwald, 38. Jahrgang, 1991, Heft 2, Seite 39 f.
4. Briefe und Berichte werden im Original zitiert. Orthographie und Interpunktion werden nicht geändert.
5. Die Abkürzung steht für: Herr Notarius Zimmermann.
6. Kammerrat Zimmermann war Angehöriger des hessen-darmstädtischen Staatsministeriums.
7. Die „Kaiserliche Post" wurde von reitenden Boten besorgt. Als Einzelreiter hatten sie die Möglichkeit, unbeobachtet Briefe zu öffnen und zu lesen. Bei der „Dilligence", der Fahrpost, bei der es außer dem Fahrer mindestens noch einen Begleiter gab, war das schon schwieriger.
8. Siehe Anmerkung 1. Der Schlüssel liegt dort als Einzelblatt bei.
9. St.A.Dst. E 1 M 92/2.
10. Siehe Anmerkung 9.
11. Siehe die Anmerkungen 9 und 10.
12. Schaafheim war seit 1771 Sitz eines hessen-darmstädtischen Amtmannes. Georg Ph. Chelius versah dieses Amt seit 1782.
13. Bei den Entschädigungsverhandlungen dachte man daran, Frankfurt den Status einer freien Reichsstadt zu nehmen und die Stadt einem der angrenzenden Fürstentümer anzugliedern. Hessen-Darmstadt und Hessen-Kassel zeigten lebhaftes Interesse. Notarius Zimmermann hatte deshalb vom hessen-darmstädtischen Staatsministerium den Auftrag, vor Ort die politische Entwicklung in der Stadt, besonders aber die Aktivitäten der anderen Interessenten zu beobachten. Seine Briefe und Berichte geben einen interessanten Einblick in das Ränkespiel, das um die Stadt geführt wurde.
    Im Rahmen dieses Beitrags kann auf die Entwicklungen in Frankfurt nicht eingegangen werden. Die Zimmermann'schen Berichte wurden für diesen Beitrag nur herangezogen, soweit sie sich mit den Tätigkeiten Beckers beschäftigten.
14. Damit war sicher Hofkapellmeister Franz Xaver Sterkel gemeint, der sich von 1797 – 1802 in Würzburg aufhielt.
15. Becker klagte über „rheumatische Umstände", über Kopfschmerzen und Gichtanfälle.
16. St.A.Dst. E 1 M 92/1.
17. St.A.Dst. E 1 M 92/3.
18. „Das Kapitel der Bestechungen ist eines der dunkelsten Kapitel jener traurigen Zeit. Bestechungen waren in der damaligen Politik ein allgemein übliches Mittel. Geld ist ein Haupthebel auch bei den Verhandlungen der Jahre 1798 – 1806 gewesen. Millionen deutschen Geldes sind damals in die Taschen der französischen Generale und Minister, der Beamten und Agenten geflossen. Der hessische Unterhändler war hierin so wenig sparsam gewesen, wie etwa seine nassauischen, bayrischen oder württembergischen Kollegen." (siehe Anmerkung Nr. 2a, Seite 426 f.).
19. Als Beispiel schilderte er die Verhältnisse in Pflaumheim im Bachgau.
20. St.A.Dst. E 1 M 92/4.
21. Becker ging in seinen späteren Briefen nicht mehr auf den Kurfürstenempfang in Aschaffenburg ein. Es ist anzunehmen, daß er an diesem Tag nicht in der Stadt war.
22. Originaldruck des „Liedes" liegt den Becker'schen Briefen bei.

Karlheinz Rößling

Frühe Parzellenvermessungen im Odenwald – am Beispiel des Geometers Johann Wilhelm Grimm (1703–1778) in der Grafschaft Erbach

1. Zustandsübersicht

Bis zur heute üblichen Erfassung und Darstellung der Liegenschaften in Rissen, Karten und Büchern war ein weiter Weg zurückzulegen. Als man im 16. Jahrhundert mit der Aufstellung von Steuerregistern begonnen hatte, beschränkte man sich zunächst auf die Selbstangaben der Güterbesitzer. Erst im 18. Jahrhundert setzte sich allgemein die Katastrierung durch vereidigte Geometer bzw. Steuerrenovatoren durch, wobei anfangs meist auf Kartennachweise verzichtet wurde. Denn für Steuerzwecke war es in der Regel ausreichend, die Parzellen mit Flächen und Bonitäten in Schatzungsbüchern darzustellen – mit Angaben der benachbarten Besitzer sowie Lage- bzw. Gewannbezeichnungen. Bei der geringen Bevölkerungszahl war ein solches Register für die jeweilige Dorfgemarkung eindeutig genug beschrieben.

Im Gebiet des späteren Großherzogtums Hessen verdienen flächendeckende Parzellenvermessungen des 18. Jahrhunderts im Odenwald eine besondere Beachtung, insbesondere da bei diesen Maßnahmen auch großmaßstäbige Flurkarten erstellt wurden. Vornehmlich handelte es sich um die Gebiete der Grafen von Erbach-Fürstenau, Erbach-Schönberg, die Herrschaft Breuberg und das kurpfälzische Oberamt Lindenfels, während man auf seiten der Regierung Erbach-Erbach glaubte, auf größere Neukatastrierungen verzichten zu können, da dort die Güter weniger zersplittert waren.

Nachdem bereits 1719 der kurpfälzische Geometer Ulrich Theobald aus Ladenburg verpflichtet worden war, die in Fürstenau, Reichenberg und Schönberg gelegenen herrschaftlichen Waldungen, Wiesen, Äcker und Gärten „auf geometrische Art nach der Dreiecksmethode zu vermessen, danach einen ordentlichen Grundriß zu verfertigen sowie ein Gewann- und Lagerbuch zu errichten", wird 1725 bekannt, daß der Feldmesser Mr. Gernucht die Ausmessung des Amtes Fürstenau beendet hat.

Streng organisierte Maßnahmen waren indes erst nach Aufstellung klarer Instruktionen möglich. Zu erwähnen sind hier die Regelungen im Oberamt Lindenfels (vermutlich 1724), Schönberg 1730, Fürstenau 1750 und Breuberg 1753, die sich im Grundsatz weitgehend ähnelten.

Bemerkenswert an diesen technischen Anweisungen war insbesondere, daß vor Beginn der Messung Grenzmarken freizulegen bzw. einzubringen, alle Grundstücke (auch die steuerfreien) zu erfassen waren und ein einheitliches großmaßstäbiges Kartenwerk – getrennt nach Fluren – erstellt werden mußte.

Durch diese Bestimmungen wird deutlich, daß die Errichtung der Kataster nicht nur Steuerzwecken diente, sondern auch den privatrechtlichen Charakter eines Eigentumskatasters trug. Die lückenlose Erfassung aller Liegenschaften in einem modernen Kartenwerk schuf zudem viele weitere Verwendungsmöglichkeiten. Die

Regierungen verdienen daher für ihr fortschrittliches Denken und für ihren Weitblick hohe Anerkennung, auch wenn die Maßnahmen verschiedener Umstände wegen nicht überall durchgeführt bzw. abgeschlossen werden konnten.

Die Parzellenvermessungen nebst Kartierungen, Berechnungen und Aufstellung der Bücher lag in den Händen der Geometer. Im Grafschaftsgebiet Erbach-Schönberg war Geometer Johann Christian Franz besonders aktiv. Die Parzellenvermessung in diesem Territorium war offenbar um 1745 vollständig beendet. Auch im Bereich des Oberamtes Lindenfels waren um diese Zeit die Arbeiten weit fortgeschritten. In der Herrschaft Breuberg waren die Maßnahmen 1757 flächendeckend abgeschlossen. Hier sind die Geometer Johann Adam Ley, Bonifatius Christoph Häcker, Carl August Weymar und Johann Bernhard Deißinger zu erwähnen. Es gab auch weitere Vermessungen einzelner Gemarkungen, z.B. in Nieder-Kainsbach und Brensbach 1733 durch Michael Henrich Rivier sowie viele Spezialpläne aus dem zweiten Drittel des 18. Jahrhunderts.

Unter diesen Odenwaldgeometern erlangte Johann Wilhelm Grimm eine überragende Bedeutung, da er die meisten Verfahren durchgeführt hatte; er verdient somit eine besondere Würdigung. Es trifft sich günstig, daß im Archiv Erbach-Fürstenau ein umfangreiches Aktenstück über Grimms dortiges Wirken von 1749 bis 1757 vorliegt[1]. Hieraus ergeben sich nicht nur interessante Einblicke in die Verfahrensabläufe, sondern auch in die Lebensumstände eines Geometers des 18. Jahrhunderts.

2. Geometer Johann Wilhelm Grimm und seine Tätigkeit für die Regierung Erbach-Fürstenau

Johann Wilhelm Grimm wurde am 16.12.1703 in Kalten-Nordheim in der thüringischen Rhön geboren. Sein Vater war der fürstlich-eisenachische Schultheiß Johann Wolfgang Grimm. Vermutlich war Johann Wilhelm zunächst Vermessungsgehilfe bei der Landesvermessung des Hochstiftes Fulda (1718 – 1727). Danach treffen wir Grimm als Geometer im Odenwald mit endgültigem Wohnsitz in Reichenbach. Nun konnte er sein Fachwissen in der Praxis anwenden.

Geometer Grimm heiratete am 28.01.1734 in Michelstadt Maria Louysa Zimmermann, die Tochter des Peter Zimmermann, Steueraufseher und Gastwirt des Erbach-Fürstenauischen Gasthofes an der Schloßmühle in Michelstadt-Steinbach. Aus dieser Ehe gingen vier Kinder hervor, wovon sich zwei Söhne ebenfalls dem Vermessungsberuf widmeten: Johann Jacob Friedrich Sigismund (17.07.1735 – 17.10.1772) war gräflicher Geometer, Johann Philipp Theodor (11.04.1741 – 04.05.1842) war Feldmesser und erreichte das biblische Alter von 101 Jahren. Nach dem Tode der Ehefrau heiratete Grimm Marie Barbara Viel aus Wächtersbach; dieser Ehe entstammen sechs Kinder. Johann Wilhelm Grimm starb am 16.03.1778 im Alter von 74 Jahren in Reichenbach und wurde dort am 18.03.1778 begraben.

Das bereits erwähnte Aktenstück vermittelt in der folgenden Zusammenstellung einen guten Eindruck von der Tätigkeit des Geometers Grimm für die Grafen von Erbach-Fürstenau.

Einschlägige Vorgänge beginnen mit einer Protokollnotiz der Fürstenau-Regierung vom 01.03.1749; danach hatten sich die Klagen über ungerechte Besteuerung gemehrt. Es bestand daher Veranlassung zu einer Schatzungsrevision und zu einer Ausmessung, die nach dem Vorbild der im Amt Schönberg bereits abgeschlossenen

Maßnahmen ausgeführt werden sollten. Die dortigen Instruktionen waren einzuholen und mit dem Schönbergischen Landvermesser Johann Wilhelm Grimm ein Akkord abzuschließen.

Aus einem Schreiben des Geometers Grimm vom 16.04.1749 an die „Hochgeborene Reichsgräfin" Anna Sophie geht hervor, daß er bereits am 07.09.1748 „Bey sämbtlich Hohen Herrschaften Unterthänigst eingekommen" war, ihm Auftrag zur Ausmessung der übrigen Ämter der Grafschaft zu erteilen. Grimm betonte, er habe sich in der Grafschaft niedergelassen (Reichenbach), und da er schon vor geraumen Jahren mit der Ausmessung des Amtes Schönberg fertig geworden sei, habe er immer gehofft, daß solche Arbeit und Geschäft auch in der übrigen Grafschaft vorgenommen werde. Zwischenzeitlich mußte der Geometer sein „Stücklein Brodt" im Kurpfälzischen verdienen, obwohl er lieber „Gnädigsten Herrschaften im hiesigen Lande als bei Auswärtigen" dienen wollte. Grimm bat abschließend, ihn nicht nur gemeinschaftlich zum Landmesser im Amte Fürstenau „gnädigst" zu bestellen, sondern ihm auch die Ausmessung des Amtes nebst Grundrißlegung anzuvertrauen. Der Geometer betonte, er habe im hiesigen Amte und im Kurpfälzischen sattsame Proben seiner Arbeiten abgelegt und könne auf Verlangen authentische Attestate vorlegen. Er werde diese Arbeit getreulich und gewissenhaft ausführen und alles akkurat in schöne Grundrisse bringen. Grimm wußte sich sicher, daß Regierung und Untertanen an seiner Arbeit Wohlgefallen haben werden.

Grimms Fähigkeiten waren in Fürstenau wohlbekannt. Seine Arbeiten im Amte Schönberg sprachen für sich und für ihn. Aber auch mit seiner Güterausmessung in Ober-Kainsbach 1746 hatte der Geometer auf sich aufmerksam gemacht. Hiernach hatte Grimm von der fürstenauischen Regierung die Erlaubnis erhalten, Regelungen der Ausmessung und der Vergütung zu entwerfen und nach Steinbach einzuschicken. Dies geschah mit Schreiben vom 16.04.1749 an den Hofrat. In diesen Zeilen bat Grimm auch um Hilfe bei der Zahlung der noch ausstehenden Meßgebühren von 30 Gulden für seine Ober-Kainsbacher Messung. Diese Arbeit habe er schließlich auf Befehl der Gemeinschaftlichen Regierung ausgeführt. Der ausgebliebene Lohn „dringe ihm sehr zu Gemüte".

Der Grimm'sche Entwurf einer Instruktion, wie bei der Ausmessung zu verfahren ist, dürfte aus der Schönbergischen Regelung hervorgegangen sein. Grimms Vorlage enthält im wesentlichen folgende Anweisungen an den Geometer:

1. Werden an den Gemarkungsgrenzen Zwistigkeiten und Grenzirrungen festgestellt, so wird die Regierung ersucht, Einvernehmen herbeizuführen und alles in Richtigkeit zu bringen.

2. Gelingt dies nicht, so erfolgt die Aufmessung und Kartierung im Anschluß an den Grenzumgang nach Maßgabe des örtlichen Grenzverlaufs.

3. Über die gesamte Gemarkungsgrenze ist eine Beschreibung anzufertigen mit folgenden Angaben:
   a) Bezeichnung des Anfangs der Grenzumziehung,
   b) wie der Grenzumgang erfolgt ist,
   c) wieviel Grenzsteine und Malbäume man gefunden hat,
   d) wer bei dem Umgang zugegen war,
   e) Beschreibung der strittigen Grenzen.

4. Sofern der Streit über den Grenzverlauf mit Hilfe der Regierung beigelegt wird, haben die geschworenen Steinsetzer in Gegenwart des Geometers alsbald neue Steine zu setzen.
5. Können sich die streitenden Parteien nicht vergleichen, so läßt der Geometer nach seinem Gutdünken Pflöcke schlagen und sichert deren Lage sofort durch Ausmessung. Anschließend wird hierüber der Regierung berichtet mit dem Ansuchen, einen Ortstermin anzuberaumen, um endlich statt der Pflöcke Steine setzen zu lassen.
6. Die Regierung soll bei Androhung hoher Strafe befehlen, daß alle übrigen Pflöcke so lange unberührt bleiben, bis der Geometer seinen Grundriß verfertigt hat.
7. Der Geometer legt für jeden Untertan eine Gütertabelle seiner sämtlichen Güter in der Gemarkung an. Die Grundstücke sind danach zu beschreiben, wo und neben wem sie liegen und welche Lasten darauf haften. DieAufstellung ist von dem Besitzer zu unterschreiben. Der Geometer erhält pro Stück eine Schreibgebühr von einem Kreuzer.
8. Nach Erledigung der Grenzstreitigkeiten und Vermarkung aller Grenzpunkte erfolgt die Aufmessung, und zwar horizontalisch und schließlich die Kartierung. Bei der häuslichen Bearbeitung entstehen:

   a) das Gewann- oder Huben-Strich-Rißbuch,

   b) das Lager- oder Fundbuch in topographischer Nummernfolge nach dem Rißbuch,

   c) das Schatzungsbuch über die Besitzstände.
9. Der Morgen wird mit 160 Ruten zu 16 Nürnberger Werkschuhe zugrunde gelegt.
10. Der Geometer darf auf seine Kosten tüchtige Leute zum Meßgeschäft heranziehen. Er haftet für seine Arbeit.
11. Die geometrische Arbeit ist jedem Untertanen vorzulegen; dabei sind die nachgewiesenen Besitzverhältnisse nochmals zu überprüfen und ggf.
12. auf dem Riß in Ordnung zu bringen.
13. Im Fundbuch sind folgende Nutzungsarten nachzuweisen: Äcker, Wiesen, Krautgärten, Gärten außerhalb des Dorfes, Weinberge, Hopfenberge, Waldungen und Gebüsche, Teiche und Wasser, gemeine Wege.
14. Anschließend ist das Schatzungsbuch aufzustellen.
15. Der Geometer erhält für seine Arbeit pro Morgen Feld- oder Waldlage acht Kreuzer, für jede Hofreite 20 Kreuzer. Von den Eigentümern ist die Hälfte zu zahlen nach Beendigung der Ausmessung, die andere Hälfte nach Erstellung der Karten bzw. Anlegung der Bücher. Papier und sonstiges Schreibmaterial ist von der Gemeinde zu stellen (einschließlich Binderlohn, Bleistifte und Farben). Außerdem sind – insbesondere für häusliche Arbeiten – monatlich ein Klafter Holz zu liefern oder zwei Gulden zu zahlen. Während der örtlichen Arbeiten sind Logis, Licht und Bett unentgeltlich zu stellen.
16. Für übrige Arbeiten (Anwesenheit beim Steinsetzen, Grenzbegehung, Schätzung) ist dem Geometer ein Tagessatz von einem Gulden und 20 Kreuzer zu bezahlen.

17. Zur Ausmessung sind täglich zwei beständige Kettenzieher zu stellen, außerdem zwei weitere Kräfte, die im Meßgeschäft behilflich sein müssen (Transport der Instrumente, Benachrichtigung der Besitzer).
18. Jede Gemeinde ist verpflichtet, Geräte und Unterlagen des Geometers an den nächsten Meßort zu transportieren. Im übrigen sollten für ihn preiswert Lebensmittel eingekauft und ein Pferd gestellt werden, wenn er zur Regierung bestellt ist oder nach Hause reisen will.

Auf diesen von Grimm vorgelegten Entwurf ergingen von der Regierung Fürstenau am 10.06.1749 u.a. folgende Anmerkungen:

Die Gütertabellen sind nicht vom Geometer, sondern vom Schultheißen anzufertigen (zu 7),

es ist zusätzlich auch ein Generalriß in verjüngtem Maßstab zu fertigen (zu 8),

Meßgebühren werden festgelegt auf sieben Kreuzer je Morgen Orts- oder Feldlage, bzw. sechs Kreuzer Waldlage. Papier und Binderlohn werden vergütet und monatlich ein Klafter Holz geliefert. Quartier, Licht u. dgl. hat der Geometer selbst zu besorgen (zu 15).

Unterm 09.10.1749 wurden die Gemeinden des Amtes Freienstein (Beerfelden) von der Regierung über die geplante Ausmessung und Taxation in Kenntnis gesetzt und um ihre Stellungnahme gebeten.

Aus Beerfelden wurde hierüber am 18.10.1749 von Herrn Amtmann Luck berichtet, er habe allen Schultheißen und Vorstehern der Gemeinden des Amtes Freienstein Vorstellung getan. Gegen die geplanten Maßnahmen sei grundsätzlich nichts einzuwenden, jedoch müsse auf die Not vieler Untertanen aufmerksam gemacht werden, die mit 15 und mehr Gulden Messungsgeldern belastet würden. Luck hoffte, daß der Feldmesser so günstig wie in Hetzbach in den 30er Jahren arbeite, wo er 925 Morgen für 100 Gulden nebst freiem Quartier, Holz und Licht vermessen und ausgewertet habe. Wegen mancher Grenzirrungen und fehlender Marksteine sei der Beamte bei dem Geschäft sehr in Anspruch genommen; er bat daher um wechselweise Ausmessung in den Ämtern Freienstein und Michelstadt.

Aus einer Protokollnotiz der Regierung vom 07.11.1749 geht hervor, daß ohne die Hesselbacher, Kailbacher und Galmbacher Gemarkung sich 148 Huben in Größe von etwa 30.000 Morgen im Amt Freienstein befinden, wodurch ein Kostenbetrag von rund 5.000 Gulden (Meßlohn und Unkosten) entstehe. Es wurde daher vom Amt nochmals gebeten, den Akkord mit dem Feldmesser auf einen leidlichen Fuß zu stellen.

Am 23.06.1750 erfolgte Bestellung und Vereidigung des Geometers Grimm:

Ich Johann Wilhelm Grimm schwöre zu Gott dem Allmächtigen einen Leibl Eyd und meiner Seele daß in dem mir aufgetragenen Landfeldmeßer amt Hochgr. Fürstenauisch antheils ich mich redtlich fleißig und sorgfältig beweiße, keinen zu Lieb oder Leyde thun aus freundt oder feindtschaft gabe oder Geschenk vielmehr in allen Stücken nach der mir vorgeschriebenen Instruction mich treulich richten ohn gefährde und arglist

ita juravit 23.06.1750

Aus einer Regierungsnotiz vom 28.07.1750 geht hervor, daß Grimm in Finkenbach an der Ausmessung der „Gemeinen Almen" gehindert wurde. Er bat um Hilfe gegenüber den Finkenbachern und Hetzbachern, damit er die Steinsetzung und Ausmessung zu Ende führen könne.

Am 15.08.1750 erging schließlich die Instruktion an Grimm, die nachstehend wörtlich wiedergegeben ist:

Instruction

Wornach ein Beamter bey Vorzunehmender Meßung und Taxation derer Güther in den Fürstenauischen Landen sich zu achten hat.

1. *Hat Derselbe durch jeden Orths Schultheißen und Bürgermeister sich eine accurate Güther-Tabell einreichen zu laßen, worinnen jeder Unterthan sub poena caducitatis alle seine besitzende Güther mit denen darauf haftenden oneribus Specifice anzugeben und sich selbsten zu unterschreiben hat. Diese Güther-Tabellen sind so dann dem Geometer zuzustellen damit derselbe zufolge aufhabender Instruction gebrauch davon machen seine Meßung und Verfertigung der Riß und Lager auch Schatzungs-Bücher darnach einrichten, bey sich ergebenden Anstand aber weiters an das Amt berichten könne.*
2. *Sollten sich dann zwischen Benachbarten oder Anstößern wegen Gräntz oder Güther-Stücken Irrungen und Strittigkeiten oder einige Ansprüche ereignen, welches sich bey der Steinsetzung leicht zu tage legen wird, hat derselbe so fort und wo möglich Vor der Meßung solche auszumachen, die Partheyen zu vergleichen, oder durch einen Amtsspruch zu entscheiden, in wichtigen oder zweifelhaften Fällen aber nach zuvor genommenen Augenschein die Sache zu weiterer Verfügung nebst einem Plan an hiesige Regierung einzuberichten.*
3. *Wie es nun die Meßung und Taxation sehr befördern würde, wann zuvor die Gräntzen überall regulirt und die Strittigkeiten abgethan wären, also hat derselbe nach verfertigten Güther-Tabellen also fort die Steinsetzung zu veranstalten, dergestallt daß je 4 Steinsetzer täglich daran arbeiten und entweder nach denen vom Feldmeßer geschlagenen Pflöcken oder nach denen zuvor abgegangenen Gräntzen, die Steine setzen.*
4. *Ist insonderheit dahin zu sehen, wo etwa Guths-Besitzer zu weit um sich gegrifen, zumahlen an Herrschaftl. Waldmarken gebutzt und successe temporis ohnrechtmäßiger Weiß an sich gezogen haben daß solchen Falls eine Besichtigung und Erkenntniß darüber eingezogen, und deren Entscheidung ad Regime einberichtet werde. Denn obwohlen die Absicht bey Vorzunehmender Meßung und Schatzungs-Renovatur nicht dahin gehet, überall vacantien zu machen, so sind dennoch offenbahr unrechtmäßige Possessiones nicht zu ratihibiren, weniger durch die zu errichtende Lager und Fundbücher zu confirmiren.*
5. *Hat der Beamte ordentliche Taxatores zu bestellen und nach der sub. Lit. A beyliegenden Eydesformul zu verpflichten, welche dahin zu instruiren sind, daß sie viererley Lagen machen, was gut, mittelmäßig, schlecht und gar schlecht ist, und solche nach dem wahren Ertrag ein Jahr ins andere, nach Abzug der onerum und Kosten taxieren und schätzen, wobey sie zugleich auf der Güther Beschaffenheit, Lagen Freyheiten etc. zu reflectiren haben, welche Taxation dann in das Schatzungs Buch vom Feldmeßer einzutragen sind.*
6. *Wären hierzu etliche als Landeskundige und der Sachen verständige Männer dergestallt auszusuchen, daß solche allemahl von benachbarten Orten und nicht von dem Ort selbsten wo taxiret wird hierzu bestellet würden.*

7. *Hat der Beamte dahin zu sehen, daß die Taxations- und Steinsetzungs-Kosten denen Unterthanen so viel möglich erleichtert werden. Zu dem Ende mit Zuziehung jeden Dorfs Schultheißen und Vorstehern entweder überhaupt oder stückweiß, wie solches am wohlfeilsten geschehen mag zu accordiren.*
8. *Damit nun dieses heilsame und nützliche Vorhaben auf allen Seiten gefördert werden möge, so sind deßenfalls alle sich etwa hervorthuende Hinderniße auf das kürtzeste zu heben und abzuschneiden, wie dann auch die dem Feldmeßer ertheilte Instruction um darob zu halten, in Abschrift communicirt werden soll.*

Wie aber nach diesem die vorzunehmende Schatzungs Revision um zu einem standhaften Catastro zu gelangen, weiteres zu befördern und einzurichten seyn möchte, davon haben die Beamte Ihr Gutachten und Vorschläge schriftlich abzufaßen und weiterer Verfügung einzusenden.

In Urkund dieses

Fürstenau den 15. August 1750
Hochgräfl. Erbach Fürstenauische zur
Vormundschaftl. Regierung Verordnete
Canzelley Director Hof- und Regierungs-Räthe

Am 26.09.1750 erhielt Feldmesser Grimm die Weisung, noch im laufenden Herbst die Finkenbacher und Hetzbacher Almen fertig zu messen und im Winter endgültig auszuarbeiten. Kommendes Frühjahr sollte er mit Ausmessung im Amte Michelstadt fortfahren. Am 18.11.1750 meldete Amtmann Luck den Abschluß der Messungen in Finkenbach und Hetzbach. Zugleich hatte er Grimm Auftrag zur Aufteilung in der Gemarkung Raubach erteilt. Dieser begehrte jedoch für diese Sonderleistung zu den sieben Kreuzern die Kost. Luck erbat daher Entscheidung der Regierung, ob der Feldmesser einige Kreuzer mehr auf den Morgen erhalten könne. Die Regierung beschied am 24.11.1750 diesen Antrag abschlägig.

Am 22.03.1751 erhielt Grimm Auftrag zu einer Aufteilung in Airlenbach (Weihergebiet).

Für die anstehenden Ausmessungen der Gemarkungen Michelstadt und Beerfelden erstellte Feldmesser Grimm am 10.04.1751 in Reichenbach einen Entwurf für neuen Akkord. Aus ihm geht hervor: Wegen der kleinen Parzellen vermehrt sich die Meßarbeit, und die Kartierung ist beim vorgegebenen Maßstab erschwert („Kein Schu kan mit dem Zirckul gerissen werden, jedes Stück muß nach seiner Länge und Breite besonders und auch die ganze Gewann wie die Stücke darinnen liegen gemessen und in Riß gebracht werden"). Es müssen daher für den Morgen 12 Kreuzer in Ansatz gebracht werden. Kleingrundstücke unter einem Viertelmorgen kosten pro Stück vier Kreuzer, jede Hofreite 30 Kreuzer. Waldflächen, Wasser, Flüsse und Wege sind mit sechs Kreuzern zu verrechnen. Grimm verlangte auch kostenlose Stellung zweier tüchtiger Kettenzieher, daneben ständig drei Mann, die Stangen tragen, Pflöcke schlagen und sonst zur Beihilfe dienen. Während der Ausmessung beanspruchte der Feldmesser frei Logis, Holz, Licht und Bett, für die häusliche Bearbeitung in Reichenbach monatlich zwei Gulden für Holz und für das Logis in solcher Zeit einen Gulden.

Am 25.06.1751 wurde Grimm angewiesen, nunmehr an die Ausmessung Michelstadt zu gehen. Die Regierung bat jedoch den Feldmesser, bis zur Kostenregelung die

Messung in Falken-Gesäß fortzusetzen und zu beenden. Bei der Falken-Gesäßer Ausmessung kam es zu einer Beschwerde gegen den Geometer wegen einer Abmarkung zwischen der Grenze Jacob Ihrig und Jacob Fischer. Grimm nahm hierzu am 14.09.1751 Stellung: Wenn die Regierung einer solcher Geringfügigkeit Gehör schenke, gereiche es ihm zum Despekt. Sollte man seinen Pflichten und seinem Gewissen nicht so viel vertrauen, dann würde er die Messung lieber aufgeben. Im übrigen sei ihm solches noch in keiner Herrschaft, wo er gearbeitet habe, bisher begegnet.

Am 22.09.1751 berichtete Grimm an die Regierung, daß er mit der Ausmessung der Falken-Gesäßer Gemarkung fertig geworden ist. Dabei beschwerte er sich nachdrücklich über die dort angetroffenen widrigen Umstände. Der Schultheiß habe ihm nicht die nötige Unterstützung gegeben, so daß er selbst hatte Büttel sein müssen, um die Leute zur Beihilfe zusammenzurufen. Daher sei dort der Verdienst sehr gering ausgefallen, und ihm wäre jetzt nicht zuzumuten, anschließend die Ausmessung von Michelstadt anzufangen. Grimm bat um Verschiebung der Michelstädter Messung auf das Frühjahr 1752; den dortigen Zeitaufwand schätzte er auf ein halbes Jahr. Die Regierung sollte jedoch darauf hinwirken, daß schon in diesem Herbst alle Straßen und Wege in der Michelstädter Gemarkung abgesteint und die übrigen Grenzen aufgesucht werden, damit er beim wirklichen Anfang der Messung keine Hindernisse habe. Grimm will sich unterdessen vorbereiten und „das hierzu erforderliche besondere Instrument den Winter über Verferttigen lassen". Um seinen schlechten Verdienst auszugleichen, bat Grimm um Auftrag zur Ausmessung von Schöllenbach in der festen Annahme, die Arbeiten noch 1751 beenden zu können.

Die Regierung wies den Feldmesser am 25.09.1751 an, anschließend das Airlenbacher Hofgut zu teilen, die Falken-Gesäßer Messungen in Riß zu bringen und danach die Raubach zu messen. Am 13.11.1751 erging Anordnung an Grimm, die Raubacher Güterteilung durchzuführen. Bereits am 22.11.1751 konnte Grimm von Meßergebnissen in Raubach berichten. Ihm fehlten in seiner „horizontalischen" Ausmessung zwei Morgen gegenüber der Ermittlung von Amtmann Luck.

Am 11.12.1751 kam die Regierung in der Kostenregelung Grimm entgegen. Für die Ausmessung Michelstadt und Beerfelden wurden festgelegt:

1. jeder Morgen Land acht Kreuzer,
2. Kleinparzellen unter einem Viertelmorgen je Stück vier Kreuzer,
3. jede Hofreite 20 Kreuzer,
4. von Almen, Stadtwald, Wasser, Flüssen und Wegen je Morgen sechs Kreuzer,
5. zur Messung zwei beständige Kettenzieher sowie zwei bis drei Mann zur Beihilfe im Schlagen der Pflöcke und Tragen der Stangen,
6. Frei Logis mit Holz, Licht und Bett,
7. Bei Hausarbeiten für Holz vier Gulden und für Logis zwei Gulden,
8. Bei schlechtem Wetter oder Notfall wird Pferd zur Heimreise gestellt.

Für Schätzungsarbeiten in „Hetschbach"[2] stellten die Taxatoren Rechnung an die Regierung (ein halber Gulden pro Tag); der dabei anwesende Landfeldmesser Grimm setzte für jeden Tag einen Gulden Diäten an (28.12.1751).

Am 29.04.1752 erhielt der Stadtschultheiß von Michelstadt Weisung, innerhalb 14 Tagen von allen Begüterten Verzeichnisse ihrer Grundstücke mit deren Unterschriften aufstellen zu lassen und der Regierung einzureichen.

Grimm ersuchte am 28.08.1752 um Anordnung weiterer Bedingungen für das Michelstädter Messungsgeschäft:

1. Stellung zweier junger tüchtiger Männer zum Rutenziehen,
2. Bereitstellung von sechs weiteren Hilfskräften mit wechselweisem Einsatz,
3. Abholung der Instrumente aus Güttersbach und der übrigen Sachen aus Reichenbach,
4. Bett und Logis in Steinbach für den Geometer und seine Gehilfen,
5. Verdeckte Marksteine sind aufzuräumen,
6. Jeder (Eigentümer) soll zu seinem Termin 25 runde und 25 eckige Pflöcke zur Bezeichnung der Stationen und Marksteine mitbringen,
7. Jeder soll sein Grundstück mit Zetteln bestecken (Name, Bezeichnung),
8. Alle Beteiligten haben früh morgens um 6 Uhr zu erscheinen,
9. Rißkonzept und Schreibpapier ist bereit zu stellen.

Die Regierung befahl Grimm am 31.08.1752, bis zur Einrichtung in Michelstadt vorab Momart auszumessen; er sollte jedoch binnen 14 Tagen in Michelstadt beginnen.

Am 26.09.1752 hatte der Geometer Anlaß, sich bei der Regierung über manche Mißstände beim Momarter Meßgeschäft zu beschweren. Unter Hintansetzung allen Respekts kommen die Hilfskräfte, wann es ihnen beliebt, teils um 9 Uhr oder auch gar nicht. Es wurde sogar schon ein zehnjähriger Knabe geschickt. Die Regierung solle nochmaligen Befehl unter Strafe ergehen lassen. Bei Fortdauer solcher Umstände müsse Grimm das Messen einstellen.

Die Regierung erließ am 28.09.1752 umgehend ein Dekret an die Gemeinde Momart, täglich sechs erwachsene Hilfskräfte um sechs Uhr morgens abzustellen. Im übrigen sollte Grimm auch sonst geholfen werden, etwa Bier für ihn und die Seinigen gegen Bezahlung herbei geschafft werden. Wer nicht erschien, wurde außer den Versäumniskosten mit fünf Gulden bestraft.

Aus einer Anordnung der Regierung an den Stadtschultheiß, Bürgermeister und Rat zu Michelstadt (21.11.1752) geht hervor, daß in der Regel die Ausmessung auf Pflöcke (mit Zetteln, auf denen der Name des Besitzers steht) erfolgte; jedoch sollte die Steinsetzung schleunigst nach der Aufnahme durchgeführt werden, „damit nicht unter der Zeit die Pflöcke herausgerißen und die Stücke wieder in Unordnung gebracht werden." Am gleichen Tage wurde dem Michelstädter Stadtschreiber Büchner aufgetragen, die Hilfskräfte rechtzeitig zu bestellen, von den Besitzern der Grundstücke die Meßgebühren einzutreiben und sodann das Notwendige davon zu bezahlen.

Am 08.12.1752 schilderte Grimm der Regierung seine schlechte wirtschaftliche Lage. Er habe mit seiner Familie in Reichenbach weder etwas zu beißen, noch zu nagen. Stadtschreiber Büchner zu Michelstadt sollte angewiesen werden, ihm wenigstens 100 Reichstaler Abschlag zu zahlen. Ersatzweise will sich der Geometer auch mit drei Malter tüchtig Korn, einem Malter Gerste und zwei Malter Spelzen nebst 100 Gulden zufrieden geben. Außerdem seien die Momarter und Michelstädter zu zwei Malter gut Korn und zwei Malter Spelzen als Abschlag auf seine Meßgebühren zu verpflichten. Beide Orte sollten diese Früchte und andere Sachen nach Reichenbach bringen. Grimm legte auch noch einen Zettel bei über ausstehende Meßgebühren und Diäten für seine Hetzbacher Arbeit. Schließlich teilte er mit, er habe bei seiner Arbeit inzwischen bereits 100 Gulden zuschießen müssen wegen des schlechten Akkords. Sollten seine Bitten nicht beachtet werden, müsse er seine Arbeiten beenden.

Stadtschreiber Büchner wurde am 09.12.1752 von der Regierung angewiesen, einen Abschlag auf die Meßgebühren anzuweisen, und zwar 50 Gulden, drei Malter tüchtig Korn, ein Malter Gerste und zwei Malter Spelzen. Wäre das Geld nicht vorhanden, so sollte es einstweilen aufgenommen und die Zinsen davon mit in Anschlag gebracht werden.

Das Amt Fürstenau erhielt am 09.12.1752 strengen Regierungsbefehl, die mehrfach erinnerten 30 Gulden an Grimm unverzüglich zu zahlen, damit er an seiner Abreise nicht gehindert würde. Der Betrag war von den Momarter Untertanen einzutreiben.

Am 13.12.1752 ging bei der Regierung Antwort der Gemeinde Momart ein. Danach hatte der Geometer eine Rechnung über 125 Gulden und 40 Kreuzer gestellt (einschl. der vier Gulden von Holz). Unter Hinweis auf § 14 der Instruktion (Hälfte der Gebühren nach Ausmessung, Rest nach Abschluß aller Arbeiten) machte Momart folgende Angaben

a)	Grimm hatte in bar erhalten	35 Gulden
b)	Zehrung bei Gastwirt Eckardt und Bargeld	39 Gulden 11 Kreuzer
	macht	74 Gulden 11 Kreuzer

Somit hatte Grimm 11 Gulden 21 Kreuzer mehr erhalten als die Hälfte seines Gesamtbetrages (62 Gulden 50 Kreuzer). Die Gemeinda sah daher keinen Anlaß, die Restforderung vor Endausfertigung zu begleichen, zumal auch bekannt war, daß Grimm mit vielen anderen Arbeiten sich noch im Rückstand befand.

Aus einer Bilanz des Stadtschreibers Büchner, Michelstadt vom 23.12.1752 über den Zeitraum vom 06.11.1752 bis 23.12.1752 geht u.a. hervor:

a) Zur Bestreitung der Kosten der Feldmessung wurden 80 Gulden aufgenommen,
b) Bargeld, Früchte, Verpflegung beim Sonnenwirt Johann Christian Lang insgesamt 102 Gulden 14 Kreuzer,
c) für Kettenzieher und Tagelöhner 64 Gulden 49 Kreuzer,
d) Fuhrlohn, Holz usw. 41 Gulden

Wirt Lang machte für die Zeit vom 08.11.1752 bis 31.12.1752 an Zehrungskosten für Grimm und die Seinigen 36 Gulden und 22 Kreuzer geltend. Diese Rechnung wurde durch des Feldmessers Hinweis ergänzt, daß diese Forderung auf Verwilligung der Regierung vom Stadtschreiber in Michelstadt bezahlt werden kann.

Ein Regierungsvermerk (wahrscheinlich Dezember 1752) enthält u.a. den Hinweis, daß die untere Hälfte von Hetzbach nicht jetzt, wohl aber ehemals gemessen worden. Nun muß der alte, auf einen großen Bogen gebrachte Riß, so in Tractibus gezeichnet werden, daß er jenem des oberen Dorfes beigebunden werden könne.

Johann Jacob Zimmermann, Grimms Schwager und Mitarbeiter, führte am 11.01.1753 Beschwerde bei der Regierung. Ihm war der Vorwurf bekannt geworden, er führe ein lockeres Mundwerk und sitze in den Wirtshäusern herum, anstatt seiner Arbeit nachzugehen. Diese Anschuldigung Grimms sei unzutreffend, wahr jedoch, daß er seit 15 Jahren seinem Schwager helfe, aber niemals eine Abrechnung von ihm erhalten habe. In dieser Notlage war Zimmermann „durch Ungeduld in Trunk geraten und durch liederliche Gesellschaft verführt worden." Im übrigen stehe fest,

Hoch Edelgebohrne Hoch Edelgestreng
und Hochgelährte
Zur Hochgräfflich Erbach Fürstenauischen hohen
Vormundschafftlichen Regierung Hochverordnete
Herren Cantzley director Hof- und Regierungs
Räthe
Hochgebietende Hochgeneigt, und Hochgeehrteste Herren!

Ewer HochEdelgebohrne und HochEdelgestreng ist
Hochgeneigtest bekandt, daß letzthin mich über die
schlechte Beförderung hiesiger Landmesserey mit beygebung
der ohnumgänglich nöthig habenden fröhner mich beschwehr-
et habe. Ob nun schon hierauf der befehl ergangen,
mir dießfalsigen alle Hülfsleistung zuthun, befindet
doch bey der solcher, schlechten ingress, indeme sie mit Hindan-
setzung alles respects deßelben ihren Geschäfften abwarten und kommen wann es ihnen gefällt, an statt
daß sie Morgens früh um 6 uhr erscheinen sollten,
kommen theils um 9 uhr theils auch gar nicht, und
heute schickt Nicolaus Hoffarts Wittib von 10 Jahren
einen Knaben und entschuldiget sich damit, daß weilen
sie eine Wittib und Niemand hätte, man solches Kind
wohl annehmen müste; Gleichwie aber zu solcher arbeit keine unverständige kinder zugebrauchen, auch

andere sich heraus begäbten, und endlichen Tauber Kinder schickten; Also habe diese Frauen Leüthen wiederum heim geschickt, welches mann verursachet, daß den halben Tag nicht habe hinaus gehen können, mithin meine Versäumniß gezahlet zu haben prætendire, Worzu dieselbe anzuhalten Ewer Hochedelgeb[ohren] nicht allein sondern auch an die gantze Gemeinde mit Würcklicher bestraffung ihres ungehorsams einen nochmahligen befehl ergehen zu lassen geruhen, daß ein jeder nach seiner Ordnung Morgens zu rechter Zeit beygehen müssen, und keine Kinder so nicht dienlich sind, schicken dörften, ansonsten da mann einem jeden seiner Willkühr lassen will und mir hier keine Assistenz geleistet wird, ich das Meß[?] Geschäfft würde zu legen genöthiget werde, annerwegen bey der hiesigen Meßung weilen alles klein verstückelt und nichts in seiner Ordnung sich findet, ohne hin nicht viel zu verdienen ist. Ich getröste mich also Hochgeneigter hülffe und verbleibe in solcher trostvollen Hoffnung mit Unterthänigem respect

Ewer Hochedelgebohrn und Hochedelstreng
Meiner hochzuverehrend[?] Hochgeneigt[en] und Hochzuehrenden Herren

Momart d. 26ten Sept.

1752

gantz gehorsambst ergebenster
Diener
Johann Wilhelm Grimm
Herrschl. Landfeldmesser

Brief Grimms vom 26 September 1752 an die Erbach-Fürstenauische Regierung mit einer Beschwerde über fehlende Hilfeleistung.

daß er zweimal soviel gemessen und in Riß gebracht habe wie ein anderer, kein Grund also, ihn derart zu blamieren. Zimmermann bezeichnete sich als armer verlassener Waise, der nicht wisse, wo er sein ständig Brot finden werde. Auch diesen Sommer habe er keine Abrechnung erhalten, weder Bargeld noch Kleidung. Daher sei er nicht in der Lage, die Michelstädter Arbeit häuslich zu bearbeiten, ja er müsse sich unter diesen Umständen nach anderer Arbeit umsehen.

Am 13.01.1753 wurde Grimm von der Regierung angewiesen, mit seinem jungen Mitarbeiter Zimmermann abzurechnen und hierüber zu berichten.

Am 20.01.1753 sah sich die Regierung veranlaßt, beim Amt Freienstein nochmals die ausstehenden Gebühren für den Feldmesser Grimm und die Taxatoren anzumahnen, die bei Arbeiten in Hetzbach angefallen waren (Güter von Seip, Ihrig, Helm). Der Gehilfe des Feldmessers sei vom Amt auf eine recht schnöde und selbst „für uns verächtliche Weise" abgewiesen worden, von den kostenpflichtigen Ihrig und Helm auf grobe und impertinente Art. „Wir hätten uns wohl nimmermehr vorgestellt, daß in einer von Gnädigsten Hoher Landesherrschaft selbst gerecht entschiedenen Sache es soweit getrieben werden würde, daß in offenbarer Verhalsstarrigung derer zanksüchtigen Ihrig und Helm und zu einem sehr üblen Beispiel anderer widersetzlich, davon sich der Eindruck bereits gezeigt, auf so öfterer erlassener Reskripte und Befehle, wieder die amtliche pflichtmäßige Incumbenz noch in dato Folge geleistet werden wolle".

Auf Anordnung der Regierung vom 02.06.1753 hatte Stadtschreiber Büchner dafür zu sorgen, daß die Besitzer auf den noch nicht vermessenen Grundstücken Pflöcke schlagen und mit Rötel ihre Namen darauf schreiben. Anschließend waren umgehend die Grenzsteine zu setzen. Büchner wurde weiter angewiesen, an den Feldmesser Grimm einen Abschlag von 50 Gulden zu zahlen. Falls nicht so viel Geld vorrätig war, müsse es aufgenommen werden. Am gleichen Tag erhielt Grimm die Weisung, alsbald die Stockheimer Hecke zu messen.

Der Stadtschultheiß von Michelstadt wurde am 02.06.1753 angewiesen, alsbald die Verzeichnisse der Grundstücke ungesäumt einzuschicken. Wer etwas verschweige, dessen Grundstück solle verfallen.

Die Regierung gab am 02.06.1753 Befehl an das Amt Fürstenau, die Einsendung der Verzeichnisse der Gemeinde Momart innerhalb vier Wochen zu bewirken. Andernfalls wurde Bestrafung in Höhe von 20 Gulden angedroht. Außerdem hatte der Amtmann für die Abmarkung der Michelstädter und Steinbacher Gemarkungsgrenze zu sorgen, damit der Feldmesser im Messen nicht gehindert werde. Am 17.08.1753 wurde die Gemeinde Momart ermahnt, innerhalb von acht Tagen ihre Güterspezifikation vorzulegen (Strafe zehn Taler).

Grimm wurde am 19.08.1753 ersucht, Rechnungen dem Stadtschreiber Büchner von Michelstadt vorzulegen. Dieser erhielt am gleichen Tag Weisung, Forderungen des Feldvermessers Grimm zu begleichen oder Dritte an die Erledigung ihrer Schuld zu erinnern. Zehrungen und sonstiges waren hiervon jedoch abzuziehen. Zentgraf Waltz erhielt am 19.08.1753 Anweisung der Regierung, für den verjüngten Riß von Etzean mindestens zehn Taler zu bezahlen.

Feldmesser Grimm berichtete am 25.08.1753 an die Regierung. Er führte aus, daß die Ausmessung der Michelstädter Gemarkung nächstens zu Ende gehen wird und bat daher, den Stadtschreiber Büchner anzuweisen, ihm 150 Gulden zu zahlen.

Grimm hatte viele Rechnungen zu bezahlen, und außerdem stand die Frankfurter Herbstmesse bevor. Der Feldmesser machte auch darauf aufmerksam, daß er 1752 und 1753 lauter Ortsgemarkungen zu messen hatte, wobei nichts zu verdienen war. Als Ausgleich wünschte sich der Feldmesser Anweisung zur Messung der Gemeinde Weitengesäß, wo es gut zu messen sein solle. Grimm beklagte den schlechten Akkord sowie die Regelung, daß ihm beim Abpflocken der Grenzen nichts vergütet wird. Er wolle daher künftig bei nichtstrittigen Grenzen keine Pflöcke mehr schlagen lassen, es sei denn, ihm würde Kostgeld gewährt.

Da die Gemeinde Momart die Auflagen immer noch nicht erfüllt hatte, wurde sie auf Befehl der Regierung vom 28.08.1753, wie angedroht, mit 10 Talern bestraft. Dieser Betrag war binnen acht Tagen zu entrichten, widrigenfalls eine zusätzliche Strafe von weiteren 10 Talern entstand.

Am 29.08.1753 erhielt der Feldmesser die Erlaubnis, nach Abschluß der Michelstädter Arbeiten in Weitengesäß zu messen. Grimm sollte rechtzeitig beim zuständigen Amt die Aufstellung des Güterverzeichnisses veranlassen. Gemäß seiner Instruktion wurde Grimm beauftragt, wie bisher Pflöcke schlagen zu lassen, „wobey Ihme die Unterthanen nach freyem willen die Kost reichen mögen".

Aus einer Zusammenstellung des Stadtschreibers Büchner vom 30.08.1753 geht hervor, daß 1753 bezahlt wurden:

a) an den Messer und seine Leute — 68 Gulden 32 Kreuzer
b) an Kettenzieher und Tagelöhner — 43 Gulden 45 Kreuzer

Am 08.09.1753 erhielt Stadtschreiber Johann Carl Büchner die Erlaubnis, 150 Gulden – mindestens aber 100 Gulden – Kapital aufzunehmen und davon die bisherigen Feldmessungskosten zu bestreiten. Die Eintreibung der Kosten sollte nach entsprechender Spezifikation des Feldmessers anschließend bei der Bürgerschaft und den Gutsbesitzern erfolgen.

Mit Schreiben vom 01.12.1753 führte Grimm lebhaft Klage bei der „Gnädigsten Herrschaft". Nach mehrjähriger Tätigkeit mußte er feststellen, daß er bei dieser Arbeit nichts profitiert habe. Die Gebühr von sechs Kreuzern auf die ganze Hube und vom Morgen Wald sei zwar fürs Messen ausreichend, doch käme noch hinzu die Fertigung sauberer Risse, die die meiste Zeit in Anspruch nimmt. Die häusliche Arbeit verrichte er in Reichenbach, wo er jährlich 16 Gulden Hauszins zahlen müsse. Bei Ausmessungen in der Oberzent sei ihm dieser Betrag ohne Disput bezahlt worden. Auch im Amt Schönberg, in der Pfalz und wo er sonst noch gemessen habe, habe er stets Logis und Holz frei gehabt und bezahlt erhalten. Nun verweigere die Gemeinde Momart solche Zahlung. Der Feldmesser beklagte sich auch über die geringe Unterstützung mit Holz. Jedes Dorf bezahle ihm nur einmalig vier Gulden; in Reichenbach müsse er jedoch schon für einen Klafter vier Gulden entrichten. Im Amt Schönberg habe er während seiner ganzen örtlichen und häuslichen Tätigkeit monatlich einen Klafter Holz in natura bekommen, in der Pfalz erhielt er jeden Monat drei Gulden. Nun müsse er jedes Jahr an Holz und Quartier etwa 30 Gulden zusetzen. Anderorts hätten die Landmesser außer ihrem Verdienst auch noch eine feste Bestallung. Dort könne man daher an Meßlohn weniger nehmen und dennoch als ein ehrlicher Mann gelten. „Hier habe ich aber nichts, und einen Schlechten Accord darneben." Grimm gab an, er habe bereits 100 Gulden zugesetzt und verlangte daher dringend einen gnädigsten Zusatz. Er fordere zwar nicht, was die Landmesser in der Herrschaft Breuberg bekommen, nämlich neun Kreuzer je

Morgen und je Hofreite 12 Kreuzer zusätzlich nebst freiem Logis, Holz, Licht und Bett. Gleichwohl sollte die Regierung verhüten, daß er bei einer solch mühsamen Arbeit gar nichts verdient. Grimm ersuchte daher um neuen Akkord von durchgängig sieben Kreuzern vom Morgen, Bezahlung der 16 Gulden jährlichen Hauszins in Reichenbach, drei Gulden monatlich für Holz und für Abpflockarbeiten täglich einen Gulden Diäten.

Am 08.12.1753 ging bei der Regierung ein Schreiben des Feldmessers ein. Er teilte mit, wegen des hohen Schnees müsse er die Arbeiten in Steinbach und Asselbrunn auf das kommende Frühjahr verschieben. Dafür könnte während dieses Winters die Michelstädter Arbeit ausgefertigt werden. Trotz Regierungsbefehl habe er statt 50 Reichstaler nur 40 Gulden empfangen; somit stünden noch 35 Gulden aus. Jetzt stehe er mit leerer Hand da, und solche Unbilligkeit könne ihm nicht zugemutet werden. Grimm versprach Abschluß der Michelstädter Arbeit bei Eingang des Restbetrages. Abschließend bat der Feldmesser um Anordnung an die Gemeinden Michelstadt und Weitengesäß, seine Habe nach Reichenbach zu transportieren.

Grimm berichtet am 18.02.1754 erneut an die „gnädigste Herrschaft". Er bemängelte, seit der Frankfurter Ostermesse 1752 habe er kein sauberes Regalpapier mehr zur Ausfertigung der „Tractus Charten" erhalten. So könne er auch nicht wie vorgesehen die Michelstädter Ausmessung bearbeiten. Im Amte Schönberg, im kurpfälzischen Oberamt Lindenfels und in der Grafschaft Ysenburg seien Papier, Schreibmaterialien und Farben von den Untertanen angeschafft worden. Deshalb empfahl Grimm eine Verordnung an die jeweiligen Gemeinden, diese Utensilien zu beschaffen und die Kosten nach Morgenzahl umzulegen. Grimm beklagte auch, daß in manchem Ort eine solche Unrichtigkeit herrsche, daß keiner weiß, wo seine Güter an- und abgehen, durch das Messen und Versteinen aber bis zu ewigen Tagen alles in Richtigkeit gesetzt werde. Er habe sich daher besonders mit dem Abpflocken große Mühe gegeben, was ein anderer Feldmesser bei gleichem Lohne sicherlich unterließe. Ohne den kürzlich erbetenen Zusatz sieht sich Grimm nicht mehr in der Lage abzupflocken.

Am 15.06.1754 befahl die Regierung dem Zentgrafen Waltz, an den Zentstraßen umgehend Steine zu setzen, da nach Angaben Grimms viele Pflöcke bereits abhanden gekommen seien.

An das Amt Freienstein erging am 09.07.1754 ein Schreiben der Regierung. Anlaß war eine Klage des Feldmessers, daß die Schöllenbacher ihren Pflichten nicht nachkämen. Sie hätten außerdem seinen Meßburschen Lang unlängst beinahe totgeschlagen. Der Amtmann wurde daher angewiesen, die Angelegenheit zu untersuchen und die Beschwerde abzustellen.

Amtmann Luck berichtete am 17.08.1754. Hiernach hatte Feldmesser Grimm inzwischen die Ausmessung Schöllenbach abgeschlossen und war im Begriff, die Kailbacher Güter zu messen. Anschließend sollte er im Herbst die Vogteiortschaften Kailbach, Galmbach und Hesselbach vermessen. Grimm wurde indes bei Beschaffung der Pflöcke von den Kailbachern behindert. Trotz Vermittlung des Amtmannes leisteten die Kailbacher Widerstand – vermutlich auf Anstiften des kurmainzischen Jägers zu Schloßau – Luck drohte darauf Bestrafung von 10 Gulden an, sofern die angefangene Messung weiter behindert werde. Dennoch habe Grimm am nächsten Tag nicht weiterarbeiten können. Als er beim Schultheiß und dessen Nachbarn Gut habe anfangen wollen, hätten ihn beide stehen lassen und seien vermutlich nach Amorbach gegangen. Offenbar wollten sie Grimm nicht annehmen, dafür aber die kurmainzische Nachbarschaft mit ins Spiel ziehen. Amtmann Luck bat hierzu um nähere Weisung.

Am 17.08.1754 schrieb Grimm an die Regierung. Er habe die Messung in Schöllenbach und Kailbach auf dieser Seite des Wasserflusses abgeschlossen; vom Amt Freienstein sei er nun auf jene Seite des Bachflusses nach Kailbach verwiesen worden. Das Abpflocken der Güter sei aber dort nicht möglich. Den Arbeiten hätten die Untertanen nur einen halben Tag beigewohnt und sich dann unter allerhand Ausreden entfernt (wegen Hafermähen, Grenzen seien noch disputierlich, Ausmessung unnötig). Alle Strafandrohungen hätten somit nichts gefruchtet. Grimm verlangte daher für dreieinhalben Tag Versäumnis eine Bezahlung von 10 Gulden 30 Kreuzern. Bis zur Klärung begehrte Grimm Auftrag zur Ausmessung des Dorfes Bullau.

Am 20.08.1754 bewilligte die Regierung die Fortsetzung der Ausmessung in Bullau, sofern in Kailbach jenseits der Itter die Schwierigkeiten fortbestehen. Der Amtmann sollte jedoch die Kailbacher von der Notwendigkeit der Messung überzeugen. Grund und Boden sei erbachisch, während Kurmainz weiter nichts als die Zent und Leibeigenschaft dort habe. Die Behinderung der Messung wurde erneut mit Strafe angedroht.

Die Regierung befaßte sich mit Schreiben vom 23.08.1754 an das Amt Freienstein erneut mit den Kailbacher Widersetzlichkeiten. Der Amtmann hatte die Kailbacher nochmals in Güte zu ermahnen und zugleich die Notwendigkeit und Nützlichkeit einer Feldmessung zu erklären. Wie andere hiesige Untertanen hätten sie diese Arbeiten zu fördern. Sie dienten einem nötigen und heilsamen Endzweck, nämlich der Bestimmung eines richtigen Schatzungskatasters. Vom zu fertigenden Lagerbuch erhielt jede Gemeinde eine Abschrift. Bei fortgesetzter Weigerung ist der Schultheiß mit Bestrafung bedroht.

Das Amt Michelstadt (Heinsius) bat am 02.09.1754, die Messung in Bullau vorläufig einzustellen. Die dortigen Untertanen zeigten sich zwar gutwillig, doch sei z.Zt. wegen der hohen und kalten Lage die Ernte noch nicht eingebracht. Es wäre daher besser, die Bullauer Messung auf das kommende Frühjahr zu verschieben. Dafür könnte der Feldmesser jetzt in Langen-Brombach beginnen, wo die Ernte bereits zu Hause ist. Im übrigen seien die Güter in Bullau noch ziemlich in Unrichtigkeit und der Ort auch bereits von Breuberger Seite vermessen.

Am 03.09.1754 erhielt Grimm Anweisung, die Messung in Bullau auf das kommende Frühjahr zurückzustellen, sich aber jetzt sogleich nach Langen-Brombach zu begeben und dort die Ausmessung noch diesen Herbst zustande zu bringen. Grimm sollte sich zunächst beim Amt Michelstadt zwecks notwendiger Vorbereitungen einfinden.

Am 11.11.1754 wandte sich Grimm an die „Hochgräflichen Gnaden"; er teilte mit, die Stockheimer Wälder und Fürstenauer Hofgüter seien diesen Sommer vermessen worden, und nun stehe die abschließende Bearbeitung in Reichenbach an. Dort fehle es ihm aber an den notwendigen Lebensmitteln, so daß er nun etwa drei Malter Korn und zwei Malter Spelzen nach dem jetzigen Preis erbitten müsse, als Abschlag auf seine Gebühr bei völliger Erledigung der Arbeiten. Bei einem Verlust von bisher 100 Gulden sei er nicht in der Lage, sich die nötigen Lebensmittel selbst anzuschaffen. Grimm bat flehentlich um Aufbesserung seines Akkordes und Angleichung an die Breuberger Sätze. Schließlich erinnerte Grimm an die noch ausstehende Versteinung des Hofgutes, die wegen früherer Mängel höchst notwendig und eilig erscheine.

Ebenfalls am 11.11.1754 berichtete Grimm der Regierung, die Gemeinde Schöllenbach sei ihm 100 Gulden schuldig, er habe aber über den jungen Herrn Amtmann Luck aus Beerfelden nach Abzug von Wirtskosten nur 38 Gulden erhalten. Sämtliche Zehrung für sich und die Seinen beim Wirt Brand in Schöllenbach und beim Hirschwirt zu Beerfelden seien abgezogen worden, obwohl doch der Schöllenbacher Wirt für Ausmessung seiner Güter 15 Gulden Meßgebühr zahlen muß. Grimm empfand es als ungerecht, daß er sämtliche Zehrungskosten auf einmal bezahlen müsse. Im übrigen sei er nicht imstande, von den erhaltenen 38 Gulden die Arbeit anzufertigen. Da offenbar Amtmann Luck die Freiheit habe, nach seinem Gefallen mit ihm umzugehen, sah sich der Feldmesser veranlaßt, künftig in dessen Amt nichts mehr zu arbeiten. Er brauche auch nicht den Herrn Amtmann als Vormund und habe die Meßgebühren nicht von ihm, sondern direkt von den Untertanen zu empfangen. Grimm bat daher die Regierung, Amtmann Luck entsprechend zu belehren und zu veranlassen, daß ihm ein Rest von 22 Gulden bezahlt wird. Abschließend ersuchte der Feldmesser um Aufbesserung des Akkords.

Aus einer beigefügten Aufstellung des Amtmannes Luck geht hervor, daß die Gemeinde Schöllenbach 100 Gulden Meßgebühren zu zahlen hatte. Hiervon werden einbehalten

a) Forderungen des Wirts Hans Adam Brand — rd. 48 Gulden
b) Forderung des Kurfürstlich Mainzischen Schultheißen (David Nicolai) — rd. 2 Gulden
c) Forderung des Wirts Johann Georg Rebscher (Beerfelden) — rd. 12 Gulden

Die Regierung gab auf die Grimm'sche Beschwerde hin am 12.11.1754 Weisung an das Amt Freienstein. Für den Feldmesser seien die halben Gebühren von 100 Gulden in Ansatz gebracht worden; somit sei es billig, ihm auch nur die halben Zehrungskosten abzuziehen. Amtmann Luck sollte den Schuldnern nahelegen, sich mit dieser Regelung bis zum kommenden Frühjahr zufriedenzugeben. Es wurde noch angemerkt, daß die beim Hirschwirt entstandenen Kosten vornehmlich auf Saufschulden des Zimmermann beruhen.

Amtmann Luck berichtete noch am gleichen Tag an die Regierung. Danach hatte er den Vorschlag der Regierung aus den Händen des Meßburschen Lang erhalten. Darauf habe er sofort die beiden Wirte zu sich bestellt, jedoch habe sich der Feldmesser nicht mehr sehen lassen, so daß Grimm keinen Grund gehabt hätte, die Regierung mit seiner anmaßenden Beschwerde zu überlaufen. Inzwischen hatte Luck die halbe Forderung des Wirtes Brand aus Schöllenbach an Grimm erstattet. Die übrigen Forderungen hätte er jedoch nicht halbieren können, da der mainzische Schultheiß ein Ausländer sei und der Hirschwirt wegen Eintreibung anderer Forderungen sich verweigere.

Am 06.03.1755 hatte Grimm Anlaß, sich über seinen Schwager Johann Jacob Zimmermann zu beschweren. Zimmermann und Assistent Johannes Lang waren zur Hinrichtung eines Straftäters nach Fürth gegangen. Bei dieser Gelegenheit habe sich sein Schwager so unmenschlich besoffen, daß ihn Lang nicht weiter als eine Stunde von Fürth nach Eulsbach habe bringen können. Dort habe er mit ihm die Nacht verbringen müssen. Am nächsten Tag sei Zimmermann im Bauernhaus beim Obstwein geblieben. Erst am Freitag früh sei sein Schwager zurückgekommen und habe sich den ganzen Tag ins Bett gelegt. Bei Einbruch der Dunkelheit sei er ins Dorf verschwunden und über Nacht ausgeblieben. Am Samstag habe er das Haus verlassen und einer Beisassenwitwe mitgeteilt,er gehe nach Fürstenau. Grimm nahm an, sein Schwager laufe einem Weibsbild nach, da er gerne heiraten möchte. Da er sich aber selbst nicht vorstehen könne, wolle Grimm ihm dies nicht gestatten. Wahr-

scheinlich wolle er jetzt in Fürstenau Heiratserlaubnis einholen. „Indessen versäumt er durch sein unnötiges Herumlaufen die Arbeit, maßen ihm das Michelstädter Fundbuch zu schreiben aufgetragen, welches, da es schon meistens geschrieben, folgends unter seiner Hand geschrieben werden muß". Grimm bat daher die Regierung, seinen Schwager zurechtzuweisen und ihn ungesäumt wieder nach Reichenbach zu schicken. Wahrscheinlich sei er im „Goldenen Lamm" oder in Mümling-Grumbach bei seinem Bruder, dem Schulmeister und Bäcker, zu finden.
Am 10.04.1755 erinnerte Grimm die Regierung an die Bezahlung von 40 Gulden für die abgeschlossenen Arbeiten der beiden Gemeinden Ober-Finkenbach und Etzean. Im übrigen führte er erneut Klage über den schlechten Verdienst, erbat Einsicht in seinen erlittenen Schaden und ersuchte um besseren Akkord.
Der Feldmesser verwies mit seinen Zeilen vom 26.05.1755 auf die ihm erteilte Instruktion (§ 7), wonach der Schultheiß jeden Orts Gütertabellen mit Unterschriften der Untertanen einzuliefern habe. Diese Vorschrift werde kaum beachtet; so fehlten noch die Tabellen von Steinbach, Steinbuch, Asselbrunn und Langen-Brombach. Auch sei Stadtschultheiß Spindler von Michelstadt noch mit vielerlei in Rückstand. Grimm bemängelte erneut den schlechten Akkord; er werde mit der „fatigablen Arbeit in den äußersten Ruin gesetzt". Im Amt Schönberg habe er für einen Kreuzer pro Grundstück die Tabellen ordentlich und einheitlich erstellt. Hier wollte man offenbar dem Untertanen diese Kosten ersparen, bzw. den Feldmesser nicht zu reich werden lassen. Grimm bedauerte, er habe lange Zeit kein Regalpapier für die Tractusbücher erhalten; dadurch habe sich die Arbeit vermehrt, und für die Verzögerung habe er sich bereits entschuldigt. Grimm beklagte die Anordnung, nichts weiter messen zu dürfen, bis die ausstehenden Arbeiten erledigt wären. Damit aber komme er an den Bettelstab.Für die anschließende Schatzung seien die Beschreibung der Güter und deren Morgenzahl ausreichend, die sich über alle Dorfschaften vorfinden. Die Risse hingegen könnten unter der Hand ausgefertigt werden.
Unter 29.08.1755 beschwerte sich Grimm über ausstehende Beträge; hier seien unzulässige Verrechnungen angestellt worden. Die Schultheißen Reipoldt von Airlenbach und Freydel von Etzean sollten zur Bezahlung verpflichtet werden. Grimm bat darum, ihm im Amt Beerfelden keine weiteren Aufträge mehr zu erteilen.
Am 20.08.1755 berichtete der Feldmesser, er habe nunmehr die Arbeiten für Airlenbach, Schöllenbach, Kailbach, Steinbuch, Langen-Brombach, Asselbrunn und Weitengesäß abgeschlossen und eingeliefert. Das Regalpapier sei dabei aufgegangen. Bei der bevorstehenden Frankfurter Messe müsse daher neues Papier nebst einigen Farben angeschafft werden. Zugleich bat er um Anweisung zur Ausmessung einer anderen Gemarkung.
Am 06.09.1755 erhielt Schultheiß Freydel von Etzean Befehl, mit dem Feldmesser Grimm direkt abzurechnen; am gleichen Tag wurde Schultheiß Reipoldt ähnlich angewiesen. Am 10.10.1755 setzte sich die Regierung dafür ein, daß Grimm von der Stadt Michelstadt Zehrung kostenlos erhalte. Er könne dort ohnehin nichts verdienen; zudem seien ihm für die Zeche seines Schwagers 30 Gulden abgezogen worden. Die Kost ohne Wein sollte ihm in einem Wirtshaus auf wenigstens acht Tage bewilligt werden.
Die Besitzer der sog. Weimars-Hube in Etzean erhielten am 04.11.1755 Befehl, die fälligen 10 Gulden Meßgebühren innerhalb acht Tagen an den Feldmesser zu bezahlen.

Am 10.11.1755 berichtete der Stadtschultheiß von Michelstadt an die Regierung. Er bezog sich auf die Ratssitzung vom gleichen Tag; hierbei wurde Grimms Abrechnung für die abgeschlossene Ausmessung überprüft und dabei folgendes festgestellt:

a) er lege für den Morgen 160 Ruten statt wie früher 180 Ruten zugrunde (gemäß Schatzungsrenovation von 1729); dadurch werde der Untertan durch die neue Schatzung zusätzlich beschwert statt erleichtert,
b) Wege und Flüsse seien bei der Stadt nachgewiesen, obwohl das meiste der Herrschaft und der Zent gehöre,
c) geltend gemachte Kosten für Abpflocken könnten nicht bewilligt werden, da zur Messung gehörig und im Akkord nicht enthalten,
d) Kosten für Hauszins (16 Gulden), Holz (7 Gulden 30 Kreuzer) seien ebenfalls unzulässig, jedoch 2 Gulden für Hauszins und 4 Gulden für Holz zahlbar.

Die Regierung wurde daher gebeten, Grimm zur Abänderung seiner Meßgebühren zu veranlassen.

Von Reichenbach schrieb Grimm am 26.01.1756 an die Regierung und beklagte sich darüber, daß Zentgraf Waltz und der Stadtschultheiß von Michelstadt trotz Absprache weder das nötige Regalpapier noch die Michelstädter und Steinbacher Karten nebst Meßinstrumenten nach Reichenbach gebracht hätten. Inzwischen habe er zwar die Karten nebst Beschreibung erhalten, aber kein Regalpapier und keinen Heller Geld. Grimm hatte vom Stadtschreiber Büchner erfahren, der Zentgraf wolle das Papier selbst in Frankfurt beschaffen, was aber offenbar nicht geschehen sei. Der Feldmesser vermutete absichtliche Verzögerung; die Folge sei, daß er die häusliche Arbeit im Frühling verrichten müsse, ähnlich wie im vergangenen Frühjahr und Sommer, wo doch dann die beste Zeit sei, durch Messung ein Stücklein Brot zu verdienen. Grimm sah sich daher genötigt, den Verlust anderwärts auszugleichen. Er bat um Bescheid, ob die Messung noch fortgesetzt werden solle. Zutreffendenfalls ersuchte Grimm unverzüglich um Beschaffung des Regalpapiers sowie um 50 Gulden, damit die Michelstädter Arbeit nunmehr ausgefertigt werden könne. Ohne Geld sei er hierzu jedoch nicht in der Lage. Da er im vorigen Jahr nichts verdient habe, sei er so aufgezehrt, daß er sonst den Bettelstab ergreifen müsse. Weder von Michelstadt noch von der gnädigsten Herrschaft habe er etwas bekommen. „Wovon soll ich nun meinen Hauszins zahlen und meine notdürftige Unterhaltung hernehmen?" Wenn man dem Feldmesser nicht behilflich sei, müsse er zunächst die Arbeit liegen lassen und sehen, daß er anderwärts erst etwas verdient habe.

Grimm teilte am 12.04.1756 der Regierung mit, er habe zwar im März das Papier erhalten, jedoch ohne Geld und Schreiben. Das Papier sei im Format zu klein und daher nicht zu gebrauchen. Auf der bevorstehenden Frankfurter Ostermesse müsse gemäß Modell größeres und dickeres Papier eingekauft werden. Diese Arbeiten hätten allerdings im Winter geschehen müssen. Nun sei es ihm nicht zuzumuten, wie im vergangenen auch diesen Sommer mit häuslichen Arbeiten zubringen zu müssen. Wenn er diesen Sommer keine neuen Messungen erhalte, sei er gezwungen, alle Arbeiten an Tractus-Rissen liegen zu lassen. Grimm bat um Anweisung für Bullau und danach um Fortsetzung im Amte Beerfelden, bis dort alle Gemarkungen vollends vermessen sind. Sollten jedoch gnädigste Herrschaften beschlossen haben, das nützlich angefangene Renovationswerk liegen zu lassen, so bat Grimm zwecks auswärtiger Beschäftigung um ein Attestat.

Am 14.09.1756 wandte sich die fürstenauische Regierung an die des Amtes Schönberg. Sie teilte mit, der Feldmesser Grimm habe seit Jahr und Tag die Michelstädter

Arbeit liegen gelassen, gleiches gelte für gemessene Ortschaften in den Ämtern Fürstenau und Freienstein. Trotz geringer Forderungen sei er nicht berechtigt, die häuslichen Arbeiten zurückzuhalten. Im übrigen sei alles nach Instruktion und Akkord geregelt worden. Die Schönberger Regierung wurde daher ersucht, alle Beschreibungen, Ausmessungsrisse nebst allen dazu gehörigen Urkunden und Materialien durch hierzu Beauftragte dem Feldmesser Grimm wegzunehmen.

Einem Vermerk des Amtes Schönberg vom 17.09.1756 ist zu entnehmen, daß Grimm dorthin bestellt und ihm der Inhalt des Schreibens vom 14.09.1756 in Gegenwart des Stadtschreibers Büchner von Michelstadt mitgeteilt wurde. Grimm rechtfertigte die Verzögerung damit, daß bislang sich noch manche Grenzen in Unrichtigkeit befinden und er immer noch nicht das verlangte Papier erhalten habe. Er versicherte jedoch Erledigung in zwei Monaten, sobald er das erforderliche Papier im bekannten Format erhalten habe. Die Regierung Schönberg teilte am 19.09.1756 der Regierung Fürstenau mit, sie sei nach Aussprache mit Grimm bereit, alles zu tun, um dem dortigen Ersuchen zu entsprechen.

Am 21.06.1757 stellte Grimm den Grundriß von Falken-Gesäß zu einem ganz billigen Preis von acht Gulden in Rechnung. Die Karten waren in einer von einem Spengler verfertigten Büchse unter einem Schlößchen verwahrt. Diese Karten wurden als besonders nützlich zum Beweis der Grenzen bezeichnet.

Vom gleichen Datum stammt eine Rechnung zu einem Bagatellpreis über 15 Gulden für Ausarbeitung der Ober-Finkenbacher Unterlagen. Diese hatten zuvor Bücher und verjüngte Risse zum Preis von 24 Gulden nicht angenommen, da es ihnen zu teuer war.

Am 25.06.1757 konnte Grimm der Regierung Fürstenau mitteilen, daß durch göttliche Hilfe und Beistand „nach vieler gehabter Sorge und Bekümmernisse" die Michelstädter Tractus-Risse und geschriebenen Bücher endlich einmal fertig geworden sind. Er verband damit die Bitte, ihm bei der Bezahlung der Meßgebühren behilflich zu sein. Risse für Steinbach, Momart und Hetzbach könnten erst gefertigt werden, sobald er das nötige Papier erhalten habe. In den Gemeinden Airlenbach, Langen-Brombach, Weitengesäß, Steinbuch, Falken-Gesäß und Ober-Finkenbach sei alles abgeschlossen und in blechernen Büchsen mit Schloß verwahrt. Grimm bat auch um Unterstützung bei der Bezahlung zum Ausgleich des Schadens, den er durch Aufhebung der Messung erlitten hatte, sonst könne er seinen Hauszins nicht entrichten. Man möge ihm aus seinen Nöten helfen, „damit er als ein ehrlicher Mann stehen bleiben könne".

Grimm informierte am 08.08.1757 die Regierung, daß nun auch die Steinbacher Arbeiten eingeliefert seien. Jedoch fehle für die Dörfer Momart und Hetzbach nach wie vor das Papier; auch befänden sich dort die Grenzen noch in größter Unrichtigkeit.

Grimm bat auch, ihm nach drei Jahren wieder Meßerlaubnis (Bullau) zu erteilen. Sollte er weder mit fernerer Arbeit, „noch mit gnädigster Entschließung begnadigt werden", so sehe er sich wider seinen Willen genötigt, bei auswärtiger Herrschaft Arbeit zu suchen. Hierzu erbitte er dann das schon längst begehrte Testimonium. Sonst müsse er sich nebst seinem armen Weib und Kindern eine noch größere Dürftigkeit zuziehen. Der Feldmesser beklagte auch den Unverstand von Gemeinden und Untertanen, die den ungemeinen Nutzen seiner Arbeiten nicht einsähen.

Vom gleichen Tag (08.08.1757) datiert ein weiteres Schreiben des Feldmessers an die Regierung. Hierin setzte sich Grimm ausführlich mit der Schlußabrechnung der

TRACTUS oder Geometrisches Güter Strich Riß Buch über Das in Hochgräflich Erbach Fürste-nauische amt Freienstein gehörige orth und Bemarckung Airlenbach, in welchem eines Jeden POSSESSORIS besitzende Güter-Striche mit denen daran stehenden Marcksteinen im Grund Riß gelegt zu ersehen sind, so in Anno 1751 gemeßen und in Grund Riß gebracht worden.

von

Johann Wilhelm Brim
Hochgräflich Erbach. Landt Feldmeßer und Schatzungs Schreibern
zu Reichenbach im amte Schönberg.

Titelblatt zum Kartenwerk Airlenbach.

EXPLICATION

über

Die in diesem Riss Buch sich befindende Karten und andere Signa was jedes derselben vor eine bedeutung habe

Hofstädt und Gärten	Ackerfeldt und alter Boden	Wiesen	Hecken und ödt Land	Wege, Fußpfad und Wasser-Flüsse	Bemerkung der Marck und Gräntz Steine	Dieses Signum bemercket wo eine Gräntz an die andere abgehet

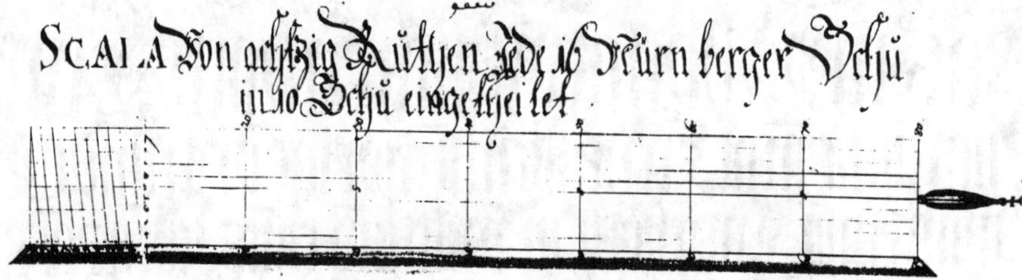

SCALA Von achtzig Ruthen jede 16 Nürnberger Schu in 10 Schu eingetheilet

NOTA

Zur Nachricht wird noch mit angefüget, dass die Ausmessung mit einer drey Ruthen Längigen Ketten, jede 16 Nürnberger Schu welche aber in zehen Decimal Schuhe eingetheilet horizontal geschehen und der Morgen durchgängig zu 160 Quatrat Ruthen ausgerechnet worden

Erläuterungen zu Kartensignaturen, Kartenmaßstab und Längenmeßgerät.

Abb. 1: Ausschnitt aus der Karte Falkengesäß, Flur 1, aus dem Jahre 1750, von Geometer Johann Wilhelm Grimm. Aufn.: K. Rößling

Abb. 2: Kartusche der Karte Falkengesäß, Flur 1. Aufn.: K. Rößling

ASSELBRUNNERGUITHER
TRACTUS SEC
No 12 A
No 1
No 2
No 85
No 84 A
No 86
No 83

Abb. 3: Schloß Fürstenau und Steinbach bei Michelstadt, Flur 1, von Johann Wilhelm Grimm aus dem Jahre 1754.
Aufn.: Foto-König/Erbach

Abb. 4: Kartusche der Karte Steinbach bei Michelstadt. Aufn.: Foto-König/Erbach

Stadt Michelstadt auseinander. Er beklagte vor allem unnötige Verzögerungen. Die Bürgerschaft habe sich nicht nach den Anordnungen gerichtet, und an manchem Tag sei überhaupt niemand erschienen, was der Sonnenwirt bezeugen könne. Mehrfach habe er den Schultheiß und den Stadtschreiber gebeten, die Widerspenstigkeit und Halsstarrigkeit der Bürgerschaft abzustellen. An den dadurch gehäuften Kosten trage er keine Schuld. Grimm verweigerte Belastung mit fünf Gulden, die der Hofprediger Crantz zu Michelstadt seinem früheren Assistenten Johannes Lang zu seiner Entweichung nach Hause vorgestreckt hat. Er sei Lang nichts mehr schuldig. Grimm zeigte sich auch befremdet darüber, daß einem Meister der Lohn, worüber er allein und kein anderer zu disponieren hat, genommen werden soll, um einem seiner Gesellen, der ohne vollendete Arbeit sich auf flüchtigen Fuß begibt, das Geld auszuzahlen. Es sollen diejenigen, die Lang das Geld vielleicht aus Barmherzigkeit geliehen haben, sehen, wie sie solches wieder bekommen.

Am 27.09.1757 ersuchte die Regierung das Amt Freienstein, die dortigen Gemeinden anzuhalten, an den Feldmesser Grimm die von ihm gefertigten Abschriften der Risse, Fund- und Lagerbücher zu bezahlen. Die Regierung betonte die Nützlichkeit und Notwendigkeit, solche Dokumente bei den Gemeinden aufzubewahren.

Im Oktober 1757 bat Grimm die Regierung, ihm bei Zahlung der Gebühren behilflich zu sein. Er hatte die Generalkarten und Bücher verfertigt und ausgeliefert. Da sie ihm selbst nichts nutzten, so wolle er von den dafür ausgesetzten billigen Preisen heruntergehen und weiter nichts als seine Auslagen bezahlt erhalten. Im einzelnen:

1.	Langen-Brombach	statt 12 Gulden	–	7 Gulden
2.	Weitengesäß	statt 15 Gulden	–	10 Gulden
3.	Ober-Finkenbach	statt 15 Gulden	–	10 Gulden
4.	Falken-Gesäß (nur für den Grundriß)	statt 15 Gulden	–	5 Gulden
5.	Airlenbach	statt 15 Gulden	–	10 Gulden

Am Beispiel der Gemarkungen Airlenbach und Falken-Gesäß werden Grimms kartographische Ergebnisse eindrucksvoll nachgewiesen. Die gebundenen Tractus-Blätter befinden sich im Beerfeldener Archiv, müßten jedoch unbedingt restauriert werden.

3. Schlußbetrachtung

Das Beispiel des Johann Wilhelm Grimm machte mit einem Fachmann bekannt, der Hervorragendes geleistet hat. Die Fülle seiner noch nicht abschließend erfaßten Arbeiten ist bewundernswert. Seine Flächenleistungen wurden auch nicht annähernd durch nachfolgende Verfahren erreicht, weder von den Urvermessungen um 1850, von späteren Feld- bzw. Flurbereinigungen, noch von den Katasterneuvermessungen um 1950.

Die farbige Ausarbeitung (Illuminierung) der Parzellenkarten und ihre besondere Ausschmückung durch Zierborden, Wappen und allegorische Figuren sind für den Betrachter immer wieder beeindruckend. Bleibt noch die Frage nach der Genauigkeit. Im Falle der Parzellenvermessung Airlenbach ist bei einer Überprüfung im Katasteramt Darmstadt festgestellt worden, daß die Ränder der angrenzenden Tractus-Blätter so gut übereinstimmen, daß – nach einheitlicher Verkleinerung – die 14 Einzelblätter ohne große Spannungen zusammengesetzt werden konnten. Der

Vergleich dieser so hergestellten Übersichtskarte mit einer Karte gleichen Maßstabs neuesten Standes bestätigte zusätzlich die Genauigkeit von Grimms Arbeit, brachte aber auch interessante Feststellungen bezüglich Identitäten und Veränderungen.

Der Maßstab der Parzellenkarten wird nicht ausdrücklich erwähnt. Aus den Erläuterungen (Explicationen) ergibt sich, daß in allen vorerwähnten Territorien der Nürnberger Schuh (Fuß) als Einheitsmaß mit 30,37 cm zugrunde gelegt wurde.

Während in Breuberg die 14füßige Nürnberger Rute (4,252 m) Verwendung fand, galt in Fürstenau, Lindenfels und Schönberg die 16füßige Nürnberger Rute (4,859 m).

Anhand der Skalen ergibt sich für Fürstenau, Lindenfels und Schönberg ein Maßstab von etwa 1 : 1540. Papierveränderungen und gewisse Ungenauigkeiten in Messungen und Kartierungen sind hierbei nicht berücksichtigt.

Da in den Skalen 10 Ruten = 160 Fuß etwa 1/10 Fuß entsprechen, wäre ein beabsichtigter Maßstab 1 : 1600 nicht auszuschließen (analog in Breuberg 1 : 1400).
Über das Meßverfahren kann aus den Akten wenig entnommen werden. In Gebrauch war eine Meßkette von 14,60 m Länge sowie Stäbe und Fähnchen. Nach der Breuberger Instruktion gehörte auch das Astrolabium zu den Meßinstrumenten, wohl auch die Bussole. Wahrscheinlich wurden zunächst große Dreiecke mit Seitenlängen von 500 – 600 m ausgemessen, dann die darin liegenden Objekte linear oder polar erfaßt und schließlich häuslich berechnet und kartiert. In den Tractus-Blättern nachgewiesene Punkte mit der Bezeichnung BWS könnten Bussolen-Winkel-Stationen bedeuten. Die strenge Trennung in örtliche und häusliche Arbeiten spricht gegen die Verwendung des Meßtisches.

Für die damaligen Geometer gab es noch keine staatlich eingerichtete Ausbildung. Interessant ist jedoch, daß ab 1750 im Darmstädter Pädagog die Feldmeßkunst in den Unterrichtsstoff der Gymnasiasten aufgenommen wurde. Im übrigen mußten sich die angehenden Geometer ihre Kenntnisse in der Praxis und durch Selbststudium aneignen. Auffallend ist, daß dieses Geschäft häufig von den Söhnen weiterbetrieben wurde. Fachliteratur war im 18. Jahrhundert reichlich vorhanden. Bei den jährlichen Frühjahrs- und Herbstmessen in Frankfurt wurden nicht nur einschlägige Bücher angeboten, sondern auch Zeichenpapier, Kartiermaterial und Meßgeräte.

Die bei den Parzellenvermessungen im Odenwald gefertigten Kataster bieten ein historisches Material an, das nicht hoch genug eingeschätzt werden kann; es birgt noch viele Forschungsmöglichkeiten in sich. Eine systematische Erfassung aller vorhandenen Dokumente berechtigt zur Hoffnung, dabei auch fehlende Kataster wieder aufzufinden.

Anmerkungen

1. Gräflich Erbachisches Archiv im Schloß Fürstenau in Michelstadt Steinbach, Tit. III (Finanzen), Vol. 152 Nr. 2.
2. Richtig wohl Hetzbach.

Richard Wagner

Geschichte und Bewirtschaftung des Niederwaldes im südlichen Odenwald

unter besonderer Berücksichtigung Hirschhorns

INHALTSVERZEICHNIS

GESCHICHTLICHER RÜCKBLICK

Die Niederwaldwirtschaft gehört der Vergangenheit an. Sie ist aber ein Stück bemerkenswerter Geschichte des Odenwaldes und seiner Bevölkerung, wobei Hirschhorn eine zentrale Stellung zukam. Zweck dieser Abhandlung ist es, Entstehung, Entwicklung, Bewirtschaftung und Bedeutung des Niederwaldbetriebes speziell für den südlichen Odenwald festzuhalten.

Geographisches

Das Gebiet des Odenwaldes umfaßt etwa eine Fläche von 1430 qkm mit einer Nord-Südausdehnung von ca. 60 km und einer Ost-Westausdehnung von 40 km. Er ist das nördlichste rechtsrheinische Teilstück des oberrheinischen Gebirgssystems. Die Westgrenze des Odenwaldes ist gegeben durch den nach Westen steil abfallenden Höhenzug der Bergstraße, im Norden ist als Grenze die Ebene zum Main hin anzusehen, im Osten eine Linie von Miltenberg zum Katzenbuckel, und im Süden bildet in etwa der Neckar die Grenze.

Geologie und Klima

Geologisch betrachtet tritt im Odenwald eine Zweiteilung in Erscheinung, die für die Behandlung vorliegenden Themas wichtig ist. Während in etwa einem Drittel der Gesamtfläche Granit das Hauptgestein bildet, weisen zwei Drittel des Gebiets Buntsandstein auf, danach auch als Granit- und Buntsandsteinodenwald bezeich-

net. Die Trennungslinie der beiden Teilgebiete verläuft von Heidelberg über Waldmichelbach, Kirch-Brombach nach Aschaffenburg.
Die so geologisch gekennzeichneten zwei Teilgebiete zeigen auch grundverschiedene Formen ihrer Oberflächengestaltung. Der Granitodenwald weist einen steten Wechsel der Gebirgsform auf, insofern als kegel-, kuppen-, glockenförmige Berge und gewölbte Rücken verschiedener Form und Höhe hier vertreten sind. Zwischen der Unzahl der Berge und Rücken dehnen sich zahllose Täler aus. Grundverschieden davon ist der Buntsandsteinodenwald, der langgestreckte, nordsüdlich ziehende Rücken, oben breit und fast ohne besondere Erhebung, dazwischen wenig verzweigte geradlinig verlaufende Täler mit steilen Hängen aufweist. Hier zeigt sich eine stärkere Bewaldung der Bodenfläche als im Granitgebiet, er ist überwiegend Waldland, während der Granitodenwald mehr landwirtschaftliche Flächen aufweist[1].
Hier spielen sicherlich die schlechten Bodenqualitäten des Buntsandsteinodenwaldes bei der Besiedelung eine große Rolle, denn die Besiedelung setzte erst relativ spät ein, während der kristalline Odenwald mit den besseren natürlichen Gegebenheiten schon in merowingischer Zeit besiedelt und gerodet wurde.
Hirschhorn und Umgebung gehören zum Gebiet des mittleren Buntsandsteins, und diese Gebiete besitzen die ärmsten Braunerdeböden des Odenwaldes. Östlich angrenzend (östlich des Ittertales) finden wir dann etwas bessere Böden des oberen Buntsandsteins. Aber auf dem mittleren Buntsandstein muß man noch einmal unterscheiden zwischen den tiefgründigeren und mit Lößlehm überlagerten (wurde vor Jahrmillionen aus der Rheinebene hier abgelagert) Plateau-, Nord- und Ostlagen und den schlechteren Böden auf den Steilhängen zum Neckar- und den Bachtälern mit Süd- und Westlagen[2]. Während auf den ersterenLagen schon immer gute und ertragreiche Laubwaldbestände stockten und noch stocken (vor allem Buche), finden wir auf den Süd- und Westlagen hauptsächlich Niederwald.
Die durchschnittlichen Jahresniederschläge liegen bei etwa 1000 mm und damit recht hoch. Auch die Luftfeuchtigkeit ist – bedingt durch die Fluß- und Bachtäler – sehr hoch. Ohne diese hohen Niederschläge und hohe Luftfeuchtigkeit wären die guten Wuchsleistungen der verschiedenen Hauptholzarten auf unseren Böden nicht möglich. Die Höhenlagen schwanken zwischen 120 – 500 m, das Klima ist sehr ausgeglichen, zwischen den Niederungen und den Hochlagen gibt es kaum Temperaturunterschiede. Die mittlere Januartemperatur bleibt im Neckartal bei über 0 °C, während die Hochlagen im Bereich der –1 °C Isotherme bleiben. Ein ähnliches Bild zeigt sich für die Verhältnisse im Juli. Während im Juli-Monatsmittel die Temperatur im Neckartal bei 16 °C liegen, betragen diejenigen in den Hochlagen 10 °C. Spätfröste im Frühjahr sind selten, was sich auf die Entwicklung der Laubhölzer günstig auswirkt.

Staatliche Zugehörigkeit und Waldbesitzverhältnisse

Seit der Zeit Karls des Großen läßt sich ein mannigfacher Wechsel in den politischen Besitzverhältnissen und damit auch in den Besitzverhältnissen am Walde feststellen. Eine große Rolle spielten hierbei Klöster, Stifte und Bistümer. So ist namentlich das Kloster Lorsch als Machthaber über ein sich zwar häufig veränderndes, aber großes Gebiet zu nennen. Dazwischen lag aber auch bunt gemischt Sondereigentum verschiedener Herrschaften, wie das der Grafen von Katzenelnbogen am Nord- und Westrand (aus denen später die Landgrafschaft Hessen-Darmstadt bzw. das Großherzogtum Hessen-Darmstadt hervorgingen), das Gebiet der Grafen Erbach, aber auch das Gebiet der Herren von Hirschhorn.

Im 13. Jahrhundert fiel das gesamte Gebiet von Lorsch an Kurmainz. Nach weiteren zahlreichen Besitzverschiebungen, bei denen namentlich die Schenken bzw. Grafen von Erbach, Kurpfalz und die Landgrafen von Hessen Gebiete gewannen, teilten sich bei Ausgang des Mittelalters Kurmainz, Kurpfalz, Worms, Erbach und die Landgrafschaft Hessen fast das gesamte Gebiet des Odenwaldes[3].

Über Hirschhorn und Umgebung herrschten über viereinhalb Jahrhunderte die Herren von Hirschhorn. Die erste urkundliche Erwähnung von ihnen finden wir 1270 mit Johannes von Hirschhorn, dessen Vater wahrscheinlich von den Harfenbergern in Heddesbach abstammend, wohl um 1200 mit dem Bau der Burg auf dem „Hirzhorn" begann, jener Bergzunge, die gern von den Hirschen aufgesucht wurde; und er nannte sich daraufhin Ritter von Hirschhorn (Hirzhorn). Diese Hirschhorner wurden ein sehr angesehenes Geschlecht mit großem Besitz an Wald, Land und Gütern. Auch haben sich die Hirschhorner sehr um eine pflegliche Behandlung ihrer Waldungen bemüht, so schlossen schon, weit bevor die ersten Forstordnungen erlassen wurden, Pfalzgraf Otto und Eberhard von Hirschhorn 1412 einen Vertrag, wonach für 10 Jahre kein Holz mehr bis zum Rhein verbracht werden durfte, um eine zu starke Nutzung ihrer Waldungen zu verhindern. Als Letzter seines Geschlechts starb am 22.9.1632 Friedrich von Hirschhorn. Jetzt wurde Hirschhorn kurmainzisch und blieb es bis 1803. Beim Reichsdeputationshauptschluß im Jahre 1803 kam Hirschhorn mit Unter-Hainbrunn und Igelsbach von Kurmainz zum Großherzogtum Hessen-Darmstadt, und hessisch ist es bis heute.

Zu den Waldbesitzverhältnissen im Hirschhorner Raum (Gemarkungen Hirschhorn, Neckarsteinach und Rothenberg) ist für die Zeit von 1803 bis heute folgendes zu sagen. Die Fläche an Staatswald umfaßt heute 2320 ha, Gemeindewald 1511 ha und Bauernwald 598 ha. An dieser Zusammensetzung hat in diesem Zeitraum nur eine wesentliche Veränderung stattgefunden, nämlich durch Tausch (1931 = 64 ha) bzw. Verkauf (1935 = 78 ha) gingen vom Hirschhorner Gemeindewald 142 ha in Staatsbesitz über. Es handelt sich hier um die Distrikte *Stöckberg*, *Sand*, *Wurzelwald*, *Michelberg*, *Thalskopf* und *Raulesdelle*. Heute umfaßt der Gemeindewald Hirschhorn eine Fläche von 447 ha. Die Hauptteile des Staatswaldes liegen in den Revieren *Schloßberg* und *Rotes Bild*.

Entwicklung des Waldes im Odenwald

Mit Beginn geschichtlicher Überlieferung in römischer Zeit war der Wald in Deutschland Urwald und setzte sich aus den heute noch vorhandenen Holzarten zusammen. Die ausgedehnten Waldungen waren für die Germanen von größter Bedeutung, sie bildeten den wirksamsten Schutz gegen das Vordringen der Römer, sie beherbergten das als Volksnahrung so wertvolle Wild und lieferten in der reichlichsten Weise das Material zur Befriedigung von Nutz- und Brennholz, von Waldweide, Zeidelwirtschaft, Streunutzung und Mastnutzung. Überhaupt war die Rodung des zu Beginn des Mittelalters noch im Übermaß vorhandenen Waldes eine wesentliche Voraussetzung für die Entwicklung der Landeskultur. Wer Land urbar machte, erwarb das Eigentum daran. Von dieser Möglichkeit der Ansiedlung auf eigenem Grund und Boden wurde fast das ganze Mittelalter hindurch Gebrauch gemacht. Der im Mittelalter übliche Zusammenschluß von Menschen war die Mark (Dorf), und die Markgenossen hatten ursprünglich unbeschränkte Jagd-, Fischerei-, Holzungs-, Weide- und Rodeberechtigungen in der Allmende. Aber alle diese für jeden freien Rechte brachten einen großen Waldverlust mit sich, und in den sich schon zur Karolingerzeit entwickelnden Bannforsten begann das freie Rodungsrecht Einschränkungen zu erfahren. Mit dem Ende des 8. Jahrhunderts wurden für die königlichen Forste schon die ersten Bannforste ausgewiesen, in diesen stand dann nicht mehr jedermann alles Recht zu, sondern nur noch dem König. In der Regel bezog sich das anfangs zunächst auf das Jagdrecht, später aber auch auf andere Rechte. Zu dieser Zeit wurde der Wald auch in Forste eingeteilt. In dem Maß also, wie sich der Wald verminderte und das Eigentumsrecht an ihm eine schärfere Ausprägung erfuhr, hörte auch das alte unbeschränkte Niederlassungs- und Roderecht auf.

Schon seit geschichtlicher Überlieferung war der Odenwald ein reines Laubwaldgebiet, wir müssen den sommergrünen Laubwald durchweg als potentielle natürliche Vegetation annehmen. Nadelwälder – vorwiegend aus Kiefer und Fichte – müssen ausschließlich als Produkt forstwirtschaftlicher Maßnahmen betrachtet werden. Pollenanalytische und waldgeschichtliche Untersuchungen haben erbracht, daß die Fichte im Odenwald völlig gefehlt hat und die Kiefer nur stellenweise von untergeordneter Bedeutung war. Die Fichte wurde im Odenwald künstlich eingebracht, für den hinteren Odenwald zuerst vor knapp 200 Jahren durch den Grafen Erbach-Fürstenau, der bei einem Jagdausflug in den Harz zum ersten Male die Fichte sah, von dort Saatgut beschaffte und die Fichte bei uns heimisch machte. Aber zurück zum Beginn des Mittelalters. Als vorherrschende Baumart des natürlichen Laubwaldes hat die Buche zu gelten, daneben noch die Traubeneiche und Hainbuche, und in den sumpfigen Niederungen und Bachtälern herrschten Erlen, Weiden und Hasel vor. Dieser damals vorherrschende Wald war dichter Urwald, und diesen begann der Mensch dann zu roden. Der Holzbestand wurde dabei nur zu einem kleinen Teil mit der Axt, vorwiegend jedoch in rascherer und müheloser Weise mit dem Feuer entfernt. Häufig wurde dann auf der gerodeten Fläche nur solange Ackerbau getrieben, als die verfügbaren Pflanzennährstoffe ihn mühelos und lohnend erscheinen ließen. War dies nicht mehr der Fall, blieb die Fläche brach liegen und bedeckte sich wieder mit Wald.

Alles was der Mensch zum Leben brauchte, lieferte also der Wald. Mit stärkerer Besiedelung und Nutzung veränderte sich auch der Wald, und ungehemmte Nutzung führte bald zu starker Verminderung und Verwüstung der Wälder, die freien Nutzungsrechte mußten eingeengt werden, die ersten Bannforste entstanden. Eine kurze Aufzählung aller Nutzungsrechte soll dies noch einmal verdeutlichen.

Das **Jagdrecht** stand ursprünlich jedem freien Markgenossen zu. Aber allzu starke Bejagung und gleichzeitige Waldverwüstung ließen Könige und Fürsten um ihre Jagdmöglichkeiten bangen, und sie stellten ihre Waldgebiete unter den Wildbann. Das Recht zur Jagd, oder auch nur auf bestimmte Wildarten wie Hirsch, Sau und Bär (Hohe Jagd), stand nur noch dem König oder Landesherren zu, und den Untertanen war es bei schwersten Strafen verboten zu jagen oder auch nur das Wild zu beunruhigen. Selbst die Verwüstung ihrer Felder mußten sie ertragen und zusätzlich noch Treiber- und sonstige Jagddienste für König oder Landesherren leisten. Dies wurde während des Mittelalters immer mehr verfeinert und blieb bis zum Beginn des 19. Jahrhunderts[4].

Die **Holzrechte** sicherten den Marken und den einzelnen Markgenossen Nutz- und Brennholz unbegrenzt zu, was wiederum zu schnellem Waldrückgang und zur Waldverwüstung beitrug. Es kam zu Verboten. Könige und Landesherren behielten sich gewisse Rechte vor, und Holz wurde zum Teil nur noch gegen Entgelt abgegeben. Vor allem diese Holzrechte führten dann im 16. Jahrhundert zum Erlassen von Forstordnungen, von denen noch die Rede sein wird.

Die **Waldweiderechte** waren von früher Zeit an ein notwendiges Hilfsmittel für die Viehernährung, hauptsächlich während des Sommers. Größere Waldkomplexe, auf denen keine Weiderechte lasteten, wird es wohl früher kaum gegeben haben. Die Forstwirtschaft mußte sich noch im18. Jahrhundert damit abfinden. Die schädlichsten Folgen der Waldweide lagen vor allem darin, daß durch sie die Einführung der schon im 16. Jahrhundert in den Forstordnungen vorgeschriebenen Schlagwirtschaft (Abtriebe) verhindert wurde und in vielen Gegenden die regellose Plenterwirtschaft bis ins 19. Jahrhundert beibehalten wurde. Erst als Mitte des 18. Jahrhunderts Kleeanbau und Kartoffelanbau aufkamen, wurde die Waldweide immer mehr entbehrlich und hatte Mitte des 19. Jahrhunderts fast keine Bedeutung mehr. Besonders waldfeindlich waren Ziegen und Schafe. Das führte schon im 12. Jahrhundert zu Verboten, diese Tiere im Wald weiden zu lassen. Als sich erste Ansätze zeigten, Wald wieder neu aufzuforsten, wurde in den ersten 8 Jahren keine Waldweide gestattet.

Auch die **Streurechte** hatten größere Bedeutung. Zur Einstreu im Viehstall benötigte man Laub und trockenes Gras aus dem Wald. Stroh war in größerem Umfang noch nicht vorhanden und wurde auch noch zum Flechten von Gebrauchsgegenständen und vor allem als Winterfutter für das Vieh benötigt. Die Streurechte sind zum überwiegenden Teil jüngeren Datums als Holzrechte und Weiderechte und hatten während des Mittelalters nicht so große Bedeutung. Die gleichen Ursachen, welche die Waldweide entbehrlich machten, bewirkten gleichzeitig eine Vermehrung des Streubedarfs. Mit der Einführung der Fruchtwechselwirtschaft und des Kartoffelanbaus in der 2. Hälfte des 18. Jahrhunderts wurde die Strohproduktion zurückgedrängt, andererseits aber der Viehbestand der Bauern wesentlich vergrößert. Durch die Gemeinheitsteilungen wurden zudem viele kleinbäuerlichen Existenzen neu geschaffen. Diese waren darauf angewiesen, den erzeugten Strohbedarf zu verfüttern, so daß die gesamte Einstreu aus demWald gedeckt werden mußte. Vom forstlichen Standpunkt aus muß daran festgehalten werden, daß eine intensive und oft wiederkehrende Streunutzung auf die Produktivität des Waldes schädlich wirkt, und zwar umso schädlicher, je unfruchtbarer der Boden an sich ist. Gerade in unserem Raum mit viel kleinbäuerlichem Besitz spielten die Streurechte eine große Rolle, vor allem im 18. und 19. Jahrhundert. Noch nach dem 2. Weltkrieg wurden diese (gegen geringe Bezahlung) von Kortelshüttern und Igelsbachern im Revier *Schloßberg* stark genutzt. Sehr begehrt hierbei war vor allem das Pfeifengras (hier auch Hirschgras genannt – obwohl es diesen nicht zur Äsung dient), das im Frühjahr mit dem Rechen geworben wurde und besonders als Einstreu im Schweinestall Verwendung fand, aber auch das Buchenlaub, welches auf Wegen und aus Gräben zusammengebracht wurde. In den Buchenbeständen durfte es in den letzten 100 Jahren schon nicht mehr genutzt werden. Diese Streunutzung wurde scharf überwacht, es durfte nicht weiter als eine Rechenlänge vom Weg in den Bestand hinein das Laub gerecht werden. In den Schälwäldern wuchs auf den Wegen und den Böschungen sehr viel Heidekraut und Heidelbeere. Beides wurde ebenfalls als Streu geschnitten und in jungem Zustand auch einmal verfüttert. Gleiches gilt auch für den Ginster; junger Ginster wurde gern als Futter für Ziegen geschnitten.

Mastrechte: Die Ernährung der Schweine durch Waldmast (Eicheln, Bucheckern, Wildobst, Pilze, Insekten usw.) wird schon in den alten Volksgesetzen erwähnt. In vielen Waldungen brachte die Mastnutzung mehr Einnahmen als die Holznutzung. In vielen Erzählungen und alten Abbildungen aus dem Mittelalter bis in das 19. Jahrhundert begegnet man immer wieder dieser Mastnutzung. Für den Wald brachte der Schweineeintrieb unter der Aufsicht eines ordentlichen Hirten mehr Nutzen als Schaden. Etwa ab 1750 wurden dann diese Mastrechte immer gegenstandsloser. Die Stallfütterung (Kartoffel) kam immer mehr in Mode, sie war auch rentabler, und zudem wurden die Tiere immer mehr veredelt und waren für den Eintrieb in den Wald nicht mehr so geeignet.

Zeidelrechte: Eine äußerst wichtige Nutzung war im Mittelalter die Bienenzucht und das Ausnehmen der wilden Bienen wegen des Honigs, der ja damals die Stelle des Zuckers vertrat, sowie wegen des für kirchliche Zwecke unentbehrlichen Wachses. In fast allen größeren Waldgebieten wurde eine besondere Waldbienenzucht (Zeidelweide) betrieben, und zwar von eigenen Zeidlern (Imkern), die häufig auf besonderen Gütern (Zeidelhuben) wohnten. Dies läßt sich besonders für den Nürnberger Reichswald und den Osten belegen. Im Odenwald trifft dies nicht zu, hier hielt fast jeder Bauer im Mittelalter seine Bienen zunächst in hohlen Bäumen, später auch an seinem Gehöft.

Alle diese zunächst ungeregelten Nutzungen führten zu einem starken Waldrückgang und starker Waldverwüstung. Auch veränderte der Wald sein Bild, indem die Buche mehr zurücktrat und die Eiche gefördert wurde, denn die Buche gab nur schlechtes Bauholz, war für Mast und Weide nicht so gut. Die Wälder wurden sehr licht und wiesen keinen großen Holzvorrat mehr auf. Dies führte zu Inbannlegungen, Einschränkung der Rechte und Erlassen von Forstordnungen. Das gilt auch speziell für den Odenwald.

Unter **Forstordnungen**[4] versteht man allgemeine Landesgesetze, welche die Bewirtschaftung und Benutzung aller in einem Land vorhandenen Waldungen, oft auch gleichzeitig der Jagd und Fischerei, in ihrem ganzen Umfang regelten. Sie gingen hervor aus den älteren Eigentumsordnungen der Landesherren und Weistümern. Das Leitmotiv fast aller, namentlich aber der älteren Forstordnungen, bildet die Furcht vor Holznot, da der Bedarf an Holz und Forstprodukten laufend stieg. Weiterhin wurde auf Verminderung der allerdings sehr erheblichen Holzverschwendung hingewirkt. Die überhaupt älteste noch vorhandene Forstordnung ist die „Gemeine Waldordnung für Tirol" vom 24.4.1502. Die für das Gebiet des Odenwaldes älteste Forstordnung ist die „Jagd und Forstordnung von 1532" Landgraf Philipps des Großmütigen , der von 1518 – 1567 regierte. Diese aber hatte auf das Gebiet von Hirschhorn keinen Einfluß, da Hirschhorn ja zu dieser Zeit noch den Hirschhorner Rittern gehörte und später bis 1803 kurmainzisch war. Hier kam die erste Forstordnung 1692 heraus, und sie wurde erneuert am 31.12.1729 durch Erzbischof Franz Ludwig, Pfalzgraf von Neuberg. Sie war fast identisch mit den Forstordnungen Hessen-Darmstadts. Auch in den kurmainzischen Odenwaldgebieten war starke Holznot entstanden, es erfolgten jetzt starke Verbote und Gebote.

Nur einige Beispiele für Gebote und Verbote, namentlich aus der hessischen Forstordnung von 1532:

Bauholz durfte nur nach vorheriger Genehmigung eingeschlagen werden, vorher wurden regelrechte Baubesichtigungen durchgeführt. Zur Bauholzeinsparung mußten Keller und evtl. das unterste Stockwerk aus Stein errichtet werden.

Der Handel und die Verzollung unterlagen starken Einschränkungen.

Um an Stangen für die Umfriedung der Anwesen zu sparen, wurden hierfür lebende Hecken angeordnet.

Zu Brennholz durfte nur geringwertiges Material verwandt werden, zunächst dürres Holz und solches aus Windwürfen.

Die Köhlerei war nur von Michaelis bis Georgi gestattet, und wurde dorthin verdrängt, wohin die Untertanen „zu ihrer Beholtzigung entweder gar nicht oder doch nur mit größter Beschwerlichkeit gelangen konnten".

Ganz besondere Aufmerksamkeit wurde der Schonung und Nachzucht der für Mast und Jagd gleich wertvollen Eiche zugewandt, der Handel mit Eichenholz war stark eingeschränkt.

So ziemlich alle Forstordnungen beschäftigten sich mit der Fällungszeit und dem Einfluß des Mondes auf diese und die Dauer des Holzes[5]. Bei abnehmendem Mond sollten jene Geschäfte verrichtet werden, welche eine Trennung oder Auflösung beabsichtigten, also auch die Fällung von Bauholz. Im zunehmenden Mond dagegen jene, welche auf ein Wachstum oder Gedeihen gerichtet waren; deshalb sollten die Hiebe im Niederwald, wo es auf ein Wiederausschlagen ankam, im Neumond geführt werden.

Nach dieser ersten hessischen Forstordnung war auch das Rindenschälen eine große Gefahr für die Wälder, das, im Übermaß betrieben, den Waldungen des althessischen Odenwaldes tatsächlich große Schäden zugefügt hatte. Diese Zustände geben Veranlassung, das Rindenschälen in allen landgräflichen Untertanenwaldungen, aus denen im Wege des Verkaufs das Holz ohne Schwierigkeiten abzusetzen war, zu verbieten. Erlaubt sollte es nur da sein, wo das „Holz überflüssig stehen thut" und für eine bessere Nutzung (Transport!) keine Möglichkeit bestand. Hierdurch ist auch zu erklären, daß in den althessischen Teilen des Odenwaldes kaum Niederwaldbewirtschaftung zu finden ist, sondern nur in anderen Teilen. Das Verbot des Eichenschälwaldes finden wir noch einmal sehr scharf formuliert in der Jagd- und Forstordnung von 1692 des Landgrafen Ernst Ludwigs. Nach den ersten landgräflichen Forstordnungen schon stand den Forstbediensteten neben dem Staatswald auch die Aufsicht über den Gemeinde- und Privatwald zu.

Der Wald erfuhr im Odenwald während des Mittelalters eine starke Veränderung, nicht so sehr flächenmäßig als in seiner Holzartenzusammensetzung und seinem Aufbau. Hatten wir noch zu Beginn des Mittelalters den dichten Urwald mit hohem Buchenanteil und großem Holzvorrat, so finden wir im hohen und späten Mittelalter den lichten Wald mit viel Gras- und Strauchwuchs ohne großen Holzvorrat; die Wälder waren stark ausgeplündert.

Mit dem Aussterben des Hirschhorner Rittergeschlechts setzte auch hier eine besonders starke Waldverwüstung ein, die Hirschhorner Ritter waren immer auf eine pflegliche Behandlung ihrer Wälder bedacht gewesen, und die Wälder waren noch laut Bericht von 1634 des Hauses Hirschhorns „bestes Cleinot". Hirschhorn kam nun an Kurmainz, welches dem Raitz von Frentz Hirschhorn als Pfandherrschaft überließ. Unter ihm wurden die Wälder stark ausgehauen, besonders der *Langenwald* „unbeschreiblich verwüstet", es waren nur noch ein paar Hundert haubare Stämme vorhanden, auf großen Waldteilen wuchs nur noch Ginster und Heide. Ein ganz besonders korrupter Jäger dieser Pfandherrschaft Frentz hatte dies mitverschuldet. Besserung trat erst wieder ab 1680 ein.

Immer mehr Wald wurde von nun an als Niederwald bewirtschaftet, den höchsten Niederwaldanteil haben wir dann in der ersten Hälfte des 19. Jahrhunderts. Ab 1880, als die Rindenpreise zu fallen begannen, wurde mit der Umwandlung in

Nadelwald begonnen, zunächst mit der Kiefer, ab 1900 dann verstärkt mit der Fichte und Strobe, und die letzten Niederwälder wurden ab 1965 mit der Douglasie umgewandelt. Auf diese Umwandlungen wird aber später noch genauer eingegangen.

Geschichtliche Entwicklung des Niederwaldbetriebes

Es gibt verschiedene Formen der Niederwaldbewirtschaftung, auf die im einzelnen noch in einem späteren Kapitel eingegangen wird. Typisch für den Odenwald ist die Hackwaldwirtschaft. Hier wurde nach einer gewissen Anzahl von Jahren (15 Jahren) der Niederwald geerntet, dann folgte für ein bis zwei Jahre eine landwirtschaftliche Nutzung mit Buchweizen bzw. Roggen, um dann wieder für 15 Jahre den Niederwald hochwachsen zu lassen.

Über die Entstehung und das Alter dieser Wirtschaftsform ist folgendes zu sagen: Wie überall in waldreichen Ländern traten auch in der hier in Betracht kommenden Gegend die Wälder den Interessen der ersten Ansiedler, die sich anschickten, Ackerbau und Viehzucht zu betreiben, feindlich entgegen[20]. Um sich und ihr Vieh auf der einmal in Besitz genommenen Fläche auf die Dauer zu ernähren, sahen sich die Ansiedler gezwungen, den vorhandenen natürlichen Waldbeständen Boden abzugewinnen für neu zu schaffende Felder, Wiesen und Gärten. Um nun die hierzu nötige Arbeit der Axt zu beschleunigen, zogen sie oft das Feuer zu Hilfe. Man stellte nun oft fest, daß die gerodeten Wälder sich für den Feldbau nicht auf Dauer eigneten, oder die gerodete Fläche sich von der Lage her nicht mehr eignete. Diese Flächen ließ man nun wieder brachliegen, und bald nahm der Wald wieder von ihnen Besitz. Die Beobachtung, daß sich aufgegebene Felder bald wieder in Wald verwandelten, sei es durch Anflug von Samen oder durch Ausschlag der belassenen Stöcke, führte schon frühzeitig mehrfach zu einem regelmäßigen Wechsel zwischen Feldbau und Waldbau im Hackwaldbetrieb, welcher nach verschiedenen Urkunden aus dem 12. und 13. Jahrhundert damals bereits im Odenwald, Siegerland und an der Mosel verbreitet war[6]. Diese Erfahrung und der Umstand, daß die landwirtschaftlich nutzbare Fläche im südlichen Odenwald zur Ernährung der Bevölkerung auf Dauer nicht ausreichte und man gezwungen war, jährlich einige Waldteile zu roden und mit Feldfrüchten anzubauen, führte wohl von selbst zu einer planmäßigen, zwischen Feld- und Waldbau abwechselnden Benutzung des Waldbodens, wie sie uns im Hackwaldbetrieb entgegentritt.

Da nun der Hackwaldbetrieb den Wald nicht für immer ausrottete, sondern ihn immer wieder entstehen ließ, ist die Annahme berechtigt, daß er von den Landesherren und sonstigen Waldbesitzern gefördert wurde, besonders da außerdem eine Abgabe – die Landacht –, die von der angebauten Fläche erhoben wurde, ihnen ein ziemlich gleichmäßiges Einkommen gewährte.

Über das Alter der Hackwaldwirtschaft lassen sich nur Vermutungen anstellen. Es gibt Autoren, die angeben, daß Hackwaldwirtschaft schon in der von Caesar und Tacitus geschilderten Zeit bestanden hat. Das dürfte meines Erachtens aber zu weit gehen, denn es ist kaum anzunehmen, daß sich schon damals bei der geringen Bevölkerungszahl und dem großen Waldreichtum – so wird z.B. noch aus dem 4. Jahrhundert n. Chr. berichtet, daß ein durch undurchdringliche Finsternis Schrekken erregender Wald unsere Gegend bedeckt habe – diese Form der Bodennutzung herausgebildet hatte. Andererseits können wir aber als sicher voraussetzen, daß sie schon lange vor der Zeit, aus der wir die erste Urkunde besitzen, bestanden hat. Die erste urkundliche Erwähnung des Hackwaldbetriebes im hinteren Odenwald gibt es aus dem Jahre 1364; hier ist festgelegt, daß die Erhebung des Röderzehnten (Röderwald ist eine Form des Niederwaldes, siehe auch nächstes Kapitel) in der *Hindernbach* bei Schönmattenwag nicht dem Pfalzgrafen, sondern dem Schenken von Erbach zustehe. Aus dieser Urkunde und einer Reihe anderer Urkunden geht hervor, daß im Ausgang des 13. Jahrhunderts der Hackwaldbetrieb des Odenwaldes schon in der noch zuletzt üblichen Form bestanden hat. Zu dieser Zeit diente der Hackwald in erster Linie dazu, durch landwirtschaftliche Nutzung zur Ernährung der Bevölkerung beizutragen und zur Deckung des Bedarfs an Brennholz und Kohlholz, wobei letzteres hauptsächlich als Holzkohle in der aufkommenden Industrie, wie Hammerwerken und Glashütten, benötigt wurde. Die Gewinnung von Rinde für Gerbzwecke war noch mehr eine Nebennutzung. Als in der ersten Hälfte des 18. Jahrhunderts die Lederindustrie immer größere Bedeutung erlangte, trat auch die Rindengewinnung immer mehr in den Vordergrund. Dieser ständig größer werdende Bedarf und die guten Rindenpreise bewirkten eine sich ständig vergrößernde Niederwaldfläche. Etwa um 1850 hatte die Niederwaldbewirtschaftung in unserem Gebiet ihr Optimum in Flächenausdehnung, Ertrag und Bedeutung. Selbst Hochwaldungen wurden in dieser Zeit in Eichenniederwald überführt, was nur zu verständlich ist, denn diese boten dem privatwirtschaftlichen Erwerbsstreben in der Forstwirtschaft die bessere Aussicht. Der Ertrag des Eichenniederwaldes stand bei normalem Bestand und gleicher Bodengüte nicht hinter dem des Buchenhochwaldes zurück. Er lieferte in sehr kurzer Zeit die höchsten Gelderträge und gewährte durch die Rindenernte und den Fruchtbau ein hohes Arbeitseinkommen. Viele Leute – ja die ganze Bevölkerung – fand zu dieser Zeit im Eichenniederwald Arbeit, es war für viele überhaupt die einzige Verdienstmöglichkeit. Vom Landesherrn und den verantwortlichen Forstleuten wurde die Eichenniederwaldbewirtschaftung immer wieder empfohlen.

Dank eines glücklichen Aktenfundes in den Beständen des alten Heppenheimer Kreisarchivs können wir uns recht genaue Vorstellungen machen von der Bedeutung dieser Waldnutzung. Aus den Waldungen der Mainzer Herrschaft wurden damals alljährlich für die Bewohner in Hirschhorn 75 Morgen, für die in Unter-Schönmattenwag 35 Morgen Hackwald bestimmt und verteilt. Sie dienten vor allem der Unterstützung der armen Bevölkerung, daher auch der Name Unterstützungshackwald. Daneben stand der Bevölkerung die Nutzung in den gemeindeeigenen Hackwaldungen zu, die aber nicht ausreichend war. Jede Familie, auch Witwen und Waisen, erhielten je nach ihrer Größe einen jährlichen Anteil von 1 1/2 bis 2 1/4 Morgen. Sie hatte das zugeteilte Niederwaldstück abzuhauen, die Fläche abzubrennen und zu räumen. Im ersten Jahr durfte sie darauf Heidekorn (Buchweizen), im zweiten Jahr Roggen säen. Vom dritten Jahr an wurden die Flächen vom Forstpersonal wieder gehegt, bis sie nach 15 Jahren wieder schlagreif waren. Für diese gewährte landwirtschaftliche Nutzung mußten an die Herrschaft je Morgen geliefert werden: sogleich ein Gulden und 20 Kreuzer an Geld; im ersten Jahr drei Simmer Heidekorn, im zweiten Jahr zwei Simmer Korn. Mithin erhielt die Herrschaft aus den jährlich zur Verfügung gestellten 110 Morgen Hackwald an Geld 146 Gulden und 40 Kreuzer, an Korn 27 Malter und 7 Simmer, an Heidekorn 41 Malter und 2 Simmer.

Rechnen wir die damaligen Preise für Heidekorn und Korn, so entspricht das, was die Herrschaft aus ihren 110 Morgen Hackwald in Geld und Frucht erhielt, 320 Gulden. Da jedes Jahr ein Waldstück von gleicher Größe freigegeben wurde, war diese Einnahme eine ständige Einrichtung. Das war Sitte und Brauch vermöge eines Weistums von 1518.

Da die der Bevölkerung vorgeschriebene Abgabe an Korn und Heidekorn je Morgen Hackwald dem „Zehnten" entsprach und wir die Fruchtpreise der damaligen Zeit kennen, sind wir auch in der Lage, die Summe oder den Geldwert zu errechnen, welcher der Bevölkerung in Hirschhorn und Unter-Schönmattenwag aus den 110 Morgen jährlich gegebener Hackwaldung zufloß, nämlich rund 1100 Gulden.

DER NIEDERWALDBETRIEB

Arten des Niederwaldbetriebes

Niederwaldbewirtschaftung fand sich in Deutschland in mehr oder weniger großer Bedeutung fast im gesamten Verbreitungsgebiet der Traubeneiche. Große Bedeutung kam ihr aber nur zu in der Haubergswirtschaft des Siegerlandes, der Hackwaldwirtschaft des südlichen Odenwaldes und der Reutbergwirtschaft des Schwarzwaldes. Bei allen 3 Formen haben wir eine Verbindung von Niederwald und Feldbau, Unterschiede finden wir hauptsächlich darin, ob dem Niederwald oder dem Feldbau mehr Bedeutung zugemessen wird.

Die Haubergswirtschaft des Siegerlandes legt keinen so großen Wert auf den Feldbau; die Hauberge befinden sich hauptsächlich in der Hand von Privateigentümern und Genossenschaften, eine ausgesprochene Pflege fand nicht statt, es wurde genau so viel Wert auf die Holzernte wie auf die Rindenernte gelegt[7]. Die Erträge an Holz und Rinde erreichten trotz besserer Böden nicht die Höhe wie im südlichen Odenwald. Das Überlandbrennen wurde sehr viel pfleglicher durchgeführt. Eine wesentlich größere Anzahl von Eichen und Birken wurden als Laßreitel belassen, um von diesen später einen größeren Ertrag an Stamm- und Brennholz zu bekommen.

Die Reutbergwirtschaft des Schwarzwaldes ist offenbar noch der aus grauer Vorzeit in die Gegenwart hineingetragene Gebrauch einer forstlich fahrlässigen, meist auf landwirtschaftliche Zwecke – besonders Viehweide – abzielende Wirtschaft. Sie besteht darin, die mehr oder minder licht bestandenen, selten sporadisch mit Eichen vermischten Raumholzschläge fünfzehnjährig abzutreiben; diese Flächen werden dann überlandgebrannt, und es folgt dann ein- bis zweimaliger Feldfruchtbau mit Gerste, Roggen, Hafer, Hirse und auch Kartoffeln. Nach der Fruchternte wurde dann der lichte Schlag als Viehweide benutzt, wobei dem Holzwuchs höchst selten eine Pflege zukam. Nur die Hasel wurde stellenweise gepflegt, weil ihr wegen der Verwendung zur Reiffabrikation Bedeutung zukam.

Die Hackwaldwirtschaft ist typisch für den südlichen Odenwald, und von ihr wird im folgenden nur noch die Rede sein. Sie wird in Verbindung mit der hier üblichen Niederwaldform – der Eichenschälwirtschaft – betrieben, wobei, wie es der Name schon andeutet, die Gewinnung der Eichenschälrinde, eines in der Gerberei verwendeten Rohmaterials, Hauptwirtschaftsziel ist, während der landwirtschaftliche Zwischenbau nur als Nebennutzung in Betracht kommt. Das Bestreben, möglichst viel Rinde bester Qualität auf kleinster Fläche zu gewinnen, gab der Hackwaldwirtschaft bei uns die Richtung an, das heißt, der Hackwaldbetrieb wird nicht um seiner selbst willen, sondern nur als Anhängsel zum Schälwaldbetrieb, betrieben.

Abb. 1: Stadt und Burg Hirschhorn. Aquarell von Eduard von Dungern, 1822.
Aufn.: Kurpfälzisches Museum Heidelberg

Abb. 2: Kolorierte Bleistiftzeichnung eines unbekannten Künstlers aus dem Jahre 1865 von Hirschhorn (Ausschnitt). Rindenhütten an der Stadtmauer, davor Lastkähne auf dem Neckar. Rechts das Fischertor mit der Fähre. Im oberen Bildteil Schälwälder des *Michelberges* und *Dammberges*.
Aufn.: Foto-Bremberger/Eberbach

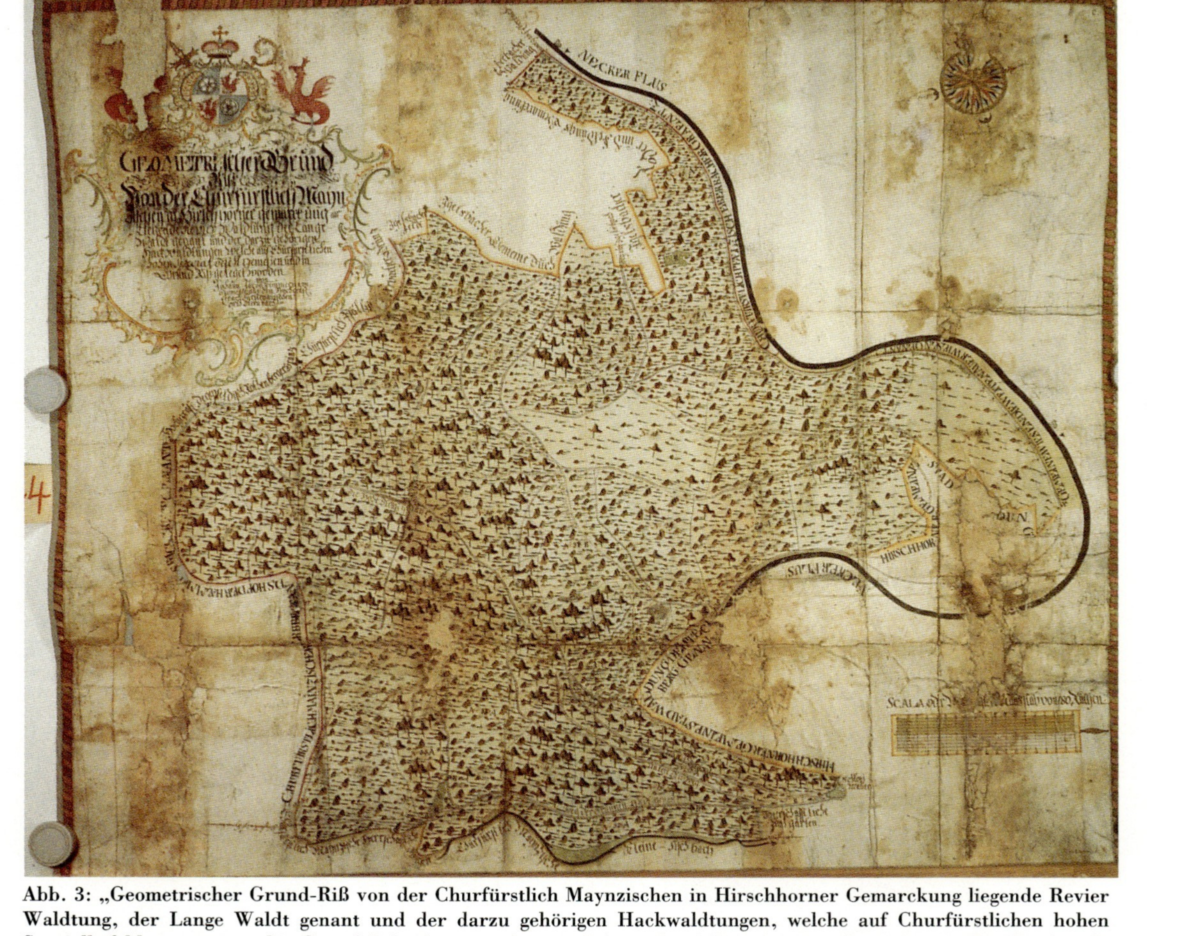

Abb. 3: „Geometrischer Grund-Riß von der Churfürstlich Maynzischen in Hirschhorner Gemarckung liegende Revier Waldtung, der Lange Waldt genant und der darzu gehörigen Hackwaldtungen, welche auf Churfürstlichen hohen Spezialbefehl gemeszen und in Grund-Riß geleget worden von Johann Jacob Zimmermann Geometer aus dem Hochgräfl. Erbach-Fürstenauischen Ortd Steinbach". Älteste bekannte Karte der Revierförsterei *Schloßberg* (bis 1934 als *Langer Wald* bezeichnet), auf der deutlich zu erkennen ist, daß es sich um ein reines Laubwaldrevier handelt. In der Mitte der Karte – Distrikte *Haselwald* und *Teufelshochstätt* – und am rechten Rand – Distrikt *Hölle* – befinden sich die damals schon vorhandenen Hackwaldungen, die den Bürgern Hirschhorns als sogenannter Unterstützungshackwald zur Verfügung

Abb. 4: „Geometrischer Grundt-Riß von der über der großen Herrschaftlichen Fischbach liegenden ChurfürstlichenHack- und annoch stehenden hohe Steinigte Waldtung, Hirschhorner Gemarckung, welche gemessen und in Grund-Riß gelegt worden anno 1768 von J. J. Zimmermann hochgräfl. Fürstenauischer Geometer". Diese ebenfalls während der Regierungszeit des Mainzer Erzbischofs Emmerich Josef Freiherr von Breidbach zu Bürresheim entstandene Karte zeigt den Bereich der Revierförsterei *Rotes Bild*, westlich zwischen Neckar und Ulfenbach gelegen. Auch hier gab es damals (1768) nur Laubwald; es ist kein Hackwald vorhanden. Aufn.: Staatsarchiv Würzburg

Abb. 5: Burg und Stadt Hirschhorn. Stahlstich von Cooke (um 1845). Deutlich zu erkennen sind die Rindenhütten an der Stadtmauer und die Schälwaldflächen des *Dammberges* und *Stöckbergs*.
Aufn.: R. Mathes

Abb. 6: Ältestes bekanntes Foto (um 1870). In der Bildmitte das Fischertor, davor die Fähre. Links und rechts an der Stadtmauer Rindenhütten. Aufn.: R. Mathes

Abb. 7: Die Rindenhütten an der Stadtmauer von Hirschhorn, zu verladendes Schälholz („Klappern") vor der ev. Kirche; Stammholzfloß auf dem Neckar. Links im Hintergrund ist der städtische Schälwaldschlag Nr. *VIII-Kastanienwald* deutlich zu sehen (um 1900). Aufn.: R. Mathes

Abb. 8: Der *steinerne Tisch* inmitten von 200jährigen Eichen und Buchen. Wurde als Rastplatz für kurmainzische Jagden angelegt.

Abb. 9: Alter „Laßreitel" am Haselwald-weg/Steinbrecherspfad im Revier *Schloßberg* im Jahre 1980.

Abb. 10: Loosstein im *Welschwald* im Revier *Schloßberg*.

Abb. 11: Loogstein in der Mitte von 2 Looglinien, umgeben von 3 Loossteinen im Revier *Schloßberg*, unmittelbar beim *Steinernen Tisch*.

Abb. 12: „Laßreitel" im *Welschwald* oberhalb des Haselwaldweges im Revier *Schloßberg* – Abt. 521 A im Jahre 1977.

Abb. 13: „Laßreitel" im *Welschwald* an der Großen Wildwiese im Revier *Schloßberg* – Abt. 535 A im Jahre 1972.

Abb. 14: Auch heute kann man den Verlauf der Looglinien noch deutlich am Verlauf von Altersklassen oder verschiedenen Holzarten (Aufforstung einer ganzen Jahresschlagfläche mit Nadelholz) erkennen. Hier deutlich zu sehen in den Forstorten *Langer Acker*, *Vogelhag* (Nadelholz) und *Haselwald* (unter dem Steinernen Tisch) im Revier *Schloßberg* (Aufnahme von 1976).

Abb. 15: Frühjahr 1976: Die letzte Schälwaldfläche im *Langen Acker* wird gefällt. Das anfallende Holz wird auf Längswälle gelagert, dazwischen wird gepflanzt.

Abb. 16: Reifschneider in Eberbach um 1900. Ein Mann fertigte im Jahr 3000 solcher Bündel wie abgebildet. Aufn. aus: Maurer: „Unser Odenwald"

Abb. 17: Das Raumholz wurde entfernt, die feinen Äste liegen noch auf dem Boden. Das Fällen der Eichen beginnt.

Abb. 18: 1931 im *Haselwald* im Revier *Schloßberg*. (Die Familie Konrad Dreher aus Kortelshütte).

Abb. 19: 1936 im *Welschwald* im Revier *Schloßberg* (Eingestellte Arbeitskräfte aus Kortelshütte).
Aufn.: E. Schwöbel

Abb. 20: Die Männer als Hauer, hier im *Stadtwald Hirschhorn* etwa um 1900. Es sind Hirschhorner, und zwar von links: Peter Kohler, Georg Körber, A. Josef Kohler (Sohn von Peter Kohler), Josef Kohler (Brunnenkohler)
Das rechte Beil ist das typische Eberbacher Beil.

l.: Abb. 21: „Klopfstöcke". Es handelt sich um Elise Ewald mit Töchtern aus Langenthal.

u.: Abb. 22: Historischer Markt Hirschhorn (14.–15.9.1991). Familienarbeit im Niederwald. Im Vordergrund mit Wieden gebundene Rinden im Bock.

Abb. 23: 1948 im Revier Neckarsteinach, letzte Schälwaldhiebe durch Darsberger Männer und Frauen. Deutlich zu sehen die in die Erde getriebenen Eichenpfosten, das Klopfen der Rinde mit Beil und Schälen mit „Schinder".

Abb. 24: Frisch geschälte Rinden in den Böcken.

Abb. 25: Kleines Klopfbeilchen Eberbacher Form und „Schinder" waren die Werkzeuge beim Schälen. Nach dem 1. Weltkrieg gab es vereinzelt auch Schinder aus Eisen (2. v. links).

u.l.: Abb. 26: 100 Jahre altes Trinkfäßchen von 8 Liter Inhalt. In solchen Fäßchen oder in der kleinen „Stülpe" wurde von zu Hause das Trinkwasser mit in die Schläge genommen. Oft wurden sie noch einmal an den bekannten Quellen im Walde gefüllt; das war Kinderarbeit.

Abb. 27: Rindenarten. Von links: Grobrinde, Raitelrinde, Glanzrinde.

Abb. 28: Wiede zum Binden der Rinden aus einem Eichenast hergestellt. Zunächst wird der Ast gedreht, um ihn biegsam zu machen. Dann aus dem oberen, dünneren Teil eine Schlinge gedreht, durch diese das stärkere Aststück durchgesteckt, zugezogen und unter der Wiede durchgesteckt.

Abb. 29: Herstellen von „Klopffackeln" aus schwachen und trockenen Schälprügeln. Etwa eine Hälfte des Prügels wurde mit einem starken Hammer so lange geklopft, bis sie aufgesplittert war – dadurch besseres und längeres Brennen.

Abb. 30: „Klopffackel", wie sie zum Überlandbrennen benötigt wurden. Um sie schneller zum Brennen zu bringen, konnte auch ein Kienspan eingesteckt werden.

Abb. 31: Die ganze Familie beim „Renneklopppe". Um 1900 bei Unter-Schönmattenwag.
Aufn. aus: Maurer: „Unser Odenwald"

Abb. 32: Mit dem Odenwälder Rückeschlitten wurden „Klappern" und Rinde an die Wege verbracht. Heinrich Mergenthaler und Eduard Bartmann aus Rothenberg im Revier *Rotes Bild* im Jahre 1948.

Das war noch nicht so im 18. Jahrhundert, hier war der landwirtschaftliche Ertrag noch für die Bevölkerung lebenswichtig, aber im 19. Jahrhundert trat dies in den Hintergrund; wirtschaftliche Gedanken spielten jetzt die Hauptrolle. Die stärkste Ausbreitung und Bedeutung erfuhr der Niederwald im 19. Jahrhundert. Durch Unrentabilität ab 1880 ging er dann immer mehr zurück und ist ja heute gänzlich verschwunden. Vorbildlich ist die Niederwaldbewirtschaftung vor allem im Staatswald der Oberförsterei Hirschhorn, weiter im Großprivatwald der Grafen Erbach-Fürstenau und teilweise Erbach-Erbach. Hier war, wie schon gesagt, oberstes Ziel höchste Erträge an Rinde. Es wurde streng darauf geachtet, daß die Niederwälder fast reine Eichenbestände waren. Geduldet wurde noch die Hasel, da ihr Laub stark bodenverbessernd wirkt und sie für die Reifschneiderei guten Absatz fand. Hainbuche und Birke als Raumholz waren nicht erwünscht und wurden immer wieder herausgehauen. Schlechter sah es dagegen in den kommunalen Niederwäldern aus und beim kleinbäuerlichen Besitz; hier fehlte es an der Pflege, und durch Viehweide und Streunutzung wurde der Boden von Umtrieb zu Umtrieb immer schlechter.

Eine besondere Form des Niederwaldbetriebes finden wir im Raum um Eberbach. In Eberbach waren die Reifschneider ansässig. Für die Reifschneiderei war hauptsächlich Hasel und Birke wichtig, evtl. noch die Hainbuche. Deshalb bestanden die Niederwälder hier hauptsächlich aus dem sogenannten Raumholz (das sind Hainbuche, Birke, Hasel) und weniger aus Eichen. Oft war es reiner Haselniederwald. Haselniederwald hatte auch keine 15jährige Umtriebszeit, sondern die Haselstecken wurden alle 5 – 6 Jahre gewonnen. Hasel und Birke lieferten hier die Stecken für die Reifschneiderei, d.h. aus ihnen wurden Reifen für Fässer (vor allem Heringsfässer, Zementfässer usw.) hergestellt, Eisenreifen waren noch nicht in Gebrauch. Für dieses Gewerbe war Eberbach im 19. Jahrhundert weit bekannt, die Faßreifen wurden mit Lastkähnen bis nach Belgien und Holland verkauft. Als Ende des vorigen Jahrhunderts die Eisenreifen immer mehr Verwendung fanden, starb auch dieses Gewerbe aus. Auch aus dem südlich des Neckars gelegenen badischen Odenwald wurde viel solches Steckenholz nach Eberbach geliefert, ebenfalls aus dem Hirschhorner Raum, vor allem aus kleinbäuerlichem Waldbesitz. Bedeutung hatte auch die Herstellung von Wieden, die zum Binden der verschiedenen Güter benötigt wurden. Sie wurden aus Ästen von Hainbuche, Birke und Hasel – weniger von Eiche und Rotbuche – hergestellt und durch Drehen strickartig verflochten. Das Binden der Rindenbündel geschah ebenfalls mittels selbst hergestellter Wieden; erst ab 1890 lieferten die Gerber an die Waldbesitzer Stricke aus zum Binden der Rinde. Beim Einsetzen des Holzes wurden solche Wieden eingelegt, um ein Auseinanderfallen der Holzstöße zu verhindern.

Auch Besenbinder brauchten Birkenreisig und Haselreife zum Herstellen ihrer Besen, und auch dieses Material lieferte der Niederwald. Ginster, im südlichen Odenwald Bremmen genannt, wurde ebenfalls gern zum Binden von Besen genommen.

Gezwieselte oder auch gespaltene Haselstecken wurden zur Herstellung von Rechen aussortiert, die Rechenzinken fertigte man aus Hainbuche, weniger aus Hasel.

Immer wieder taucht bei Forstorten der Name Röderwald auf. Auch in der Revierförsterei *Schloßberg* haben wir unterhalb von Kortelshütte das „Röderwäldchen", das heute im Besitz von 2 Bauern aus Unter-Hainbrunn, dem Baron von Warsberg-Dorth und zum überwiegenden Teil in Staatsbesitz ist (dieser Teil gehörte früher der evang. Kirche in Pfungstadt). Unter rödern versteht man ebenfalls das

Überlandbrennen von Wald und anschließendem Feldbau. Waldungen, die, als Hochwald bewirtschaftet, abgetrieben wurden, um anschließend einige Jahre im Feldbau bewirtschaftet zu werden und danach wieder als Hochwald geführt werden, bezeichnet man als Röderwaldungen. Röderwald ist also eine Verbindung von Hochwald – Überlandbrennen – Feldbau – Hochwald.

Die Niederwaldbewirtschaftung im Hirschhorner Raum war beispielhaft und richtungsweisend für das gesamte Deutsche Reich. In den nächsten Kapiteln wird nur noch diese klassische Hackwaldwirtschaft des Hirschhorner Raumes beschrieben, wie sie im 19. Jahrhundert üblich war.

Holzarten im Niederwald

Die beherrschende Holzart im Eichenniederwald ist, wie der Name schon sagt, die Eiche, und zwar die Traubeneiche (quercus petraea). Ihr Hauptverbreitungsgebiet sind die Mittelgebirge, speziell die klimatisch günstigen Mittelgebirge. Die Steineiche (quercus robur) ist der Baum der Ebenen, ein Hauptverbreitungsgebiet in Deutschland ist die Rhein-Main-Ebene. Die Eichen in den Niederwäldern des hinteren Odenwaldes sind allesamt Traubeneichen; Stieleichen sind hier nicht zu finden. Gegenüber der Traubeneiche weist die Stieleiche aber von Natur aus noch folgende Nachteile auf: Der Gerbstoffgehalt der Rinde liegt wesentlich unter dem der Traubeneiche; das Schälen ist viel schwieriger, da sich die Rinde nur schlecht vom Holz lösen läßt; das Ausschlagsvermögen der Stöcke ist geringer, und sie ist in ihrer Jugend langsamwüchsiger.

Gerade das starke Ausschlagsvermögen der Stöcke der Traubeneiche ist sehr wichtig für den Niederwaldbetrieb. Die Austriebe der Stöcke erfolgen umso häufiger, wenn das Bluten der frisch behauenen Stöcke durch Bedecken derselben mit Erde vermieden wird. Waren manche Eichen schon so stark, daß sie nicht mit einem Beilhieb umgelegt werden konnten, dann mußten sie mit der Säge dicht über dem Boden abgeschnitten, die Stöcke sodann mit Erde bedeckt werden, worauf der Austrieb so häufig erfolgte, daß durch solch jungen Schälwald kaum ein Hase durchdringen konnte. Da dem Zustand der Stöcke größte Bedeutung zukam, gab es hierüber immer wieder Streit unter den Forstleuten, ja sogar Gutachten wurden in Auftrag gegeben. Im Odenwald blieb es aber über 150 Jahre bei der beschriebenen Einschlagsmethode.

An zweiter Stelle der Holzarten muß die Hasel genannt werden. Zumindest in einem kleinen Umfang wurde sie geduldet. Sie wirkte nicht verdämmend gegenüber den Eichenlohden, ihr Laub ist stark bodenverbessernd; die Hasel nützt mehr als sie schadet. Im Eberbacher Raum, wo das Reifschneidergewerbe ansässig war, dominierte sie in den Niederwaldungen in der Regel, da sie für dieses Gewerbe die am meisten verwandte Holzart war.

Die Hainbuche findet sich imEichenniederwald als Raumholz von Natur aus. Ihr Laub ist ebenfalls bodenverbessernd, sie wurde aber nur als Brennholz oder für die Reifschneiderei genutzt. Im auf wirtschaftliche Ziele ausgerichteten Eichenniederwald hatte sie nichts zu suchen, und es wurde größerer Wert auf ihren Aushieb gelegt. In ungepflegtem Schälwald konnte sie mit der Zeit eine beherrschende Stellung einnehmen.

Als weitere Raumholzart ist noch die Birke zu nennen. Sie mußte rigoros entfernt werden, da sie in ihrer Jugend sehr raschwüchsig, den Eichenlohden durch Verdämmen sehr schaden konnte. Sie lieferte ebenfalls Brennholz und wurde für die Reifschneiderei verwandt; ihr Reisig war das Grundmaterial für die Besenbinderei. Vor allem durfte sie nicht so alt werden, daß sie fruchtifizierte, denn dann verseuchte sie mit ihrem Samenflug die nähere und weitere Umgebung.

Vereinzelt waren im Schälwald auch Rotbuche und Salweide anzutreffen, wobei die Rotbuche als guter Brennholzlieferant gerne übersehen wurde. Je reiner der Niederwald mit Eiche bestockt war, desto wirtschaftlicher war er. Aus diesem Grunde wurde gerade dem Aushieb des Raumholzes (Hasel, Birke, Hainbuche usw.) im großherzoglich hessischen Domanialwald größte Bedeutung zugemessen.

Nach dem Fruchtbau stellten sich eine ganze Anzahl von Süßgräsern ein, im 3. und 4. Jahr blühte der rote Fingerhut in großer Anzahl, und ein starker Bewuchs mit Pfriemen (Besenginster) stellte sich ein. Gerade der Samen von Fingerhut und Pfriemen kann mehr als 100 Jahre überliegen, d.h. er liegt ohne zu keimen im Boden, und erst nach dem Abtrieb, wenn Licht und Wärme auf den Boden gelangen, fängt er an zu keimen. Der Pfriemen hatte große Bedeutung, da er eine hervorragende Einstreu lieferte und auch als Ziegenfutter genutzt wurde.

Größe und Bedeutung des Niederwaldes

Wie schon beschrieben, hatte der Eichenniederwald im 19. Jahrhundert im Hirschhorner Raum in der Forstwirtschaft eine beherrschende Stellung inne, sowohl in wirtschaftlicher Hinsicht als auch bezüglich der Flächenausdehnung.

Im späten Mittelalter war dies noch nicht der Fall. Im Jahre 1694 wurden im Hirschhorner Stadtwald nur 13 Morgen an Hackwald genutzt. Unterstellen wir eine 15jährige Umtriebszeit, so könnte die Gesamthackwaldfläche damals 195 Morgen betragen haben (1824 dann 1594 Morgen). Für das Revier *Schloßberg* (damals im Besitz von Kurmainz), wurden in der Herrschaftsrechnung im Schnitt der Jahre 1684 – 1692 jeweils 20 Gulden für Hackwald vereinnahmt; nach Vergleichsrechnung waren dies etwa 25 Morgen im Jahr, daraus kann man eine Gesamthackwaldfläche von 375 Morgen annehmen. Danach nahm die Hackwaldfläche stetig zu und erlebte ihren größten Aufschwung, nachdem Hirschhorn 1803 hessisch geworden war.

Von dem 571 Hektar großen Gemeindewald wurden 1824 als Hackwald 398,66 Hektar bewirtschaftet (= 70 %). Diese 398,66 Hektar waren in 15 Jahresschläge eingeteilt. Als Hochwald wurden nur die Forstorte *Schneidmühlbuchwald, Nähewald, Dammberg, Michelberg, Thalssommerseite* und *Thalswinterseite* bewirtschaftet sowie teilweise *Raulesdelle*.

Zur gleichen Zeit wurden im Domanialwald der Gemarkung Hirschhorn von 80 eingeteilten Schlägen 63 als Hackwald und nur 17 Schläge (hauptsächlich oben auf dem *Langenwald*) als Hochwald bewirtschaftet. Die Bürgerschaft Hirschhorns erhielt hier „ex gratia" noch einmal 75 Morgen jährlich gegen geringe Abgabe (sogenannten Unterstützungshackwald). Als Hochwald wurden die Forstorte *Weißtanne, Langer Riemen, Platte, Vorderer-, Mittlerer-* und *Hinterer Bestallungsschlag, Hämmelsbach, Schwanne, Salzlackenschlag, Hessenreisig, Suhlschlag, Haferschlag, Teufelshochstätt, Wiederschall, Sommerwiederschall, Bildbuche* und *Welschwald* bewirtschaftet.

Nach 1850 fand eine Vergrößerung der Schälwaldfläche nicht mehr statt, in der Gemarkung Hirschhorn betrug die Schälwaldfläche 1448 Hektar. Die landwirtschaftliche Fläche hatte eine Größe von 232 Hektar, die jährlich um 98 ha Hackwaldbau (aus Gemeindewald und Domanialwald) vermehrt werden konnte.

Da die Arbeit im Schälwald sich auf wenige Monate konzentrierte, hatten die Forstbeamten in dieser Zeit ein ungeheuer großes Arbeitspensum zu leisten, und der Oberförsterei Hirschhorn wurde für die Rindensaison alljährlich ein zusätzlicher Beamter, der sogenannte „Rindenassessor" zugewiesen.

Erwähnt werden muß auch noch die Bedeutung des Niederwaldbetriebes als Arbeitsplatz und Verdienstmöglichkeit für die Bevölkerung von Hirschhorn und seiner Umgebung. Auf dem Gebiet der Oberförsterei Hirschhorn lebten im Jahre 1850 rund 4000 Menschen, davon 3400 in den Städten Hirschhorn und Neckarsteinach. Verdienst fanden diese Menschen in der Schiffahrt, in den Steinbrüchen und vor allem im Niederwaldbetrieb. Fabrikarbeiter gab es damals kaum[10].

Zur Bewältigung der Arbeit im Schälwald der Oberförsterei Hirschhorn wurde zu dieser Zeit ein Arbeitsaufwand von mindestens 25.000 Tagewerken benötigt, bei günstigem Witterungsverlauf (Fällen, Schälen, Rücken des Holzes, Transport der Rinde, Hacken usw.). Erschwerten jedoch besondere Verhältnisse, wie z.B. das Eintreten von Spätfrösten oder sehr warme und dabei sehr trockene Witterung das Ablösen der Rinde, das sogenannte Gehen der Rinden, dann wurde noch ein bedeutend größerer Arbeitsaufwand erforderlich.

Waldflächen im hessischen Odenwald im Jahr 1840

Domanialwald:	7129,5 ha	=	10 %
Standesherrliche Waldungen:	12611,3 ha	=	18 %
Gemeindewaldungen:	28719,5 ha	=	41 %
Kleinprivatwaldungen:	21429,5 ha	=	31 %
	69889,8 ha		

Nach den Bestandsverhältnissen gab es folgende Verteilung:

Buchenhochwald, teils mit Eichen	=	60 %
Nadelholz, größtenteils Kiefer	=	30 %
Eichenniederwald	=	10 %

Daraus ergibt sich eine Gesamtniederwaldfläche von ca. 7000 ha. Diese 10 % Niederwald findet man fast ausschließlich im hinteren südlichen Odenwald, und hier noch einmal konzentriert im Neckartal.

Waldflächen der Oberförsterei Hirschhorn im Jahre 1864[10]

Besitzer	Fläche	davon Hochwald	davon Niederwald
Domanialwald	1615,0 ha = 45 %	195,3 ha = 12 %	1419,7 ha = 88 %
Gemeindewald	1055,8 ha = 29 %	326,8 ha = 31 %*	729,0 ha = 69 %
Privatwald	959,7 ha = 26 %	147,5 ha = 15 %	812,2 ha = 85 %
Gesamtfläche	3630,5 ha	669,6 ha = 18 %	2960,9 ha = 82 %

* hier ist vor allem der höhere Hochwaldanteil im Gemeindewald Neckarsteinach zu berücksichtigen.

Die Gesamtflächenausdehnung der Oberförsterei Hirschhorn betrug 4547,8 ha.

Diese teilte sich auf in:	3630,5 ha Wald	= 80 %
	644,3 ha Garten- und Ackerland	= 14 %
	273,0 ha Wiesen	= 6 %.

Vor allem waren es also wirtschaftliche Gründe, die den Aufschwung der Niederwaldbewirtschaftung zu Beginn des 19. Jahrhunderts bewirkten. Auch in der forstlichen Literatur des beginnenden 19. Jahrhunderts findet der Hackwald viele Verteidiger und Befürworter, es möge hier genügen, Cottas Baumfeldwirtschaft und Jägers Hack- und Röderwald anzuführen. Aus diesem Eintreten von Forstleuten darf man schließen, daß die Bestrebungen der Forstverwaltungen, den Betrieb zu verbessern und die ihm anhaftenden Nachteile zu beseitigen, von Erfolg begleitet waren. Zur starken Ausbreitung trug dann weiter der durch das Aufblühen des Gerbereigewerbes bedingte erhöhte Bedarf an Lohrinde und das damit zusammenhängende Steigen der Rindenpreise bei. Nicht vergessen darf man die verkehrsmäßig günstige Lage. Konnte man doch über den Neckar die Rinden an die Gerbereien, z.B. nach Worms, transportieren.

Man erkannte natürlich auch bald, daß durch den landwirtschaftlichen Feldbau eine laufende Verschlechterung des Bodens stattfand. Man konnte diesen Feldbau aber nicht abschaffen, im Gegenteil, er erfuhr aus verschiedenen Gründen noch eine stärkere Bedeutung. Die Gründe hierfür lagen zum Teil in der geringen Flächengröße vorkommenden Ackerlandes, im Ansteigen der Bevölkerung und des damit größeren Nahrungsmittelbedarfs. Aber auch in dem durch die Kriege erhöhten Kornbedarf, in den schlechten Erntejahren von 1817, 1837, 1847 und 1854, im Auftreten der Kartoffelkrankheit in den Jahren von 1844 – 1852, sind Hauptgründe für das Beibehalten des Hackwaldbetriebes zu sehen. Der hintere Odenwald war immer ein Waldland und wird es wegen seines Bodens und Klimas auch bleiben. Die engen Täler boten nur wenig Raum für Ackerland, das sich in schmalen Streifen an den Berghängen zwischen Wiesen, welche die Talsohle einnahmen, und dem Wald hinzieht. Wegen der steilen Lage des Geländes war eine Bearbeitung des Bodens mit dem Pflug oft ausgeschlossen, diese geschah dann weniger vollkommen durch Handarbeit mit der Hacke. Die natürliche Fruchtbarkeit des Buntsandsteinodenwaldes ist sehr gering, die Ernten fallen also nur mäßig aus. Dazu kam noch das Fehlen einer guten Infrastruktur, so daß zusätzliche Nahrungsmittel nur schwer und dann sehr teuer herangeschafft werden konnten. Es überwogen die kleinbäuerlichen Besitzer, die außer Grund und Boden nichts ihr eigen nennen konnten; diesem mußten sie daher ihren ganzen Lebensunterhalt abgewinnen, da bei dem gänzlichen Fehlen der Industrie anderer Verdienst nicht möglich war. Zu der Kleinheit des Betriebes des einzelnen Besitzers kam noch eine weitgehende Parzellierung als Folge der sich immer wiederholenden Naturalteilung beim Erbfall. Mit diesem Erbrecht hing auch die relativ starke Bevölkerung in den Dörfern zusammen, da der ausgeprägte Hang zur Seßhaftigkeit des Odenwälders auf eigener Scholle noch unterstützt wurde. Dadurch war es die Hackwaldwirtschaft, zu welcher der Bauer seine Zuflucht nahm, um den Ertrag seiner Wirtschaft zu steigern. Durch das Schälen der Rinde bekam er bares Geld auf die Hand, die Fruchternte lieferte ihm das Brot für sich und die Seinen und Stroh für das Vieh. Die Hackwaldwirtschaft brachte dem Waldbesitzer den höchsten Gewinn und ernährte die Bevölkerung; sie war zu dieser Zeit eine berechtigte Wirtschaftsform.

Die Arbeit im Schälwalde drängte sich auf einen kurzen Zeitraum zusammen, im Mai, und hier mußte dann die ganze Familie heran. Großeltern und Kinder arbeiteten mit, es wurde vom Tagesgrauen bis in die Nacht gearbeitet, dazu kamen noch die langen Anmarsch- und Heimwege. Rothenberger steigerten oft in der Försterei *Rotes Bild*, hatten also an einfacher Wegstrecke 3 Stunden und mehr zurückzulegen. Für die Kinder gab es extra Ferien für diese Arbeit, die sogenannten „Renneferie"; die Kortelshütter Schulchronik weist diese Rindenferien noch nach dem 1. Weltkrieg bis Anfang der dreißiger Jahre nach.
Aber auch zu den damals im Revier *Schloßberg* vorhandenen Hochwaldungen ist noch einiges anzuführen. Die schönsten Buchen-, Eichen- und Weißtannenhochwaldungen des gesamten hinteren Odenwaldes stockten hier. Im Jahre 1840 werden die damals 120jährigen sehr schaftigen Eichenbestände in *Teufelshochstätt* und der *Platte* beschrieben; es handelt sich um Reste des einstigen Eichenhochwaldes. Erst in den letzten 20 Jahren wurde der größte Teil dieser jetzt ca. 260 Jahre alten Eichen geerntet, es sind sehr langschaftige Eichen bester Furnierqualität. Fachleute behaupten, daß es die besten Eichen Hessens sind. Ebenfalls schon damals von Jäger beschrieben werden die 220 ha Buchenhochwald am *Langenwald* (es handelt sich um die Forstorte *Wiederschall, Haferschlag, Bestallungsschläge, Suhlschlag, Hessenreisig)*. Von Fläche und Wuchs her war der Weißtannenbestand unmittelbar hinter dem Schloß einmalig für den ganzen Odenwald. Dieser Forstort hat auch heute noch den Namen *Die Weißtannen*, und auch heute stocken hier noch herrliche Weißtannen. Dieser Bestand an Weißtannen wurde Ende des 17. Jahrhunderts künstlich begründet. Als Grund muß angenommen werden, daß man die Weißtannen für das Flößen der „Holländereichen" als Beiholz benötigte, da Eichenstämme alleine nicht schwimmen, sondern im Wasser versinken.

Einteilung des Niederwaldes in Schläge und Loose

Zur Bewirtschaftung des Niederwaldes war es nötig, diesen flächenmäßig genau zu erfassen. In einem Art Betriebswerk wurde genau festgelegt, welche Schläge in jedem Jahr bei dem zu erwartenden Anfall in Rinde und Holz zur Nutzung heranstanden. Diese genaue Erfassung und Einteilung wurde zu Beginn des 19. Jahrhunderts durchgeführt, überwiegend von dem damaligen Leiter der Oberförsterei Hirschhorn, dem großherzoglichen Revierförster Becht. Für den Stadtwald Hirschhorn liegt diese genaue Einteilung ab dem Jahre 1824 vor.
Grundlage war eine 15jährige Umtriebszeit. Alle Niederwaldungen des Stadtwaldes Hirschhorn und die staatlichen Niederwaldungen wurden in 15 Jahresschläge eingeteilt. Diese Schläge sollten in etwa von gleicher Größe sein und lehnten sich mit ihren Namen an die bereits bekannten Forstorte an. Jedes Jahr wurde ein solcher Schlag in 15jähriger Wiederkehr genutzt.
Diese Schläge wurden in Loose eingeteilt mit jeweils einer Größe von 2500 m^2 (Morgengröße). Natürlich ließ sich das nicht bis zum letzten Loos einhalten, das letzte Loos konnte dann etwas größer bzw. kleiner sein. Diese Einteilung und Vermessung kann man als kleines Meisterwerk bezeichnen. Es war hierfür ein hoher Arbeitsaufwand notwendig, und es kostete eine Menge Geld. Die Kosten trug der Waldbesitzer. Nur für die „gemeinen Hackwaldungen", in denen jeder Hofstätte in Hirschhorn alljährlich ein bestimmter Anteil zugewiesen wurde, mußten die Bürger die Meß- und Teilungskosten erstatten.
Bei dieser Einteilung in Loose wurden zunächst sogenannte „Looglinien" festgelegt, die in der Regel parallel zum Hang oder entlang vorhandener Wege und in einem

Abstand von 150 m verliefen. Dies konnte, bedingt durch die Ausformung des Geländes, aber auch anders sein. Diese Looglinien wurden mit numerierten „Loogsteinen" abgesteint, die in der Regel in einem Abstand von 50 – 80 m voneinander entfernt standen. Auf dem Kopf dieser Steine zeigt eine eingemeißelte Rille den genauen Verlauf der Looglinie auf. Man findet solche Loogsteine auch mit geknickter Rille (hier änderte sich der Verlauf der Looglinie) oder gekreuzter Rille (genauer Schnittpunkt zweier Looglinien). Diese Looglinien sind auf den älteren Forstkarten noch alle vorhanden, und sie können uns heute noch eine große Hilfe, z.B. beim Neubau von Wegen in den steilen Neckarhängen, sein, da man sich mit der Trassenführung an ihrem Verlauf orientieren kann. Eine weitere Kennzeichnung der Looglinien bestand darin, daß man auf diesen Linien „Laßreitel" stehen ließ. Laßreitel sind Eichen, die nicht beim Abtrieb mitgenutzt werden, sondern immer wieder stehen bleiben zur Gewinnung von Eicheln. Sie entwickeln gute Kronen, da sie sich ohne Druck entwickeln können und fruchtifizieren sehr stark. Da sie alleinstehend immer dem Wind ausgesetzt waren, war ihr Holz als besonders zähes Holz sehr geschätzt. Sie wurden auch gern von holländischen Holzkäufern für den Schiffsbau angekauft und gingen dann in Flößen als „Holländerbäume" den Rhein nach Holland hinunter. In der Mitte der Loose wären sie eher hinderlich gewesen, gerade beim Überlandbrennen hätten sie dann oft Schaden gelitten. Solche Laßreitel zeigten schon von weitem den Verlauf der Looglinien an.

Auf den Looglinien saßen dann die einzelnen „Loossteine", und zwar auf allen 4 Ecken der Loose. Auf ihnen war die Nummer des Looses eingemeißelt. Während die Loogsteine i.d.R. rechteckig waren, sind alle Loossteine quadratisch. Sie können auf dem Schnittpunkt von 4 Loosen sitzen, dann weisen sie auf jeder Seite eine andere Nummer auf, sie können aber nur mit einer Nummer als einzelner Loosstein vorhanden sein. Diese Loog- und Loossteine sind auch heute noch zahlreich vorhanden, leider gehen heute viele beim Rücken des Holzes mit großen Schleppern sowie beim Wegeneubau verloren.

Übersicht
der vollzogenen Einteilung der Hirschhorner städtischen
Hackwaldungen ab 1839

Name des Hackschlages	Nummer des Hackschlages	Jahr des Abtriebs	Alter beim Abtrieb	Flächengröße/ha	Anzahl der Loose
Das innere Hagebuchenthal	I	1839	15	27,6725	108
Der Stöckberg	II	1840	15	23,9300	96
Das Thal und Der Sand	III	1841	17/15	30,7931	123
Wackerswald	IV	1842	15	25,2750	100
Vorderer Stadtwald	V	1843	12	25,0000	99
Mittlerer Stadtwald	VI	1844	15	24,9278	96
Hinterer Stadtwald	VII	1845	17	25,7425	99
Wolfsgrund	VIII	1846	16	24,9062	97
Eisenschmiede	IX	1847	15	27,3756	107
Vorderer Gaikler	X	1848	15	25,1487	98
Hinterer Gaikler	XI	1849	15	25,0969	99
Das Schlössel	XII	1850	14	29,0725	100
Kastanienwald	XIII	1851	14	30,5669	120
Wittweiberswald	XIV	1852	17	26,2287	103
Das äußere Hagebuchenthal	XV	1853	15	26,9306	105
				398,6670	1550

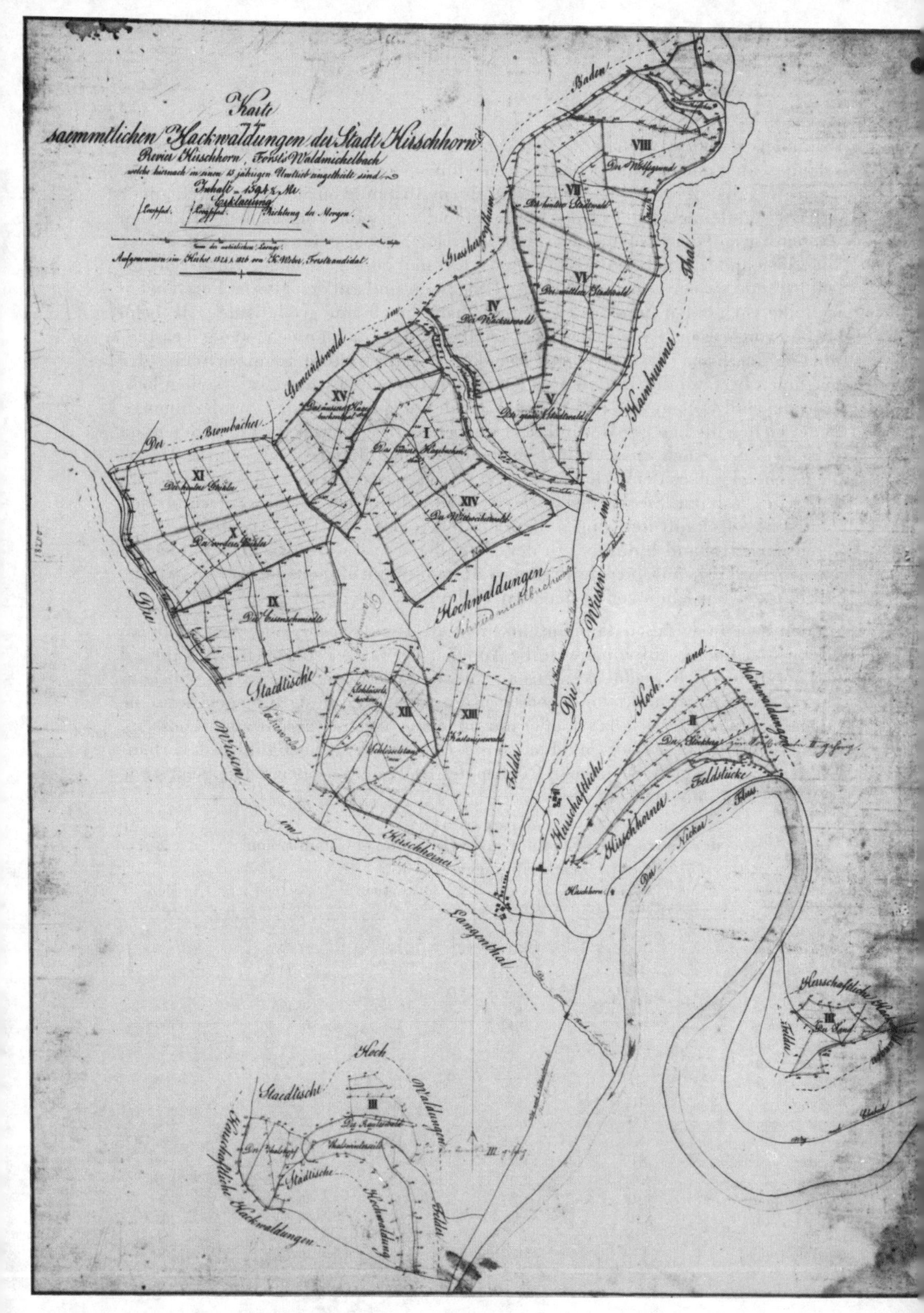

Karte von 1824 mit sämtlichen 15 Hackwaldschlägen des Hirschhorner Stadtwaldes. Deutlich zu sehen sind die Looglinien u
die eingezeichneten Loose. Die weißen Zwischenflächen bezeichnen die städtischen Hochwaldflächen.

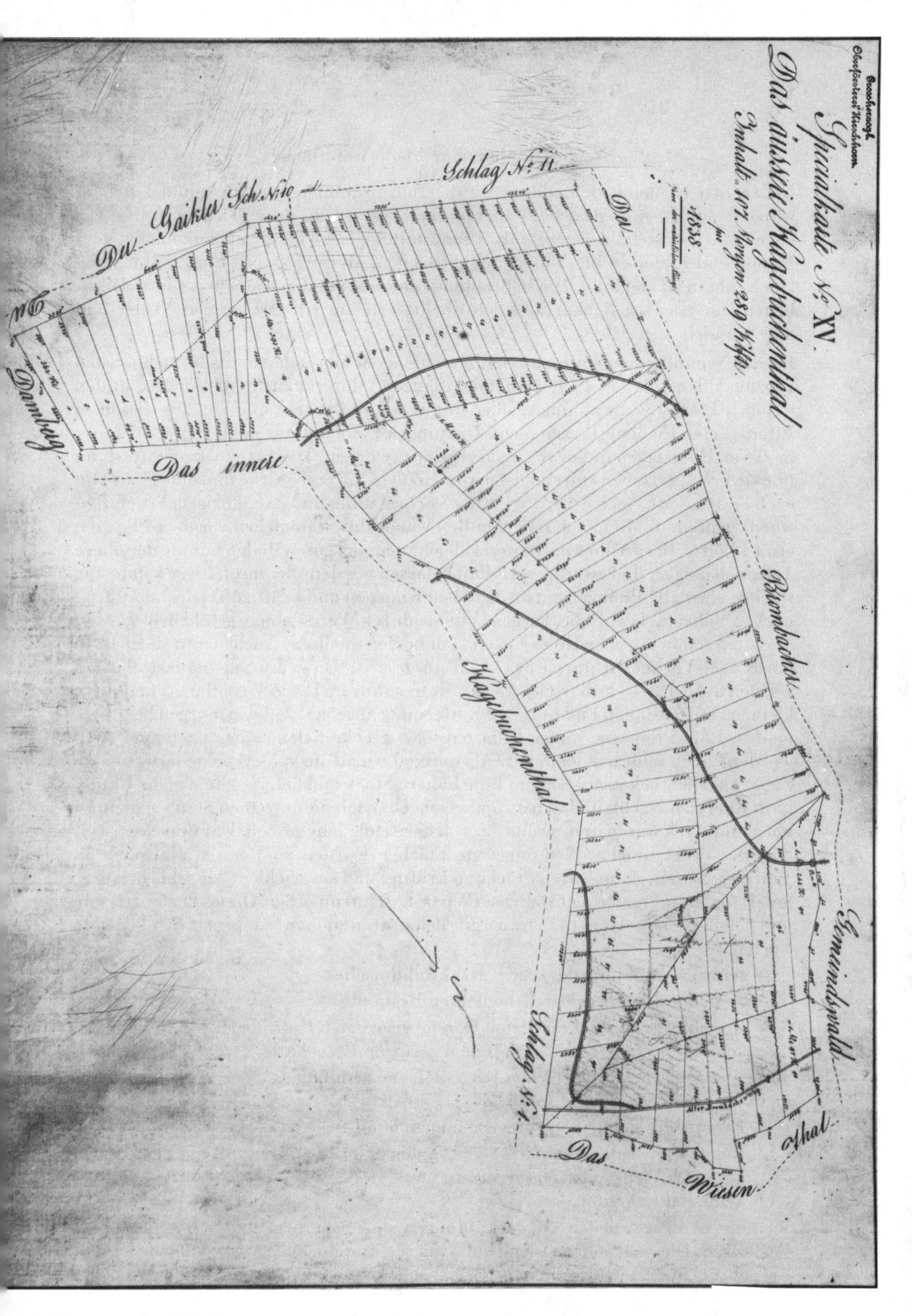

Spezialkarte von der Schlagfläche Nr. XV des Hirschhorner Stadtwaldes aus etwa derselben Zeit. Sehr gut zu erkennen sind die einzelnen Looglinien und Looslinien.

Neubegründung der Niederwaldflächen

Neben den Eichenniederwaldungen, die sich in Jahrhunderten gebildet haben, wurden mit Beginn des 19. Jahrhunderts verstärkt neue Niederwaldflächen angelegt. Dies geschah sowohl durch Umwandlung schlechter, oft nur mit Birken, Haseln und Pfriemen bestandener Waldflächen, als auch durch Umwandlung von Hochwald in Niederwald. Die schlechten Standorte auf den südlichen und südwestlichen Hängen zum Neckar und den Bachtälern wurden fast ganz in Niederwald umgewandelt.

Bei der Neuanlage bediente man sich verschiedener Methoden, am gebräuchlichsten war die Pflanzung mit Eichenstummelpflanzen. Man sammelte die Eicheln in den wenigen Eichenhochwaldungen oder unter den Laßreiteln und zog aus diesen in Pflanzgärten Eichenpflanzen nach. Die jungen Eichenpflanzen blieben 5 – 6 Jahre in diesen Pflanzgärten, bevor sie ausgepflanzt wurden. Das Stämmchen hatte dann über der Wurzel einen Durchmesser von 1 Zoll (= 2,5 cm) Stärke und eine Höhe von ca. 6 Fuß (1,5 m). Nach dem Abtrieb des Vorbestandes und zweijährigem Fruchtbau wurde gepflanzt. Mit einem scharfen Beil wurde das Stämmchen vor dem Pflanzen etwa 4 Zoll (= 10 cm) über der Wurzel abgehauen, bei guten Böden konnte der obere Teil auch länger, und zwar bis zu 3 Fuß belassen werden. Bei sorgfältiger Pflanzung wuchsen fast alle Pflanzen gut an, schoben Knospen und kräftige Triebe und waren nach 3 Jahren, bevor die Pfrieme ihnen durch Verdämmen gefährlich werden konnten, schon zu einer Höhe von ca. 1 m hochgewachsen. Auch waren sie nicht so lange dem Verbeißen durch das Wild ausgesetzt. Diese Eichenstummelpflanzen wurden auf 2 1/2 – 3 Fuß (= 60 – 75 cm) Entfernung im Dreieck gepflanzt, und diese kleinen Dreiecke auf 6 Fuß (= 1,5 m) Entfernung angelegt. Auf den Morgen benötigte man so 1283 Pflanzen. Einige Pflanzen bzw. Stöcke fielen später noch aus, auch wurden einige schwache entfernt. Als optimal wurde im späteren Niederwald eine Zahl von 800 Stöcken angesehen. Eine höhere Stockzahl lieferte kaum mehr Rinde, hatte aber den Nachteil, daß bei 15jährigem Umtrieb die einzelnen Stangen nicht so hoch und stark waren und gerade das stärkere Holz sehr gesucht war und einen weit höheren Preis erzielte. Neu angelegte Flächen wurden zum ersten Mal nach 30 Jahren gehauen; dann waren Stöcke so kräftig, daß sie reichlich Ausschläge lieferten. Danach ging man zum 15jährigen Wirtschaftsturnus über. Dieses Verfahren war unter dem Namen Dreipflanzung[16] bekannt, und man versprach sich folgende Vorteile:

a) schnellere Bildung des sogen. Hackwaldbusches
b) Erziehung besserer Rinde im lichten Bestand
c) Erziehung von stärkerem zum Handel geeigneten Holz über 1 1/2 Zoll Stärke, zumal schwächeres Holz nur einen geringen Preis hatte.

Sollten so neu angelegte Flächen gut gedeihen, bedurfte es einer gewissen Pflege, hierzu zählten:

a) Eventuelles Schneiden von verdämmendem Pfriemen
b) Keine Viehweide, zumindest nicht in den ersten 8 Jahren, bis die Eichen dem Maul des Viehs entwachsen waren
c) keine Laubnutzung.

Weitaus weniger wurden Niederwaldungen aus Saat begründet, hier gab es 3 Verfahren. Die Saat sollte speziell auf ärmeren Standorten gewisse Vorteile haben. Am gebräuchlichsten war die reine Eichensaat[16]. Nach dem Brennen und der Ernte des Heidekorns wurden mit dem Aussäen des Korns im Herbst auch gleichzeitig die Eicheln ausgesät und beides leicht untergehackt. Eichensaat in diesem gebauten und gut gelockerten Land zeigte die besten Erfolge. An Eicheln wurden pro Morgen 4 Malter (1 Malter enthielt ca. 28.000 Eicheln) ausgesät, so daß auf einen Quadratfuß (25 x 25 cm) im Schnitt 2 Eicheln entfielen. Auf ungebautem Land gelangen die Saaten nur selten und stockten oft jahrelang auf gleicher Höhe. Nicht möglich waren Saaten auf Böden, die auf Grund jahrelanger Laubnutzung stark ausgemagert waren[21].

Wollte man sparen, so begnügte man sich damit, die einzelnen Eicheln mittels eines Setzholzes, mit denen man ein kleines Loch in den Boden bohrte, einzustufen. Auf ungebautem Land gab es sowieso nur diese Möglichkeit. In einem Abstand von je einem Fuß wurden die Eicheln so gesät. Bei dieser Methode benötigte man nur 1 Malter Eicheln je Morgen. Wenn man bedenkt, daß sich der Arbeitslohn hier auf 2 Gulden/Morgen belief, das Malter Eicheln aber 3 Gulden kostete, sieht man, daß das Einstecken der Eicheln eine nicht unbedeutende Ersparnis war. Hinzu kommt noch, daß oft größere Mengen Eicheln gar nicht zur Verfügung standen, da es auch damals nur vielleicht alle 5 Jahre eine gute Mast (Vorkommen von Eicheln) gab, andererseits man so schnell wie möglich in diesen Jahren die Schälwaldfläche vergrößern wollte.

Als letztes sei noch das gleichzeitige Aussäen der Eicheln und von Kiefernsamen angeführt, es wurde hauptsächlich von privaten Waldbesitzern angewandt. Die Kiefern wurden dann, wenn sie ein Alter von 8 – 10 Jahren erreicht hatten, bis auf 2 – 3 Quirle aufgeastet und dieses sogenannte Geschneidsel entweder als Backholz oder als Einstreu benutzt. Im Alter von 15 – 20 Jahren wurden die Kiefern stark durchforstet und mit 25 Jahren ganz entnommen. Nach 30 Jahren wurden die Eichen dann zum 1. Mal geschlagen und geschält. Bei dieser Methode hatte gerade der Privatwaldbesitzer eine zusätzliche oft dringend benötigte Nutzung durch die Kiefer.

Vergabe der Rindenernte

Die Bewältigung der Rindenernte hatte in bezug auf Arbeit und Geldumsatz größte Bedeutung für Hirschhorn und die umliegenden Ortschaften, wobei Umfang und Bedeutung in den Jahren 1840 – 1890, wie der gesamte Schälwaldbetrieb überhaupt, ihr Optimum hatten. Die Gesamtwaldfläche der Oberförsterei Hirschhorn betrug 3630 Hektar, hiervon wurden alljährlich 200 ha geschält, bei einem Anfall von 12.000 Zentnern Rinde im Jahr 1850; und um 1880 wurden im Schnitt ebenfalls 200 ha geschält bei einem Anfall von 40.000 Zentnern Rinde. Den Ertrag an Rinden hatte man gesteigert durch Neuanlage von Niederwaldungen, vor allem aber durch bessere Pflege wie Aushieb unerwünschter Holzarten (Birke, Hainbuche), durch Weideverbot und Verbot des Gewinnens von Laubstreu.

Dieser gesamte Arbeitsanfall von Hauen, Schälen, Binden, Transport von Rinde und Holz, Brennen, Schuppen usw. mußte zudem in einem ungeheuer kurzen Zeitraum von 4 – 5 Wochen bewältigt werden. Zur Bewältigung dieser Arbeiten war ein Arbeitsaufwand von 25.000 Tagewerken erforderlich, wobei ein Tagewerk bis 16 Stunden Arbeit bedeutete. Im Bereich der Oberförsterei Hirschhorn lebten zu dieser Zeit 4.000 Menschen[6]. In Anbetracht des Mißverhältnisses, welches zwischen dem kurzzeitigen hohen Bedarf an Arbeitskraft und dem Vorhandensein von Lohnarbeitern bestand, ist es einleuchtend, daß eine Holz- und Rindenernte auf Rechnung der

Waldeigentümer (mithin durch Taglohn- oder Akkordarbeiter) auf allen Jahresschlägen der Oberförsterei nicht durchführbar war. Hierzu benötigte man die gesamte Bevölkerung einschließlich der Kinder und Großeltern. Auch der bemitteltere Teil der Bevölkerung (Handwerker, Geschäftsleute), der sich nicht dazu hergegeben hätte, im Lohne oder Dienste anderer zu arbeiten, wurde für die Rindenernte eingesetzt. Hierzu bedurfte es aber bestimmter Verfahren bei der Vergabe der Rindenernte, z.B. dahingehend, daß ein Großteil der Bevölkerung als Steigerer und Kleinstunternehmer auftraten.

Aus dem Rindenmarkt der 1830er Jahre hatte sich die alljährlich im März abgehaltene Hirschhorner Lohrindenversteigerung entwickelt. Diese Hirschhorner Lohrindenversteigerung war die größte Veranstaltung dieser Art im gesamten Reich mit dem größten Gesamtaufkommen. Zudem galt die Hirschhorner Rinde als die beste in Deutschland, und die hier von den Gerbern gezahlten Rindenpreise waren für ganz Deutschland richtungsweisend. Diese Versteigerung am 2. Montag im März abgehalten, gab den Anlaß zu einem der volkstümlichsten Feste des Tales und seiner umliegenden Ortschaften.

Der Oberförster setzte die Lohrindenversteigerung an und leitete sie. Es war ja genau festgelegt, welche Schläge in dem entsprechenden Jahr geschält wurden. Aus diesen Schlägen wurden sogenannte **Rindenproben** entnommen, dies waren fingerstarke Scheiben von Eichenstämmchen, auf denen Waldbesitzer, Forstort und Schlagfläche genau vermerkt waren. Ebenfalls wurde der Rindenanfall auf jeder Schlagfläche geschätzt und auf der Rindenprobe mitgeteilt[25].

Diese Versteigerung fand im unteren Saal des Karmeliterklosters statt. Die angereisten Gerber kamen hauptsächlich aus Worms, Heidelberg, Mannheim und Darmstadt. Das Ausgebot erfolgte schlagweise, der Höchstbietende bekam den Zuschlag. Die alten Gerber ließen die Rindenproben der einzelnen Schläge durch ihre Finger gleiten, prüften die Rinde auf ihre Qualität und gaben dann ihr Gebot für den Zentner Rinde des betreffenden Schlages ab. In dem Rindenpreis ist auch der Transport der Rinde in die Rindenscheunen am Neckarlauer enthalten. Für die einzelnen Schläge gab es unterschiedliche Preise, die besseren Rindenqualitäten brachten auch die höchsten Gebote. Bis zum Mittag war die Rindenernte verkauft, dann begann in den zahlreichen Gasthäusern und in den Gassen das Feiern, welches bis in den nächsten Tag hinein anhielt.

Nach der Lohrindenversteigerung setzte der Oberförster eine 2. Versteigerung an. Bei dieser wurde die Rindenernte auf dem Stock an die Bevölkerung vergeben. Für die Vergabe der Rindenernte waren 3 Verfahren üblich, die dann in den 1880er Jahren zu 2 Verfahren abgewandelt wurden.

I. Die Verwertung des Hackwaldes auf dem Stock[10]. Die ganze Schlagfläche wird in Loosen von je 2 Morgen öffentlich meistbietend verwertet. Holz und Rinde gehen hierbei in den freien und unbeschränkten Besitz des Steigerers über, dem außerdem noch die zweimalige Benutzung des Bodens zum Fruchtbau gestattet wird. Genaue Auflagen beim Schälen und dem Fruchtbau mußten erfüllt werden, es sind fast die gleichen, wie sie im Verfahren II beschrieben werden. Dies war die ursprünglichste Verwertungsart, schon im 18. Jahrhundert üblich, alle Kosten gingen zu Lasten des Steigerers (Verfügung Kurmainz vom 3. Januar 1780!). Aus dieser Art der Verwertung, welche in der Oberförsterei Hirschhorn für jährlich 76 Morgen Gemeinde- und 15 Morgen Domanialhackwald bestand, ging dann das 2. Verfahren hervor. Bieter waren in erster Linie Gewerbetreibende.

II. Die Verwertung des Hackwaldes auf dem Stock in der Weise, daß, unter Gestattung der Benutzung des Bodens zum zweimaligen Fruchtbau, nur das Holz in freien und ungehinderten Besitz des Steigerers übergeht, die Rinde dagegen an den Waldbesitzer abgeliefert werden muß.

Mit dem Geldbetrag für die abgelieferten Rinden, wobei der bei der vorher abgehaltenen Rindenversteigerung pro Zentner Rinde erzielte Preis zugrund gelegt wird, wird alsdann auf die Steigsumme abgerechnet.

Es galten folgende Bedingungen:

a) Das Holz gehört dem Steigerer

b) Die Rinde hat der Hackwaldsteigerer an den Waldbesitzer abzuliefern. Er erhält dafür genau denselben Preis, den auch der Gerber an den Waldbesitzer zahlt.

c) Die zweimalige Benutzung des Bodens zum Fruchtbau ist gestattet.

Hierzu ein Beispiel: Der Steigerer A hat das Loos Nr. 1 für 180 Gulden ersteigert. Er erntet 30 Zentner Rinde und erhält hierfür den vom Gerber gebotenen Preis von 5 Gulden/Zentner gutgeschrieben, mithin also 150 Gulden. Er muß jetzt noch 30 Gulden an den Waldbesitzer zahlen, hat also nicht gerade das beste Geschäft gemacht. Erntet er dagegen 40 Zentner Rinde, bekommt er 200 Gulden; nach Abzug des Steigpreises von 180 Gulden erhält er vom Waldbesitzer noch 20 Gulden, in diesem Fall hat er ein gutes Geschäft gemacht.

Da im allgemeinen die Erntekosten so ziemlich dem Holzwert entsprachen, waren die Hackwaldsteigerer zufrieden, wenn der Geldbetrag der abgelieferten Rinden den Steigpreis deckte, und ihnen als Ersatz für ihre Arbeit das Holz und die Bodennutzung blieben. Auf diese Weise wurden alljährlich ca. 200 Morgen Domanialwald und 105 Morgen Gemeindewald bewirtschaftet.

Bei der Versteigerung der Hackwaldloose wurden übrigens außer den bereits genannten noch folgende Bedingungen zugrunde gelegt:

1. Dem Hackwaldsteigerer obliegen außer der Bezahlung des Steig-Preises noch folgende unentgeltliche Dienstleistungen:

a) Das Abschuppen von Gras, Heide, Heidelbeere, Pfriemen usw. vor dem Hackwaldbrennen und das Umhacken des Bodens auf 5 Zoll Tiefe nach dem Brennen.

b) Das Ausästen der Laßreitel, wo solches angeordnet wird, und das Schälen der Astrinde, welche gesondert zu halten ist.

c) Das Abräumen des Reisigs am aufgeschichteten Holz, an den Laßreiteln sowie an den Grenzen. Wo letztere an Nadelholzbeständen hinziehen, hat das Abräumen auf einer Breite von 25 Fuß, dagegen an Laubholzbeständen nur auf 10 Fuß, zu geschehen.

d) Tiefes Abschneiden der vorhandenen Standreiser (Eichenpflänzlinge, die vorhanden sind) vor dem Brennen.

e) Beihilfe beim Hackwaldbrennen, wobei auf je einen Morgen eine männliche, erwachsene Person zu stellen ist.

f) Zweimaliges tiefes Abschneiden der Raumholzlohden, das erstemal zur Zeit der Heidekorn-, das zweitemal zur Zeit der Kornernte.

g) Gemeinschaftliches Unterhacken oder Einstufen der Eicheln, welche in den Schlag gesät werden sollen. Der Steigerer muß hierzu soviel erwachsene Leute täglich stellen, als er Morgen hat.

2. In der Regel soll nach dem 20. Juni das Hackwaldbrennen nicht mehr vorgenommen werden, weshalb auch der Fruchtbau nicht garantiert wird.
3. Es können in die mit Korn bestellten Loose Pflanzen eingesetzt und Eicheln eingestuft werden, ohne daß die Steigerer für etwa hierdurch entstehende Beschädigungen an Korn eine Vergütung in Anspruch zu nehmen haben.
4. Alles Brennholz wird auf 45 Zoll abgelängt und in folgende Klassen aufgesetzt:

   Schälholz I. Klasse von über 2 Zoll Durchmesser

   Schälholz II. Klasse von über 3/4 Zoll – 2 Zoll Durchmesser

   Schälholz III. Klasse von über 1/4 Zoll – 3/4 Zoll Durchmesser

   Stammholz I. Klasse von über 2 Zoll Durchmesser

   Stammholz II. Klasse von über 3/4 – 2 Zoll Durchmesser.

   Das hiernach verbleibende geringere Holz wird zum Besten des Waldes verbrannt und das Wegbringen desselben als Forstfrevel bestraft. Desgleichen wird das Fällen von Laßreiteln oder zum Stehenbleiben ausgezeichneter Stämme forstgerichtlich geahndet. Die Fällung des Raumholzes muß längstens bis zum 20. April vollzogen und sämtliches Holz bis spätestens 3 Tage nach beendigtem Rindenschälen an die Abfuhrwege verbracht sein.
5. Mit dem Rindenschälen ist an dem von der Oberförsterei festgelegten Tag gleichzeitig in allen Loosen und mit einer der Größe der Loose entsprechenden Anzahl Hilfsarbeiter zu beginnen und ununterbrochen fortzufahren, so daß solches längstens innerhalb 14 Tagen beendigt ist. Hilfsarbeiter, welche die Oberförsterei nicht für tauglich hält, dürfen nicht eingesetzt werden. Zugleich bleibt der Oberförsterei unbedingt das Recht vorbehalten, im Falle der Steigerer die geeigneten und nötig erscheinenden Hilfsarbeiter nicht stellt oder mit der Arbeit zurückbleibt, die erforderliche Anzahl Hilfsarbeiter auf Kosten des Steigerers einzustellen. Außerdem haftet letzterer für alle Zuwiderhandlungen seiner Arbeiter. Sowohl die vom Forstgericht erkannten Strafen, als auch die Conventionalstrafen wegen Handlungen oder Unterlassungen der Hilfsarbeiter werden samt dem etwaigen Schadensersatz von dem Steigerer beigetrieben.
6. Zur Fällung des Schälholzes darf nur das sogenannte Eberbacher Beil verwendet werden; geringes Holz, welches dem Beil nicht steht, muß mit dem Messer scharf abgeschnitten werden.
7. Alle Beschädigungen sollen die Hackwaldarbeiter verhüten, es ist daher verboten: das Einreißen der Stockrinde, Splittern oder Spalten des Stockes, das Bedecken derselben mit Schmorhaufen, Steinen usw., das Aushauen junger Eichenpflanzen. Das Schälen der Eichen im Stande ist auf das strengste untersagt. Um Beschädigungen der Eichenlohden durch das Feuer der Schmorhaufen zu verhüten, muß das Holz und Reisig so kurz gehauen und mit Erde so bedeckt werden, daß kein Flammenfeuer aus den Haufen brennt (die Schmorhaufen sollten verkohlen und nicht verbrennen). Die Eichenlohden dürfen nur locker zusammengebunden, und die Bänder müssen beim Fruchtschneiden wieder gelöst werden. Es darf kein Vieh in den Wald gelassen werden, und Dreschtennen können nur nach Anweisung der Oberförsterei angelegt werden. Die Benutzung der vorhandenen Kohlplatten darf nur mit Bewilligung des Oberförsters geschehen.

8. Die Rinden müssen zum Trocknen auf Böcke verbracht werden. Trockene Rinden sind in Gebunden von 45 Zoll Länge und 45 Zoll Umfang mit 2 Wieden so zu binden, daß das Gewicht mindestens 25 Pfund beträgt. Dieselben sind an die Abfuhrwege zu bringen, reihenweise zu je 2 Gebund hintereinander aufzustellen, sowie nötigenfalls durch Bedecken vor Nässe zu schützen. Zu letzterem Zweck haben sich sämtliche Steigerer auf ergangene Aufforderung über den Besitz gut gefertigter Strohdecken oder Schiffstücher im Walde auszuweisen.
9. Der Steigerer hat die Rinden auf seine Kosten frei an die Brückenwaage und von da an das Neckarufer zu bringen.
10. Die Steigerer sind verbunden, an jedem von dem Oberförster anberaumt werdenden Tag (keinen Tag ausgenommen), Rinden abzuliefern.
11. Etwaige bei der Ablieferung über die Qualität der Rinden zwischen dem Steigerer und Empfänger vorkommenden Streitigkeiten entscheidet endgültig die Oberförsterei.
12. Die Oberförsterei kann wegen einzelner Versäumnisse und Zuwiderhandlungen auf Conventionalstrafen bis 5 Gulden erkennen. Außerdem wird, wenn möglich, das Versäumnis auf Kosten der Steigerer nachgeholt. Die Beitreibung der Strafen, des Schadensersatzes und der Kosten geschieht auf dem Exekutionsweg.
13. Im Falle der Steigerer sich Betrügereien, welche eine Vermehrung des Rindengewichtes bezwecken (wie z.B. das Einbinden von Steinen, grüner Rinde) oder Entwendungen von Rinden, wozu auch der Fall gehört, daß er die Rinden nicht abliefert, sondern anderwärts verkauft, zuschulden kommen läßt, so soll derselbe für jeden einzelnen Fall in eine Conventionalstrafe von 25 Gulden genommen werden.
14. In allen Fällen, wo der Steigerer sich einer bereits im Forststrafgesetz bedrohten Handlung schuldig gemacht hat, welche zugleich auch mit einer Conventionalstrafe bedroht ist, schließt der Vollzug dieser Conventionalstrafe die Befugnis zur forstgerichtlichen Anzeige und Bestrafung nicht aus.
15. Im Falle eines Anstandes, welcher in Folge des Versteigerungsprotokolls entstehen könnte, verzichtet der Steigerer ausdrücklich auf jedes gerichtliche Verfahren und ist lediglich an die Entscheidung Großherzoglich Oberforst- und Domänendirektion gebunden, bei welcher der Recurs innerhalb 4 Wochen Frist zu ergreifen ist.

Diese Versteigerungsbedingungen wurden zu Beginn der Versteigerung bekanntgegeben, jeder Steigerer erkannte durch Unterschrift diese Bedingungen an. Die gesamte Versteigerung wurde fein säuberlich protokolliert; mit später durchgeführten Abrechnungen war es ein umfangreiches Werk. Bieter waren hier die Bürger der Gemeinde und Gewerbetreibende. Die arme Bevölkerung wurde beim Verfahren III beteiligt.

III. Die Ernte der Rinde auf Rechnung des Waldeigentümers

Sie geschah auf jährlich 160 Morgen Domanialhackwald. Um es vorweg zu ermöglichen, daß recht viele der unbemittelten Leute sich an der Arbeitsversteigerung beteiligen können, wurde loosweise (2 Morgen) ausgeboten, und jeder Steigerer durfte nur ein Loos ersteigern. Hieraus ergab sich, daß sich die gesamte Rindenernte in so viele kleine Holzhauereien teilte, als Loose vorhanden waren. Bei der Verstei-

gerung wurde nur auf die Bodenbearbeitung und den Fruchtbau geboten, der Höchstbietende bekam den Zuschlag. Der Waldeigentümer verpflichtete sich, für jeden Raummeter Holz und jeden Zentner Rinde den im Protokoll festgesetzten Preis an den Steigerer zu zahlen. Holz und Rinde wurden gegen Lohn vom Steigerer aufgearbeitet, während der Waldbesitzer als Einnahme den Steigpreis für die Bodennutzung bekam. Diese Vergütungen seitens der Oberförsterei bzw. Herauszahlungen seitens der Steigerer sind es nun, welche den Gegenstand der Versteigerung an den Wenigstfordernden bzw. Meistbietenden bilden; erstere wurden bei der Verrechnung als „Vergütung für Bodenbearbeitung" verausgabt, letztere als „Vergütung für Bodenbenutzung" in Einnahme gebracht.
Auch bei diesem Verfahren wurden dem Steigerer viele Pflichten auferlegt, die Wiedergabe eines solchen Versteigerungsprotokolls soll dies verdeutlichen.

„Protokoll für die Versteigerung des Holzhauer- und Rindenschälerlohnes und der Bodenbearbeitung mit Fruchtbaunutzung"

Geschehen Hirschhorn, den 16ten März 1868 durch großherzogliche Oberförsterei Hirschhorn unter Zuziehung des großh. Forstwarts Sommerlad.

Wie die anliegenden Bescheinigungen beweisen, wurde die heute vorzunehmende Versteigerung des Holzhauer- und Rindenschälerlohnes, der Bodenbearbeitung mit der Fruchtbaunutzung in den diesjährigen Hackwaldloosen der Distrikte Hölle, Haselwald gehörig bekannt gemacht. Es geschieht nunmehr zur bestimmten Stunde der Anfang und es werden zuerst folgende Bedingungen festgesetzt:

1. *Die Oberförsterei kann solche Leute vom Mitbieten ausschließen, die ihr als unzuverlässige Arbeiter oder als zahlungsunfähig bekannt sind. In der Regel soll kein Steigerer Arbeiten auf mehr als 2 Morgen übernehmen dürfen. Für die Flächengröße der Loose wird nicht garantirt.*
2. *Jeder Steigerer hat sich durch seine Namensunterschrift zu dem Inhalt dieses Protokolls zu bekennen.*
3. *Bemerkt die Forstbehörde heimliche Verabredungen unter den Bietenden, oder findet sie es aus anderen Gründen für rathsam, so darf sie die Versteigerung unterbrechen, oder ganz aufheben.*
4. *Die Steigerer haben am Schlusse der Versteigerung das Erforderliche bezüglich der vorbehaltenen Genehmigung von der Oberförsterei zu vernehmen.*
5. *Ohne Genehmigung der Oberförsterei darf der Steigerer seine aus diesem Accord abzuleitenden Rechte und Verbindlichkeiten nicht an Andere abtreten.*
6. *Der Holzhauer- und Rindenschälerlohn wird folgendermaßen festgesetzt:*
   von 1 St. Schälholz 1 r. Kl. von über 2 Zoll Durchm. 36 kr.
   von 1 St. Schälholz 2 r. Kl von über 3/4 Zoll bis 2 Z. Durchm. 36 kr.,
   von 1 St. Schälholz 3 r. Kl. von über 1/4 Zoll bis 3/4 Z. Durchm. 60 kr.
   von 1 Raumholz 1 r. Kl. von über 2 Zoll Durchm. 36 kr.,
   von 1 Raumholz 2 r Kl. von über 1 Zoll bis 2 Z. Durchm. 36 kr.,
   wenn die Oberförsterei das Aussortiren von Nutzholz anordnen sollte:
   von 70 Kubikfuß Stangenholz 70 kr., von 70 Kubikfuß Stammholz 35 kr.,
   von 1 Gebund Nutzreisholz von 1 Fuß Durchmesser und 4 Fuß Länge 20 kr.,
   von 1 Gebund Rinde 45 Zoll lang, 45 Zoll Umfang 10 kr.
   Die Steigerer bieten daher nur auf die Bodenbearbeitung sammt dem Fruchtbau.
   Der Accordant und seine Hilfsarbeiter haben die Holzhauerinstruktion vom 8.

November 1863 zu befolgen. Derselbe hat sich, ehe er mit dem Arbeiten beginnt, über den Besitz eines Exemplars dieser Instruktion auszuweisen.

7. *Der Accordant hat sich bei der Oberförsterei zu erkundigen, mit welcher Anzahl Hilfsarbeiter er die Arbeiten beginnen soll; er ist verbunden, binnen acht Tagen nach erfolgter Genehmigung der Versteigerung darüber der Oberförsterei glaubhaften Nachweis zu liefern, daß er diese Anzahl Hilfsarbeiter einzustellen im Stande ist. Hilfsarbeiter, welche der Oberförster nicht für tauglich erkennt, dürfen nicht zur Arbeit zugelassen werden. Die Zahl der Hilfsarbeiter muß vermehrt werden, wenn solches die Oberförsterei im Laufe der Arbeit für nöthig hält.*

   Der Accordant hat bezüglich des Beginnens, der Fortsetzung, der Beendigung und der Art der Ausführung der Arbeiten die Weisung der Oberförsterei oder des von derselben beauftragten Personals zu befolgen.

   Bei Zuwiderhandlung gegen irgend eine dieser Bestimmungen kann die Oberförsterei nach ihrer Wahl dem Steigerer den Beginn oder die Fortsetzung der Arbeit untersagen, diese anderweit vergeben oder andere Arbeiter in beliebiger Anzahl einstellen, unfolgsamen oder von ihr nicht als tauglich erkannten Hilfsarbeitern das Forstarbeiten verbieten, sie kann Verbesserungen vornehmen lassen und Versäumtes nachholen lassen, alles dieses unbeschränkt auf Gefahr und Kosten des zuwiderhandelnden Steigerers; dieser ermächtigt die Oberförsterei hierzu durch das Unterzeichnen dieses Protokolls. Der Steigerer haftet für Vernachlässigung, Unfolgsamkeit und Forstfrevel seiner von ihm angenommenen Hilfsarbeiter. Nur der Accordant kann den Empfang des Arbeitslohns bescheinigen.

8. *Das Abschuppen von Gras, Heide, Heidelbeersträuchern, Besenpfriemen v o r der Holzfällung kann, nach Befund ausnahmsweise gestattet werden.*

   Der Boden muß überall, wo es nach Ansicht der Oberförsterei möglich ist, 5 Zoll tief umgehackt werden. Derselbe darf zum zweimaligen Fruchtbau benutzt werden, so daß im Jahre 1869 nur eine und die letzte Erndte stattfindet. Eine Lohnerhöhung oder eine Ermäßigung des Gebots für den Fruchtbau hat der Steigerer unter keinen Umständen zu erwarten, auch wenn er keine Frucht einbauen kann.

9. *Es muß zum Ueberlandbrennen eine erwachsene männliche Person auf jeden Hackwaldmorgen nach Anordnung der Oberförsterei erscheinen, und die Arbeiten, welche die Leitung des Feuers und die Abwendung von Gefahr bezwekken, nach Weisung des Forstpersonals verrichten. Vor und nach dem Brennen müssen die hierzu Erschienenen beim Verlesen der Namen sich anmelden, wer dieses unterläßt, wird als nicht erschienen angesehen und bestraft.*

   Nach dem 20. Juni darf das Ueberlandbrennen nicht geschehen.

10. *Zur Fällung des Schälholzes darf nur das sogenannte Eberbacher Beil angewendet werden. Geringes Eichenholz, was dem Beil nicht steht oder nicht geschält wird, muß gleichzeitig bei der Fällung des nahe stehenden Holzes mit dem Messer scharf abgeschnitten werden.*

11. *Alle Beschädigungen an Eichenstöcken, an Eichenlohden, Oberständern und Laßreiteln sollen die Hackwaldarbeiter verhüten; es ist daher verboten: Das Einreißen der Stockrinde, das Unterhöhlen, Splittern oder Spalten des Stocks, der Gebrauch desselben als Unterlage beim Hauen und Klopfen, das Bedecken*

desselben mit Schmorhaufen, mit Steinen, Erde oder Holzschichten; auch ist das Aushacken und sonstige Zerstören oder Beschädigen der jungen Eichen sorgfältig zu verhüten.

Um Beschädigungen der Eichenloden durch das Feuer der Schmorhaufen zu vermeiden, muß das Holz so kurz gehauen und mit Erde so sehr bedeckt werden, daß kein Flammfeuer aus dem Haufen brennt. Die Erndte und das Abfahren der Früchte muß mit möglichster Schonung für die Holzzucht geschehen. Es darf bei der Erndte kein Vieh in den Schlag gelassen, und Dreschtennen dürfen nur nach Anweisung der Oberförsterei angelegt werden.

Die Eichenloden dürfen nur locker zusammen gebunden werden, der Steigerer muß die Bänder beim Fruchtschneiden wieder lösen.

12. *Das Ausästen der Oberständer und Laßreitel, wo solches angeordnet wird, hat der Steigerer mit zu besorgen. Die sich von dem Astholze ergebende Rinde ist von der anderen Rinde gesondert zu halten.*
13. *Das Brennholz wird auf 45 Zoll abgelängt. Das Eichenholz, was 1/2 Zoll und mehr Durchmesser hat, muß geschält werden. Alles Schälholz und das Raumholz von 1 Zoll und mehr Durchmesser wird nach den unter Art. 6 bezeichneten Klassen aussortiert und binnen drei Tagen nach beendigtem Rindenschälen aufgeschichtet. Das Aufsetzen im Steckenmaße dürfen die Steigerer nicht selbst verrichten, dasselbe geschieht durch den verpflichteten Holzsetzer, welcher dafür vom Stecken 4 Kreuzer aus der Forstkasse erhält.*
14. *Die Oberförsterei kann das Aussortiren des Nutzholzes Anderen übertragen; der Accordant des Hackwaldlooses soll deshalb keine Ansprüche erheben können.*
15. *Vor Abend eines jeden Tages müssen sämmtliche Rinden auf Böcke gebracht werden, es geschieht dies an den Stellen und in der Weise, welche das Aufsichtspersonal angeben wird. So lange sich die Rinden im Walde befinden, hat der Steigerer die Bewachung nach Anordnung des Forstpersonals mitzuversehen.*
16. *Sobald die Rinden gehörig trocken sind, werden solche in Gebunde von 45 Zoll Länge und 45 Zoll Umfang mit zwei Wieden wie ortsüblich, auch so fest eingebunden, daß das Gebund wenigstens 25 Pfund wiegt. Dieselben sind an eine dem Steigerer angewiesen werdende Stelle außerhalb des Schlags zu bringen, reihenweise zu je zwei Gebund hintereinander aufrecht zu stellen, mit dem Nummer des Looses zu versehen, und nöthigenfalls durch Bedecken vor Nässe zu schützen. Bei der Abzählung, dem Abwiegen und Aufladen der Rinde haben die Accordanten ohne besondere Vergütung behilflich zu sein.*
17. *Das Schuppen und Schmoren, wenn solches die Oberförsterei nach dem Abtrieb des Schlags verlangt, muß auch da geschehen, wo der Accordant den Fruchtbau nicht betreiben will.*
18. *Die Accordanten machen sich verbindlich am aufgeschichteten Holze, an den Standreisern und Oberständern, sowie an den Grenzlinien, Grenz- und Liniensteinen abzuräumen. An den Grenzlinien muß da, wo sie am Laubholzbestande hinziehen, 10 Fuß breit, an Nadelholzbeständen 25 Fuß breit abgeschuppt und das Abgeschuppte mit den Holzabfällen in den Schlag eingestreut werden. Dieselbe Vorschrift gilt bei Loosen, welche an die Steigerer grenzen. Die Oberförsterei bestimmt die Zeit, wann diese Arbeiten vorgenommen werden sollen.*
19. *Die ausgehackten Steine müssen in gerader Linie in den Theilfurchen zwischen je zwei Loose gelegt werden.*

20. *Die Accordanten sind verbunden die Eicheln, welche in den Hackschlag gesät werden sollen, auf Verlangen der Oberförsterei zu der von dieser bestimmten Zeit in den Wald zu bringen und gemeinschaftlich unterzuhacken oder einzustufen. Der Accordant muß so viel erwachsene taugliche Leute täglich einstellen, als er Hackwaldmorgen hat; derselbe soll am Aussäen des Korns nicht länger als 4. November verhindert werden. Werden keine Eicheln gesät, so kann die Oberförsterei verlangen, daß nach Maßgabe des Obigen ein Tag bei den Kulturen im Hackwald gearbeitet wird. Auch hierfür findet eine besondere Verlohnung nicht statt.*

    Wenn die Oberförsterei es anordnet, soll der Steigerer die Hasel-, Weiden- und Birkenloden das erste Jahr einmal und das zweite Jahr einmal bis zum 1. Oktober abschneiden.

21. *Wegen des Holzes, was bis zum Abfuhrtermin im Walde bleibt, sowie wegen der Abfuhr desselben über andere Loose kann Accordant keine Entschädigung ansprechen, ebensowenig für die Benutzung von Kohlplatten.*

22. *Jeder Steigerer ist verbunden, insofern Theile eines Steckens sich auf seinem Loos ergeben, diese auf benachbarte Loose zu bringen, wo sich ebenfalls Theilstecken befinden, damit solche zu ganzen Stecken vereinigt werden. Ueber den Lohn haben die Accordanten sich unter einander zu einigen.*

23. *Das Einsetzen von Pflanzen in das Korn hat sich der Steigerer ohne Entschädigung gefallen zu lassen.*

24. *Die Oberförsterei kann wegen einzelner Versäumnisse und Zuwiderhandlungen Konventionalstrafen von 10 Kreuzer bis 5 Gulden erkennen und durch Lohneinbehaltung die Erfüllung der Verbindlichkeiten der Accordanten sichern.*

    Die Beitreibung des Pachtgeldes, der Strafen, Kosten und des Schadenersatzes erfolgt, soweit möglich, durch Lohnabzug, für den anderen Fall, daß der Lohnrest nicht hinreicht, soll die Beitreibung auf dem Exekutionswege durch das Rentamt geschehen.

    Abschlagszahlungen in einem höheren Betrag als 2/3 des verdienten Lohns können nicht verlangt werden.

25. *Jede Belohnung, welche der Accordant in Anspruch nehmen kann, ist in den Ansätzen unter Art. 6 und den durch das Bieten festgestellten Geldbeträgen enthalten.*

26. *Die Termine zum Beginn und zur Beendigung von Arbeiten sollen durch Anschlag an der Thüre des Geschäftszimmers der Oberförsterei zur Kenntniß der Steigerer gebracht werden, auch kann solches in geeigneten Fällen auf andere Weise geschehen.*

27. *Im Falle eines Anstandes, welcher in Folge dieses Protokolls entstehen könnte, verzichtet der Accordant auf jedes gerichtliche Verfahren und ist lediglich an die Entscheidung Großherzoglicher Oberforst- und Domänen-Direktion gebunden, bei welcher der Rekurs innerhalb vier Wochen zerstörlicher Frist zu ergreifen ist.*

28. *In allen Fällen, wo der Accordant sich einer bereits im Forststrafgesetze mit Strafe bedrohten Handlung schuldig gemacht hat, welche zugleich in gegenwärtigem Vertragsprotokolle mit einer Konventionalstrafe bedroht ist, schließt die Vollziehung dieser Konventionalstrafe die Befugniß zur forstgerichtlichen Anzeige und Bestrafung nicht aus.*

29. Die Schmorhaufen dürfen nicht eher angezündet werden, bis sie von der Oberförsterei, oder in deren Auftrag von dem Forstwarte des Bezirks, eingesehen und als vorschriftsmäßig zubereitet befunden worden sind.

30. So lange die Schmorhaufen glimmen, müssen auf jedem betreffenden Loose mindestens 3 Mann ohne Unterbrechung anwesend sein, um den Ausbruch des Feuers zu verhindern.

Ordn. Nr.	*Nr.*	*Der Loose Flächeninhalt Morg.*	*Klftr.*	*Für die Bodenbearbeitung samt der Fruchtbaunutzung ist vom Steigerer zu empfangen fl.*	*kr.*	*zu bezahlen fl.*	*kr.*	*Der Letztbietenden Namen und Wohnort*	*Namensunterschrift*
1	*1*	*2*	*–*	*15*	*10**	*5*	*20*	*E. Schwöbel, Kortelshütte*	*gez. Schwöbel*

** konnte erst nach Abschluß der Ernte verrechnet werden (Raummeter Holz, Zentner Rinde)*

Nachdem nun die einzelnen Verwertungs- bzw. Ernteverfahren in ihren Grundzügen geschildert worden sind, sollen zum Schluß noch deren Licht- und Schattenseiten gegenübergestellt werden.

Das Verfahren I enthebt den Waldbesitzer aller Sorge um die Ernte der Rinde und des Holzes, die Abrechnung war einfach, das Forstpersonal hatte wenig Mühe mit der Durchführung des Forstschutzes. Nur war es oft sehr schwierig, den Holz- und Rindenanfall richtig einzuschätzen. Der Waldeigentümer wollte ja ein angemessenes Einkommen haben, es konnte bei diesem Verfahren zu nennenswerten Verlusten des Waldeigentümers als auch des Steigerers kommen. Dieses Verfahren konnte auch dem armen Mann oft große Unannehmlichkeiten bringen, da er oft schon im Winter ohne Geld dastehend, bei Gerbern und Rindenspekulanten Geld aufnahm. Dieses mußte bei der Rindenernte zurückverdient werden, was bedeuten konnte, daß er Hackwaldarbeit um jeden Preis annehmen mußte und von den Gerbern usw. unterbezahlt wurde.

Das Verfahren II ermöglicht keine Schwindeleien. Zudem hierbei eigentlich nur das Holz Gegenstand der Verwertung ist, wird eine geringe Zahlungsfähigkeit der Steigerer verlangt; dadurch wird eine größere Konkurrenz möglich, Waldbesitzer und Steigerer kamen in der Regel auf ihre Kosten. Auf der anderen Seite dagegen verursacht die Abrechnung usw. mit den einzelnen Steigerern, Handhabung des Forstschutzes, Beaufsichtigung der Ernte, Empfangnahme der Rinde, unparteiische Wahrung der sich mitunter entgegenstehenden Interessen des Waldbesitzers, Rindensteigerers und Hackwaldsteigerers dem Waldeigentümer außergewöhnliche Kosten sowie dem Forstpersonal außerordentliche Mühe und Arbeit. Ähnliches wie für II gilt auch für das Verfahren III.

Mit dem Sinken der Rindenpreise gegen Ende der 1880er Jahre wurden diese Verfahren für den Waldbesitzer immer unrentabler, und die Rindenernte wurde nach abgeänderten Verfahren vergeben. Zunächst fand weiter die altbewährte Lohrindenversteigerung an die Gerber statt. Danach wurde der größte Teil der Rindenernte auf folgende Weise vergeben:

Es fand eine 2. Versteigerung für die Hackwaldsteigerer statt, bei der nur das Werben der Rinde ausgeboten wurde. Hier erhielt den Zuschlag derjenige, der für den Waldbesitzer den Zentner Rinde am billigsten aufarbeitete, also Zuschlag an den Mindestbietenden. Das konnte in diesen Jahren so aussehen, daß der Waldbesitzer vom Gerber für den Zentner Rinde 5,– Mark erhielt, für die Ernte an den mindestbietenden Steigerer aber nur 2,– Mark zu zahlen hatte. Aber dem Steigerer mußte er die aufgearbeiteten Mengen Holz nach festen Sätzen bezahlen, hierdurch wurde der Verdienst des Waldeigentümers noch einmal geschmälert. Holz und Rinde verblieben im Eigentum des Waldbesitzers und wurden von ihm verkauft. Die Steigerer traten als freie Kleinstunternehmer auf, bekamen das aufgearbeitete Holz nach festen Sätzen bezahlt, und für die Rinde bekamen sie den von ihnen gebotenen Mindestpreis. Darüber hinaus stand ihnen der zweimalige Fruchtbau auf ihren Loosen zu. Was die Durchführung der Arbeiten betraf, so galten dieselben Gebote bzw. Verbote wie sie vorher im Verfahren III beschrieben worden sind.

Aber nicht nur die sinkenden Rindenpreise zwangen die Waldbesitzer zu anderen Verfahren. Die Industrie, welche bekanntlich nach 1870 einen außerordentlichen Aufschwung nahm, zog durch ihre höheren Arbeitslöhne auch aus dem Neckartal überschüssige Arbeitskräfte an sich, besonders seit es mit der Einführung der Eisenbahn den Leuten möglich wurde, täglich ihre Arbeitsstätte in Heidelberg oder Mannheim aufsuchen zu können, ohne ihren bisherigen Wohnort aufgeben zu müssen. Infolgedessen stiegen auch hier die Löhne, und die Arbeitskräfte wurden im Verhältnis zum Ertrag des Hackwaldes zu teuer. Durch den besseren Straßenausbau wurde die Infrastruktur weiter verbessert, Brotgetreide konnte jetzt von außerhalb so billig ins Neckartal gebracht werden, daß sich ein Anbau auf den Hackwaldschlägen immer weniger lohnte. Für die Rindenernte fehlte es plötzlich an Arbeitskräften, diese standen nur noch in den umliegenden Ortschaften, vor allem in Rothenberg und Kortelshütte, zur Verfügung, oder sie wurden aus entlegenen Gegenden herangeholt, vor allem junge Mädchen und Burschen aus der Gegend von Mudau und Dallau, aus dem sogen. Winterhauch. Besonders erwähnenswert sind hier noch einmal die Gemeinden Rothenberg und Kortelshütte. Zahlreiche Einwohner dieser Gemeinden, deren Grundbesitz zu klein war, um ihnen eine auskömmliche Existenz zu bieten, suchten ihren Verdienst in den bei Hirschhorn und Eberbach am Neckar gelegenen Steinbrüchen. Als mit der Zeit die Folgen dieser Steinbrucharbeit, die Tuberkulose und andere Krankheiten immer heftiger auftraten, wandten sich diese Leute wieder mehr der gesünderen Waldarbeit zu und kehrten jährlich immer wieder zu dieser zurück. So übernahmen sie auch das Schälen der Rinde und bauten bei dieser Gelegenheit ihr nötiges Brotkorn im Hackwald. Diese für die Rindenernte eingestellten Saisonarbeitskräfte wurden ab 1894 im Domanial- und Gemeindewald auch zur Kranken- und Rentenversicherung angemeldet. Sie wurden im Stundenlohn bezahlt.

Die beiden Verfahren waren auch noch nach dem 1. Weltkrieg üblich, danach spielte der Schälwaldbetrieb aus anderen Gründen keine größere Rolle mehr. Der Verkauf der Rinde erfolgte bis ca. 1890 ausschließlich an die Großgerbereien, danach wurde auch ein Teil über Händler verkauft.

Aushieb des Raumholzes

Unter Raumhölzern versteht man Holzarten, die nicht zum Schälen geeignet und auch sonst im Niederwaldbetrieb nicht erwünscht sind. Hierzu zählen Birke, Hainbuche, Hasel, Weide, Rotbuche. Für Raumholz findet man in anderen Gegenden, wie z.B. im Schwarzwald, auch den Ausdruck Fegholz. Nicht richtig ist der Ausdruck Rauholz, der hin und wieder in der Literatur auftaucht. Auch zu schwache oder ganz verkrümmte Eichen, welche zum Schälen nicht geeignet sind, zählen zum Raumholz.

Um teils für das eigentliche Schälgeschäft mehr Raum und Zeit zu gewinnen, teils um durch den Hieb im Saft den Nutzwert dieser beigemischten Hölzer nicht zu vermindern, hauptsächlich aber um möglichst rasch das Rindenschälen durchführen zu können, wird in den zur Nutzung bestimmten Schlägen alles dieses Holz beim Raumholzhieb eingeschlagen und aus dem Schlage herausgeschafft. Gleichzeitig wird der Schlag geputzt, indem an den Eichenstangen alle Äste bis in Reichhöhe mit der Axt abgeschlagen werden, was wiederum das eigentliche Schälen beschleunigen kann.

Der Aushieb des Raumholzes erfolgte durch die Steigerer, wobei es je nach Versteigerungsart entweder in ihren Besitz überging oder dem Waldbesitzer verblieb. Im letzteren Fall wurde dem Steigerer das Raumholz nach festen Sätzen bezahlt. Es wurde auf 45 Zoll Länge (112,5 cm) und nach verschiedenen Stärken sortiert am Rande der Schlagflächen oder den Wegen aufgesetzt. Sämtliches Holz bis zu einer Stärke von 1/2 Zoll (1,25 cm) mußte aufgearbeitet werden. Erst ab 1890 arbeitete man nur noch ab 1 Zoll Stärke auf, alles geringere Holz wurde beim Überlandbrennen mitverbrannt. Durchgeführt wurde diese Arbeit in den Monaten März und April, bis zum 20. April mußte der Raumholzaushieb beendet sein.

Das Schälen der Rinde

Das Schälen der Rinde, im Volksmund „Renneklopp e" genannt, bedurfte des größten Arbeitsaufwandes im ganzen Hackwaldbetrieb.

Das Schälen ist zwar von Ende April bis Mitte Juli möglich, aber unmittelbar nach dem Knospenaufbruch, was je nach Witterungsverlauf Ende April – Anfang Mai eintritt, und während der ersten Blattentwicklung geht die Rinde am besten (wenn die Eichen „Ohren" bekommen)[17]. Je weiter in den Sommer hinein sich die Schälarbeit verzögert, umso größer ist die Gefahr, daß die neuen Ausschläge nicht genügend verholzen und Frühfrösten zum Opfer fallen. Feuchtwarme Witterung kann das Schälen sehr stark fördern. Was die Qualität der Rinden betrifft, so ist ein späteres Schälen im 2. Saft (Ende Mai – Mitte Juni) besser; beim späteren Schälen kommt es auch nicht vor, daß so viele Stöcke im Saft ersticken, sich verbluten, und entweder gar keine oder nur schwächliche Ausschläge liefern. Aber auf solche Vorteile konnte keine Rücksicht genommen werden bei dem großen Rindenanfall im Hirschhorner Raum. Mitte Juni mußte das Schälen beendet sein, da dann auch der Buchweizen ausgesät werden mußte. Wenn gegen Ende April die Eichenknospen aufsprangen und die jungen Blätter sich zeigten, setzte der Oberförster zu Hirschhorn den Beginn des Schälens fest, und fast die ganze Bevölkerung war jetzt nur noch in den Hackwaldschlägen anzutreffen. Mit Tagesgrauen, des Morgens um vier Uhr, wurde das Gefecht eröffnet und abends um acht Uhr, nach 16 Stunden heißen, gaumendörrenden Kampfes gegen das grüne Meer der Eichenwälder, trat Ruhe ein. Dazu kam der gerade für die Rothenberger und Kortelshütter noch oft stundenlange Fußmarsch für Hin- und Rückweg, so daß die Nachtruhe oft nur vier Stunden betrug. Es war eine schwere Arbeit; Kinder und viele junge Menschen waren an ihr stark beteiligt. Gerade sie wurden dadurch geformt, und wenn diese Schlacht zu Ende geschlagen war, fühlten sie sich freier und kühner und von einem besonderen Stolz beseelt. Bares Geld auf die Hand bekamen sie kaum, denn davon mußte sich die ganze Familie das Jahr über ernähren. Die Mahlzeiten unter Tags wurden im Wald über offenem Reisigfeuer bereitet. Oft trugen auch die unter 10 Jahre alten Kinder zum Mittag ein karges warmes Essen in Kannen und Körben von zu Hause ihren Familien in die Schläge, oder sie holten an den Quellen frisches Wasser zum Löschen des Durstes. In dieser Zeit hatten sie schulfrei, es gab die sogenannten Renneferie. Die Essenspausen wurden oft sehnlichst herbeigewünscht, sie dehnten sich auch einmal über eine Stunde aus mit Schwätzen und kurzem Schlaf. Von den Kindern bis zu den Großeltern waren also die Familien im Einsatz.

Geschält werden durfte nicht an stehendem Holz, da hier die Gefahr viel zu groß war, daß die Rinde bis zum Stock aufriß und so ein Wiederausschlagen der Stöcke unmöglich war. Diese Art des Schälens fand man hauptsächlich im Taunus. Im südlichen Odenwald war das Schälen nur an gefälltem Holz erlaubt[11].

In der Regel fällten die Männer als Hauer die Eichenstämmchen und teilten sie mit Handsägen oder dem Beil in Prügel (112,5 cm bzw. 100 cm lang), während die Frauen als Klopfstöcke das Schälen der Rinde besorgten. Ein guter Hauer konnte bis zu 3 Klopfstöcke mit Arbeit versorgen. Eine Frau konnte durchschnittlich 8 Gebund am Tage schälen, das ergibt wiederum 2 Zentner.

Das Fällen der Eichen mußte mit einem nicht zu schweren, scharfen Beil mit schmalem Hals, glatt und so tief als möglich am Boden geführt werden, ohne daß die Stöcke splitterten und die Verbindung zwischen Rinde und Holz an der Abhiebstelle gelöst wurde. Hierzu eignete sich ganz besonders gut das Eberbacher Beil.

Es war deshalb Vorschrift, daß nur dieses Beil verwandt werden durfte. Der Hieb mußte unbedingt glatt und schräg erfolgen, wobei die schräge Hiebsfläche nach Norden bzw. Osten gerichtet sein mußte. Damit wollte man ein allzu schnelles Austrocknen (bei Südrichtung) und damit schlechteres Ausschlagen der Stöcke verhindern. Auch der tiefe Hieb war sehr wichtig. Bei tiefem Hieb erreichte man besonders den Vorteil, daß die Stockausschläge alsdann tief unten an den Stöcken hervorbrechen und später in der feuchten Umhüllung von Laub, welches sich um sie sammelt, sich selbst bewurzeln und sich dadurch von dem alten Stock unabhängig machen konnten. Man erreicht so also eine gewisse Verjüngung der Stöcke. Nach dem Fällen wurde das Stämmchen entastet und in Prügel eingeteilt, ebenso die stärkeren Äste. Alles Holz ab 1/2 Zoll Durchmesser (d.s. 1,25 cm) mußte geschält werden. Das Feinreisig blieb auf der Fläche liegen.

Gerade an warmen Südhängen konnte man das Ausschlagsvermögen der Stöcke noch dadurch steigern, daß man sie nach dem Fällen mit Erde oder Rasenstücken bedeckte. Waren die Eichen so schwach, daß sie dem Beil nicht standen, mußten sie mit einem scharfen Messer tief über dem Boden abgeschnitten werden. Wie beschrieben, wurde auf das vorschriftsmäßige Fällen größten Wert gelegt. Die meisten Niederwaldungen wurden nämlich durch schlechten Hieb, durch Aufreißen, Splittern und Schinden der Stöcke mehr oder weniger verdorben.

Das eigentliche Schälen war die Arbeit der Frauen – der Klopfstöcke. Sie nahmen die Prügel auf. Waren sie geschält, warfen sie sie auf Haufen. Diese entrindeten Schälprügel hießen Klappern, ein Name, der dem Klange abgelauscht war, den sie verursachten, wenn sie auf Haufen geworfen wurden. Die Schälprügel durften nicht länger als eine Stunde gehauen sein, um ein müheloses Schälen zu ermöglichen. Blieben welche über Nacht liegen, mußte die Rinde am nächsten Tag regelrecht abgeklopft werden; Hauen und Schälen mußte Hand in Hand gehen.

Zum Schälen wurde ein etwa meterlanger 15 – 20 cm starker Prügel senkrecht in die Erde geschlagen, der als Widerlager beim Klopfen diente. Auf diesen legte man den Schälprügel und klopfte ihn mit dem Beilrücken auf einer möglichst genau verlaufenden Linie so lange, bis die Rinde aufsprang. Jetzt wurde der Schinder zur Hand genommen, mit dem man in den durch das Klopfen aufgesprungenen Ritz fuhr und die Rinde löste. Den Schinder stellte man sich im Schlag leicht selbst her. Es war ein ca. 4 cm starkes, rundes Eichenholzstück von ca. 25 cm Länge, das nach vorn leicht gekrümmt war und etwas angespitzt wurde. Beim Klopfen sollte darauf geachtet werden, daß nicht zu viel geklopft wurde, denn dadurch verlor die Rinde an Güte und durch das Splittern und Verreißen an Ansehnlichkeit.

Es gab Schläge, die für ein gutes Gehen der Rinden bekannt waren, andere wiederum waren wegen ihrer schlechten Schälfähigkeit gefürchtet, zu letzteren zählten vor allem die reinen Südhänge *(Stöckberg, Hölle)*.

Spätestens am Abend wurden die Rinden auf Böcke zum Trocknen gebracht[11]. Das Anfertigen der Böcke oblag den Hauern. Ein Bock wurde folgendermaßen hergestellt: Auf den Boden legte man einen stärkeren Schälprügel, über dem man etwa in 60 cm Abstand jeweils 2 Klappern gekreuzt einschlug, in diese wurde ein Gebund Rinde zum Trocknen eingelegt. Dieses Gebund sollte getrocknet später ein Gewicht von 25 Pfund haben. Das erreicht man beim Einsetzen frischer Rinde in etwa, wenn man das Gebund mit beiden Armen nicht ganz umfassen konnte und noch etwa 10 cm Luft blieben. Die Böcke wurden längs zum Hang, möglichst in Südrichtung, mit leichtem Gefälle gebaut, damit bei Regen dieser besser ablaufen konnte und nicht in den Rinden stehen blieb. Die Rinden mußten mit ihren Oberseiten immer nach oben oder außen zeigen, zum besseren Schutz gegen das Auslaugen der Lohe durch Regen.

Abends, oder auch erst nach dem Ende des Schälens, wurden die Klappern an die Schlaggrenzen bzw. Wege verbracht und dort, nach festgesetzten Stärken sortiert, aufgesetzt. Verblieb das Holz im Eigentum des Waldbesitzers, geschah dieses durch vom Waldbesitzer angestellte Holzsetzer, war es Eigentum des Steigerers, so hatte es dieser aufzusetzen. Herausgeschafft wurde das Holz entweder durch Heraustragen oder Herausrücken mit dem Odenwälder Rückeschlitten. Bis September 1871 wurde das Holz in Stecken aufgesetzt. Zum 1. Oktober 1871 wurde im Großherzogtum Hessen das metrische Maß eingeführt. Jetzt wurde das Holz in Raummeter aufgesetzt. Ein Stecken (= 100 französische Steren) entsprach 1,56, also rund 1,6 Raummeter. Vielleicht kommt daher der noch heute gebräuchliche Ausdruck „Ein Ster Holz".

Nun flutete die Sonne herab, der Wind strich durch die Waldblößen, und Holz und Rinde dörrten. Das Holz verlor seine weiße Farbe und bräunte gleich der Menschenhaut. Die Rinde aber verlor mit jedem Tag mehr an Gewicht. Sie mußte so lange im Walde sitzen bleiben, bis der Förster feststellte, daß sie rappeldürr und abzufahren sei.

Trocknen der Rinde und Schutz gegen Regen

Regen war der größte Feind der geschälten Rinde, konnte der Gerbstoffverlust durch Dauerregen doch bis zu 70 % betragen und zusätzlich die Rinde noch schimmelig und unansehnlich werden. Gerade der Wachsmonat Mai zeichnet sich ja in den meisten Jahren dadurch aus, daß es sehr oft und anhaltend regnet. Halbtrockene Rinde ist dem Verderben am meisten ausgesetzt, während frische, grüne Rinde kaum Not leidet und an bindreifer, röscher Rinde das Wasser abläuft. Es gab die verschiedensten Versuche, die Rinde gegen Regen zu schützen, wie z.B. das Abdecken der Böcke mit Tüchern, mit Grobrinde oder die Errichtung von regelrechten Schuppen auf den Flächen zum Trocknen. Speziell die billigere Importrinde aus Ungarn hatte den Vorteil, daß sie völlig ohne Beregnung getrocknet wurde. Dort wurde die Rinde durch Bedecken mit wasserdichten Planen oder Schiffdecken nicht nur vor Regen, sondern des Nachts auch vor Tau (welcher gern zu Schimmelbildung führte) geschützt. Im Jahre 1860 kaufte auch die Oberförsterei Hirschhorn für ihren Staatswald eine größere Anzahl von wasserdichten Tüchern an, mit denen die Rindenböcke bei Regen abgedeckt wurden. Aber bald kam man davon wieder ab, einmal der hohen Anschaffungskosten wegen, und zum anderen war es problematisch, die Tücher entsprechend zu lagern. Sie mußten gut getrocknet und luftig gelagert werden, damit sie nicht schimmelten und unbrauchbar wurden. Gelagert hat man seinerzeit die Tücher in der Zehntscheuer am Schloß.

Im Hirschhorner Raum wurde bei dem Trocknen nach folgendem Verfahren vorgegangen: Spätestens am Abend wurde die Rinde bundweise in die Böcke eingelegt, wobei man ein Gebund frischer Rinde mit beiden Armen nicht ganz umschließen durfte (noch ca. 10 cm sollten frei sein). In anderen Gegenden wurde die Rinde zum Trocknen gegen Stangengestelle gelehnt. Dies hatte aber den Nachteil, daß sie mit einem Ende immer Erdberührung hatte und die Erdfeuchtigkeit aufnahm. In den Böcken war dies nicht der Fall und die Luft konnte gut durch die locker liegenden Rindenbunde streichen. Größter Wert wurde schon vorher auf sauberes Schälen gelegt, vor allem, daß nicht zu viel geklopft wurde. Gerade an diesen Klopfstellen setzte gern Schimmelbildung ein, und es kam hier zu besonders hohem Gerbstoffverlust. Bei guter Witterung war die Rinde schon nach 3 – 4 Tagen oft rappeldürr, sie war waldtrocken. Diesen Zustand konnte man leicht dadurch erkennen, daß sich die Rinde bei versuchter Biegung leicht brechen läßt. Bei schlechtem Wetter konnte es 10 Tage und länger dauern, bis die Rinde in diesem Zustand war. Auf keinen Fall sollte sie schon mahldürr sein; hier hatte sie alle Zähigkeit verloren und war sehr spröde. In diesem Zustand wurde sie später in den Gerbereien gemahlen und in die Lohgruben verbracht.

Bekannt war, daß die Rinde beim Übergang aus dem grünen in den waldtrockenen Zustand erhebliche Gewichtsverluste erleidet, und zwar bis 50 %. Interessant ist hierbei, daß der Gewichtsverlust mit dem wachsenden Alter des Holzes abnimmt, daher vom Fuße des Stammes zum Gipfel hin zu, d.h. die feine Astrinde nimmt ca. 50 % Gewicht ab, während schon verborkte Altrinde nur ca. 30 % abnimmt. Dasselbe Verhältnis findet auch hinsichtlich der Volumensveränderung, des Schwindens, statt. Während die feine Astrinde um ca. 40 % schwindet, sind es bei Altrinde nur noch 20 %. Beim Übergang vom waldtrockenen in den späteren mahldürren Zustand beträgt der Gewichtsverlust nur noch ca. 5 %, während der Verlust durch Schwinden immerhin noch einmal 15 % beträgt.

Es war nun Aufgabe der Forstbeamten, die Rinde in den Böcken laufend auf ihren Trocknungsgrad zu untersuchen und anzuordnen, wann sie gebunden werden mußte.

In unserer Gegend wurde die Rinde also meistens ohne Regenschutz in den Böcken getrocknet. Danach wurde sie gebunden und abgefahren. War aber die Rinde gebunden und es setzte vor der Abfuhr Regen ein, dann wurde sie mit Schiffstüchern und Planen vor dem Regen geschützt. Diese hatten die Steigerer zu stellen.

Auch die Gerber waren mit dieser Art der Trocknung einverstanden, einmal auch aus Kostengründen, und zum anderen hatte sich in ihrer Praxis gezeigt, daß sich die Gerbstoffverluste durch Regen doch meistens in Grenzen hielten. In anderen Niederwaldgebieten, wie z.B. auch im Heilbronner Raum, wurde sehr viel mit Regenschutz experimentiert, am Ende kam man aber immer wieder – vor allem aus Kostengründen – auf die Trocknung ohne Abdeckung zurück.

Binden der Rinde und Abfuhr

Nach Prüfung auf ihren Trockenzustand gaben die Forstleute die Rinde zum Binden frei. Oft gingen Binden und Abfuhr in einem Arbeitsgang von statten; üblicherweise wurden die Rinden aber vor der Abfuhr gebunden und in 2 Reihen hintereinander entlang der Wege aufgestellt. Jeder Steigerer hatte dies auf seinem Loos zu verrichten. Bei Regen mußte evtl. abgedeckt werden[22].

Das Binden geschah folgendermaßen: Dünnere Rindenrollen mußten in größere eingelegt werden, damit nicht so große Hohlräume entstanden, etwa anhaftende Erde, Steine oder Moos wurden entfernt – die Rinden wurden geputzt – um dann zu Gebunden von 25 Pfund zusammengebunden zu werden. Bei einer Länge der Rindenrollen von 45 Zoll (112,5 cm), mußte der Umfang ebenfalls 45 Zoll betragen, das ergab in etwa das Gewicht. Es gab einfache Rindenwaagen, die man etwa in der Hand halten oder an einem Ast aufhängen konnte. Mit diesen Waagen wurde auf den Schlägen vom Steigerer die Rinde verwogen. Damit gewann er auch seinen eigenen, genauen Überblick. Die Gebund wurden mittels zweier selbstgefertigter Wieden gebunden. Im Gewicht von 25 Pfund waren auch die 2 Wieden enthalten, die im Schnitt etwa 250 gr wogen. Dies wurde vom Käufer akzeptiert. Die Wieden stellte man sich auf den Schlägen oder in benachbarten, wieder hochwachsenden Schlägen selbst her. Besonders hierfür geeignet waren Hasel, Birke, Hainbuche, auch aus Pfriemen (Besenginster) konnte man sie herstellen.

Etwa ab 1880 stellten die Käufer (Gerber) dann Stricke für das Binden zu Verfügung, die mehrere Jahre hindurch verwandt werden konnten. Bei der Versteigerung der Loose wurden sie an den jeweiligen Steigerer ausgegeben. Die Abfuhrtermine wurden von der Oberförsterei festgesetzt, jeder Hackwaldsteigerer mußte an diesen Tagen an der Abfuhr teilnehmen. Die Abfuhr nach Hirschhorn geschah fast ausschließlich mit Kuhgespannen, ganz selten waren Pferdegespanne zu sehen. Es gab aber auch ärmere Leute, die kein Kuhgespann ihr eigen nennen konnten. Entweder mußten sie sich ihre Rinden fahren lassen, oder sie brachten sie mit Handwagen oder Schubkarren zu Tal. Es war eine sehr mühselige Arbeit. Die Steigerer aus Rothenberg und Kortelshütte mußten nachts um 2 Uhr von zu Hause losfahren. Mit einer Petroleumfunzel an ihrem Gespann kamen sie bei Tagesgrauen im Schlag an. Waren die Rinden noch nicht alle gebunden, waren andere Familienmitglieder noch früher auf den Schlägen zum Binden. Mit dem anbrechenden Tag wurden die Rinden auf die

Leiterwagen geschichtet, teils längs, teils quer, eine kräftige Kette, Strick, oder gar den Wiesbaum darübergelegt und mit Knüppeln die ganze Ladung fest gebunden. Dann ächzte der Wagen über Rutschen, durch Hohlwege und auf den Waldwegen entlang den Talstraßen zu, die gegen Hirschhorn führten[25].

Vor dem Städtchen im Finkenbachtal, etwa dort wo heute in der Hainbrunner Straße das Feuerwehrgerätehaus steht, befand sich die Rindenwaage. Ein Forstbeamter überwachte das Wiegen. Die Wagen fuhren auf die Waage, ließen sich mit ihrer Last wiegen und fuhren dann dem Neckar zu. Am Neckarlauer entlang der Stadtmauer befanden sich die Rindenmagazine, die sogenannte Rennehütte. Stangen waren senkrecht eingerammt, diese trugen ein flaches Bretterdach, das sich rückwärtig an die alte Stadtmauer anlehnte. Es gab nur eine eigentliche Rindenscheuer, die Rennescheuer, die sich am Neckar gegenüber dem Gefängnis befand, aber leider in den 1960er Jahren wegen Straßenverbreiterung abgerissen wurde. In Neckarsteinach ist eine solche Rindenscheuer heute noch vorhanden. In die Rennehütte am Neckarlauer wurden die Rinden bis in Höhe der Stadtmauern abgeladen.

Schiffe legten inzwischen am Lauer an und wurden mit Rinden beladen, oft lagerten die Rinden aber Tage oder Wochen in den Rindenhütten. Vor der Rindenwaage stauten sich die Wagenschlangen. Schon um 4 Uhr des Morgens begann die Auffahrt und es kam des öfteren vor, daß bis zu 300 Kuhfuhrwerke auf das Gewogenwerden warteten.

Bei solchem Andrang war es nicht möglich, die Wagen jedesmal noch leer zurückzuwiegen, um so das Nettogewicht der Rinden festzustellen. Darum wurde jeder an der Abfuhr beteiligte Wagen vor Beginn der Auffahrt einmal leer gewogen, sein Leergewicht notiert, und diese Leergewichte wurde nun immer angerechnet, so oft er mit seiner Fracht erschien.

Damit dieses abgekürzte Verfahren nicht mißbraucht wurde, mußte jeder Teil des Wagens mit einem Hufeisen gebrannt werden. Darüber hinaus erhielt ein jeder Wagen seine Nummer, die zweimal auf eine Blechtafel an das Fahrgestell zu nageln war. Da das Fahrgestell aus zwei Teilen besteht, mußte eine Tafel vorn am Scherbaum, die andere hinten, an den Wettern, angeschlagen werden. Jedem Wagen war auch eine bestimmte Anzahl von Ketten, Stricken und Knüppeln zum Binden beigegeben. Einem alten Vertrauensmann der Oberförsterei oblag die Kontrolle der Wagen auf Nummer und Zubehör. Später, als die Eisenbahn gebaut war, wurde die Rinde mit dieser verfrachtet. Die Kuhgespanne fuhren dann zum Bahnhof und verluden die Rinde in Waggons. Der Transport und das Abliefern der Rinden an Neckarlauer bzw. Bahnhof oblag den Steigerern, es war mit im Preis für den Zentner Rinde enthalten. Oft machten die Fuhrwerke, und nicht nur nach der letzten Fuhre, an einem Gasthaus halt („Sonne" und „Fürstenauer Hof" waren sehr beliebt), um ihren „Rennedurst" zu stillen, und es soll vorgekommen sein, daß man in Rothenberg oder Kortelshütte erst zur selben Stunde ankam, als man in der Nacht vorher weggefahren war.

Rindenarten, Verwendung

Nach Alter und Aussehen der Eichenrinden ist zu unterscheiden zwischen Eichenglanzrinde, Raitelrinde und Grobrinde. Eichenglanzrinde oder Eichenspiegelrinde: Sie finden wir an ca. 15jährigen Eichenstangen, sie ist noch nicht rissig geworden bzw. verborkt, ihre Außenhaut ist grau und glänzend, daher auch ihr

Name. Diese Rinde hat den höchsten Gerbstoffgehalt und daher auch den höchsten Handelswert, sie weist ferner keinerlei Moosbewuchs auf. Im allgemeinen sollten die Eichenstangen auch nicht stärker als 12 cm sein. Die 15jährigen Eichen liefern insgesamt diese Eichenspiegelrinde, sowohl als Erdgut (Rinde am unteren Schaftteil), als Baumgut (Rinde des mittleren und oberen Schaftteils) und als Gipfellohe (Zweigrinde). Es wurde bei der Aufarbeitung und beim Verkauf aber nicht noch einmal zwischen Erdgut, Baumgut und Gipfellohe unterschieden.

Raitelrinde ist sämtliche Rinde von Eichen, die eine Stärke zwischen 12 und 25 cm aufweisen, auch die glatte Rinde des Gipfelreisigs dieser Eichen zählt hierher. Sie war schon leicht rissig und begann zu verborken, ihr Gerbstoffgehalt und Marktwert war geringer. Diese Raitelrinde fiel bei uns im Odenwald nicht an, da man die Eichenschälwälder in ein solches Alter und Stärke gar nicht erst kommen ließ.

Grobrinde oder Raurinde ist die von Schäften und Ästen über 25 cm Stärke geschälte Eichenrinde. Sie ist rauh und rissig, stark verborkt und erzielte nur einen geringen Preis. Sie fiel hier und da an, wenn beim Schälen z.B. auch ältere Laßraitel mitgeschält wurden. Sie wurden getrennt verkauft.

Verwandt wurde die Eichenrinde fast ausschließlich in der Gerberei, in ganz geringen Mengen auch in der Pharmazie. Sie wurde fein gemahlen und kam mit Wasser vermischt in die Lohgruben. Die wichtigste Eigenschaft des Eichengerbstoffes besteht nun darin, daß sie die in der tierischen Haut vorhandene, in Wasser aufquellende Leimsubstanz (Gelatine) als einen unlöslichen, sehr dauerhaften Körper ausfällen, wobei die leimerzeugenden Hautteile mit dem Gerbstoff sich zu einer zusammenhängenden, festen, äußerst zähen und dauerhaften Masse, dem Leder, verbinden. Diese Art tierische Häute zu gerben bezeichnet man als Lohgerberei oder Rotgerberei. Die Häute blieben bis zu 2 Jahren in den Lohgruben, besonders die größerer Tiere, wie Rind, Ziege, Rotwild wurden ausschließlich nach diesem Verfahren gegerbt. Häute kleinerer Tiere, wie Hase, Fuchs usw. wurden unter Zuhilfenahme von Tonerdesalzen, besonders Aluminiumchlorid und Kochsalz gegerbt; hier spricht man von Alaungerberei oder Weißgerberei. Etwa ab 1870 kamen andere Verfahren immer stärker auf, und bedingten, da einfacher und wirtschaftlicher, einen immer stärker werdenden Rückgang der Eichenlohgerberei.

Andere aufkommende Gerbverfahren: Die Sämischgerberei verwendet Öle (Tran), die Chromgerberei Chromsulfat und Chromchlorid. Auch die Extraktgerberei kam immer mehr auf. Hierbei werden Pflanzen bzw. Pflanzenteile mit hohem Gerbstoffgehalt mit Wasser ausgelaugt und die Masse eingedampft, man erhält so Extrakte von Gerbstoffen. Besonders geeignet hierfür war z.B. Quebrachoholz aus Südamerika.

Gerbstoffgehalt

Der höchste Gerbstoffgehalt in Pflanzen findet sich in chinesischen Galläpfeln mit 70 %, in Knoppern (Galläpfel der Eichen) mit 38 %, Dividivi (Schoten von Caesalpinia coriaria) mit 35 %, Quebrachoholz aus Südamerika und Eichenspiegelrinde bester Qualität mit 20 %. Knoppern und Dividivi kam, mangels Masse, kaum Bedeutung zu, so daß man ausschließlich auf Eichenrinde zurückgriff.

Die Qualität der Eichenrinde, das ist ihr Gehalt an Gerbstoff, hängt von vielen Faktoren ab, wie z.B. Alter, Klima, Boden und vor allem von ihrer Behandlung beim

Schälen und nachher. In vielen Untersuchungen hatte man herausgefunden, daß in 15jähriger Rinde der Gerbsäuregehalt am höchsten ist. Da dieser hohe Gerbsäuregehalt ausschlaggebend auch für den finanziellen Wert ist, war die Umtriebszeit der Eichenschälwälder auf 15 Jahre festgesetzt.

Untersuchungen des Gerbsäuregehalts von Eichenrinde hatten ergeben:

Alter 15 Jahre = 21 % Gerbstoff
Alter 40 Jahre = 17 % Gerbstoff
Alter 60 Jahre = 8,5 % Gerbstoff
Alter 80 Jahre = 5 % Gerbstoff

Daneben kamen noch Klima und Boden ausschlaggebende Bedeutung zu. Man bezeichnet das Reifen der Weintrauben oder wenigstens der edleren Obstsorten als klimatische Voraussetzung für eine gedeihliche Eichenrindenproduktion. Die Böden sollten nicht naß, sondern locker und frisch sein. Je mehr der Boden den Anforderungen der Eiche entspricht, insbesondere im Zusammenhang mit dem Klima, je rascher die Eichenpflanze aufwächst, um so größer sind Quantität und Qualität der Gerbstoff führenden Innenrinde der Eiche. Während ihres Wachstums vertragen Schäleichen keinerlei Beschattung und zu engen Schluß (Raum für die Kronenbildung), hier leidet die Rindenqualität. Dies alles waren Gründe, daß Schälwälder in der bei uns üblichen Weise bewirtschaftet wurden. Bei der Produktion von Eichenwertholz mußte z.T. entgegengesetzt gewirtschaftet werden, vor allem in Form des Hochwaldes und hohem Alter (über 160 Jahre). Im südlichen Odenwald und Neckartal waren diese idealen Voraussetzungen vorhanden, und die auf dem Hirschhorner Rindenmarkt angebotenen Rinden galten mit Recht als die besten im ganzen Reich.

Verwendung des Holzes

Das anfallende Holz wurde als Schichtholz in Stecken bzw. Raummeter aufgearbeitet. Es wurde nach folgenden Stärken sortiert:

Raumholz 1. Klasse: Alle Knüppel über 2 Zoll Stärke
Raumholz 2. Klasse: Alle Knüppel von 1 – 2 Zoll Stärke
Schälholz 1. Klasse: Alle Knüppel über 2 Zoll Stärke
Schälholz 2. Klasse: Alle Knüppel von 3/4 – 2 Zoll Stärke
Schälholz 3. Klasse: Alle Knüppel von 1/4 – 3/4 Zoll Stärke.

Dieses Holz diente fast ausschließlich als Brennholz. Es deckte den Bedarf der örtlichen Bevölkerung, aber auch große Mengen gingen per Schiff und später per Eisenbahn in die Großstädte Heidelberg und Mannheim. Hier waren die Bäckereien gute Abnehmer. Besonders beliebt waren bei ihnen die Schälprügel, die Klappern.

Aber auch beim Bau der Fachwerkhäuser fand ein Teil der Klappern Verwendung. Vor allem schwächere, oft noch gespalten, wurden innerhalb der einzelnen Fachwerke als Korsett eingebaut. Das ganze Fachwerk wurde dann mit einer Mischung von Lehm und gehäckseltem Stroh ausgefüllt.

Wiederum ein Teil wurde von K ö h l e r n zu H o l z k o h l e verarbeitet, gern nahmen die Köhler hierfür die Klappern. Holzkohle aus Klappern war der aus bestem Buchenholz überlegen. Der Verkaufspreis für Klappern war um 1/3 höher als der des ungeschälten Eichenholzes. Da das Köhlereigewerbe auch zum Niederwaldbetrieb gehörte, soll eine kleine Beschreibung von ihm folgen. Auch heute noch findet man die alten Kohlplatten mit schwarzer Kohlerde, für das Revier *Schloßberg* vor allem im Bereich *Schumacherswald, Mittlerer Haselwald* und *Herrenrain.* Auch der Name *Kohlwald* im Revier *Rotes Bild* deutet auf die Köhlerei hin. Diese für den Aufbau eines Meilers erforderlichen kreisrunden, planierten Kohl- oder Meilerplatten, die sich bis heute in den Wäldern fast unverändert erhalten haben, sind noch Zeugen dieser waldgewerblichen Tätigkeit.

Holzkohle fand guten Absatz, so verbrauchte das Michelstädter Eisenwerk zu Beginn des 19. Jahrhunderts mit Hochofen und Hammer jährlich die Kohlen von 12.000 Stecken Holz (das sind 19.000 Raummeter).

Im Jahre 1860 gab es im hessischen Odenwald noch 22 Köhlereien, die vor allem im Ulfenbachtal (Schönmattenwag) angesiedelt waren. Diese Zahl ging bis 1910 auf 10 Betriebe zurück, der letzte Betrieb gab erst 1965 die Köhlerei auf (Knapp/Helfrich in Unterschönmattenwag).

Besonderes Geschick gehörte allein schon zum Kauf der ein- bis zweitausend Raummeter Holz, die ein guter Köhler jährlich verschwelte. Diese Kunst des richtigen Kaufens besteht nicht nur darin, billig einzukaufen, sondern das richtige Holz an den günstigsten Stellen zu kaufen, so daß man ganze Meilerketten brennen konnte.

Es ließen sich nicht überall gute Kohlplatten herrichten. Diese verlangen eine waagrechte Bodenfläche und gleichmäßig gewachsenen Grund. Ungleicher Grund bildet ungleiche Bodenluft. Das aufgesetzte Holz im Meiler läßt sich dann nicht bis zum Grund voll verkohlen. Die Menge des Holzes in einem Meiler kann zwischen 10 – 55 Raummeter schwanken, je nachdem, ob der Bau ein-, zwei- oder dreischichtig errichtet wird. Aus einem Raummeter Eichenholz kann man ca. 80 kg Holzkohle gewinnen.

In die Kohlplatte werden 3 Setzstangen im Abstand von 25 cm gesetzt und mit Wieden zusammengebunden, der sogenannte Quandelschacht. In diese Röhre wird nach dem Aufsetzen des Meilers und nach seiner Abdeckung mit Laub, Rasen und sandiger Erde (3 Schichten) Holzkohle eingefüllt, angezündet und mit Rasenplaggen abgedeckt. Langsam dringt die Glut von oben nach unten. Das Voranschreiten der Glut muß von Anfang an sorgfältig verfolgt werden. Deshalb ist es erforderlich, daß während der ganzen Brenndauer der Köhler den Meiler Tag und Nacht beobachtete; dazu baute er sich eine einfach Köhlerhütte, die ihm als Wohn- und Schutzhütte diente. Der Meiler soll nicht hohl brennen, und es darf keine Luft an die kohlenden Massen, da sonst alles zu Asche verbrennt. Der Köhler lenkt die Glut gleichmäßig rundum in die Tiefe, dabei werden ringförmig Rauchlöcher angebracht. Je nach Meilergröße und Wetter schwankt die Brenndauer zwischen 8 und 16 Tagen.

Ist alles Holz im Meiler durchgeglüht und dieser auf seine halbe Größe zusammengesunken, wird der Meiler geputzt. Das bedeutet, die Deckschicht wird heruntergebrochen, die trockene Schicht sandiger Erde sofort wieder aufgebracht. Dadurch erstickt das Feuer. Erst nach 2 weiteren Tagen wagt der Köhler, mit der Kohlhacke die Holzkohle unten aus dem Meilerfuß ringförmig herauszuziehen. Da ist äußerste Vorsicht geboten, die bereits ausgezogene, erloschene Holzkohle ist noch so heiß, daß sie unversehens noch einmal in Glut kommen kann. Die ganze mühselige Arbeit vieler Tage und Nächte würde sich in Asche verwandeln.

Absatz fand die Holzkohle hauptsächlich in der Industrie, wie Eisenhämmern und Glasschmelzen, aber auch in der aufkommenden Chemie und Pharmazie.

Strafen

Selbstverständlich kam es auch immer wieder einmal vor, daß wegen Zuwiderhandlungen gegen geltende Gesetze Strafen verhängt werden mußten. Diebstahl von Holz und Rinde kamen wohl seltener vor und zogen bei Aufdeckung einschneidende Strafen nach sich. Neben der Geldstrafe war es für den Täter vor allem die Tatsache, daß er in der Folgezeit als Steigerer nicht mehr zugelassen wurde und ihm damit jede Verdienstmöglichkeit genommen war. Mehr aber waren kleine Mogeleien zu beobachten, die aber alle unnachsichtig verfolgt wurden. Überhaupt nahm die forstpolizeiliche Überwachung des Schälwaldbetriebes die Forstbeamten stark in Anspruch.

Als Grundlage für Forststrafen diente das „Großherzoglich-Hessische Forststrafgesetz vom 4. Februar 1837" und dessen Abänderungsgesetz vom 14. Dezember 1872. Als Anhang wurden gleich die Höhe der Geldstrafen und des Schadensersatzes aufgeführt. Diese waren im ganzen Großherzogtum gleich, unterschiedliche Strafzumessungen durch die Gerichte waren nicht möglich. Nach diesem Gesetz und seiner letzten Verordnung über Forststrafen vom 3.4.1876 wurden folgende Strafen verhängt:

Diebstahl von bereits geschälter Rinde: Je Zentner Rinde 40,00 RM Strafe und 8,00 RM Wertersatz.

Wurde die Rinde dagegen von dem Frevler am stehenden, grünen Holz selbst geschält und beiseite geschafft, wurde er mit 60,00 RM und 6,00 RM Schadensersatz bestraft.

Der Diebstahl von Brennholz zog folgende Strafen nach sich:

> 1 Raummeter Scheitholz 36,00 DRM und 7,20 RM Schadensersatz, davon 1 Scheit 1,45 RM Strafe und 0,29 RM Schadensersatz
>
> 1 Raummeter Knüppelholz 27,50 RM und 5,50 RM Schadensersatz, davon 1 Knüppel 0,70 RM Strafe und 0,14 RM Schadensersatz.

Die angedrohten Strafen sollten schon durch ihre Höhe von Diebstahl abhalten, und in der Tat war der Diebstahl von Holz und Rinden selten.

Neben dem Forststrafgesetz vom 4.2.1837 muß noch eine Polizeiverordnung vom 10.4. 1851 für die damaligen Regierungsbezirke Heppenheim und Erbach erwähnt werden. Diese Verordnung „Die Maßregeln gegen Entwendung von Eichenlohrinden in mehreren Forstrevieren des Odenwaldes betreffend" war eine Erweiterung des Artikels 78 des Forststrafgesetzes und galt für die Oberförstereien Erbach, Beerfelden, Waldmichelbach und Hirschhorn. Sie hatte folgende 4 Artikel zum Inhalt:

Artikel 1: Während der Monate Mai und Juni ist der Transport von Eichenlohrinden in Traglästen oder auf Schiebkarren nach Eintritt der Nacht oder vor Tagesanbruch verboten. Die Übertretung dieses Verbots wird mit einer Strafe von einem Gulden geahndet.

Artikel 2: Während der Monate Mai und Juni ist das Betreten der Eichenhack- und sonstigen Eichenniederwaldungen der genannten Forstreviere außerhalb der zur Communication bestimmten Wege anderen Personen als den Eigentümern der betreffenden Waldung, bei 10 Kreuzer Strafe verboten, wenn sie dazu von dem betreffenden Waldeigentümer oder Forstbeamten keine Erlaubnis haben, oder wenn kein Grund vorliegt, der sie zum Betreten der betreffenden Waldung nötigt oder besonders berechtigt.

Artikel 3: Personen, welche in den genannten Revieren Eichenlohrinden in Lästen oder auf Schiebkarren transportieren, haben sich bei dem sie betretenden schützenden oder sonstigen Polizeipersonal, sowie bei dem Empfänger der Rinden durch Transportschein des Eigentümers, des schützenden Forstdieners, in dessen Bezirk die Rinden geschält wurden, oder des Bürgermeisters oder Beigeordneten, welcher sich von dem rechtlichen Erwerb der Rinden vergewissert hat, auszuweisen. Die Nichtbefolgung dieser Anordnung hat eine Strafe von 20 Kreuzern zur Folge. Außerdem findet bei begründetem Verdacht unrechtlichen Erwerbs die Beschlagnahme der Rinden und Bestrafung nach gesetzlicher Vorschrift statt.

Artikel 4: Vorstehende Bestimmungen werden hiermit im höchsten Auftrage zur Nachachtung bekannt gemacht.

Neben diesen Strafen nach dem Forststrafgesetz und der Verordnung konnten aber von der Oberförsterei noch Konventionalstrafen verhängt werden. Diese gründeten sich auf den mit dem Steigerer bei der Versteigerung abgeschlossenen Vertrag. Unabhängig davon war eine Bestrafung nach dem Forststrafgesetz.

An Konventionalstrafen waren z.B. möglich: Bei Versäumnissen und Zuwiderhandlungen gegen das Versteigerungsprotokoll konnte auf eine Konventionalstrafe von 5 Gulden erkannt werden.

Machte sich ein Steigerer einer Betrügerei schuldig, die eine Vermehrung des Rindengewichts bezwecken sollte, z.B. durch Einbinden von Steinen oder grüner Rinde, oder er lieferte die Rinden nicht ab und verkaufte sie anderweitig, so mußte er mit einer Konventionalstrafe von 25 Gulden rechnen. Auch konnte der Steigerer wegen Versäumnissen und Betrügereien von der weiteren Arbeit ausgeschlossen und sein Loos weiterverwertet werden. Kam es hierbei zu Verlusten des Waldbesitzers, hatte diese der Steigerer zu tragen.

Überlandbrennen, Schmoden

Das Überlandbrennen und das Schmoden dienten als Vorbereitung für den Fruchtbau und sind nur in diesem Zusammenhang durchgeführt worden[14]. Beides geschah, nachdem Rinde und Holz von den Schälschlägen abgefahren waren und mußte bis zum 20. Juni beendet sein. Vor allem deshalb, um das Ausschlagen der jungen Eichenlohden nicht zu gefährden[18].

Schon während des Schälens, oder möglichst noch vorher, wurden Grasplaggen, Heide und ähnliches mit der Hacke vom Boden abgezogen. Diese Grasplaggen ließ man mit der Wurzel nach oben liegen, so daß sie verdorrten. Für den nachfolgenden Fruchtbau war es ja erforderlich, daß man die blanke Bodenoberfläche hatte, also ohne Gras, Heide usw.

Die abgezogenen Grasplaggen, Heide usw. wurden auf den Schlagflächen zu kleinen Haufen zusammengesetzt, mit einem Durchmesser von ca. 1 m und einer Höhe von ca. 50 cm. Diese wurden dann in der Mitte mit Reisholz oder Heide angezündet und das Feuer mit weiteren Rasenplaggen abgedeckt und gelöscht, damit kein Verbrennen durch Flammfeuer stattfindet, sondern ein langsames Verkohlen wie in einem Meiler. Man bezeichnete dieses Verbrennen bzw. Verkohlen als Schmoden. Bei günstiger, namentlich trockener Witterung, brannten die kleinen Meiler binnen 24 Stunden durch und erloschen dann von selbst. Aber während dieser Zeit mußten sie überwacht werden, einmal, damit sie nicht brannten, und zum anderen mußten sie

Abb. 33: Rinden in Böcken am Weg, links zusammengeworfene „Klappern". Entlang des Weges noch jüngere „Laßreitel". Um 1900, wohl *Herrenrain* im Revier *Schloßberg* mit Blick ins Finkenbachtal.

Abb. 34: Mit Rinden beladene Kuhgespanne am Hirschhorner Bahnhof zum Verladen in Waggons, um das Jahr 1900.

Abb. 35: Aufnahme von Hirschhorn um 1900. Gut zu sehen die Rindenhütten am Neckarlauer. Ganz links mit Sprießen die alte Rindenscheuer. Aufn.: R. Mathes

Abb. 36: Blick auf Ersheim, *Stöckberg* und *Rotes Bild* vom unteren *Kapellengrund* aus. Im *Stöckberg* und *Kapellengrund* war wenige Jahre vorher der Schälwald zum letzten Mal geschlagen worden. Etwa im Jahr 1936. Aufn.: R. Mathes

Abb. 37: Die Rindenscheuer aus dem 19. Jahrhundert in Neckarsteinach ist heute noch vorhanden.

Abb. 38: Hackschlag Nr. XIII – *Kastanienwald* – des Hirschhorner Stadtwaldes vor dem Brennen. Etwa im Jahre 1910.

Abb. 39: Hackschlag Nr. XIII – *Kastanienwald* – des Hirschhorner Stadtwaldes. Beginn des Brennens. Etwa um 1910.

Abb. 40: Hackschlag Nr. VI – *Mittlerer Stadtwald* – Beginn des Brennens. Etwa um 1910.

Abb. 41: Hackschlag Nr. XIII – *Kastanienwald*. Ein Teil der Feuerwehr mit den Forstbeamten. Etwa um 1910. Es handelt sich um *Langenthaler* Einwohner. Von links: Fritz Elfner, Heinrich Wiegel, Forstwart Jakob, Franz Ballmann, Forstmeister Gilmer, Frieda Ewald, Heinrich Ewald, N.N., Heinrich Elfner und Wilhelm Lehn.

Abb. 42: Überlandbrennen im *Welschwald* der Revierförsterei *Schloßberg* im Jahre 1948 mit Kortelshütter Waldarbeitern.

Abb. 43: Im Hintergrund schon wieder hochgewachsener Schälwald (ca. 10 Jahre alt). Die „Laßreitel" wurden belassen.

Abb. 44: Buchweizen in der Blüte.

Abb. 45: Die Körner des Buchweizens.

Abb. 46: Waldstaudenroggen im Herbst des 1. Jahres, noch keine Ährenbildung. Aufn.: W. Dondorf

Abb. 47: Erst im 2. Jahr bildet der Waldstaudenroggen seine Ähren. Aufn.: W. Dondorf

Abb. 48: Die charakteristischen Folgepflanzen auf den Hackschlägen waren Fingerhut und Besenginster (Pfrieme). 3 Jahre nach Schälwaldabtrieb blüht der Fingerhut, hier im *Langen Acker* des Reviers *Schloßberg*.

Abb. 49: 4 Jahre nach Schälwaldabtrieb blüht im Juni der Ginster, hier im *Welschwald/Schloßberg*.

Abb. 50: Der außergewöhnlich starke Hirsch von Hirschhorn, der im Jagdschloß Kranichstein hängt. Es handelt sich um einen geraden Sechzehnender von 9.0 kg Geweihgewicht und 198,63 Internationalen Punkten. Der Hirsch wurde zwischen 1820 und 1840 gewildert.

Abb. 51: Neubau der Kreisstraße Rothenberg – Hirschhorn, hier unterhalb von Kortelshütte, aufgenommen im Sommer 1924. Viele Kortelshütter und Rothenberger fanden dabei Arbeit und Verdienst. Der Bau dieser Straße wurde hauptsächlich durch die hohen Jagdpachteinnahmen der Gemeinde Rothenberg ermöglicht. Aufn.: E. Schwöbel

Abb. 52: Die erwähnten heute 270jährigen Eichen im Forstort *Platte*, Revier *Schloßberg*.

Abb. 53: Die heute 270jährigen, wunderschönen Furniereichen im Forstort *Teufelshochstätt*, Revier *Schloßberg* (ein Teil davon wurde 1979 gefällt, wie auf der Aufnahme zu sehen ist).

Abb. 54: Trotz durch Überalterung bedingter Kernrisse hatten die Traubeneichen noch einen Furnierholzanteil von 22%.

Abb. 55: Ein besonders schönes Exemplar einer Furniereiche aus der 1979er Fällung im Forstort *Teufelshochstätt*.

Abb. 56: Die stattlichen Buchen im Forstort *Widerschall*, die 1992 genau 174 Jahre alt sind.

Abb. 57: Aufnahme des Buchenbestandes im Forstort *Widerschall* im Winter 1980.

Abb. 58: Ein Teil der Umwandlungsfläche *Welschwald*, Revier *Schloßberg*, in Douglasie im Jahre 1971. Die alten „Laßreitel" wurden belassen.

Abb. 59: Luftaufnahme des *Welschwaldes*, Revier *Schloßberg*, aus dem Jahre 1971. Deutlich zu sehen: die Umwandlungsfläche, die belassenen „Laßreitel" und die neu angelegte Wildäsungsfläche unter der Starkstromleitung. Aufn.: W. Dondorf

Abb. 60: Umwandlung des Niederwaldschlages *Mittlerer Haselwald* im Revier *Schloßberg* im Jahre 1970. Der eingeschlagene Bestand wurde auf Längsmahden gelagert, auf den freien Flächen wurden Douglasien gepflanzt.

Alle Aufnahmen zu diesem Beitrag, bei denen nichts anderes vermerkt ist, stammen vom Verfasser.

oft mehrere Male angezündet werden. Je Loos mußten während der gesamten Brenndauer durchgehend 3 Mann anwesend sein. Waren die kleinen Meiler erloschen, so blieb die, durch Verbrennen des Humus, der unzersetzten organischen Stoffe, des eingefüllten Reisigs usw. entstandene Asche, welche man samt den damit noch vermengten Erdteilchen Lösche nannte, so lange liegen, bis die Einsaat vorgenommen wurde. Hierbei wurde die Lösche mit einer Schaufel gleichmäßig über die ganze Fläche verteilt. Beim Schmoden entstanden in der oberen Bodenschicht Temperaturen bis 300 °C. Dies war natürlich sehr gefährlich für die Eichenstöcke, die bei solch hohen Temperaturen vernichtet wurden. Deshalb sollte das Schmoden nicht unmittelbar über oder an Stöcken geschehen und nicht unter Laßreiteln.

In Verbindung mit dem Schmoden oder unmittelbar danach wurden die Schlagflächen überlandgebrannt. Beim Überlandbrennen verbrannte das über die ganze Fläche verstreut liegende Feinreisig zu Asche. Das Feuer lief verhältnismäßig schnell über die Fläche, die Temperaturen in der obersten Bodenschicht betrugen selten bis 200 °C. Es war immer günstig, auf einer Schlagfläche zu schmoden und überlandzubrennen. Brannte man die Flächen nur über Land, so verbrannten Rasenplaggen und Rohhumus nicht vollständig zu Asche. Beim anschließenden Fruchtbau war dies dann ein Hindernis. Konnte, bedingt durch nasses Wetter, nicht oder nur teilweise überlandgebrannt werden, so wurde nur geschmodet. Hierbei wurde das gesamte Reisig auf den Schlagflächen in die Schmodhaufen gesetzt und zu Asche verkohlt.

Mit dem Überlandbrennen wollte man folgendes erreichen: Aufschließung des Bodens, Zufuhr der Asche als Düngewirkung, Vertilgung von Ungeziefer und Verbrennen bzw. Verkohlen der Hiebsflächen der Eichenstöcke zur Verhinderung von Saftverlust. Durch die verkohlten Hiebsflächen tritt kein Saftverlust mehr ein, der Saft fließt wieder zur Wurzel zurück, und die neuen Ausschläge erfolgen unmittelbar aus der Wurzel oder der untersten Stockpartie. Dies bewirkte gesündere,nicht z.T. durch Stockfäule bedrohte, neue Eichenlohden. Nur mußte das Überlandbrennen bis 20. Juni unbedingt beendet sein, da zu diesem Zeitpunkt das Austreiben der Eichenlohden begann. Hätte man jetzt noch überlandgebrannt, wären die Lohden mitverbrannt und somit die weitere Schälwaldnutzung in Frage gestellt worden. Auch wären durch den weiter stattfindenden Saftverlust nicht so kräftige und zahlreiche Eichenlohden gewachsen. Im Extremfall konnten sich sogar Stöcke totbluten. Ein Verbrennen oder Überhitzen der Laßreitel wurde dadurch vermieden, daß man alles Reisig aus unmittelbarer Nähe der Laßreitel entfernte und auf die Fläche verteilte, so daß hier das Feuer entweder überhaupt nicht oder ganz zahm lief.

Sowohl das Überlandbrennen als auch das Schmoden waren ökonomisch-physikalisch ungerechtfertigt, der Wirtschaftlichkeit des Schälwaldes also abträglich. Sie sind deshalb nur im Zusammenhang mit der Hackwaldwirtschaft zu sehen und zu dulden. Der Fruchtbau hatte durch sie in bezug auf Arbeitserleichterung und Ertrag große Vorteile; der Boden wurde für den Fruchtbau erst richtig erschlossen.

Der Tag, an dem die Schlagfläche überlandgebrannt werden sollte, wurde von der Oberförsterei festgesetzt. Schon vorher hatte der jeweilige Steigerer auf seinem Loos den sogenannten Bodenschwil (Grasplaggen usw.) und das Reisig unter den Standreisern, am aufgesetzten Holz, entlang von Grenzen usw. zu entfernen. Grenzte der Schlag an Laubwald an, so hatte dies auf 10 Fuß (2,50 m) Breite und an angrenzenden Nadelholzbeständen auf 25 Fuß (6,25 m) Breite zu geschehen.

Beim Überlandbrennen hatte jeder Steigerer für einen Hackwaldmorgen eine männliche Arbeitskraft als Hilfskraft und Feuerwehr zu stellen. Zu Beginn des Überlandbrennens wurden von dem zuständigen Forstbeamten die Namen der Steigerer verlesen und die entsprechenden Hilfskräfte festgestellt.
Beim Überlandbrennen mußte trockene Witterung herrschen, von Nachteil konnte starker Wind sein, wegen der Gefahr, daß das Feuer überlief und es zu Waldbränden kommen konnte. Das Brennen begann am späten Vormittag. Es wurde immer von Berg zu Tal gebrannt. Es gehört viel Wissen und Geschick dazu, das Feuer über die Schlagfläche zu leiten. Die Forstbeamten hatten die Leitung beim Überlandbrennen. An den oberen Schlagecken, nicht direkt in den Ecken, sondern bogenförmig hierzu, begann man mit dem Brennen. Oft wurden etwas tiefer auf der Schlagfläche noch einzelne Feuer entfacht, die dann später in die Front einliefen. Zum Schluß wurden die oberen Ecken abgebrannt. An unseren Hängen streicht der Wind tagsüber immer von Tal zu Berg.
Beim Brennen gegen den Wind lief die Feuerfront nicht zu schnell, die Gefahr des Übergreifens war nicht zu groß. Das Reisig, abgeschuppte Heide usw. wurden vollständiger zu Asche verbrannt. Waren dreiviertel der Schlagfläche gebrannt, wurde auch auf der Talseite Feuer gelegt, das dann mit dem Wind dem anderen Feuer entgegenlief. Beim Zusammentreffen der Feuer konnte es zu haushohen Flammenwänden kommen. Das Anzünden bzw. Weiterzünden der Feuer geschah mittels sogenannter Klopffackeln. Dies waren etwa 5 cm starke Schälprügel, die mit einem Ende auf einen Stock oder Stein aufgelegt und mit dem Beil bis zum Zersplittern breitgeklopft wurden. Auf solche Weise zugerichtete Schälprügel brannten begreiflicherweise sehr lebhaft, fast wie eine Pechfackel. Das Abbrennen eines 25 Hektar großen Schlages fand bei günstiger Witterung in 4 – 5 Stunden statt. Das Überlandbrennen geschah unter Einhaltung größter Vorsichtsmaßnahmen. Ein plötzliches Drehen des Windes konnte zu Unglücksfällen und großen Waldbränden führen.

Der Fruchtbau

Dem Steigerer stand auf seinem Loos für 2 Jahre der Fruchtbau zu. In unserer Gegend wurde ausschließlich Buchweizen, das sogenannte Heidekorn, im Volksmund „Haarekorn" genannt, sowie Roggen und Waldstaudenroggen angebaut[13].
Nach dem Überlandbrennen wurde der Boden auf 5 Zoll Tiefe (12,5 cm) durchgehackt und so neben der Lockerung gleich die Vermengung von Asche und Bodenkrume bewirkt. Die Asche ersetzte den Dung und die Hacke den Pflug. Das Hacken mußte schnellstens erfolgen, denn bis Johanni (24. Juni) sollte das Heidekorn ausgesät werden. Es wurde breitwürfig mit der Hand ausgesät und anschließend leicht untergehackt – eingeschuppt –, dabei wurde die Saat zwischen 1 – 2 Zoll mit Erde bedeckt (2,5 – 5,0 cm). Beim Hacken entfernte man größere Steine, die auf die Loog- bzw. Looslinien verbracht wurden.
Das Heidekorn geht schnell auf und wird gewöhnlich im August, öfters aber auch erst im September, reif (zu Johanni gesät und zu Michaeli geerntet). Es wurde mit Sicheln geschnitten und madenweise auf die Erde gelegt und nach einigen Tagen in ganz kleinen Häufchen zum Trocknen aufgestellt. Da keine gleichzeitige Gesamtblüte und somit auch keine gleichzeitige Gesamtreife erfolgte, so mußte man schneiden, wenn die meisten Körner eine dunkle Farbe angenommen hatten und der sich darin befindliche Kern nicht mehr milchig, sondern hart und mehlig war. Wollte man auf

das Reifwerden aller Körner warten, so würden die tiefer sitzenden besseren Körner ausfallen und verlorengehen. Sobald das geschnittene Heidekorn trocken war und die halbreifen Körner eine Nachreife erhalten hatten, wurde es im Walde mit Dreschflegeln gedroschen. Hierfür waren am Rande der Schläge Dreschtennen angelegt. Diese waren etwa 3 – 4 m² groß. Man stellte sie einfach dadurch her, daß man die obere, lockere Erde abhob und am Rande als kleinen Wall aufschichtete. Die Tenne mußte eben und in der Oberfläche durften keine größeren Steine sein. Oft wurden auch vorhandene Kohlplätze als Tennen genutzt. Die Form der Tenne war ein längliches Rund. Das Dreschen des Heidekorns mußte im Wald vorgenommen werden, weil ein Binden dieser Fruchtart nicht möglich und auch der Transport sehr schwierig war, da zu viele Körner ausgefallen wären. Solange es nicht gedroschen wurde, fand eine weitere Nachreife statt. Dabei wurde viel Wärme frei, und bei einer Einlagerung in Scheunen wäre es schimmelig und unbrauchbar geworden. Das abgedroschene Heidekorn wurde nun samt dem Kaff in Säcke gefüllt und nach Hause gefahren. In den Säcken blieb es so lange stehen, bis es sich leicht erwärmt hatte. Dies war eine wesentliche Voraussetzung für eine spätere gute Reinigung. War dieses Erwärmen erfolgt, so wurden die Säcke in der Scheuertenne ausgeleert, nochmals mit Dreschflegeln kräftig gedroschen und dann auf der Windmühle rein geputzt. Das leicht grünliche Mehl lieferte die Grundlage für Brot sowie die Hirschhorner Lokalgerichte „Grüne Pfannkuchen" und „Semmede".

Aber es erfolgte ja zweimaliger Fruchtbau. Als zweite Fruchtart folgte in unserer Gegend ab ca. 1860 fast ausschließlich Winterroggen. In der ersten Hälfte des 19. Jahrhunderts wurde noch überwiegend Waldstaudenroggen angebaut. Versuche hatten nämlich ergeben, daß bei Staudenroggen im Vergleich zu Winterroggen nur die Hälfte an Saatgut erforderlich war. Der Ertrag an Korn war noch um 10 % höher, und zwar nicht nach dem Volumen, sondern nach Gewicht. Daneben war es möglich, im Herbst des 1. Jahres vom Staudenroggen noch Grünfutter zu schneiden. Aber bald wurde die Leistung des Staudenkorns vom Winterroggen durch Neuzüchtungen überholt.

Auf den Stoppeln des Heidekorns wurde im Herbst Roggen ausgesät und eingeschuppt. Dies sollte nicht mehr nach dem 4. November erfolgen. Gleichzeitig wurden die Eichenlohden mit Wieden locker zusammengebunden, einmal, um sie vor Beschädigung beim Schuppen und der nächstjährigen Ernte zu schützen und zum anderen, um ein starkes Verdämmen des Roggens über Winter und Frühjahr zu vermeiden. Das Abschlagen von Eichenlohden mit der Hacke, das sogenannte Dollen, war strengstens untersagt.

Im nächsten August wurde der Roggen dann ebenfalls mit der Sichel geschnitten, das Dreschen verlief wie beim Heidekorn. Auch die Wieden an den Lohden wurden dabei wieder mit der Sichel gelöst, so daß die Stockausschläge ungestört weiterwachsen konnten. Für die nächsten 13 Jahre trat auf dem Schlag Ruhe ein. Der Roggen in den Hackschlägen wurde etwas früher reif als auf den anderen Feldern.

Wurde gleichzeitig mit dem Heidekorn Waldstaudenroggen angebaut, ersparte man sich damit ein zweites Schuppen für die Roggenaussaat im Herbst. Waldstaudenroggen wird im ersten Jahr nur etwa knöchelhoch und bildet noch keine Ähren aus. Erst im zweiten Jahr werden die Ähren ausgebildet; im August ist der Waldstaudenroggen dann reif und wird geerntet.

Zum Schluß dieser Betrachtungen über die landwirtschaftliche Nutzung der Hackwaldungen sollen aber noch einmal kurz die Pfrieme (Besenginster) erwähnt werden.

Nur auf den gebrannten Hackwaldschlägen stellt sie sich im 3. – 4. Jahr ein und füllt die Flächen lückenlos aus. Auf nicht gebrannten Flächen erscheint sie lange nicht so stark. Sie lieferte eine vorzügliche Streu und war in jungem Zustand ein begehrtes Futter für die Ziegen. Durch Nutzung der Pfrieme als Streu hatte der Waldbesitzer oft noch eine Einnahme. Auch forstlich kam ihr Bedeutung zu, einmal schützte sie die jungen Eichen vor Spätfrösten, und zum anderen trieb sie die Eichen in die Höhe. Sie wirkte also sehr vorteilhaft auf das Höhenwachstum. Vielleicht hat auch der Forstort *Feuerberg* im Revier *Schloßberg* seinen Namen von der Pfrieme. Wenn der *Feuerberg* als Schälwald genutzt wurde, war er Jahre später über und über mit Pfriemen bestockt. Wenn diese in der 2. Maihälfte dann blühten, so tauchte die Abendsonne den Berg in ein Flammenmeer, es sah aus, als würde er brennen.

Die Erträge an Heidekorn und Waldstaudenroggen waren auf den einzelnen Schlägen oft recht unterschiedlich. Hier spielten Bodenqualität, Höhenlage, Himmelsrichtung usw. oft die entscheidende Rolle. Auch der Witterungsverlauf war entscheidend, besonders gute Ernten an Heidekorn hatte man nur alle 4 – 5 Jahre.

Im Durchschnitt wurden folgende Erträge je Morgen erzielt:

Heidekorn:	Aussaatmenge 0,45 Ztr., Ernte 5,0 Ztr. (etwa das Zehnfache). Der Ertrag an Stroh war gering.
Winterroggen:	Aussaatmenge 0,80 Ztr., Ernte 3,0 Ztr. (etwa das Vierfache). Dazu kamen noch 6,0 Ztr. Stroh.

Die Ernten standen oft in keinem Verhältnis zu der aufgewendeten, meist harten Handarbeit. Die Ausgaben deckten da kaum die Einnahmen.

Die genaue Bewertung aller Arbeiten und Materialien auf 1 Morgen Hackwald ergibt im Jahre 1890[19].

1. Ernte: Heidekorn

Umhacken, Schmoden, Schuppen = 8 Tage à 2,00 RM	=	16,00 RM
Saatgut – 0,45 Ztr. Heidekorn	=	4,00 RM
Mähen des Heidekorns = 4 Tage à 1,20 RM	=	4,80 RM
Heimfahren, Dreschen, Reinigen	=	7,00 RM
		31,80 RM
Ertrag an Heidekorn = 5,0 Ztr. à 8,00 RM	=	40,00 RM
Ertrag an Stroh	=	0,50 RM
	=	40,50 RM

2. Ernte: Roggen

Einschuppen des Saatgutes = 4 Tage à 2,00 RM	=	8,00 RM
Saatgut = 0,80 Ztr. Roggen à 8,00 RM	=	6,40 RM
Mähen des Roggens = 4 Tage à 1,20 RM	=	4,20 RM
Heimfahren, Dreschen, Reinigen	=	7,00 RM
		26,20 RM
Ertrag an Roggen – 3,0 Ztr. à 8,00 RM	=	24,00 RM
Ertrag an Stroh – 6 Ztr. à 1,50 RM	=	9,00 RM
		33,00 RM
Die Gesamteinnahmen betragen also:		73,50 RM
Gesamtausgaben:		58,00 RM
Es bleibt also ein Überschuß beim Fruchtbau von:		15,50 RM

Behandlung und Pflege nach dem Schälen

Um die Wirtschaftlichkeit und Gesundheit der Eichenniederwälder zu erhalten, war jedesmal nach dem Abtrieb eine gewisse Pflege erforderlich. Große Bedeutung kam hier dem Alter der Stöcke zu. Hatten die Stöcke ein Alter von 4 Umtrieben (60 Jahre) erreicht, machte sich bei ihnen schon eine gewisse Überalterung bemerkbar, und zwar dahingehend, daß nicht mehr so viele Lohden ausgetrieben wurden und sie in ihrem Wachstum nachließen. Dem begegnete man, indem etwa bei jedem 3. Abtrieb eine gewisse Zahl junger Eichen gepflanzt wurde, und zwar durchschnittlich 500 Eichenstummelpflanzen je Morgen. Sie waren in ihrem Höhenwachstum den Stockausschlägen gleich.

Diese Erneuerung wurde selten durch Saat durchgeführt, vor allem deshalb, weil in den ersten Jahren diese Pflanzen doch zu stark im Wachstum zurückblieben und ihnen große Schäden durch den Fruchtbau zugefügt werden konnten. Wurden trotzdem Eicheln gesät, so hatte dies der Steigerer zu tun beim Einschuppen der Frucht. Beim Pflanzen hatte der Steigerer ebenfalls je Loos einen Tag ohne Anspruch auf Lohn mitzuarbeiten. Der darüber hinausgehende Arbeitsaufwand wurde hingegen vom Waldbesitzer getragen.

Eine weitere Pflegemaßnahme war der Aushieb der Raumhölzer. Die Hasel- und Birkenlohden mußten vom Steigerer im 1. und 2. Jahr jeweils bis zum 1. Oktober abgeschnitten werden. Darüber hinaus konnte es nötig sein, etwa im 4. – 5. Jahr noch einmal die Raumhölzer auszuhauen; dies oblag dann dem Waldbesitzer. Die Laßreitel trieben immer wieder, bedingt durch die Freistellung, Wasserreiser aus. Sie wurden entfernt, eventuell auch die unteren Altäste von Zeit zu Zeit weggenommen. Auch diese Arbeiten hatte der Steigerer zu verrichten, wobei evtl. von den Altästen anfallende Altrinde, getrennt verkauft wurde.

Generell bestand für die Eichenniederwälder Weideverbot. Ausnahmen konnten vorkommen, dann aber durfte erst nach dem 8. Jahr, wenn die Lohden dem Maul des Viehs entwachsen waren, Weide betrieben werden. Dies galt natürlich nicht für den Kleinprivatwald. Das Werben von Laub als Streu war ebenfalls streng untersagt, dafür nahm man die Pfrieme, deren Wert als Streu dem Stroh kaum nachstand, und evtl. die Heide.

Neben dem Ausschneiden der Raumhölzer in den ersten beiden Jahren, das man mit Ausjäten bezeichnete, kam ab etwa 1860 auch der Frage der Durchforstung größere Bedeutung zu. Durch Versuche hatte man herausgefunden, daß schwache Durchforstungen etwa nach der Hälfte des Umtriebs (also nach 8 – 10 Jahren), bei der vor allem schlecht geformte und zurückgebliebene Eichen entnommen wurden, den Ertrag an Holz und Rinde bis zu 25 % steigern konnte.

Alle jetzt beschriebenen Maßnahmen führten dazu, daß die forstlichen Erträge in der 2. Hälfte des 19. Jahrhunderts gerade im Domanialwald der Oberförsterei Hirschhorn gewaltig gesteigert wurden und in Deutschland als vorbildlich galten.

Erträge in Holz und Rinde, Rentabilität

Über Erträge in Holz und Rinde im Eichenniederwaldbetrieb lassen sich keine allgemein gültigen Angaben machen. Zu viele Faktoren beeinflussen den Ertrag. Standort, Umtriebsalter, Alter der Stockausschläge, Pflege und vor allem die Raumholzbeimengung sind für den Ertrag von Bedeutung. Fest steht aber, daß in der Anfangszeit der geregelten Niederwaldbewirtschaftung die Erträge noch verhältnis-

mäßig niedrig lagen, dann immer mehr gesteigert wurden und etwa ab den 1880er Jahren ihren Höhepunkt erreichten.
Das läßt sich nach amtlichen Quellen einwandfrei belegen. Danach war das durchschnittliche Rindenergebnis in den zum Eigentum des großherzoglichen Hauses gehörenden Schälschlägen (also dem Domanialwald) in der Oberförsterei Hirschhorn fogendes:

Umtriebe der Jahre	Rindenergebnisse je Hektar
1841 – 1855	58,9 Ztr.
1856 – 1870	77,2 Ztr.
1871 – 1885	102,0 Ztr.

Das bedeutete in 45 Jahren eine Steigerung um 73 %.
Ertragsangaben beziehen sich im folgenden nur auf den Domanialwald. Im Bauernwald und teilweise auch im Kommunalwald sind sie verhältnismäßig niedrig, denn neben dem Rindenertrag spielten hier für den Waldbesitzer noch andere Faktoren eine bedeutende Rolle. So hatten diese einen viel höheren Raumholzanteil, die Schläge wurden noch weidegenutzt und vor allem streugenutzt. Gerade die laufende Streunutzung konnte den Ertrag bedeutend vermindern.
Nach Auswertung zahlreicher Schälwalderträge im Deutschen Reich stellte der Forstwissenschaftler Pfeil im Jahre 1850 eine Ertragstafel für 18j. Umtrieb auf:

Ertragsklasse	Ztr. Rinde/ha	Fm Holz/ha
I	137,0	74,5
II	106,0	64,5
III	90,0	54,5
IV	75,0	48,2
V	51,0	35,9

Zu ähnlichen Ergebnissen kam eine lokale Ertragstafel der Erbach-Fürstenauischen Oberförsterei Beerfelden aus dem Jahre 1850:

Charakteristik des Bestockungsgrades	Rindenertrag Ztr./ha	Holzertrag Gulden/ha	Raumholzbeimengung
schlecht u. lückig	40,0	24,0	vorwiegend
mittel, mäßig geschlossen	60,0	36,0	erheblich
gut geschlossen	80,0	48,0	wenig
sehr gut	100,0	60,0	etwas
vorzüglich	120,0	72,0	ohne

Hieraus läßt sich wiederum ersehen, welchen Einfluß Geschlossenheit des Bestandes und Raumholzbeimengung für den Ertrag haben. Sehr interessant sind für uns Mitteilungen des damaligen Oberförsters Eickemeyer von Hirschhorn aus dem Jahre 1864 hierzu: Ein neubegründeter Schälschlag lieferte beim 1. Abtrieb 60,3 Ztr. Rinde, beim 2. Abtrieb 79,6 Ztr. Rinde (plus 32 %), beim 3. Abtrieb 113,0 Ztr. Rinde (plus 88 %). Erst beim 3. Abtrieb hatte eine Stockschlagfläche ihren Normalertrag. Nach seinen Angaben betrug der Reinertrag je Hektar für den Schälwald bei I. Bonität = 37 Gulden, bei II. Bonität = 29 Gulden und bei III. Bonität nur noch 22 Gulden. Er sinkt aber bei einer Raumholzbeimengung bis 0,5 der Bestockung schon auf 15 Gulden und bei einer Raumholzbeimischung bis 0,7 der Bestockung auf 12 Gulden und damit unter den Ertrag des Hochwaldes.

Noch 1876 war die Rentabilität des Schälwaldes der des Hochwaldes weit überlegen im südlichen Odenwald. Für einen guten Schälwaldbestand in der Oberförsterei Hirschhorn betrug der Ertrag (15j. Umtrieb) je Hektar 100 Ztr. Rinde und 60 Festmeter Schälholz und brachte hier einen Reinertrag von 46,11 RM, während für einen Kiefernbestand II. Bonität bei 110j. Umtrieb nur 51,40 RM Reinerlös anfielen. In derselben Zeit hätte der Schälwald (46,11 x 7 Umtriebe) 322,77 RM Reinertrag erbracht, mithin also 271,37 RM mehr.

Als aber ab 1876 die Rindenpreise schnell sanken und die Erntekosten anstiegen, wurde das Rentabilitätsverhältnis sehr viel ungünstiger. In der Oberförsterei Hirschhorn stellten sich die Waldreinerträge für Schälwald im Jahre 1893 nur noch auf 11,00 RM, sanken also gegenüber dem Jahre 1876 um 35,00 RM (= 75 %).

Eine weitere gute Angabe zur Rentabilität können wir der Ertragsrechnung der Oberförsterei Hirschhorn für den Domanialwald aus dem Jahre 1883 entnehmen. Bei einem Verkauf von 7050 Ztr. Rinde, 5000 Raummetern Schälholz und 256 Morgen Hackbodeneinnahmen, verblieb nach Abzug von Schäl-, Hauer- und Fuhrlöhnen ein Reinertrag von 39.274,00 Reichsmark, bei dem Wert der damaligen Mark war dies eine Menge Geld. Als Vergleich hierzu möchte ich das Ergebnis der betriebswirtschaftlichen Jahresrechnung für das Forstamt Hirschhorn für das Jahr 1978 anführen. Dies wies an Ausgaben 1.221.464,00 DM und an Einnahmen 680.283,00 DM auf, mithin ein Minus von 541.181,00 DM.

Daß die Gunst der hohen Rindenpreise nur eine vorübergehende sein werde, das sah unsere konservative Staatsforstverwaltung voraus, als sie in den Jahren 1860 – 1875 dem Drängen der Gerber auf Vermehrung der Schälwaldflächen nicht nachgab, im Gegenteil langsam wieder zu ersten Hochwaldungen zurückkehrte. Anders war es bei Gemeinden und vor allem den Bauern; sie erkannten den Lauf der Zeit erst viel später.

Die Jagd im Niederwaldbetrieb

Wald und Wild gehören untrennbar zusammen. Gerade der Hackwaldbetrieb brachte für eine Reihe von Wildarten optimale Lebensbedingungen, deshalb soll auch eine kurze Schilderung der jagdlichen Verhältnisse aus dieser Zeit hier eingefügt werden.

Leider gibt es kaum Quellen für den Hirschhorner Raum, die über Wildstände und Bejagung aus früherer Zeit berichten, vor allem fehlen Angaben über Jagdstrecken, Jagdherren und erbeutete Trophäen.

An Großwild kamen in frühester Zeit bei uns sicherlich Auerochse, Wildpferd, Elch, Wildschwein, Hirsch, Bär und Wolf vor. Davon waren Auerochse, Wildpferd und auch der in den sumpfigen Niederungen der großen Flußsysteme lebende Elch zu Beginn des 12. Jahrhunderts bei uns verschwunden. Die letzten Bären im Odenwald wurden im 16. Jahrhundert gestreckt, Wölfe hielten sich noch bis Ende des 18. Jahrhunderts (also bis zum Beginn der eigentlichen Hackwaldbewirtschaftung). Der letzte Wolf im Odenwald wurde aber erst am 12.3.1866 im Eberbacher Stadtwald erlegt. Sauen und Hirsche kommen noch heute vor, wohl im Laufe der Jahrhunderte in unterschiedlicher Anzahl. Hierzu ist zu sagen, daß während des ganzen 19. Jahrhunderts das Wildschwein verschwunden war. Hirsche erreichten noch bis zur 1. Hälfte des 17. Jahrhunderts Gewichte bis 6 Zentner, in den letzten 200 Jahren aber nur noch die Hälfte. Der typische Odenwaldhirsch beeindruckte durch seine gedrungenen, endenreichen und knorrigen Geweihe.

Daß Rotwild in den hiesigen Waldungen schon von jeher beheimatet war, ergibt sich schon aus dem Namen Hirschhorn. Auf dem „Hirzhorn", einer Bergzunge zum Neckar hin, die gern von Hirschen aufgesucht wurde, begannen Ritter ab dem Jahre 1270 mit dem Bau ihrer Burg und nannten sich Ritter von Hirschhorn. Eine Hirschstange war das Wappensymbol derer von Hirschhorn, so wie der Hirsch noch heute das Wappentier der Stadt Hirschhorn ist.

Es gibt nur wenige Forstorte, deren Namen sich auf Jagd und Wild beziehen, z.B. der *Wolfsgrund* im Hirschhorner Stadtwald (gegenüber Unter-Hainbrunn) und die *Wolfsgrube* in Langenthal. Auf alten Forstkarten des Reviers *Schloßberg* findet man für die heutigen Forstorte *Suhlschlag* und *Hessenreisig* noch die Bezeichnung *„Am Jägerhaus"*. Ob dort tatsächlich einmal ein Jägerhaus gestanden hat (vielleicht kurmainzisch), läßt sich heute nicht mehr nachweisen, es sind auch keinerlei Baureste mehr vorhanden.

Dagegen ist die Errichtung des *„Steinernen Tisches"* oberhalb des *Kapellengrundes* im Forstort *Teufelshochstätte* mit Sicherheit aus jagdlichen Gründen erfolgt, zum Ende der Zeit von Kurmainz. Auf einer Tischsäule ist die Jahreszahl von 1797 eingeschlagen.

Der *Steinerne Tisch* war Rast- und Sammelplatz bei den abgehaltenen Jagden, er liegt zentral in dem Revier *Schloßberg*, von ihm aus hatte man sicher den schönsten Blick auf Schloß, Städtchen und Neckartal.

Das Jagdrecht in den Waldungen hatte der Landesherr. Erst nach dem Jahre 1848 erhielten die Gemeinden das Jagdrecht zurück. Es wurde mit dem Eigentum an Grund und Boden verknüpft. So geschah es auch mit dem Hirschhorner Stadtwald. In den Domanialwaldungen des *Schloßbergs* und des *Roten Bildes* stand das Jagdrecht dem großherzoglichen Hause zu. Angehörige des großherzoglichen Hauses haben aber hier niemals gejagd, Hirschhorn war kein Hofjagdrevier, die Jagd war an private Jäger, i.d.R. aus Mannheim, verpachtet.

Zu den einzelnen Wildarten ist zu sagen: R o t w i l d war während der Bewirtschaftung der Hackwälder lange nicht in der Zahl vertreten, wie es heute der Fall ist. In den Wirren der Revolution von 1848 nahm die Wilddieberei stark überhand, und das Rotwild wurde fast ausgerottet. Vielleicht verdankt es überhaupt dem Vorhandensein der Schälwälder sein Überleben, denn seine letzten Reste konnten sich nur in den verfilzten und ruhig gelegenen Eichen-Hasel-Niederwaldungen im Eberbacher Raum vor völliger Vernichtung bewahren. Von hier aus verbreitete es sich wieder in dem ganzen südlichen Odenwald, und zwar ab den 1870er Jahren. Aber auch jetzt blieb seine Zahl niedrig, es gab viele kleine Jagden, und alles Rotwild, dessen man habhaft werden konnte, wurde geschossen. Starke Hirsche kamen überhaupt nicht vor. Rotwild fand auf den Hackschlägen und in den hochwachsenden Niederwaldungen ideale Äsungs- und Einstandsmöglichkeiten, zumal diese Niederwälder den größten Teil des Jahres nicht beunruhigt wurden. Der Niederwaldbetrieb brachte für das Rotwild, wie auch für eine Vielzahl anderer Wildarten, ideale Lebensbedingungen. Der verhältnismäßig niedrige Rotwildbestand begünstigte auf der anderen Seite das Gedeihen der Niederwaldungen, da ein starker Verbiß nicht stattfand. Durch den Verbiß der Gipfelknospen wäre evtl. in den ersten Jahren ein Zurückbleiben der jungen Schälwaldungen denkbar gewesen. Aber es ist auch denkbar, daß sich starker Verbiß nicht besonders ausgewirkt hätte, da die Lohden aus den starken Stöcken bzw. bei Neuanlage aus den Stummelpflanzen so kräftig schieben, daß ein Verbiß kaum ins Gewicht fällt. Leider sind aus unserer Gegend darüber keinerlei

Aufzeichnungen bzw. Beschwerden auffindbar. Dagegen liegen aus dem Taunus Aufzeichnungen vor, wonach gegatterte und nicht gegatterte Niederwaldflächen den gleichen Ertrag und Schnellwüchsigkeit brachten, sich ein mäßiger Rotwildbestand auf den Niederwald also nicht negativ auswirkte. Die zwei stärksten Hirschgeweihe der letzten 150 Jahre sind ein gewilderter Hirsch, der im Jagdschloß Kranichstein hängt und ein Vierzehnender, der am 15.10.1968 im *Schloßberg*, Forstort *Feuerberg*, erlegt wurde.
Bei dem außergewöhnlich starken Hirsch, der im Jagdschloß Kranichstein hängt, handelt es sich um einen geraden Sechzehnender von 9,0 kg Geweihgewicht und 198,63 I.P. Das Geweih trägt folgende Inschrift: „*Diesen Hirsch hat ein Wilddieb namens Lang von Hirschhorn geschossen, seit 50 Jahren das Geweih in seiner Stube aufbewahrt und wurde, nachdem die männliche Familie Lang im Zuchthaus gestorben war von dem Oberförster von Dörnberg gekauft.*"
Wann dieser Hirsch gewildert wurde, ist nicht mehr genau zu ermitteln, sehr wahrscheinlich zwischen 1820 und 1840, auf keinen Fall nach 1840. Nach Durchsicht des Archivs der Stadt Hirschhorn konnte der Verfasser folgende interessanten Feststellungen machen: Ein gewisser Jakob Lang war Wildschütz im Gemeindewaldbezirk Hirschhorn in den Jahren 1824 – 1832. Er wurde dann 1832 wegen verschiedener Dienstvergehen aus dem Dienst entlassen. Vielleicht war er es, der diesen starken Hirsch gewildert hat. Schwarzwild war in diesem Zeitraum überhaupt nicht vorhanden, erst nach 1900 tauchten die ersten Stücke wieder auf.
Rehwild war in großer Zahl vorhanden. Die Revolutionswirren von 1848 dezimierten seinen Bestand wohl auch sehr stark, aber es erholte sich verhältnismäßig rasch. In früheren Jahrhunderten kam es ja nur vereinzelt vor, aber im Niederwaldbetrieb fand es seinen idealen Lebensraum, es ist ja von Natur aus kein Bewohner des reinen Waldes, sondern der Buschwälder. Bei Treibjagden im *Schloßberg* wurden noch zu Ende des letzten Jahrhunderts große Strecken erzielt. Nach glaubhaften Erzählungen sind ganze Leiterwagenladungen an Rehen erlegt worden. Die Bejagung von Rot- und Rehwild in den reinen Waldrevieren geschah nur zu einem geringen Teil bei der Pürsch. Die verfilzten Niederwälder boten dem Wild so gute Einstandsmöglichkeiten und Äsung, daß es sehr schwierig zu bejagen war. Dafür wurde es im Herbst auf Treibjagden erlegt.
Hasen gab es auch in dieser Zeit wenig, der Hase ist ja von Natur aus ein Bewohner der Ebene und des Feldes, das reine Waldgebirge sagt ihm nicht zu. Dagegen gab es sehr reichlich Waldhühner und Feldhühner. Von den bei uns vorkommenden Waldhühnern war zwar das Auerwild nur ganz spärlich vertreten, da es an das Vorkommen großer Nadelwälder gebunden ist, dagegen gab es reichlich Birkwild und überreichlich das sehr wohlschmeckende Haselwild. Birkwild und Haselwild konnten in den Hackschlägen wie im Schlaraffenland leben. Mit dem Niedergang des Schälwaldbetriebes nahmen sie schnell ab und sind seit 1930 etwa ganz verschwunden.
Ebenfalls gab es durch den Feldbau sehr viele Rebhühner, besonders in den talnahen Schlägen wie *Stöckberg, Sand, Hölle, Kastanienwald* usw. Aber auch ihnen ging es wie Birk- und Auerwild. Seit 1970 gibt es selbst *in der Weidenau* und im *Igelsbacher Feld* kein einziges Rebhuhn mehr.
Noch besonders hervorzuheben ist das Vorkommen zahlreicher Schnepfen im Frühjahr zur Strichzeit, aber auch als Brutschnepfen über Sommer. Aber erfreulicherweise kommt dieser schöne Vogel auch heute noch gerade im Revier *Schloßberg*

zahlreich vor; man kann heute noch Frühlingsabende zur Strichzeit erleben, an denen man zehn und mehr Schnepfen streichen sieht. Neben der Hirschbrunft im bunten Herbstwald sind die warmen Frühlingsabende mit dem Schnepfenstrich die schönsten Stunden im Revier für den Jäger im südlichen Odenwald. Zahlenmäßig gering war das Raubwild wie Dachs, Fuchs und Marder vertreten. Das hat sich auch bis heute kaum verändert.

Aber auch die Gelder, die den Waldbesitzern aus den Jagdverpachtungen zuflossen, waren nicht unerheblich. Für verschiedene Gemeinden waren die Einnahmen aus der Jagd oft größer als die Einnahmen aus der Forstwirtschaft, deshalb hatten sie an einer pfleglichen Bewirtschaftung der Wildbestände größtes Interesse. Um dies zu dokumentieren, soll hier auszugsweise ein Artikel aus der „Südhessischen Post" vom 25.10.1924 wiedergegeben werden. Darin heißt es zur Kreisstraßenfertigstellung von Rothenberg nach Hirschhorn: *„Durch die Erbauung dieser Straße hat ein schon Jahrzehnte alter Plan, das obere Mümlingtal über die Höhen des Odenwaldes mit dem Neckartal zu verbinden und gleichzeitig die Gemeinde Rothenberg, deren wirtschaftliche Beziehungen nach der Stadt Hirschhorn zuneigen, mehr dem Verkehr zu erschließen, Verwirklichung gefunden. Nach Kriegsende brachte die Gemeinde Rothenberg, die aus ihrer Waldjagd außerordentlich hohe Einnahmen erzielt, die Straßenbaufrage in Fluß, indem sie im Jahre 1921 einen Baukostenzuschuß von 650.000,00 Mark anbot; die Stadt Hirschhorn bewilligte einen weiteren Zuschuß von 100.000,00 Mark, so daß die Baukosten zum übergroßen Teil gedeckt waren. Die neuerbaute Straße ist unzweifelhaft eine der schönsten Gebirgsstraßen, die der Odenwald aufweist. In ihrer Höhenlage genießt man von hier aus einen prächtigen Überblick über die vorgelagerte Odenwaldlandschaft, die vor uns durch das idyllisch gelegene Rothenberg selbst abgeschlossen wird. Rothenberg ist ein Jahrhunderte altes Dorf, das ehedem aus einer Rodung entstanden ist und heute rund 1200 Einwohner aufweist, die sich durchgehend mit Ackerbau, Viehzucht und Waldwirtschaft befassen. Besonderer Wohlhabenheit erfreut sich der größte Teil der Bevölkerung nicht. Dagegen besitzt die Gemeinde ausgedehnte Waldungen und erzielt aus diesen, besonders aber aus der Verpachtung der weithin bekannten Rotwildjagdgründe beträchtliche Einnahmen".*

Rückgang des Niederwaldbetriebs

Es gibt eine ganze Reihe von Gründen für den Rückgang des Niederwaldbetriebes, die schließlich zu seinem gänzlichen Verschwinden führten. Vor allem aber war es die Tatsache der sinkenden Rindenpreise und des sinkenden Rindenbedarfs; und daraus resultierend gab es für den Waldbesitzer keine Rendite mehr im Niederwaldbetrieb. Gleichzeitig stieg der Bedarf an Nutzholz stark an mit steigenden Holzpreisen. Waldbesitzer und Forstleute waren nun gezwungen, durch Umwandlung der Niederwälder in Hochwald, vor allem in Nadelholz, sich der veränderten Wirtschaftslage anzupassen.

Was waren nun die Hauptgründe für das Sinken der Rindenpreise? Die Technik nennt das 19. Jahrhundert das Zeitalter der Dampfmaschinen und der Elektrizität. Die politische Ökonomie kann es als das Jahrhundert der Arbeits- und Kapitalvereinigung bezeichnen. Überall verdrängte der Großbetrieb den Kleinbetrieb, vernichtete die Fabrik das Handwerk. Der Welthandel, die Konkurrenz der Nationen auf dem Weltmarkt, zwangen dazu. Länger als andere Gewerbe hat die Gerberei, und namentlich die Sohlledergerberei, dem Zuge der Zeit widerstanden. Noch 1870

wurde sie vorwiegend handwerksmäßig betrieben, und als Gerbemittel kam ausschließlich Eichenlohe zur Anwendung.
In den Anfang der 1870er Jahre fällt der Beginn der Masseneinfuhr von ausländischem, besonders von amerikanischem Leder (Hemlockleder). Das Ausland arbeitete nicht nur mit billigeren und besseren Häuten, sondern verfügte auch über billigere und bessere Gerbmittel. Die Einfuhr von Lederwaren im Deutschen Reich stieg nach den Angaben des statistischen Reichsamts von 848.000 kg im Jahre 1872 auf 1.100.000 kg im Jahr 1875, also innerhalb von 3 Jahren um 30 %. Dasselbe statistische Reichsamt wies 1875 im Reich noch 11.781 Gerbereibetriebe auf. Aber viele Handwerksgerbereien mußten jetzt ihren Betrieb einstellen.
Um die Notlage der Gerberei zu mildern und um sie vor ausländischer Konkurrenz zu schützen, belegte das Zolltarifgesetz vom 15.7.1879 die Ledereinfuhr mit einem Zoll von 36,00 RM je Doppelzentner (1872: 12,00 RM). Die deutsche Lederindustrie konnte Zeit zur Entwicklung gewinnen. Aber diese Entwicklung konnte nicht über das Handwerk gehen, sondern nur über das Großkapital. Es kam zur Gründung großer Fabriken mit rationellem, den Importländern abgesehenem Betrieb, in denen die menschliche Arbeitskraft von der billigeren Maschine verdrängt wurde. Gleichzeitig trat an Stelle des alten, unwissenschaftlichen Gerbeverfahrens eine Methode, die auf besserer Kenntnis der physikalischen und chemischen Vorgänge beim Gerbprozeß beruhte. Dieses neue Gerbverfahren der Schnellgerberei oder Extraktgerberei beruhte im wesentlichen auf dem Auslaugen des Gerbstoffes aus billigen Gerbmitteln wie Quebracho (aus Südamerika), Hemlock (Nordamerika) mittels heißen Wassers. Die Anwendung dieser Extrakte ermöglichte die Herstellung von Brühen mit bestimmtem Gerbstoffgehalt; je weiter die Gerbung fortschreitet, desto konzentrierter ist die Lösung, in welche die Häute eingesetzt wurden. Der Gerbprozeß konnte in 3 – 4 Monaten beendet sein, während es in den alten Lohgruben bis zu 2 Jahren dauerte.

Eine einzige solche Großgerberei bei Hamburg verarbeitete im Geschäftsjahr 1892/93 170.000 Häute, d.h. 10.000 Häute mehr als sämtliche Gerbereien des Handelskammerbezirks Siegen und doppelt so viel als die 17 großen Handwerksgerbereien der in bezug auf ihre Lederindustrie bekannten Stadt Trier.

Diese Entwicklung bedeutete das Aus für viele Handwerksbetriebe. In den Jahren 1880 – 1890 schlossen im Deutschen Reich jährlich 200 solcher Betriebe. Mittelgroße Betriebe konnten sich dagegen halten, aber sie stellten sich um, indem sie einen Mittelweg gingen. Dieser Weg bestand darin, daß sie neben dem altmodischen Grubenverfahren auch das neue Extraktverfahren anwendeten. Zum Anfärben in den Lohgruben wurde weiterhin Eichenlohe benutzt, später kamen die Häute dann in Extraktbrühen. Diese Betriebe lieferten ein ausgezeichnetes Leder, und sie nutzten die Gerbstoffe vollständig aus. Mit der gebrauchten Lohe heizten sie ihre Dampfmaschine, die die Lohmühle trieb und die Trockenräume heizte.

Die Mittelbetriebe und Großgerber verlangten beim Bezug ihrer Gerbmaterialien gerbstoffreiche Ware, gleichmäßige Qualität, große Angebote und billigen Antransport. Dies fanden die Gerber auch auf dem Hirschhorner Rindenmarkt. Die Rinde des Hirschhorner Marktes ging schon immer an Mittelbetriebe und auch Großbetriebe. Das war auch der Hauptgrund, daß sich hier die Niederwaldbewirtschaftung viel länger hielt als in anderen Gegenden. Auf den Rindenmärkten in Erbach und Heilbronn deckten mehr die kleinen Handwerksbetriebe ihren Bedarf. Mit dem Verschwinden der Handwerksbetriebe gab es hier für die Rinde keine Käufer mehr.

Die Hirschhorner Rinde ging hauptsächlich an Betriebe in Worms, Mainz und Mannheim. Die Wormser Gerbereien (z.B. Cornelius Heyl, Dörr u. Reinhard) benötigten jährlich in den Jahren 1870 – 1890 bis zu 125.000 Zentner Rinde, etwa das Dreifache des Hirschhorner Marktes. Ihren Hauptbedarf deckten sie immer in Hirschhorn, denn hier bekamen sie große Mengen gleichmäßiger und bester Qualität, bei günstiger Verfrachtung per Schiff oder später auch Eisenbahn. Zudem war in Hirschhorn die ganze Vermarktung in langen Jahren erprobt und verlief reibungslos.
Wir sehen also, daß es vom Absatz her in Hirschhorn so hätte weiterlaufen können. Aber gleichzeitig waren auch die Rindenpreise ins Schwanken gekommen. Den Gerbereien wurden aus dem Ausland, hier vor allem aus Frankreich und Ungarn, große Mengen billigerer Rinden angeboten. Hierzu trug wesentlich die Verbesserung der Infrastruktur bei, namentlich der Bau der Eisenbahnen. Jetzt konnte der Großgerber waggonweise, unberegnete Rinde aus Ungarn beziehen. Neben dem niedrigeren Preis hatte dies aber noch andere Vorteile für ihn: Auf der Rindenversteigerung mußte er für seine Rinde mit großen Summen in Vorlage treten, jetzt zahlte er erst nach Erhalt der Ware. Er war evtl. für Werben, Transport, Wiegen usw. verantwortlich, diese Arbeiten entfielen jezt für ihn. Er kaufte nicht mehr vom Waldbesitzer, sondern über den Zwischenhandel, der in Frankreich bzw. Ungarn von Großgrundbesitzern den Wald auf dem Stock kaufte. Im Deutschen Reich hatte sich kein Zwischenhandel herausgebildet, hier kaufte auf den Rindenmärkten der Gerber direkt vom Waldbesitzer.
Die Konzentration im Gerbereigewerbe auf größere Betriebe und für den Hirschhorner Markt das übergroße Angebot an billiger Importrinde waren die Hauptgründe für den Rückgang des Niederwaldbetriebes. Auch auf dem Hirschhorner Markt fielen die Preise stark, und auf der anderen Seite stiegen Löhne und Transportkosten, so daß die Rendite für den Waldbesitzer immer kleiner wurde. Die Folge war ab den 1880er Jahren die verstärkte Umwandlung in Hochwald, vor allem in Nadelholz. Das Ende des Niederwaldes zeichnete sich ab. Aber zunächst wurde noch in gebremstem Umfang weiter auf die Rinde gesetzt. Ab 1903 erfolgte dann verstärkte Nadelholzumwandlung bis zum 1. Weltkrieg. Mit Ausbruch des 1. Weltkriegs war das Gerbereigewerbe wieder vermehrt auf inländische Rinde angewiesen, aber ab 1925 setzte dann die 3. große Umwandlungsphase ein.
Daß die Umwandlung hier bei uns vor allem im Domanialwald und Gemeindewald zügig angegangen wurde, ist aus heutiger Sicht nur zu begrüßen, denn der heute ständig steigende Bedarf, vor allem an Nutzholz, wird aus diesen Umwandlungsflächen gedeckt und bringt dem Waldbesitzer zumindest einen geringen Gewinn. In Gebieten, in denen dies nicht geschah, ich denke hier z.B. an das Siegerland, hat der Waldbesitzer aus seinem Wald schon lange keine Rendite mehr, im Gegenteil, noch heute kostet die Umwandlung der Niederwälder in Hochwälder ihn viel Geld. Man muß der Weitsicht und Tatkraft der damaligen bei uns verantwortlichen Forstleute heute noch dankbar sein. Aber wenn man an den Ursprung der Niederwälder in unserer Gegend denkt, muß man berücksichtigen, daß neben der Rindenproduktion der landwirtschaftlichen Produktion eine gleich große Bedeutung zukam. Die Bevölkerung fand nicht nur Arbeit, sondern sie baute auf den Niederwaldflächen ja auch ihr zum Lebensunterhalt notwendiges Brotgetreide an, gewann Viehfutter usw.
Wie wirkte sich nun die Niederwaldumwandlung in Hochwald auf diesen Bedarf aus? Sicherlich gab es hier Schwierigkeiten, vor allem auch wegen des Wegfalls der Arbeitsmöglichkeiten, insbesondere für die Einwohner der abseits gelegenen Dörfer.

Aber in dieser Zeit verbesserte sich die Infrastruktur bei uns wesentlich, es wurden vermehrt Straßen gebaut, und vor allem kam die Eisenbahn ins Neckartal. In den Städten Heidelberg und Mannheim siedelte sich verstärkt Industrie an, die Arbeitskräfte brauchte. Mit Hilfe der Eisenbahn konnte auch mancher Arbeiter aus unserem Raum dort Arbeit finden. Die großen Flüsse wurden immer stärker für die Schiffahrt erschlossen. Ihre Ufer mußten hierzu befestigt werden, viele der Steinbrüche des Neckartales entstanden zu dieser Zeit, in denen wiederum Arbeitskräfte benötigt wurden. Gerade viele Kortelshütter und Rothenberger verdienten sich hier ihr Brot. Es war für sie wirklich ein schwer verdientes Brot, denn sie ruinierten sich in den Steinbrüchen ihre Gesundheit, indem sie durch den Steinstaub schon frühzeitig Staublungen bekamen und früh starben oder in den Wänden der Brüche verunglückten. Wegen dieser Staublungen und Unfälle hatte Kortelshütte den traurigen Ruf, daß es hier in Prozenten der Bevölkerung die meisten Witwen im Volksstaat Hessen gab. Als nach dem Ersten Weltkrieg die Rindenernte noch einmal Auftrieb bekam, waren es viele Kortelshütter und Rothenberger, die wenigstens für einige Monate im Jahr der gesünderen Arbeit im Walde auf den Hackschlägen den Vorzug vor der Steinbrucharbeit gaben und auch noch ihre Schläge mit Brotgetreide anbauten.

Aber in unseren Wäldern selbst wurde meist ganzjährig eine große Zahl von Männern und Frauen (i.d.R. nur über Sommer) als Arbeitskräfte benötigt. Sie waren nötig für die Umwandlung selbst, für die Pflege der jungen Nadelwälder, für den Holzeinschlag und für den Bau vonWaldstraßen und Wegen, über die das anfallende Nutzholz abgefahren werden konnte. Sie kamen fast ausschließlich für die Reviere der Oberförsterei Hirschhorn aus Kortelshütte, Rothenberg, Langenthal, Darsberg und Ober-Hainbrunn. Das hat sich auch bis heute noch nicht geändert.

Auch die verbesserte Infrastruktur brachte Verdienstmöglichkeiten außerhalb des Waldes, und der Fruchtanbau auf den Niederwaldflächen wurde immer entbehrlicher. Gleichzeitig war auch die landwirtschaftliche Produktion auf den Feldern angestiegen, Lebensmittel kamen schneller und billiger heran; die Bevölkerung konnte immer stärker von der Eigenerzeugung auf Kauf umsteigen.

Der Hirschhorner Rindenmarkt

Wie schon im Kapitel „Vergabe der Rindenernte" beschrieben, wurden sämtliche Rinden auf dem Rindenmarkt an die Gerber zum Höchstgebotspreis verkauft. Der Hirschhorner Rindenmarkt fand immer am 2. Montag im Monat März statt. Diese Versteigerung wurde von Beginn an (1851) im Karmeliterkloster abgehalten, ab 1864 im Saal des Gasthauses „Erbach-Fürstenauer Hof"[23].

Die Abhaltung des Rindenmarktes wurde durch den Oberförster rechtzeitig mit den zu versteigernden Rindenmengen in den Zeitungen der Städte Heidelberg, Mannheim, Worms, Mainz, Darmstadt, Heppenheim usw. bekanntgegeben. Dem Oberförster der Oberförsterei Hirschhorn oblag auch die Leitung und Zuschlagserteilung beim Rindenmarkt.

Auf dem Hirschhorner Markt wurden sämtliche Rinden der folgenden Waldbesitzer versteigert: Oberförsterei Hirschhorn mit dem zugehörigen Gemeindewald Neckarsteinach, Grein, Darsberg, Hirschhorn, Langenthal, Rothenberg und evtl. aus dem Kleinprivatwald – Oberförsterei Waldmichelbach mit Gemeindewaldungen – Oberförsterei Rimbach mit Gemeindewaldungen – Oberförsterei Lindenfels mit Gemeindewaldungen – Oberförsterei Beerfelden mit Gemeindewaldungen – Erbach-Fürstenauische Verwaltung Beerfelden – Fürstlich-Leiningen'sche Verwaltung Amorbach – Von Dorth'sche Verwaltung Neckarsteinach – Von Bergheim'sche Verwaltung Gammelsbach – oft auch der Stadt Eberbach.

Um einen Überblick über die Versteigerungsmengen und die erzielten Durchschnittspreise zu vermitteln, werden zum Abschluß die Ergebnisse der Jahre 1876–1900 aufgeführt. An Hand gerade dieser Ergebnisse von 25 Jahren läßt sich auch ein ziemlich genaues Bild über den Preisrückgang der Rinden zeichnen. Der Rindenpreis hatte im Jahre 1876 seinen Höchststand mit 9,48 RM je Zentner Rinde, sank schon 1879 auf 5,50 RM, erholte sich zwischendurch zwar geringfügig und lag im Jahre 1900 bei 5,30 RM.

Rindenmarkt	1876:	31455	Zentner	zu je	9,48	Reichsmark
"	1877:	37270	"	" "	8,96	"
"	1878:	38605	"	" "	7,01	"
"	1879:	35538	"	" "	5,50	"
"	1880:	35007	"	" "	6,61	"
"	1881:	43625	"	" "	6,03	"
"	1882:	41510	"	" "	6,71	"
"	1883:	43072	"	" "	6,68	"
"	1884:	42602	"	" "	6,81	"
"	1885:	37955	"	" "	6,48	"
"	1886:	46041	"	" "	5,18	"
"	1887:	42315	"	" "	6,00	"
"	1888:	49795	"	" "	5,98	"
"	1889:	41630	"	" "	6,20	"
"	1890:	42265	"	" "	6,42	"
"	1891:	42870	"	" "	6,63	"
"	1892:	44005	"	" "	5,33	"
"	1893:	44600	"	" "	6,23	"
"	1894:	40100	"	" "	6,07	"
"	1895:	47480	"	" "	6,33	"
"	1896:	44470	"	" "	6,07	"
"	1897:	46460	"	" "	5,12	"
"	1898:	46150	"	" "	5,22	"
"	1899:	44510	"	" "	5,31	"
"	1900:	39905	"	" "	5,30	"[24].

Maße und Umrechnungszahlen

Abschließend ist es angebracht, noch einmal kurz die wichtigsten Maßeinheiten für die Bewirtschaftung des Niederwaldes anzuführen. Hierbei muß man unterscheiden zwischen den bis 1871 im Großherzogtum Hessen geltenden Maßeinheiten und den mit der Einführung des metrischen Maßes geltenden Maßeinheiten ab 1. Oktober 1871. Für diese Abhandlung wichtige Maßeinheiten bis zum 1.10.1871 waren:

Längenmaße:

Zoll = 2,5 cm
Fuß = 25,0 cm
Dezimalklafter = 250 cm

Hohlmaße für Getreide

Mäßchen	=	0,5	Liter
Gescheid	=	2	Liter
Kumpf	=	8	Liter
Simmer	=	32	Liter
Malter	=	128	Liter (= 1,28 Hektoliter)

Holzmaß:

Sämtliches aufgesetzte Holz wurde in konkreten Stecken angegeben, der konkrete Stecken entspricht 1,56 Raummeter.

Geld:

Kreuzer	=	4 Pfennige		
Gulden	=	60 Kreuzer	=	240 Pfennige

Die Rinde wurde immer nach Gewicht in Zentnern verkauft. Ab dem 1.10.1871 galten die noch heute üblichen Maßeinheiten. Das Langholz wurde jetzt nach Festmetern und das Schichtholz nach Raummetern verkauft. Da aber ein Raummeter Schichtholz nicht einem Festmeter (Kubikmeter) entspricht, wurden Umrechnungszahlen eingeführt, so daß man im Endeffekt alles auf Festmeter errechnete (Erträge je Hektar usw.). Als Währungseinheit bekam man die Reichsmark und Pfennige.

Umrechnungszahlen von Schichtholz und Rinde in Festmeter

Scheitholz (über 14 cm stark):	1 Raummeter	=	0,7 Festmeter
Knüppel (7 – 14 cm stark):	1 Raummeter	=	0,6 Festmeter
Reisig (unter 7 cm stark):	1 Raummeter	=	0,2 Festmeter
Stockholz:	1 Raummeter	=	0,5 Festmeter
Altrinde:	1 Zentner	=	0,07 Festmeter
Jungrinde:	1 Zentner	=	0,06 Festmeter

DIE UMWANDLUNG DES NIEDERWALDES

Ausgangslage

Gründe, die zur Umwandlung der Niederwaldbestände in Hochwald führten, sind schon im Kapitel über den Rückgang des Niederwaldbetriebes beschrieben worden. Es waren vor allem das Sinken der Rindenpreise mit gleichzeitiger starker Minderung der Einnahmen für den Waldbesitzer sowie der steigende Bedarf an Nutzholz (Bauwirtschaft, Bergwerke, Zellstoffherstellung usw.).

Beim Übergang von der Niederwald- zur Hochwaldbetriebsform ist zu unterscheiden zwischen Umwandlung und Überführung. Die Umwandlung ist infolge wertloser, wenig nutzholztauglicher Bestockung in der Regel mit einem Baumartenwechsel verbunden. Es erfolgt meist Kahlhieb mit nachfolgendem künstlichem Anbau durch Saat oder Pflanzung. Das Belassen eines lichten Schirmes wurde vielfach versucht, hat sich aber nicht bewährt. Die Umwandlung geschah ausschließlich in Nadelholz.

Besser veranlagte Eichenniederwälder wurden durch konsequentes Herauspflegen der besten Eichen zu Hochwald überführt. Voraussetzung hierzu ist ein hoher Anteil (über 50 %) von qualitativ guten Eichen, evtl. mit einem gewissen Anteil von Hainbuchen zum Boden- und Schaftschutz. Hierzu rechneten auch Bestände, deren Laubbaumcharakter aus landeskulturellen Gründen (u.a. Erholung, Landschafts-

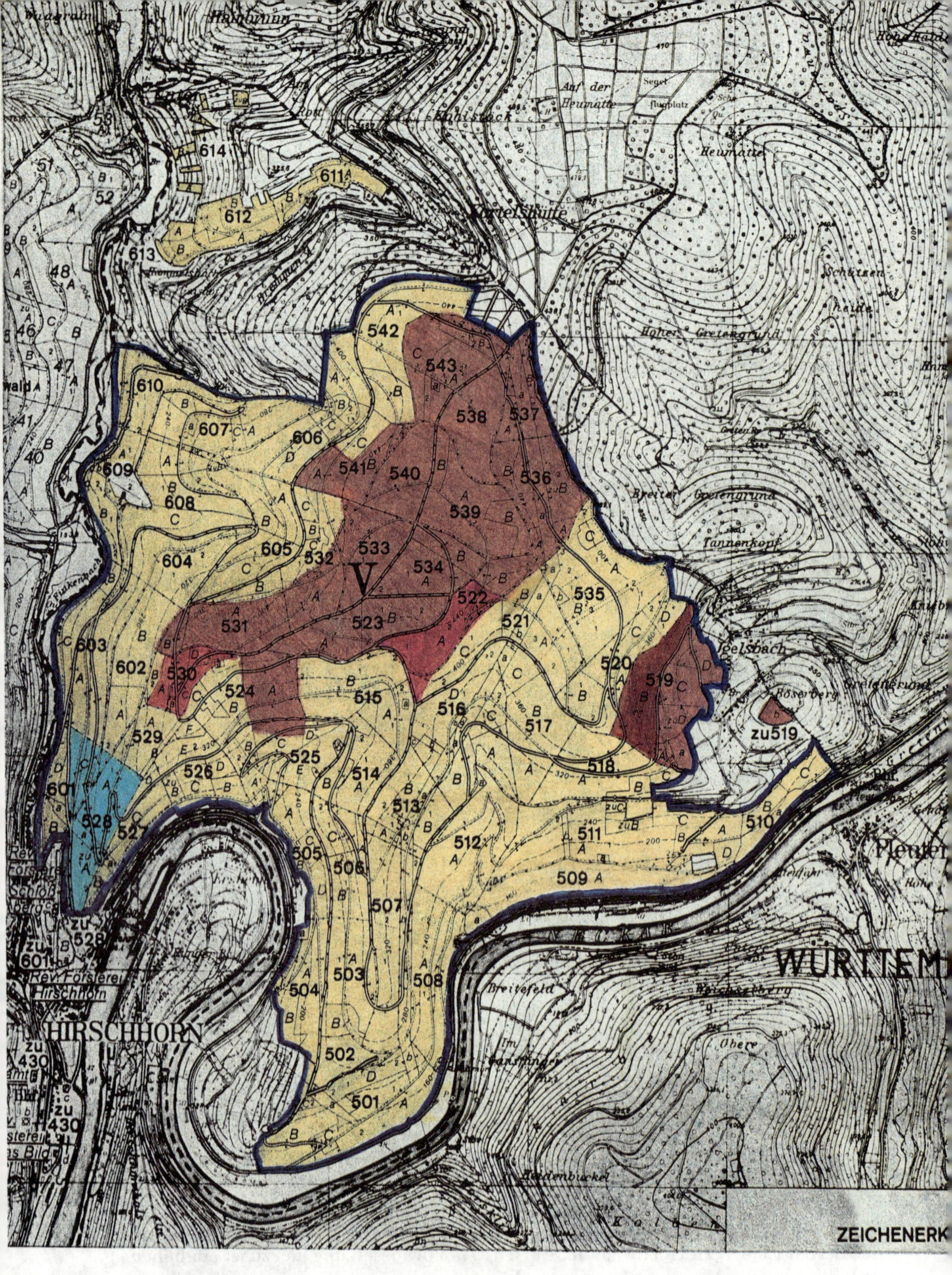

Der Waldzustand der Revierförsterei Schloßberg im Jahre 1864

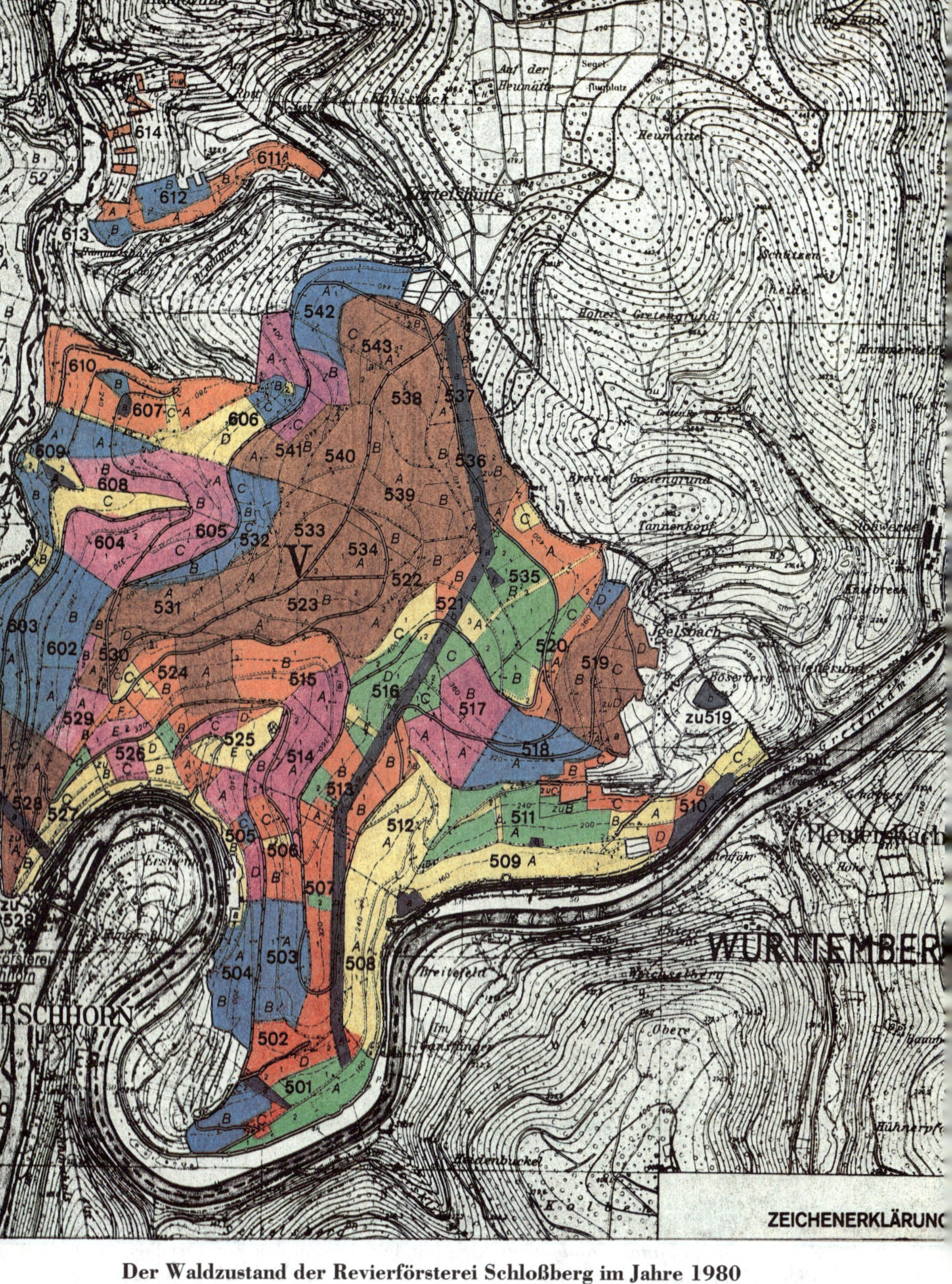

Der Waldzustand der Revierförsterei Schloßberg im Jahre 1980 nach erfolgter Umwandlung bzw. Überführung

- = ehemalige Hochwaldfläche
- = 1. Umwandlungsperiode
- = 2. Umwandlungsperiode
- = 3. Umwandlungsperiode
- = 4. Umwandlungsperiode
- = Überführte Bestände
- = Lichtleitungen usw.

bild, Schutzfunktionen) erhalten werden soll. Zu lezteren muß man z.B. die Steillagen zum Neckar in den Forstorten *Stöckberg, Hölle, Gäher Berg* rechnen, die aber jetzt bei einem Alter von 90 Jahren anfangen, Kummer zu bereiten. Kummer insofern, daß, bedingt durch den Stand auf den nach Süden geneigten Steillagen, die Kronen im Laufe der Zeit immer mehr dem Licht entgegengewachsen sind. Dadurch wurden sie einseitig, sie machen dem Baum kopflastig. Bei starken Regenfällen oder Naßschnee kommt es dann zur Entwurzelung, dadurch sind die unterhalb verlaufende Bundesstraße und Eisenbahnlinie stark gefährdet. Diese Lagen hätten unbedingt ähnlich wie Niederwald weiterbewirtschaftet werden müssen. Vielleicht hätten auch noch ein „Auf den Stock-setzen" nach jeweils 30 Jahren genügt. Eine richtige Bewirtschaftung auf diesen Extremlagen ist nicht sinnvoll und nicht durchführbar.

Die Überführung ist im Rotwildgebiet im Regelfall die einzige Möglichkeit, den Laubholzanteil zu erhalten sowie in größeren Nadelholzkomplexen Gliederungsstreifen und -flächen zu schaffen. Im folgenden soll die Umwandlung bzw. Überführung am Beispiel der Revierförsterei *Schloßberg* dargestellt werden. In allen anderen Revieren des Forstamtes verlief die Entwicklung ähnlich.
Flächenmäßig gab es im Jahre 1864 die größte Niederwaldausdehnung. Damals wurden 82 % der Gesamtwaldfläche der Oberförsterei Hirschhorn als Niederwald genutzt, im Domanialwald waren es sogar 88 %. Im Revier *Schloßberg* (damals 92 % Domanialwald und 8 % Gemeindewald Hirschhorn) war noch verhältnismäßig viel Hochwald vorhanden, nämlich 210,8 Hektar (= 23 %), gegenüber 692,6 Hektar (= 77 %) Niederwald. Diese Hochwaldungen waren die Reste der urspünglichen Bestockung (außer Weißtanne) und fanden schon damals in der forstlichen Literatur große Beachtung. So kann man schon in dem Buch von Jäger „Die Land- und Forstwirtschaft des Odenwaldes von 1843" folgendes lesen[15]:
Über den Eichenhochwald: *„Im Revier Hirschhorn trifft man ein Beständchen etwa 120jähriger sehr schäftiger Eichen an, und freuet sich, solch schönen Restes der Eichenhochwaldungen."* Es handelt sich hier zweifelsfrei um den schönen, heute 260jährigen Eichenbestand im Forstort *Platte*. Dagegen ist der zweite vorhandene Eichenhochwald im Forstort *Teufelshochstätt* zumindest teilweise aus Stockschlag hervorgegangen (heute ebenfalls 260 Jahre alt), was sich an den noch vorhandenen Eichen einwandfrei ersehen läßt.
Über den Buchenhochwald: *„Wer die vortrefflichen Buchenhochwaldbestände – cirka 900 Morgen – welche das Revier Hirschhorn enthält, zu sehen Gelegenheit hat, usw."* Hier sind die schönen Buchenhochwaldungen im *Langenwald* des Reviers *Schloßberg* gemeint, bei denen es sich um die Reste der einstigen sehr ausgedehnten Buchenwälder handelt. Hiervon sind auch heute noch die meisten Forstorte als Buchenbestände vorhanden, auf einigen stockt heute aber auch teilweise Nadelholz (*Haferschlag, Widerschall, Suhlschlag, Schwanne, Hessenreisig, Salzlacke, Bildbuche*), der Forstort *Hämmelsbach* ist heute ganz mit Nadelholz bestockt.
Über die Weißtanne: *„Gleich vor Hirschhorn findet sich ein Edeltannenbeständchen, wo die Stämme bei angeblich 90jährigem Alter 120 Fuß (30 m) hoch und bis 20 Zoll (50 cm) Durchmesser in Brusthöhe stark sind. Es sind die schönsten Edeltannen im Sandsteinodenwald"*. Es handelt sich um den Forstort *Weißtanne* unmittelbar hinter dem Schloß, wo auch heute noch solche Weißtannen stocken. Dieser Weißtannenbestand ist aber nicht als autochton anzusehen. Sie wurden Ende des 17. Jahrhunderts künstlich begründet, um Beihölzer zum Flößen der Eichen zu haben.

Hochwaldflächen Revier Schloßberg 1864

Forstort	Hektar	Holzart		
Platte	7,8	Eiche		
Teufelshochstätt	8,9	”	=	16,7 ha
Langer Riemen	8,2	Buche		
Bestallungsschläge	42,8	”		
Hämmelsbach	9,3	”		
Schwanne	16,3	”		
Suhlschlag	29,0	”		
Salzlacke	5,5	”		
Hessenreisig	12,7	”		
Haferschlag	12,0	”		
Widerschall	14,8	”		
Welschwald	5,2	”		
Bildbuche	1,6	”		
Wurzelwald	21,1	”	=	178,5 ha
Weißtanne	15,6	Tanne	=	15,6 ha
	210,8			

Daß diese Bestände niemals als Niederwald bewirtschaftet wurden, kann man auch noch daran erkennen, daß hier keine Loog- und Loossteine zu finden sind.

Bezeichnung der Forstorte im Revier Schloßberg

Abt.	Forstort	Abt.	Forstort
Abt. 501	*Hölle*	” 537	*Salzlacke*
” 502	*Sand*	Abt. 538, 539	*Suhlschläge*
” 504	*Gänsacker*	” 534	*Haferschlag*
” 503, 505, 506	*Feuerberg*	” 542, 543	*Schwanne*
” 508	*Gäher Berg*	” 541, 606	*Hämmelsbach*
” 512	*Schumacherswald*	” 531,532,533,540	*Bestallungsschläge*
” 509, 511	*Langer Acker*	” 530, 529	*Platte*
” 510	*Kellerswald*	” 524	*Schmaler Riemen*
” 519	*Wurzelwald*	” 525	*Kapellengrund*
” 518	*Vogelhag*	” 526, 527	*Stöckberg*
” 517	*Gebrannter Berg*	” 528, 601 C	*Weißtanne*
” 507, 513, 516	*Haselwald*	” 601	*Gräbel*
” 514, 515, 523	*Widerschall*	” 602, 603, 604	*Brunnenpfad*
” 522	*Teufelshochstätt*	” 605, 609	*Brunnenstube*
” 521 B	*Bildbuche*	” 607, 610	*Herrenrain*
” 520, 521, 535	*Welschwald*	” 608	*Heidenbuckel*
” 536	*Hessenreisig*	” 611,612,613,614	*Röderwäldchen*

Bei der Umwandlung muß man zwischen 4 Perioden unterscheiden.

1. Umwandlungsperiode

Es handelt sich um die Zeit zwischen 1878 und 1900. Als Holzart wählte man die Kiefer; die Fichte hatte nur einen ganz geringen Anteil von ca. 3 %. Die Kiefer wurde fast ausschließlich nach dem Fruchtbau eingesät, hierbei mußte der letzte Hackwaldsteigerer noch in gewissem Umfang behilflich sein. Die Eichenstockausschläge ließ man in ganz geringem Anteil in die Kiefern mit einwachsen, sie findet man heute als Zwischenstand und teilweise dort, wo die Kiefer ausgefallen ist, auch als herrschende Holzart. In der Regel wurde später auch noch Rotbuche als Unterbau eingepflanzt. So umgewandelte Bestände haben wir heute in den Forstorten *Hämmelsbach, Brunnenstube, Stöckberg, Sommerwiderschall, Gebrannter Berg.* Zur Umwandlung kamen in dieser Periode 105,1 ha Niederwald (davon 3,5 ha in Fichte, und 101,6 ha in Kiefer), das waren immerhin 15 % des vorhandenen Niederwaldes.

2. Umwandlungsperiode

Es sind die Jahre von 1905 bis zum Ausbruch des Ersten Weltkrieges. Die Zeit um die Jahrhundertwende war für die Forstwirtschaft gekennzeichnet durch eine stark ansteigende Nachfrage nach Nutzholz und somit einer starken Zunahme der Nutzholzpreise, auf der anderen Seite fielen die Brennholzpreise durch die verstärkte Verwendung von Kohle. Dies spiegelt sich auch in den „Wirtschaftsgrundsätzen für die der Staatsforstverwaltung unterstellten Waldungen des Großherzogtums Hessen vom Jahre 1905" wider. Diese Wirtschaftsgrundsätze, eine auf neuzeitlichen Erkenntnissen und Zielen der Forstwirtschaft aufgebaute Forstordnung für Hessen, erstrebte in der Domanial- und Kommunalwaldwirtschaft, bei gebührender Rücksichtnahme auf die Bedürfnisse der Gegenwart, die Erzeugung von möglichst vielem und wertvollem Holz, wobei die Betonung noch mehr auf der Quantität als auf der Qualität lag. Dieses viele und wertvolle Holz soll unter geringstem Aufwand an Zeit und Geld erzeugt werden. In den Oberförstereien mit hohem Niederwaldanteil wurde die Umwandlung des Niederwaldes, vor allem in Fichte, zwingend vorgeschrieben. Den Wirtschaftsgrundsätzen vorausgegangen war eine Neuordnung der Oberförstereien im Großherzogtum im Jahre 1902. Die Oberförsterei Rothenberg mit Sitz in Hirschhorn wurde hier neu eingerichtet.
Dieser Umwandlungszwang wurde in Hirschhorn unter den damaligen Oberförstern Hoppe, Stifel und Gilmer mit großem Einsatz durchgeführt, dann aber mit dem Ausbruch des 1. Weltkrieges jäh unterbrochen. Mit mehr als 50 % war an dieser Umwandlung die Fichte beteiligt. Insgesamt wurden 138,9 ha umgewandelt; davon 61,1 ha in Kiefer, 2,3 ha in Lärche, 67,8 ha in Fichte und etwas Douglasie und 7,7 ha in Strobe. Diese 138,9 ha entsprachen einem Anteil des einstigen Niederwaldes von 20 %, im Vergleich zur ganzen Revierfläche sind es 15 %.
Bestände aus dieser Zeit finden wir vor allem in den Forstorten *Vogelhag, Feuerberg, Brunnenpfad, Herrenrain* und *Schwanne.*

3. Umwandlungsperiode

Während des 1. Weltkrieges und anschließend bis zum Jahre 1925 kam es zu keinen Niederwaldumwandlungen. Bedingt durch die Kriegsjahre war man wieder auf die eigene Rindenerzeugung angewiesen. Es kam noch einmal zu einem kurzen Aufblühen der Niederwaldwirtschaft. Aber ab 1925 setzte dann die 3. große Umwandlungsperiode ein, die dann wiederum durch den Ausbruch des 2. Weltkrieges gestoppt wurde. In diesen Jahren wurden 137,1 ha umgewandelt, hauptsächlich in den Holzarten Fichte, Lärche und Douglasie. Das entsprach einem Anteil des ehemaligen Niederwaldes von 20 %, im Vergleich zur ganzen Revierfläche sind es 15 %. Von den 137,1 ha entfielen auf Buche 2,8 ha, auf Kiefer 9,6 ha, auf Lärche 31,9 ha, auf Fichte 66,0 ha, auf Douglasie 26,4 ha und Strobe 0,4 ha.

4. Umwandlungsperiode

Nach dem 2. Weltkrieg bis zum Jahre 1966 kam es nur zu ganz unbedeutenden Umwandlungen, so 5,3 ha in Lärche im Forstort *Welschwald.* Vor allem wegen der Jagd wurden keine Umwandlungen in dieser Zeit ausgeführt, denn man schätzte die Bedeutung der großen Stockschläge als Äsungs- und Einstandsmöglichkeiten für das Rotwild. Aber diese idealen Äsungs- und Einstandsmöglichkeiten gehen verloren, wenn die Schälwälder ein gewisses Alter (ca. 25 Jahre) überschreiten. Man hätte also einen Teil des Niederwaldes wieder auf den Stock setzen müssen.

In den Jahren 1967 – 1977 wurden 68,9 ha umgewandelt. Hiervon entfallen 7,2 ha auf Fichte und 61,7 ha auf Douglasie. Zu dieser Umwandlungsperiode muß man auch noch die 5,3 ha Lärche aus den 50er Jahren zählen, so daß insgesamt 74,2 ha umgewandelt wurden. Das entspricht 11 % des ehemaligen Niederwaldanteils oder 8 % der Reviergröße. Diese Umwandlungen finden sich in den Forstorten *Hölle, Langer Acker, Haselwald, Welschwald* und *Wurzelwald.*

Überführung

In den Umwandlungsperioden 1 – 3 hat man immer wieder Niederwälder weiterwachsen lassen und in Hochwald überführt, hauptsächlich aber in dem Zeitraum von 1880 – 1900. Solche Überführungsbestände findet man überwiegend auf den nach Süden geneigten Steillagen zum Neckar in den Forstorten *Langer Acker, Schumacherswald, Gäher Berg* und *Kapellengrund.* Getrennt hiervon muß man die nicht gepflegten Nichtwirtschaftswaldflächen hinter dem Schloß im Bereich des *Stockbergs* und *Feuerbergs* sehen.

Diese überführten Eichenbestände sind größtenteils mit Buche unterbaut worden, teilweise ist dieser Buchenunterbau heute auch ausreichend vorhanden *(Brunnenstube, Herrenrain, Kapellengrund, Vogelhag)*, in anderen Beständen aber als nicht ausreichend anzusehen *(Schumacherswald, Langer Acker)*. Dies ist zum kleinsten Teil auf Verbiß von Reh- und Rotwild zurückzuführen, sicherlich mehr auf Pflanzenzahl und Pflege. Die belassenen Hainbuchen und Hasel erfüllen Schaft- und Bodenschutz hervorragend.

Die Qualität der überführten Bestände ist durchweg als gut, teilweise als hervorragend anzusehen *(Vogelhag, Schumacherswald, Kapellengrund)*, vor allem die gute Schaftform gefällt. Teilweise sind in den letzten 30 Jahren Pflegehiebe unterblieben (kein Absatz der anfallenden Holzsortimente – vor allem wegen der fehlenden Stärke), die in der nächsten Zeit dringend nachgeholt werden müssen. Die Überführung eines Teils des Niederwaldes war unbedingt richtig und ist als gelungen anzusehen. Es wurden 130,2 ha Niederwald in Hochwald überführt, das entspricht 19 % des ehemaligen Niederwaldanteils oder 15 % der Reviergröße.

Zusammenstellung, Umwandlung und Überführung

Die Reviergröße beträgt 903,4 Hektar Waldfläche, davon entfallen:

ehemalige Hochwaldflächen:	210,8 ha	= 23 % der Reviergröße
1. Umwandlungsperiode:	105,1 ha	= 12 % = 15 % des ehem. Niederwaldes
2. Umwandlungsperiode:	138,9 ha	= 15 % = 20 % des ehem. Niederwaldes
3. Umwandlungsperiode:	137,1 ha	= 15 % = 20 % des ehem. Niederwaldes
4. Umwandlungsperiode:	74,2 ha	= 8 % = 11 % des ehem. Niederwaldes
Überführte Bestände:	130,2 ha	= 15 % = 19 % des ehem. Niederwaldes
Lichtleitung, Nichtwirtschaftswald:	107,1 ha	= 12 % der Reviergröße

Anmerkungen:

1. **Otto Seeger,** Die Geschichte der Forstwirtschaft des hessischen Odenwaldes vom Jahr 1532 bis zum Ausbruch des Weltkrieges 1914. Dissertation, Darmstadt 1932 Seite 6 ff.
2. **Ing. E. Szabados,** Böden des südl. Odenwaldes unter besonderer Berücksichtigung der Genese lößhaltiger Mehrschichtböden, Dissertation 1976, Institut für Bodenkunde Hohenheim und TU Berlin, Seite 28 ff.
3. Wie 1, Seite 10 ff.
4. **M. Endres,** Handbuch der Forstpolitik, Verlag Springer, Berlin 1922, Seite 536 ff.
5. **Chr. Wagner,** Handbuch der Forstwissenschaft, Verlag Laupp. Tübingen 1913, Band IV, Seite 32 – 34.
6. Wie vor, Seite 14.
7. **R. Reutter,** Die Hackwaldwirtschaft des Odenwaldes. Ein Überblick und ein Gutachten von 1828. Geschichtsblätter Kreis Bergstraße, Band 24, Seite 52 ff.
8. Hirschhorn 773 – 1973, Seite 100 – 101.
9. Wie vor, Seite 202 – 203.
10. Oberförster **Eickemeyer,** Die Holz- und Rindenernte in den Hackwaldungen der Großherzoglich Hessischen Oberförsterei Hirschhorn. Allgem. Forst- und Jagdzeitung, 1864, Seite 418 – 422.
11. **E. L. Jäger,** Der Hack- und Röderwald im Vergleiche zum Buchenhochwald, Verlag Dingeldey, Darmstadt 1835, Seite 12 – 13.
12. Wie vor, Seite 16 – 18.
13. Wie vor, Seite 18 – 20.
14. **J. R. Strohecker,** Die Hackwaldwirtschaft, München 1867, Seite 4 – 6.
15. **E.L. Jäger,** Die Land- und Forstwirtschaft des Odenwaldes, Verlag Dingeldey in Darmstadt, 1843, Seite 145, 162, 171.
16. Wie vor, Seite 161 – 164, 172 – 173.
17. Wie vor, Seite 160.
18. Wie vor, Seite 161.
19. **F. Wiswesser,** Die Hackwaldwirtschaft im Odenwald, Dissertation, Heidelberg 1910, Seite 22 ff.
20. Wie vor, Seite 7 ff.
21. **K. Klump,** Der Eichen-Schäl- und Hackwald-Betrieb im Odenwalde. Neue Jahrbücher der Forstkunde, 1850, Seite 148 ff.
22. Monatsschrift für Forst- und Jagdwesen, 1869, Seite 95 ff.
23. Dieses Gasthaus stand auf dem Gelände, auf dem sich heute der neue HL-Markt befindet. Lindenfelster Intelligenzblatt vom 7.3.1864.
24. Allgemeine Forst- und Jagdzeitung, ab 1879 Forstwissenschaftliches Centralblatt.
25. **H. Weis,** Gestalten der Kindheit, Verlag Norberg, Worms 1968, Seite 75 ff.

Archivalische Grundlage dieser Arbeit bildeten die einschlägigen Bestände des Forstamtes Hirschhorn und des Staatsarchivs Darmstadt (Hirschhorn II D 4).

Brigitte Köhler

Das Hirtenwesen im Vorderen Odenwald

Der Beruf des Hirten ist uralt; seine Wurzeln reichen bis in die Jungsteinzeit, bis zum Beginn des Ackerbaus, als die Getreidefelder von der Aussaat bis zur Ernte vor dem Vieh geschützt werden mußten. Tiere brauchten die Menschen als lebenden Fleischvorrat (engl. live stock) für Notzeiten; Tiere lieferten Milch, Wolle und Häute, sie erzeugten außerdem Dünger, der für eine dauerhafte Landbewirtschaftung notwendig war, und Tiere brauchte man zur Bodenbearbeitung und zum Transport.

Schon im Altertum weit verbreitet war das Recht, die Felder nach der Ernte als Weide benutzen zu dürfen, wem auch immer sie gehörten. Dieses Recht war über Jahrtausende hinweg eine wichtige Grundlage der Bauernwirtschaft, ohne dieses Recht wäre auch die in Deutschland weit verbreitete Dreifelderwirtschaft nicht möglich gewesen. Die Aufhebung der Weiderechte bei uns im Laufe des 19. Jahrhunderts beschleunigte das Ende des herkömmlichen Weidebetriebes.
Die Rolle, die der Hirte in der Geschichte spielte, ist sehr gegensätzlich: Im alten Orient war der Hirte Symbolfigur für Stammesfürsten und Könige, deren Stellung auf dem Besitz großer Schafherden beruhte. Abraham, Stammvater von Juden, Christen und Moslems, war der Führer eines Nomadenstammes, der mit seinen Schafherden von Mesopotamien nach Palästina wanderte. Der Schäferstab wurde zum Symbol des Hüteramtes, zum Krummstab des Bischofs als Zeichen priesterlicher Gewalt über die ihm anvertraute Herde. Schon in der Antike begann die Verklärung des Hirtenlebens, Theokrit (ca. 320–250 v. Chr.) brachte in seinen idyllischen Hirtengedichten die Sehnsucht der Städter nach einem friedlichen, einfachen Hirtenleben in Arkadien zum Ausdruck. Vergil (70–19 v. Chr.) übernahm das Thema in seinen bukolischen Gedichten (bucolus, griechisch=Hirte). Zur Zeit des Rokoko fand man auch in Europa Gefallen an Schäferspielen, sanften Schalmeienklängen und idyllischen Malereien aus dem Leben von Schäfern und Hirten. In der Wirklichkeit war das Leben von Hirten aber keineswegs idyllisch, sondern hart und entbehrungsreich. Der Hirte hatte bei Hitze und Kälte, bei Regen und Wind seinen Dienst zu tun, in einer Zeit als zum Schutz gegen schlechtes Wetter oftmals nur ein Umhang aus langem Roggenstroh diente und Gummistiefel noch unbekannt waren. Man verlangte vom Hirten Pflichttreue und Ersatz für angerichteten Schaden, aber der Lohn war gering. Schon im Römischen Reich gehörten die Hirten zu den am schlechtesten bezahlten Arbeitern. Unter den Hirten nehmen die Schäfer eine Sonderstellung ein. Sie waren – und sind – meist Besitzer oder Teilhaber ihrer Herden und damit nicht in dem Maße abhängig wie die von Gemeinden angestellten Hirten; über Schäfer und Schafe muß daher gesondert berichtet werden.

Die Landgemeinde

Von eigentlichen „Gemeindehirten" als den von den Bauern angestellten „gemeinen Hirten" kann man erst sprechen, nachdem sich im Mittelalter aus Dorfgenossenschaften Gemeinden gebildet hatten.

Es gilt heute als gesichert, daß die Landgemeinde (=Dorf) zwar nicht ihre Entstehung, so doch ihre Verfestigung und damit ihre dann für Jahrhunderte verbindliche Ausprägung um 1300 erfahren hat[1]. Das Anwachsen der Bevölkerung nach der Jahrtausendwende zwang die Menschen, immer näher zusammenzurücken. Es bildeten sich Gemeinschaften (=Gemeinden), die ihre Anspruchszonen (=Gemarkung) gegeneinander abgrenzten. Die nun zwangsweise intensivere Nutzung der vorhandenen Landressourcen führte zur Ausbildung von drei aufeinander bezogenen Rechtskreisen: **1. Siedlung**, bestehend aus Höfen und Gärten der einzelnen Dorfgenossen und durch den Dorfetter nach außen abgegrenzt – **2. Feldgemarkung**, teils individuell, teils kollektiv in Form der Dreifelderwirtschaft genutzt – **3. Allmende**, meist Wald und Weide im Besitz der Gemeinde und anteilsmäßig von allen Gemeinsleuten genutzt. Die Mitglieder der Dorfgemeinschaft bildeten quasi eine Genossenschaft, die sich nach den in einer Dorfordnung festgelegten und vom eigenen Dorfgericht überwachten Regeln weitgehend selbständig verwaltete. Die Dreifelderwirtschaft war einseitig auf die Produktion von Getreide ausgerichtet, dessen Kalorienertrag/ha wesentlich höher liegt als bei Viehhaltung. Es herrschte Flurzwang; wechselweise durfte in einem Drittel der Gemarkung (=Flur) nur Wintergetreide, im anderen nur Sommergetreide angebaut werden, während der übrige Teil zur Erhaltung der Bodenfruchtbarkeit für ein Jahr brach liegen blieb. Die Viehhaltung wurde den größten Teil des Jahres gemeinschaftlich betrieben. Zu diesem Zweck stellte die Gemeinde besondere Hirten an, die Gemeindehirten, und baute für ihre Unterbringung Häuser, die sog. Hirtenhäuser. Ihr Vorhandensein, ob noch real oder nur in Dokumenten, ist ein sicheres Indiz für die einstmals genossenschaftlich betriebene Dreifelderwirtschaft.

Die althergebrachte Weidewirtschaft

Weidemöglichkeiten gab es innerhalb der Feldgemarkung auf Wiesen, Stoppelfeldern und der brach liegenden Flur bis zum ersten Umbruch, der in der Regel im Juni, dem Brachmonat, erfolgte. Auf den Wiesen fand häufig im Frühjahr eine Vorweide statt, sie durfte jedoch nicht zu lange ausgedehnt werden, sonst litt der Heuertrag darunter. Die Menge des Trockenfutters bestimmte den Umfang der möglichen Pferde- und Rinderhaltung. Die Weide auf Stoppel- und Brachfeldern wurde vielfach eingeschränkt durch herrschaftliche Regale. So stand dem Landgrafen von Hessen-Darmstadt als Gerichtsherrn in einer ganzen Reihe von Niedergerichtsbezirken seines Gebietes die sog. Schafweidegerechtigkeit zu[2]. Sie gab dem Landgrafen das Recht, z.B. in Groß-Bieberau *„in der ganzen Gemarkung, auf allen iren Brach- und Stoppel-Feldern, sobald von diesen die Früchte weg"*, seine Schäferei betreiben zu lassen. Das Zug- und Melkvieh der Gemeinden konnten dabei den Vortrieb haben oder nicht. Auch sonst gab es Einschränkungen, so unterschied man zwischen Sommer- und Winterweide, letztere währte von Martini (11.11.) bis Petri Kathedra (22.2.). Soweit der Landgraf die Schäferei nicht in eigener Regie betrieb, hatte er sie an Gemeinden oder Privatleute verliehen, bzw. verkauft.

Auch innerhalb der Gemeinden galten bestimmte Regeln. So heißt es in den Groß-Bieberauer Rechten von 1668: *„Scheffer dörffen in keine Stoppel fahren biß der Kuhhirt drei Tage darinnen geweßen, auch der Kuhhirt auch nicht eher, es haben* *dann die Pferdt drei Tag und Nacht zuvor drinnen gangen, wie dann der Sauwhirt auch vor dem Kühhirt darinnen fährt, wanns ledig ist, die Gänß gar in keine Stopell Weide zu treiben, es sey dann drei Tage vorüber"*[3]. In Wembach durfte die Hafer-Stoppel auf keinen Fall vor Michaelis (29.9.), einem wichtigen Lostag im bäuerlichen Leben, beweidet werden, sie blieb dann bis zum nächsten Juni unbearbeitet liegen, die Stoppel des Wintergetreides bis zur Bestellung des Sommergetreides im März/ April. Die Sommermonate verbrachten die Herden meist auf den Huteweiden der Allmende oder im Wald.

Die Huteweiden lagen oft weit entfernt vom Dorf am Rande der Gemarkung und boten häufig nur kümmerliche Nahrung. So hatte das Vieh der Gemeinde Auerbach an der Bergstraße *„zwar einen großen Platz vor sich"*, ein paar Wochen im Frühling ausgenommen, gab er den Tieren aber nur *„eine sehr schlechte, geringe oder doch nicht zulängliche Nahrung"*. Besonders in heißen und trockenen Sommern lag die ca. 400 Morgen große Weide *„gantz leer, kahl und gleichsam verbrannt"* da; das Vieh kam *„nachdem es den weiten Weg gegangen und sich den ganzen Tag über nicht satt sondern müde genaget, des Abends abgemattet und eben so hungrig und noch hungriger in den Stall als es hinweg gegangen war"*[4]. Dies war sicher kein Einzelfall.

Die Gemeindewälder waren im Laufe der Zeit durch vielfältige Nutzung meist so devastiert, daß sie weithin nur noch aus Einzelbäumen, Strauchgruppen und grasigen Triften bestanden. Hier fanden namentlich die Kuhherden genügend Gras und konnten sich auch während der heißen Mittagszeit im Schatten der Bäume zum Widerkäuen niederlegen. Manches Waldstück trägt daher heute noch die Bezeichnung „Kühruh".

Erwähnt sei noch die Möglichkeit, im Wald Winterfutter zu werben, nämlich durch „Schneiteln" der Laubbäume, das bedeutet Abhacken und Trocknen von Zweigen oder nur Abstreifen der Blätter. Der lateinische Name für Esche „Fraxinus" (von frangere= brechen) und für Hainbuche „Carpinus" (von carpere=rupfen) soll ethymologisch auf solche sehr alte Nutzungsart zurückgehen. Verbreitet war auch das Kappen von Buchen und Eichen in Höhen von einigen Metern, wodurch breitausladende Kronen entstanden, die frühzeitige und reichhaltige Masterträge versprachen[5].

Neben den ausgedehnten Huteweiden am Rande der Gemarkung gab es vielfach noch einzelne „Nachtweiden" in der Nähe des Dorfes, auf denen nur die Zugtiere, die den Tag über gearbeitet hatten, über Nacht weiden durften. In Ackerbaugebieten sah man das Vieh oft nur als „notwendiges Übel" an. Die Fleischpreise waren niedrig und das Winterfutter knapp. Rinder wurden jedoch gebraucht als Zugtiere und zur Düngerproduktion, denn Stallmist war bis zur Einführung von Handelsdünger im späten 19. Jahrhundert der einzige nahezu vollwertige Dünger.

Einem Bericht aus dem Jahre 1778 zufolge war im Amt Lichtenberg die Viehzucht damals *„wegen Mangel hinlänglich Fütterung und Weide an den meisten Orten sehr schlecht ..."* Ähnliches berichtet Pfarrer May von den Verhältnissen in Eberstadt bei Darmstadt um 1750: *„Der Mangel an Weide und hinlänglichem Wieswachs macht den Viehbestand erbarmungswürdig, sodaß öfter Zugvieh, so den Acker bauen sollte, im Frühjahr vor Mattigkeit nicht aufstehen konnte. Beim ersten Auftauen im Frühjahr mußte Jung und Alt ins Feld eilen Quecken suchen, um das Vieh vorm Krepieren zu retten ..."*[6].

Intensivierung der Landwirtschaft

Ein Bauernhof des 18. Jahrhunderts unterschied sich in seiner Wirtschaftsform nur wenig von einem um Christi Geburt[7]. Erst unter dem Druck einer ständig wachsenden Bevölkerung setzte in der 2. Hälfte des 18. Jahrhunderts ein Wandel der althergebrachten Landwirtschaft ein, zu der auch die Weide-Viehhaltung gehörte. Möglichkeiten zur Intensivierung der Landwirtschaft boten in erster Linie die Einbeziehung des Brachjahres in die Fruchtfolge, die Einführung neuer Kulturpflanzen, wie Klee und Kartoffeln[8] und die Umwandlung der extensiv genutzten Huteweiden in Wiesen oder Ackerland. Der Staat selbst hatte großes Interesse an der Hebung der Landwirtschaft, wurde sie doch „als die erste und dauerhafteste Quelle des gemeinen Wohlseyns" angesehen. In Hessen-Darmstadt versuchte man sowohl auf dem Verordnungswege als auch durch pädagogische und publizistische Einwirkung Reformen in Gang zu bringen (Gründung einer Landkommission 1777 und Herausgabe der „Hessen-Darmstädtischen Privilegierten Landzeitung"). Der „Besömmerung der Brache" standen allerdings die Schafweideberechtigungen und andere Triftrechte entgegen. Mit der landgräflichen Kleebau-Verordnung vom 25.11.1776 wurde die Beweidung auf die Hälfte der Brachflur eingeschränkt und zugleich zum Anbau von Klee, Luzerne, Esparsette und anderen Futterkräutern aufgefordert, die bis dahin in Deutschland weithin unbekannt waren. Der Anbau von Leguminosen in der Brachflur bedeutete doppelten Gewinn: Man gewann zusätzliche Mengen an hochwertigem Futter und verbesserte gleichzeitig den Boden (Stickstoffanreicherung). Klee wurde als „Seele und Grundlage einer guten Landwirtschaft" angesehen. Klee, in Gerste eingesät, brachte im folgenden Jahr anstelle des recht kümmerlichen Krautbewuchses der Brachflur stattliche Mengen an Grünfutter, das z.T. auch gedörrt wurde. Die Kühe konnten nun sehr viel besser gefüttert und das ganze Jahr über im Stall gehalten werden. Mit dem dadurch vermehrt anfallenden Stallmist gedüngt, brachte das Getreide erheblich größere Ernten[9]. So wurde das Rindvieh nicht länger als „notwendiges Übel" angesehen, sondern als „tiefe Quelle des National-Reichthums" sehr geschätzt.

Neben der Brachflur bildeten auch die Weiden der Allmende ein bis dahin nur extensiv genutztes Reservoir an Boden. Auch hier wirkte man von staatlicher Seite darauf hin, sie in Wiesen oder Ackerland zu verwandeln. In Reinheim z.B. war die große Viehweide so zu Sumpf und Bruch geworden, daß die Pferde manchmal darin stecken blieben. Auf Betreiben der Landkommission mußten die Reinheimer nun *„Hand ans Werk legen, das Bruch durch Gräben austrocknen, zur Machung von Heu und Grummet verloosen und jeder vom Loos etwas weniges [Geld] zur Zahlung der Gemeindeschulden geben"*[10]. Weidegebiete, an denen mehrere Gemeinden Anteil hatten, wurden aufgeteilt, damit jede Gemeinde nach eigenem Belieben damit verfahren konnte. Als Beispiel sei nur der „Taubensembd" genannt, eine ca. 80 Morgen große Weide, die bis 1811 von Semd, Habitzheim, Lengfeld und Groß-Umstadt gemeinsam genutzt worden war.

Mit dem Wiesenkulturgesetz vom 7.10.1830 trieb die Regierung auch zur besseren Pflege der Wiesen an. Noch um 1830 boten die Wiesen entlang der Gersprenz zwischen Reinheim und Brensbach *„das Bild eines ganz vernachlässigten und ganz der Natur überlassenen Wiesenbaus, mit vielen Weiden, Maulwurfshaufen an hohen und Sümpfen an tiefer liegenden Stellen"*. Von nun an mußte jede Gemeinde einen „Wiesenvorstand" ernennen, bestehend aus Bürgermeister und örtlichen Wiesenbesitzern, der im Frühjahr und im Herbst den Zustand der Wiesen zu kontrollieren und notwendige Maßnahmen, insbesonders Be- und Entwässerung, anzuordnen hatte[11].

Eine große Wende trat auch bei der Nutzung des Waldes ein. Die Forstwirtschaft begann nach dem Prinzip der Nachhaltigkeit zu arbeiten. Tannen und Fichten wurden systematisch angepflanzt. So lag z.B. in Groß-Umstadt bereits 1813 der größte Teil des ca. 3000 Morgen großen Oberwaldes in Heege, nur ca. 10 % der stadteigenen Waldungen waren noch in schlechtem Zustand[12].

In kaum mehr als 50 Jahren hatte sich die Landwirtschaft grundlegend geändert. Auf der einen Seite wurde der Ackerbau zunehmend zur Futtergewinnung herangezogen, auf der anderen die bisher als Weide genutzten Flächen zum Ackerbau. Damit verlor der seit Jahrhunderten übliche gemeinschaftliche Weidegang immer mehr an Bedeutung. Die Milchkühe waren die ersten, die nun ganzjährig im Stall gehalten wurden. Schweine trieb man vielerorts noch bis Anfang des 20. Jahrhunderts den Sommer über nach draußen. Die letzten von Gemeinden ernannten Hirten waren die Ziegenhirten. Sie trieben in einigen Orten noch bis in die 1950er Jahre ihre Herden im Herbst für einige Wochen auf die abgeernteten Felder.

Politische Reformen

Zur positiven Entwicklung der landwirtschaftlichen Produktion trugen auch die politischen Veränderungen bei, die im 19. Jahrhundert zur Schaffung des modernen Staates führten und die freie Bewirtschaftung der Feldflur ermöglichten.

Von besonderer Bedeutung für die Landwirtschaft war die weitere Einschränkung der Weiderechte durch ein Gesetz 1808 und schließlich die völlige Aufhebung 1849. Aufgehoben wurde auch die alte, genossenschaftlich orientierte Dorfverfassung. Die neue hessische Gemeindeordnung vom 30.6.1821 beseitigte die Unterschiede zwischen Gemeinsleuten und Beisassen und machte die Gemeinde zur untersten Stufe der Staatsverwaltung. Als gesetzliche Vertreter der Gemeinde fungierte hinfort ein Ortsvorstand, bestehend aus Bürgermeister, Beigeordneten und Gemeinderäten. Außerdem wurden die bisherigen „Ämter" aufgehoben und Verwaltung und Justiz voneinander getrennt. Für Polizei- und Verwaltungsangelegenheiten war nun der Landrat, nach der Verwaltungsreform 1832 der Kreisrat zuständig. Zur Handhabung der Rechtspflege wurden eigene Landgerichte eingesetzt. Die Landräte beauftragte man 1821 ausdrücklich, die Agrarstruktur zu verbessern. Sie beaufsichtigten und kontrollierten die Ortsvorstände in vielfältiger Weise. Der einzelne Bürger hatte dagegen mehr Rechte als früher. Er konnte sich direkt an den Kreisrat wenden, um Beschwerden vorzubringen oder Bitten zu äußern, entweder persönlich während der Sprechtage im Kreisamt, wo das Anliegen dann zu Papier gebracht wurde, oder durch einen Brief, den allerdings nur wenige selber schreiben konnten.

Alle Eingaben an das Kreisamt wurden innerhalb von wenigen Tagen bearbeitet und an die zuständige Bürgermeisterei zurückgesandt mit der Anweisung: „Zum Bericht", „zum sofortigen Bericht" oder auch „Zum Bericht nach Anhörung des Gemeinderates". Erst nach Anhörung beider Seiten traf der Kreisrat seine Entscheidung. Wir verdanken dieser Tatsache ein sehr reichhaltiges Material, zumal die Akten des ehemaligen Kreisamtes Dieburg, auf die sich unser Bericht vor allem bezieht, weitgehend erhalten geblieben sind. Ausgewertet wurden außerdem die Ortsarchive von Groß-Bieberau, Groß-Umstadt, Groß-Zimmern, Lengfeld, Ober-Ramstadt, Reinheim und Roßdorf im heutigen Kreis Darmstadt-Dieburg.

Die Bestellung der Hirten

Die Bestellung, das Dingen, der Gemeindehirten geschah in alter Zeit (vor 1821) auf einem Gemeindetag zu Ende oder Anfang des Jahres auf Beschluß der Gemeinsleute. *„Schon seit undenklichen Zeiten"* wurden die Hirten der Gemeinde Schaafheim *„dem Herkommen gemäß am Schluß eines jeden Rechnungsjahres für das folgende gedingt"*[13], in Groß-Bieberau an wechselnden Tagen im Januar. In Georgenhausen *wurden „nach herkömmlicher Weise auf den 22. Februar Hirten und Nachtwächter angenommen"*[14]. Dieser sog. Peterstag (Cathedra Petri) war allgemein ein wichtiger Lostag auf dem Lande, Wandertag oft auch für das Gesinde.

Bei der Verleihung des Amtes hatten die Hirten ein „Handgelöbnis" abzugeben, daß sie ihr Amt treu und redlich versehen würden. Der Wortlaut eines solchen Gelöbnisses findet sich im ältesten Groß-Umstädter Gerichtsbuch[15] und lautet:

Eidesleistung eines Hirten um 1500, der zusammen mit Rindern, Schweinen und Schafen sowie seinem Hund abgebildet ist (aus: Karl-S. Kramer: Fränkisches Alltagsleben um 1500 – Eid, Markt und Zoll im Volkacher Salbuch, Echter Verlag Würzburg 1985, S. 20).

„Der Hirtten Eyt
Item die geloben und truwen an eyns rechten eyts stat, und darnach swern lipplichen zu got dem Almächtigen [eingefügt für: und den heiligen Ewangelisten], den burgern, burgkmannen, arme und riche irs fiehes, beide, swin und rinder, getruwelichen zu hoden und zu driben, zu verwarn zum besten, ir eygen fiehe nit sondern, zu driben [Einfügung am Rande: sollen auch die fütterung an habern, heu und grummet den Stattochsen nit entwenden und ihrem Vieh zutragen], eim burgermenster gehorsam zu sin von der burger wegen, was er sie heiste und bescheidt, so sie nit ußfaren, eß sii portten huden, thurn hütten, dorn hauwen, wege machen, welde besehen, was sie mit ern geheischen und trewlich getun und verrichten".

Anschließend erfolgte die feierliche Übergabe des Hirtenstabes an den Hirten. Nach Bildern aus dem 15. und 16. Jahrhundert hatte dieser eine keulenförmige Gestalt und reichte dem Hirten bis an das Hüftgelenk. Aus späterer Zeit wird berichtet, daß an seinem Ende 6–12 ineinander verschlungene Eisenringe angebracht waren, die beim Schütteln des Stabes ordentlich klirren mußten. *„Was ein richtiger Hirt war, der mußte allerlei Segen über das Vieh und wider den reißenden Wolf sprechen können, auch über seinen Stab, damit sich, wenn er diesen in der Mitte der Herde in den Boden steckte, kein Haupt [von Tieren] weiter als auf einen Roßlauf oder Ackerlänge entfernen konnte."*[16]. Im Breubergischen war die feierliche Überreichung des Hirtenstaben noch um 1750 üblich, denn bei der Herrschaftsbeschreibung von 1751/52 wurden die Beamten gefragt, *„wer den Hirten-Staab verleihe und wer den Hirten belohne"*[17]. Später begnügte man sich nach Verlesen des Hirten-Vertrages mit einem Händedruck und dem Wort des Hirten: „Ich gelobe es".

In manchen Gemeinden wurde auch ein Weinkauf abgehalten, ein im Mittelalter aufgekommender Brauch, dem abgeschlossenen Vertrag durch einen gemeinsamen Umtrunk Rechtskraft zu verleihen. In Richen wurde bei einem Streit um die Bezahlung des Gänsehirten 1833 der stattgefundene Weinkauf als Beweis vorgebracht, daß der Hirt nicht privat sondern von der Gemeinde gedingt worden war[18].

Das Dingen der Hirten und anderer Gemeindebediensteter war früher ein wichtiges Ereignis im Leben des Dorfes. Im Anschluß daran wurde auf Kosten der Gemeinde kräftig getrunken und gezecht[19]. Nach Erlaß der hessischen Gemeindeordnung 1821 fiel die Ernennung niederer Gemeindeämter, wozu auch die Hirten zählten, in die Kompetenz des Gemeinderates. In Ueberau, vermutlich auch in anderen kleinen Orten, blieb man aber zunächst noch bei der alten Gewohnheit, die gesamte Gemeinde zum Hirtendingen in ein Wirtshaus einzuladen. *„Das war für viele eine Lockspeise, um ins Wirtshaus und zu großer Gesellschaft zu kommen."* Die Kreisbehörde sah auch keinen Grund, dagegen einzuschreiten, bis 1845 der Bürgermeister von Reinheim, dem auch Ueberau unterstellt war, an einer solchen Versammlung teilnahm, um selbst das Dingen der Hirten vorzunehmen. Angeregt durch Alkoholgenuß kam es dabei zu erheblichen Tumulten, wobei Animositäten gegen den Bürgermeister aus der benachbarten Stadt und Widerspruch gegen die Aufhebung alter Rechte mitgespielt haben mögen. In einem Bericht an den Kreisrat schilderte der Bürgermeister die Ereignisse wie folgt:

„Als ich die Ernennung der Hirten beginnen wollte und die bestellten Gemeinderäthe und Viehbesitzer fragte, ob einer oder der andere gegen die bisherigen Hirten einen Einwand hätte oder ob sie die Beibehaltung derselben wünschten, trat ein vom

Branntwein Erhitzter auf und sagte, man kann auch mich zum Hirth nehmen, ich hüthe wohlfeiler, ein zweiter tritt auf und spricht, du Lump, wer kann dir Vieh anvertrauen, du bist für dich nichts nutz. Der Erste tritt wieder auf und spricht, ich will einmal sehen, ob ich die Huth nicht bekomme, glaubt ihr, ihr könnt gerade machen, was ihr wollt, ich gehe zum Herrn Kreisrath und ich war schon einmal da. Ein Dritter steht auf und spricht, die alten Hirten seyn uns gut genug, was braucht man sich um jeden Lump zu bekümmern; der Erste erwidert wieder, du bist ein so großer Lump wie ich, wie kannst du mich einen Lump heißen. Und so ging es denn noch eine längere Zeit fort.

Da ich nun sah, daß sich die Gemüther immer mehr erhitzten, trat ich kräftig auf und erklärte, wenn mir kein besonderer Einwand gegen die bisherigen Hirten vorgebracht würde, seyen dieselben wieder auf ein Jahr bestellt, sprach aber auch zugleich meine Erklärung an, daß ich auf diese Art keine Hirten mehr dinge und so kam es denn, daß ich die Bestellung der Ueberauer Hirten für das Jahr 1846 vornehmen wollte, wie es bei den Reinheimern geschieht, nemlich durch den Gemeinderath, wodurch sich die Ueberauer zurückgesetzt glauben".

Der Kreisrat gab sein Einverständnis dazu, verlangte jedoch, daß „*besondere Rücksicht auf die Ansichten der mit den Lokal- und Personal-Verhältnissen genau vertrauten Ueberauer Gemeinderäthe*" zu nehmen sei. Von da an wurden die Ueberauer Hirten durch den Gemeinderat gedingt und die Bedingungen schriftlich festgelegt. Wir verdanken dieser Tatsache eine fast vollständige Reihe von Hirtenverträgen von 1850 an bis ins 20. Jahrhundert hinein, wie sie in keinem anderen Gemeindearchiv der Umgebung zu finden ist[20].

In der alten Zeit war das Herkommen noch so gegenwärtig, daß die Hirten nur mündlich darauf hingewiesen wurden, „*daß sie ihr Ambt führen sollten, wie es üblich in der Gemein*". Schriftliche Verträge kennt man erst aus dem 19. Jahrhundert. Nur im Archiv der ehemaligen Waldensergemeinde Rohrbach fanden sich noch einige Verträge aus dem 18. Jahrhundert.

Von altersher dingten die Gemeinden ihre Hirten immer nur für ein Jahr. War die Gemeinde mit dem Hirten zufrieden, so konnte er damit rechnen, daß sein Vertrag erneuert wurde. Es gibt zahlreiche Beispiele dafür, daß Hirten 10,20, ja sogar 50 Jahre ununterbrochen in einer Gemeinde tätig waren. Es gibt allerdings auch Beispiele dafür, daß Hirten alle paar Jahre ihren Arbeitsort wechselten; offenbar spielte dabei die Befürchtung der Gemeinde eine Rolle, dem Hirten nach längerem Aufenthalt das Heimatrecht gewähren zu müssen. Im allgemeinen mußte sich ein Hirt allerhand zuschulden kommen lassen, bevor er nicht wieder gedingt wurde.

In Groß-Umstadt kündigte man z.B. dem Schweinehirten 1849 „aus mehrfachen Gründen" den Dienst auf, den er 14 Jahre lang versehen hatte – er war zu einem Trunkenbold geworden[21].

In Klein-Umstadt war es 1848 wie in anderen Orten zu „Grawallerien" gekommen, an denen sich auch Kuh- und Schweinehirt beteiligt hatten. Der Gemeinderat wollte sie aber gern weiter beschäftigen und verpflichtete sie daher am 7.1.1849: „*alles aufzubieten in ihrer Stelle zu leisten, was zur Zufriedenheit dem Allgemeinen entsprechen kann. Genannte Hirten stehen auch für die Folge unter Inspektion des Gemeinderates und müssen sich von jedem gefallen lassen, daß sie ihnen Verweise ertheilen dürfen und nachläßigen Falls steht es dem Ortsvorstand unbenommen, augenblicklich andere Leute an ihrer Stelle einzusetzen. Die Hirten müssen sich gegen jedermann friedlich und gefällig erzeigen, was man auch verlangt"*[22].

Bei der Bestellung der Hirten wurden vielfach auch soziale Gründe in Betracht gezogen; nicht immer mit Einverständnis aller Gemeinderatsmitglieder, wie folgender Vorgang zeigt, der sich 1884 in Schaafheim ereignete und allerhand Staub aufwirbelte: Nach Ansicht der Mehrheit der Gemeinderäte sollten für 1884 anstelle der beiden langjährig tätig gewesenen Hirten andere Personen gedingt werden, die mit ihren Familien in soziale Notlage geraten waren. Schon im vorhergehenden Jahr hatte man überlegt, den Faselwärter Anastasius Krapp nicht wieder als Kuhhirt und Faselwärter anzustellen, *„doch da derselbe im verflossenen Sommer den Bau eines neuen Hauses vorzunehmen dachte, so wollte man ihm den Dienst noch auf ein Jahr lassen, damit er bei Entlassung aus der Hirtenwohnung in seine eigene überziehen könne. Genannter Anastasius Krapp besitzt also nunmehr seine eigene Hofraithe, verdinet als Makler eine nicht unbedeutende Summe, hat fast lauter erwachsene Kinder, deren Verdienst ihm ebenfalls zum größten Theile zu gute kommt, sodaß sich der Ortsvorstand in seiner Mehrheit verpflichtet glaubte, einen anderen armen Mann, der in seinem Leben schon viel hat arbeiten müssen, den nicht gerade schweren Dienst eines Faselwärters zu übertragen; um so mehr, da derselbe ein fleißiger ordentlicher Mann ist und eine gewissenhafte Erfüllung seiner Dienstpflichten zu erwarten steht"*.

Auch bei der Wahl des Schweinehirten wollte man einem der Hilfe bedürftigen Mann den Vorzug geben, mit der Begründung: *„Der Schweinehirt Peter Bohland hat lauter erwachsene Kinder, von denen das jüngste, eine erwachsene Tochter, ungefähr 22 Jahre alt ist. Dessen ihm von seiner jetzigen Frau in die Ehe gebrachter Stiefsohn hatte ursprünglich das Maurerhandwerk erlernt und durch dasselbe einen ziemlich guten Verdienst gehabt, später legte er dieses Handwerk nieder und half die Schweine hüten. In letzter Zeit treibt er sich viel auswärts herum, infolge dessen er namentlich schon in sittlicher Beziehung tief gesunken ist. Ein aus der jetzigen Ehe des Bohland stammender Sohn hat die Schuhmacherprofession erlernt, dieselbe aber ebenfalls niedergelegt, um an der Schweinehut sich zu betheiligen, die er in letzter Zeit fast ausschließlich besorgte. Die bereits erwähnte Tochter desselben ist Näherin und hat als solche einen nicht unbeträchtlichen Verdienst. Aus diesen Gründen hat sich der Ortsvorstand veranlaßt gesehen, die Schweinehut für das nächste Jahr nicht dem Bohland, sondern einem anderen armen Mann der hiesigen Gemeinde zu übertragen, der durch verschiedene Umstände so in Schulden geraten ist, daß er um sein ganzes Vermögen kommen wird, welches auch schon einmal einer Versteigerung ausgesetzt war, so daß er, wenn nicht auf andere Weise geholfen wird, mit seinen ziemlich zahlreichen Kindern im Armenhaus untergebracht werden müßte. Um dies zu verhüten und ihn einigermaßen zu unterstützen, glaubte man, ihm die Schweinehut übertragen zu sollen"*.

Die nicht wieder gedingten Hirten Krapp und Bohland bekamen jedoch Rückendeckung von einem Teil der Viehbesitzer sowie von Bürgermeister und Gemeinderäten, die für ihre Beibehaltung gestimmt hatten. Beide Hirten legten Beschwerde beim Kreisamt gegen den Beschluß des Gemeinderates ein. Der Kreisrat versuchte zu vermitteln und schickte das Beschluß-Protokoll mit der Aufforderung zurück, noch einmal darüber zu beraten und empfahl, *„mit Rücksicht auf die dermalen in Schaafheim herrschenden Zwistigkeiten die früher gefaßten Beschlüsse vorerst* *jedenfalls nicht in Vollzug zu setzen*". Die Mehrheit im Gemeinderat war jedoch nicht bereit, den aus sachlichen Gründen gefaßten Beschluß zu ändern. Damit gab sich Bohland jedoch nicht zufrieden und ergriff nun die letzte ihm noch offenstehende Möglichkeit, eine an den Kreis-Ausschuß gerichtete Beschwerde. In einer öffentlichen Kreisausschuß-Sitzung am 19. Juli 1884 unter Vorsitz von Kreisrat Hallwachs mußte der ehemalige Schweinehirt seinen Anspruch mündlich begründen. Sein Gesuch wurde jedoch für unbegründet erklärt und abgelehnt, *„weil er von der Gemeinde durch Überweisung einer Wohnung bereits unterstützt wird und zwei arbeitsfähige Kinder hat, die zu seiner Unterstützung verpflichtet sind"*.

Die Angelegenheit hatte aber noch ein Nachspiel. Beim Hirtendingen im folgenden Jahr bewarben sich die beiden ehemaligen Hirten mit einem deutlich niedriger liegenden Angebot. Statt für den bisher üblichen Lohn von 200 Mark wollte Krapp die Arbeit des Faselwärters für nur 125 Mark tun und Bohland die Schweine für nur 100 Mark statt der bisherigen 160 Mark hüten. Wieder kam es zu einer Auseinandersetzung im Gemeinderat. Drei Gemeinderäte verlangten, die beiden neuen Hirten rufen zu lassen, *„da dieselben es wohl auch für den Preis von 125 Mark resp. 100 Mark thun würden"*. Die Mehrheit war aber entschieden gegen eine solche Praxis: *„Wir geben unseren Hirten wieder was sie bisher erhalten, wir ziehen keinem Hirten nichts ab"*. Und dabei blieb es auch, selbst als sich etliche Bürger beim Kreisamt beschwerten, *„dasselbe möchte doch dem verschwenderischen Verfahren des Ortsvorstandes Einhalt gebieten"*[23].

Weitere Beispiele belegen, daß man sich im allgemeinen bei Vergabe des Hirtenamtes nicht an die sonst bei der Vergabe von kleineren Gemeindeämtern übliche Praxis hielt, dem „Wenigstnehmenden" den Vorzug zu geben. Eines davon sei hier noch angeführt: Am 6. März 1844 schrieb der Ortsbürger Wilhelm Eidmann in Richen an den Kreisrat: *„Ich habe meine Militärpflicht erfüllt, bin dermal verehelichter Ortsbürger dahier, Vater von vier Kindern resp. 8–6–4– und 1/2 Jahren, bin ganz vermögenslos und habe mit der äußersten Anstrengung zu kämpfen, um mich und meine Familie nothdürftig und so zu ernähren, damit ich nicht der Gemeinde-Casse zur Last fallen muß. Ich habe mich vor 6 Wochen, da ich als Knabe meinem vor einigen Wochen verlebten Vater mit Zufriedenheit der Eigenthümer die Kühe dahier 11 Jahre hüten helfen, bei dem Grzhl. Bürgermeister Stork gemeldet, vielmehr denselben gebeten, mir zur Erhaltung der Kühhut zu verhelfen, da ich über kurz oder lang vielleicht der Gemeinde zur Last fallen dürfte – doch meine Bitte blieb unerhört. Der Bürgermeister dingte vor 14 Tagen mit Beihülfe von nur dreien Gemeinde Räthen einen anderen, bei weitem nicht so sehr dürftigen, ja sogar mit einem Hause begabten Kühhirten, ohne diese Huth der Versteigerung an den Wenigstnehmenden ausgesetzt zu haben"*. Er schloß die Bitte an, dem *„Bürgermeister befehligen zu wollen, die Kühhut an den wenigstnehmenden Ortsbürger versteigern zu lassen"*.

Auf Anfrage des Kreisrates berichtete der Bürgermeister, daß *„Wilhelm Eidmann sich gemeldet habe, die Schweine um 2 Malter weniger zu hüten, so haben sämtliche (Gemeinderäte) dahier erklärt, es seye gegen die jetzigen Hirten nichts einzuwenden und solle Georg Hörschel III. als Schweinehirt, Peter Wolf III. als Kuhhirt und Karl Balduf als Gänsehirt belassen werden, nur Heinrich Knoblauch und Heinrich Daniel Voltz wollten dem Schweinehirt 2 Malter Frucht von seinem Lohn abziehen. Da nun der Lohn für den Schweinehirten schon gering, so wurde dieses von den* *übrigen nicht zugegeben und es bei dem herkömmlichen Lohn, der schon so lange Jahre in der hiesigen Gemeinde besteht [= 12 Malter Frucht], gelassen*". Anläßlich einer Rundreise beschäftigte sich der Kreisrat noch einmal mit diesem Fall und lehnte dann das Gesuch von Eidmann ab[24]. In den Akten des Kreisamtes findet sich lediglich ein Vorgang, bei dem eine Gemeinde bei der Bestellung eines Gänsehirten dem Wenigstnehmenden den Vorzug gab, weil sie beide Bewerber für gleich gut hielt (1901 in Semd)[25].

Überhaupt verdanken wir Querelen innerhalb des Gemeindevorstandes sonst selten dokumentierte Schlaglichter auf die sozialen Gegensätze innerhalb der Dorfgemeinschaft. In Frankenhausen z.B. scheiterte 1857 das Dingen eines Kuhhirtens am Widerstand von einigen großen Bauern, die vermutlich selbst über genügend Futter verfügten, jedenfalls für ihr eigenes Vieh keinen Hirten brauchten. Als aber im Laufe des Sommers durch große Dürre bei anderen das Futter knapp zu werden begann, bedrängten einige Viehbesitzer „aus der Mittelklasse" den Bürgermeister mit Bitten und Klagen, einen Hirten anzustellen. Der Bürgermeister rief dann auch zu diesem Zweck den Gemeinderat zusammen, aber es erschienen nur so wenige Gemeinderäte, daß kein Beschluß gefaßt werden konnte. Selbst als der nun eingeschaltete Kreisrat eine neue Sitzung anordnete, kamen lediglich 3 Gemeinderäte der Einladung nach. „*Es scheint als sei bei einigen Gemeinderäten etwas Neid gegen die Minderbegüterten die Triebfeder solchen Handelns; einen anderen Beweggrund können wir uns nicht denken ...*", berichtete der Bürgermeister daraufhin nach Dieburg. Der Kreisrat drohte nun mit Geldstrafen bei Fernbleiben von Sitzungen, „*im ersten Fall 3 Gulden und in Wiederholungsfällen je nach Umständen je 10 Gulden*". Das wirkte, auf der folgenden Sitzung kam der gewünschte Beschluß zustande[26].

Die Entlohnung der Hirten

Von altersher erhielten die Gemeindehirten als Lohn für ihre Dienste eine bestimmte Menge Brotgetreide und freie Wohnung im Hirtenhaus. Dazu kam häufig noch Holz aus dem Gemeindewald und die Nutznießung von Gärten, Acker- oder Wiesenstücken. In alter Zeit üblich war auch ein „Wöhnlaib" für jedes Tier, das neu zur Herde kam und zunächst Mehrarbeit erforderte. „*So oft einer ein jung oder erkauftes Vieh unter die Herde schlägt, ist er dem Hirten ein Wöhnlaib schuldig*", heißt es in Weistümern. In den schriftlichen Verträgen des 19. Jahrhunderts wird er nur noch selten erwähnt. So war es bei den traditionsbewußten Waldensern in Rohrbach noch 1828 üblich, dem Schweinehirten „*für eine Muck [=Muttersau], welche zum zweitenmal gewöhnt wird, ein Laib Brod*" zu geben[27]. Auch in Ueberau bekam der Kuhhirt im 19. Jahrhundert „*für jeden Gewöhnling ein Laib Brod oder den Ladenpreis dafür*"[28]. In den 1930er Jahren verlangte Franz Schönig, ein junger Gänsehirt in Mosbach (Altkreis Dieburg), für jede im August frisch dazu gekommene Gans 50 Pfennig Kerbgeld; seine Vorgänger hatten auch trockene Bohnen oder Erbsen genommen, aber davon hatten Franz' Eltern selber genug.

Ein- oder zweimal im Jahr an bestimmten Tagen durften die Hirten einen „Umgang" machen, um freiwillige Gaben einzusammeln. So berichtete der Bürgermeister von Langstadt 1869 an den Kreisrat: „*Der Umgang am 2. Januar für die drei Hirten, Küh-, Schweine- und Gänshirten, ist von alten Zeiten Gebrauch; die Hirten gehen am 2. Januar zu jedem Viehbesitzer ins Haus, wo sie von jedem ein Mäßchen*

Kochfrüchte bekommen, Erbsen, Bohnen und dergleichen"[29]. Franz Schönig sammelte in Mosbach am Dienstag nach der Kerb den übriggebliebenen Kuchen ein, und aus Groß-Umstadt wird berichtet, daß der Gänsehirt am Ende der Weideperiode herumging und man ihm gab, was gerade reichlich im Haushalt vorhanden war (um 1930).

Die Menge an Brotgetreide, mit der der Hirt entlohnt wurde, blieb über lange Zeit unverändert. Laut Vertrag von 1827 bezahlte man in Rohrbach die Hirten „nach der Norm der Vorzeit", ohne daß diese genannt wird[30]. In Groß-Bieberau betrug der „gewöhnliche Lohn" für Kuh- und Schweinehirten 16 Malter Getreide, halb Gerste, halb Korn, in Ober-Ramstadt ebenfalls. In Roßdorf bekam 1802 der Kuhhirt 20 Malter Frucht, der Schweinehirt 16 Malter, „wegen des Nachtblasens" jeder zusätzlich noch 4 Malter[31].

Die Getreidemenge wurde in der Regel auf das zur Herde getriebene Vieh umgelegt. Dabei achtete man streng darauf, daß jeder Viehbesitzer auch korrekte Angaben machte. Gewöhnlich zahlte man die Hirten in 3 Raten (=Zielen) aus; z.B. zu Pfingsten, zu Jacobi (25.7.) und zu Martini (11.11.), in späterer Zeit auch vierteljährlich und schließlich monatlich.

Häufig sammelten die Hirten selbst die festgesetzten Getreidemengen ein. In der 1766 renovierten Dorfordnung der Gemeinde Fürth im Odenwald wurde dazu festgelegt: *„Vom gemeinen Rentmeister wird im Beisein des Zentschultheißen und der Deputierten der Ausschlag gefertigt. Der Rentmeister läßt darauf von den Hirten und Schützen von Haus zu Haus die Frucht und das Geld einsammeln. Beides wird sogleich in seiner Wohnung geteilt. Der Bürgermeister [damals noch der Gemeinderechner] muß vorher von Haus zu Haus gehen und den Termin des Einsammelns bekannt geben. Wer sein Teil nicht entrichtet, hat die Exekution zu gegenwärtigen"*[32].

Wenn der Lohn direkt von den Viehbesitzern an die Hirten gezahlt wurde, erscheint er nicht in den Gemeinderechnungen, daher sind auch seine Höhe ebenso wie die Namen der Hirten oft nicht bekannt.

In Groß-Umstadt hatte man eine andere Regelung eingeführt: Pro Kuh waren je ein Vierling Gerste und Korn an die Stadtverwaltung zu zahlen. Dabei kamen, z.B. 1820, von 435 Kühen insgesamt 27 Malter 3 Simmer Getreide zusammen. Da dem Kuhhirten jedoch nur 20 Malter zustanden, ging der Überschuß in diesem Jahr an die Stadtkasse. Im Gegensatz dazu kaufte die Stadt 1828, als nur 250 Kühe zur Herde getrieben wurden, das fehlende Korn auf eigene Rechnung dazu. Auf diese Weise konnte der Hirt jährlich mit einer festen Getreidemenge rechnen[33].

Es gab aber auch Gemeinden, meist waren es kleinere, die den Hirtenlohn auf alle Gemeinsleute umlegten, weil dem Hirten nur auf diese Weise ein ausreichender Unterhalt gewährleistet werden konnte. So beschloß man 1776 in Rohrbach: *„Wir, die Gemeinde, sind dafür, daß jeder, der über Land verfügt, verpflichtet ist, den Kuhhirten für eine Kuh zu bezahlen, einerlei ob er eine hat oder nicht"*[34].

Um eine gesunde Schweinehaltung und die Nutzung der Mast in den nahen Buchenwäldern zu gewährleisten, setzte der Amtmann in Seeheim (Bergstraße) Zwang ein, damit die Gemeinde einen Schweinehirten anstellte. *„Und wie dieser bestellt"*, berichtete der Amtmann später, *„wollte niemand die [ge]haltenen Schweine treiben. Ich ließ, damit der Hirt nach ihrer Caprice nicht wieder abginge, die Pfründe* *auf die in den Ställen gehaltenen Schweine sowohl [als auf] die zu treibenden, und endlich gar auf die Gemeinschaften repartieren, sie mochten [Schweine] halten oder nicht, wodurch soviel effectuieret, daß sie nun Frischlinge statt vorher fette Schweine kaufen und solche selbst großziehen*"[35]. Eine ähnliche Maßnahme des Ortsherrn hatte 1705 in Birkenau zu einem regelrechten Aufstand der Viehbesitzer geführt[36].

In Mosbach war es bei den Angaben über das mit der Herde getriebene Vieh häufig zu Betrügereien gekommen. Deshalb faßte der Gemeinderat nach heftigen Diskussionen den Beschluß, den Lohn für Schweine- und Gänsehirten aus dem Communalausschlag zu bezahlen, d.h. alle Bürger daran zu beteiligen. Das wurde dann auch 20 Jahre lang praktiziert, bis es auf einmal zu heftigen Protesten von 30 Bürgern unter Führung des Gemeinderates Martin Boll kam. Auf Anfrage des Kreisrates erklärte der Gemeinderat dazu am 6.5.1886: „*Wir sind durchaus nicht dafür, daß die Hirtenlöhne durch Ausschlag auf die betreffenden Viehbesitzer erhoben werden sollen, da wir durch einen derartigen Rückschritt mit Bestimmtheit behaupten können, daß es schließlich in dieser Gemeinde soweit kommen würde, daß ein Schweinehirt gar nicht mehr gehalten werden könne, sowie das Interesse der Schweinezucht sehr gemindert würde, halten daher an der seither bestehenden Einrichtung, daß die Hirtenlöhne durch Communalausschlag bestritten werden sollen, fest.*

Auffallend erscheint es nur, und soll hier nicht unerwähnt bleiben, daß gerade der Anführer der Reclamanten Martin Boll dahier, s. Zeit als an der Spitze des Ortsvorstands stehend, sehr für Aufhebung der Erhebung von Hirtenprieme stritt und die seit 1866 bis dahin bestehende Einrichtung, daß die Hirtenlöhne durch Communalausschlag erhoben werden, eingeführt hat". Der Einspruch der Bürger wurde schließlich auf einer öffentlichen Sitzung des Kreisausschusses am 19.7.1886 unter Vorsitz von Amtmann Dr. Freiherr von Gemmingen zurückgewiesen und den Reclamanten ein „Aversionsbetrag von Zehn Mark unter solidarischer Haftbarkeit auferlegt"[37].

Einen Streit um die „Salarierung des Schweinehirten in Fränkisch-Crumbach" nahm der Landrat in Reinheim 1829 zum Anlaß, alle Bürgermeister seines Dienstbezirkes aufzufordern, ihm zu berichten: „1. Aus was der Hirtenlohn bestanden, 2. worauf sich die Beitragspflicht gründet, 3. auf welche Weise derselbe erhoben wird". Die Antworten der Bürgermeister geben, soweit sie in den Ortsarchiven noch vorhanden sind, wertvolle Hinweise auf die Entlohnung der Hirten in alter Zeit.

In einem weiteren Schreiben wies der Landrat die Gemeinden darauf hin, daß sie verpflichtet seien, dem Hirten den abgemachten Lohn auch zu garantieren, daß sie dieses aber nur tun könnten, wenn er in den Rechnungsbüchern verbucht sei, denn nur dann könne man Rückstände mittels Pfändung eintreiben. Er schlug vor, die einzelnen Posten in Geld umzurechnen und dann das Getreide insgesamt vom Händler zu kaufen, da das Einsammeln des Getreides bei den Viehbesitzern, das nun vom Gemeindeeinnehmer vorgenommen werden sollte, zeitaufwendig und teuer wäre. Von 1830 an müßte demgemäß in den Rechnungsbüchern der Gemeinden des Landratsbezirks Reinheim der Hirtenlohn angegeben sein.

In Ober-Ramstadt, wo die Hirten bis dahin ihr Getreide selbst eingesammelt hatten, war man über diese neue Regelung wenig erfreut, aber der Versuch, sich dagegen zu wehren, brachte keinen Erfolg[38].

Viele Gemeinden gingen in den folgenden Jahren dazu über, ihre Hirten direkt in Geld zu bezahlen. Von 1833 an bekam der Kuhhirt in Groß-Bieberau 70 Gulden im Jahr, der Schweinehirt 80 Gulden[39], in Roßdorf beide Hirten jeweils 88 Gulden. In Langstadt hielt man noch bis 1868 an der Besoldung in Getreide fest; da dabei aber immer wieder „viele Unannehmlichkeiten" entstanden, beschloß der Gemeinderat, die Hirten aus der Gemeindekasse zu bezahlen. Alle Bauern hatten offensichtlich etwa gleich viel Kühe, denn *„die vermögenden Gutsbesitzer halten sich Pferde, wodurch sie den geringeren an Rindvieh gleich stehen"*[40].

Die Bezahlung in Getreide war zwar recht umständlich, hatte aber den Vorteil, wertbeständig zu sein – man konnte immer die gleiche Menge Brot daraus backen. In Zeiten der Teuerung war der in Geld gezahlte Hirtenlohn auf einmal sehr viel weniger wert. Das bekam auch der Gänsehirt Heinrich Bausch in Groß-Umstadt zu spüren. Hilfesuchend wendete er sich 1868 an den Kreisrat, *„um von dem Stadt-Vorstande eine Zulage zu erhalten, indem alle Lebensmittel sehr theuer sind und ich am Körper sehr schwach und deßhalb zu einer andern Nebenarbeit nicht tauglich bin. Ich bekomme wöchentlich 1 fl 30 kr, welches für mich, einem kranken Mann, nicht hinreichend ist und [ich] deßhalb ein sehr spärliches Leben führen muß. Als ich die Stelle übernahm, bekam ich per Jahr 60 fl., das dritte Jahr 3 fl Zulage, jetzt 65 fl und muß 4 Wochen früher ausfahren. Verhältnismäßig ist der Lohn sehr gering und weniger als früher, indem damals 5 Pfd. Brot 13 kr kostete und jetzt 16 kr kostet, aber diesen Sommer hindurch 22 kr. Bitte daher aus bevorstehenden Gründen, meine Bitte gütig aufnehmen zu wollen und den Stadt-Vorstand zu ersuchen"*. Sicher hatte der alte Gänsehirt auch selbst schon den Magistrat um einen Zuschuß gebeten, aber erst als der Kreisrat nachhakte, bewilligte er dem Hirten eine „Gratification von 10 fl"[41].

Machte ein Hirt, oft durch widrige Umstände veranlaßt, Schulden, so konnte ein Fünftel seines Gehalts gepfändet werden. Sehr empört reagierte 1872 der Bürgermeister von Klein-Umstadt auf eine gerichtliche Verfügung, die dem Hirten zugegangen war. *„Ein gewisser Kuhn aus Trebur"*, schrieb er an den Kreisrat, *„hat dem Schweinehirten Adam Knöll I. und blutarmen Mann auf seinen Lohn, den derselbe aus der Gemeinde bezieht, Beschlag und Arrest auf den 5. Theil erwirkt. Wenn dieses Verhältnis so fortbestehen soll, daß der Lohn der Gemeinde und nicht der Lohn des Hirten auf diese Art und Weise von dem Juden weggenommen werden kann, so hat niemand den Nachteil als die Gemeinde selbst oder dessen Einwohner, wir möchten wissen, ob diese Verfahrensweise aufgehoben werden kann, was wir zur gefälligen Verfügung unterbreiten"*[42].

Auf Antrag des Klägers Nehm Oestreich aus Babenhausen wendete sich das Landgericht Langen 1847 direkt an die Gemeinde Eppertshausen und wies den Gemeindeeinnehmer an, *„ein Fünftheil von dem Gehalt des Kuhhirten Peter Groh zu Eppertshausen so lange an Kläger zu verabfolgen bis derselbe mit seiner 10 fl 49 kr. betragenen Restforderung befriedigt sei"*[43].

Neben dem Hirtenamt übertrugen die Gemeinden den Hirten häufig noch weitere Aufgaben, wofür sie dann zusätzlich bezahlt wurden. Oft übten sie noch das Amt des Nachtwächters aus, wobei meist der eine Hirt die Wache bis Mitternacht übernahm, der andere die zweite Nachthälfte. Der Landrat hatte 1830 auch nichts dagegen einzuwenden, *„wenn beide Dienstvorrichtungen in einer Person vereinigt würden, nur müsse der Lohn für jede derselben besonders bestimmt werden"*.

In Klein-Umstadt verrichteten die Hirten gleichzeitig Pförtnerdienste, der Schweinehirt wohnte im Pförtnerhaus neben dem Obertor, der Kuhhirt in dem des Untertores. Auch in Reinheim versah der Füllhirt gleichzeitig Pförtnerdienste im Obertor.

In Ueberau wurden die Hirten vertraglich verpflichtet, *„vorkommenden Pfandwegnahmen beizuwohnen und die Pfänder wegzutragen, wofür dieselben jedoch besonders belohnt werden"*. Offensichtlich war sonst niemand im Dorf bereit, diese unangenehme Aufgabe zu übernehmen. Unangenehm war sicher auch die Arbeit des Gänsehirten von Münster, die Abzugsrinne zwischen dem alten Schulhaus und einem nahe stehenden Wohnhaus freizuhalten. *„Diese Rinne, in die sich mehrere weitere ergießen, verschlammt sehr oft und ist die Ausdünstung derselben, wenn nicht von Zeit zu Zeit eine Entleerung stattfindet, sehr empfindlich für die in der Nähe wohnenden Einwohner und noch mehr für die zarte Schuljugend, indem sich ein großer Theil derselben bei ihrer Erholungszeit während der Unterrichtsstunden in der Nähe herumtummelt"*. Der Hirt bekam dafür 16 Mark extra[44].

Sehr geschätzt wurden Hirten, die Kenntnisse und Erfahrungen in der Tiermedizin besaßen und bei Krankheiten, Verletzungen oder schweren Geburten Hilfe leisten konnten. In alten Hirtenfamilien wurde das Wissen um die Heilkraft der Kräuter und das Brauen von Mixturen, zum Beispiel mit dem Allheilmittel Theriak, von Generation zu Generation weitergegeben. Welchen Stellenwert das Vieh für die Familie genoß, geht aus dem weitverbreiteten Spruch hervor: Weibersterben, kein Verderben, Gaul verrecken, das sind Schrecken. Die Gemeinde Langstadt zahlte ihrem Kuhhirten 12 Mark zusätzlich, damit er im Bedarfsfall bei krankem Vieh Hilfe leistete. Der Tierarzt wohnte weit entfernt und kostete natürlich auch viel Geld.

Das Hirtenhaus

Von altersher war es üblich, den Gemeindehirten eine kostenlose Unterkunft zu gewähren. Zu diesem Zweck bauten die Gemeinden früher oder später besondere Häuser, die sog. Hirtenhäuser. In Groß-Bieberau z.B. wurden die Hirten zunächst bei Ortsbürgern einquartiert, wofür die Gemeinde einen Hauszins von je 1 1/2 Gulden ausgab. 1645/46 hatten die Hirten wegen *„damahliger Unsicherheit der Kriegsvölcker"* *jeder ein „logament oder Camer zu Lichtenberg [auf der Burg]"*, was die Gemeinde ebenfalls bezahlte. 1667 begann sie dann mit dem Bau eines Hirtenhauses für den Kuhhirten, 1682 wurde ein zweites Haus, offensichtlich für den Schweinehirten gebaut[45].

Die Hirtenhäuser gehören meist zur Gruppe der Kleinhäuser[46]. Karl Fischer verdanken wir die sehr sorgfältige Bau-Aufnahme des ehemaligen Hirtenhauses von Langenthal, kurz bevor es 1974 abgerissen wurde. Es hatte eine Grundfläche von 5,55 m mal 6,55 m und stammte vermutlich noch aus dem 16. Jahrhundert[47]. Häufig bauten die Gemeinden Doppelhäuser für Kuh- und Schweinehirten mit gemeinsamer Eingangstür, wie z.B. in Ueberau und Groß-Bieberau. Letzteres, 1783 erbaut, wurde 100 Jahre später an eine andere Stelle versetzt und beherbergte noch bis 1930, als es verkauft und abgerissen wurde, die vielköpfige Familie des Ziegenhirten. Überhaupt sind fast alle Hirtenhäuser inzwischen verschwunden, nur wenige dienen in privater Hand noch als Wohnhäuser. Beispiele dafür finden sich in Klein-Zimmern, Ueberau und Wembach. Ein besonderes Schicksal hatte eines der

Hirtenhäuser in Lengfeld. Es wurde 1831 von der Lengfelder Judenschaft erworben, die dann im Keller ein Frauenbad einrichtete[48].

Da das Hirtenhaus oft das einzige Haus im Besitz der Gemeinde war, benutzte man es auch, um der gesetzlichen Verpflichtung der Gemeinden zur Armenhilfe nachzukommen. So mußte der Schweinehirt von Groß-Bieberau „*Arme sowohl gesunde als auch kranke, so lange aufnehmen bis sie entweder gesund oder ein anderes Unterkommen gefunden haben*" (1835)[49]. In sämtlichen schriftlichen Hirtenverträgen der Gemeinde Ueberau findet sich der Passus: „*Auch hat der Schwein- und Kuhhirt die Verbindlichkeit, die armen, fremden Leute, welche allenfalls kein Nachtquartier erhalten können, unentgeldlich aufzunehmen, zu übernachten und zu beherbergen; sollte sich der Hirte darüber äußern, so kann der Bürgermeister auf dessen Kosten Quartier nehmen und diesen Betrag von der Hausmiethe in Abzug bringen und das Quartier damit bezahlen*"[50].

Im Laufe des 19. Jahrhunderts verkauften viele Gemeinden, wohl um Instandsetzungskosten zu sparen, ihre Hirtenhäuser; als Ausgleich zahlten sie den Hirten dann aber feste Summen für die Hausmiete. So bekamen der Kuh- und der Schweinehirt in Ueberau für 1870 12 Gulden Hausmiete, die in vierteljährlichen Raten gezahlt wurden, der Gänsehirt 6 Gulden.

Der Schweinehirt Michael Feth in Frankenhausen mußte sich auf Dauer die Wohnung mit einer alleinstehenden Frau teilen. In seinem Vertrag vom 25.1.1873 heißt es: „*Die Elisabeth Leutner hat ihren Sitz in der Kammer der Hirtenwohnung sowie ihren freien Ein- und Ausgang durch die Stube und das Recht, auf dem Feuerherd zu kochen*".

Oft hatten die Hirtenfamilien zahlreiche Kinder und mußten normalerweise schon in drangvoller Enge leben; selbst dann wurden sie nicht von ihrer Verpflichtung, arme Leute aufzunehmen, befreit, wie folgender Vorgang zeigt: Am 30. August 1911 erschien der Schweinehirt von Groß-Umstadt Bernhard Wolf beim Kreisamt in Dieburg und erklärte: „*Ich wohne im Hirtenhaus in Groß-Umstadt mit meiner Familie, die aus Frau und 8 Kindern besteht. Mein Gehalt besteht in 300 Mark jährlich und in der unentgeltlichen Benutzung des Häuschens. Das Hirtenhäuschen besteht aus 2 Stuben, die ich vollständig brauche. Im Mai kam nun der Polizeidiener Frieß zu mir und sagte, ich möchte doch einen Mann vorübergehend 14 Tage bei mir aufnehmen. Ich verstand mich hierzu. Der von mir aufgenommene Mann ist nun immer noch da. Ich gebrauche meine Zimmer und da die Gemeinde sich weigert, den von mir Aufgenommenen aus der Wohnung zu entfernen, so bitte ich, das von hieraus [=Kreisamt] zu veranlassen. Bei dieser Gelegenheit erhebe ich zugleich Beschwerde darüber, daß der Herd und der Fußboden reparaturbedürftig sind und trotz meines wiederholten Ersuchens von der Gemeinde nicht hergestellt werden. Ich bitte zu veranlassen, daß hier abgeholfen werde*". Die Beschwerde des Schweinehirten ging noch am gleichen Tag zurück an die Großherzgl. Bürgermeisterei Groß-Umstadt mit der Bemerkung: „*Sollten die Angaben des Beschwerdeführers zutreffend sein, so ist umgehend dafür zu sorgen, daß der Beschwerde abgeholfen wird*". Dieser Wink des Kreisamtes genügte, daß innerhalb von 2 Wochen Herd und Fußboden des Hirtenhauses „*zur Zufriedenheit des Wolf*" hergerichtet wurden. Auch für den bei Wolf untergebrachten Mann, den „landarmen L.R. dahier", sollte alsbald eine andere Wohnung beschafft werden[51].

Probleme bekamen die Gemeinden zuweilen mit Hirten, die ihren Dienst aufsagten, aber nicht bereit waren, die Dienstwohnung freizugeben. So erging es z.B. der Gemeinde Raibach im Jahre 1869. Der an Neujahr angenommene Schweinehirt und Nachtwächter Philipp Appel kündigte bereits im Juli seinen Dienst wieder auf, weil er von seinem Gehalt nicht leben könne. Die Gemeinde war gezwungen, vor allem wegen des Nachtwächterdienstes, einen anderen Mann anzunehmen, der ohne Wohnung war. Als die Gemeinde nun Philipp Appel aufforderte, binnen acht Tagen seine Wohnung zu räumen, andernfalls sie ihn mit Gewalt ausweisen würde, wendete sich dieser an den Kreisrat um Beistand. Die daraufhin angeforderte Stellungnahme der Gemeinde lautete: *„Philipp Appel ist, wie Grhzl. Kreisamt gesehen haben werden, von Körper gesund, so auch seine Frau. Seine Familie sind zwei Kinder, wovon der älteste, ein Sohn, auch schon verdienen kann; dabei sind sie aber arbeitsscheu, des Bettelns gewohnt, und wurde auch Philipp Appel wegen Bettels schon mehrfach bestraft. Wenn er angibt, daß er nicht als Schweinehirt existieren könne, so ist dies ganz richtig. Was aber trägt die Schuld hiervon, der Branntwein; denn wenn man täglich 20 kr. für 1/2 Maas Branntwein nöthig hat, kann sich dies jeder leicht denken. Wir erlauben uns deshalb zu bitten, den Appel mit seinem Vorbringen abzuweisen und zu verfügen, daß er das Hirtenhaus zu räumen hat, damit der neue Hirt eingewiesen werden kann"*. Dieses geschah auch. Auf welche Weise es der Gemeinde gelang, das Hirtenhaus wieder freizubekommen, ist nicht bekannt[52].
Das enge Zusammenleben verschiedener Parteien im Hirtenhaus und die Wiederfreigabe der einmal bezogenen Wohnung setzten oft erhebliche Streitereien in Gang. Dazu als Beispiel noch der folgende Brief, den die Gänsehirtin von Klein-Umstadt im Juni 1882 eigenhändig an den Kreisrat schrieb:

„Geerhteßter Herr Kreisrath. Katharina Finger von Klainumstadt hiedet jetzt schon zwanzig Jahre die Gänße werend dieser Zeit war ich drei Jahre im Hirtenhaus und diese übrige Zeit muß ich 36 Mark Haußzinßen geben. Ich habe aber schon 71 Jahre zurück gelegt und bin nicht mehr im Standt meine Hauszinsen von 36 Mark zu bezahlen. Ich bin aber getingt worden mit Wohnung. Heinrich Sauerwein ist in dem Hirtenhaus und hat zwei Stuben. Es sind noch zwei junge Leide und haben jeden Tag ihren Vertinßt, beiden Eldern und Kinder vertinen Geld. Meine Hausleide aber haben mich so genötigt daß ich meine Sache herausgestellt habe unter den freien Himmel und muß so lange herum ziehen und weis nicht wo hien. Der Heinrich Sauerwein soll eine von seinen beiden Stuben eine davon räumen, aber er ist sehr hartnäkig und dabei ist er sehr hitzig so daß sich jeder vor ihm Fürchte.
Ich bitte sie Herr Kreisrath sein sie mir behelflig daß mein allter Kirber wieder in seine Ortnung komm. Hoch Achtungsvoll".

Vom Kreisrat zum Bericht aufgefordert, antwortete der Bürgermeister: ...*„daß dieselbe heute noch im Hirtenhaus wohnen könnte wenn sie nicht freiwillig aus demselben ausgezogen wäre, wo alsdann Heinrich Sauerwein, der schon im Hirtenhaus wohnte, dieses Zimmer für sich, ohne Erlaubnis, eingeräumt hat. Wir haben denselben aufgefordert, dieses früher von der Katharina Finger bewohnte Zimmer zu räumen, derselbe hat aber bis jetzt keine Folge geleistet und sind wir daher genöthigt auf gerichtlichem Wege die Räumung zu erwirken und kann alsdann die Katharina Finger wieder einziehen. Die Katharina Finger hat bis jetzt noch Wohnung und stehen ihre Sachen [Hausrath] ebenfalls unter Obdach"*[53].

Mit wieviel Angst und Bangen muß diese alte Frau wieder in das Hirtenhaus eingezogen sein – wenn sie es wirklich tat, wir wissen es nicht. Und was wurde aus ihr, als sie ihr Amt als Gänsehirtin nicht mehr ausüben konnte!

Die Pflichten der Hirten

Hauptaufgabe der Hirten war es, das Vieh des Dorfes tagsüber im Freien weiden zu lassen, solange es die Jahreszeit erlaubte. Der erste Austrieb im Frühjahr wurde von den Dorfbewohnern sehnlichst erwartet, ging doch meist das Winterfutter so zur Neige, daß die Tiere kaum noch satt zu bekommen waren. Die Rinder wurden in den ersten Wochen auf eine Weide in der Nähe des Dorfes getrieben, damit sie sich austoben und aneinander gewöhnen konnten. Da dies gegen Pfingsten geschah, bezeichnete man diese Weide als „Pfingstweide". Heute noch ist dieser Flurname häufig anzutreffen.

Die täglichen Austriebszeiten entsprachen altem Herkommen. So heißt es in einem Hirtenvertrag von 1854: *„Jeder Hirt ist verbunden zu gehöriger Zeit aus- und einzufahren. In der Erndte müssen dieselben 1 Stunde früher als gewöhnlich ausfahren"*. Das bedeutete im Juli und August ein Austrieb gegen 4 Uhr am Morgen. Erst in späteren Verträgen wurden die Austriebszeiten genau festgelegt, wie bei den einzelnen Tierarten beschrieben.

Das Signal zum Aufbruch gab der Hirt mit einer Trompete, einem ausgedienten Posthorn oder durch scharfes Knallen mit seiner langen Peitsche. Auch auf die Stimme des Hirten waren die Tiere geeicht. Mit Hilfe seines Hundes lenkte der Hirt seine Herde zu den Weidegründen. Breite Wege, als Viehtrieb bezeichnet, führten in die Außenbereiche. Zäune schützten in alter Zeit die mit Frucht bestandenen Fluren. Die Weidegebiete (Tritt und Tratt) waren, soweit sie nicht an Wege oder Bäche grenzten, durch große Steine oder markierte Bäume gekennzeichnet.

Altem Herkommen entsprach es auch, daß der Hirt für alle Schäden an den ihm anvertrauten Tieren und ebenso für alle von der Herde verursachten zur Verantwortung gezogen werden konnte. Alle schriftlichen Verträge enthalten entsprechende Paragraphen, als Beispiel sei hier der Ueberauer Hirtenvertrag für 1851 angeführt: *„Geschehen Ueberau am 28. Dez. 1850 – Heute wurden die hiesigen Hirten gedingt u. hierbei folgendes festgesetzt: 1. dieselben müssen zu gehöriger Zeit aus- und einfahren. – 2. hat ein jeder für das Vieh, welches ihm zur Heerde getrieben wird, zu haften, daß dasselbe wieder ins Ort kommt. – 3. hat jeder Hirt für allen Schaden, was durch Vieh, Hund, Dienstboten pp. geschieht, zu haften. – 4. Sollte etwa Schaden geschehen, so wird dem Hirt ohne gerichtliches Einschreiten von dessen Pfriem [Pfründe] einbehalten und zwar so viel als der Schaden verursacht. – 5. Sollte einer oder der andere vorstehende Bedingungen nicht erfüllen, so ist der Bürgermeister berechtigt, denselben seines Dienstes zu entsetzen, und zwar zu jeder beliebigen Zeit, wo er seine Pflicht nicht erfüllt"*[54].

Ein wirksames Mittel, eine Entschädigung für angerichteten Flurschaden zu erzwingen, war das Pfänden von Tieren, ein Recht, das bereits im Sachsenspiegel verankert war und sich bis zum Ende des Weidewesens hielt. Das Pfandrecht stand dem Flurschützen als dem Ordnungshüter der Gemeinde zu, aber auch dem Geschädigten selbst. Es hing sicher vom persönlichen Verhältnis zum Hirten ab, ob man sofort ein

Tier als Pfand beschlagnahmte oder es zunächst nur bei einer Verwarnung beließ. Bei fremden Hirten und verfeindeten Nachbarn hatte man naturgemäß weniger Hemmungen. Wegen Grenzstreitigkeiten und Weiderechten wurden im Laufe der Jahrhunderte unzählige Prozesse geführt, und häufig mußten auch die Hirten darunter leiden. So bekam ein neu angenommener Schäfer den Weidestreit zu spüren, der von 1720 an zwischen den Waldensergemeinden Rohrbach und Wembach entbrannt war und erst vom Appellationsgericht in Darmstadt geschlichtet werden konnte. In den Protokollen heißt es u.a.: *„und als der Hirt gar zu eingennutzig verfuhr und seine Schafe in die Wembacher Gärten laufen ließ, rannten die Weiber hinter ihm her und pfändeten einige seiner Tiere"*[55].

Die Möglichkeit, für Schäden haftbar gemacht zu werden, mag wie ein Alptraum über den Hirten gelegen haben. Im 19. Jahrhundert wurden bei Flurschäden strenge Strafen ausgesprochen, zu strenge, wie es selbst hohen Staatsbeamten erscheinen mochte. So erreichte z.B. der Schweinehirt von Spachbrücken 1846 durch ein Gesuch an das Ministerium des Innern und der Justiz, daß ihm eine Strafe von 10 Gulden erlassen wurde, zu der ihn das Landgericht wegen eines auf 30 Kronen geschätzten Flurschadens verurteilt hatte[56].

Auch für die untere Ebene gibt es Beispiele, daß Beschwerden gegen Hirten mit Verständnis behandelt wurden. Als sich z.B. ein Lengfelder Bürger beim Bürgermeister beschwerte, der Schweinehirt ließe mit Absicht seine Tiere in seinen Hof laufen, und dadurch würde ihm als Federviehhändler viel Schaden entstehen, schrieb dieser zurück: *„...es sei nicht möglich, daß ein Hirt verhüten kann, daß beim Vorbeifahren an einem offenen Hof Vieh von der Herde in den offenen Hof einläuft, wo von Vorsatz gar keine Rede sein kann ... Wenn derselbe [Beschwerdeführer] Federvieh von seinem Handel in seinem Hof hält, so müßte er nothwendigerweise ein Thor an seinem Hof haben, daß das Federvieh nicht herauslaufe und dann könnten auch keine Schweine einlaufen..."*[57].

In alten Zeiten trugen die Hirten große Keulen mit sich herum, damit sie im Notfall ihre Herde damit verteidigen konnten. „Was Räuber oder Wolf nimmt, gilt nicht, wenn der Hirte um Hilfe gerufen hat", wurde schon im Sachsenspiegel festgeschrieben, und in der Brandauer Dorfordnung von 1655 heißt es: *„Stirbt ein Schaf bei der Herde oder kommt um, muß der Schäfer dem Besitzer die Haut zustellen und liefern; sofern er das nicht tut, soll er das Schaf bezahlen, ausgenommen wenn der Verlust durch Wölfe und Pferchdiebe eingetreten ist und er es nicht verhindern konnte"*[58].

In der Praxis kam es aber wohl selten zu Regreßansprüchen; wie hätte auch ein Hirt eine größere Summe aufbringen können. In den Akten des Kreisamtes findet sich lediglich ein Beispiel dafür, daß ein Hirt zu Schadenersatz verurteilt wurde. Dem ging folgender Tatbestand voraus: Zwei Bauern waren 1866 in Harpertshausen damit beschäftigt, bei großer Hitze Kleesamen auf einen Acker zu streuen, als der Schweinehirt vorbeizog. Sie baten ihn, den Samen von seinen Tieren in den Boden treten zu lassen, wozu der Hirt auch bereit war. Offenbar trieb man nun zu dritt die Schweine solange auf dem Acker hin und her, bis eines davon aus Erschöpfung oder Überhitzung tot zu Boden fiel. Bei der Regulierung des Schadens, der auf 16 Gulden geschätzt wurde, vertrat der Gemeinderat die Ansicht, daß die beiden Bauern, die den Hirten zu dem Tun angestiftet hatten, sich mit je 4 Gulden beteiligen sollten. Diese lehnten das jedoch ab, und so kam die Angelegenheit vor den Kreisrat. Er entschied: *„Der Schweinehirt hat dadurch daß er die ihm anvertraute Herde zum*

Eintreten des Kleesamens benutzte und derart abhetzte, daß eines derselben krepierte, auf eine unverantwortliche Weise seinen Obligenheiten zu wider gehandelt. Rechtlich erscheint jedenfalls er und nicht die Grundbesitzer zu Schadenersatz verbunden. Sie werden dies dem Schweinehirten eröffnen, den Schaden taxieren lassen und dem Gemeindeeinnehmer anweisen, den Betrag an dem Gehalt des Schweinehirten in Abzug bringen und an den Beschwerdeführer ausbehalten lassen"[59].

Zum Guten für den Hirten ging dagegen ein anderer Vorfall aus, der sich im Juni 1851 in Klein-Zimmern ereignete: Beim Heimfahren der Herde geriet ein Schwein unter einen Ackerwagen, der von dem Knecht des Bauern Georg Breidenbach gelenkt wurde, und kam dadurch zu Tode. Der Bürgermeister war schnell bei der Hand, dem Hirten den auf 4 Gulden geschätzten Schaden von seinem Lohn abzuziehen. Dagegen wehrte sich der Hirt mit einer Beschwerde beim Kreisrat. Dieser ordnet an; *„Nach § 3 des Vertrages hat der Hirt nur den Schaden zu tragen, der durch ihn oder seine Leute entstanden ist. Da nun das fr. Schwein nicht durch ihn oder einen seiner Leute sondern von dem Knecht des Joh. Breidenbach von Großzimmern beschädigt wurde, so braucht der Hirt hierfür nicht einzustehen, und wir weisen Sie daher an, ihm die in Abzug gebrachten 4 fl nachzahlen zu lassen. Dem Eigenthümer des Schweins bleibt es unbelassen, sich an den Schädiger zu halten"*[60].

Der Dienstherr des Knechtes, Johann Breidenbach, gehörte wie der Bürgermeister zur bäuerlichen Oberschicht, daher wohl auch seine schnelle Entscheidung, vermutlich ohne Heranziehung des Gemeinderates, den Hirten regreßpflichtig zu machen. In alter Zeit hätte der Hirt kaum eine Möglichkeit gehabt, sich dagegen zu wehren. Die Gemeindereform 1821 sorgte für mehr soziale Gerechtigkeit.

Ein anderes Beispiel zeigt, daß auch der aus allen Schichten zusammengesetzte Gemeinderat Hirten gegen ungerechtfertigte Angriffe zu schützen versuchte: Bei einer Beißerei, wie sie unter Schweinen manchmal vorkommt, brach sich in Wiebelsbach im Juni 1876 eines der Tiere ein Bein. Der herbeigerufene Bezirkstierarzt erklärte, daß das Schwein bei sachgemäßer Pflege innerhalb von 14 Tagen wieder gesund sein könne, ohne einen Schaden zurückzubehalten. Obgleich man dem Hirten kein Verschulden bei dem Unfall nachweisen konnte, war er doch bereit, die Pflege zu übernehmen. Das wurde jedoch von dem Besitzer, dem Gemeinderat Nicolaus Gilch, entschieden abgelehnt. Er forderte stattdessen einen Schadenersatz von 60–70 Gulden, obgleich das Schwein höchstens 20–24 Gulden wert war. Als er merkte, daß er soviel nicht bekommen konnte, reichte er bei Gericht eine Klage gegen den Schweinehirten ein. Dieser wandte sich hilfesuchend an den Gemeinderat und fand auch Verständnis für seine Lage. Im Protokoll der Gemeinderatssitzung vom 4.5.1876 heißt es u.a. *„Wenn der Hirt nun für alle Fälle, die durch Zufall sich ereignen, verbindlich gemacht wird, den Schaden zu ersetzen, so würde kein Mensch mehr die Schweinehut in der Gemeinde Wiebelsbach übernehmen und das würde der Gemeinde in landwirtschaftlicher sowie in finanzieller Hinsicht zu großem Schaden gereichen. Der Gemeinderat beschließt daher aus diesem Grunde, daß der beklagte Schweinehirt Jacob Lutz den Prozeß mit Nicolaus Gilch durch einen Anwalt weiter zu führen hat und alle Kosten, die durch den Prozeß dem Schweinehirt Jacob Lutz zur Last fallen, auf die Gemeindekasse zu Wiebelsbach zu übernehmen"*. Aus späteren Akten geht hervor, daß Nicolaus Gilch den Prozeß über 2 Instanzen führte und schließlich verlor, was natürlich seine Feindschaft gegenüber Bürgermeister und Hirten noch verstärkte. Etliche Jahre später wurde der Hirt krank und starb 1890 nach 2monatigem Krankenlager. Da während dieser Zeit die Schweine nicht ausgetrieben wurden, reichte Gilch erneut Klage gegen den Hirten ein, und noch einmal setzte sich der Bürgermeister für den Hirten ein: *„Lutz hat sich während seiner 24 Jahre als Schweinehirt das volle Vertrauen der hiesigen Einwohnerschaft erworben und wird ihm heute noch jeder nachsagen, wenn wir nur für die Zukunft wieder einen solchen zuverlässigen Mann als Hirten haben"*[61].

Die Hirten mußten sich natürlich auch an die bestehenden Gesetze und Vorschriften halten. Aufgrund einer Verordnung vom 2.4.1841 war es nicht erlaubt, das Vieh früher als eine halbe Stunde nach Beendigung des Gottesdienstes durch das Dorf zu treiben. Nicht ahnend, daß die Kirche wegen einer Taufe länger gedauert hatte als gewöhnlich, trieb der Kuhhirt von Sickenhofen mit einem Helfer seine Herde an einem Sonntag im November 1855 nach Hause. Dabei kamen ihnen Pfarrvikar und Lehrer auf der Dorfstraße entgegen. Als sie den in der Herde mitlaufenden Faselochsen erkannten, flüchteten sie voller Angst in eine Hofraithe, und es entspann sich ein Wortwechsel. Der Pfarrvikar rief den Männern zu, sie möchten sich doch in Zukunft an die Bestimmungen des Gesetzes halten und forderte sie auf, in seine Wohnung zu kommen, um die Angelegenheit zu bereinigen. Das aber lehnte der Kuhhirt mit der Bemerkung ab, er könne sich ja direkt an den Bürgermeister wenden. Vollends erbost wandte sich der Pfarrvikar nun an den Kreisrat. Der Kuhhirt wurde nach Dieburg vorgeladen, bekam eine Rüge verpaßt und die Warnung mit auf den Rückweg (zu Fuß), bei dem nächsten derartigen Vorfall würde er entlassen[62].

Hirtenfamilien

Über Hirtenfamilien im Vorderen Odenwald liegen bisher nur vereinzelt genealogische Veröffentlichungen vor. Es ist auch schwierig, sie zu verfolgen, weil die Namen der Hirten vor 1830 meist nicht in den Gemeinderechnungen erscheinen. Nur selten sind, wie z.B. in Groß-Bieberau, Gerichtsbücher erhalten, in denen Jahr für Jahr die Namen der von der Gemeinde gedingten Personen eingetragen sind. So kann man meist nur anhand von Kirchenbuchdaten den Lebensweg von Hirten verfolgen. Marie-Luise Seidenfaden nennt in ihrer Arbeit über „Lautertaler Schäfer- und Hirtenfamilien im 17. und 18. Jahrhundert"[63] neben zahlreichen Einzeldaten auch die Geburtsorte von 8 Kindern des Hirten Claudio Franck. In Lützelbach geboren, heiratete Claudio 1699 Anna Margarethe Kietz in Beedenkirchen. Kinder wurden ihnen geboren 1700 in Herchenrode, 1702 in Lützelbach, 1704 in Webern, 1708 in Beedenkirchen, 1712 in Reichenbach, 1715 in Beedenkirchen und 1718 in Klein-Bieberau. Man darf m.E. den häufigen Wechsel des Dienstortes nicht als Indiz für schlechte Hirtendienste werten, die genannten Dörfer liegen dicht beieinander, und so war die Person des Hirten bekannt. Eher mag die Furcht von Gemeinden ausschlaggebend gewesen sein, bei längerem Aufenthalt Heimatrecht gewähren zu müssen. Claudio stirbt dann auch 1731 in seinem Geburtsort Lützelbach. Er wurde zum Stammvater einer weitverzweigten Hirtenfamilie, deren Vertreter zahlreichen Gemeinden des Odenwaldes als Hirten dienten[64]. Sein ältester Sohn Christoph (1702–1770) war Schäfer, sein zweiter Sohn Johann Peter (1712–1790) heiratete mit 20 Jahren in Nieder-Modau und arbeitete dort, später auch in Wembach und Hausen, als Gemeindehirt; einer seiner Söhne, Friedrich Peter Frank (1736–1792) heiratete 1758 die Tochter des Viehhirten Adam Löffler in Groß-Bieberau und bildet dadurch die erste von 4 Generationen von Hirten in Groß-Bieberau. Sein Sohn Johann Peter (1760–1818) übernahm 1784 das Amt des Schweinehirten von seinem Vater und übte es bis zu seinem Tode aus, Johannes aus der folgenden Generation ebenfalls. Schließlich übernahm Johann Georg Frank (1811–1874) im Jahre 1831 das Amt seines verstorbenen Vaters *„unter der Bedingung, daß er seine Mutter im Hirtenhaus bei sich behalten und den Ein- und Ausgang sowie die Schlafstätte seiner ledigen Geschwister gestatten müsse"*.

Auf verschlungenen Wegen erfahren wir von einer anderen Hirtendynastie, die in Habitzheim zu Hause war. In den Beständen der New York Historical Society entdeckte Peter Assion kürzlich Familienpapiere der Haas, die 1831 von Habitzheim nach Nordamerika ausgewandert sind. Neben dem Original des bekannten Reisetagebuches fand sich auch eine humorvolle Glosse über den Nachtwächter- und Schweinehirtendienst in Habitzheim, die vermutlich weitgehend authentisch ist: *„In dem Dorfe H... [Habitzheim] war das Amt des Nachtwächters mit dem auch das des Schweinehirten verbunden war, seit undenklichen Zeiten vom Vater auf den Sohn gekommen und nach dem Rechte des Herkommen[s] so zu sagen in der Familie erblich geworden. Wenigstens wurde es im Dorfe so angesehen, und niemand sonst wagte es, sich um diesen Gemeindedienst zu bewerben, weil doch alle Mühen und Ränke vergeblich gewesen wären. Wer konnte auch so geschickt die Peitsche schwingen oder beim Austreiben so schöne Weisen auf dem Horne blasen. Auch als Nachtwächter, im Abblasen und Absingen der Stunden, was Kraft im Stoße des Horns und eine volle gewaltige Stimme beim Absingen der Stunden anbelangte, waren von jeher die Landzettel, so hießen nämlich diese Leute, Meister. Ein Uebergewicht über alle Mitbewerber würde ihnen auch die durch lange Praxis gesammelten Erfahrungen in Behandlung der ihrer Obsorge anvertrauten Schweine gegeben haben. Und so war die Nachfolge so sicher, daß wenn einmal die Zeit wieder heranrückte, daß der erwachsene Sohn und Erbe sich ein Mädchen erkießte, dem er Herz und Hand anbieten wollte, die Gewißheit der Stelle in Anschlag und als gute Partie betrachtet wurde"*[65].

Eine andere, besonderes im 18. Jahrhundert verzweigte Hirtenfamilie sind die Blums. Johannes Blum (1643–1711), der erste bekannte Hirt der Familie, verbrachte fast sein ganzes Leben als Kuh- oder Schweinehirt in Spachbrücken[66]. Zwei seiner Söhne setzten die Tradition fort. Thomas, auch Blümchen genannt (1682–1747), zunächst wohl als Helfer des Vaters auch Schweinehirt in Spachbrücken, wurde dann Hirt in Groß-Bieberau und später in Meßbach, wo er 65-jährig starb. Sein Bruder Andreas (1674–1733) verbrachte nach einigen Jahren Hirtendienst in Reinheim sein ganzes Leben in Groß-Bieberau; sein Sohn Georg Heinrich (1703–1772) war laut einer Bemerkung im Kirchenbuch 40 Jahre Hirt in dieser Gemeinde; sie dankte es ihm, indem sie ihm erlaubte, im Hirtenhaus wohnen zu bleiben, als man 2 Jahre vor seinem Tode einen jungen Hirten anstellte. Dieser mußte ihm auch alle Vierteljahr einen Simmer Korn von seinem Lohn abgeben.

In Groß-Umstadt wurden die Hirten im 18./19. Jahrhundert vor allem von den Familien Pfalzgraf, Fries und Hollerbach gestellt, die auch verwandtschaftlich miteinander verbunden waren. Die Hollerbachs gehen auf Johann Baltasar zurück, der um 1750 Stadtschäfer in Reinheim war. Sein Sohn Christoph heiratete 1755 die Tochter eines Leinwebermeisters in Groß-Umstadt und war dort bis zu seinem Tode Kuhhirt. Sein Amt wurde von seinem Schwiegersohn Jacob Fries übernommen, der es an seinen Sohn Christoph Fries (1819–1869) weitergab. Ihm folgten wiederum Hollerbachs als Kuhhirten und zuletzt als Faselwärter[67].

Anhand der vier Beispiele dürfen wir wohl mit einiger Sicherheit annehmen, daß im Vorderen Odenwald zumindest im 18. und weit bis in 19. Jahrhundert hinein viele Hirtenfamilien miteinander vernetzt waren. Ihre Vertreter erbten zwar keinen Reichtum an Geld, wohl aber Erfahrungen im Umgang mit Tieren und Wissen, ihnen bei Krankheiten und Geburten beizustehen.

Aber nicht immer standen den Gemeinden solche „geborenen Hirten" zu Verfügung; sie mußten sich mit fremden Hirten begnügen. Kurz nach dem 30jährigen Krieg kamen die Hirten manchmal von weit her. Der 1670 in Reinheim angestellte Säuhirt Hans Förster stammte aus Lobsingen bei Bern, ein anderer Säuhirt, Hans Jacob Petersen, aus Dänemark. Sein 1653 in Reinheim geborener Sohn Hans Caspar wurde als Hirt in Reinheim seßhaft und nannte sich später Petri[68].

Aufgrund schlechter Erfahrungen durften „ausländische Hirten" in der Herrschaft Breuberg nur angenommen werden, wenn sie ein beglaubigtes Zeugnis über gutes Verhalten vorlegen konnten[69]. Den Gemeinderechnungen des 17. Jahrhunderts zufolge kamen die Hirten, die in Groß-Bieberau angestellt wurden, öfter von auswärts. 1682 muß es wegen eines neuen Kuhhirten aus Höchst zu Schwierigkeiten gekommen sein, denn zwei Männer erhielten in diesem Jahr eine Entschädigung, *„das sie wegen deß Kihirdt uff Breyberg [Burg Breuberg] gangen zu klagen"*.

Im 19. Jahrhundert mehren sich die Fälle, daß Gemeinden das Hirtenamt nach sozialen Gesichtpunkten vergaben. Über das Auswechseln altgedienter Hirten gegen in Not geratene Familienväter wurde bereits berichtet. Auch die Stadt Groß-Umstadt kam 1853 einem verschuldeten Mann zu Hilfe, indem sie ihn als Schweinehirten anstellte. Von seiner Besoldung, 150 Gulden jährlich, mußte er im Vierteljahr 4 Gulden an die Stadtkasse abtreten *„zur Deckung einer älteren Brotschuld"*, außerdem wurde in seinem Vertrag noch weiter bestimmt: *„daß von keinem anderen Schuldner Beschlag auf diese Besoldung gelegt werden könne, indem derselbe, wenn dieses geschehe, nichts zum Lebensunterhalt habe und dadurch auch außer Stand komme, seinen eingegangenen Verbindlichkeiten nachzukommen; sollte jedoch wider Erwarten durch Urtheil oder Recht Beschlag auf diesen Jahreslohn erwirkt werden können, so hat die Stadt das Recht, an jedem Sonntag eine von dem Stadtvorstand zu bestimmende Summe von seiner Besoldung zur Lebsucht [Lebensunterhalt] für ihn und seine Familie auszahlen zu lassen"*. Gottfried Fischer hütete dann noch 7 Jahre bis zu seinem Tod 1860 zur Zufriedenheit der Bürger die Schweine der Stadt[70].

Besonders die Gänsehut wurde häufig an ältere Leute, Witwen oder Körperbehinderte vergeben. In Fränkisch-Crumbach hütete 1878 ein „70jähriger Greis" die Gänse, in Lengfeld übernahm 1852 die Witwe des verstorbenen Gänsehirten die Hut, um ihre vielköpfige Familien weiter versorgen zu können, und Carl Balduf, der über 50 Jahre in Richen die Gänse hütete, worüber noch berichtet wird, war schon als Junge an beiden Füßen lahm und brauchte zum Laufen eine Krücke.

Mit beginnender Industrialisierung war es oft schwierig, noch Hirten zu finden, die bereit waren, den ganzen Tag und bei jedem Wetter im Freien auszuharren. Als sich um 1850 in Groß-Zimmern durch Schachtelmachen für die Zündholzfabrikation die

Möglichkeit eröffnete, auch im Trockenen Geld zu verdienen, fand sich niemand mehr, der den Gänsehirtendienst übernehmen wollte. *„Zum Gänsehüten habe ich zweymal durch die Ortsschelle bekannt machen lassen, wer das Gänsehüten übernehmen wolle, es hat sich aber keine Person gemeldet, die Gänse zu hüten"*, schrieb der Bürgermeister von Klein-Zimmern am 16.5.1850 an die Regierungs-Kommission nach Dieburg. *„Die Ursache davon, es sind 12 Familien hier mit Schachtelmachen zu Zündhölzer beschäftigt und bei diesen Arbeiten auch die übrigen armen Leute mit ihren Kindern, sogar Schulkinder gehen außer der Schule in die Fabriken, Schachteln zu machen und verdienen ihren Eltern das Brod und Hauszinß, eine Wohltat für die hiesigen armen Leute, aus diesem Grund findet sich kein Gänshirt hier vor, niemand will das Gänsehüten annehmen"*. Der Gemeinderat wollte nun dem Feldschützen das Gänsehüten aufbürden und vertrat die Auffassung, *„er habe als Feldschütz einen guten Lohn und könne das Gänsehüten durch seine Kinder unternehmen"*. Aber der Feldschütz weigerte sich, es zu tun, seine Familienverhältnisse würden es nicht erlauben. Schließlich wurde ein Mann zum Gänsehüten bestimmt, der von der Gemeinde unterstützt werden mußte. Doch schon nach einem Jahr klagte der Bürgermeister wiederum: *„Ich habe mich bemüht, einen Gänsehirten anzustellen, allein es war vergebens, niemand will die Gänse hüten und man kann auch niemanden dazu zwingen"*[71].

Soziale Stellung der Hirten

In der alten Zeit hatten die Hirten im Rahmen der Gemeinde weder Rechte noch Pflichten und zudem jährlich kündbare Arbeitsverträge. Daß Gemeinsleute oder Beisassen zu Hirten bestellt wurden, war selten. Die Gemeindereform von 1821 hob zwar die Unterschiede auf, die Hirten zählten aber als Landlose weiterhin zur untersten Schicht innerhalb der Dorfhierarchie. Das Ansehen, das ein Hirt genoß, war naturgemäß abhängig von seiner Leistung, trug das Vieh doch wesentlich zum Lebensunterhalt der Dorfbewohner bei. Das traf besonders für die Schweine zu. *„Der Schweinehirt genoß mehr Ansehen als der Schulmeister"*, schreibt Alfred Kühnert, *„wurde der eine von vielen als notwendiges Übel angesehen, so waren die Dienste des anderen für die Ernährung der Großfamilie unerläßlich"*[72]. Und selbst ein Pfarrer fühlte sich einst dem Schweinehirten gegenüber im Nachteil. Einem eifrigen Ratsschreiber verdanken wir die fast wörtliche Aufzeichnung einer Episode, die sich 1637 in Groß-Umstadt abspielte. Aufgebracht über die Weigerung der Stadt, ihm, wie gewünscht, die Fischerei im Stadtgraben zu überlassen, schloß der Pfarrer die sonntägliche Predigt am 2. April 1637 anstatt mit den üblichen Trostworten mit einer Klage über die *„Schnuddelbärte", den Ehrbaren Rat damit meinend, die ihm nicht einen dürren Fischgran gönnen und geben möchten. „Er müsse"*, verkündigte er von der Kanzel herab, *„wie auch in neuerlicher Zeit ein hiesiger Bürger selbst geredet, bekennen und sagen, daß die Umbstätter mehr auf ihre Schweine als die Seelen achten, mehr auf den Säu- als auf den Seelenhirt halten täten. Doch würde Umbstadt wohl Umbstadt bleiben bis an den jüngsten Tag"*[73].

Wie der Einäugige unter Blinden König ist, so wurde der Hirt, wie an Beispielen schon gezeigt, zuweilen von anderen Dorfbewohnern beneidet, garantierte ihm seine Anstellung doch Unterkunft und festes Gehalt. Sobald sich aber, namentlich gegen Ende des 19. Jahrhunderts, bessere Arbeitsmöglichkeiten boten, fand sich kaum noch ein tüchtiger Mann bereit, den Hirtendienst zu übernehmen. Die Gemeinden lernten einen guten Hirten sehr zu schätzen und setzten sich für ihn ein, selbst wenn er straffällig geworden war, wie ein Vorfall zeigt, der sich 1876 in Asbach zutrug. Dort hatte der Hirte Jacob Keil den Hund des Wirtes Justus Lorz roh mißhandelt und *„mit einem Schlachtmesser den Hodensack dicht am Körper abgeschnitten"*, weil dieser sich auf die Hündin des Hirten gestürzt hatte. Er wurde angezeigt und vom Landgericht zu 6 Wochen Arrest verurteilt *„mit dem Anfügen, daß es uns zweifelhaft ist, ob er seinen Dienst als Hirt beibehalten kann"*. Der Gemeinderat setzte sich aber entschieden für ihn ein *„Der Verurtheilte ist ein geborener Hirte und ein guter Hirte mit mancherlei Kenntnis über das Leben der Hausthiere und müßten wir die Hut von Schafen und Schweinen ohne ihn eingehen lassen, denn kein anderer Bürger versteht sich dazu, den Hirtendienst zu übernehmen.*

Obgleich Keil sich die sträfliche That zu Schulden hat kommen lassen, so können wir ihm nicht die geringste Mißhandlung der ihm anvertrauten Herde nachtragen, im Gegentheil ist er schon oft leidenden und kranken Thieren Helfer gewesen, auch wird Keil durch die ihm zuerkannte gesetzliche Strafe sich in Zukunft vor ähnlichen Vergehen wol hüten, ihm die Strafe ein Schutzmittel gegen Rohheit werden. Aus diesen Grunde bitten wir ihn unserer Gemeinde als Viehhirten belassen zu wollen." Und der Bürgermeister fügte dem Protokoll noch hinzu: *„Indem wir die unter Anlagen verz. Aktenstücke gehorsamst hoher Reg.behörde vorlegen, glauben wir im Interesse unserer Gemeinde zu handeln, wenn wir den Erklärungen des Gemeinderates beitreten, denn wenn Keil nicht mehr Hirte sein könnte oder wollte, müßten wir unsere Schaf- und Schweineherde eingehen lassen und würde es Asbach in der Folgezeit so gehen wie den Nachbargemeinden Rodau und Klein-Bieberau, welche trotz aller Bemühungen keine Viehhirten mehr haben können. Keil ist ein geborener Hirte [ein vermögender Mann] und würde durch ihn unserer Gemeinde eine Hirtenfamilie erhalten bleiben, darum wagen auch wir Fürbitte für sein Belassen im Gemeindedienst einzulegen"*. *„Unter diesen Umständen"*, schrieb der Kreisrat zurück, *„sähe man von einer Entlassung des Rubrikanten aus seinem Dienst als Gemeindehirte ab"*[74].

Der Kreisrat als Aufsichtsinstanz

Mehr als 20 Jahre lang war im Kreis Dieburg Friedrich Kritzler (1802–1877) als Landrat bzw. als Kreisrat tätig, von 1848–1852 auch als Direktor der kurzlebigen Regierungskommission. Er genoß bei Bürgern wie auch bei Bürgermeistern hohes Ansehen. Das kam anläßlich seines Geburtstages im März 1848 zum Ausdruck, über den die Darmstädter Zeitung am 22. März u.a. berichtete: *„In feierlichem Zug bewegten sich sämtliche Bürgermeister des Kreises aus der Wohnung des hiesigen Bürgermeisters nach seiner Wohnung unter Vorantritt eines weißgekleideten Mädchens, welches das Ehrengeschenk, einen kunstvoll gearbeiteten, reich vergoldeten silbernen Pokal trug ... In kurzen, aber tiefgefühlten Worten drückte der Bürgermeister von Groß-Umstadt als Senior die Gesinnungen der Hochachtung und Liebe des ganzen Kreises gegen seinen Kreisrath aus ... Unser Kreisrath, sagte er, hat uns seit einer langen Reihe von Jahren Gesetz und Ordnung gehandhabt; aber er hat nicht erst im Augenblick unter dem Eindruck der neuesten Zeitereignisse bürgerfreundlich gehandelt – nein, schon immer hat er mit Milde und Menschenfreundlichkeit sein Amt verwaltet!"*[75]. Der Kreisrat war, wie aus den zitierten Eingaben hervorgeht, für so manchen Bürger die letzte Hoffnung, doch noch zu einem vermeintlichen Recht zu kommen, bzw. eine Bitte durchzusetzen, die vom Ortsvorstand abgelehnt worden war. Unzählige Bitt- oder Beschwerdebriefe muß ein Kreisrat im Lauf seiner Amtsperiode durchgelesen und beschieden haben. Dabei verfuhr er nach dem alten Rechtgrundsatz: „Eines Mannes Rede ist keines Mannes Rede, man muß sie hören alle Bede". Oft sah die Angelegenheit aus der Sicht des Ortsvorstandes erheblich anders aus, oft wurden aber auch Versäumnisse der Gemeinde auf Anweisung des Kreisrates umgehend bereinigt. Die Äußerung von Bürgern: „... dann gehe ich eben zum Kreisrat", mag manchem Bürgermeister peinlich in den Ohren geklungen haben. Durch regelmäßige Rundreisen orientierte sich der Kreisrat auch vor Ort über die Verhältnisse und lernte dabei viele Bürger kennen und schätzen. Dem Kreisrat Friedrich Küchler (1867–1874) wird ein nur mit K gekennzeichneter Artikel zugeschrieben, der 1869 im „Odenwälder Boten" erschien und zu einer wohl einmaligen Ehrung eines alten Hirten führte[76].

Unter der Überschrift „Ein doppeltes fünfzigjähriges Dienstjubiläum" heißt es dort: *„In der Gemeinde Richen befindet sich ein wackerer Mann, der vor einigen Tagen ohne Sang und Becherklang, ohne Festessen und Decoration, ohne Toast und Lobspruch sein 50jähriges Dienstjubiläum gefeiert hat. Nächtlicherweise, auf einsamer Straße, in einen alten Mantel gehüllt, blies er sich als Nachtwächter die Jubelstunde selbst an. Die Welt rollte weiter und nahm von dem großen Abschnitt keine Notiz. Carl Balduf, ein fast 70jähriger Greis, ist seit 1816 wohlbestallter Gänsehirt der Gemeinde und seit 1818 Nachtwächter daselbst. Er dient somit seit 53 und 51 Jahren seiner Gemeinde Tag und Nacht gegen den kärglichen Lohn von 70 Gulden, und zwar treu und gewissenhaft, so daß nie eine Klage gegen ihn laut geworden ist. Darf dies an sich schon als ein Beispiel musterhafter Diensttreue hingestellt werden, so muß man staunen, wenn man erfährt, daß dieser Mann an beiden Füßen lahm, seit seinem 6. Lebensjahr an Krücken einhergeht. Fast arbeitsunfähig hat er, statt der naheliegenden Verlockung zu folgen und die Mildtätigkeit seiner Mitmenschen wie die Unterstützungspflicht seiner Gemeinde in Anspruch zu nehmen, sich ehrenwert und brav durch die Welt geschafft. Ein an Entbehrungen reiches Leben liegt hinter diesem tüchtigen Menschen, den trotz alledem mancher Hochgestellte, dessen Jubelfest in pomphafter Weise begangen und in den Blättern ausposaunt wird, um sein gutes Gewissen beneiden mag. Die Letzten werden die Ersten sein".*

Der Aufruf hatte ein gutes Echo: Der Grhz. Ministerium des Innern schickte mit Genehmigung Sr. Königl. Hoheit des Großherzogs 50 Gulden als Anerkennung von Balduf's Verdiensten, die Darmstädter Zeitung steuerte 31 Gulden 18 Kreuzer bei, Unbekannte aus Frankfurt und Darmstadt 25 Gulden, Kreisrat Küchler in Dieburg hatte 11 Gulden und 22 Kreuzer gesammelt, und der Bürgermeister Volz von Richen überbrachte dem Jubilar 20 Gulden aus der Gemeindekasse.

Kuhhirten

Von althersher hatten fast alle Gemeinden im Dieburger Raum einen Kuh- und einen Schweinehirten, die meisten auch einen Gänsehirten. Die Ziegenhut, die nur für einige Wochen im Herbst erlaubt war, wurde im allgemeinen von einem der drei Hirten mit übernommen.

Über Pferdehirten liegen zumindest aus den letzten Jahrhunderten keine Nachrichten vor. In Kirchenbüchern des 18. Jahrhunderts findet sich gelegentlich die Berufsbezeichnung „Füllhirt".

Während heute immer mehr Betriebe „viehlos" wirtschaften, spielte die Rindviehhaltung früher eine große Rolle in der Landwirtschaft. Das Rind lieferte Milch und Fleisch, Unschlitt für Seife, Talg für die Kerzen und Leder, es produzierte Dünger und diente als Zugtier. In den kleinen und mittleren Betrieben des Odenwaldes wurde die Feldarbeit fast ausschließlich mit Kühen verrichtet, und auch „beinah sämtliche Bürger in den Städtchen hatten Kuhfuhrwerke, um ihre wenigen Äckerchen bebauen zu können". Die Kuh war sozusagen das Zugpferd des kleinen Mannes.

Im Odenwald gab es in der alten Zeit die sog. „Odenwälder Landrasse", die den örtlichen Bedingungen und Ansprüchen vorzüglich angepaßt war. Durch wildes Einkreuzen von minderwertigen Tieren während der Notzeiten der napoleonischen Kriege waren jedoch die guten Eigenschaften der „Odenwälder" weitgehend verloren gegangen. Die Rindviehherden der Dörfer stellten ein buntes Gemisch von Farben und Formen dar. Durch systematische Zuchtwahl, verbunden mit Einkreuzung von Schwyzer und Simmentaler Vieh (ab 1844), wurde die Rindviehzucht im Laufe des 19. Jahrhunderts erheblich verbessert. Gleichzeitig setzte sich die Stallhaltung mehr und mehr durch. In den Gemeindeparlamenten wurden heftige Debatten über das Weidewesen geführt. Es waren meist die ganz kleinen und die ganz großen Bauern, die sich für die Aufrechterhaltung des Weidebetriebes einsetzten. Die kleinen fürchteten, die Futtergrundlage für ihre Kuh, „ihr einziges Hülfsmittel", zu verlieren, denn „eine Kuh deckt die Armut zu", hatte die Erfahrung gelehrt. Unter den großen Bauern gab es manche, die aus „reinem Schlendrian" gegen die Aufhebung der Weide eintraten. Es war ihnen lieber, die Tiere tagsüber dem Hirten mitzugeben, als Futter zu mähen, heimzufahren, zu füttern und den Mist zu entfernen.

Besonders lang blieb der herkömmliche Weidebetrieb in Groß-Zimmern, Roßdorf und Dieburg bestehen. Alle drei Gemeinden besaßen in der 1812 aufgeteilten Dieburger Mark große Wald- und Weideflächen. Groß-Zimmern stach gegenüber anderen Gemeinde besonders hervor durch eine kleine Schicht sehr reicher Bauern und eine Vielzahl sehr armer Leute. Von den 440 Gemeinsleuten waren um 1818 nur 212 „begütert", 158 „unbegütert und ohne Rindvieh" und 70 „unbegütert, welche Rindvieh halten".

Um die Abschaffung des so unproduktiven Weidebetriebes bemüht, schilderte der Schultheiß von Groß-Zimmern die um diese Zeit dort herrschenden Verhältnisse: *„400–500 Stück Rindvieh verlassen während 8 Monate jeden Tag den hiesigen Ort, ziehen auf eine Viehweide, die über 200 Morgen ausmacht und zu diesem Ende ganz brach liegen bleiben muß, in den von diesem Mißbrauch beinahe vertilgten Wald und streuen den unserm Feld so nothwenigen Dünger unbenutzt auf die Steppen der Mark. Dieser Schwarm kehrt abends zurück und bringt dem Eigenthümer eine Nahrung, die mit dem kärglichen Futter dieser ausgemergelten Waide in genauem Verhältnis steht.*

Die Viehzucht entspricht ganz diesem bedauernswürdigen Mißbrauch. Das von andern Orten, wo keine solche schädliche Gewohnheit herrscht, hierher verkaufte oder verhandelte Vieh geht meistens zurück, weil es den Waidgang nicht vertragen kann; das hier erzogene Vieh ist klein und unansehnlich. Aus Hunger angetrieben frißt das Vieh in den vielen Sümpfen der Mark oft schlechtes Futter und krepiert schnell dahin. Es gibt beinahe keine Familie hier, die nicht mehrere solche Unglücksfälle oft in einem Jahr erlebt hätte. Die Hoffnung zukünftiger Geschlechter wird endlich auch ein Opfer dieses Übels. Jeder junge Baum wird im Aufsprossen verschlungen, jeder junge Stamm zernagt und verbogen und überhaupt die in einem jungen Anwuchs so nötige Ruhe gestört"[77].

Groß-Zimmern ernannte noch bis zum Jahre 1882 jährlich einen Kuhhirten. Im benachbarten Roßdorf wurde noch um 1875 die Kuhherde samt Bullen in den Wald getrieben.

Sehr viel fortschrittlicher handelte die Stadt Groß-Umstadt. Dort hatte man bereits 1813 alle gemeindeeigenen Wiesen an die Bürger verpachtet und 90 % des Gemeindewaldes aufgeforstet. 1817 wurde auch der städtische Anteil an der „Schliem", einer 40 Morgen großen Huteweide, die bis dahin zusammen mit der Gemeinde Heubach betrieben worden war, in Wiesen umgewandelt und alljährlich verpachtet. Die Stadt besaß 1813 aber noch das Recht, *„mit ihrem Hornvieh an den Münchborn zu treiben, deßgleichen auch den Richer offenen Gemeindswald und die herrschaftlichen Zinßhecken zu beweiden"*[78].

Die Einschränkung der Weidemöglichkeiten brachte manchen landarmen Viehbesitzer in Futternöte. Das führte z.B. in Groß-Umstadt dazu, daß einzelne ihre Kühe oder Geißen auf Feldwegen, Grabenrändern und Rainen selbst weideten. Dies wurde auch stillschweigend geduldet, bis die dabei begangenen Feld- und Gartenfrevel überhand nahmen. Auf die Bitte des Gemeinderates, dagegen ein Verbot auszusprechen, antwortete der Landrat am 6.9.1822: *„Da die Haltung von Rindvieh dem Gewerbsmann und Taglöhner so wenig wie dem Landwirth erschwert werden muß, da ferner das Weiden des Rindviehs an Wegen, Gräben und Rainen, so wenig es nach landwirtschaftlichen Grundsätzen empfohlen werden kann, immer weniger nachtheilig als auf entfernten und schlechten Viehweiden ist, so findet man sich bewogen den desfallsigen Antrag des Gemeinderaths dahier zu modifizieren"*. Nur zu bestimmten Stunden am Vor- und am Nachmittag durfte von da an das Vieh *„in Fahrwegen so wie in Gräben und an Rainen und nach der Grummeternte auf Wiesen privat geweidet werden"*[79].

Ein beliebter Weideplatz waren auch die Hohlwege und Reche, die es namentlich im Lößgebiet an zahlreichen Stellen gab. Am 5. Juni 1846 beschwerte sich der Verwalter des Fürstlichen Rentamtes, Amtmann Camesasca in Habitzheim, beim Landrat des Bezirks Breuberg in Neustadt über die Beschädigung fürstlicher Grundstücke in Habitzheim: Man würde nicht nur Gänse und Schweine sondern auch das Rindvieh mit dem Faselochsen in die Hohlwege gegen Umstadt und Spachbrücken stellen, wodurch diese Vicinalstraßen unsicher, teilweise gesperrt und verdorben würden. Die Schweine würden Löcher in die Wände des Hohlweges wühlen, wodurch den oben gelegenen Äckern ein nicht unbedeutender Abbruch an Ackerboden geschehe, durch die von oben abrutschende Erde würden die Wurzeln der Obstbäume freigelegt, so daß die Bäume herunterfielen oder absterben würden, auch in polizeilicher Hinsicht sei es unpassend, durch die Viehherden die Wege von einem Ort zum anderen zu versperren. Leicht könne auch durch die Faselochsen ein Unglück geschehen.[80]

Daß diese Tiere sehr bösartig sein konnten, zeigen Vorfälle, die sich 1840 in Groß-Zimmern ereigneten. Dort wurde der Kuhhirt beim Nachhausetreiben seiner Herde vom Faselochsen niedergestoßen, und *„wäre nicht der Sohn des Johannes Brücher eiligst zu Hülfe gekommen, so hätte er jedenfalls diesem Ungeheuer erliegen* *müssen*". Einige Wochen später wurde der Hirte wiederum von dem Ochsen angegriffen, so daß, *„wenn sein Schwiegersohn ihm nicht zu Hülfe gekommen wäre, er sein Leben eingebüßt hätte*". Die Reaktion des Kreisrates darauf war verblüffend: *„Sie wollen dem Müller Johannes Ganss [=Besitzer] eröffnen*", schrieb er an den Bürgermeister, *„daß er dem fraglichen Fasselochsen ein Brett fest vor die Hörner binden lassen müsse, damit sein Stoß nicht allein weniger gefährlich, sondern auch Fremden ein Zeichen gegeben werde, daß sie sich vor diesem Stiere in Acht zu nehmen hätten*"[81]. Durch ein Regulativ vom 29.1.1844 wurde das Austreiben der Faselbullen mit der Herde gänzlich verboten – aber nicht alle Gemeinden hielten sich daran.

Die Aufgaben des Kuhhirten konzentrierten sich mehr und mehr auf den Faselbetrieb. Nach einer Verordnung vom 2.10.1838 sollten die Gemeinden *„möglichst darauf hinwirken, daß die Fasselochsen nicht mit der Heerde den Tag über auf die Weide gebracht, sondern nur mit dem periodisch zur Begattung bestimmten Vieh, wenn die Viehbesitzer es verlangen, täglich 1–2 Stunden auf einem dazu geeigneten Platze zusammen getrieben werden ...*".

Aus Semd wird 1860 berichtet: *„Der Kuhhirte bläset jeden Tag in dem Ort, um den Rindviehbesitzern ein Zeichen zum Treiben ihres Viehs zur Herde zu geben, wo auch theils Vieh zur Herde getrieben wird, wobei auch die Bullen ausgelassen werden, um etwaiges faselhaftes Rindvieh zu besteigen. Viele Tage wird gar kein Rindvieh zur Herde getrieben. Der Kuhhirte zeigt sich in seinem Dienst recht willig und holt jedem Rindviehbesitzer sein faselfähiges Rindvieh in den Bullenhof, wo ein Sprungplatz zum Besteigen des Rindviehes ist und läßt jedem einzelnen die Bullen daselbst aus dem Stall, damit das Rindvieh bestiegen werden kann. Für etwa zweifelhaftes, sogenanntes fariges Vieh hat jedermann jeden Tag Gelegenheit sein Vieh zur Herde zu treiben, wo die Bullen beigelassen werden können*"[82].

Die schwindende Bedeutung des Kuhhirten spiegelt sich auch in ihrem Lohn wieder. Während die Kuhhirten im 18. Jahrhundert meist besser oder doch ebenso gut wie die Schweinehirten bezahlt wurden, ist es im 19. Jahrhundert umgekehrt. In dem kleinen Dorf Richen bekam der Kuhhirt 1847 8 Malter Frucht, der Schweinehirt 12 Malter; der Kuhhirt in Groß-Umstadt im gleichen Jahr 115 Gulden, der Schweinehirt 135 Gulden. In Groß-Bieberau war die Differenz mit 42 gegen 70 Gulden noch größer. In Harpertshausen, wo die Viehweide schon 1843 „nicht viel Wert hatte", bekam der Kuhhirt für das Ab- und Anbinden des Faselochsen, wenn eine Kuh zum Sprung gebracht wird und für das Hüten zusammen 6 Malter, 3 Kumpf und 1 Gescheid Frucht; davon hatten diejenigen Viehbesitzer, die ihr Vieh noch zur Herde gaben, 1 Malter, 2 Simmer, 3 Kumpf und 1 Gescheid Frucht zu bezahlen. Der Rest wurde auf das zum Decken gebrachte Vieh umgelegt. Die Herde, die der Hirt noch täglich austrieb, war sehr klein geworden. *„Weil aber doch ein jeder Ortsbürger Vieh zum Faselochsen treiben muß, ist ein Hirt dringend nothwendig*", heißt es in den Akten[83].

In Nieder-Roden wurde 1889 die Stelle des Kuhhirten aufgehoben und durch die eines Faselwärters ersetzt, *„weil der Kuhhirt nicht mehr das ganze Jahr in den Trieb fährt*". In Wiebelsbach wurde ab 1870 kein Rindvieh mehr ausgetrieben. *„Der Hirt bindet nun die Faselochsen ab und hütet die Schweine*"[84].

In den Rechnungsbüchern der Stadt Groß-Umstadt wird der seitherige Kuhhirt Hollerbach 1882 als „Kuhhirt resp. Faselwärter" bezeichnet, später nur noch als Faselwärter. Bis 1890 hatten wohl alle Gemeinden im Altkreis Dieburg das Austreiben während der Sommermonate aufgegeben. Lange Zeit war es aber noch üblich, in Ueberau z.B. noch 1934, die Rinder wie auch anderes Vieh im Herbst nach der Grummeternte auf die Wiesen zu treiben. Dies war im übrigen auch, so der Bürgemeister von Groß-Zimmern am 3.10.1916, „*eine einfache Weise, den infolge des günstigen Herbstwetters guten Graswuchs der Wiesen für Futterzwecke nutzbar zu machen, um dadurch besonders das im Winter und Frühjahr sehr nötige Trockenfutter einzusparen*"[85].

Schweinehirten

Schweine haben zwei Vorteile für den Menschen: Sie vermehren sich schnell – zwei Würfe im Jahr mit je 7 Ferkeln waren schon im Mittelalter keine Seltenheit – und sie verwerten Abfälle aller Art, vorzüglich auch die in Mastjahren anfallenden Buchekkern und Eicheln der Wälder. „Wenn Kühe die nothwendigsten Tiere bei der Landwirtschaft sind, so sind die Schweine in einer gehörigen Verbindung mit dem Kühstande, die nützlichsten Thiere", schrieb Jäger 1843. Um diese Zeit war im hessischen Odenwald die Zucht der Schweine „sehr stark, und es werden deren sowohl magere als fette viele Tausende nach außen, namentlich nach der Bergstraße und dem Rhein hin verkauft"[86].

Von altersher, vermutlich seit ihrer Entstehung, hatte jede Gemeinde neben dem Kuhhirten auch einen Schweinehirten. Nicht nur für die Ernährung, auch für die Zucht war ein möglichst täglicher Austrieb notwendig. „Die Faseltiere [=Zuchtschweine], so Eber als Mucken, das ganze Jahr im Stall zu halten, würde mehr Kosten als Nutzen bringen, überdies die angehenden Frischlinge in Ermangelung freyen Laufes und Wuhl in den Ställen verkrippeln lassen". Odenwälder Schweine, welche „das harte Bergwasser und Futter von Geburt gewohnt" waren, wurden von den Bauern an der Bergstraße, wo keine Weidemöglichkeit bestand, gern gekauft, während „die im Ried bey weichem Wasser und Futter erzogenen nach vielfältig gemachter Probe im Sommer an Bräune [Schweinegrippe] crepieren"[87].

Im Rahmen der alten Dreifelderwirtschaft gab es genügend Möglichkeiten, die Schweine fast das ganze Jahr hindurch nach draußen zu treiben. Zwar schränkte die verbesserte Dreifelderwirtschaft die Weidegründe ein, aber es fanden sich offenbar immer noch sumpfige, von den Schweinen besonders zur „Wuhl" bevorzugten oder andere ungenutzte Flächen, auf denen sich die Tiere tagsüber aufhalten konnten; ihre Ställe waren dagegen meist dunkel und sehr eng.

In Frankenhausen wurde 1873 im Vertrag festgelegt: „*Der Hirte hat von heute an [25. Januar !] mit den Schweinen bis den 1. März einmal, sodann morgens von 7 Uhr bis 10 Uhr und nachmittags von 3 Uhr bis gegen Abend zur Weide zu fahren, vom 15. September an aber morgens 7 1/2 Uhr bis gegen Abend*"[88].

Und noch 1912 heißt es im Hirtenvertrag in Groß-Zimmern: „*Der Hirte muß täglich bei günstiger Witterung die Schweine zur Weide treiben und werden ihm über die Dauer der Weide je nach Jahreszeit entsprechende Anweisungen seitens der Bürgermeisterei in Abständen von 14 Tagen erteilt. Zu diesem Zweck hat sich der Hirte an den näher zu bestimmenden Tagen auf der Bürgermeisterei zu melden. Vom 20. September ab und nach anderweitiger Obweisung der Bürgermeisterei sind die Schweine nur vormittags zwei Stunden auszutreiben. Von 10 Uhr vormittags bis 4 Uhr nachmittags hat der Hirt die Ziegen und Gänse zu hüten*". Erst 1924 wurde in Groß-Zimmern der Austrieb der Schweine eingestellt[89].

Der Aufenthalt der Schweine im Freien diente auch auf einfache Weise dem Deckgeschäft. In dem letzten noch vorhandenen Hirtenvertrag der Gemeinde Ueberau wurde abgemacht: *„Der Schweinehirt hat am 1. März 1905, wenn es die Witterung erlaubt, jeden Tag mit den ihm zugetriebenen Schweinen einige Stunden in die Brensbacher Hohl zu fahren und zwar vormittags 6–10 Uhr. Nach der Erndte muß derselbe wenn das Stoppelfeld beweidet werden kann, in die Stoppel fahren. Den Eber hat er abzuholen und heimzutreiben"*[90].

Die durch den Ort ziehende Schweineherde wurde von manchen, nicht in der Landwirtschaft tätigen Bürgern mit Ärger und Abscheu betrachtet. Aktenkundig geworden ist die Beschwerde eines Kaufmanns in Groß-Zimmern vom 24.5.1877: *„Der Schweinehirt hat sich seit etwa einem halben Jahr angewöhnt, die Schweine von der Kreuzstraße statt dem weiteren Viehtrieb entlang die Straße gegen Dieburg, erst entgegensetzt gegen Spachbrücken zu treiben und vor meinem Hause 10–15 Minuten halt zu machen. Zu dieser Zeit treibt er die Schweine von dieser Seite her. Während dieser Zeit findet nun sehr oft die Begattung dieser Thiere statt und ich brauche Ghz. Kreisamt nur darauf aufmerksam zu mache, daß ich erwachsene Töchter habe und ich dadurch sehr unangenehm berührt bin.*

Ferner lassen die Schweine soviel Kot fallen, daß man im Sommer vor Gestank fast kein Fenster öffnen kann und dies um so mehr als die Gartenbesitzer nur 1mal die Woche kehren.

Der Schweinehirt hat als Gehülfe seine Frau; diese kann ebenso gut die Schweine auf dem rechten Viehtrieb etwa ein paar Häuser unter der Schule anhalten.

Ich bitte Ghz. Kreisamt der Bürgermeisterei die nöthige Verfügung zugehen zu lassen. Achtungsvoll gezeichnet Michell".

Was auch umgehend geschah. Mit der Bemerkung, *„daß wir dem Schweinehirten zur Abstellung dieses Mißstandes entspr. Weisung ertheilt haben"*, reichte der Bürgermeister bereits am 31.5.1877 das Gesuch wieder an den Kreisrat zurück[91].

Bald nach der Jahrhundertwende stellte eine Gemeinde nach der anderen den Austrieb der Schweine ein. In Münster waren 1901 nur so wenige Schweine vorhanden, daß der Hirt kaum noch zu tun hatte. Als dann im folgenden Jahr 30–40 Mutterschweine vorhanden waren, beschäftigte sich der Gemeinderat zwar mit der Angelegenheit, besetzte die Stelle dann aber doch nicht, weil ihm der vom Hirten verlangte Lohn zu hoch erschien. Erst auf die Beschwerde eines Bürgers wurde im Juni 1902 der Austrieb wieder aufgenommen[92]. In Raibach wurde 1909 die Stelle des Schweinehirten zwar noch ein Mal vergeben, als sich aber herausstellte, daß nur noch ein oder zwei Schweine getrieben wurden, kündigte man ihm wieder[93].

Es wurde aber auch zunehmend schwieriger, einen guten Hirten zu finden, der bereit war, für einen relativ geringen Lohn zu arbeiten. Man mußte selbst hinnehmen, daß der Hirt das Austreiben für einige Zeit unterließ, um anderweitig Geld zu verdienen. So beschwerten sich 1889 einige Bürger bei der Stadt Groß-Umstadt: *„Peter Brücher ließ, seitdem die Kartoffelernde begonnen hat, seinen Dienst als Schweinehirt unberücksichtigt und trat als Kartoffelaushäcker oder Tagelöhner bei verschiedenen Oekonomien ein. Hierdurch fiel der Trieb zur Herde aus und es wurden die Züchter der Schweine sehr benachtheiligt. Nicht allein durch die Fütterung sondern durch die eigentliche Züchtung, welche namentlich in der sogenannten Mastzeit zu* *geschehen hat. Sobald aber dem Mutterschwein die Gelegenheit nicht geboten wird, zu einem Eber zu kommen, so ist auch die fernere Züchtung verfehlt, wodurch dem größeren wie auch dem kleineren Landwirth ein Ausfall seiner Einnahmen zugefügt wird, namentlich in gegenwärtiger Zeit, wo sowohl die Ferkel als auch die Einlegschweine und die fetten Schweine sehr hohe Preise kosten. Es wäre aber daher wünschenswerth, daß man einen zuverlässigeren Mann als Schweinehirt annähme"*. Die Beschwerde blieb ohne Erfolg. Der Gemeinderat vertrat die Meinung, daß man kaum einen besseren Hirten finden würde, und so blieb es beim alten[94].

Um den Tieren, Rindern wie Schweinen, jungen und zur Zucht bestimmten, wenigstens einigen Stunden am Tage Gelegenheit zu geben, sich frei zu bewegen, richteten viele Gemeinden sog. Tummelplätze ein, eingezäunte Weiden in der Nähe des Ortes. Das Hin- und Hertreiben kostete nicht viel Zeit, und dementsprechend gering war der Lohn dafür, meist wurde es von einem Gemeindebediensteten nebenamtlich ausgeführt. In der kleinen Gemeinde Sickenhofen trug man dieses Amt dem Ortspolizisten an, der zugleich auch Faselwärter war. Das erregte aber den Unwillen des Kreisamtes: *„Das Austreiben von Schweinen ist keine Nebenbeschäftigung für einen Beamten"*[95]*!*

In einzelnen Gemeinden wurden noch bis in die 1950er Jahre die Mutterschweine einige Stunden am Tage ins Freie getrieben. In Groß-Bieberau war dies die Aufgabe eines älteren Mannes, der von der Gemeinde auch für die Ziegenhut im Herbst angestellt war. In einem Schwälmer Dorf hütete bis in die 1930er Jahre eine als sehr tüchtig beschriebene Frau die 30–40 Zuchtsauen: *„Auf dem Dorfplatz in der Ortsmitte blies die Schweinehirtin auf ihrer Trillerpfeife, und von allen Seiten steuerten die Sauen im Galopp auf den Sammelplatz zu. Mit ihrem schwarzen Hund, zu dem sich oft noch einzelne Kinder gesellten, geleitete Maria Elisabeth die Herde durch die Gemeinde zu dem 1,5 km außerhalb Wasenbergs gelegenen Lierteich, wo das Zuchtvieh einen Weideplatz und ausreichend Gelegenheit zum Suhlen fand. Hier hielten sich Hirtin und Herde etwa eineinhalb Stunden auf, sodann trotteten die Sauen zurück in ihre Buchten"*[96].

Eine besondere Rolle bei der Schweinehaltung spielte von altersher die Mast im herbstlichen Wald. Im Mittelalter banden die Bauern den Tieren Schellen an, um die Herden beisammen halten zu können. Die Strafen für die Entwendung der Schellen waren hart, denn ohne den klingenden Nachweis ihrer Spuren verloren sich die Schweine leicht im dichten Holz und verwandelten sich, wie noch im 18. Jahrhundert geklagt wurde, in zwei oder drei Generationen wieder in wilde Schweine. Zur Nacht trieb man sie in Hütten oder umzäunte Plätze. Flurbezeichnungen wie „Saustall", „Säuruh" und „Schweinestiege" oder „-steige" erinnern noch heute daran.

„Zur Zeit einer Mastung werden", so berichtete der Amtmann in Lichtenberg im Jahr 1776, *„in den starken herrschaftlichen und Gemeinde-Waldungen so viel als nur möglich und weit mehr als zur Consumption des Amtes erforderlich [Schweine] eingeschlagen; und suchet hierbei ein jeder, auch der ärmste Tagelöhner, welcher sonsten kaum eine Geiß unterhalten kann, etliche Stück fett zu bekommen, wovon dann nach geschehener Mastung ein guter Theil wieder verkauft und ausgetrieben wird"*[97]. Die Mast begann Ende September, wenn die Wälder nach der Hirschbrunst wieder offen standen. Übertretungen wurden bestraft, so mußten die Groß-Bieberauer 1683 einen Gulden und 5 Albus bezahlen, weil *„sie im hirß bruntz die schwein in äckerwalt geschlagen"*, was vergeblich von der Gemeinde bestritten wurde[98].

Im Spätsommer schon ritten Schultheiß und Förster oder auch andere „zur Besichtigung der Eckern bestimmte Personen" in die Wälder, um die Mast zu begutachten. Man unterschied zwischen vollen und halben Eckern; dementsprechend wurde die Zahl der einzutreibenden Schweine festgelegt. Um Diebstählen vorzubeugen, brannte man den Tieren mit dem Brenneisen das Zeichen der Gemeinde ein. Mastjahre brachten den Waldbesitzern oft beachtliche Sondereinnahmen; 1650 machte das Mastungsgeld mit 58 Gulden in Groß-Bieberau zwei Drittel aller Einnahmen aus. Beamten, Pfarrern, Schulmeistern und Förstern standen oft „Freyschweine" zu, was sie darüber hinaus noch eintrieben, mußten sie wie andere bezahlen. Im Amt Lichtenberg wurde ein Teil der ausgedehnten herrschaftlichen Wälder an „Entrepeneurs" und auch Gemeinden verpachtet. Gab es in den eigenen Wäldern keine Mast, so wurden die Herden oft in entfernter liegende Wälder getrieben, wozu in der Reichenbacher Chronik zahlreiche Beispiele genannt werden[99]. Gegen Ende des 18. Jahrhunderts war es mit der Mast in den Wäldern „etwas sehr Ungewisses". Sie geriet nur einmal in 2 oder 3 Jahren. Auch Jäger schrieb 1843: „Die Waldmast, welche in früheren Zeiten sehr bedeutend war, ist beinah nicht mehr anzuschlagen, denn die Eichenwaldungen sind bis auf einzelne Reste verschwunden, und die Buchenmast geräth äußerst selten".

Gänsehirten

Gänse wurden früher im Odenwald fast ausschließlich ihrer Federn wegen gehalten. Es war Brauch, daß jedes Mädchen selbsterzeugte Federbetten mit in die Ehe bekam. Mancher hielt sich aber auch ein paar Gänse, um mit den Federn ein wenig Geld zu verdienen[100]. Den Gänsen wurden mehrere Male während des Sommers die Daunenfedern an der Brust und unter den Flügeln ausgerupft, immer dann, wenn sie „flügge" waren, d.h. wenn sich die Federn relativ leicht lösen ließen. Das war Aufgabe von Frauen; den Kopf nach unten, nahmen sie die Tiere fest zwischen die Knie. Manche, die besonders geschickt waren, wurden von Haus zu Haus darum gebeten und konnten so auch mit „Roppen" ein wenig Geld verdienen[101]. Die Gänse blieben oft bis zu 10 Jahre am Leben, Gänsebraten kam nur bei reichen Leuten auf den Tisch[102].

Schöne Federn und Daunen liefern Gänse aber nur, wenn sie im Freien gehalten werden; zwar können Gänse notfalls auch ohne Gewässer auskommen, in Hinsicht auf saubere Federn war es aber vorteilhaft, wenn sie sich namentlich vorm Rupfen ausgiebig baden konnten.

Gänse gehören zu den unbeliebten Weidetieren, weil sie das Grünland mit ihrem Kot so verschmutzen, daß andere Tiere sich weigern, dort noch zu fressen. Frei umherlaufend, können Gänse außerdem viel Schaden in Gärten und Feldern anrichten. Viele Gemeinden gingen daher schon früh dazu über, einen besonderen Gänsehirten anzustellen. In Groß-Bieberau läßt sich bereits für 1684 ein Gänsehirt namens Hans Dir nachweisen. Im 18./19. Jahrhundert hatten fast alle Gemeinden im Vorderen Odenwald neben Kuh- und Schweinehirten auch einen Hirten für die Gänse. Eine Ausnahme bildeten die Waldenserorte Rohrbach-Wembach-Hahn, in der Urheimat ihrer Bewohner, der in den Kottischen Alpen gelegenen Gemeinde Pragela, waren Gänse unbekannt.

Bei günstiger Witterung begann die Gänsehut oft schon im Februar und dauerte so lange, als das Herbstwetter es erlaubte. Der Gänsehirt von Fränkisch-Crumbach mußte sogar *„das ganze Jahr hindurch an allen Wochentagen, wenn das Wetter einigermaßen geeignet ist"* ausfahren. Als sich der Hirt, ein alter Mann von 70 Jahren, weigerte, nach Michaelis (29.9.) noch auszufahren, wollte man ihm den verabredeten Jahreslohn von 80 Mark nicht voll auszahlen[103]. In Groß-Umstadt, Mosbach und anderen Orten endete die Gänsehut am Martinstag (11.11.), in Schwaben dagegen wurde nur bis „Simon Jude" (28.10.) gehütet. So entstand der Spruch: „Nach Simon und Jude schreit der Gänshirt nicht mehr hude". Hude war der Lockruf für Gänse, im Odenwald dagegen rief man meist: „Wulle, wulle" oder „Allez".

Während des Sommers hielten die Hirten sich gern, wenn vorhanden, im Wald auf, wo auf Lichtungen und Wegen genügend Gras wuchs. In Groß-Umstadt war der Hainrich und der obere Mittelwald von altersher Tummelplatz der Gänse; dort gab es auch einen „Gänseweiher". Nach der Ernte wurden die Gänse auf Wiesen und Stoppelfelder getrieben, sofern kein Klee untergesät war. In manchen Dörfern gab es „Gänsegärten", in denen die Gänse zeitweise eingesperrt werden konnten; in Ueberau war eine an der Gersprenz liegende Gemeindewiese „In der Pfütze" für die Gänse reserviert.

Bei der Gänsehut war es länger als bei Kühen und Schweinen üblich, den Hirten pro Stück zu bezahlen. Meist bekam der Hirt oder die Hirtin 1 Gescheid Gerste und einige Kreuzer, in einigen Orten 6 Kreuzer, in anderen 4 Kreuzer, in Ueberau zwar nur 2 Kreuzer, dazu kamen aber noch 6 Gulden Hauszins und die Nutznießung eines Allmendstückes. Für junge Gänse wurde meist nur die Hälfte gegeben. Da die Größe der Herde ständig wechselte und der Hirtenlohn dann sehr gering werden konnte, ging man häufig dazu über, einen festen Lohn zu garantieren. So bekam der Gänsehirte von Groß-Bieberau von 1839 ab 50 Gulden im Jahr, ab 1863 64 Gulden; fast die gleiche Summe, nämlich 65 Gulden, erhielt auch der Gänsehirt 1872 in Groß-Umstadt.

In Lengfeld war es lange Zeit üblich gewesen, pro Stück 3 Kreuzer und 2 Pfd. Brot zu geben. Das brachte dem Hirten 1848, als er ca. 600 Gänse zu hüten hatte, 30 Gulden und 1200 Pfd. Brot ein, wovon er mit seiner vielköpfigen Familie gut leben konnte; als es aber 1856 nur noch 66 Gänse zu hüten gab, wandte sich die Gänsehirtin,die das Amt ihres 1852 verstorbenen Mannes übernommen hatte, an den Gemeinderat: *„Für den Hütelohn von 3 fl und 132 Pfd. Brot ist es mir rein unmöglich, die Gänsehut ferner zu behalten. Ich bitte daher um eine entsprechende Hütelohnzulage"*. Der Gemeinderat beschloß daraufhin, *„im Interesse der Gänsezucht dahier, welche in keinem Bauernhof fehlen darf und welche jedenfalls aufhörte, wann der Hirte einginge, weil diese Huth hierzu unumgänglich nöthig ist"*, der Gänsehirtin fortan 66 Gulden im Jahr zu zahlen, *„mit Aussetzung von ferneren Armenunterstützungen und der Brodnaturalerhebung"*. Der Kreisrat war zwar mit der Erhöhung des Lohnes einverstanden, hielt aber einen Lohn von 66 Gulden für „unverhältnismäßig hoch" und setzte ihn auf 60 Gulden fest – soviel bekam auch der Gänsehirt im benachbarten Nieder-Klingen[104].

Bis zum 1. Weltkrieg wurden in fast allen Orten des Kreises Dieburg Gänsehirten bestellt. In Brensbach und einigen anderen Gemeinden des Gersprenztales hielt man

Abb. 1: Tummelplatz für Jungvieh — Aufn.: Stadtarchiv Reinheim

Abb. 2: Hirtenhaus in Klein-Bieberau (nicht mehr vorhanden). (Aus: M. Herchenröder, Die Kunstdenkmäler des Kreises Dieburg, Darmstadt 1940, S. 177).

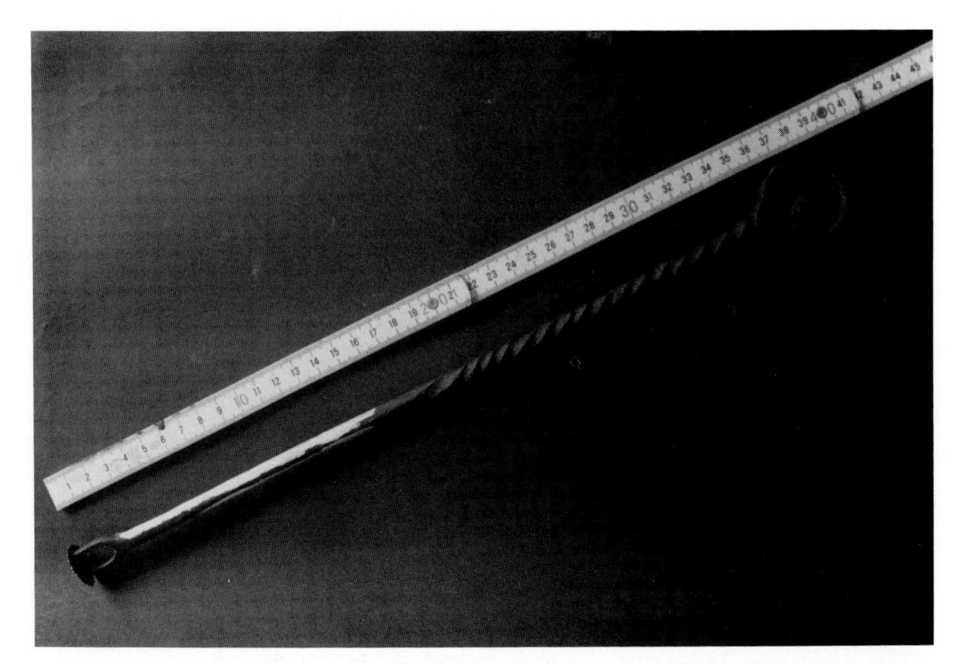

Abb. 3: Hirtenbesteck zur Bekämpfung der Maul- und Klauenseuche (s. dazu Bericht von Rudolf Kunz und Hans Lorenz in „Bergsträßer Geschichtsblätter", Jahrg. 19, 1986, S. 280 ff.).

Aufn.: Hans Lorenz

Abb. 4: Die zum Aufreißen und Schaben umgearbeitete Silbermünze (vergrößert).

Aufn.: Hans Lorenz

Abb. 5: Rinderherde im Laubwald oberhalb der Balkhäuser Mühle im Balkhäuser Tal. Gemälde von Carl Philipp Fohr (1795–1818), Aquarell.
Repro: W. Kreuzer

Abb. 6: Schweinehirt beim Austrieb in einem Dorf des Altkreises Schlüchtern.
Aufn.: Bergwinkel-Museum, Schlüchtern

Abb. 7: Brenneisen der Gemeinde Kleestadt (heute im Stadtarchiv Groß-Umstadt).
Aufn.: Karl Gottfried Vock

Abb. 8: Der Groß-Umstädter Gänsehirt Joseph Rohmann (um 1930).
Aufn.: Georg Füßler

Abb. 9: Gänseherde auf der Hauptstraße von Groß-Umstadt (heute Georg-August-Zinn-Straße).
Aufn.: Bildarchiv „Odenwälder Bote"

Abb. 10: Ein Brensbacher Junge als Gänsehirt am Rippetsbach, 1935.
Aufn.: L. Müller (Bildarchiv Karl Hofferberth, Brensbach)

Abb. 11: Gänseherde in Wiebelsbach.
Aufn.: L. Müller (Bildarchiv Karl Hofferberth, Brensbach)

Abb. 12: Gänsehirt in Wiebelsbach (um 1932).
Aufn.: L. Müller (Bildarchiv Karl Hofferberth, Brensbach)

Abb. 13: Ziegenhirt mit seiner Herde in der Reinheimer Kirchstraße (um 1920).
Aufn.: Stadtarchiv Reinheim

dies aber bereits 1907 nicht mehr für notwendig. Als sich 1913 ein Brensbacher beim Kreisrat darüber beschwerte – er war wegen Flurschadens seiner Gänse 5 mal hintereinander vom Feldschützen angezeigt worden und hatte 6,25 Mark Strafe bezahlen müssen –, vertrat die Gemeinde die Ansicht: *„Diejenigen Leute, die sich Gänse halten wollen, sollen auch dieselben in ihren Hofraithen behalten und nicht Tag und Nacht frei herumlaufen lassen, so daß es den Anschein hat als seien die Ortsstraßen für die Gänse da. Gerade der Beschwerdeführer ist derjenige, der seine Gans absolut nicht in seiner Hofraithe zu halten sucht, jedenfalls auch nicht füttert, denn dessen Gans wird oftmals und beinahe täglich auf fremden Grundstücken mit weiden angetroffen"*[105]. Im benachbarten Wersau stellte man dagegen 1912 wieder einen Gänsehirten an, nachdem sich ein Landwirt massiv darüber beklagt hatte, daß er durch die Gänse, die im Ort ohne Aufsicht herumliefen, auf die Äcker fliegen und sich das Futter nehmen, wo sie's bekommen können, schweren Schaden erlitten habe, von seinen Dickwurzeln seien die Blätter abgefressen, und von der dritten Schur Klee habe er überhaupt nichts ernten können[106].

Selbst bis zum Beginn des 2. Weltkrieges gab es in einigen Orten des Vorderen Odenwaldes noch von der Gemeinde bestellte Gänsehirten. Dazu zählte auch die Stadt Groß-Umstadt. Dort hielten sich traditionsgemäß etliche Bürger ein paar Gänse, sofern sie die Möglichkeit hatten, auf ihrem Grundstück einen allerdings meist engen und dunklen Gänsestall einzurichten. Ältere Bürger können sich noch gut an die letzten Gänsehirten erinnern, an die „Gänseköhlern" und ihren Sohn Michel, die mit einer Trillerpfeife das Signal zum Abmarsch gaben, an den hinkenden Adam Hammann und besonders gut noch an den letzten Gänsehirten Joseph Rohmann, der jeden Morgen mit einer Martinstrompete seine Schützlinge zusammenrief und mit seinem treuen Hund Mohr die über 300 Stück zählende Herde Tag für Tag zur Stadt hinaus auf den Hainrich trieb[107]. Von ihm existieren noch einige Photos. In der Nachkriegszeit fand sich niemand mehr, der als Gänsehirt sein Geld verdienen mochte. Nun mußten oft die Schulkinder am Nachmittag die elterlichen Gänse auf ortsnahes Grünland treiben. Die Bettfederproduktion verlor mehr und mehr an Gewicht, stattdessen ließ man die Gänse brüten und verkaufte die Gössel an Händler oder mästete sie bis zum Spätherbst als Weihnachtsbraten.

Ziegenhirten

Ziegen sind von Natur aus lebhafte, kapriziöse Tiere (capra=lat. Ziege), die gut klettern und mit Leichtigkeit die üblichen Zäune überwinden, sie laufen gern umher und haben nicht wie Schafe den Drang zusammenzubleiben. Sie sind aber auch intelligent und kooperativ und gehorchen einem Hirten, der mit ihnen umzugehen versteht, aufs Wort und folgen ihm, wohin er auch geht. Es ist nicht jedermanns Sache, Ziegen zu hüten. Davon zeugen die Beschwerden, die Groß-Bieberauer Bürger an den Gemeinderat richteten: *„Ich unterzeichneter Friedrich Meyer hatte schon früher Ursache, Beschwerde gegen den Friedrich H. zu führen. Ich habe ihm vor einigen Jahren eine Ziege mit zur Herde gegeben, die am Abend beim Nachhausegehen fehlte. Auf meine Nachfrage hin wurde ich von ihm mit grober Stimme abgewiesen. Ich suchte auf der Weide nach und fand die Ziege oberhalb der Mühle in der Gersprenz ersäuft liegen, die meiner Mußmaßung nach entweder hinein geworfen oder hineingesprengt worden ist. Dieses Jahr hatte ich ebenfalls das Malleur. Ich trieb meine Ziege gesund fort und sie kam krank nach Hause, wo sie am* *folgenden Tag krepierte; die Untersuchung ergab, daß es von einem Wurf oder Schlag herrührte. Ich unterzeichneter Rieß trieb ebenfalls dieses Jahr eine Ziege, die demselben Schicksal verfiel wie die des F. Meyer, entweder vom Wurf oder Schlagen ist sie daran krepiert ... Weiter wird es dem hohen Gemeinderat ganz bekannt sein, mit welchen Werkzeugen der Hirt H. mit seiner Herde ins Feld rückt, eine Peitsche, die nicht paßt für Ziegen sondern für Büffelochsen, eine Schäferschippe, mit der er, ganz einerlei ob Stein oder Erde draufliegt, auf sie loszieht und obendrein den Hund, der es nicht verschmäht eine junge [Ziege] an die Kehle zu nehmen und aufzuwerfen...*"[108].

Ziegen fressen mit Vorliebe die Spitzen und Borken von Bäumen und Sträuchern. Ihre Rolle bei der Verkarstung der Mittelmeergebiete ist bekannt. Im Orient waren sie „the first of man's domestic animals to colonize the wilderness and the last to abandon the desert, that man leaves behind him".

Deutsche Territorialherren schützten schon früh ihre Wälder vor Ziegen durch Weideverbote. In Hessen-Darmstadt hatten die Verordnungen vom 1.5.1692 und die am 1.8.1699 folgende wenig Erfolg; man trieb weiter die Ziegen zusammen mit Rindern und Schweinen in die Wälder. Landgraf Ernst Ludwig, dem das Anpflanzen von Obstbäumen in der Feldgemarkung ganz besonders am Herzen lag, ordnete schließlich am 14.5.1718 an, daß die Ziegen nach Möglichkeit im Stall gehalten werden sollten, man dürfe sie *„höchstens an einem Strick auf eines jeden Privat-Guth zur Wayde führen oder aber auf einem von der Gemeinde ausfündig gemachten absonderlich ohnschädlichen Ort treiben"*. Auch diese Verordnung änderte nicht viel an althergebrachten Sitten; der Schultheiß, der von der Herrschaft eingesetzte Ordnungshüter, drückte meist ein Auge zu.

Die Verhältnisse änderten sich erst nach Neuordnung der Verwaltung Anfang des 19. Jahrhunderts. Zwar wies der Landrat die neu gebildeten Ortsvorstände zunächst noch auf die nun mehr als 100 Jahre alte Verordnung von 1718 hin, die der versammelten Gemeinde dreimal vorgelesen werden sollte, aber 2 Jahre später gestattete er mit einem Schreiben vom 19.9.1824 *„das Austreiben der Geißen und Böcke wegen der Begattungszeit von nun an in jedem Jahr vom 20. September bis 20. Oktober"*. Die Bürgermeister sollten dafür sorgen, daß die Viehherden, denen in dieser Zeit die Geißen beigegeben wurden, *„nicht an solche Orte getrieben werden, wo sich junge Bäume befinden oder getrennt von Rindern und Schweinen auf Wiesen, wo sie keinen Schaden anrichten können"*.

Am 30.8.1832 baten einige Einwohner von Gr.-Bieberau den Landrat um Erlaubnis, die Geißen schon früher austreiben zu dürfen, *„da sich bei manchen dieser Tiere das Empfängliche der Natur wohl auch etwas früher einstellen würde und die Erndte schon beinah zu Hause ist"*. Der Landrat erlaubte es unter der Voraussetzung, daß der Hirt persönlich für etwaigen Schaden hafte. Die Gemeinde stellte zu dieser Zeit einen Hirten nur für die Geißen an, 2 Jahre später fand sie es jedoch praktischer, die Geißen zusammen mit den Schweinen auf die Stoppelfelder treiben zu lassen. Dem Schweinehirten Georg Frank wurde das Dekret des Landrats vorgelesen, und er übernahm die Verantwortung – was blieb ihm auch anderes übrig –, bekam er doch dafür 15 fl zusätzlich – wofür er aber auch noch zwei Böcke für das Deckgeschäft halten mußte[109].

Auch in Frankenhausen nahm der Schweinehirt die Ziegen mit auf die Stoppelfelder, wenn die Ernte eingebracht war. Er bekam dafür von den Ziegenbesitzern 12 Kronen pro Tier und für das „Bocken" 4 Kreuzer. Für die Haltung der Böcke zahlte ihm die Gemeinde 5 fl. In Niedernhausen nahm dagegen der Gänsehirt die Ziegen für 10–12 Wochen mit aufs Feld, „sobald der Waizen abgeerntet" war. In Groß-Zimmern mußte der Gemeindehirte 1912 alle drei Tierarten hüten, die Schweine 2 Stunden am Vormittag und von 10 Uhr bis 4 Uhr nachmittags Ziegen und Gänse.

„Ziegen sind ein nützliches Haushaltungsvieh, weil sie nicht allein zwei oder drei Junge tragen, sondern öfters soviel Milch geben daß man 2 Ziegen statt einer Kuh halten kann", schrieb um die Mitte des 18. Jahrhunderts der deutsche Kameralist von Justi. Die Ziege war die „Kuh des kleinen Mannes". Man konnte sie notfalls auch ohne eigenen Landbesitz halten. Futter für sie fand sich an den Rändern von Chausseen, Feldwegen und Bachläufen und wurde mit Schubkarren, Handwagen oder auch im Tuch auf dem Kopfe nach Hause gebracht.

Größere Bauern ließen sich nicht dazu herab, Ziegen zu halten. Nur passionierte Pferdezüchter schätzten sie als Amme für die Aufzucht von Fohlen. Die Ziege wurde dabei auf eine Futterkiste gestellt, so daß das Fohlen bequem saufen konnte. Kuhbauern hatten oft eine Ziege in einer Stallecke stehen. Ihre Milch ließ die Schweine schön fett werden.

Für die ärmere Bevölkerung aber bot die Ziege die einzige Möglichkeit, frische Milch und ab und zu einen saftigen Zickleinbraten zu bekommen. Mit der Zahl der Besitzlosen stieg im 19. Jahrhundert auch die Zahl der Ziegen an. Einen großen Aufschwung nahm die Ziegenhaltung durch die Einkreuzung von Schweizer Ziegen aus dem Simmen- und Saanetal in die vorhandene meist braune Landrasse. 1892 wurde in Pfungstadt der 1. deutsche Ziegenzuchtverein gegründet. Die nun gezüchtete „Weiße, deutsche Edelziege" wurde über die Grenzen Deutschlands bekannt, und berühmt gute Tiere brachten bis zu 7 Liter Milch am Tag.

Tiere mit anerkannten Papieren erzielten hohe Preise, sie wurden allerdings nur ausgestellt, wenn der Vater zweifelsfrei feststand. Das war aber nur möglich, wenn die Böcke nicht mit der Herde getrieben wurden. Von dieser Gewohnheit mochte man in Ueberau aber nicht abgehen, auch als das Kreisamt 1926 den Bürgermeister darauf aufmerksam machte, daß im Interesse der Ziegenzucht die Ziegenböcke nicht mit ausgetrieben werden dürften und der Ziegenzuchtverband in Reichelsheim zu bedenken gab, *„daß sich der Ziegenzuchtverein [Ueberau] in der Hauptsache aus minderbemittelten Leuten zusammensetzt, für die der Verkauf von Zuchtmaterial mit einwandfreiem Abstammungsnachweis eine höchst erwünschte Einnahme bedeutet"*. Aber die Ueberauer waren anscheinend nicht zu belehren. Noch 1930 richteten sie eine Eingabe an den Bürgermeister: *„Es wünschen sämtliche Ziegenbesitzer, daß die Ziegenböcke mit auf die Weide gehen"*[110]. Je besser die Zeiten, desto weniger Ziegen wurden gehalten. Einen letzten Aufschwung nahm die Ziegenhaltung in den Notzeiten nach dem 2. Weltkrieg.

Bis in die 50er Jahre wurden selbst in größeren Orten wie Groß-Bieberau und Spachbrücken im Herbst Hunderte von Ziegen durch die Straßen auf die Wiesen getrieben. Die Pfeife oder Ratter des Hirten und sein Ruf „Gaßen raus, der Bock ist aus", lockten am Morgen die Herde zusammen. Am Nachmittag zwischen 4 und 5 Uhr kehrte sie wieder heim. Frauen und Kinder standen am Straßenrand und fingen ihre

Tiere ein, die an den Halsbändern zu erkennen waren. Ziegen, die auf der Weide gedeckt worden waren, bekamen einen roten Strich auf den Rücken[111].

Die Ziegenhirten waren die letzten noch von der Gemeinde angestellten Hirten. Oft waren es skurille Typen. In Spachbrücken hütete ein lediges Geschwisterpaar, Karl und Anna Hornung, nach dem Krieg die Ziegen. Karl galt als „Depp", weil er mit der Schule Schwierigkeiten hatte, und der Pfarrer weigerte sich, ihn zu konfirmieren, weil er die 10 Gebote nicht aufsagen konnte, aber für die Ziegen war er ein pflichtbewußter Hüter[112].

Mit den Ziegenhirten starb ein Beruf aus, der jahrhundertelang der Landwirtschaft gedient hatte. Die Gemeindehirten gehörten so selbstverständlich zum Dorfleben, daß sie nur selten im Bild oder Foto festgehalten worden sind. In der Odenwald-Literatur wird zwar dann und wann über Schäfer geschrieben, kaum aber über Gemeindehirten. Besonders wertvoll sind daher die Erinnerungen des Roßdörfer Landwirts Friedrich Löffler[113] über die letzten Hirten der Gemeinde: *„Als ich noch in die Schule ging, hatte man in unserem Dorf 3 Viehhirten. Den Kuh-, Säu- und Gänsehirten. Der Kuhhirte war ein altes, runzliges, kleines Männchen mit dürren O-Beinen. Man hieß ihn einfach Kuhhannes. Er wohnte in einem ganz kleinen windschiefen Häuschen im Eck. Von Ende März bis Ende Oktober hütete er die Kühe und die Rinder, die älter als ein Jahr waren. Jüngere Tiere durften noch nicht zu der Herde, denn die soffen auf der Weide die Kühe. Geweidet wurde größtenteils im Wald. Die Eichen waren die einzige Holzart im Starkwald. Hie und da stand ein verkrüppelter Baum, infolge dessen war der ganze Waldboden vergrast und mit Ginster und Wacholder durchsetzt. Um 8 Uhr morgens erschallte das Hornsignal des Kuhhirten, und die Tiere wurden zum Sammelplatz getrieben. Der Hirte holte inzwischen einen von den Bullen, und der Austrieb ging über den steinigen Berg den Viehweg [heute Darmstädter Straße] entlang, dem Wald zu. Ein kleiner zotteliger Schnauzer hielt mit seinem ununterbrochenen zornigen Gebell die Herde zusammen, nur ab und zu mußte der Hirte mit der langen schweren Lederpeitsche eingreifen. Wenn ein Bulle den Hirten mit gesenktem Kopf angreifen wollte, was auch manchmal vorkam, so sprang das Hundchen blitzschnell von hinten dem wilden Tier zwischen die Vorderbeine und biß sich am Untermaul fest, was demselben heftigen Schmerz verursachte. Nun nahm der Kühhannes den mit eisernen Ringen besetzten Stecken und schlug denselben dem Ochsen über die Augendeckel, daß ihm Hören und Sehen verging. Jeden Tag gegen 12 Uhr wurde dem Hirten von seiner Frau das Essen gebracht. Mit einer großen „Moahn" voll Holz marschierte dieselbe abends heim.*

Säuhirte war Nikolaus Emig, genannt Badenser Hannikel. Er hatte als junger Bursch freiwillig bei den Badenser Grenadieren gedient, daher der Name Badenser. Er wohnte im Hirtenhaus beim Rathaus und war an Geld und Gut sehr arm, aber er hatte einen Reichtum von Kindern. 10 gesunde Kinder, 6 Buben und vier Mädchen waren es. Von den älteren, aus der Schule entlassenen Buben, mußte einer mit der alten Trompete die Säue zusammenblasen. Im Frühjahr wurde im Wald und im Sommer und Herbst auf den abgeernteten Feldern geweidet. Der Gänsehirt wurde von den Leuten „der Schrumpel" und seine Frau „die Iff" genannt. Er war ein kleiner, krummer Kerl mit blauen Backen und einer dickgeschwollenen Schnapsnase und sie eine lange, spindeldürre Frau mit sehr bösem Mundwerk. Sie wohnten mit ihren Buben Hannes und Michel in dem kleinen Häuschen gegenüber der

Ochsenschule, in dem heute eine Urenkelin der Hirtenleute, die Kraftsbawett wohnt. In dem Teil gegen die Straße war ein Raum, der Wohnzimmer, Eßraum und zugleich Schlafzimmer war. In der hinteren Hälfte des Häuschens war der Stall für 2 Ziegen, 3 Ziegenböcke, mehrere Gänse und einige Hühner. Die Hirtenhunde waren nachts links und rechts von der Haustür im Freien angebunden, aber bei Schneewetter und großer Kälte wurden auch sie noch in die Wohnstube genommen. Die Ziegen mußten im September und Oktober ebenfalls geweidet werden, und die abgeernteten Wiesen lieferten gutes Weidefutter. Die Gänse mit den beiden Ziegen und Ziegenböcken des Hirten wurden vom Frühjahr bis zur Getreideernte im Wald geweidet. Dann gings auf die Stoppeläcker. Für die hiesigen Einwohner, die fast ohne Ausnahme Gänse hielten, war das Weiden sehr bequem, denn sie waren die Gänse tagsüber los. Aber durch die moderne Wald- und Feldkultur wurde alles Brachland gerodet und die Weideflächen zu landwirtschaftlichen Zwecken verwendet. Das ganze Hirtenwesen ging nach und nach ein. Einige Flurnamen sind die stummen Zeugen des alten Weidebetriebs. Z.B.: Der Viehtrieb, der Ochsenbruch, die Kühtränke, die Kühruh, der Sautrieb, der Säugrund, das Eberbruch, der Schäferberg und noch die Gänsplatte".

Anmerkungen:

1. **Peter Blickle:** Deutsche Untertanen – Ein Widerspruch, München 1981, S. 23 ff. **Wilhelm Abel:** Geschichte der deutschen Landwirtschaft vom frühen Mittelalter bis zum 19. Jahrhundert, Stuttgart 1978, S. 30 ff. **Günter Franz:** Geschichte des deutschen Bauernstandes, vom frühen Mittelalter bis zum 19. Jahrhundert, Stuttgart 1976, S. 50 ff.
2. **Heinz Taut:** Die ländliche Verfassung im Gebiet der ehemaligen Obergrafschaft Katzenelnbogen, in: Archiv für hess. Geschichte und Altertumskunde, Band XVI N.F. S. 272.
3. Nach **Winfried Wackerfuß:** Lebensformen und Siedlungsbild des Ortes zwischen Mittelalter und Neuzeit, in: 1200 Jahre Groß-Bieberau – Beiträge zu seiner Geschichte, Groß-Bieberau 1987, S. 215.
4. Staatsarchiv Darmstadt (STAD) Abtl. E, Konv. 3, Fasz. 2.
5. **Richard Pott:** Historische Waldnutzungsformen Nordwestdeutschlands, in: Heimatpflege in Westfalen, Heft 2/1990, 3. Jahrgang. **Ernst Burrichter** und **Richard Pott:** Verbreitung und Geschichte der Schneitelwirtschaft mit ihren Zeugnissen in Nordwestdeutschland, in: Tuexenia Nr. 3 Göttingen 1983.
6. **Johann May:** Oekonomische auf Erfahrung und Augenschein gegründete Anmerkungen über die Ab- und Zunahme des Nahrungsstandes der Unterthanen in Eberstadt bei Darmstadt, Darmstadt 1791.
7. **Günter Franz,** s. Anm. Nr. 1, S. 13.
8. **Brigitte Köhler:** Die Waldenserkolonie Rohrbach-Wembach-Hahn im 18. Jahrhundert, Wembach 1983, S. 62.
9. **Brigitte Köhler:** Über die Einführung des Klee-Anbaus in Hessen-Darmstadt, in: Der Odenwald, Jahrg. 21, S. 59, 1974.
10. Hessen-Darmstädtische Privilegierte Landzeitung Nr. 3, 1777.
11. **Brigitte Köhler:** Über die Landwirtschaft des Odenwaldes um 1830, in: Odenwald-Heimat, Monatliche Beilage der Odenwälder Heimatzeitung, Nr. 10, 1980.
12. Umstädter städtisches Inventarium 1813, in: Umstädter Bilder, Bd. 3, hrsg. von **Georg Brenner** 1983.
13. STAD G15 (Dieburg) T 554.
14. Ebenda. T 525.
15. STAD C 4, 1. Groß-Umstädter Gerichtsbuch, Annahme von Hirten und Schäfern 1517.
16. **Max Flad,** Hirten und Herden – Ein Beitrag zur Geschichte der Tierhaltung in Oberschwaben, hrsg. vom Landkreis Biberach, 1987, S. 10.

17. **H.W. Debor**, „Hirten sollten keine Ausländer sein". Manuskript.
18. STAD G 15 (Dieburg) T 552.
19. **Friedrich Höreth:** Das Hirtendingen am Peterstag, in: Die Heimat, Nr. 3, 1937.
20. GA Ueberau, XX, 8 (jetzt StA Reinheim).
21. StA Groß-Umstadt, XXI, 8.
22. GA Klein-Umstadt XXI, 3, 2 (jetzt StA Groß-Umstadt).
23. STAD G 15 (Dieburg) T 554.
24. Ebenda T 552.
25. Ebenda T 556.
26. Ebenda T 523.
27. GA Rohrbach, XXI, 7, 34 (jetzt StA Ober-Ramstadt).
28. GA Ueberau, XXI, 8 (jetzt StA Reinheim).
29. STAD G 15 (Dieburg) T 538.
30. GA Rohrbach, XXI, 7, 26 (jetzt StA Ober-Ramstadt).
31. GA Roßdorf XV, 12, 1.
32. **Rolf Reutter:** Die Gemeinde Fürth/Odw. in den Jahren 1766 bis 1820, in: Die Starkenburg, 49. Jahrg. (1972) Nr. 1.
33. StA Groß-Umstadt, Rechnungsbücher.
34. GA Rohrbach XXI, 7, 38 (jetzt StA Ober-Ramstadt).
35. STAD Abtl. E, Konv. 3, Fasc. 2.
36. Geschichtsbl. des Kreises Bergstraße Bd. 20, 1987, S. 56.
37. STAD G 15 (Dieburg) T 543.
38. StA Ober-Ramstadt, XXI, 8, Nr. 141.
39. StA Groß-Bieberau, Gerichtsbuch.
40. STAD G 15 (Dieburg) T 538.
41. StA Groß-Umstadt, Rechnungsbuch 1868.
42. STAD G 15 (Dieburg) T 536.
43. Ebenda T 521.
44. Ebenda T 545.
45. Wie Anm. Nr. 3.
46. S. dazu **Rolf Reutter:** Haus und Hof im Odenwald, Geschichtsbl. Bergstraße Sonderband 8, 1987, S. 101 ff.
47. **Karl Fischer:** Das ehemalige Hirtenhaus in Langenthal/Odw., in: Der Odenwald, Jahrg. 22, S. 86, 1975.
48. Frdl. Hinweis von Gemeindearchivar Walter Gronwald.
49. StA Groß-Bieberau, Gerichtsbuch.
50. GA Ueberau, XX, 8 (jetzt StA Reinheim).
51. STAD G 15 (Dieburg) T 527.
52. Ebenda T 550.
53. Ebenda T 536.
54. S. Anm. Nr. 20.
55. **Brigitte Köhler:** Ein Streit um die Schafweide zwischen Wembach und Rohrbach im 18. Jahrhundert, in: Der Odenwald, Jahrg. 22, S. 125, 1972.
56. STAD G 15 (Dieburg) T 558.
57. Ebenda T 539.

58. **Ulrich Kirschnick** u. **Rudolf Kunz:** Die Brandauer Dorfordnung von 1655, Arbeitsgemeinschaft Brandauer Chronik. S. dazu auch **Winfried Wackerfuß:** Kultur-, Wirtschafts- und Sozialgeschichte des Odenwaldes im 15. Jahrhundert – Die ältesten Rechnungen für die Grafen von Wertheim in der Herrschaft Breuberg (1409–1484), Breuberg 1991, S. 114.
59. STAD G 15 (Dieburg) T 530.
60. Ebenda T 537.
61. Ebenda T 562.
62. Ebenda T 556.
63. **Marie-Luise Seidenfaden:** Lautertaler Schäfer- und Hirtenfamilien, in: Geschichtsbl. Bergstraße, Bd. 23, 1990, S. 259 ff.
64. Nach **Diethard Köhler,** Groß-Bieberauer Familien 1635–1750, Wembach, 1987.
65. **Peter Assion:** Aus den Papieren des Habitzheimer Auswanderers Heinrich Haas (1802–1876), in: Hessische Heimat, Jg. 1990, H. 2.
66. Angaben von Helmut Ramge, Heinz Reitz und Wilhelm Stuckert, Reinheim.
67. Familien-Kartei von Pfarrer Volp, Groß-Umstadt.
68. Wie Anm. Nr. 66.
69. Wie Anm. Nr. 17.
70. StA Groß-Umstadt, XXI, 8.
71. STAD G 15 (Dieburg) T 537.
72. **Alfred Kühnert:** Angesehener als der Schulmeister: Der Säuhirt, in: Frankfurter Allgemeine Zeitung v. 30.12.1989.
73. StA Groß-Umstadt, Ratsprotokolle.
74. STAD G 15 (Dieburg) T 516.
75. **Jürgen Rainer Wolf:** 150 Jahre Kreisverwaltung in Darmstadt-Dieburg, Darmstadt 1985.
76. **Richard F. Füßler,** „Wohlbestallter Gänsehirt und Nachtwächter daselbst", Odenwälder Bote v. 13.4.1977.
77. GA Groß-Zimmern, XVI, 1.
78. S. Anm. Nr. 12.
79. StA Groß-Umstadt, XXI, 8.
80. **Walter Gronwald,** Notizen aus dem Habitzheimer Gemeindearchiv, Otzberg-Bote Nr. 40, 1986.
81. **Brigitte Köhler:** Sorgen des Bürgermeisters von Groß-Zimmern, eine Episode aus dem Jahre 1840, in: Der Odenwald, Jahrg. 23, S. 68, 1976.
82. STAD G 15 (Dieburg) T 556.
83. Ebenda T 531.
84. Ebenda T 562.
85. Ebenda T 528.
86. **Ernst Ludwig Jäger:** Die Land- und Forstwirtschaft des Odenwaldes, Darmstadt 1843.
87. **Brigitte Köhler:** Schweinehaltung und -handel in Hessen-Darmstadt um 1766, in: Geschichtsbl. Bergstraße, Bd. 15, 1982, S. 272.
88. STAD G 15 (Dieburg) T 523.
89. GA Groß-Zimmern XXI, 6, 2.
90. GA Ueberau, XXI, 8 (jetzt StA Reinheim).
91. STAD G 15 (Dieburg) T 528.
92. Ebenda T 545.
93. Ebenda T 550.
94. StA Groß-Umstadt XXI, 8.
95. STAD G 15 (Dieburg) T 556.

96. **Johanna-Luise Brockmann:** Marelies, die letzte Schweinehirtin von Wasenberg (1871–1945), in: Gesindewesen, Hess. Blätter f. Volks- und Kulturforschung, N.F. B2.

97. S. Anm. Nr. 87.

98. S. Anm. Nr. 3.

99. Südhessische Chroniken aus der Zeit des Dreißigjährigen Krieges, Geschichtsbl. Bergstraße Sonderband 6, Heppenheim, 1983, S. 67 ff.

100. Frdl. Mitteilung von Prof. Dr. Peter Assion.

101. Dto. von Philipp Füßler, Groß-Umstadt.

102. Dto. von Franz Schönig, Mosbach, s. auch Brigitte Köhler: Gänsehirt, Manuskript, erscheint in „Der Odenwald".

103. **Hans Ulrich Colmar,** Ein Gänsehirtenvertrag aus Fränkisch-Crumbach 1877, in: ‚Der Odenwald', Jahrg. 37, S. 38 ff., 1990.

104. STAD G 15 (Dieburg) T 539.

105. Ebenda T 519.

106. Ebenda T 561.

107. S. Anm. Nr. 101; GA Groß-Bieberau, XXI, 8.

108. StA Groß-Bieberau, XXI, 8.

109. Ebenda.

110. GA Ueberau, XXI, 8 (jetzt StA Reinheim).

111. Frdl. Mitteilung von Georg Bermond, Groß-Bieberau.

112. Dto. von Helmut Ramge, Spachbrücken.

113. Aus den Lebenserinnerungen des Roßdörfer Landwirts Friedrich Löffler (1884–1944), Roßdörfer Anzeiger vom 10. und 17. Februar 1983.

Walter Hotz

Der „Meister von Reinheim" – Ein Bildschnitzer der Spätgotik zwischen Odenwald und Spessart

An der Pforte zum Gersprenztal stand auf einer Anhöhe oberhalb von Reinheim jahrhundertelang die Nikolauskirche. Unweit davon mündete der Überlandweg der „Hohen Straße" in den Reinheimer Talgrund. Das Gebäude, mit einem Dachturm auf der Westseite und einem hohen gotischen Chor im Osten, gewährte, nach einem Bericht des Pfarrers Johann David Krämer vom 12. Oktober 1786 „ein überaus schönes Ansehen in der Ferne und zeichnet den Reinheimer Gottesacker in einem Gesichtskreis von etlichen Stunden Wegs sehr deutlich aus. So vorteilhaft aber dieser Anblick ist, so groß hingegen ist der Mißstand in der Nähe..."[1]. Die Kirche konnte nicht erhalten werden. Ihre Ruinen wurden 1810 abgerissen. Die Steine fanden für das Wohn- und Amtshaus des Amtmanns Carl Joseph Dietz, den ehemaligen „Darmstädter Hof", Verwendung.

Über die Ausstattung dieser im 15. Jahrhundert erbauten, in ihrer Gründung aber vielleicht schon ins 12./13. Jahrhundert zurückreichenden Sankt Nikolaus-Kirche ist wenig bekannt. Sie besaß vor der Reformation zwei Altäre, die St. Jost (=Jodocus) und Maria zu Patronen hatten. Beide Altäre waren durch „Bilder" in geschnitzten Altaraufsätzen ausgezeichnet. Eine Sage erwähnt ein wundertätiges Marienbild, zu dem viel gewallfahrtet worden sei. Nach Einführung der Reformation hörten jedoch die Wallfahrten auf. Das Bild habe darüber Tränen vergossen und sei nächtlicherweise nach Dieburg entführt worden[2].

Die Nikolauskirche diente bis 1611 als Pfarrkirche von Reinheim, danach wurde sie noch für Leichenpredigten verwendet. 1635 sollen schwedische Truppen auf der Höhe des Friedhofs eine Schanze angelegt haben. In einem dienstlichen Bericht des Pfarrers Georg Sann vom 22. April 1709 über den Zustand der Nikolauskirche ist davon die Rede, daß „das Marienbild vom Altar gestohlen" wurde.

Diese beiden Hinweise auf gestohlene Marienbilder meinen auch zwei verschiedene Marienskulpturen. Das von der Sage erwähnte Bild ist schon in der Reformation – die in Reinheim nach 1527 durchgeführt wurde – abhanden gekommen. Die vergossenen Tränen lassen darauf schließen, daß es sich um eine Maria unter dem Kreuz, oder, wahrscheinlicher, um ein Vesperbild: Maria mit dem Leichnam Jesu auf dem Schoß handelte. Da es nach Dieburg verbracht wurde, ist es vielleicht das heute in der Pfarrkirche stehende, aus einem Heiligbluthäuslein dorthin übertragene Vesperbild. Dieses hängt sowohl im Motiv als auch in dem seltenen Werkstoff (gegerbtes Leder) mit dem Gnadenbild der Dieburger Wallfahrtskirche zusammen und wird als Frühwerk des gleichen Meisters angesprochen[3]. Das zweite Bild war eine stehende Muttergottes. Ihr Diebstahl lag, als Pfarrer Sann seinen Bericht schrieb, bereits 18 Jahre zurück. Er konnte, wie im Folgenden geschildert wird, erst 1984 aufgeklärt werden[4].

1. Der Reinheimer Schnitzaltar

Das Marienbild – genauer Muttergottesbild – stand inmitten eines Schreinaltars, der fünf Figuren enthielt. Die nach Entwendung der Mittelfigur verbliebenen vier Bilder sind spätestens beim Abbruch der Nikolauskirche, wahrscheinlich aber schon früher auf den Speicher der Reinheimer Dreifaltigkeitskirche verbracht werden. Von dort gelangten zwei Bischofsfiguren vor 1886 ins Hessische Landesmuseum nach Darmstadt; die beiden anderen, Nikolaus und Johannes den Täufer darstellend, blieben in Reinheim und sind seit 1956 in der Dreifaltigkeitskirche aufgestellt[5]. Das gestohlene Marienbild aber befindet sich heute in Lohr am Main. Peter Murmann, Dieburg, fand in der Dieburger Kapuzinerchronik einen genauen Bericht von der nächtlichen „Überführung", die 1691 durch zwei Mönche, den Pater Sebastian und den Frater Andreas verübt wurde. Die von Frater Andreas „auf seinen Händen unter viel Schweiß" nach Dieburg gebrachte Figur nahm schon recht bald ihren weiteren Weg nach Lohr. Dort fand sie am 16. Juni 1692 ihren Platz auf einem Altar der neuerbauten Kapuzinerkirche. Sie steht heute noch dort. Nach der örtlichen Überlieferung stammte sie von „Rennheim". So ist es auch im Kunstdenkmäler-Inventar zu lesen[6].

Die aus Reinheim stammende Lohrer Madonna befindet sich nicht mehr im ursprünglichen Zustand, sondern ist, wie auch das Inventar bereits feststellt, „stark überarbeitet und neu gefaßt". Darauf kommen wir noch zu sprechen.

Die fünf Plastiken des Altaraufsatzes waren wohl in einem rechteckigen Kasten untergebracht, dessen Rahmen profiliert, und dessen obere Vorderkante mit Maßwerkbaldachinen geschmückt war. Drei etwa gleich große (132, etwa 130, 135 cm) Figuren bildeten eine mittlere Gruppe. Die Muttergottes stand zwischen dem Kirchenpatron Nikolaus von Myra und Johannes dem Täufer. Seitlich davon waren, vielleicht durch je einen Pfeiler getrennt, zwei kleinere Bischöfe (je 112 cm) untergebracht. Der eine von ihnen ist durch den bresthaften Bettler zu seinen Füßen als heiliger Martin ausgewiesen. Der andere besitzt kein charakteristisches Attribut mehr. In Betracht kommen St. Valentin – dem wir zu Babenhausen begegnen – oder St. Ägidius, der Patron der damaligen Reinheimer Filialkirche Wersau. Nikolaus und Ägidius gehören zu den beliebten Vierzehn Nothelfern, die in unserer Landschaft durch das Tafelbild zu Wenigumstadt vertreten sind[7].

Die männlichen Heiligen des Reinheimer Altars weisen übereinstimmende Stileigentümlichkeiten auf. Nach ihrem Gesichtsausdruck sind das alles lebens- und leiderfahrene Männer reifen Alters. Ihre Köpfe sind die von Handwerkern oder Bauern. Knochige Härten werden durch kleine Fettpolster gemildert. Die geschwungenen Lippen unter kräftigen Nasen mit den bedachenden Nasolabialfalten und dem kräftigen Kinn sind von beredter Wirkung. Der bärtige Johannes ist ganz der aus der Wüste kommende Bußprediger, dessen Körper in den Kamelfellmantel gehüllt ist, und dessen nackte Gliedmaßen den asketischen Zug betonen. Die Arme und das symbolhafte Lamm, auf das Johannes hindeutete, sind abgeschlagen. Auch die Hände der anderen Figuren fehlen meist. Bei Nikolaus und Martin sind noch verstümmelte Finger, die das Buch halten, übrig. Nur die Hand des „Ägidius", die den Stab umklammert, ist wenig verletzt.

Die drei Bischöfe sind mit Gewändern verschiedener Ausführung bekleidet. Gemeinsam ist allen der große Mantel, das Pluviale, das auch Johannes der Täufer trägt. Sie fließen in ruhigen Linien um die Schultern, bilden aber vor der Körpermitte Faltendreiecke, die durch die Armhaltungen bedingt sind. In jeweils neu geformten Spielarten setzen sie sich in Richtung auf die Füße fort. Ihre Ränder sind auch durch Saumaufschläge belebt oder knorpelförmig verbreitert. Die Mitren sind unterschiedlich gemustert. Zwei davon tragen mittlere Stege, nur die des Nikolaus ist glatt.

Die Attribute sind entweder beschädigt oder ganz verschwunden. Bei Johannes dem Täufer kann das fehlende Lamm, das auf der linken Hand ruhte, nach dem Vorbild anderer zeitgenössischer Johannesfiguren ergänzt werden. Auf dem Gebetbuch, das der heilige Nikolaus hält, liegen die drei Goldklumpen, die er, wie die Legende erzählt, den verarmten Mädchen durchs Fenster warf, damit sie ehrbar heiraten konnten. Dem heiligen Martin von Tours ist ein verkrüppelter halbnackter Bettler zugeordnet, der die Mantelspende empfängt. Der vierte Heilige, Bischof oder Abt, trägt einen Buchbeutel. Das Buch würde zum heiligen Ägidius passen; aber es ist ein Attribut vieler Heiliger. Ein spezielles – für Ägidius wären es Pfeil und/oder eine Hindin, die bei ihm Schutz sucht – ist nicht vorhanden. Aus dem seiner Krümme beraubten Abtstab allein ist keine Bestimmung eines Heiligen möglich.

Diese vier männlichen Reinheimer Heiligen besaßen so viel künstlerische Eigenart, daß sie einem Meister mit schnitzerischem Temperament zuerkannt werden konnten. Da sie einst den Hauptaltar der Nikolauskirche zierten und als solche in die kunstgeschichtliche Literatur eingeführt wurden, heißt ihr Notname, den wissenschaftlichen Gepflogenheiten folgend, „Meister von Reinheim"[8]. Ob dieser Notname einmal durch einen Personennamen ersetzt werden kann, ist nach dem heutigen Forschungsstand zweifelhaft. Doch läßt sich die Landschaft, in der unser Meister tätig war, durch die Werke, die ihm zuzuschreiben sind, näher umreißen. Sie reicht von den Hängen des Spessarts über den Untermain und den Rodgau hinweg bis zum Gersprenz- und Modautal im Odenwald. Das entpricht zu einem großen Teil dem kirchlichen Landkapital (Dekanat) Montat, das vom Archidiakonat Aschaffenburg organisatorisch geleitet wurde[9].

Zunächst soll aber noch das wiedergefundene Marienbild des Reinheimer Altars, die Muttergottes der Kapuziner zu Lohr, charakterisiert werden. Sie ist, wie schon das Inventar 1914 bemerkte[10], „stark überarbeitet und neu gefaßt". Vor wenigen Jahren wurde abermals eine Neufassung vorgenommen.

Die Madonna steht auf einer Mondsichel. Ihre statuarische Mittellinie von dieser Mondsichel bis zum gekrönten Haupt läuft über die gegeneinander etwas verschobenen Dreiecke des Mantels bis zu dem fast waagrechten Bausch über der Taille. Er bildet zwischen Händen und gewinkelten Armen eine tragende Mitte, auf der das von der Mutter gehaltene Jesuskind sitzt, während die andere Hand (heute) ein Lilienzepter vorzeigt. Dieses Zepter ist kaum ursprünglich, ebensowenig wie der Reichsapfel in der Hand des Knaben. Die Hände, der Kinderkörper, und die Köpfe Jesu und Mariens haben durch neuere Fassung an Ausdruck eingebüßt. Das Gesicht Mariens ist zu glatt geraten. Die Gewandfalten stehen zwischen ruhigem Fuß und gezackten Knitterungen. Auch das manieristische Motiv des runden Saumaufschlags trägt zur Belebung bei. Bedenklich stimmt jedoch der ungotische Umriß der Figur. Es fehlt der klare Hintergrund großer Flächen, der eine solche Figur geradezu schützend umhüllte. Man darf sich ein großes Langoval vorstellen, das von den Schultern der Madonna über die Ellenbogen hinab zur Mondsichel reichte, wo die

Ansätze noch sichtbar sind. Der jetzt über den rechten Ellenbogen herabhängende Zipfel dürfte ergänzt sein.

2. Die Roßbacher Muttergottes

Zum Vergleich kann eine Madonnenfigur aus Roßbach im Spessart herangezogen werden[11]. Sie ist zwar etwas anders komponiert, indem Maria das Kind mit beiden Händen vor der Körpermitte trägt, hat aber in der Gewandfaltung die gleichen Eigentümlichkeiten wie die Muttergottes in Lohr. Die Physiognomie des Jesusknaben ist eng verwandt. Wahrscheinlich war das bei Maria ebenso. Von daher ist auch zu fragen, ob die Krone der Lohrer Maria ursprünglich ist, oder ob sie nicht einst ebenso wie die Roßbacherin ein Kopftuch trug.

Die auf Anfang des 16. Jahrhunderts datierte Roßbacher Madonna bildete sicher auch die Mitte eines Altaraufsatzes, von dem nichts erhalten blieb. Ernst Schneider hat die Figur im Katalog der Aschaffenburger Jubiläumsausstellung 1957 als „reifstes plastisches Werk unter Riemenschneider-Einfluß am Untermain" charakterisiert. Die Zuweisung an den „Meister von Reinheim", die sich auf den Gesamthabitus der Skulptur stützt, erfolgt mit Bedenken.

3. Der Annenaltar in der Marienkirche zu Gelnhausen

Der einzige vollständig erhaltene Altarschrein des „Meisters von Reinheim" ist der Annenaltar in der Marienkirche zu Gelnhausen[12]. Ein rechteckiger Kasten birgt eine sitzende heilige Anna mit dem Jesuskind auf dem Schoß, ihr zur Seite kniet anbetend die Mutter Maria. Rechts und links stehen in abgetrennten Nischen zwei Heilige: der heilige Joachim mit einer Schriftrolle und ein Bischof mit Stab und Buch, ohne spezielle Attribute. Das Retabel besitzt gemalte Flügel und eine gemalte Predella. Die restaurierten Bilder der Innenseite zeigen eine Anbetung des Kindes und die heiligen drei Könige, wie sie ihre Gaben darbringen, während auf beiden Außenseiten eine Verkündigung dargestellt ist. Im Fußstück ist ein von Engeln gehaltenes Schweißtuch Christi zu sehen. Der geschnitzte Mittelteil wird von Ranken eingefaßt, die sich zu Häupten der Figuren zu reichen Baldachinen verdichten. Die farbige Fassung der Figuren ist alt, wenn auch vom Restaurator übergangen.

Alle Stileigentümlichkeiten des „Meisters von Reinheim" sind auch dem Gelnhäuser Annenaltar eigen. Die Dreieckfalten und Gewandzipfel bei Anna und den beiden Heiligen liegen in oder nahe der Mittellinie der Figuren und zeichnen sich vor glatten Flächen ab. Das Motiv des runden Saumaufschlags hat bei der knienden Maria die ganze untere Gewandpartie erfaßt.

Die Physiognomien sind denen von Reinheim und Roßbach verwandt. Joachim und Anna, ebenso der Bischof – es wird Bonifatius vorgeschlagen – sind reife abgeklärte Menschen. Maria ist dagegen noch sehr mädchenhaft. Das pausbäckige Jesuskind fühlt sich auf dem Schoß der Großmutter, die ihm eine Birne anbietet, wohl. Es hält ein aufgeschlagenes Buch in den Händen. Die erkennbaren Schriftzüge haben nur ornamentale Bedeutung. Zu datieren ist dieser 1502 erstmals urkundlich erwähnte Altar auf den Anfang des 16. Jahrhunderts.

Muttergottes aus Reinheim in der Kapuzinerkirche Lohr am Main. Der Umriß der Figur ist hier entsprechend dem ursprünglichen Aussehen ergänzt (Schraffur). Aufn.: M. Scherer/Lohr

4. Die Heilige Anna zu Seligenstadt

Von der Hand des Reinheimer Meisters dürfte auch eine heilige Anna zu Seligenstadt[13] stammen. Die Sitzfigur war wohl als Anna Selbdritt gedacht. Ihre Arme sind eng am Körper angewinkelt. Die abgebrochenen Hände hielten das Jesuskind in der Rechten und Maria in der Linken. Es kann aber, da der Zwischenraum der Hände etwas klein ist, auch so gewesen sein wie in Gelnhausen, daß Anna dem Knäblein eine Frucht oder ein zahmes Tier vorhielt und Maria daneben kniete. Die Plastik ist wohl im 1. Jahrzehnt nach 1500 entstanden.

5. Die Heilige Anna Selbdritt in Jügesheim

Eine weitere Anna Selbdritt befindet sich in Jügesheim[14]. Ihr fehlt das Jesuskind, dafür ist Maria auf dem linken Knie ihrer Mutter vollständig mit aufgeschlagenem Buch erhalten. Das Greisengesicht unter dem Kopftuch wird eingehüllt in den bis zum Kinn reichenden Kragen. Es schaut ernst drein – eine kleine Beschädigung am rechten Auge verstärkt diesen Eindruck. Die Gesichtsbildung stimmt mit Seligenstadt und Gelnhausen weitgehend überein. Der Faltenwurf der Gewänder unterhalb des Schoßes ist etwas kraus und knitterig, was durch eine von den Füßen Mariens diagonal heraufführende Muldenfalte betont wird. Diese sonstigen stilistischen Eigentümlichkeiten sind dieselben wie bei den beiden anderen Anna-Figuren. Ein Hinweis auf die Entstehungszeit des kleinen Bildwerks im zweiten Jahrzehnt nach 1500 ist der gekehlte polygone Sockel, der von einem überkreuzten Rundstab gerahmt wird.

6. Der Heilige Kilian zu Gailbach

Im Weichbild von Aschaffenburg, im Spessartdorf Gailbach, steht die Schnitzfigur eines heiligen Kilian[15]. Die etwas gedrungene Gestalt des Frankenapostels ist mit einem Pluviale bekleidet. Das breite Gesicht zeigt besonders in den schrägliegenden Augen und der Nasen-, Mund- und Kinnpartie und ebenso in der Musterung der Mitra Züge, die mit beiden Darmstädter Bischöfen zusammengehen. Hand- und Buchhaltung stimmen beinahe wörtlich mit dem heiligen Martin überein. Die Falten und Gewandfransen bringen eine lebhafte Note ins Spiel. Der untere Mantelsaum zipfelt spitz über den Sockel hinaus. Das kräftig strukturierte Werk ist, ohne daß seine Aussagekraft gemindert wurde, neu gefaßt worden. Seine Entstehungszeit dürfte um 1510 anzusetzen sein.

7. Der Heilige Antonius (?) in Obernburg

Etwas jünger und im ganzen schlichter ist ein heiliger Priester oder Abt in der St. Annakapelle bei Obernburg[16]. Er wird meist als Antonius (der Eremit?) benannt; doch läßt das Tintengeschirr am Gürtel daran zweifeln. Die abblätternde neue Fassung beeinträchtigt das Gesamtbild des ordentlich geschnitzten Figürchens, dessen Kopf in der Art des Reinheimer Täufers modelliert ist. Die linke Hand hält mit schlanken Fingern ein aufgeschlagenes Buch, während die beschädigte rechte einen Gegenstand (Griffel?) erfaßte, der mit dem Tintenfaß im Beutel und dem kleinen

Köcher am Gürtel des Heiligen zusammengehören könnte. Eine Deutung auf das Glöckchen des Abtes Antonius hat wenig für sich.

8. Die Heilige Katharina in Darmstadt

Im Besitz des Hessischen Landesmuseums Darmstadt befindet sich die aus Lindenholz geschnitzte, farbig gefaßte Figur einer Heiligen Katharina mittelrheinischer Herkunft[17]. Sie gehörte sicher zu einem Altaraufsatz. Ihr in der Hüfte ausgebogener Körper ruht auf dem Standbein, das durch die Röhrenfalten des Rocks betont wird, während der geraffte Überrock glatt über das Spielbein und ebenso an den Seiten abfällt. So entsteht ein Faltendreieck vor ihrem Leib, das wiederum zur Stütze des vom rechten Unterarm gehaltenen Buches wird. Der Oberkörper, mit Mieder und einem von einer Ringkette geschmückten Kragen bekleidet, lehnt sich etwas zurück. Der Kopf ist von aufgesteckten Zöpfen umrahmt, die durch ein gesticktes Stirnband zusammengehalten werden. Möglicherweise trug die linke Hand das Schwert des Martyriums. Es könnte sich auf das Rad-Attribut zu Füßen des Spielbeins gestützt haben. Die Persönlichkeit der Heiligen tritt als vornehme Dame ins Bewußtsein des Beschauers. Im Aufbau hält sich die Darmstädter Katharina an das gleiche Kompositionsschema wie der heilige Nikolaus zu Reinheim. Datiert werden kann sie in das zweite Jahrzehnt des 16. Jahrhunderts.

9. Das Papstfigürchen in Darmstadt

An diese Arbeiten läßt sich noch ein geschnitztes Papstfigürchen im Hessischen Landesmuseum Darmstadt anschließen, das wohl als Reliquiar im Auszug eines Retabels gestanden hat. Die Herkunft ist nicht mehr festzustellen[18], doch wird Heppenheim an der Bergstraße genannt. Der gnomenhaft verkürzte Körper mit kräftigen Gewandfalten ist grob gezeichnet, trägt aber einen gut durchgebildeten Kopf mit einer Tiara. Der Heilige ist ähnlich charakterisiert wie der heilige Kilian zu Gailbach und im Ernst seines lebenserfahrenen Gesichts den Bischöfen aus der Reinheimer Nikolauskirche verwandt. Eine rechteckige Ausklinkung im Bereich der rechten Schulter und eine quadratische Vertiefung im Buch dienten zur Aufnahme von Reliquienbehältern. Beide Hände waren, wie aus den Einkerbungen zu ersehen ist, an mehreren Fingern metallen beringt. Entstanden ist diese Werkstattarbeit um das Jahr 1500.

Anmerkungen:

1. **W. Hotz**, Reinheimer Kirchen in alter Zeit, Darmstadt 1963, S. 26. Dort ist auch S. 27 die einzige alte Ansicht der Nikolauskirche wiedergegeben.
2. **W. Hotz**, 650 Jahre Ueberau, Darmstadt 1966, S. 31; Reinheimer Kirchen in alter Zeit (Anm. 1), S. 45.
3. Die Kunstdenkmäler des Landkreises Dieburg, bearb. v. **M. Herchenröder** 1940. S. 57, 60.
4. **Peter Murmann**, „Frommer" Diebstahl im 17. Jahrhundert – von den Dieburger Kapuzinermönchen und dem „Reinheimer Madonnenraub", in: Dieburger Anzeiger, 16.3.1984 m. 3 Abb. Murmann geht von der oben angeführten Sage aus und setzt das weinende Bild mit dem 1709 als „gestohlen" gemeldeten in eins. Bei genauer Prüfung der Überlieferung ist aber zwischen dem weinenden Einzelbild, das die Eigenschaften eines Gnadenbildes besaß, und dem „vom Altar gestohlenen" Marienbild zu unterscheiden.

5. Kunstdenkmäler Dieburg (Anm. 3), S. 254, 255 m. 2 Abb. **H. Feldbusch,** Madonnen, Engel, Heilige ... aus dem Hess. Landesmus. Darmstadt, Darmstadt 1952, Tff. 47.48, S. 27. In folgenden eigenen Arbeiten und Aufsätzen habe ich mich mit dem „Meister von Reinheim" befaßt: Gelnhausen, Amorbach, 1951, S. 65; Heilige auf der Flucht vor dem Holzwurm. Lebens- und Leidensweg zweier spätgotischer Holzplastiken der ehemaligen Nikolauskapelle zu Reinheim (m. 2 Abb. und einer Rek.-Skizze des Altaraufsatzes), in: Darmstädter Tagblatt, 17.2.1951; Viele Jahre zwischen Staub und Gerümpel, in: Darmstädter Echo 3.11.1956; Spätgotische Bildwerke der Odenwaldlandschaft, 2. Der Meister von Reinheim, in: Der Odenwald, V,H. 2/1958, S.40–44, m. 4 Abb.; Reinheimer Kirchen in alter Zeit (Anm. 1) S. 32–36, m. 3 Abb.; Meister Mathis der Bildschnitzer, Aschaffenburg 1961, S. 66, S. 115, Anm. 152; Michelstadt – vom Mittelalter zur Neuzeit, Michelstadt 1986, Spätgotik im Odenwald, S. 67, m. 1 Abb.

6. Die Kunstdenkmäler von Unterfranken, IX Bez. Amt Lohr, bearb. von **A. Feulner,** München 1914, S. 31; oben Anm. 4.

7. Der vorgeschlagene Bischof St. Bonifatius erscheint mir weniger wahrscheinlich. Der Frankenapostel und Märtyrer St. Kilian, Kirchenpatron in Groß-Umstadt , könnte auch in Betracht kommen.

8. Hierzu die in Anm. 5 genannte Literatur.

9. Das Landkapital Montat umfaßte 1510 58 Pfarreien. **A. Amrhein,** Beiträge zur Geschichte des Archidiakonats Aschaffenburg und seiner Landkapitel, in: Arch. d. Hist. Vereins f. Unterfranken u. Aschaffenburg XXVI/1882 (Würzburg) S. 84 ff.

10. Kunstdenkmäler Lohr (Anm. 6), S. 31.

11. Die Kunstdenkmäler von Unterfranken, XXIII Bez.-Amt Obernburg, bearb. v. **A. Feulner,** München 1925, S. 123. Katalog der Jubiläums-Ausstellung 1000 Jahre Stift und Stadt Aschaffenburg 1957, Nr. 282, Abb. 38. Lindenholz, alt gefaßt, Höhe 177 cm.

12. Kunstdenkmäler des Reg.-Bez. Kassel I, Kr. Gelnhausen, bearb. v. **L. Bickell,** Marburg 1901. W. Hotz, Gelnhausen (Anm. 5), S. 61 m. Abb.

13. Die Kunstdenkmäler im Großherzogtum Hessen, A. Prov. Starkenburg, Kr. Offenbach, bearb. v. **G. Schaefer,** Darmstadt 1885, S. 194 (aus der Abteikirche; heute im Museum) ohne Maß- u. Materialangabe, „Überreste alter Polychromierung". **Hotz,** Meister Mathis der Bildschnitzer (Anm. 5) S. 48, 92, Abb. 75. Die dort vertretene Abhängigkeit von der trauernden Maria im Hess. Landesmus. Darmstadt (a.a.O., S. 48, Abb. 31, 32); **H. Feldbusch,** Madonnen, Engel, Heilige, Gotische Holzskulpturen aus dem Hess. Landesmus. Darmstadt, 1952, Tf. 24, 25) ist mir heute fraglich.

14. Kunstdenkmäler Offenbach (Anm. 13) erwähnt sie nicht. Die Gruppe steht heute im Pfarrhaus.

15. Die Kunstdenkmäler von Unterfranken, XXIV Bez. Amt Aschaffenburg, bearb. v. **A. Feulner** u. B. H. Röttger, München 1927, S. 11 m. Abb.

16. Kunstdenkmäler Obernburg (Anm. 11) S. 102; **Hotz,** Meister Mathis der Bildschnitzer (Anm. 5) S. 66, 67, Abb. 50. Höhe 66,5 cm, Rücken abgeflacht, neue Fassung.

17. **H. Feldbusch,** Madonnen, Engel, Heilige (Anm. 13) S. 26 Tff. 40, 41. Höhe 130 cm. Da die Kataloge des Museums 1944 vernichtet wurden, läßt sich die Provenienz nicht mehr ermitteln. Feldbusch denkt an den „Kreis des Hans Backoffen", worin ich ihm nicht zu folgen vermag.

18. Das Lindenholz-Figürchen mit Resten alter Fassung befindet sich im Museumsmagazin, wo ich es dank der wohlwollenden Förderung meiner Arbeiten durch den inzwischen verstorbenen Museumsdirektor Dr. Erich Wiese aufnehmen konnte.

Abb. 1: Lohr am Main, Kapuzinerkirche. Muttergottes aus Reinheim. Aufn.: M. Scherer

Abb. 2: Reinheim, Dreifaltigkeitskirche. St. Nikolaus von Myra.

Abb. 3: Reinheim, Dreifaltigkeitskirche. St. Johannes der Täufer.

Abb. 4: Reinheim, Dreifaltigkeitskirche. Kopf des hl. Nikolaus.

Abb. 5: Reinheim, Dreifaltigkeitskirche. Kopf Johannes des Täufers.

Abb. 6: Darmstadt, Hessisches Landesmuseum. Hl. Martin aus Reinheim.

Abb. 7: Darmstadt, Hessisches Landesmuseum. Hl. Martin aus Reinheim, Kopf.

Abb. 8: Darmstadt, Hessisches Landesmuseum. Hl. Bischof aus Reinheim, Kopf.

Abb. 9: Roßbach. Muttergottes.

Abb. 10: Roßbach. Maria mit dem Kinde, Teilansicht.

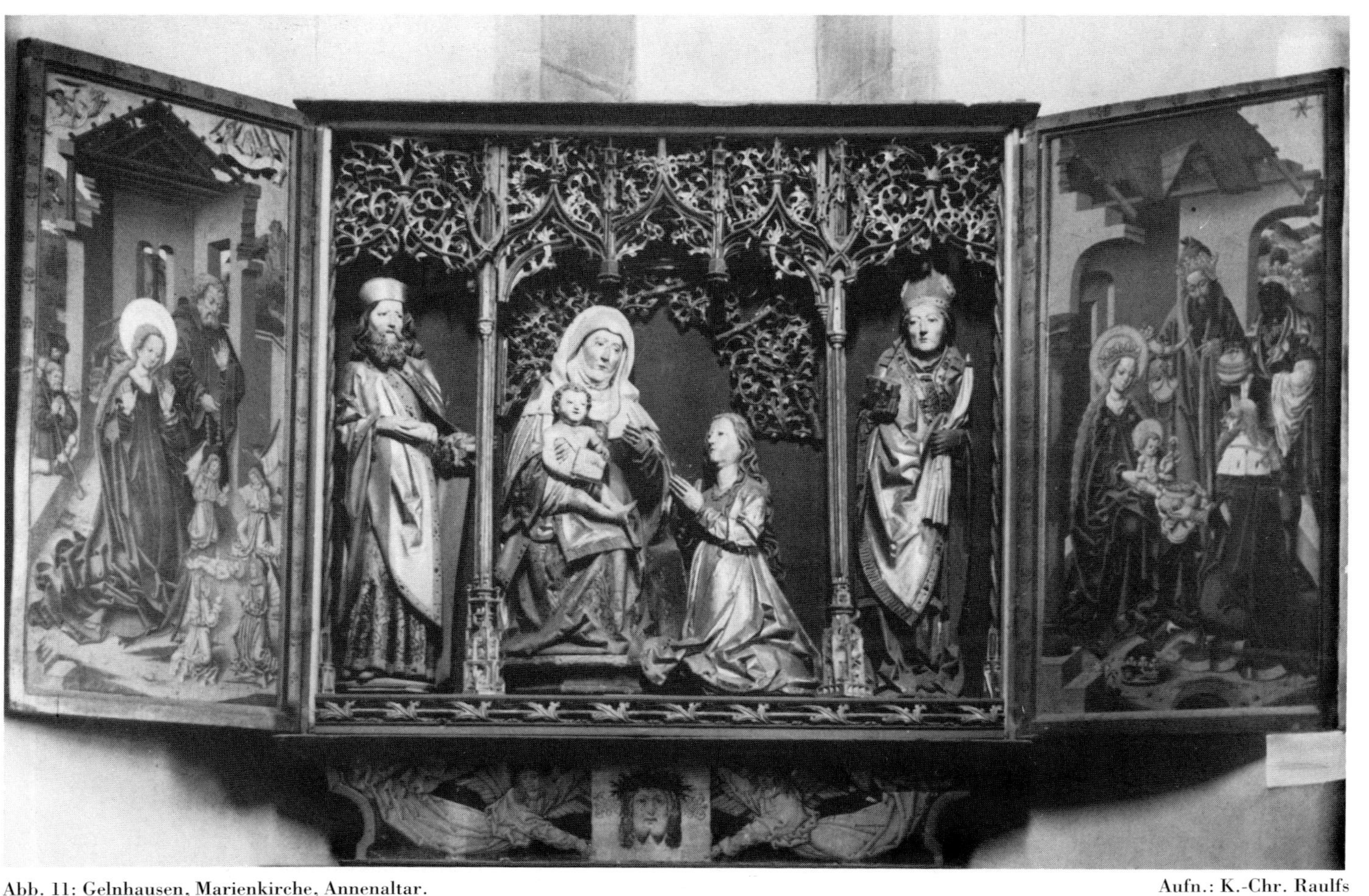

Abb. 11: Gelnhausen, Marienkirche, Annenaltar.

Aufn.: K.-Chr. Raulfs

Abb. 12: Gelnhausen, Marienkirche. Annenaltar: Hl. Bischof und Hl. Joachim.

Abb. 13: Seligenstadt, Museum in der Prälatur. Hl. Anna, Kopf.

Abb. 14: Jügesheim, Pfarrhaus. Anna Selbdritt (Jesusknabe fehlt).
Aufn.: Dr. O. Müller

Abb. 15: Gailbach, Pfarrkirche, Hl. Kilian.
Aufn.: Bayer. Landesamt f. Denkmalpflege, München

Abb. 16: Gailbach, Pfarrkirche. Hl. Kilian, Teilansicht.

Abb. 17: Obernburg, Annenkapelle. Hl. Antonius (?), Kopf.

Abb. 18: Darmstadt, Hessisches Landesmuseum. Hl. Katharina.
Aufn.: H. Feldbusch.

Abb. 19: Darmstadt, Hessisches Landesmuseum. Hl. Katharina, Kopf. Aufn.: H. Feldbusch

Abb. 20: Darmstadt, Hessisches Landesmuseum. Hl. Papst, Kopf.
Die Abbildungen 2–10, 12, 13, 16, 17 und 20 stammen vom Verfasser.

Gerd J. Grein

Jugendstil – Heimatstil

Wirkungen der Darmstädter Künstlerkolonie auf Heimatbewußtsein und Handwerk zu Beginn des Jahrhunderts

Ausgangsbasis

„Mein Hessenland blühe, und in ihm die Kunst!", rief Ernst Ludwig (1868 – 1937), der letzte regierende Großherzog von Hessen und bei Rhein (Regierungszeit 1892 – 1918), bei der Grundsteinlegung des nach ihm benannten Ausstellungsgebäudes auf der Mathildenhöhe in Darmstadt 1901 aus. Er begründete damit die bedeutungsvolle Rolle, die der Residenzstadt in der bildenden Kunst und der Architektur in den Jahren zwischen 1899 bis zum Ausbruch des Ersten Weltkrieges zugewachsen ist. Diese Tatsache ist zwischenzeitlich in einer Vielzahl von Veröffentlichungen und hochinteressanten Ausstellungen aufgezeigt worden[1]. Dabei ging es aber immer darum, Darmstadt und seine Künstlerkolonie, deren Mitglieder zu den bedeutendsten ihrer Zeit gehörten, in das ihnen gemäße Licht zu rücken. Im Gegensatz dazu hat den Verfasser die Frage beschäftigt, welche Auswirkungen nun die neuen Tendenzen, die von der Mathildenhöhe ausgingen, auf das heimische Handwerk hatten und in welcher Weise sich die Reaktion der heimischen Architekten und Künstler äußerte, die in der genannten Literatur immer wieder gestreift wird.

Dabei wird auch deutlich, daß in der virulenten Zeit zu Beginn unseres Jahrhunderts zahlreiche Strömungen in Kunst und Architektur festzustellen sind, die teilweise gleichrangig nebeneinander standen, sich wechselseitig bedingten, sich beeinflußten und wieder in Vergessenheit gerieten. Da gab es den noch fortdauernden Historismus, den floralen Jugendstil, der hinwiederum in seiner Spätphase Anleihen an verflossene Stilelemente wie Zopfstil, Klassizismus und im Möbelstil besonders solche des Biedermeiers aufnahm. Da machte sich der englische Landhausstil ebenso bemerkbar wie die in heimischen Traditionen verhafteten Bemühungen, die wir mit dem Begriff „Heimatstil" nur ungenügend umschreiben können. Insgesamt gesehen war diese Epoche so voll von einer Aufbruchsstimmung zu neuen Lebensinhalten und neuen Lebensformen, die in rascher Folge Stile und Ausdrucksformen zeitigten und mit dem Ausbruch des Ersten Weltkrieges ihr jähes Ende fanden. Das, was wir heute als „Zeitgeist" bezeichnen, äußerte sich in dieser Epoche nicht nur in den dinglichen Lebensumständen, sondern hatte letztlich auch Auswirkungen auf Erziehung und Formen des sozialen Miteinanders, ganz besonders in den Reihen der Jugend (Jugendbewegung, Landschulbewegung). Vieles davon läßt sich schlaglichthaft nachzeichnen. Dem Verfasser geht es in diesem Zusammenhang im wesentlichen darum, einige bemerkenswerte Aspekte aufzuzeigen, ohne den Anspruch zu erheben, das Phänomen abschließend zu beurteilen. Hierzu sind weitere Forschungen notwendig, und hierzu soll aufgefordert werden.

Als Ernst Ludwig die Regierung im Großherzogtum Hessen-Darmstadt übernahm, war er gerade 23 Jahre alt. Seine Erziehung war wesentlich durch seine Mutter geprägt und nach deren frühen Tod durch die englische Großmutter, die Queen Viktoria, bestimmt. „So kam es wohl, daß er sicherlich, liberaler, bürgerlicher, ja zivilisierter erzogen wurde, als das sonst in seinen Kreisen üblich war. Studienjahre an den Universitäten Leipzig und Gießen hatten gewiß tiefere Eindrücke vermittelt als der Militärdienst in Potsdam und Darmstadt"[2]. Mehr als die Studienerfahrungen dürften aber die häufigen Auslandsaufenthalte für das weltoffene Wesen des jungen Erbgroßherzogs bestimmend gewesen sein. Solche Reisen führten ihn hauptsächlich nach England und Rußland an die Höfe, mit denen Hessen-Darmstadt verwandtschaftlich verbunden war. Der sensible, allen musischen und kulturellen Regungen gegenüber offene Monarch hat wohl sehr früh ein Gespür dafür entwickelt, was da im Umbruch und im Werden begriffen war und was dann später „en vogue" wurde. „Art Nouveau" war das Schlagwort einer Bewegung, die Ende der 1880er Jahre von England ihren Ausgang nahm. Junge Künstler der „Artist Workers Guild" unternahmen Ausstellungen einer neuen Kunst, die freilich zunächst nur belächelt wurde. Von Belgien aus wirkte der Maler Henry van de Velde, der seine Möbelentwürfe und Innendekorationen auf den Ausstellungen 1896 in Paris und 1897 einer breiteren Öffentlichkeit vorstellte. In Deutschland wurde die Bestrebungen einer neuen Kunst durch den Verleger Georg Hirth in München aufgenommen, der 1896 die „Jugend" herausgab, eine „Illustrierte Wochenschrift für Kunst und Leben", die der nun beginnenden Epoche und ihrer künstlerischen Äußerung den Namen geben sollte. Ebenso zur Jahrhundertwende wurde in Wien die Sezession gegründet, und schon 1898 entstand dort ein eigenes Austellungshaus, das weithin sichtbar die Bestrebungen der jungen Künstler in einem Bauwerk verkörperte. Sein Architekt hieß Joseph Maria Olbrich. Zur gleichen Zeit wirkte in Darmstadt der Verleger Alexander Koch (1860 – 1939), der in die traditionsreiche Tapetenmanufaktur der Familie Hochstätter eingeheiratet hatte, und machte in seinen zahlreichen Veröffentlichungen auf neue Kunstäußerungen aufmerksam[3]. Nicht der Kontakt zwischen Alexander Koch und seinem Fürsten war für die epochale Phase in Darmstadt ausschlaggebend, sondern das Zusammentreffen Ernst Ludwigs mit Arbeiten von Olbrich anläßlich der Sezessionsausstellung in Wien[4]. „Ich fühlte sofort, da ist etwas Frisches und ganz zu mir Passendes, etwas Sonniges, was ich bei allen anderen nicht spürte. Er kam sofort auf meinen Ruf, um mit mir gegenseitig erst Fühlung zu nehmen; aber wir beide fingen sofort Feuer ...", erinnert sich Ernst Ludwig an seinem Lebensabend[5]. Olbrich hingegen war von der Entschlußkraft und dem ans Utopische grenzenden Wollen des gleichaltrigen Gönners fasziniert. Ein Zeitgenosse berichtet über Olbrich nach seiner Rückkehr aus Darmstadt: „... Ich werde nie sein Gesicht und seine Stimme vergessen, die der Ruhige doch kaum zu beherrschen vermochte, als er mir in rapiden, abgehackten Sätzen atemlos erzählte, der Großherzog habe ihm von seiner Absicht, durch eine Verbindung von Kunst und Handwerk Hessen groß zu machen, fast mit eben denselben Worten gesprochen, die wir so oft in stillen Stunden glücklicher Hoffnung miteinander ausgetauscht, und ihm schließlich gesagt, er sehe, es geht nicht anders, als daß einmal von einem Künstler eine ganze Stadt erbaut werden müsse; dies solle nun zu Ehren seines Landes geschehen. Es mag ein seltsames Gefühl für ihn gewesen sein, den jungen Fürsten und den jungen Künstler, die sich niemals zuvor gesehen hatten und doch durch dieselben seit Jahren in der Einsamkeit gehegten Ideen sogleich wie Freunde verbunden waren"[6].

Der kongeniale Partner Olbrich äußerte sich sinnesgleich, wenn er seine Vision eines umfassenden Lebensgefühls, welches Kunst und Handwerk aufs innigste verbinden sollte, ausmalte: „Eine Stadt müssen wir erbauen, eine ganze Stadt. Alles andere ist nichts. Die Regierung soll uns ... ein Feld geben, und da wollen wir dann eine Welt schaffen ... da wollen wir dann zeigen, was wir können; in der ganzen Anlage und bis ins letzte Detail. Alles von demselben Geist beherrscht, die Straßen und die Gärten ... und die Tische und die Sessel und die Leuchter und die Löffel Ausdrücke derselben Empfindung, in der Mitte aber, wie ein Tempel in einem heiligen Haine, ein Haus der Arbeit, zugleich Atelier der Künstler und Werkstätte der Handwerker, wo nun der Künstler immer das beruhigende und ordnende Handwerk, wo nun der Handwerker immer die befreiende und reinigende Kunst neben sich hätte"[7]. Diese beiden Zitate sollen etwas von dem Anspruch vermitteln, mit denen Joseph Maria Olbrich und sein fürstlicher Mäzen, Großherzog Ernst Ludwig, antraten, als das Modell einer Künstlerkolonie in Darmstadt auf den Weg geschickt wurde.

Wie war aber die Ausgangsbasis in dieser mittelgroßen, so typischen Residenzstadt um die Jahrhundertwende? Darmstadt mit Bessungen zählte 1890 56.500 Einwohner. Die Stadtgestalt war weitestgehend durch den Architekten Georg Moller (1784 – 1852) geprägt worden, der dem Gemeinwesen im ersten Drittel des 19. Jahrhunderts klassizistisch-biedermeierliche Züge verlieh, die für damalige Verhältnisse ungemein großzügig konzipiert waren. An zeitgenössischer Kritik an dem von Moller initiierten Stadtkonzept hat es freilich nicht gemangelt. Der Mainzer „Demokrat" brachte die „fast schon zum Topos gewordenen Sprüche von der 'bleiernen Langeweile' der Residenz mit 'ihren gähnenden Straßen, schläfrigen Häusern und öden Plätzen', in denen die 'Pflastersteine unter dem Rasen schlafen"[8].

Und der „Daily Telegraph" berichtete in satirischer Weise 1873 von Darmstadt, der langweiligen Hauptstadt mit ihrer „langen, breiten, melancholischen Hauptstraße, aus der Darmstadt fast nur besteht", auf der zur Mittagszeit dem Besucher nicht mehr als sieben Personen begegnen würden, „welchen Alters und welchen Geschlechts sie auch seien"[9]. „Auf der Rheinstraße wimmelt ein Acceist", spottete man.

Von der genannten Einwohnerzahl waren rund 3.500 Militärpersonen, und jeder Vierte der erwerbstätigen Bevölkerung war direkt oder indirekt vom Hof und Staatsdienst abhängig. Es war ein zufriedenes, jeder Veränderung skeptisch begegnendes Völkchen in dieser Residenzgesellschaft. Für die sich in Behaglichkeit und Beschaulichkeit wiegende Bevölkerung waren die großen Wandlungen, die sich in der zweiten Hälfte des 19. Jahrhunderts vollzogen, nicht wahrnehmbar: große Fabrikunternehmen entstanden, die einen beträchtlichen Zuwachs der Bevölkerung durch den Zuzug von Arbeitskräften zeitigten. Bis zum Jahre 1910 stieg die Bevölkerungszahl auf 87.000. Dies erforderte eine Infrastruktur, die alle bisherigen Maßstäbe sprengte. Die Wohnraumbeschaffung bedingte einen überhasteten Bauboom. Entsprechend dem Zeitgeschmack der Gründerjahre dominierten in der Architektur Adaptionen an vergangene Stilepochen, was ganz dem großbürgerlichen Repräsentationsbedürfnis des zweiten Kaiserreiches entsprach. Mitten in diesen Entwicklungsprozeß fällt nun der Regierungsantritt Ernst Ludwigs, dessen stiller Wunsch es war, etwas anderes, etwas Neues auf den Weg zu bringen. Eine seiner ersten Regierungsmaßnahmen bestand darin, den preisgekrönten Entwurf eines Prachtbaues für das großherzogliche Landesmuseum zu Fall zu bringen, weil er nach seiner Auffassung eine „Verschandelung der Stadt" bedeuten würde. Auf seine Intervention hin wurde der in Darmstadt gebürtige und in Berlin zu Achtung gekommene Architekt Alfred Messel (1853 – 1909) mit der Planung und Ausführung betraut.

Als dann Ernst Ludwig 1899 das Modell der Künstlerkolonie ins Leben rief, war dies nur ein folgerichtiger Schritt auf dem einmal eingeschlagenen Weg. 1901 wurde dann die erste Ausstellung der Künsterkolonie mit dem anspruchsvollen Titel „Ein Dokument Deutscher Kunst" auf der Mathildenhöhe vorgestellt. Ernst Ludwig hatte eine ganze Reihe von Künstlern unterschiedlichster Richtung und Herkunft zusammengeführt. Neben dem Wiener Olbrich, dem spiritus rector der Künstlerkolonie, wurden berufen: der Maler Hans Christiansen aus Paris, ein gebürtiger Flensburger, der Maler und Grafiker Paul Bürk aus Elberfeld, der Bildhauer Rudolf Bosselt aus Brandenburg, der Maler Peter Behrens aus Hamburg, der Innenarchitekt Patriz Huber, ein gebürtiger Stuttgarter und als einziger heimischer Künstler, der Darmstädter Bildhauer Ludwig Habich, zu dem Ernst Ludwig ein besonders inniges Verhältnis hatte[10]. Es war nicht irgendeine Ausstellung, die man hier vorstellte, nein, es war ein weit über Darmstadt hinaus wirkendes Signal architektonisch-künstlerischer Erneuerung. Entsprechend war das Echo der – nicht immer wohlwollenden – Kritiker aus allen Ecken Europas. Nur die Darmstädter und ihre Stadtregierung selbst verhielten sich distanziert, ja ablehnend dem ganzen Projekt gegenüber, ganz besonders dann, als sich das finanzielle Desaster der Ausstellung abzeichnete[11].

Die Residenzgesellschaft war mehr an der schillernden Ausstrahlung des Hoflebens interessiert, die ja den so notwendigen Gesprächsstoff lieferte, denn an künstlerischen Experimenten, die Unruhe in die Beschaulichkeit brachten. „Mit dem Großherzog ist es nichts, der steckt voller Utopien...", sinnierte Ministerpräsident Jacob Finger[12].

Besonders massiv und nachdrücklich war die Kritik der Professoren der Technischen Hochschule Darmstadt und der Landesbaugewerkschule Karl Hofmann (1856 – 1933), Heinrich Walbe (1865 – 1954), Friedrich Pützer (1871 – 1922) und Arthur Wienkoop, die als „Traditionalisten" verschrieen und als örtliche „Platzhirsche" sich bei den sich abzeichnenden Entwicklungen außen vor betrachteten. In diesen Reigen gesellte sich auch Stadtbaumeister August Buxbaum (1876 – 1960), für den gar 1904 der „Jugendstil" als überwunden galt. Ihr ganzes Bestreben bestand darin, wenn nicht gar das Rad der Zeit anhalten zu können, so doch mindest an der Entwicklung teilhaben und mitbestimmen zu können. Dennoch: „Die beiden Fraktionen – die Mathildenhöhkünstler und die Hochschulbaumeister – haben sich gegenseitig stärker beeinflußt, als es die Architekten wohl wahrhaben wollten"[13].

DIE HESSISCHE LANDESAUSSTELLUNG 1908

Im Kampf, den die Darmstädter etablierten Professoren und Architekten gegen die Vertreter der Künstlerkolonie führten, sind sie zwar nicht als Sieger hervorgegangen, dennoch konnten sie anläßlich der 1908 durchgeführten „Hessischen Landesausstellung" als Partner – wenn auch nicht als gleichberechtigte – auf der Mathildenhöhe einziehen. Im Gegensatz zu der ambitionierten Ausstellung von 1901 wies diese Präsentation ein anderes, ein neues Programm auf. Vorausgegangen war das Zerbrechen der Gruppe der Künstler der Mathildenhöhe. Es waren nicht die internen Querelen der Künstler untereinander, sondern auch die Rahmenbedingungen, auf die Ernst Ludwig keinen direkten Einfluß hatte. So wandte sich Hans Christiansen enttäuscht von Darmstadt ab, als eine Kabinettsverordnung forderte, die Ateliergebäude schon einen Tag nach Beendigung der Ausstellung zu räumen! „Da jeder Einspruch erfolglos blieb, mußten viele Kunstgegenstände vorübergehend in einem Holzschuppen untergebracht werden, der wenig später abbrannte"[14]. Als dann die jährlichen Ehrengehälter für die Künstler gestrichen wurden, mußten sie dies als arge Demütigung empfinden. Patriz Huber, Paul Bürck und Hans Christiansen verließen daraufhin die Künstlerkolonie. Dies kam den treibenden Kräften in Staat und Regierung nur zustatten, um ein neues Konzept ihrerseits installieren zu können: Kunst und Gewerbe des Hessenlandes sollten sich stärker als bisher präsentieren können, und man versprach sich Rückwirkungen auf die Wirtschaftskraft des Hessenlandes. Ernst Ludwig faßte dies 1908 in der Eröffnungsansprache zusammen, indem er sagte: „ich ... hoffe, daß sie den Nutzen, den wir von ihr erwarten, unserem Hessenlande bringen wird"[15].

In seiner Ansprache geht der hessische Innenminister Braun auf die veränderte Ausgangsbasis ein, wobei er an Kritik nicht spart, wenn es um die Ausstellung von 1901 geht: „... Den damals berufenen Künstlern (war) die Aufgabe gestellt, für das blühende Leben die Formen des Schönen im Alltagsdasein zu finden, Leben und Kunst harmonisch zu verschmelzen ... Trotzdem stieß die Erreichbarkeit des gesteckten Zieles auf Zweifel, zumal angesichts mancher Wege, die bei der Ausstellung des Jahres 1901 gezeigt wurden ... Es kann in dieser Stunde nicht erörtert werden, warum sich seitdem vieles nach der persönlichen Seite hin geändert hat und ändern mußte. Sicherlich aber darf gesagt werden, wie die von hier ausgegangene Bewegung in dem Maße an Boden gewann und von der Allgemeinheit verstanden wurde, in welchem sie sich dem in Volk und Land Vorhandenem anpaßte und berechtigten Widerspruch nicht herausforderte". Er umreißt hier das ewig neue Thema von Kunst und Kunstverständnis, von Kunst um ihrer selbst willen und Verstehbarkeit und Angenommenwerden. Für ihn ist der weitere Weg nur folgerichtig: „Erkennbar zügelten in den folgenden Jahren jugendlich-phantasievollen Überschwang strenge Sachlichkeit und gediegene Ehrlichkeit des Denkens und der Arbeit". Er geht auf die erkennbaren stilistischen und programmatischen Veränderungen der großen Ausstellungen in Paris, Turin und St. Louis ein und formuliert kühn die Rückwirkungen auf das Hessenland: „Zu Hause bewies die kleinere, aber abgeklärte Ausstellung von 1904, welchen Wert es hatte, daß aus dem ersten Versuch die richtigen Lehren gezogen worden waren. Überraschend schnell begegneten sich die Künstler mit dem heimischen Handwerkerstand bis in die stillen Täler des Odenwaldes und des Vogelsberges hinein ..."[16].

Daß dies jedoch nur Wunschdenken war und den tatsächlichen Gegebenheiten des Ausstellungsgeschehens 1908 nur bedingt entsprach, soll in der Folge schlaglichtartig aufgerollt werden. Zunächst ist festzustellen, daß die gesamte künstlerische Oberleitung der Ausstellung allein in den Händen von Olbrich lag. An seinen Aufträgen und Aufgaben gewachsen, war er Herr einer Großbaustelle auf der Mathildenhöhe. Da waren zunächst die großen Ausstellungsgebäude, die er konzipierte und umsetzte, und dann der Hochzeitsturm, den die Stadt Darmstadt zum Gedenken an die Vermählung des Großherzogs Ernst Ludwig mit Eleonore von Solms-Hohensolms-Lich finanzierte. Wer zahlt, der bestimmt, nach dieser Maxime entwickelte sich eine langwierige Entscheidungsfindung über Gestalt und Aussehen des Turmes, wobei Stadtbaumeister August Buxbaum, der einen Großteil der Stadtverordnetenversammlung hinter sich hatte, seine eigenen Vorstellungen einbringen und durchsetzen wollte. Es spricht für die konstitutionelle Staatsverfassung des Großherzogtums, daß solche – auch in der Öffentlichkeit diskutierten – Entspannungsprozesse denkbar waren. Dennoch ist der Großherzog energisch für eine Beauftragung Olbrichs eingetreten, der hinwiederum es sich gar nicht so leicht mit möglichen Entwürfen machte, wie dies Hans-G. Sperlich so eindrucksvoll schildert[17]. Schließlich konnten sich Architekt und Auftraggeber auf einen gemeinsamen Nenner einigen, wobei August Buxbaum in seinen späteren (unveröffentlichten) Lebenserinnerungen glaubt feststellen zu müssen, daß erst, als seine Ideen und Gestaltungformen von Olbrich verinnerlicht worden seien, ein tragfähiges Konzept vorhanden gewesen sei[18]!

DAS OBERHESSENHAUS

In dieser Betrachtung sollen jedoch nicht so sehr die zweifelsohne architektonisch-künstlerisch wichtigen Gebäude der Landesausstellung von 1908 im Vordergrund stehen, sondern vielmehr die, die mit der Selbstdarstellung der Kunst und der Wirtschaft des Hessenlandes in Verbindung stehen und dort, wo sich ein „veränderter Jugendstil" feststellen läßt, der in das einmündet, was wir mit dem Begriff „Heimatstil" festmachen wollen.

Da ist zunächst das von Olbrich konzipierte „Oberhessenhaus" zu nennen. Der Plan für seine Errichtung wurde auf einer Versammlung hessischer Kunsthandwerker im Januar 1907 gefaßt. Die oberhessischen Auftraggeber wollten zunächst ein „Haus von ausgesprochen oberhessischer Eigenart". Sicherlich dachten die Auftraggeber an ein Beispiel, welches die kurhessischen Kollegen des Handels- und Gewerbevereins anläßlich dessen 50jährigen Bestehens 1905 in Kassel errichteten. Im Rahmen der Jubiläums-Gewerbeausstellung entstand nämlich in der Karlsaue unter den verschiedenen Ausstellungsbauten auch ein „typisches Schwälmer Bauernhaus" im Fachwerkstil, welches im Erdgeschoß eine Gastronomie beherbergte und im Obergeschoß eine Gemäldeausstellung, die von renommierten Malern der Willingshäuser Malerkolonie beschickt worden war[19].

Den Vorstellungen der oberhessischen Auftraggeber versuchte Olbrich tatsächlich Rechnung zu tragen, und seine ersten Skizzen für das Gebäude zeigen an Fachwerk erinnernde Vertikalgliederungen, ohne jedoch traditionelle, statisch-bedingte und landschaftsspezifische Elemente zu implizieren. Dann beschloß man aber ein modernes Wohnhaus zu errichten, welches an die bewährten Muster der ersten Künstlerkolonie-Ausstellung von 1901 anknüpfen sollte. Was dann aber von Obrich konzipiert und umgesetzt wurde, hat so gar nichts mit dem zu tun, was man gemeinhin mit den Ausdrucksformen des Jugendstils verbindet. Es fehlt das Filigrane der früheren Bauten, es wirkt blockhaft-monumental und ähnelt einem großbürgerlichen Barockpalais. Die Abkehr von rotem Klinker zu oberhessischem Basaltlava ist nur folgerichtig und trägt dem Zweck des Gebäudes Rechnung. Diese stilistische Wandlung wurde vielfach damit begründet, als hätten die oberhessischen Finanziers ihre Vorstellungen Olbrich gegenüber durchgesetzt. Dem ist entgegenzuhalten, daß Olbrich fast immer in subtiler Weise den Auftraggeber nach seinen Intentionen hin beeinflußt hat. Dies bezeugt der hinterlassene Schriftverkehr verschiedentlich. Bei der Verfolgung seiner Ziele und Vorstellungen setzte er weniger auf den Konflikt, spielte nicht den elitären, unantastbaren Künstler, sondern setzte auf Überzeugung, wobei wahrscheinlich seine Jugend und sein Charme, der seiner k.u.k. österreichischen Herkunft entsprach, ihm äußerst nützlich waren[20].

Bei der Bauausführung und Einrichtung des Oberhessenhauses waren ausschließlich oberhessische Firmen beteiligt. Es waren aber keine kleinen Gewerbetreibenden, die hier tätig waren und ein landschaftsspezifisches Element eingebracht hätten, sondern die leistungsstarken Bau- und Einrichtungsfirmen mit dem entsprechenden know-how. Dem oberhessischen Kunsthandwerk kam nur ein kleines Betätigungsfeld zu. Da sind an erster Stelle die textilen Erzeugnisse der Vogelsberger Webereien von Hermann Bücking/Alsfeld, F. Stein/Alsfeld und vor allen Dingen Gg. Langheinrich/Schlitz zu nennen. Neben der für die Ausstattung der Wohnräume notwendigen Tisch- und Bettwäsche, den Raumtextilien und Möbelbezügen zeigten die Firmen in eigenen Austellungsräumen das Spektrum ihrer Produktion. In einem eigenen Ausstellungsraum waren dann auch Töpferarbeiten von Ludwig Keßler aus Wieseck, dem legendären „Dippelui", zu sehen[21].

DAS ARBEITERDORF

Bemerkenswert im Rahmen der Landesausstellung von 1908 ist die „Abteilung für Kleinwohnkunst" gewesen, die vom Ernst-Ludwig-Verein, dem Zentralverein für die Errichtung billiger Wohnungen, geplant worden war und aus sechs Häusern bestand, deren Ensemble man auch als Arbeiterdorf bezeichnete. Drei Einfamilienhäuser, zwei Zweifamilienhäuser und ein Doppelhaus sollten den Nachweis erbringen, „daß auch beim Bau kleiner Häuser und deren innerer Einrichtung künstlerischem Empfinden ohne besondere Kosten Rechnung getragen werden kann". Die Kosten für ein Einfamilienhaus sollten 4.000 Mark, die für ein Zweifamilienhaus 7.200 Mark nicht übersteigen. Für die Inneneinrichtung durften höchstens 1.000 Mark veranschlagt werden. Die Kosten für die Erstellung und Einrichtung dieser „Musterhäuser" wurden von sechs hessischen Großindustriellen getragen. Für die wirtschaftlich prosperierende Fa. Opel in Rüsselsheim plante Olbrich selbst das Arbeiterhaus. Für die anderen Häuser wurden verschiedene hessische Architekten, wie der schon genannte Rektor der Technischen Hochschule Heinrich Walbe und der Direktor der Landesbaugewerkschule, Arthur Wienkoop sowie u.a. der freie Architekt Georg Metzendorf aus Bensheim beauftragt.

Das im Äußeren schlicht gehaltene Arbeiterhaus Opel von Olbrich zeigte im Inneren großbürgerlichen Zuschnitt, der den reduzierten räumlichen Möglichkeiten angepaßt war. Das Element der zentralen Wohnhalle wurde übertragen, und bemerkenswert erscheint das Badezimmer im Obergeschoß, welches man in den anderen Häusern vermißt! Die Innenausstattung erscheint verspielt, reizvoll im Detail; Vergleiche zum 1902 von Olbrich geschaffenen Spielhaus der Prinzessin Elisabeth im Park von Schloß Wolfsgarten bei Langen und zu Carl Larssons „Lilla Hyttnäs" in Sundborn drängen sich auf[22].

In der einschlägigen Literatur hat dieses Werk von ausgewogener Schlichtheit und Eleganz nur wenig Beachtung gefunden. Im Gegensatz zum Oberhessenhaus wurde bei der Einrichtung des Arbeiterhauses auf die Heranziehung hessischer Firmen weitestgehend verzichtet. Die Möblierung besorgte die Düsseldorfer Fa. Gebr. Schöndorff en bloc.

Im Gegensatz zu Olbrich versuchten die anderen Architekten durchaus, landestypische Bezüge herzustellen. Sie gingen teilweise so weit, daß von der auf der Mathildenhöhe propagierten zeitgenössischen Kunst gar nichts mehr übrig geblieben ist, weswegen wir hier nicht mehr von Jugendstil sprechen können und nach anderen

Prädikaten suchen müssen. Der Begriff „Heimatstil" drängt sich auf. Am konsequentesten ging in diese Richtung Heinrich Walbe, der für den Fabrikanten C.W. Cloos in Nidda ein Einfamilienhaus entwarf. Im Ausstellungskatalog von 1908 lesen wir über die Intention Walbes folgendes: „Bei dem Entwurf des Hauses sind oberhessische Motive berücksichtigt worden, ... Doch ist dabei den Ansprüchen des Arbeiters der Jetztzeit, ebenso wie der veränderten Technik Rechnung getragen. Der Erbauer ist von dem Gedanken ausgegangen, daß für ein Haus, zu diesem Zwecke und für diese Gegend bestimmt, das kleine Bauernhaus eben dieser Gegend das beste Vorbild bieten muß. Die Einteilung lehnt sich daher an die bewährte ortsübliche Bauweise an: Hausflur und Küche in unmittelbarer Verbindung mit Vorplatz und Hof fast zu ebener Erde, Wohnräume (unterkellert) etwas höher gelegen. Weder im Inneren noch im Äußern ist eine Kunstform angebracht (sic.), die nicht der ortsansässige Handwerker nach eigener Erfindung oder auf Grund der örtlichen Überlieferung ohne weiteres selbst ausführen könnte. Der Reiz im Äußeren beruht in der deutlichen, sachgemäßen Unterscheidung zwischen dem massiven Erdgeschoß und dem aus Fachwerk mit Ziegelverkleidung erbauten Dachgeschoß ...[23]"
Bei der Einrichtung wurden durchweg kleine Handwerksbetriebe aus der Region mit Aufträgen bedacht. Es scheint aber so, daß Walbe die Entwürfe bis ins Detail geliefert hat. Sehr viele Elemente aus dem alten Bauernhaus wurden in dieses (moderne) Arbeiterhaus übertragen, und es drängt sich die Frage nach der Funktionalität auf. Da gibt es die altväterliche Trennwand aus Holz zwischen Wohnraum und Schlafkammer mit den durchbrochenen Segmenten (Traillen) zur Decke hin, mit den Wänden verbundene Eckbänke usw. Die Petroleumlampe, die von der Decke hängt, suggeriert Behaglichkeit und Rückbesinnung, wo doch die Elektrizität auch auf das flache Land vorzudringen beginnt. Sitzmöbel bestehen aus traditionellen Pfostenstühlen mit Binsengeflecht, während das keramische Gebrauchs- und Ziergeschirr aus einer typisch ländlichen Töpferei, nämlich von Häfnermeister Georg Gerbig aus Schlitz, stammt.

Noch extremer erscheint die Einrichtung des Zweifamilienhauses von A. Wienkoop, welches er für den Freiherrn Heyl zu Herrnsheim (Worms) errichtete. Der Wohnraum ist bestückt mit einem bodenständigen Kastentisch mit ovaler Platte und klobigen, gedrechselten Beinen. Hier ist auch ein Himmelbett zu finden, eine Rezeption auf im Verschwinden begriffene bäuerliche Lebens- und Wohnformen, wohlgemerkt zu einer Zeit, als die Bauern beginnen, die Bettpfosten an ihren Himmelbetten abzusägen, weil auch in den Dörfern geänderte Vorstellungen von Hygiene Einzug gehalten haben. Im Wohnraum fällt ein weiteres architektonisches Gestaltungselement auf. Bedingt durch den erkerartigen Vorbau im Erdgeschoß entsteht im Inneren ein Sitzplatz mit etwas niedrigerer Decke. Vielleicht hat hier Wienkoop auf norddeutsche Vorbilder zurückgegriffen, zumal er die Wände dieses Raumes hat vertäfeln lassen. In den norddeutschen Hallenhäusern kommt dieses als „Katschur" bezeichnete Element in den älteren Hausformen häufiger vor. Die Übernahme durch Wienkoop ist nicht als Attitüde, als Einzelfall zu bewerten. Der Erker in quadratischer, rechteckiger oder mehrenteils in abgekanteter Form wurde zum signifikanten Erscheinungsbild der (Land-) Häuser des Heimatstils, der bis in die dreißiger Jahre nachwirkte. Aus dem Wohnraum auskragende Sitzplätze mit abgehängten Decken gehörten zum Raumprogramm vieler Zeitgenossen romantischer Gestimmtheit. So finden wir gleich mehrere Elemente dieser Art im 1922 entstanden Haus des Aschaffenburger Kunstsammlers Anton Kilian Gentil (1867 –

1951), welches er zur Aufnahme seiner umfangreichen Sammlungen bestimmt hatte[24].

Ganz anders stellt sich die Einrichtung des Zweifamilienhauses dar, welches der Bensheimer Architekt Georg Metzendorf für die Firma Dörr & Reinhart/Worms errichtet hatte. Im Äußeren zeigt es verwandte Züge zum Haus von Wienkoop. Im Inneren ist es wesentlich sachlicher gestaltet, wenn auch rustikale Gestaltungsformen, wie die Holzdecken, deren Unterzüge auf derben Pfosten ruhen, ins Auge fallen. In der Küche bemerken wir auf Borden über dem Herd abgestellt, Keramik von Anton Nikolay, einem Töpfer aus Roßdorf bei Darmstadt. Typisch sind die „geflatterten" Schüsseln und Henkelschälchen sowie die Krüge und Terrinen mit Streifenmustern auf dunklem Grund. Auch hier ein heimatlicher Bezug, ein Rückgriff auf Bodenständiges und Unverfälschtes. Im Gegensatz zu Walbe und Sutter – wie wir noch sehen werden – dürfte Metzendorf den Hersteller dieser reizvollen ländlichen Keramik nicht persönlich gekannt haben: er bezog diese Stücke von dem Darmstädter Einrichtungshaus für Haushaltswaren Louis Noack, welches über ein äußerst reichhaltiges, gutsortiertes Angebot verfügte.

Am konsequentesten hat die Intention der Ausstellung von 1908 jedoch Conrad Sutter umgesetzt. Damit kommen wir auch zu einer rätselhaften und schillernden Persönlichkeit im Umfeld der Mathildenhöhe. Sutter hat neben dem Oberhessenhaus aus Privatmitteln ein von ihm entworfenes und eingerichtetes Haus vorgestellt: „auf eigene Verantwortung des Künstlers", wie es im Ausstellungskatalog heißt. Es drückt etwas von der Eigenwilligkeit des Architekten aus, der sich durchaus nicht von den Protagonisten der Künstlerkolonie hat vereinnahmen lassen wollen. Folglich blieb die Kritik an seiner Arbeit nicht aus: es sei ein „schüchterner Versuch einer einfach gediegenen bürgerlichen Zimmereinrichtung"[26].

Schaut man sich auf zeitgenössischen Fotos das Haus Sutter näher an, so wird man erkennen können, daß hier – zumindest im Äußeren noch am deutlichsten die Stilelemente zu erkennen sind, die wir gemeinhin mit dem Jugendstil verbinden: aufgelöste Dachflächen, unterschiedliche Stockwerksebenen usw. Im Inneren hat Sutter jedoch ein funktionales Haus vorgestellt, dessen Inneneinrichtung durchweg von ländlichen Handwerkern, vorab des Odenwaldes, gearbeitet wurde. Wie kein anderer Vertreter der Mathildenhöhe des Jahres 1908 hat er das Ziel, heimisches Handwerk und Gewerbe einzubeziehen, verwirklicht. Und er kannte sie alle, die Handwerksbetriebe von Stühlinger in Reinheim für den Holzbau, die Holzwarenfabrik von Martin Ritter in Brensbach, die Korbflechterei von Heinrich Eggers in Beerfelden, die Schildpattfabrik von G. F. Heim in Ober-Ramstadt, die Möbelwerkstatt von G. W. Heil in Fränkisch-Crumbach u.v.a. Sutter hat mit seiner Präsentation dem (internationalen) Publikum die Augen geöffnet für das wirklich bodenständige Handwerk und Gewerbe, dessen Existenz durch die fabrikmäßig produzierenden Hersteller von Möbeln und Einrichtungsgegenständen in Bedrängnis geraten war. So mutet es anachronistisch an, daß sich die meisten Architekten und Künstler der Landesausstellung von 1908 gerade dieser Hersteller bedienten, die letztlich aufgrund der technischen und personellen Voraussetzungen in der Lage waren, alles und jedes nach den Wünschen der Auftraggeber zu liefern. Neben der Wohnungseinrichtung hat Sutter in separaten Räumen eine Präsentation „Hessischer Spielsachen" vorgenommen. Hier kommen wir zu einem weiteren Phänomen, welches so typisch für die Umbruchsituation von Kunst und Kunstgewerbe in dieser Zeit ist.

CONRAD SUTTER UND DIE „HESSISCHEN SPIELSACHEN"

Gehen wir etwas näher auf die Vita Sutters ein. Er wurde 1856 in Karlsruhe geboren, absolvierte dort später ein Studium der Architektur und ging 1885 nach Mainz, um dort als freischaffender Architekt einem Broterwerb nachzugehen. Im Rahmen der Planung der nordwestlichen Vorstadt fanden seinerzeit viele Architekten günstige Voraussetzungen für ihre Betätigung. Sutters besonderes Interesse galt aber der Stadtplanung. Hier war es vor allem die noch ausstehende Anbindung von Alt- und Neustadt im Rheinuferbereich, die sein besonderes Interesse weckte. Zahlreiche Entwürfe zur Stadtgestaltung aus seiner Hand fanden überregionale Beachtung und wurden in der Deutschen Bauzeitung und der Zeitschrift für Architektur und Ingenieurwesen publiziert. Dennoch blieb ihm die Umsetzung seiner Pläne und Vorschläge versagt. Mit seinem Bebauungsplan für den Bereich zwischen Schloß und neuer Christuskirche errang er bei einem Wettbewerb einen beachtlichen 2. Platz hinter Friedrich Pützer aus Darmstadt. Erhalten hat sich von ihm im Stadtpark von Mainz das Denkmal für das XI. deutsche Bundesschießen von 1894 in Form eines von Löwen flankierten neobarocken Obelisken. Sutter war in seiner Mainzer Zeit dem noch vorherrschenden Historismus verhaftet. Bereits in seiner Studienzeit hatte er sich eingehend mit der mittelalterlichen Baukunst des Abendlandes befaßt und das beachtenswerte „Thurmbuch" (Berlin 1888/1895) herausgegeben, wozu er alle Zeichnungen selbst anfertigte. Um diese sorgfältigen Arbeiten ausführen zu können, sind sicherlich zahlreiche Auslandsaufenthalte notwendig gewesen. Sie zeigen jedenfalls sein besonderes Können auf diesem Gebiet, weswegen er wohl auch 1916 als Kriegsmaler an die Westfront berufen wurde, wo übrigens sein Sohn Hans, der ebenfalls sich als Maler betätigte, im selben Jahr fiel. In Mainz konnte Sutter keine größeren Neubauten ausführen, jedenfalls sind keine bekannt, die seine Handschrift tragen. „Vielleicht war es die unsichere, von starken konjunkturellen Schwankungen und Wechseln der historischen Moden gekennzeichnete Lage der Bauwirtschaft gegen Ende des 19. Jahrh., die Sutter veranlaßten, sich in der Folgezeit auf seine Begabung als Graphiker und Maler zu konzentrieren"[27].

Ab 1906 treffen wir Sutter auf Schloß Lichtenberg: als Aussteiger aus der bürgerlichen Gesellschaft. Er hatte sich im Schloß eingemietet und sich mit der Herstellung von künstlerisch wertvollen Holzspielwaren beschäftigt. Zu dieser Zeit gab es in den Dörfern rund um den Lichtenberg rund 40 kleine Handwerksbetriebe, die sich mit der Herstellung der „Odenwälder Gäulchen" befaßten, aber arg gegen die Konkurrenz aus Thüringen anzukämpfen hatten, da sie ihre Produkte selbst vermarkten mußten; das ausgeklügelte Verlegersystem und der Umschlag auf Spezialmessen fehlte. Diesem Umstand versuchte Sutter abzuhelfen, indem er versuchte, den dörflichen Handwerkern Vorlagen für die bessere Gestaltung ihrer Waren zu liefern. Nach seinen Vorlagen arbeiteten Michael Hörr, Philipp Becker und Georg Becker aus Niedernhausen. Ihre Arbeiten stellte Sutter 1908 auf der Hessischen Landesausstellung in Darmstadt vor[28].

Waren es finanzielle Schwierigkeiten oder das unstete Leben, daß Sutter schon bald den Lichtenberg verläßt? Wir wissen es nicht. 1909 schloß er mit der Fürstlich Löwenstein-Wertheim-Rosenbergschen Rentkammer in König einen Vertrag zur Nutzung eines großen Teiles der Burg Breuberg ab. Hier begann dann der eigentliche Aufschwung des Projektes „Hessische Spielsachen". Um seine formschönen und klaren Spielobjekte, die fast immer einen Bezug zu traditionellen Formen und

Motiven hatten, umsetzen zu können, warb er junge, talentierte Schnitzer aus der strukturschwachen Rhön an. Ganz im Geist der in Blüte stehenden Wandervogelbewegung lebte Sutter mit seinen jungen Mitarbeitern in einer Wohn- und Schicksalsgemeinschaft auf der Burg. Er selbst war mittlerweile 53 Jahre alt, stellte für die jungen Leute so etwas wie eine Vaterfigur dar. Entsprechend rigide waren seine Anforderungen, die er an die Lebensumstände seiner „Schutzbefohlenen" stellte: die jungen Schnitzer hatten nur sonntags Ausgang zur Kirche und durften sich am Nachmittag ein Bier in den Wirtshäusern von Neustadt leisten. Abends vor Dunkelheit mußten sie wieder auf der Burg sein. Das Leben auf der Burg war entsprechend karg – waschen mußte man sich im Burgbrunnen, ein Bad gab es nicht, und zum Schwimmen wurde im Sommer die Mümling aufgesucht. Dort trugen die Schnitzer auch ihre Wäsche hin, um sie auf einer großen Steinplatte zu klopfen und im klaren Wasser zu spülen. Entsprechend verunsichert mußte da die Bevölkerung auf das Leben und Treiben der Kommunarden auf der Burg reagieren. Die Männer der Dörfer fürchteten um die Tugend ihrer Frauen und Mädchen, wenn die „fremden Schnitzer" kamen. Insgesamt hatten es die jungen Leute schwer, Kontakt mit der einheimischen Bevölkerung zu bekommen. Dies änderte sich auch wenig, als Sutter ortsansässige Sattler und andere Handwerker mit Zulieferarbeiten für seine Spielsachen betraute[29].

Das Repertoire der Spielsachen, die auf der Burg Breuberg hergestellt wurden, umfaßte neben dem bekannten Odenwälder Gäulchen mit und ohne Wagen, Spielzeugfiguren, Odenwälder Landleute in Tracht, die Arche Noah mit einer Unzahl von Tieren, Gefährte mit besonderer Bestimmung, wie einen Geschirrwagen eines hausierenden Töpfers, aber auch Eisenbahnen und Steckenpferde. Ein Steckenpferd wurde „vom Großherzog" angekauft, der später sogar das Protektorat über die „Hessische Spielwaren-Manufaktur" übernahm. Doch auch auf der Burg Breuberg war Sutter keine längere Bleibe vergönnt. Nach einem kurzen Intermezzo auf der Veste Otzberg, das daran scheiterte, daß die Gruppe der Schnitzer in dem maroden Bandhaus nicht wohnen konnte und im Städtchen Hering bei verschiedenen Familien unterkommen mußte, suchte Sutter sich die „Hahnmühle" bei Pfungstadt als Domizil aus. Ab 1914 ist er mit seinen Schnitzern dort nachweisbar. Hier begann nun der eigentliche Aufschwung des Unternehmens, zumal es Sutter gelungen war, die für den Umschlag der Produkte so wichtigen Märkte und Messen zu erobern. Ein Aufsatz in der „Deutschen Kunst und Dekoration", Darmstadt, 1914, machte ihn und seine Produkte über die engeren Grenzen hinaus bekannt. Die beigegebenen Abbildungen bezeugen aber auch eine Weiterentwicklung im Schaffen des Künstlers, die vom Spielwert her nicht unbedingt positiv zu beurteilen ist. Wir sehen hier ganze Spiellandschaften mit reicher Staffage, Figuren aus Holz geschnitzt, farbig gefaßt und die Kleider mit Stoffen oder Papier kaschiert, im Stile der Rhöner Wackelfiguren um 1800. Das Landleben wird stilisiert, das Auto als Errungenschaft der neuen Zeit wird nicht als Gegensatz empfunden, sondern wird in die romantisch-verklärte Szenerie einbezogen. Diese manierierten Arrangements stellen Gesamtkunstwerke dar, und wenn ein Kind damit spielen, also Veränderungen in der Anordnung vornehmen würde, wäre sie zerstört. Mit den Kriegsereignissen kam die Spielwarenproduktion in der Hahnmühle zum Erliegen. Sutter hat später an die früheren Erfolge nicht mehr angeknüpft, er starb 1927. Sein Schüler Carl Möller setzte für eine gewisse Zeit in Pfungstadt die Produktion der hessischen Spielwaren fort, ohne tragfähigen wirtschaftlichen Erfolg. Er war dann in verschiedenen Betrieben tätig, bis er dann 1926 in die Firma H. Richard Oehme in Grünhainichen eintrat und auf Wunsch der Firmenleitung charaktervolle Holzspielwaren im Stile Sutters arbeitete[30].

Nur kurz waren die Ansätze einer künstlerisch ambitionierten Spielwarenproduktion in dem Vogelsbergdorf Bermutshain, wo traditionell schon seit Jahrzehnten hölzerne Gebrauchswaren, wie Rechen, Besen, Schindeln, Löffel usw. im Hausgewerbe verfertigt wurden. Hier lieferten Lehrer und Künstler die Vorlagen, nach denen die Dorfhandwerker arbeiten sollten. Zum Kreis der Vorbild gebenden Künstler gehörten u.a. Daniel Greiner (1872–1943) und Hermann Pfeiffer (1883–1964), der in der Jugendbewegung als Illustrator eine große Rolle spielte und z. B. die Titelfigur des „Zupfgeigenhansel" schuf[31]. So rühmlich wie auch die Förderung des heimischen Kunsthandwerks anzusetzen war, so fragwürdig war jedoch der Weg, weil man durch die Lieferung von Vorlagen, die der Handwerker ohne eigene Gestaltungsmöglichkeiten umzusetzen hatte, ihn zum reproduzierenden Heimarbeiter degradierte.

DIE FÖRDERUNG DER TÖPFEREI

Von einem hessischen Gewerbe kann von einer direkten Förderung und Beeinflussung durch die Bestrebungen der Mathildenhöhe berichtet werden. Es ist die bodenständige Töpferei, die meist in kleinen Handwerksbetrieben ausgeführt wurde. Aufgrund der regional bestimmten reichen Tonvorkommen hat das Töpfergewerbe in Hessen in den vergangenen Jahrhunderten eine nicht zu unterschätzende Rolle gespielt. Dort, wo die guten Tonlager anzutreffen waren, haben sich ganze Töpferzentren konzentriert. In Hessen-Darmstadt gab es 1860 insgesamt 185 Töpferbetriebe, deren Zahl um das Jahr 1910 auf 89 geschwunden ist. Auf den Bereich des Odenwaldes entfielen 1860 96 Töpfereien und 1910 48, also jeweils die Hälfte der Gesamtzahl im Großherzogtum Hessen[32].

Töpferzentren waren im nördlichen Odenwaldvorland Urberach, Eppertshausen, Münster und Dieburg. Mit jeweils ca. 20 Töpfereien in Urberach und Eppertshausen um die Jahrhundertwende war dies die mit Abstand betriebsreichste Region mit dem größten Produktionsausstoß. Daneben spielten die Töpfereien in Roßdorf und Spachbrücken, die ebenfalls eine Gruppe für sich bildeten, eine untergeordnete Rolle. Im mittleren Odenwald gab es dann eine weitere Konzentration von Töpferorten, die sich wie ein Band entlang des Mümlingtales zogen, mit Beerfelden im Süden über Erbach und Michelstadt nach (Bad) König und Breitenbrunn im Norden. Die zahlenmäßig so beachtliche Dichte an Töpfereien im Odenwald und in Südhessen brachte naturgemäß strukturelle Schwierigkeiten mit sich. Die Töpfer machten sich gegenseitig Konkurrenz und wurden zudem noch durch das Aufkommen anderer (billigerer) Materialien, wie Steingut, Emaille und Blech, aus denen fabrikmäßig Küchen- und Gebrauchsgefäße hergestellt wurden, bedrängt. Die Töpfereien in Urberach und Eppertshausen haben dem Druck temporär durch billige Erzeugnisse entgehen können, d.h. durch Massenproduktion und Vernachlässigung des Dekors. Die übrigen Töpfereien produzierten in der Regel nur für einen kleineren Abnehmerkreis in ihrer Region. Die Topfmärkte, besonders der in Darmstadt, die Umschlagplätze für viele Töpfer, vornehmlich aus Roßdorf und dem Rodgau waren, wurden gegen Ende des 19. Jahrhunderts von Händlern mit Billigerzeugnissen aus Bunzlau und Königsbrück (Sachsen) überfrachtet[33].

Um dem notleidenden bodenständigen Handwerk Unterstützung widerfahren zu lassen, gab es schon Ende des 19. Jahrhunderts regionale Bestrebungen, die darauf zielten, den Töpfern anspruchsvollere Muster und Formen zu vermitteln, was letztlich auf andere Abnehmerkreise hinauslief. Zu diesem Zweck wurden Mustersammlungen angelegt, und die Kunstgewerbesammlungen, aus denen später die Kunstgewerbemuseen hervorgegangen sind, haben hier ihren Ursprung. Des weiteren wurden aber auch spezielle Kurse in den „Sonntagsschulen" der Handwerkerorganisationen angeboten.

Der Archivar des gräflich erbachischen Gesamthauses, Karl Morneweg (1856–1935) veranlaßte den Erbacher Töpfer Müller, ab 1891 Kunsttöpfereien herzustellen „was nicht leicht war". „Da für sie im Vaterland noch kein Bedarf war, wurden die Erzeugnisse meist nach England abgesetzt"[34].

So sehen wir dann auch in dem prächtigen Bildband von Friedrich Maurer eine Werkstattaufnahme aus Erbach und können ganz deutlich die Musterzeichnungen im Hintergrund an der Wand erkennen. Es sind Dekorationswaren mit historisierenden Stilmerkmalen: „altdeutsche Keramik", wie Morneweg sie gemeint hat. In diese Zeit müßte auch die Beachtung der Töpferwaren aus Spachbrücken fallen, deren schwarzbraun glasierte Gebrauchskeramik der Erzähltradition zufolge vom hessischen Fürstenhaus besonders geschätzt war. Ganze Service sollen seinerzeit zum Zarenhof nach Rußland geschickt worden sein, zu dem ja das hessische Fürstenhaus verwandtschaftliche Beziehungen hatte [35].

Im ersten Jahrzehnt unseres Jahrhunderts ist dann eine gezielte Förderung einzelner Töpferpersönlichkeiten im Odenwaldbereich festzustellen. Dies geschah durch die Stipendien zum Besuch der Töpferfachschule inLandshut. Davon partizipierten der Urberacher Töpfer Valentin Braun (1881–1964)[36] und wohl auch Friedrich Rudolph in Breitenbrunn (1870 – 1951). Dessen Sohn, der im Ersten Weltkrieg gefallen ist, besuchte die Kunstgewerbeschule in München[37]. Der Urberacher Töpfer Thomas Huther besuchte die Kunstgewerbeschule in Offenbach a.M. In den genannten Einrichtungen und Studienorten bekamen die jungen Leute das vermittelt, was als Kunst der Zeit angesehen wurde. So verwundert es nicht, daß diese Töpfer mehr oder minder ausgeprägte Zierformen des floralen Jugendstils in ihr Repertoire aufnahmen. Ganz deutlich ist dies bei Valentin Braun/Urberach und bei Friedrich Wilhelm Walther (1856 – 1942) aus Michelstadt, ab 1908 (Bad) König, zu bemerken[38]. Besonders ein Motiv wurde über eine ganze Reihe von Jahren immer wieder von den Töpfern gemalt: die von dem Jugendstilkünstler Hans Christiansen (1866 – 1945) entwickelte Rose („Christiansen-Rose"). Durch ihre Ausbildung waren die Töpfer aus der großen anonymen Masse ihrer Berufskollegen herausgehoben worden; es wurde ihnen ein bis dahin unbekanntes Gefühl vermittelt, nämlich, nicht einfach Töpfer, sondern Künstler zu sein! Entsprechend diesem Anspruch signierten sie auch einen Großteil ihrer Keramiken, denen sie somit eine ganz andere Aura verliehen. Die Signaturen wurden entweder freihand auf dem Boden der noch ungebrannten Keramiken eingekratzt, oder man benutzte einen Stempel. So signierte Valentin Braun ab 1908 mit „VB" (Valentin Braun) und ab ca. 1915, als er sich einen Stempel schneiden ließ, mit „VBU" (Valentin Braun Urberach). Friedrich Wilhelm Walther signierte mit „FWK" (Friedrich Walther König), und Friedrich Rudolph benutzte einen Stempel, der in einem quadratischen, abgefastenRahmen die Buchstaben „F.R.B.i./O." (Friedrich Rudolph Breitenbrunn im Odenwald) zeigte. Die Töpfer Walther und Rudolph hatten zudem noch freundschaftlichen Kontakt zum

Heimatmaler Georg Vetter (1891 – 1969), der gelegentlich Wandteller und große Vasen mit Märchenmotiven in Scherenschnittmanier bemalte. Solcherart gestaltete Keramiken fanden ein ganz neues Publikum, besonders als die Töpfer Valentin Braun (Urberach), Ludwig Bauer (Lauterbach), Georg Gerbig (Schlitz), Thomas Huther (Urberach), Ludwig Keßler (Wieseck) ihre kunstgewerblichen Keramiken auf der Landesausstellung 1908 in Darmstadt zeigen konnten. Diese Stilformen hielten sich teilweise bis in die dreißiger Jahre, wenn auch in vereinfachter und abgewandelter Form. So z.B. auf den Bildern des Odenwaldmalers Johannes Lippmann (1858 – 1935), der ab 1908 seinen Wohnsitz von Offenbach nach Lichtenberg verlegte, sich dem ländlichen Genre zuwandte und mehrfach heimische Töpfer in seinen Ölbildern und Pastellen festhielt.
Während in der Folgezeit der Töpfer Valentin Braun in Urberach fast jede Stilphase in sein Programm aufnahm und zeitweise mit seiner Töpferei zu den produktionsstärksten Betrieben in Hessen zählte, blieben die Töpfereien von Walther und Müller und Dönig weitestgehend ihrem Musterschatz treu, der sich in den zwanziger Jahren herausbildete und bis in die jüngste Zeit beibehalten wurde.
Bei den Berufskollegen, die mangels notwendiger Fertigkeiten oder Stilempfinden der überlieferten anspruchslosen Gebrauchskeramik verhaftet blieben, entstand vielfach Neid und Mißgunst den arrivierten Töpfern gegenüber. Gleichzeitig fand eine Selektion des Abnehmerkreises der kunsthandwerklichen Keramik statt. Es waren nicht mehr die Bauern und kleinen Leute in der Provinz, die sich der handgearbeiteten Keramik bedienten, sondern zunehmend das Bildungsbürgertum, welches solcherlei Erzeugnisse zu Dekorationszwecken benutzte.
Die geschilderten Töpfereien konnten sich trotz mancherlei Widerwärtigkeiten bis in die jüngste Zeit erhalten. Die Nostalgiewelle vor fünfzehn bis zwanzig Jahren brachte der bodenständigen Keramik noch einmal ungeahnte Beachtung und Anerkennung, bis auch diese abflaute, was wiederum einige Töpfereien zum Aufgeben veranlaßte. Nur die Töpferei von Müller und Dönig in Erbach kann eine ungebrochene Kontinuität ihrer kunstgewerblichen Erzeugnisse vom Beginn des Jahrhunderts bis in unsere Tage für sich beanspruchen.

VOLKSKUNST UND HEIMATKUNST – IHRE DEFINITION UND FÖRDERUNG

Auf den ersten Blick verwundert es, wenn wir feststellen, daß Hans Christiansen (1866 – 1945), neben Olbrich an Bedeutung gleichrangiges Mitglied der Darmstädter Künstlerkolonie von 1899 – 1902, sich in dem Findungsprozeß neuer künstlerischer Ausdrucksweisen um „Volkskunst" Gedanken macht und seine Überlegungen auch in dem Aufsatz „Die Volkskunst" 1900 zu Papier bringt. Bereits 1899 beteiligte er sich an der Ersten Darmstädter Kunst- und Kunstgewerbeausstellung und zeigte darüber hinaus im Gewerbemuseum eine Einzelausstellung seiner Werke. Freilich geht Christiansen bei seiner Definition von Volkskunst nicht von ethnokulturellen Ansätzen aus. Bei der Umsetzung seiner künstlerischen Intentionen knüpft er nicht so sehr an vorhandene Traditionen an, sondern macht sich Gedanken, wie die Ansprüche der Mitglieder der Künstlerkolonie mit ihren formalen Gestaltungsprinzipien „volkstümlich" übertragen werden könnten. Diese Adaption sollte unabhängig „von Tradition und Stilnachahmung der Gegenwart sein (sic.), sie sollte eine Kunst sein, die allem Volke diene, der aber alles Volk huldige ... Eine Kunst gegründet auf drei einfache unumstößliche engverbundene Stützen, auf Einfachheit, Natur, Poesie ... das ist die Kunst der Zukunft, ... die Kunst, zu deren Erblühen jedermann vom bewunderungswürdigsten Künstler bis zum einfachsten Handwerker beitragen kann und sollte"[39].

Dem „echten, rechten, edlen Kunsthandwerk" wies er die Rolle zu, von der er glaubte, daß sie in der Lage sei, die zeitgenössische Kunst „von dem Luxus, dem Zopf und Philistertum zu befreien, um zu einer edlen, grunddeutschen Volkskunst" zurückzukehren. Diese Haltung ist in erster Linie als Auflehnung und Protest gegen die zusehends an Einfluß gewinnende Industriekultur zu verstehen, von der man befürchtete, sie münde in eine Vermassung und kulturelle Verarmung der Gesellschaft. Christiansen hat sich dieser Forderung jedoch nie selbst gestellt und sich letztlich gar diesem Prozeß entzogen, als er nach einer ungemein produktiven Phase sich 1911 in Wiesbaden niederließ und sich ganz auf die Malerei beschränkte, bis ihm die Nationalsozialisten schließlich ein Malverbot auferlegten[40]!

Neben diesen Ansätzen ist die volkskundliche Wissenschaft zu sehen, die gegen Ende des 19. Jahrhunderts besondere Wertschätzung genoß, was in den kurz aufeinanderfolgenden Gründungen entsprechender Vereine in Landesverbänden abzulesen ist:Berlin 1890, Bayern 1894, Sachsen und Hessen 1897. Der Gießener Germanist Albrecht Dietrich (1866 – 1908) hat in seinem Beitrag in den „Hessischen Blättern für Volkskunde" 1902 „Über Wesen und Ziele der Volkskunst" den damaligen Wissensstand und wissenschaftlichen Ansatz formuliert. Neben dem Fach „Volkskunde" hat sich aber auch die „Soziologie" mit Forschungsgegenständen befaßt, die bislang der volkskundlichen Betrachtung unter ganz eigenen Blickrichtungen vorbehalten war. So gab es 1908 in Frankfurt eine vielbeachtete „Heimarbeiterausstellung", die Grundlage für umfangreiche Feldforschungen namhafter Wissenschaftler und Heimatkundler unter Leitung des Frankfurter Soziologen Paul Arndt war[41].

Diese verschiedenen Ansätze praxisbezogen anzuwenden versuchte Daniel Greiner (1872 – 1943) mit der 1907 ins Leben gerufenen Zeitschrift „Die Kunst unserer Heimat-Mitteilungen der Vereinigung zur Förderung der Künste in Hessen und im Rhein-Maingebiet", die unter dem Protektorat der Großherzogin stand. Greiner studierte von 1891 bis 1896 in Gießen Theologie und Philosophie und war von 1897 – 1901 Rektor der Volksschule und Pfarrer der ev. Gemeinde in Schotten. Wegen inhaltlicher Differenzen mit der Kirchenbehörde schied er aus deren Diensten aus, wandte sich einem anderen Beruf zu und wurde Bildhauer, nachdem er eine entsprechende Ausbildung in Berlin erhalten hatte. Man muß wieder den vielzitierten „Zeitgeist" beschwören, um die schillernde Vita Greiners verstehen zu können, denn dieser Schritt war nach bürgerlichem Verständnis nicht unbedingt nachzuvollziehen. Wie der vorne beschriebene Sutter gehört er zu einer ganzen Reihe von „Aussteigern", die in der hoffnungsvollen und virulenten Zeit des Umbruchs zu Beginn dieses Jahrhunderts nach anderen Lebensformen und Ausdrucksmöglichkeiten gesucht haben. Auf Fürsprache Olbrichs wurde Greiner 1903 an die Künstlerkolonie in Darmstadt berufen, nahm 1904 an der zweiten Ausstellung teil. 1906 verließ er aber bereits die Künstlerkolonie und eröffnete in Jugenheim eine Werkstätte für Grabmalkunst. Über die Gründe seines Wegganges von der Mathildenhöhe können wir nur mutmaßen. Ein Motiv erschließt uns die Lektüre seiner Zeitschrift „Die Kunst unserer Heimat". Das nicht formulierte Programm dieses Organs befaßt sich hauptsächlich mit Beiträgen über das Schaffen heimatgebundener Künstler, Vorstellung zeitgenössischer Architektur und Bildhauerkunst, belletristischen Beiträgen zeitgenössischer Literaten und Länderbeschreibungen. Es fällt auf, daß die wichtigen Persönlichkeiten der Künstler-

kolonie dabei nie beachtet und behandelt werden! Dafür aber solche, die in das Bild Greiners von Kunst und Heimat passen: die Maler Carl Bantzer , Heinz Heim, Richard Hoelscher, der Grafiker Otto Ubbelohde, die zu Unrecht vergessenen Bildhauer Robert Cauer und Georg Busch, der Kunstgewerbler J.V. Cissarz u.a.
Nachzutragen ist, daß Daniel Greiner zudem bekannt wurde durch die 1932 gedruckte Greiner-Bilderbibel. Außerdem war er von 1922 – 1928 als Vertreter der Unabhängigen Sozialisten im hessischen Landtag[42].
Es erhebt sich die Frage, welche Rolle das hessische Fürstenhaus selbst in diesem Prozeß heimatlicher Identifikation spielte. Großherzog Ernst-Ludwig selbst stand im innersten seines Wesens den internationalen (nivellierenden) Kunstströmungen wesentlich näher als einer an Bodenständigkeit verhafteten regionalen Kultur[43]. Demgegenüber steht Großherzogin Eleonore (1871 – 1937) von Solms-Hohensolms-Lich, von den Darmstädter Untertanen liebevoll-respektlos das „Licher Lorchen" genannt, für Heimat und Heimatverbundenheit. Dies kommt in ihrem karitativen Engagement zum Ausdruck, welches sie in die würdige Reihe anderer Frauen aus dem hessischen Fürstenhaus stellt.
Der Großherzog war nie „volkstümlich", den Kontakt mit dem Volk hat er zwar nie gemieden, aber auch nie gesucht. Anders die Großherzogin, die bei ihren zahlreichen Landesbereisungen, besonders in ihre oberhessische Heimat, gelegentlich eine Tracht (Rabenauer Tracht)[44] anlegte, um so die Verbundenheit mit Land und Leuten zu dokumentieren. Eine solche kostümliche Reverenz an Land und Landesart, die in den Herrscherhäusern Bayerns und Österreichs gang und gäbe war, wäre Ernst Ludwig nie in den Sinn gekommen.

HEIMATMUSEEN UND HEIMATBEWEGUNG

Die Bedeutung der Heimatbewegung als Ausdruck des Zeitgeistes vor dem Ersten Weltkrieg manifestiert sich schließlich auch in der schnellen Folge von Museumsgründungen in Südhessen und im Odenwald. So hat der Reformpädagoge Heinrich Eidmann um das Jahr 1906 das erste „Heimatmuseum" in Niedernhausen unterhalb des Schlosses Lichtenberg gegründet, welches allerdings in den Wirren des Krieges wieder aufgelöst wurde. 1909 wurde das Museum in Bensheim von Karl Henkelmann, Oberlehrer am Gymnasium in Bensheim, eingerichtet. Die Museen in Michelstadt und Dreieichenhain folgten 1910. Außerhalb des hessischen Odenwaldes ist das Museum in Buchen zu nennen. 1910 entstand das Darmstädter städtische Museum, zunächst in dem der Stadt vermachten Bürgerhaus der Brüder Schneider (Joh. Wilhelm Schneider, genannt „Bücherwurm" und Johann Gottfried Schneider, genannt „Knopp-schneider"[45]). Das Museum in Reinheim 1911 bildete den vorläufigen Abschluß dieser raschen Entwicklung musealer Einrichtungen. Alle diese Museen suchten die in Auflösung begriffenen Lebensformen ländlicher Kultur zu konservieren, und so finden wir in allen genannten Museen museale Inszenierungen von Bauernküchen und Bauernstuben, am klarsten und konsequentesten allerdings im Bensheimer Museum durch Karl Henkelmann realisiert. Das Darmstädter städtische Museum verfügte über eine „Odenwaldabteilung", deren Bestände auf den Sammeleifer des Sanitätsrates Friedrich Maurer (1852 – 1939) zurückzuführen sind. Maurer ist einer der ganz wichtigen Vertreter der Heimatbewegung im Odenwald gewesen. Mit seiner Kamera zog er unentwegt durch den Odenwald, um Zeitzustände vergehenden Handwerks, bäuerlicher Lebens- und Wirtschaftsweise einzufangen. In den über 900 Fotografien hat er uns Dokumente von unschätzbarem Wert

Hessische Landesausstellung 1908. Blick auf die Ausstellungsgebäude. Obere Häuserzeile Mitte: Haus von Conrad Sutter.

Erzeugnisse des Töpfers Friedrich Wilhelm Walther, um 1910.
(Fotoarchiv: Sammlung zur Volkskunde in Hessen, Museum Otzberg).

Hessische Landesausstellung 1908. Arbeiterhaus, konzipiert und eingerichtet von Prof. Hch. Walbe. (Fotoarchiv: Sammlung zur Volkskunde in Hessen, Museum Otzberg).

Hessische Landesausstellung 1908. Inneneinrichtung des Arbeiterhauses von Prof. Walbe. (Fotoarchiv: Sammlung zur Volkskunde in Hessen, Museum Otzberg).

Arche Noah 60 cm lang mit 11 menschlichen Figuren und 38 Tieren M. 27.–

Aus: „Die Kunst unserer Heimat, 1910".

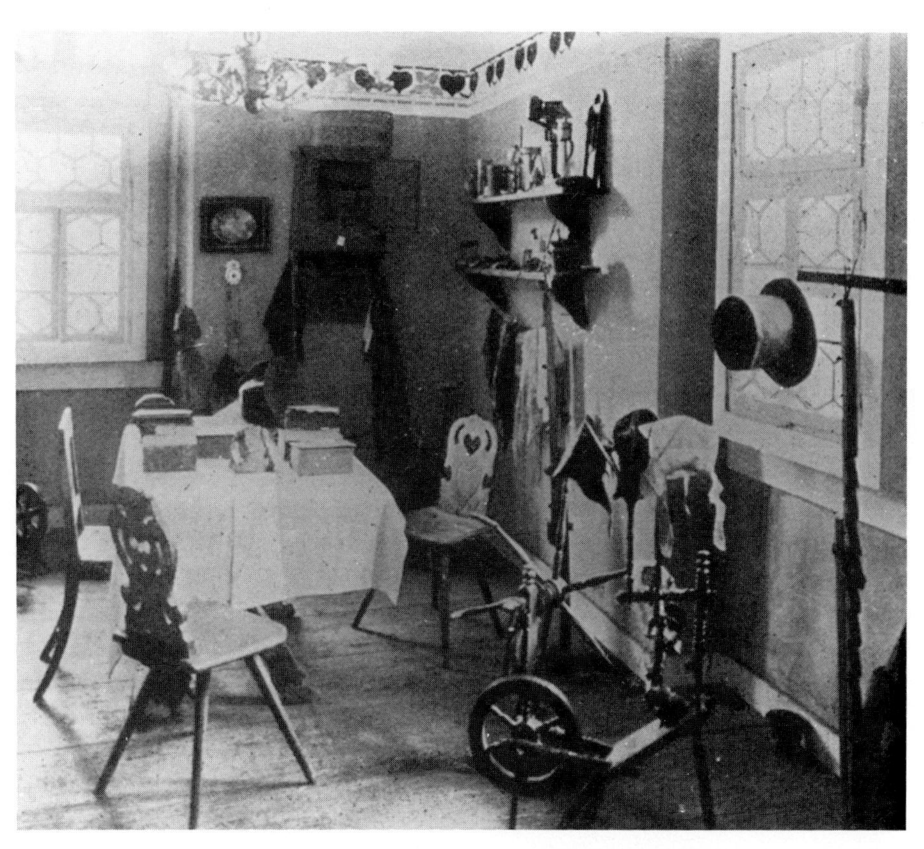

Stube im Heimatmuseum Niedernhausen.
(Aus: Lichtenberg im Odenwald, Führer und Karte der Umgebung, Darmstadt, o.J., um 1910).

Töpfer Valentin Braun (1909) bei der Herstellung von Jugendstilkeramik.
(Fotoarchiv: Sammlung zur Volkskunde in Hessen, Museum Otzberg).

hinterlassen, wenngleich einige von ihm aufgenommene Zustände schon nicht mehr real waren, sondern für die Zwecke Maurers inszeniert werden mußten. Schon 1907 veröffentlichte er eine Mappe von 25 Bildern, als erstes Ergebnis seiner Streifzüge durch den Odenwald. 1914 legte er dann den wichtigen Bildband „Unser Odenwald" vor, der als Nachdruck 1981 noch einmal erschienen ist[46].
Maurer sammelte aber auch nahezu alles, was ihm für die Dokumentation der ländlichen Kultur notwendig erschien. So entstand eine umfangreiche Kollektion, die eine scheinbar lückenlose museale Umsetzung ermöglichte. War bereits im ersten Domizil die Odenwaldabteilung didaktisch aufbereitet, so konnte die Präsentation nach Verlegung von Stadtmuseum und Odenwälder Bauernmuseum, wie die früher anhängende Abteilung nunmehr genannt wurde, in das Pädagog 1933 als für ihre Zeit mustergültig bezeichnet werden. Neben einer ländlichen Wohnung waren Handwerkerstuben zu sehen (Siebmacher, Schindelmacher, Besenbinder, Töpfer, Nagelschmied, Schuster, Buchbinder, Gerber u.a.).
Die bedeutsame Odenwaldsammlung und ihre beispielhafte Darstellung waren wohl auch ein Grund dafür, daß das Großherzogliche Landesmuseum in Darmstadt die Volkskunde vernachlässigen konnte, und da wo schwache Ansätze zu erkennen sind, die zeitgleich mit der Installierung des Odenwaldmuseums fallen, beschränkte man sich räumlich auf die Provinz Oberhessen, wobei man auch hier dann museale Inszenierungen installierte („Oberhessisches Bauerzimmer").
Waren die Heimatmuseen als Bildungsfaktor im Sinne der Heimatbewegung zu verstehen, so gab es nur bedingt Wechselwirkungen zwischen Museum und Handwerk, wenngleich einige der Museumsgründer, die „Volksbildner" im echtesten Sinne waren, nämlich Heinrich Eidmann, Karl Henkelmann und Franz Como, sich sehr um die Förderung des bodenständigen Handwerks gekümmert haben. Diese Aufgabe übernahm das Darmstädter Gewerbemuseum des großherzoglichen Gewerbevereins, welches seine Präsentation als Vorbildersammlung und technische Mustersammlung verstand. Die Verantwortlichen des Museums hatten nämlich nicht nur kunstgewerbliche Altertümer gesammelt, sondern kauften auch wichtige Erzeugnisse des Kunstgewerbes an, die anläßlich der großen Darmstädter Ausstellungen von 1901, 1908 und 1914 zu sehen waren. Leider war dieser für die Förderung des heimischen Handwerks so wichtigen Einrichtung kein dauerndes Bestehen beschieden. Es wurde 1930 von der hessischen Regierung im wahrsten Sinne des Wortes „liquidiert" und ein Großteil der Exponate dem Landesmuseum einverleibt, wo sie entweder im Magazin verschwanden oder unter anderen didaktischen Zielsetzungen die Sammlungen anreicherten.

RESÜMEE

Der Jugendstil hat sich in seiner Spätphase selbst überlebt. Elemente lebten in verflachter Form im „Heimatstil" bis in die dreißiger Jahre fort. Der Heimatstil bedingte aber auch ab den zwanziger Jahren eine Hinwendung zur Deutschtümelei und zum Pathos. In der Baukultur standen sich Geborgenheit suggerierender „ländlicher Stil" und ins Monumentale gesteigerte Denkmalhaftigkeit gegenüber. Sichtbares Zeichen ist die ab 1907 von Wienkoop erbaute Wachenburg eine neoromanische Anlage neben der mittelalterlichen Ruine Windeck bei Weinheim. Hier sind Tendenzen zu erblicken, die einige Jahre später von den Nationalsozialisten ohne ideologische Schwierigkeiten vereinnahmt werden konnten[49].

Linteraturhinweise und Anmerkungen

1. Siehe hierzu: **Bernd Krimmel** u.a., Ein Dokument Deutscher Kunst 1901, Ausstellungskatalog zur gleichnamigen Austellung (5 Bände), Darmstadt, 1976.

   Klaus Wolbert u.a., Museum Künstlerkolonie Darmstadt, o.J. (1989).

   Eva Reinhold-Postina, Die Jugendstiljahre, aus der Reihe Darmstädter Architekturgeschichte, Band 3, Darmstadt, 1991.

2. **Prinz Ludwig von Hessen**, Die Darmstädter Künstlerkolonie, Darmstadt, 1950, S. 20.

3. **Sigrid Randa**, Alexander Koch, Publizist und Verleger in Darmstadt, Reformen der Kunst und des Lebens um 1900, Worms, 1990.

   Gerd J. Grein, Tapetengeschichten aus Frankfurt und Hessen, Heft 31 der Schriftenreihe Sammlung zur Volkskunde in Hessen, Otzberg, 1991, S. 37.

4. Alexander Koch versteigt sich in seinen Lebenserinnerungen zu der Auffassung, er alleine habe den Jugendstil in Darmstadt kultiviert. Tatsächlich sind seine wichtigen Ansätze aber nur in dem von Ernst Ludwig vorbereiteten Klima zu verwirklichen gewesen.

5. Wie Anm. 2, S. 26.
6. Wie Anm. 2, S. 27.
7. **Bernd Krimmel** (Herausg.), Joseph Maria Olbrich, Ausstellungskatalog, Darmstadt, 1983, S. 6 siehe auch: **Eckhart G. Franz** (Herausg.), Erinnertes, Aufzeichnungen des letzten Großherzogs Ernst Ludwig von Hessen und bei Rhein, Darmstadt, 1983, S. 114 ff.
8. **Eckhart G. Franz**, Darmstadt – Bild einer Stadt, in: Werner Zimmer, Darmstadt ehemals, gestern und heute, Stuttgart, 1981, S. 15.
9. Zit. aus **Fritz Deppert** (Herausg.), Darmstädter Geschichte(n), S. 271.
10. Anm. 1, Band 4, Die Künstler der Mathildenhöhe, Ludwig Habich gilt als illegitimer Bruder Ernst Ludwigs.
11. **Annette Wolde**, Der ökonomische Hintergrund der Künsterkolonie, wie Anm. 1, Band 5, S. 49 ff.
12. Zit. nach **Eckhardt G. Franz** (Herausg.), Die Geschichte Hessens, Dortmund, 1991, S. 276.
13. **Klaus Honold**, Jugendstil als Prädikat für jeden Schnörkel, TH-Baumeister machten der Mathildenhöhe kräftig Konkurrenz, in: Darmstädter Echo, 16.1.1987.
    Siehe auch **Eva Reinhold-Postina**, wie Anm. 1, S. 8 ff.
14. **Margret Zimmermann-Degen**, Hans Christiansen, Leben und Werk eines Jugendstilkünstlers, Königstein, 1985, S. 20 (Vgl. auch Anm. 39).
15. Zit. aus: **Alexander Koch**, Hessische Landes-Ausstellung Darmstadt 1908, erweiterter Sonderdruck aus der Deutschen Kunst und Dekoration, Darmstadt, 1909, S. 18.
16. Wie vor.
17. Siehe **Hans-G. Sperlich**, Problemkreis Hochzeitsturm, in: Bernd Krimmel, Joseph Maria Olbrich, wie Anm. 7.
18. Frdl. Mitteilung von Dipl.-Ing. Arch. Frank Oppermann, Langen.
19. **Gerhard Seib**, Das „Schwälmerhaus" auf der Jubiläums-Gewerbeausstellung in Kassel 1905, in: Schwälmer Jahrbuch 1990, Schwalmstadt, S. 130 ff.
20. Siehe hier den Schriftverkehr mit Martha Silber wegen des Neubaues eines Wohnhauses in Bad Soden-Salmünster, abgedruckt in: **Krimmel**, Olbrich, wie Anm. 7, S. 381 ff.

21. Ludwig Kessler nahm durch seine kunstgewerblichen Arbeiten schon früh eine Sonderposition im Verband seiner Berufskollegen in Hessen ein, was nicht zuletzt im Spiegel der literarischen Behandlung zu verstehen ist; so z.B. **Franz Como**, Oberhessische Töpfereien, in: Die Kunst unserer Heimat, Giessen, 1907, S. 41 – 43, siehe auch: **Karl Baeumerth**, Der Kunsttöpfer Ludwig Kessler und die Wiesecker Töpferei, in: Hessische Heimat, Heft 3/4, 1983, S. 141 ff.

22. **Ulf Hard af Segergstad,** Der Carl Larsson-Hof, Stockholm, 1975.
23. Zit. aus dem Ausstellungskatalog: Illustrierter Katalog der Hessischen Landesausstellung für freie und angewandte Kunst, Darmstadt, 1908, S. 89 ff.
24. **Kati Wolf,** Das Gentil-Haus, Aschaffenburg, 1989.
25. Georg Metzendorf machte sich später durch den Bau der Arbeitersiedlung der Fa. Krupp „Margarethenhöhe" einen Namen. Hier hatte er sich der Hilfe Odenwälder Handwerker bedient: Für die Verschindelung der Giebelflächen der Arbeiterhäuser holte er den Schindler Pfeiffer aus Gadernheim nach Essen. Sein Bruder Heinrich Metzendorf (1866 – 1923) beauftragte für seine Landhäuser, die allenthalben an der Bergstraße und im Odenwald entstanden, verschiedentlich kleinere Handwerksbetriebe aus der Region. Frdl. Mitteilung von Dipl.-Ing. Arch. Frank Oppermann, Langen, der als erster Stadthistoriker von Bensheim den Metzendorf-Nachlaß bearbeitete. Siehe auch: **Bernd Ph. Schröder:** Landhaus und Jugendstilarchitektur an der Bergstraße, in : **W. Wackerfuß (Hrsg.)**, Beiträge zur Erforschung des Odenwaldes und seiner Randlandschaften III, Breuberg-Bund, Breuberg-Neustadt 1980, S. 259 ff.
26. **Alexander Koch,** wie Anm. 15, S. 491.
27. **Hans J. Böker** und **Heiner Sadler** in der Einführung zum Reprint des Thurmbuches, Düsseldorf, 1987.
28. Siehe Anzeige im Fremdenführer über Lichtenberg, o.J., um 1910. Hier ist zu entnehmen, daß sich Michael Hörr nach dem Weggang Sutters selbständig gemacht hatte.
29. Handschriftliche Lebenserinnerungen von Carolin Schaefer, Darmstadt, freundlichst zur Verfügung gestellt von Frau Rosemarie Beck, Mühltal; in diesem Zusammenhang danke ich auch Frau Eva Stille, Frankfurt/M., die mir ihre eigenen Forschungsunterlagen zu Conrad Sutter uneigennützig zur Verfügung gestellt hat.
30. Deutsche Spielwarenzeitung, Febr. II/1928 und handschriftliche Lebenserinnerungen von Carolin Schaefer, wie vor.
31. **Daniel Greiner,** Vorläufiges über unsere Vogelsberger Spielwaren, in: Die Kunst unserer Heimat, Heft 3/1908.
32. Zählung von **Friedrich Maurer,** in: Unser Odenwald, Darmstadt, 1914, Tabellen im Anhang.
33. **Alfred Höck,** Geschirrhändler in Beuern – aus der Sozialgeschichte eines oberhessischen Dorfes, in: Sammlung zur Volkskunde in Hessen, Heft 25, Otzberg, 1985, S. 6 ff.
34. **Karl Esselborn,** Ein Odenwälder Heimatforscher, in: Die alte Heimat, Heft 12, Mainz, 1929.
35. **Georg Spalt,** Spachbrücker Heimatbuch, Groß-Bieberau, 1968.
36. **Gerd J. Grein,** Der Kunsttöpfer Valentin Braun aus Urberach, in: Sammlung zur Volkskunde in Hessen, Heft 22, Otzberg, 1938.
37. **Walter Stolle,** Volkstümliche Keramik aus Hessen vom 18. Jahrhundert bis zur Gegenwart, Kassel, 1981, S. 121.
38. **Gerd J. Grein,** Vom „Baahawe" zum Vogelkrug, Die Odenwälder Töpferfamilie Walther und ihre Erzeugnisse, in: Hessische Heimat, Heft 3, Marburg, 1985, S. 140 ff.
39. **Margret Degen,** Hans Christiansen, Ein Beitrag zur Vielseitigkeit des Künstlertyps um 1900, in: **Bernd Krimmel,** Anm. 1, Band 5, S. 29 (Vgl. auch Anm. 14).
40. **Margret Zimmermann-Degen,** wie Anm. 14, S. 21.
41. **Paul Arndt,** Die Heimarbeit im rhein-mainischen Wirtschaftsgebiet, Monographien, herausgegeben im Auftrage des Wissenschaftlichen Ausschusses der Heimarbeiterausstellung Frankfurt a.M. 1908, 3 Bände, Jena, 1909 ff.

    Zur interdisziplinären Frage siehe auch: **Ingeborg Weber-Kellermann,** Deutsche Volkskunde zwischen Germanistik und Sozialwissenschaften, Stuttgart, 1979.

42. Die Vita von Daniel Greiner in: **Bernd Krimmel,** Anm. 1, Band 5, S. 73 ff.
43. Der Frankfurter Arzt und Kunstsammler Otto Grossmann beschwert sich in einem Artikel in der Hessen-Kunst, Marburg, 1908, S. 23, daß für das Darmstädter Landesmuseum „lieber mässige italienische Renaissance-Möbel" angekauft würden, dagegen aber seine Dauerleihgabe einer erstklassigen Münzenberger Truhe keine Berücksichtigung gefunden habe.
44. Diese Tracht wird im Schloßmuseum in Darmstadt verwahrt. Frdl. Mitteilung von Dr. Volker Illgen.
45. **Heinrich Eidmann,** Zur Einführung in das Darmstädter städtische Museum, in: Die Kunst unserer Heimat, Heft 2/1910.
46. Nachdruck 1981 mit einem Vorwort von **Karl-Ludwig Schmitt,** Rimbach. Vgl. hierzu auch **Otto Weber,** Altes Handwerk im Odenwald, Photographien von Sanitätsrat Friedrich Maurer 1907 – 1914, Saarbrücken, 1991.
47. **Adolf Müller,** Das Stadtmuseum im Pädagog zu Darmstadt, Darmstädter Adreßbuch, 1936.
48. **Otto Weber,** Das Gewerbemuseum in Darmstadt, in: **Bernhard Bott** (Herausg.), Von Morris zum Bauhaus, eine Kunst gegründet auf Einfachheit, Hanau, 1977, S. 183 – 216.
49. Frdl. Hinweis von Dipl.-Ing. Arch. Frank Oppermann, Langen, dem ich für den Bereich der Architekturgeschichte in diesem Artikel für regen Gedankenaustausch und viele Anregungen dankbar bin.

Friedrich Karl Azzola und Heinz Bormuth

Das Steinkreuz mit einer figürlichen Darstellung bei Rumpfen im Neckar-Odenwald-Kreis

Zugleich ein Beitrag zur Ikonographie des spätmittelalterlichen Hirten

Bei der Interpretation der figürlichen Darstellung auf einem der „Schäferkreuze" nahe Rumpfen (Abb. 1 und 2) hatte Gotthilde Güterbock[1] den Stecken und das Horn als Attribute der eingerillten figürlichen Darstellung aufgefaßt und sie deshalb als Hirte interpretiert, zu dessen Erinnerung das Steinkreuz einst angefertigt und gesetzt worden war. Damit hatte sie sich von Max Walters Deutung gelöst, der glaubte, „das Bild des gekreuzigten Heilandes zu erkennen"[2]. Offensichtlich hatte er die Bedeutung der beiden Attribute nicht erfaßt, wie man aus seiner Skizze schließen darf, die seinem Nachlaß entstammt[3] und auf der keines der beiden Attribute zeichnerisch wiedergegeben ist. Ohne seine vollständigen Attribute kann das Steinkreuz nicht zutreffend interpretiert werden, zumal erst kurz zuvor die Richtigkeit der Güterbock'schen Deutung bestätigt wurde[4]. Wie jener Hirte einst umkam, auf den sich das im ausgehenden Mittelalter errichtete Steinkreuz bezieht, ob durch Unglück oder Gewalt, läßt sich dem inschriftlosen Denkmal nicht entnehmen.

Die an den Schäferkreuzen (Abb. 1) haftenden und in der Literatur verzeichneten Varianten der Sage berichten von drei bzw. vier Schäfern[5], die sich aus Eifersucht im Umkreis der Male gegenseitig erschlagen hätten, abhängig davon, ob man den Bildstock auf Abbildung 1 in die mündliche Überlieferung einbezieht. Da eines der Steinkreuze mit Stecken und Horn die Attribute eines Hirten zeigt (Abb. 2), kommt in der Tat dem Kern der Sage aus denkmalkundlicher Sicht ein Wahrheitsgehalt zu[6], wobei die Geschichte dieser Sage vor Ort mit all ihren möglichen Wandlungen offen ist und trotz zutreffender Deutung der Hirten-Attribute eines der Kreuze auch weiterhin offen bleibt. Es ist nämlich trotz einer wahrscheinlich ungebrochenen Überlieferung am Schäferkreuz der Abbildung 2 auch ein Traditionsbruch denkbar, indem sich nach einem Untergang der mündlichen Überlieferung an der Rumpfener Gruppe (Abb. 1) unter Einschluß des Steinkreuzes an der Straße nach Steinbach (Abb. 3) sowie des Unterneudorfer Steinkreuzes (Abb. 4) eine Wandersage ansiedelte. In beiden möglichen Fällen läßt die Einbeziehung der anderen Steinkreuze und des Bildstocks in die vielfältig modifizierte Sage erkennen, daß die Kenntnis vom Ursprung der anderen Steinkreuze schon längst untergegangen war. Dabei sind zwei dieser Steinkreuze aufgrund ihrer Attribute interpretierbar, denn das Steinkreuz an der Straße nach Steinbach (Abb. 3) zeigt eine Pflugschar und eine Sohle, woraus man auf einen dörflichen Schuhmacher schließen darf[7]. Hingegen muß man beim Messer auf dem anderen Rumpfener Steinkreuz (Abb. 5 und 6) nicht nur an die Mordwaffe sondern auch an das Handwerkszeichen der Messerschmiede/Messerer denken[8] (Abb. 7 bis 10), wonach dieses Steinkreuz an einen gewaltsam umgekommenen Messerschmied erinnern würde.

Bei Abfassung unserer 1972 erschienenen Arbeit[4] lagen uns keine bildlichen Belege zur spätmittelalterlichen Ikonographie des Hirten vor. Darum haben wir in Anlehnung an eine Zeichnung Ferdinand Justis[9] aus dem Jahr 1881 die vertikale, gewellte Rille im Bereich der rechten Hand auf Abbildung 2 als Ringelstecken gedeutet und dabei sicherlich überinterpretiert, denn ein Ringelstecken ist ein Stab, dem ein Nebenast belassen wurde. Hatte man diesen kleinen Ast mit Eisenringen besteckt, befestigte man sein freies Ende am Stab durch Anbinden. Wir nahmen an, die Rillung auf dem Rumpfener Schäferkreuz (Abb. 2) sei eine vereinfachte Wiedergabe eines solchen Ringelsteckens, eine Deutung, die von der Literatur aufgenommen wurde.

Die uns inzwischen bekannt gewordenen bildlichen Quellen veranlassen uns jedoch zu einer Korrektur; zugleich bestätigen diese Quellen die Interpretation des Rumpfener Males (Abb.2) als Schäferkreuz/Hirtenkreuz: Zeigt die Heisterbacher Bibel (Abb. 11, Köln (?) um 1240) den Propheten Amos[10] als Hirten mit einem Horn und einem unten keulenartig verdickten Stecken, so sind in der mehr als 100 Jahre jüngeren Heidelberger Bilderhandschrift des Sachsenspiegels[11] die Hirten stets durch wellenförmig gekrümmte Stecken gekennzeichnet (Abb. 12 bis 14), die sich von der entsprechenden Rillung auf dem Rumpfener Schäferkreuz (Abb. 2) nicht unterscheiden. Allerdings fehlt allen Hirten der Heidelberger Bilderhandschrift des Sachsenspiegels das Horn als zweites Attribut. Auch darf man das Rumpfener Schäferkreuz/Hirtenkreuz nicht dem 14. Jahrhundert zuordnen.

Anders bei einem Hirten als Deckenmalerei um 1415 in der Stadtkirche St. Nikolai zu Herzberg an der Elster in der Lausitz[12] (Abb. 15) oder bei einer Verkündigung auf der goldenen Tafel des St. Michaelisklosters zu Lüneburg von 1418, jetzt im Niedersächsischen Landesmuseum Hannover[13] (Abb. 16). Gekrümmte Stecken und Hörner als Attribute führen die anbetenden Hirten auf einem Altarbild Martin Schongauers[14] (Abb. 17) und auf einem der Schongauer-Schule mit sich (Abb. 18). Insbesondere auf dem Gemälde aus der Schongauer-Schule, das sich im Besitz des Frankfurter Städels befindet, kommen die beiden Attribute der anbetenden Hirten denen auf dem Rumpfener Steinkreuz (Abb. 2) bemerkenswert nahe. Insofern gibt die wellenartig gekrümmte vertikale Rille in der rechten Hand des Männchens auf dem Rumpfener Schäferkreuz/Hirtenkreuz exakt den spätmittelalterlichen Hirtenstecken und keinen Ringelstecken wieder; offensichtlich ist der Ringelstecken jüngeren Ursprungs. Zugleich bestätigt das Tafelbild im Frankfurter Städel (Abb. 18) die Deutung der Rillung über dem Kopf des Rumpfener Hirten-Männchens als Horn. Der Verfertiger des Rumpfener Schäferkreuzes/Hirtenkreuzes war demnach über die ihm zeitgenössische Ikonographie des spätmittelalterlichen Hirten wohlinformiert; das Steinkreuz darf der zweiten Hälfte des 15. Jahrhunderts bzw. einem weiter zufassenden Zeitraum um 1500 zugeordnet werden.

Nach einer inhaltlichen Wertung und abgesicherteren Datierung des Rumpfener Schäferkreuzes/Hirtenkreuzes darf man an der unterschiedlichen handwerklich-technischen wie auch schöpferisch-künstlerischen Qualität der beiden Rumpfener Steinkreuze nicht vorübergehen. Unter diesen denkmalkundlichen Aspekten hebt sich das Rumpfener Steinkreuz auf Abb. 5 aufgrund seiner Größe (1,39 Meter), der Besonderheit seiner bogenförmig ineinander übergehenden Arme, der trilobischen Balkenenden, der Qualität seiner Oberflächenbearbeitung und dank der Kombination eines in sehr flachem Relief aufgelegten lateinischen Kreuzes mit einem Messer deutlich von den Steinkreuzen der näheren Umgebung ab. Zwar übertrifft das Steinkreuz an der Straße nach Steinbach (Abb. 3) mit seiner Höhe von 1,60 Metern und der Länge seines Querbalkens das zuvor genannte Rumpfener Steinkreuz (Abb. 5), doch ist seine Oberflächenbearbeitung von deutlich geringerer Qualität. Weit niedriger als diese zwei Kreuze ist das Rumpfener Hirtenkreuz einzustufen, mag es für uns dank seines unter Steinkreuzen einmaligen Attributs eines spätmittelalterlichen Hirten mit Stecken und Horn aus ikonographischen Gründen auch noch so wertvoll sein.

Zusammenfassende Wertung

Die Steinkreuze bei Rumpfen (Abb. 1) und an der Straße nach Steinbach (Abb. 3) lassen sich sozialgeschichtlich differenzieren: Das qualitätvolle Steinkreuz mit den eingerillten Konturen eines Messers dürfte an einen wohlhabenden Bürger, wohl an einen Messerschmied, erinnern. Hingegen wurde das Steinkreuz an der Straße nach Steinbach für einen Schuhmacher, Ackerbürger und/oder Dorfhandwerker, gesetzt, während das dritte Kreuz mäßiger handwerklicher Ausführung an einen Hirten erinnert. Diese Differenzierung der drei Steinkreuze zeigt zugleich, daß all die vielen Varianten der Sage vom gegenseitigen Totschlag mehrerer Schäfer nicht zutreffen können. Vielmehr muß es sich um eine Wandersage handeln, die an den Steinkreuzen haften blieb, als die Bedeutung der Attribute dieser Kreuze vergessen war und die Menschen nach einer Erklärung für die in der Landschaft auffallenden Male suchten. Freilich bleibt unsicher, ob der Überlieferungsstrang am Hirtenkreuz sich kontinuierlich bis in unsere Zeit erhalten konnte oder ebenfalls zwischenzeitlich abbrach. Wir möchten ersteres annehmen.

Anmerkungen

1. **Gotthilde Güterbock:** Haus-, Hof- und Handwerkszeichen im Odenwald, in: Ländliche Kulturformen im deutschen Südwesten, Festschrift für Heiner Heimberger, Stuttgart 1971, S. 37 – 52, insbes. S. 43.
2. **Max Walter:** Vom Steinkreuz zum Bildstock, Heimatblätter „Vom Bodensee zum Main" Nr. 25, Karlsruhe 1923, S. 15.
3. Weiße Schwarze Feurige. Neugesammelte Sagen aus dem Frankenland, herausgegeben und erläutert von **Peter Assion,** Karlsruhe 1972, die Skizze aus Max Walters Nachlaß auf S. 131 mit der zugehörigen Sage Nr. 101 auf S. 130.
4. **Heinz Bormuth** und **Friedrich Karl Azzola:** Die figürlichen Darstellungen dreier Odenwälder Steinkreuze in denkmalkundlicher Sicht, in: Breuberg-Bund Sonderveröffentlichung 1972: Beiträge zur Erforschung des Odenwaldes und seiner Randlandschaften, Reinheim/Odw. 1972, S. 55 – 65.
5. Um Hollerbach gibt es insgesamt sechs Steinkreuze, die in die verschiedenen Varianten der Sage vom Streit und dem gegenseitigen Totschlag mehrerer Schäfer einbezogen sind und zwar:
   1. Das Steinkreuz am Ortsausgang von Hollerbach in Richtung Unterneudorf, auf dem ehemaligen Flachsbrechloch. Das Steinkreuz ist zeichen- und inschriftlos; es wird von **Bernhard Losch:** Sühne und Gedenken. Steinkreuze in Baden-Württemberg. Ein Inventar, Stuttgart 1981, auf S. 163 unter „Buchen VI, Stadtteil Hollerbach" genannt.
   2. Das Steinkreuz rechts der Straße von Unterneudorf nach Hollerbach. Dieses Steinkreuz war dem unter Nr. 5 genannten Kreuz verwandt; leider wurde es um 1975 gestohlen. Der Sockelstein ist noch vorhanden. Erwähnt wird es bei **Losch** (siehe oben) auf S. 175 unter: Verschwundene Steinkreuze, 5. Buchen, Stadtteil Unterneudorf; hier Abb. 4.
   3. Das Steinkreuz in der Gemarkung von Rumpfen an der Straße nach Steinbach mit einer Sohle und einer Pflugschar als Handwerkszeichen, bei **Losch** (siehe oben) auf S. 168 unter „Mudau IV, Ortsteil Rumpfen", genannt; hier Abb. 3.
   4. Das Hirtenkreuz in der Gemarkung von Rumpfen, bei Losch (siehe oben) auf den S. 168 – 169 unter „Mudau VI, Ortsteil Rumpfen", genannt; hier Abb. 2.
   5. Das Steinkreuz in der Gemarkung von Rumpfen mit den eingerillten Konturen eines Messers, bei **Losch** (siehe oben) auf den S. 168 – 169 unter „Mudau V, Ortsteil Rumpfen" genannt; hier Abb. 5.

6. Das „Schwedenkreuz" in der Gemarkung von Rumpfen am Kirchweg nach Hollerbach von 1655 mit einem Dolch oder Kurzschwert als Zeichen, bei **Losch** (siehe oben) auf S. 169 unter „Mudau VII, Ortsteil Rumpfen", genannt.

Die einzelnen Varianten der Sage berichten wie folgt:

1. Variante: Vier Schäfer kehren von der Kirchweih in Steinbach zurück. Auf dem Heimweg gerieten sie untereinander in Streit, in dessen Verlauf sie sich gegenseitig erschlugen. Drei der Schäfer starben bei den Schäferkreuzen (hier die Nr. 4 und 5 mit dem Bildstock; Abb. 1), der vierte beim Schwedenkreuz, Nr. 6.

2. Variante: Drei Schäfer gerieten in Hollerbach in Streit und erschlugen sich gegenseitig. Einer starb beim Steinkreuz Nr. 1, der zweite beim Steinkreuz Nr. 2 und der dritte beim Steinkreuz Nr. 4.

3. Variante: Zwei Bäcker erstachen sich gegenseitig im Streit. An sie erinnern die beiden Steinkreuze Nr. 1 und Nr. 2.

4. Variante: Drei Schäfer stritten sich um die Weide. Sie lösten von einem Holzpflug das Sech und schlugen damit aufeinander ein. Zwei der streitenden Schäfer starben bei den Schäferkreuzen (die Steinkreuze Nr. 4 und 5), einer beim Steinkreuz Nr. 3 mit der Sohle und Pflugschar (nicht Sech!) als Zeichen.

5. Variante: Vier Schäfer gerieten einst in einen Streit. Drei starben bei den Schäferkreuzen (die Steinkreuze Nr. 4 und 5 mit dem Bildstock, Abb. 1) der vierte beim Schwedenkreuz von 1655, hier die Nr. 6.

6. **Heinz Bormuth** und **Friedrich Karl Azzola,** Anmerkung 4, S. 56.

7. **Friedrich Karl Azzola, Heinz Bormuth** und **Hans Werner Haas:** Überregionale Entwicklungszüge historischer Schusterzeichen auf Kleindenkmalen. Zugleich ein Beitrag zur Ikonographie Odenwälder Handwerkszeichen, in: Beiträge zur Erforschung des Odenwaldes und seiner Randlandschaften III, Breuberg-Neustadt 1980, S. 363 – 382, insbes. S. 371 mit Abb. 23.

8. Das Hausbuch der Mendelschen Zwölfbrüderstiftung zu Nürnberg. Deutsche Handwerkerbilder des 15. und 16. Jahrhunderts, herausgegeben von **Wilhelm Treue, Karlheinz Goldmann, Rudolf Kellermann, Friedrich Klemm, Karin Schneider, Wolfgang von Stromer, Adolf Wißner** und **Heinz Zirnbauer,** München 1965, im Bildband die Abbildungen der S. 107 und 28, dazu im Textband die Erläuterungen auf den S. 125 und 113. – **Friedrich Karl Azzola, Heinz Bormuth** und **Fritz Schäfer:** Dolch, Schwert und Spieß als Steinkreuzzeichen im hinteren Odenwald, in: Zu Kultur und Geschichte des Odenwaldes, Festgabe fürGotthilde Güterbock, Breuberg-Neustadt 1976, S. 55 – 62, insbes. S. 56 mit den Abbildungen 1 und 2.

9. **Alfred Höck:** Hessische Ringelstecken. Bemerkungen zu einem alten Hirtengerät, in: Hessische Blätter für Volkskunde Band 57 (1966), S. 127 – 135.

10. Stichwort „Amos" im Lexikon der christlichen Ikonographie Band 1, Freiburg 1968 Sp. 116 – 117. – **M. Bartels.** Die Bibel von Heisterbach. Dissertation Wien 1974 (Maschinenschrift). – Die Zeit der Staufer. Ausstellungskatalog Band 1 (Stuttgart 1977), S. 582 – 583, Nr. 753.

11. **Walter Koschorrek:** Die Heidelberger Bilderhandschrift des Sachsenspiegels, Faksimile mit Kommentar, Frankfurt 1970.

12. **Ingrid Schulze:** Die Herzberger Gewölbemalereien – Jüngstes Gericht und Marienkult in spätmittelalterlichen Bilderzyklen der Stadtkirche St. Nikolai zu Herzberg an der Elster, Berlin 1981, insbes. Abb. 24.

13. **Walter Dexel:** Holzgerät und Holzform. Über die Bedeutung der Holzformen für die deutsche Gerätekultur des Mittelalters und der Neuzeit, Berlin 1943, Abb. 36, mit einer kurzen Erläuterung auf S. 50.

14. Stichwort „Schongauer, Martin", in: Lexikon der Kunst, Leipzig 1977, Band IV, S. 385 – 386.

Abb. 1: Die Schäferkreuze bei Rumpfen im Neckar-Odenwald-Kreis

Foto: Azzola

Abb. 2: Eines der beiden spätmittelalterlichen Rumpfener Steinkreuze, Höhe 1,21 m. Figürlich eingerillt ist ein Hirte mit seinen Attributen Stecken und Horn. Foto: Azzola

Abb. 3: Das spätmittelalterliche Steinkreuz bei Rumpfen an der Straße nach Steinbach mit einer Sohle und einer Pflugschar als Kennzeichen eines dörflichen Schuhmachers. Foto: Azzola

Abb. 4: Das um1975 leider verschwundene Steinkreuz bei Unterneudorf. Foto: Glieschke

Abb. 5: Das qualitätvolle, spätmittelalterliche Rumpfener Steinkreuz mit einem lateinischen Kreuz in sehr schwachem Flachrelief und einem Messer als Zeichen. Foto: Azzola

Abb. 6: Detail aus Abb. 5. Bemerkenswert sind die in das Steinkreuz eingerillten Konturen eines Messers. Vier Niete verbinden das Heft mit der Klinge. Foto: Azzola

Abb. 7: Schreder, ein Messerer, der 139. Bruder der Mendelschen Zwölfbrüderstiftung in Nürnberg, verstorben am 28.10.1447, im Hausbuch Blatt 68r.

Reproduktion: Stadtbibliothek Nürnberg

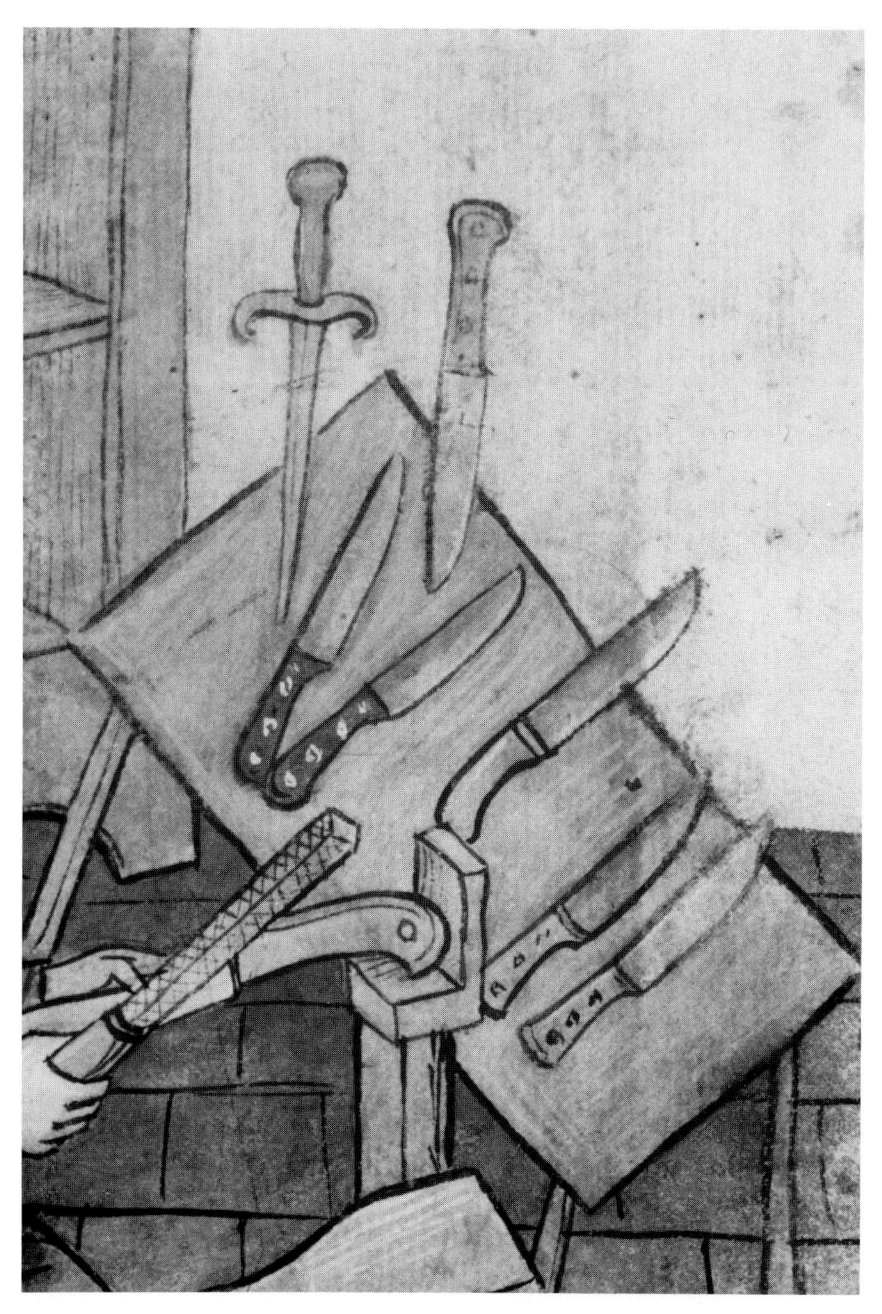

Abb. 8: Detail aus Abb. 7. Bei zwei Messern wird das Heft mit der Klinge durch vier Niete verbunden. Reproduktion: Stadtbibliothek Nürnberg

Abb. 9: Peter Messerer, ein Messerer, der 35. Bruder der Mendelschen Zwölfbrüderstiftung in Nürnberg, verstorben um 1425, im Hausbuch Blatt 15r.

Reproduktion: Stadtbibliothek Nürnberg

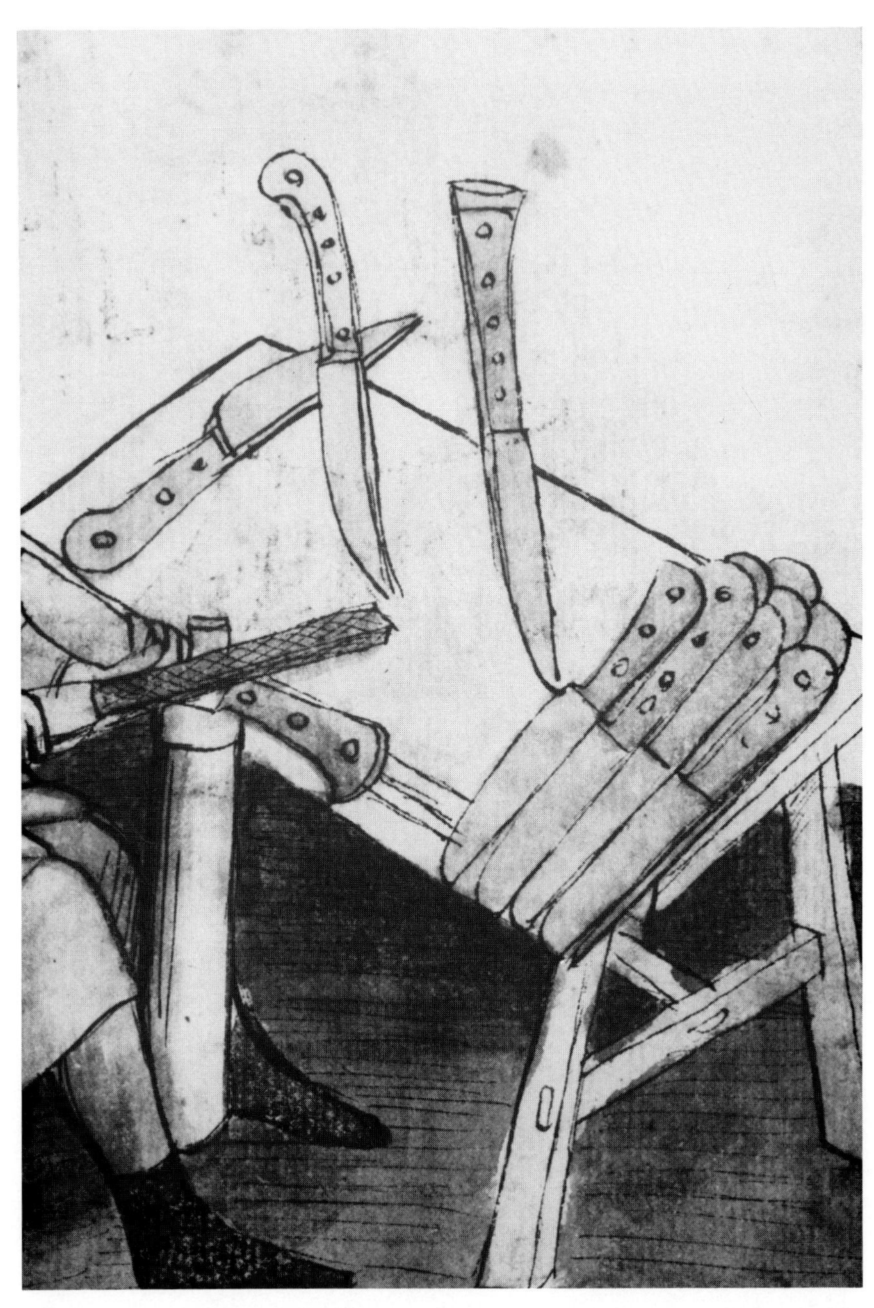

Abb. 10: Detail aus Abb. 9. Das Heft des linken, in die Tischplatte gestoßenen Messers und die Klinge des rechten Messers kommen dem in das Rumpfener Steinkreuz als Zeichen eingerillten Messer auf Abb. 6 nahe. Reproduktion: Stadtbibliothek Nürnberg

Abb. 11: Der Prophet Amos als Hirte; aus der Bibel von Heisterbach, Köln (?) um 1240. Staatsbibliothek Preußischer Kulturbesitz Berlin, Handschriftenabteilung, Ms. theol. lat. fol. 379, Bl. 374r, untere Miniatur.
Reproduktion: Bildarchiv Foto Marburg

Abb. 12: Heidelberger Bilderhandschrift des Sachsenspiegels, wohl aus dem 3. Viertel des 14. Jahrhunderts, Blatt 8 r/5: Der Dorfhirte, der das Vieh auf die Weide treibt, trägt geschultert einen wellenförmig gekrümmten Stecken. Reproduktion: Azzola

Abb. 13: Heidelberger Bilderhandschrift des Sachsenspiegels, wohl aus dem 3. Viertel des 14. Jahrhunderts, Blatt 8v/1: Am rechten Bildrand steht der Gemeindehirte, am linken Bildrand von kleinerer Gestalt der Privathirte des vor ihm stehenden Lehnsmannes. Die beiden Hirten sind durch wellenförmig gekrümmte Stecken gekennzeichnet. Reproduktion: Azzola

Abb. 14: Heidelberger Bilderhandschrift des Sachsenspiegels, wohl aus dem 3. Viertel des 14. Jahrhunderts, Blatt 8v/2: Der Eigentümer (rechts im Bild) des verletzten Tieres beschuldigt mit seinen Handgebärden den Hirten (Bildmitte), der durch einen wellenförmig gekrümmten Stab gekennzeichnet ist. Reproduktion: Azzola

Abb. 15: Die Berufung des wahren Hirten, Gewölbemalerei, um 1415, in der Stadtkirche St. Nikolai zu Herzberg an der Elster, Bezirk Cottbus. Der Hirte ist durch seine zwei spätmittelalterlichen Attribute Stecken und Horn ausgezeichnet. Foto: Azzola

Abb. 16: Hirte mit einem keulenartigen Stecken und einem Horn. Detail vom Altar der Goldenen Tafel aus Lüneburg, um 1418, jetzt im Niedersächsischen Landesmuseum Hannover.

Foto: Niedersächsisches Landesmuseum, Landesgalerie Hannover

Abb. 17: Martin Schongauer, um 1450–1491, Geburt Christi mit der Andacht der Hirten an der Krippe als Detail, die Hirten mit einem gekrümmten Stecken und einem Horn, Kat. Nr. 1629 der Staatlichen Museen Preußischer Kulturbesitz, Gemäldegalerie Berlin.
Foto: Staatliche Museen Preußischer Kulturbesitz, Gemäldegalerie in Berlin-Dahlem

Abb. 18: Gemälde aus dem Schongauerkreis in der Städtischen Galerie Städel zu Frankfurt. Anbetende Hirten mit einem gekrümmten Stab und einem Horn als Detail. Foto: Ursula Edelmann, Frankfurt

Peter Assion

Bildstocktypik und soziales Zeichensystem –

Zur Geschichte des Holz- und Steinbildstocks in Odenwald und Bauland

Ein landschaftsprägendes Merkmal des hinteren Odenwaldes und der Nachbarregionen Frankens ist die Vielzahl religiöser Flurdenkmäler. Durchreisenden Fremden fiel sie von jeher als Besonderheit auf, und schon als 1804 der Romantiker Clemens Brentano von Heidelberg nach Berlin unterwegs war, erwähnte er in einem Brief „die häufigen Heiligenbilder", die er in der Walldürner Gegend gesehen und mit „kindischer (=kindlicher) Freude" als willkommene Abwechslung auf eintöniger Fahrt erlebt hatte[1]. Über hundert Jahre später war es der Freiburger Schriftsteller Hermann Eris Busse, der sich über den Reichtum fränkischer Bildwerke in offener Landschaft begeisterte: „Heiligenbilder, Plastiken, Steinmetzarbeiten überall ..."[2]. Und da ihm auf den frommen Denkmälern immer wieder die Madonna begegnet war, erfand er für das badische Frankenland den poetischen Namen „Das Madonnenland"[3]. Er wird heute massiv für die Fremdenverkehrswerbung eingesetzt, definiert aber auch für die Einheimischen die Region zwischen Odenwald und Tauber, seit sich – gefördert durch die Heimatschriftstellerei – am Erbe einstiger Volksfrömmigkeit ein gewisser Lokal- und Regionalstolz festmacht. Im Zuge dieser Entwicklung ist der Bildstock mit einer Fülle heimatlich-religiöser Werte befrachtet und nachgerade zum Symbol des Frankenlandes, seiner Geschichte und seiner Wesensart aufgewertet worden. Maßgeblichen Anteil hat hieran die Arbeit des Amorbacher Volkskundlers Max Walter, der sich jahrzehntelang mit den Flurdenkmälern wissenschaftlich beschäftigte und zumal immer wieder den Bildstock besonders herausstellte. Er interpretierte ihn als das „zu Stein gewordene Gebet"[4] der Franken – eine sprachliche Schöpfung, die inzwischen fast als geflügeltes Wort kursiert. Und zur identifikatorischen Beanspruchung des Bildstocks findet man bei Walter Vorgaben wie diese: „Der Bildstock ist der sichtbare Ausdruck der Glaubensstärke, die im Bewohner des badischen Frankenlandes lebt"[5].

Es ist indessen zu vermerken, daß die ältere Literatur auch ganz andere Aussagen über den Bildstock enthält. Als der skeptisch-aufgeklärte Schriftsteller Karl Julius Weber 1826/28 sein vierbändiges Werk „Deutschland oder Briefe eines in Deutschland reisenden Deutschen" herausgab, mokierte er sich darin über die vielen im Fränkischen gesehenen „Cruzifixen oder Herrgotts", weil sie ihm mit ihren Inschriften mehr weltlichen Sinn als Frömmigkeit zu bezeugen schienen. Und bündig erklärte er seinen Lesern: „Unsere vielen Herrgotts kommen auch weniger von Andacht als Eitelkeit der Stifter her, gewöhnlich steht der Name darunter, den ein rechter Ketzer gar leicht für den Namen des Heiligen selbst nehmen könnte"[6]. Man kann nicht sagen, daß Weber so das eigentliche Wesen des Bildstocks getroffen hätte. Aber zieht man von seiner Aussage die Polemik des Anti-Romantikers ab, so bleibt doch die zutreffende Beobachtung, daß der Bildstock einst (auch) Mittel des Repräsentierens und Renommierens gewesen ist und Botschaften nicht nur an die transzendentale Überwelt, sondern zugleich an die soziale Umwelt der Stifter adressierte. Inzwischen registriert dies auch die Bildstockforschung. War schon Max Walter aufgefallen, daß die Bildstöcke des „Mudauer Meisters" im Kirchspiel Mudau oft von den dortigen

Schultheißen gesetzt worden sind[7], so deutete Fritz Schäfer dieses Phänomen mit der „offenkundigen Absicht" der Stifter, ihre „Stellung in der Gemeinde zu betonen"[8]. Bernhard Schemmel sammelte Beispiele für Bildstock-Inschriften aus Odenwald und Bauland, in denen in ausgeprägter Form „das Selbstbewußtsein des Stifters" zum Ausdruck kommt[9]. Und sein früherer Würzburger Kollege Heinrich Mehl ging so weit, einige Bildstocksetzungen – allerdings in der Rhön und im Grabfeld – als regelrechte „Macht-Demonstrationen" anzusprechen[10]. Bezogen sich diese Beobachtungen auf ganz bestimmte Bildstockgruppen und Stifter-Intentionen, so blieb der Forschung indessen auch nicht verborgen, daß die Bildstöcke in ihrer Gesamtheit und zum Teil ungewollt soziale Informationsträger gewesen sind. Für bestimmte Zeiten und Landschaften machten sie temporäre und regionale Wohlhabenheit sichtbar: im Unterschied zu Armutsgebieten, wo die formale Entwicklung der Mäler zurückblieb und die Bildstockfrequenz stärkerem Wechsel unterlag[11]. In engeren Bezirken charakterisierten sie reichere und ärmere Dörfer mit – wie wiederum Fritz Schäfer für den hinteren Odenwald aufgezeigt hat[12] – differenzierender Beanspruchung des bildstockschaffenden Handwerks. Und auch im Binnenmilieu der Dörfer und Kleinstädte bildeten sie wohl zeichenhaft die sozioökonomischen Verhältnisse ab.

Ausgehend von der These, daß die Bildstockstiftungen „primär religiöse Akte"[13] darstellten, blieb die Bildstockforschung jedoch schwerpunktmäßig bei der Untersuchung der frommen Stiftungsanlässe und religiösen Funktionen. Forschungsberichte sind nach entsprechenden Gesichtspunkten strukturiert[14] und die Ergebnisse von Bildstock-Inventarisationen[15] in gleicher Weise interpretiert, ergänzt um formgeschichtliche Beobachtungen, zu denen durch Spezialstudien neue Erkenntnisse über den Bildstock als „Volkskunst" aus der Hand einzelner, mit ihrem Werk dokumentierter „Bildstockmeister" getreten sind[16]. Die Verdienstlichkeit dieser Bemühungen ist ebenso anzuerkennen wie die früher schon von Max Walter geleistete Grundlagenforschung und Dokumentationsarbeit. Aber es sei auch dafür plädiert, eine komplementäre Bildstockforschung aufzunehmen bzw. zu systematisieren. Soll heißen: eine solche, die der Ambivalenz der nicht nur religiös motivierten Stiftungen gerecht wird und über die weltlichen Zweckbestimmungen und Wirkungen deren vollen Sitz im Leben der Vergangenheit ergründet. Ein Anfang hierzu sei mit dem nachfolgenden Aufsatz unternommen. Er stellt den Versuch dar, die Geschichte des Bildstockes in Odenwald und Bauland unter bisher zu kurz gekommenen sozialen und funktionalen Aspekten zu betrachten. Dabei wird in starkem Umfang auch der hölzerne Bildstock berücksichtigt. Heutige Studien zur einstigen Bildstockkultur sind nicht zuletzt auch deshalb von gewisser Einseitigkeit, weil sie vom noch vorhandenen Bestand ausgehen und die meist verlorenen Holzmäler einfacher Art übergehen. Es wird jedoch zu zeigen sein, daß dieselben an der Geschichte des Bildstocks wesentlichen Anteil hatten, und zumal die Sozialgeschichte des Bildstockbrauchs ohne Ausleuchtung des gesamten, vom Prachtdenkmal bis zum schlichten Holzstock reichenden Spektrums der Stiftungen nicht zu schreiben ist.

Zur Priorität des Holzbildstocks

Hölzerne und steinerne Bildstöcke waren im Frankenland bis in jüngste Zeit gemeinsam anzutreffen, doch erstere in deutlich geringerer Anzahl und nur bescheidener Ausführung. Das hat zunächst dazu verführt, den Holzbildstock als „Seltenheit"[17] und – wie es schien – Billig-Imitat steinerner Vorbilder nicht weiter wichtig zu nehmen. Daß dies falsch war, wurde indessen schon Max Walter bewußt. Denn den wenigen, ihm bis 1927 in der Gegend von Steinbach und Mudau bekannt gewordenen „einfachen Stöcken dieser Art"[18] konnte er im Zuge fortschreitender Feldforschung eine Vielzahl weiterer Beispiele an die Seite stellen: verstreut über das Land bis zur Tauber hin ermittelt, wenn auch im Bauland meist als abgegangene und nur noch durch Gewährsleute bezeugte. Walter hat diese Funde nicht mehr veröffentlicht, wohl aber in seinem Archiv[19] und hier auch auf einer Karte festgehalten (siehe Abbildung anbei). Und es scheint so, daß er sich von ihnen in einer neuen Auffassung von der Geschichte des Bildstocks bestärken ließ, zu der im übrigen historisch-philologische Überlegungen und gewiß auch Anregungen in der Literatur[20] hinführten. Hatte Walter ursprünglich angenommen, daß der Bildstock aus dem Steinkreuz entwickelt worden sei[21], so schrieb er später: „Schon der Name 'Bildstock' verrät die ursprünglichste Form dieses Flurdenkmals. In seiner ersten Gestalt war er ein 'Stock', ein hölzernes Balkenstück, das in einer Nische, Schutz gegen Wind und Wetter bietend, ein 'Bild', das Andachtsbild barg. Wie weit diese Form in ihren Anfängen zurückgeht, läßt sich kaum noch feststellen, denn die meisten Bildstöcke dieser Art sind im Laufe der Zeit verwittert und verschwunden"[22].

In den Holzbildstöcken, die trotz großer und von Mößinger für den hessischen Odenwald bestätigter Verluste[23] nachweisbar blieben, wären demnach Spätbelege für die Bildstock-Urform und im Frankenland eine Reliktlandschaft zu sehen, in der sich diese Urform – als immer wieder nachgeschaffene – neben den steinernen Denkmälern kontinuierlich behauptet hätte. Und es müßte das gleiche für andere Gebiete mit Holzbildstock-Traditionen gefolgert werden: für Mittel- und Oberfranken mit vereinzelten Zeugnissen[24] und für den Nord- und Südschwarzwald[25] sowie Landstriche Oberösterreichs[26] mit größeren Beständen, die analog zum hinteren Odenwald und Bauland inselartige Restzonen eines vermutlich einst viel größeren Verbreitungsgebietes auszuweisen scheinen. Doch gibt es bedeutende „Bildstocklandschaften", in denen der Holzbildstock offenbar keine Rolle gespielt hat und als steinerne „Ahnen" der religiösen Flurdenkmäler die Totenleuchte und das Nischenkreuz glaubhaft gemacht wurden[27]. Und auch für Franken (mit Einschluß des Odenwaldes) nimmt die neuere Forschung an, daß es für den Steinbildstock verschiedene – hölzerne wie steinerne – Vorläufer gab und „kaum mit einem bestimmten Typus der Anfang zu setzen (ist)"[28]. Gleichwohl bleibt die Tatsache bestehen, daß dem Bildstock seine traditionelle Bezeichnung vom hölzernen „Stock" her zukam: ein Faktum, das auf das hohe Alter des Holzbildstockes zurückverweist und zumindest nahelegt, in diesem den namengebenden Urtypus des Bildstocks zu sehen.

Macht man sich – im Anschluß an Max Walter – philologisch genauer kundig, so bezeugt das Grimmsche Wörterbuch als Grundbedeutung des Wortes „Stock" die folgende: „der in der erde stehen gebliebene stumpf eines baumes mitsamt den wurzeln"[29]. Entsprechend war einst die Formel „Stock und Stein" ein Ausdruck für die noch nicht gerodete Waldlandschaft[30]. Bewegliche „Stöcke" meinten später solche aller Art, aber überwiegend aus Holz gehauene Objekte, so den Brunnenstock, Opferstock, Totenstock (Baumsarg), Gefangenenstock und eben auch den Bildstock. Dem von den Grimms gebrachten Erstbeleg für „Bildstock" (von 1512) fehlt zwar eine charakterisierende Materialangabe[31]. Aber noch im 17. Jahrhundert konnte Grimmelshausen – wiederum dem Grimmschen Wörterbuch zufolge – ganz selbstverständlich das Bonmot prägen: „der galgen und der bildstock sind ja einerlei holzes"[32]. Damals gab es zwar längst auch schon den Steinbildstock. Doch berührt dies nicht die ursprüngliche Identität von Wort und Sache, mit der zu unterstreichen ist, daß der hölzerne Bildstock dem steinernen vorausgegangen sein muß. Erst sekundär wurden dann offenbar auch funktional und formal verwandte Steinsetzungen als „Bildstock" oder (seltener) als „Heiligenstock" bezeichnet, bis mit zunehmender Verallgemeinerung des Begriffes schließlich fast jedes religiöse Flurdenkmal „Bildstock" heißen konnte, in Mittel- und Oberfranken selbst das Kapellchen oder Heiligenhäuschen[33]. Zeitlich wäre dieser Entwicklung noch genauer nachzugehen. Die frühesten Belege, die man aus dem Odenwald für die Übertragung des Begriffes „Bildstock" auf Steindenkmäler kennt, sind diejenigen, die in Bildstock-Inschriften enthalten sind. Sie setzen mit Beginn des 17. Jahrhunderts ein und zeigen eine dann rasch zunehmende Belegdichte[34], nachdem im 16. Jahrhundert die Kurzbezeichnung „Bild" die übliche gewesen war. Doch will dies nichts Endgültiges heißen, da aus archivalischen Quellen möglicherweise noch ältere Belege zu erheben sind und zur Begriffsgeschichte des Bildstocks auch heranzuziehen ist, was andere Landschaften für diese hergeben.

Sehr alte, womöglich noch dem Mittelalter entstammende Sachzeugnisse für hölzerne Bildstocksetzungen fehlen aus den von Walter genannten Gründen. Aber auf dem Lindenberg bei St. Peter im Schwarzwald ist vor einigen Jahren ein rechteckiger Holzpfahl mit Bildnische gefunden und wiederaufgerichtet worden, dessen Eichenholz dendrochronologisch auf immerhin ca. 1580 datiert werden konnte[35]. Und es sind Bildbelege vorhanden, die die sprachlich-literarischen Bezeugungen des Holzbildstocks ergänzen und – ins 15. Jahrhundert zurückreichend – teilweise zeitlich übertreffen. Wiederholt ist auf eine Zeichnung von 1516 des Schweizer Graphikers Urs Graf hingewiesen worden, auf der ein fahnentragender Landsknecht an einem Bildstock vorbeischreitet, der – aus krumm gewachsenem Holz herausgeschlagen und mit Votiv-Hufeisen benagelt – deutlich als Holzdenkmal zu erkennen ist[36]. Als nächst jüngeren Bildbeleg führte Leopold Schmidt den schlanken braunen Holzbildstock an, der auf einem der Monatsbilder Pieter Bruegels (Juni, „Heuernte") von 1565 eine ländliche Landschaft belebt[37]. Als ältestes Zeugnis, das uns bisher bekannt wurde, können wir diesen Funden indessen einen schon 1444 gemalten Holzbildstock mit in der Mitte eingezogenem Schaft und spitzgiebeligem Kopfteil (letzteres wie bei Graf und Bruegel) an die Seite stellen. Er ist auf dem Gemälde „Die Geburt Christi" des (in München tätig gewesenen) Meisters des Pollinger Altars zu finden: als einer Hirtenszene im Hintergrund beigesellte Landschaftsrequisit, dessen Anachronismus der Maler dadurch milderte, daß er dem Bildstockkopf kein christliches Bildwerk, sondern – für die Zeit des Alten Bundes – die mosaischen Gesetzestafeln einfügte[38]. Spätere Bildbelege[39] reihen sich bis ins 18. Jahrhundert an. So ist etwa auch auf dem Genrebild „Savoyarden-Knaben" im Historischen Museum Frankfurt a.M., das um 1760 Johann Conrad Seekatz gemalt hat, ein Holzbildstock zu erkennen. Die Kunst bezeugt demgemäß nicht nur die Altartigkeit der Holzstöcke, sondern – da wohl immer wieder durch die Realität angeregt – auch deren kontinuierliche Präsenz in der Kulturlandschaft. Und sie schlägt die Brücke zu den ältesten Original-Objekten, mit denen wohl im allgemeinen gerechnet werden kann.

Als frühe Bezeugung eines Holzbildstocks im Umkreis des Odenwaldes ist zu werten, daß vom Gnadenbild der Maria-Schnee-Kapelle zu Röllbach im Spessart erzählt wird, dasselbe sei in einem hölzernen Nischenstock gefunden worden[40]. Den ältesten gesicherten Beleg aus dem Odenwald selbst hat Max Walter als urkundlichen ermittelt: im Kellereimanual des Klosters Amorbach, in dem unter dem Jahr 1773 verzeichnet steht, daß in dem Odenwalddorf Schloßau 40 Kreuzer für Holz zu einem Bildstock eingenommen wurden[41]. Für die vorausgegangenen Jahrhunderte sind wir auf das sonstige Belegmaterial zum Alter der Holzstöcke angewiesen, wobei nichts dagegen spricht, auch im Frankenland von schon mittelalterlichen Mälern aus Holz auszugehen. Im Gegenteil: bedenkt man den Holzreichtum des Odenwaldes, das Wald-Vorkommen auch in Nachbarregionen und die jeweils daraus folgernden Werkstoff-Traditionen, so erscheint hier – analog zum Schwarzwald – die Verwendung von Holz für frühe Bildstocksetzungen sogar besonders plausibel. Ehe sich der haltbarere Stein als Werkmaterial durchsetzte, ist im Odenwald (und darüber hinaus) ja fast alles, was sich dafür anbot, aus Holz verfertigt worden: nächst dem Haus auch die Hofeinfriedung, der Brunnenstock, die Viehtränke und der Viehtrog, der Krautständer, die Hausbank, der Bachsteg usw. Und relativ lange geschah dies in urtümlichster Form[42], indem für Tränken und Tröge ein Baumstamm ausgehöhlt oder für Bänke ein abgeflachtes Balkenstück zurechtgesägt wurde. Der hölzerne Bildstock fügt sich zwanglos in diese Werkstoff-Tradition ein. In seiner Urgestalt war er vermutlich ein Holzpfahl einfachster Art mit Abschrägungen an der Spitze, damit das Regenwasser ablaufen konnte, und einer eingetieften Nische für ein religiöses Bildnis aus Holz oder Ton. Noch einfacher mußte es gewesen sein, ein solches Bildwerk direkt an Bäumen anzubringen, und es wäre zu erwägen, ob nicht der Holzbildstock seinerseits vom „Bildbaum" abstammt und sich in dessen Nachfolge in freier Landschaft ausgebreitet hat. Man könnte sogar versucht sein, bis auf vorchristliche Baumkulte und Votivbräuche zurückzugehen[43]. Doch wäre dies reine Spekulation, während die Existenz christlicher Bildbäume immerhin durch alte Gewann-Namen (vgl. die Heidersbacher Waldabteilung „Bildeiche"), die Ursprungslegenden von Wallfahrten (vgl. Maria Buchen bei Lohr im Spessart) und noch den späten Augenschein (vgl. die „Marienbuche" bei Reistenhausen mit eingewachsenem Madonnenbild) beglaubigt wird. Genauere Feststellungen sind indessen nicht mehr zu treffen, und man kann auch die Ansicht vertreten, daß der Bildbaum nur „die einfachere und billigere Ausfertigung des Bildstocks", also eine Sekundärform gewesen ist[44].

Die ersten Steinbildstöcke tauchen im Odenwald spät, d.h. nicht vor Ende des 15. Jahrhunderts auf, während sonst in Franken schon Steindenkmäler des 14. Jahrhunderts nachgewiesen sind[45]. Man kann daraus schließen, daß in der Waldlandschaft, fern städtischer Kultur- und Kunstzentren, besonders lange am einfachen Holzbildstock festgehalten wurde. Denn daß der Bildstockbrauch im Odenwald erst mit den frühesten Steinsetzungen aufgekommen sei, ist kaum anzunehmen. Und eher bietet sich an, am Fehlen älterer Steinmäler einmal mehr die These festzumachen, daß die Frühgeschichte des Odenwälder Bildstocks diejenige hölzerner und deshalb verlorengegangener Denkmäler gewesen ist. Ein noch besseres Argument hierfür liefern indessen die erhaltenen ersten Steinbildstöcke. Denn sie sind offenbar – worauf schon Mößinger hinwies[46] – in engstem Anschluß an die älteren Holzstöcke geschaffen worden: bei Umsetzung der Stockform in den Stein. Gleich der älteste datierte Steinbildstock des Odenwaldes bezeugt diese formale Abhängigkeit. Mit der Jahreszahl 1483 steht er bei Breitenbach im Tal und ist – so Max Walter – „nichts als eine roh zubehauene viereckige Säule, die die oben halbrunde Bildnische einschließt"[47]. Bei einem wohl nur wenig jüngeren Bildstock in der Ortsmitte von

Weilbach[48] ist dann schon eine Weiterentwicklung zu sehen. Die Bildnische umschließt ein Kopf, der leicht über den Schaft kragt, und dieser verjüngt sich nach unten und weist vorderseitig abgeschrägte Kanten auf. Doch ist auch hier noch die Grundform des Stockes deutlich zu erkennen: ebenso wie bei sonstigen Beispielen, die Mößinger teils als ziemlich urtümliche, teils als solche mit leicht abgesetztem Kopfteil zusammengestellt hat[49]. Sie reichen bis ins 18. Jahrhundert. Für ungeübte Steinmetzen war es offenbar am leichtesten, immer wieder die Stockform nachzuschaffen[50], und für weniger bemittelte Stifter blieb diese aus Gründen der Billigkeit attraktiv.

Älter als die ersten Steinbildstöcke sind in Odenwald und Bauland freilich die Steinkreuze des Toten- und Rechtsbrauchs: teilweise zum Nischenkreuz weiterentwickelt[51] und damit zu einer Denkmalform, die man immer wieder als zweiten (wenn nicht gar ersten) „Ahnen" der regionalen Steinmäler ansetzt. Doch merkt hierzu heute die Forschung an, daß die Nischenkreuze eher Mischformen zwischen Kreuz und Bildstock darstellen[52]. Sie setzen als solche den (hölzernen, später steinernen) Nischenstock voraus: eine wissenschaftliche Korrektur, die sich willkommen ins Bild fügt, das wir von der Frühgeschichte des Odenwälder Bildstocks gezeichnet haben. Für dessen weitere Geschichte ist jedoch zu betonen, daß es durchaus falsch wäre, eine ungebrochene Weiterentwicklung der Stockform anzunehmen. Für die Vielfalt der Bildstock-Typen des 16. bis 18. Jahrhunderts rechnet die Volkskunde heute allgemein mit anregenden Vorbildern ganz verschiedener Art (darunter die steinerne Totenleuchte, das Grab-Steinkreuz und Epitaph, der geschreinerte Bildkasten mit Sockel usw.). Und sie reflektiert auch auf kreative Formschöpfungen ohne direktes Vorbild und zieht im Gegensatz zur früheren Lokalforschung stärker in Betracht, daß sich von bestimmten Innovationszentren aus neue Typen überregional verbreiteten. Für das westliche Frankenland bzw. den Odenwald war ein solches Vermittlungszentrum gewiß Mainfranken mit Würzburg, und es ist kaum zweifelhaft, daß von dorther etwa der Tafelbildstock nach Westen vordrang: um 1400 schon in Franken bezeugt[53], 1607 dann am Odenwaldrand (Altheim bei Walldürn) nachgewiesen[54] und erst ab ca. 1700 auch tiefer im Odenwald präsent[55]. Noch für weitere Typen des Odenwälder Bildstocks deutet sich eine solche Zuwanderung von außerhalb an, und dies bedeutet, daß die alten und rückständigen Bildstocktraditionen unseres Untersuchungsgebietes immer wieder von neuen überlagert wurden: ohne indessen völlig zu verschwinden.

Die Sprache der Bildstöcke

Die hölzernen und steinernen Nischenstöcke erscheinen, wie wir gesehen haben, in formaler Übereinstimmung der ältesten fränkischen Bildstock-Tradition verpflichtet. Und analog zu ihrer Typengleichheit ist anzunehmen, daß sie von Stiftern gleicher sozialer Stellung (Bauern, Handwerker) zum gleichen Zweck errichtet wurden: um den Segen Gottes und der Heiligen herabzubitten oder für erfahrene Gnaden zu danken; seltener wohl, um an einen Todesfall zu erinnern(da es hierfür das Steinkreuz gab). Der haltbare Stein bot den Vorteil, die religiösen Anliegen quasi „verewigt" ausdrücken und das Heil, das der Bildstock seiner Umgebung (Haus und Hof, Weg und Flur) vermittelte, dauerhaft erwirken zu können. Und dies war wohl einer der Gründe für den Übergang zu steinernen Mälern. Bis ins letzte Viertel des 16. Jahrhunderts blieben Steinbildstöcke in Odenwald und Bauland allerdings noch relativ selten. Dominant dürfte bis dahin der Holzstock geblieben sein, der immerhin auch ein Alter von ca. 70 Jahren zu erreichen vermochte. Mit dieser zeitlichen „Faustregel" ist zu rechnen, geht man von verschiedenen Holzkreuzen aus, zu deren Lebensdauer genaueres überliefert ist[56].

Auch konnte der Holzbildstock selbst verfertigt oder gegen geringes Geld beim Zimmermann[57] in Auftrag gegeben werden. Das Steindenkmal fiel hingegen in die Kompetenz des Steinmetzen und verursachte höhere Kosten[58]. Dies freilich bot andererseits dem Stifter die Möglichkeit, sich mit einem Steinmal auch als besonders opferwillig auszeichnen oder als wohlhabend darstellen zu können. Mit der Bestellung aufwendiger Bildhauerarbeit ließ sich diese Möglichkeit noch steigern, und wir möchten behaupten, daß ab dem 16. Jahrhundert die Übernahme immer neuer Bildstocktypen nicht nur in formfreudiger oder religiös motivierter Anpassung an die Stiltrends des gesamtfränkischen Bildstockwesens geschah, sondern stets auch im Hinblick auf den distinktiven Wert des Neuen und Teuren. Für die Zeit davor aber kann gelten: Schon die Wahl von Holz oder Stein ließ je verschiedene Rückschlüsse auf den Stifter eines Bildstocks zu. Und man möchte annehmen, daß darauf bezogene Überlegungen das Aufkommen der Steinmäler mitbewirkten und bereits mit den steinernen Nischenstöcken die Tendenz einsetzte, den Bildstock zugleich für die Gewinnung sozialen Ansehens zu nutzen.

Entsprechenden Bedürfnissen diente dann insbesondere auch die „Personalisierung" der Denkmäler, die ab dem frühen 16. Jahrhundert durch das Anbringen von Zeichen und Inschriften erfolgte. Für solche Zutaten war der dauerhafte Stein – ein weiterer Vorzug – mehr geeignet als das unbeständige Holz. Zunächst sind in Analogie zum Steinkreuz offenbar nur Handwerkszeichen oder Symbole für den bäuerlichen Stand des Stifters (vgl. den Pflug auf dem genannten Weilbacher Nischenstock) eingemeißelt worden. Aber auf einem Höpfinger Bildstock von 1519 erscheint auch schon der Stiftername mit Jahreszahl, und ab dem letzten Viertel des Jahrhunderts wurde es immer öfter üblich, den Stifter oder das Stifterpaar (Walldürn 1572) zu nennen, diese Nennung zu einer längeren Inschrift zu erweitern (ebenfalls Walldürn 1572, Wettersdorf 1574 usw.) und zusätzlich bisweilen Familien- und Berufswappen anzubringen (Walldürn 1562, 1582 und 1586, Amorbach 1575)[59]. Verbunden mit der Innovierung des moderneren „Häuschenbildstocks" (mit Kopfteil, Satteldach und Nischenrelief) ging diese Entwicklung offenbar maßgeblich von den kleinen Städten und deren Bürger- und Beamtentum aus[60]. Sie setzte einen gewissen Alphabetisierungsgrad der Bevölkerung und tüchtige Steinmetzen voraus, bei den Stiftern auch Offenheit für den Geist der Renaissance, der die Rückbesinnung auf den Wert des Individuellen und Persönlichen förderte, und schließlich die Bereitschaft, den zeittypischen Tendenzen der weltlichen und kirchlichen Epigraphik auch beim Bildstock zu folgen. Diesbezüglich ist an besitzerstolze Haus-Inschriften[61] und selbstbewußte Epitaph-Betextungen[62] zu denken: Vorbilder, die die Verschriftlichung des Bildstocks gewiß mitbeeinflußt haben. Man kann dies mit der Beobachtung unterstreichen, daß den Grabdenkmälern offenbar auch Textformeln entlehnt[63] und die ersten Darstellungen kniender Votanten zu Füßen des Nischenkreuzes (so auf einem Amorbacher Bildstock von 1584)[64] abgesehen wurden.

Vernachlässigt man diese Zusammenhänge, so bietet sich an, der „Personalisierung" des Bildstocks die Stifter-Absicht zu unterstellen, sich besonders nachdrücklich der göttlichen Hilfe zu empfehlen, bzw. diese Hilfe für Leib und Seele – dem do-ut-des-

Prinzip traditionellen Opferbrauches folgend – verstärkt für die persönliche Leistung der Bildstocksetzung „einzufordern". Aber wie sich eben selbst im Grabmalwesen religiöser Sinn mit Standesstolz und persönlichem Geltungsbedürfnis vermischte, so auch im Bildstockwesen. Deutliches Indiz dafür ist die Erweiterung der inschriftlichen Namensnennungen durch Ämter- und Titelangaben: zu belegen seit 1575/76 für die Stadt und auch schon für das Dorf. Denn 1575 ließ ein Amorbacher Stifter festhalten, daß er „DES ROTS", also Ratsmitglied gewesen ist[65], während Wendel Eck als „SCHVLTES ZV GERLITZHAN" (=Gerolzahn bei Walldürn) 1576 den ersten Odenwälder „Schultheißenstock" und zugleich ein Denkmal setzen ließ, das sich nach fränkischem Vorbild[66] durch die formale Neuheit zweier sich kreuzender Satteldächer auszeichnete[67]. Prägten sich so die Stifter ihrer Mit- und Nachwelt als Personen von Rang ein, so waren indessen auch die einfachen Namensnennungen mehr als Botschaften an die Überwelt, mißt man sie letztlich am Glauben an die Allwissenheit Gottes und an den Bezeugungen dieses Glaubens durch immer wieder auch inschriftslos errichtete Denkmäler (Holz- und Steinbildstöcke)[68]. Und traten doch zu den Stifternamen ab Ende des 16. Jahrhunderts Texte hinzu, die sich mit auslassender Gesprächigkeit an die Vorübergehenden wandten.

Indem der Bildstock mittlerweile mit dem Steinkreuz die Funktion teilte, auch dem Totengedächtnis zu dienen, berichteten solche längeren Inschriften von Todes- und Unglücksfällen. Sie gaben über sonstige Stiftungsanlässe und -umstände Auskunft, erzählten in einem Einzelfall eine ganze Kriminalgeschichte[69] und machten die Familienverhältnisse der Stifter – zum Teil in Form einer Kurzbiographie[70] – publik. Dabei blieb nicht aus, daß auch diese Mitteilungen mit prestigeträchtigen Informationen angereichert wurden: etwa mit Hinweisen auf finanzielle Leistungen, die sich wie eine späte Bestätigung zu der Rolle des Kostenfaktors lesen, die wir schon für die Frühgeschichte der Steindenkmäler herausgestellt haben. So betonte 1598 der Stifter eines Altheimer „Häuschenbildstocks": „HAB ICH MERDEN HALG ... DAS BILT AVF MEIN KOSTEN MACHEN LASSENN"[71]. Derselbe war vermutlich wohlhabender Besitzer des Dörntaler Hofes bei Altheim und stiftete – den Texten auf den Schaftseiten nach zu schließen – das Steinmal anläßlich dreier Todesfälle in seiner Verwandtschaft. Das läßt folgern, daß er mit dem Kosten-Hinweis zunächst sagen wollte, er allein – und niemand sonst aus seiner Sippe – habe das Denkmal bezahlt. Doch drückte sich in der Inschrift gewiß auch Stifterstolz allgemeiner Art aus. Das gleiche ist bei einem Glashofener Bildstock anzunehmen. Er wurde 1625, in den Wirren des 30jährigen Krieges, von der „GANTZE GEMEIN GLASHOFEN" errichtet und ergänzt diese inschriftliche Mitteilung wie folgt: „VEIT HAGEL DRAN GEBEN ZWEI SVMERE KORN, HANS HEILM(A)N ZWEI SVMERE KORN"[72]. Auch hier ist die sachliche Information zugleich Selbstdarstellung der Genannten und Aufforderung, ihrer Opferleistung besonderen Respekt zu zollen.

Die Mitteilsamkeit der Bildstöcke brach im 30jährigen Krieg indessen ab, wie überhaupt die Bildstocksetzungen in den Kriegs- und folgenden Notjahren stark zurückgingen[73]. Als gegen Ende des 17. Jahrhunderts der Bildstockbrauch wiederauflebte und ab 1700 rasch seine barocke Hochblüte erreichte, erneuerten sich die ausführlichen Beschriftungen nur noch sporadisch mit Bezeugungen besonders unglücklicher Todesfälle[74]. Im allgemeinen begnügte man sich mit kurzen formelhaften Inschriften, deren häufigste lautete: „GOTT ZU LOB UND EHREN HABEN DIESEN BILDSTOCK AUFRICHTEN LASSEN ..." (Namen, Jahreszahl). Durchgängig erhalten blieb dabei die Namensnennung der Stifter. Und in sich anbietenden Fällen wurde auch wieder ausgiebig von Titel-Angaben Gebrauch gemacht, so daß man erfährt, daß der Votant der „ehrsam ... schultes zu Beucha" (Beuchen 1698) oder „deß gerichts Alt senior, centschöpf und Bürgermeister" (Mudau 1755) war, eine Stiftergruppe „EHRSAM HERN DES GERICHT(S)" (Heppdiel 1751)[75]. Stifter ohne Amt ließen sich wenigstens gerne als „ehrsam"[76] oder „ehrbar"[77] bezeichnen und heischten so das Ansehen ihrer Mitwelt. Denn „ehrsam" war ein gesellschaftlich hebendes Eigenschaftswort, das im 17. Jahrhundert aufgekommen war und mit entsprechender Bedeutung auch in Rechtsquellen Eingang fand[78]. Seltener kommen hingegen Berufsbezeichnungen (wie Wirt, Müller, Metzger) vor. Stattdessen weisen öfter Berufswappen auf das Gewerbe der Stifter hin[79].

Was die Wohlhabenheit und den Opferwillen der Stifter anging, so ließen sich diese nun an Denkmälern ablesen, die als Tafelbildstöcke, Figurensäulen usw. besonders aufwendig gestaltet waren und „für sich" sprachen. Für die Verknappung der Inschriften war dies wohl mit ein Grund. Ein anderer scheint gewesen zu sein, daß die Barockfrömmigkeit stark zum Bildlichen tendierte und bei den Denkmälern schon prinzipiell auf den Vorrang optischer Eindrücke setzte: auf den Schauseiten der Bildstöcke auch immer reichere religiöse Bildprogramme entfaltend, was auf Kosten der früher (um 1600) z.T. üblichen Betextung mit Schriftzitaten und Gebeten ging. Doch gilt dies nicht generell. Für besondere Stiftungen (steinerne Hochkreuze, Madonnenstatuen, Kreuzschlepper-Figuren) sind auch wiederum lange religiöse Texte – oft in gereimter Form – verfaßt worden, um die Aussage der Darstellungen mit dem Wort zu unterstützen und sinnvoll die Schauseite der Sockel auszufüllen. Und dies blieb offenbar nicht ohne Einfluß auf die Bildstöcke, wie an der Verbreitung einer Textformel abzulesen ist, die man die „Wandersmann-Formel" nennen kann. Als Appell an die Vorübergehenden, einzuhalten und sich in die Betrachtung des Dargestellten zu vertiefen, entstand sie wohl für Kruzifixe und Passionsbilder. 1753 findet sie sich am Sockel einer Immaculata-Statue im Zentrum von Walldürn, wo sie ein Preisgedicht auf die Reinheit der Jungfrau wie folgt einleitet:

Wandersmann
Hier still Thu stehen
Sih Ein Lilien ohnbefleckt
In Maria Hier kannst Sehen
Die der Feind nicht angesteckt[80]

Leicht abgewandelt und auf ihre ursprüngliche Verwendung zurückverweisend, begegnet sie 1765 zu Füßen eines Kreuzschleppers am Bad Mergentheimer Galgenberg: „Steh Still / o Mensch / schau mich ann / Betracht mein / Schmerz / und Blagenn ..." Die erste Verwendung für den Bildstock können wir bereits für 1729 in Ballenberg im Bauland nachweisen, wo bei der Lorenzkapelle ein prächtiger Bildstock zu Ehren des Heiligen Blutes von Walldürn mit folgender Sockel-Inschrift steht: „ANNO / 1729 / STE STIL / O LIEBER / WANTERS / MAN SEH / DAS HEILIG / BLVT"[81]. Für den weiteren Gebrauch der Formel ist nun bemerkenswert, daß sie zum Appell von Bildstock-Stiftern umgemünzt wurde, ihrem Werk besondere Beachtung zu schenken. Es entstand so ein neuer formelhafter Inschrifttext, der 1762 für einen Tafelbildstock der Hl. Familie bei Altheim (inzwischen abgegangen) verwendet wurde, 1768 für einen Tafelbildstock des hl. Georg beim Assulzerhof bei Billigheim-Allfeld und sich wortgleich aus dem Jahr 1773 im Odenwalddorf Hollerbach findet, hier wie folgt auf dem Sockel eines aufwendigen Bildstocks mit kubischem Kopf und Kreuzigungsgruppe:

STEHE STIL / DU O WANDERS- / MAN
UND BETRACHTE / WAS MARTIN LINCK
ZUR EHR / GOTTES HAT GETHAN
IETZ / GEHE FORTH
UND WAN / DERE NUR RECHTE / STRASEN.

Wir können davon ausgehen, daß dieser Text in gewollter Weise „zweisprachig" war und einerseits noch zur frommen Bildbetrachtung ermunterte, andererseits aber dazu aufforderte, den stolzen Stifter für sein Werk zu loben.

Im übrigen kam der Selbstdarstellungsdrang der Votanten auch stets in der Standortwahl für den Bildstock zum Ausdruck. Denn bevorzugt wurden die Denkmäler an verkehrsreichen Plätzen aufgestellt: in der Ortsmitte, an den Ausfallstraßen der Städtchen und Dörfer sowie draußen in der Flur an Landstraßen, Kirchenpfaden, Wallfahrtswegen usw. Dies ist heute nicht mehr durchweg erkennbar, weil sich das Wegesystem veränderte und die Aufgabe alter Pfade den Bildstock bisweilen mitten in Wiesen und Feldern zurückließ. Wie sehr dies über die Stifterabsicht täuschen kann, hat Werner Haas für den südöstlichen Odenwald gezeigt, indem er dort die Kurzverbindungen („Steigen") zwischen den Höhenstraßen rekonstruierte und als Standorte für heute abseitig zu findende Flurdenkmäler nachwies[82]. Entsprechende Überlegungen hat Fritz Schäfer für das Verbreitungsgebiet der Bildstöcke des „Mudauer Meisters" angestellt[83]. Selbst bei Stiftungen zur Erinnerung an Unglücksfälle hat man die Mäler offenbar nicht direkt am Ort des Geschehens, sondern am nächstgelegenen Weg errichtet. Besonders gerne aber wurde die Öffentlichkeit großer Straßen gesucht, so auf der Walldürner Höhe diejenige der Straße von Miltenberg her, die bis heute als Überlandstrecke und Wallfahrtsstraße nach Walldürn von Bedeutung ist. Auffällig häufen sich hier – neben Steinkreuzen und Kapellen – die Bildstöcke von Stiftern aus den umliegenden Dörfern. Und es war unter diesen nicht nur der erwähnte Gerolzahner „Schultheißen-Bildstock" von 1576 zu finden, sondern ein weiteres Denkmal dieser Art von 1625, dessen Gottersdorfer Stifter sogar inschriftlich kundgibt, er habe sein Bild „AVF DIE STRASEN ZV EREN GOTES AVFRICHDEN LASEN"[84]. Das gleiche Streben nach Öffentlichkeit ist an der alten Fernhandelsstraße vom Main zum Neckar mit dem Paß bei der „Seitzenbuche" und an der Ost-West-Verbindung von Mudau nach Beerfelden an gehäuften Bildstocksetzungen abzulesen[85].

Man wüßte nun gerne, wie auf die „stolzen" Inschriften – soweit beachtet und von einer bis Ende des 18. Jahrhunderts erst teilweise alphabetisierten Dorfbevölkerung gelesen – reagiert und wie im übrigen auf die „stolze" Erscheinung der Bildstöcke als ganzes angesprochen wurde. Im allgemeinen ist sicher mit positiven Reaktionen zu rechnen, blieb der Trend zum Distinktiven doch ungebrochen und wurde vor der Aufklärung[86] von der Kirche unterstützt, indem bisweilen sogar im Kirchenbuch festgehalten wurde, daß sich ein Verstorbener als Stifter eines Bildstocks ausgezeichnet hatte[87]. Gelegentlichen Spott schloß das nicht aus: Respektlosigkeit, wie sie etwa noch aus der Bezeichnung „Genschbild" (Gänse-Bild) für einen Walldürner Bildstock von 1627 herausklingt, der nach Epitaph-Vorbild die Stifterfamilie in aufgereihter „Gänselinie" zeigt. Doch tradierte die mündliche Überlieferung auch Bildstocknamen wie „Eberhardsbild" (Walldürn), „Schachleitersbild" (Reichartshausen)[88], „Hauckenstock" (Hettingen) usw. Und dies war mehr als eine Erinnerung an die Stifter. Die Namen umkleideten die Denkmäler zugleich mit dem Prestige angesehener Personen und Familien und bedeuteten eine „Zutat", die nächst der religiösen Aura der Bildstöcke ihr Teil dazu beitrug, daß die Mäler geschont und im Bedarfsfall renoviert wurden (letzteres natürlich vor allem von den Nachkommen der Stifter).

Für den Holzbildstock – nie völlig verschwunden – gilt hingegen, daß sein Dasein ein bescheideneres war. Zwar teilte er offenbar mit den Steinmälern die bevorzugten Standorte an Wegen und Straßen und blieb nicht völlig schmucklos (vgl. unten). Aber inschriftlich hatte er nichts mitzuteilen, stieß doch Max Walter auf kein einziges älteres Beispiel, dem auch nur ein Stiftername eingeschnitzt gewesen wäre, wiewohl ihm noch Holzstöcke gezeigt wurden, die aufgrund günstiger Erhaltungsbedingungen bis zu 150 Jahre (!) alt gewesen sein sollen[89]. Dies heißt nun freilich nicht, daß die Holzmäler zu ihrer Zeit völlig „stumm" gewesen wären. Beredt war zumindest die Sprache ihres Materials und ihrer altertümlich-einfachen Form, und sie sagte wohl in vielen Fällen aus, daß der Stifter zu arm gewesen war, um sich ein kostspieliges Steindenkmal leisten zu können. Vergessen wir dazu nicht, daß im scheinbar so wohlhabenden 18. Jahrhundert Agrarkonjunkturen mit Agrarkrisen wechselten[90], im schon von Natur aus kargen Odenwald immer wieder Viehseuchen (so 1744) und Mißernten (so 1771/74) die bäuerliche Bevölkerung drückten und sich dazu eine schleichende Verarmung durch das Anwachsen der dörflichen Einwohnerzahlen, die Teilung der Hubengüter im Odenwald und die Realteilung des Besitzes im Bauland vollzog. So gab es gewiß eine Dorfarmut, die mit dem Holzbildstock in Zusammenhang gebracht werden kann. In schlechten Zeiten – wenn gerade Noterfahrungen zum Bildstocksetzen gedrängt haben mögen – nahm vermutlich selbst mancher Bauer mittlerer Größe mit einem Holzmal Vorlieb. Permanent aber war die Situation der dörflichen Beisassen (verheiratete Dienstleute, Handwerker, Kleinbauern) eine bedürftige, und wir können davon ausgehen, daß die Holzbildstöcke vor allem von den Angehörigen dieses Standes errichtet worden sind. Zur Bestätigung ist noch einmal die von Max Walter entdeckte Beurkundung des Holzverkaufs für eine Bildstocksetzung (Schloßau 1773) anzuführen[91]. Sie weist aus, daß der Käufer – er hieß Hans Georg Galm – ohne eigenen Waldbesitz war und darüber hinaus auch über keine Holzrechte im gemeinschaftlich genutzten Wald, sondern höchstens über die Erlaubnis verfügte, ebendort Brennholz und Laub zu sammeln. Das charakterisiert deutlich einen armen Beisassen und mag die soziologische Bestimmung des Holzbildstocks exemplarisch unterstützen.

Am blühenden Bildstockwesen des 18. Jahrhunderts (und früherer Perioden) ist andererseits nachzuvollziehen, daß Voll- oder gar Doppelhufner, dörfliche Amtsträger und städtische Besitzbürger auch noch in Krisenzeiten die Mittel besaßen, ihren religiösen Anliegen und Repräsentationsbedürfnissen durch kostspielige Bildstocksetzungen Ausdruck zu geben. Und stets gab es daneben Personenkreise, die wenigstens ein Steinmal einfacherer Art errichten lassen konnten. Dies alles heißt nun nichts anderes, als daß sich in der Vielfalt der Bildstockformen differenziert die sozioökonomische Struktur der Bevölkerung abgebildet hat: zum Verständnis der daran Beteiligten, ja bewußt zu diesem Abbild Beitragenden. Und daran ist die Folgerung anzuschließen, daß über den Bildstockbrauch immer auch eine Verständigung über Standes- und Besitzunterschiede erfolgt ist. Als These formuliert: Die Erscheinungswelt der Bildstöcke fungierte als abgestuftes soziales Zeichensystem, zentriert um den Dualismus von Holz- und Steinbildstock, der einerseits eine Kultur der Armut (und des schlichten religiösen Bedürfnisses) kenntlich machte, andererseits eine solche der (religiös gestützten) „Selbstverherrlichung" dörflicher und städtischer Oberschichten. Über der Egalität des scheinbar gemeinsamen religiösen Brauches ist dies später immer wieder verkannt worden. Und erst recht vermittelte sich jenes Zeichensystem nicht mehr der Nachwelt, weil es nur bruchstückhaft erhalten blieb, d.h. ohne die Holzbildstöcke, die man verwittern ließ, wenn nicht ein familiäres Interesse daran fortbestand (vgl. unten).

Soziale Antriebsfaktoren beim Bildstockbrauch

Das Bildstockwesen war – wenn wir es in dieser Weise erfassen – keine singuläre Erscheinung. Wie die Volkskunde herausgearbeitet hat, durchwirkte die ganze ältere Volkskultur die Systematik kommunikativer Zeichengebungen, zugespitzt auf repräsentative Demonstrationen: vom Alltagsbereich über das Kleidungsverhalten (Tracht) bis zum Brauch- und Festwesen, das die betonte Üppigkeit von Festmählern oder etwa das Vorzeigen des Heiratsgutes auf dem bäuerlichen Brautwagen gekannt hat. Man hat dazu auf die einst größere Bedeutung nonverbaler Kommunikation verwiesen und bei den „Repräsentationsformen" der Volkskultur auf brauchmäßig sanktionierte Renommierbedürfnisse abgehoben, die nichts anderes bezweckt hätten, als – vorwiegend in der jeweils eigenen Sozialschicht – das Renommee, d.h. den guten Ruf, zu sichern[92]. Aber es sind auch konflikttheoretische Ansätze entwickelt und zur Interpretation kultureller Zurschaustellungen genutzt worden, denen offenbar die Absicht unterlag, nach oben Standesgrenzen zu durchbrechen[93] oder nach unten einen erreichten, aber bedrohten Sozialstatus zu verteidigen[94].

Um dem Zeichensystem der Bildstöcke ein vertieftes Verständnis abzugewinnen, muß auch hier gefragt werden, welche Antriebsfaktoren den Trend zum Distinktiven und Repräsentativen hervorgebracht haben, über den so selbstverständlich scheinenden Zusammenhang zwischen Wohlhabenheit und Bildstocktypik hinaus. Eine einzige Antwort wird dabei nicht zu finden sein, weil die sich mit „stolzen" Steinmälern auszeichnende Oberschicht auch wiederum in sich differenziert war und weil mit mehrschichtigen Motivationen im Wandel längerer Zeiträume gerechnet werden muß. Doch kann wohl behauptet werden, daß das Bedürfnis nach Statusbetonung und -absicherung eine zentrale und auch durchgängige Rolle gespielt hat. Zum Beleg sind zunächst die „Schultheißenstöcke" anzuführen, mit denen die Dorfoberhäupter – Namen und Titel nennend – hervorgetreten sind. Da sich diese Denkmäler im schlimmen Kriegsjahr 1625 auffällig häuften[95] und 1626 in Glashofen der Schultheiß mit der „GANTZ GEMEIN" als Stifter zeichnete[96], hat man angenommen, daß die „Schultheißenstöcke" gemeinschaftliche oder stellvertretend für die Dorfgemeinschaft geleistete Votationen zur Abwendung der Kriegsgefahren gewesen seien[97]. Das mag vorübergehend so gewesen sein. Aber wir führten schon an, daß der erste Odenwälder Bildstock dieser Art bereits 1576 bei Gerolzahn errichtet worden ist, und aus der Vorkriegszeit stammen auch noch ein Rütschdorfer Beispiel (1612)[98] und – weiter ins Fränkische ausgegriffen – zwei von Schultheißen gestiftete Kruzifixe (Unterbalbach 1590, Löffelstelzen 1607)[99] sowie ein ebensolcher Tafelbildstock (Gommersdorf 1610)[100]. Und ab ca. 1700 (vgl. Beuchen 1698) setzte eine neue Welle solcher Stiftungen ein, die durchs ganze 18. Jahrhundert ging[101] und im Mudauer Raum erst um 1805 verebbte[102]. Das nötigt, die „Schultheißenstöcke" als spezifische Statussymbole anzusetzen und sie als solche zu hinterfragen.

Bekannt ist, daß die Schultheißen von der Herrschaft „gesetzt" wurden, um die Dorfaufsicht auszuüben und für die Einsammlung des Zehnten und sonstiger Abgaben zu sorgen[103]. Wo im hinteren Odenwald und Bauland das Kloster Amorbach zehntberechtigt war, gab es einen „Klosterschultheiß" und einen zweiten, von der mainzischen oder sonstigen Landesherrschaft berufenen „Dorfschultheiß", dem steuerliche Befugnisse, die Waldaufsicht und das Präsidium beim Ruggericht für Wald- und Feldfrevel zustanden[104]. Für diese Ämter wurden nur wohlhabende und angesehene Bauern herangezogen, deren Reputation sich durch die amtlichen Funktionen dann noch bedeutend hob. Selbstbewußt konnte sich daher der Gottersdorfer Schultheiß Jörg Leuchtenschlag als „ERBAR VND VORNEM" (Bildstock von 1625)[105] titulieren lassen, während in evangelischen Dörfern sogar der Fall eintrat, daß der adelige Ortsherr seinem Schultheißen den Taufpaten machte (Sindolsheim 1592)[106]. Ökonomische Begünstigungen kamen hinzu: durch Beteiligung am Zehnten oder etwa auch die Gewährung des örtlichen Mahl-Privilegs[107]. Entsprechend attraktiv war das Schultheißenamt. Es erbte sich oft in der Familie fort, so daß (in Hornbach) die Bezeichnung „Klosterscholz" zum Hausnamen werden konnte[108]. Aber es war kein prinzipielles Erbamt, sondern mußte durch Tüchtigkeit und Wohlverhalten behauptet werden. Daraus läßt sich folgern, daß das amtliche wie kulturelle Verhalten der Schultheißen interessengelenkt und die Setzung der „Schultheißenstöcke" ein Mittel war, christliche Rechtschaffenheit zu demonstrieren, zeitweise auch kirchliche Rechtgläubigkeit. Auf letzteres ist für die Zeit um 1600 abzuheben, als die Gegenreformation in vollem Gang war und zu Glaubensbeweisen anspornte, wie sie auch sonst im Bildstockwesen zu verifizieren sind[109]. Ja man könnte geneigt sein, mit dem Erfordernis kirchlichen Treuebeweises schon das Aufkommen der „Schultheißenstöcke" ab 1576 zu erklären und dazu auf die Tatsache verweisen, daß damals auch das kirchliche Brauchtum unter maßgeblicher, normsetzender Beteiligung der Schultheißen wiederaufblühte[110]. Doch hatten die Schultheißen nicht nur Veranlassung, sich der katholischen Obrigkeit zu empfehlen. Im dörflichen Spannungsfeld zwischen herrschaftlichen Ansprüchen und bäuerlichen Gegeninteressen mußten sie sich – wohl oft genug kritisiert und als „Günstlinge" beneidet – auch gegenüber ihren Dorfgenossen beweisen. Und daraus kann abgeleitet werden, daß ihre Bildstocksetzungen auch innerdörflich Eindruck machen sollten: einerseits als religiöse Bekundungen, andererseits als Merkzeichen, die den errungenen Sozialstatus ihrer Stifter visualisierten und ihm im Dorfleben eine zweite, symbolische Dauerpräsenz verliehen[111]. Längerfristig scheint das Setzen der „Schultheißenstöcke" dann geradezu als „Amtspflicht" empfunden worden zu sein. Kam ein neuer Schultheiß ins Amt, so folgte öfter auch eine neue Bildstockstiftung, was erklären könnte, daß zwischen zwei Langenelzer Denkmälern – 1798 und 1805 gestiftet – nur wenige Jahre liegen.

Beispielgebend traten gelegentlich auch Amtskeller (Amorbach 1639)[112] und Zentgrafen (Mudau 1620)[113] als Stifter hervor, während geringere dörfliche Amtsträger – Bürgermeister (=Gemeinderechner) und Zentschöffen – dann wiederum dem Vorbild der Schultheißen nachgeeifert zu haben scheinen[114]. Daß die „Schultheißenstöcke" auch sonst als Ansporn für Bildstocksetzungen gewirkt haben, ist anzunehmen: im Prinzip für die ganze dörfliche Oberschicht, die sich mit repräsentativen Stiftungen hervortat und – wie oben betont – mit Steinmälern die Holzbildstock-Setzungen der Beisassen übertrumpfte. Hierzu ist nun nachzutragen, daß es auch den Stiftern dieser Schicht um Statusbetonung und -absicherung gegangen sein muß. Denn zwischen den armen Beisassen und den Besitzern von Bauerngütern bestand zugleich ein scharfer rechtlich-politischer Gegensatz[115] und ein Konfliktfeld, das mit dem Anwachsen des Beisassenstandes seit dem 17. Jahrhundert zunehmend spannungsreicher wurde. Hatten allein die Vollbauern als „Gemeindsmänner" Anteil am Gemeinnutzen und Stimmrecht in den Gemeindeversammlungen, so ging der Kampf der Beisassen um die Teilnahme an der Allmendnutzung, um Weiderechte, um Bauplätze und gegen übermäßige Handfronen[116]. Die privilegierten Bauern grenzten sich um so mehr in „stolzem Kastengeist"[117] von der Unterschicht ab, ließen Verheiratungen nur innerhalb ihres Standes zu und betonten ihren Besitz- und Rechtsstatus durch eigene, distinktive Kulturformen. Ihre Bildstocksetzungen kann man in diesen Kontext einordnen. Auch diese machten sichtbar, was einem Bauern im Unterschied zu einem Beisassen zustand, und sie reproduzierten so auf kulturell-symbolischer Ebene die dörflichen Standesunterschiede: wie die „Schultheißenstöcke" auf spezifische soziale Interessen und Antriebe rückführbar und eben nicht nur aufgrund religiöser Motivationen und individueller Veranlassungen zu erklären.

Es bleibt Aufgabe der Forschung, den sozialen Hintergründen und Funktionen der Bildstöcke noch vertiefend nachzugehen, wobei es sich empfehlen würde, zu den Denkmalbeständen einzelner Orte – ausgehend von den Stifternamen – präzise Soziogramme der Stifter-Gemeinschaften zu erstellen und daran die oben aufgestellten Thesen zu überprüfen.

Der Holzbildstock: Nachgeschichte

Vom Ausmaß der Holzbildstock-Setzungen und dem Zeichenwert dieser Denkmäler können wir uns heute fast nur noch aufgrund der Aufzeichnungen Max Walters eine Vorstellung machen. Sie kamen in dem langen Zeitraum zwischen 1913 und ca. 1960 zustande und erfaßten ältere und neuere Holzstöcke: im Bauland meist als abgegangene, im hinteren Odenwald aber noch in einem größeren Restbestand von immerhin ca. 25 Denkmälern, die Walter vermaß, zeichnete und beschrieb[118]. Sie waren ziemlich einheitlich gestaltet, und man darf annehmen, daß auch das Aussehen ihrer verschwundenen Vorläufer kein wesentlich anderes war.

In der Regel traf Walter auf Stöcke mit vierkantigem Schaft und leicht abgesetztem, dachförmig zugespitztem oder oben abgerundetem Nischenaufsatz: einheitlich aus einem Eichen- oder Fichtenholzstamm herausgebeilt oder -gesägt, mit Einschluß bekrönender Kreuze (so in Langenelz, Steinbach, Breitenbuch, Watterbach, Mainbullau, Miltenberg). Ein aufgezimmertes Bildhäuschen kam nur bei einem späten, 1946 in Hambrunn errichteten Denkmal vor. Die Bildnischen waren als vierseitiges Rechteck oder – der Form des Bildstockkopfes folgend – als Rechteck mit Giebel- oder Bogenabschluß eingetieft. In Gottersdorf und Hollerbach fanden sich außerdem zwei Bildstöcke, bei denen die Nische dem Umriß des darin aufzustellenden Vesperbildes (Pieta) nach- bzw. vorgearbeitet war (was auch beim Steinbildstock vorkam, vgl. einen solchen an der Straße von Steinbach nach Hettigenbeuern). In Hollerbach enthielt die Nische auch noch ihre ursprüngliche Ausstattung: eine einfache bemalte Pieta aus Holz. Ein Hettinger Bildstock (vgl. unten) barg ein altes Vesperbild aus Ton (wie der Bildstock wohl von 1848). Öfter war die Nische leer. In noch gepflegten Stöcken standen sonst modernere Figuren aus

Gips oder – wegen der Haltbarkeit bevorzugt – aus Porzellan (Pieta, Lourdes-Madonna, Hl. Familie, St. Antonius). Einige jüngere Tonbilder kamen im Umkreis von Mudau vor und wurden von Walter den Hafnereien von Franz Schneider in Mudau und Wilhelm Fertig in Buchen zugewiesen, die zur Zeit seiner Erhebungen noch entsprechende Modelabformungen herstellten (Vesperbilder, Kreuzigungsgruppen im Flachrelief).

Zwischen 1,40 und 2,00 m hoch, staken die Mäler meist direkt im Boden. Nur vereinzelt hatte man sie vor der aufziehenden Bodenfeuchtigkeit durch Befestigung in einem Findlingsblock geschützt (so in Schneeberg und Watterbach, woselbst auch ein Regenschutz in Form eines überwölbenden Blechdaches angebracht wurde). Doch ist öfter zu einem schützenden Ölfarbenanstrich gegriffen worden, der zugleich schmückende Wirkung hatte und wohl die Tradition älterer, auch bei Steinmälern üblicher Bildstock-Bemalung fortsetzte. Eine landschaftliche Parallele weist dazu der Schwarzwald auf, von wo die Nachricht vorliegt, daß die Holzbildstöcke früher einen blauen oder roten Anstrich zeigten[119]. Auch im Odenwald kam noch rote Bemalung vor: bei einem Watterbacher Holzstock und dem (entsprechend benannten) „Roten Bild" am alten Kirchenweg von Ohrenbach nach Rüdenau bei Miltenberg im Wald. Ansonsten bevorzugte man die Farbe braun (Steinbach, Watterbach, Scheringen). Jener Hollerbacher Bildstock war gelb gestrichen, seine Bildnische weiß ausgemalt. Den roten Watterbacher Bildstock zierte ein weißer Anstrich der Kanten um die Bildnische.

Man mag im Bemalen nicht zuletzt einen Versuch sehen, die im Vergleich mit den Steinmälern geringe Ansehnlichkeit der Holzbildstöcke zu heben. Noch bezeichnender aber ist diesbezüglich, daß auch erstrebt wurde, die formale Gestaltung der Holzstöcke an diejenige von Steinmälern anzugleichen. So stieß Max Walter auf zwei Beispiele für geschnitzte Drehsäulen: 1913 in Watterbach, 1919 in Steinbach. Bei beiden ca. 1,80 m hohen Bildstöcken zog sich rings um den Schaft eine breit eingekerbte Spirale bis zum Bildstockkopf hoch, offenbar nach dem Vorbild tafel- oder figurentragender Steinsäulen des Barock (vgl. die „Träubelesbilder") und in Analogie zu barocken Holzmartern, die – in noch besserer Ausführung – im fränkischen Raum bei Bamberg und Nürnberg nachgewiesen wurden[120]. Auf ein hohes Alter wies bei den Odenwälder Bildstöcken ihr starker Verwitterungszustand hin, der im Falle des Steinbacher Denkmals (im Grasgarten bei der Schule) dazu geführt hat, daß Walter dasselbe 1949 durch einen einfacheren Holzstock ersetzt fand. Im 18. und frühen 19. Jahrhundert mögen hölzerne Drehsäulen noch öfter vorgekommen sein: als Holzbildstöcke der besseren Art, wie sie in noch früherer Zeit – dem Zeugnis der Malerei nach zu schließen – auch durch gotisierende Abfassungen der Kanten geschaffen worden sind.

Abgeschrägte Schaftkanten mit spitzem Auslauf traf Walter in wenigen Fällen (Steinbach, Altheim) ebenfalls noch an: ob als sehr altes, traditionsbestimmtes Gestaltungselement oder neuerfundene „natürliche" Schmuckform sei dahingestellt. Weiterhin kamen als Schnitzwerk vor: eine am unteren Schaftende umlaufende runde Einkerbung bei einem Hambrunner Stock, eine abgesetzte Verbreitung des unteren Schaftdrittels bei einem Preunschener Denkmal, das damit wieder – allerdings erst 1925 errichtet – dem Muster bestimmter Steinbildstöcke folgte. Bei einem Bildstock an der Straße von Schweigern nach Waldhausen – durch seine Höhe von 2,50 m auffallend – war die Unterkante des Nischenaufsatzes mit einem Zahnschnitt-Fries und der Schaft mit einem unten eingeschnittenen Kreuz geschmückt, unter dem sich auch die einzige eingeschnitzte Datierung aus älterer Zeit fand: 1899. Das seltene Beispiel einer aufgemalten Datierung bot daneben ein Bildstock bei Hettingen, am alten Weg von Rinschheim nach Walldürn beim „Steinernen Tisch". Zugleich den Sonderfall eines Holzbildstocks mit glatter runder Säule darstellend, war diesem Denkmal eine Holztafel mit folgender Beschriftung aufgenagelt:

Hier in des Waldes Einsamkeit
Hat sie der Tod hinweggeraft
Da kam der Herr der Herlichkeit
Und führt sie in die Ewigkeit.
Margareta Wünst, 1848

Über die Stiftungsanlässe und -umstände erfahren wir ansonsten durch die Holzmäler nichts und durch Sagen nur Unzuverlässiges. Ein Schneeberger Holzstock am Gottersdorfer Pfad, der abgegangen ist, soll von einem Bauern an der Stelle errichtet worden sein, wo ihm der „Ölantoni" – ein spukender Mörder – begegnet ist[121]. Von einem Altheimer Holzbildstock an der alten Straße nach Walldürn („Stoffelsbild" oder „Holzbild" genannt) wird erzählt, man habe ihn für einen Metzger aufgestellt, der zum Viehkauf nach Walldürn unterwegs gewesen und im Wald einem Raubmord zum Opfer gefallen sei. Und zu drei Holzstöcken in Preunschen, von denen 1919 nur noch einer in schlechtem Zustand vorhanden war, notierte Max Walter bei einer Nachbegehung 1950: „Dort sollen sich einmal drei Schneider aus Kirchzell, die wegen ihres Geschäfts übereinander gekommen waren, mit der Schneiderschere erstochen haben"[122]. Ähnliche Sagen werden von Steinkreuzen und Steinbildstöcken erzählt, und sie haben sich als Wandersagen wohl erst nachträglich mit jenen Holzmälern verknüpft.

Die jüngsten Holzbildstöcke sind offenbar in den 1920er Jahren bzw. gleich nach dem Zweiten Weltkrieg errichtet worden, und zu diesen konnte Walter noch Familienerinnerungen aufzeichnen, die wenigstens für die genannten Zeiten den Bildstockbrauch erhellen. Zu dem Preunschener Holzbildstock von 1925, in dessen Nische eine Porzellanfigur des hl. Antonius von Padua stand, ist Walter von Gewährsmann Alois Herkert folgendes erzählt worden: „Den Bildstock hat meine Mutter, Frau Maria Herkert geb. Ebel, im Jahre 25 setzen lassen. Sie hatte dem hl. Antonius ein Bild versprochen, wenn ich glücklich aus dem Krieg (1914/18) zurückkommen würde. Den Bildstock hat Zimmermann Karl Rippberger in Preunschen gemacht"[123]. Ein Bildstock in Scheringen mit den Schriftzeichen "1946 / v W D" auf dem Schaft ist Walter als Denkmal bezeichnet worden, das von Wilhelm Dietz aus Scheringen, einem kleinen Bauern und eifrigen Bastler, selbst gefertigt und aufgestellt wurde: vermutlich ebenfalls als kriegsbedingte Votation, auch wenn die Überlieferung hierzu (nach dem Tod des Stifters) nichts mehr mitzuteilen wußte. Anders bei einer Stiftung des gleichen Jahres zu Hambrunn beim Dorfbrunnen auf der Wiese des „Hessebauern". Zu dieser bezeugte eine Amorbacher Gewährsfrau: „Die Aufstellung des Bildstocks war ein Anliegen meiner Mutter. Als sie im Jahre 1946 längere Zeit krank darniederlag, dachte sie oft an ihre im Kriege gefallenen Söhne und sie verlangte, daß der in den Jahren vorher verwitterte und abgegangene Bildstock durch einen neuen ersetzt wird"[124].

Gehen wir davon aus, daß in den zitierten Berichten traditionelle Einstellungen und Verhaltensformen zum Ausdruck kamen, so können wir sie zusammen mit dem, was

Abb. 1: Karte zur Verbreitung des Holzbildstocks im hinteren Odenwald und Bauland, gezeichnet von Max Walter (Max-Walter-Archiv Würzburg).

Abb. 2: Steinerner Nischenstock von 1483 bei Breitenbach/Odw., geschaffen im formalen Anschluß an die Holzbildstöcke der Zeit.

Abb. 3: Steinbildstock von ca. 1500 in Weilbach (Fortentwicklung der Stockform). Auf dem Schaft die Ritzzeichnung eines Pfluges (Stiftermarkierung).

Abb. 4: Holzbildstock in Steinbach bei Mudau vor Gehöft Herkert, aufgenommen 1978 (inzwischen erneuert).

Abb. 5: Das hölzerne „Stoffelsbild" bei Altheim an der alten Walldürner Straße nach der Renovation 1975.

Abb. 6: Holzbildstock bei Hollerbach am Weg nach Unterneudorf, aufgenommen 1954 (inzwischen erneuert).

Abb. 7: Holzbildstock bei Hettingen am „Steinernen Tisch" mit Rundsäule und Schrifttafel, aufgenommen 1954.

Abb. 8: Steinbildstock im Walldürner Wald beim „Märzenbrünnlein". Häuschentyp mit Datierung 1585 und Stifter-Monogramm.

Abb. 9: Steinbildstock von 1572 bei Walldürn am Wasenweg, die vordere Schaftseite voll für Beschriftung genutzt.

Abb. 10: Der älteste im Odenwald nachweisbare „Schultheißenstock", errichtet 1576 von dem Gerolzahner Schultheiß Wendel Eck an der Straße Walldürn-Miltenberg (jetziger Standort: Ortszufahrt nach Gerolzahn).

Abb. 11: „Schultheißenstock" aus den Notjahren des 30jährigen Krieges, errichtet 1625 von dem Hornbacher Schultheiß Jakob Link an der Straße Großhornbach-Hainstadt.

Abb. 12: Barocker Prachtbildstock von 1773 in der Ortsmitte von Hollerbach.

Abb. 13: Die Stifter-Inschrift auf dem Sockel des Hollerbacher Bildstocks von 1773 mit der „Wandersmann-Formel".

Abb. 14: Tafelbildstock im Rokoko-Stil von 1770 in Hollerbach mit Bild des hl. Valentin.

Abb. 15: Tafelbildstock (18. Jh.) in Rumpfen mit einer Darstellung der Krönung Marias. (Stifter-Inschrift verloren).

Abb. 16: Tafelbildstock von 1799 vor der Kirche in Reisenbach mit Medaillon-Kranz, auf dem die Geheimnisse des Rosenkranzes verbildlicht sind.

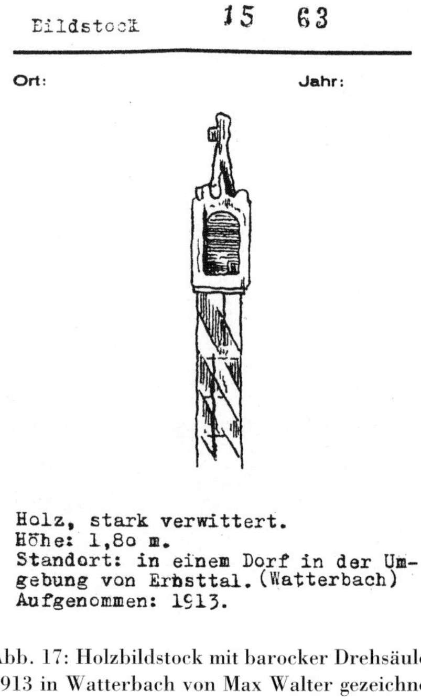

Bildstock 15 63

Ort: Jahr:

Holz, stark verwittert.
Höhe: 1,80 m.
Standort: in einem Dorf in der Umgebung von Erbsttal. (Watterbach)
Aufgenommen: 1913.

Abb. 17: Holzbildstock mit barocker Drehsäule, 1913 in Watterbach von Max Walter gezeichnet und vermessen (Max-Walter-Archiv Würzburg).

Abb. 18: Das „Träubelesbild" von 1744 bei Walldürn, ein Prachtbildstock zu Ehren des Heiligen Blutes mit steinerner Drehsäule.

Abb. 19: Tafelbildstock von 1820 in Altheim mit Darstellung der hl. 14 Nothelfer.

Abb. 20: Einfacher Steinbildstock ohne Beschriftung am Altheimer Ortsausgang Richtung Walldürn (ca. 1850).

Abb. 21: Holzbildstock in Langenelz bei Haus Späth, errichtet 1987 zum Ersatz für ein älteres Holzdenkmal gleicher Form.

Abb. 22: Holzbildstock an der Straße Dörlesberg-Reicholzheim/Tauber, in einfachster Form aus einem Baumstumpf gestaltet.

wir im allgemeinen über die religiöse Seite des Bildstockbrauches wissen, für die Annahme beanspruchen, daß auch die älteren Holzmäler als Dank- und Bittvotationen bzw. als Gedächtnismäler für unglückliche Todesfälle (vgl. Hettingen 1848) errichtet worden sind. Letzteres muß dabei wohl besonders unterstrichen werden. Nach dem von der Aufklärung eingeleiteten Niedergang des Bildstockwesens (und der damit verbundenen Entwertung der Bildstöcke für Repräsentationsanliegen) blieb das Bedürfnis, mit Bildstocksetzungen das Totengedächtnis und Gebet für Verunglückte zu unterstützen, die offenbar stärkste Antriebskraft für den Bildstockbrauch: ablesbar an den Inschriften von Steinmälern des 19. und frühen 20. Jahrhunderts (so noch Hornbach 1914) und ebenso für viele Holzbildstock-Setzungen zu vermuten, vor allem für diejenigen in freier Flur. Die ursprünglichen sozialen Konnotationen der Bildstocktypen dürften sich dabei immer mehr verwischt haben. Zwar gibt es Indizien für die fortdauernde Beheimatung des Holzbildstocks in der Welt der armen Leute. Man mag dazu Walters Hinweis auf jenen „kleinen Bauern" in Scheringen rechnen und beachten, daß der letzte (von Walter nicht erfaßte) Gerolzahner Holzstock bis 1980 vor dem Hirtenhaus des Dorfes stand: als Stiftung des Gemeindeschäfers (und in diesem Fall als Anruf an die Gottesmutter und St. Wendelin, die dem Schäfer anvertrauten Tiere zu beschützen)[125]. Wenn aber Notlagen und Todesfälle drängten, mochte es auch sonst als das einfachste und nächstliegende erschienen sein, zu einem Holzmal zu greifen: mitbedingt durch die Tatsache, daß es im Nahbereich der Stifter auch nicht mehr die „Bildstockmeister" gab, die einst als Handwerker auf bildhauerische Arbeit spezialisiert waren. Bis zum Ende des 19. Jahrhunderts ist indessen mit einem steten Rückgang neuer Bildstocksetzungen zu rechnen. Erst als die Erfahrungen der beiden Weltkriege dem Bildstockbrauch noch einmal religiösen Auftrieb gaben, kam es – unter den ärmlichen Bedingungen der jeweiligen Nachkriegsjahre – zu einer letzten kurzfristigen Renaissance des Holzbildstocks, wie durch die Walterschen Aufzeichnungen zu den jüngsten Stiftungen belegt.

Im übrigen ist die Tatsache bemerkenswert, daß gegenüber den älteren Holzmälern auch eine gewisse Traditionsverpflichtung empfunden wurde und da und dort zur Erneuerung der Bildstöcke motivierte. Auf diese Tatsache traf Walter nicht nur bei dem 1946 in Hambrunn wiedererrichteten Holzbildstock, sondern auch bei Denkmälern in Steinbach, Watterbach und Hollerbach, die jeweils ein abgegangenes Holzmal ersetzten. Dabei ist auffällig, daß diese „Ersatzbildstöcke" nicht in Stein ausgeführt wurden. Ging man im Schwarzwald – mangels geeigneter Steinvorkommen einst eine klassische „Holzbildstock-Landschaft" – gegen Ende des 19. Jahrhunderts ziemlich einheitlich zu Bildstockerneuerungen aus (importiertem) Stein über[126] und wird dieser Trend auch aus Mittel- und Oberfranken bezeugt[127], so blieb der hintere Odenwald selbst bei den „Ersatzbildstöcken" ein Reliktgebiet der Holzmäler. Nur im Baulanddorf Pülfringen fand Walter ein – 1947 von der katholischen Jugend errichtetes – Steinbild in der Nachfolge eines verwitterten Holzstockes vor. In den anderen Fällen wirkte offenbar die Anhänglichkeit an das Gewohnte stärker nach. Bei dem in Hollerbach ersetzten Holzbildstock sind außerdem erste heimatpflegerisch-geschichtliche Interessen zu vermuten, war es hier doch Hauptlehrer Safferling, der 1948 die Initiative zur Erneuerung ergriff.

Letzte Zeugen

1977/78 unternahm es der Verfasser, im Untersuchungsgebiet die letzten erhaltenen Holzbildstöcke zu ermitteln. Es sind hierbei einige von Walter übersehene Holzstöcke im hinteren Odenwald aufgefunden, daneben auch etliche Beispiele außerhalb des Odenwaldes bekannt geworden: so in Werbach an der Tauber[128] und Stuppach bei Bad Mergentheim[129]. Ein besonders urtümlich wirkendes, gleichwohl relativ junges Denkmal wurde an der Straße von Dörlesberg nach Reicholzheim/Tauber festgestellt: aus einem ca. 1,80 m hohen Baumstumpf gestaltet, dem eine Bildnische eingehauen und ein flaches Satteldach aufgesetzt war[130]. Aus dem Odenwälder Altbestand seien aufgrund der damaligen Erhebungen vier Denkmäler zu näherer Beschreibung herausgegriffen, um die Maßverhältnisse und den Zustand, in dem sie angetroffen wurden, zu dokumentieren:

1. Holzbildstock am Weg von Watterbach nach Kirchzell oberhalb des Dorfes (Walter: 15/66). Privatbesitz der Watterbacher Familie Repp und in deren Privatwald stehend. Viereckiger Schaft mit vorderseits abgeschrägten Kanten und stark abgesetztem Nischenaufsatz mit Satteldach und Kreuz, alles aus einem Stamm (Eichenholz) gearbeitet. Maße des Schaftes: 1,30 m hoch, 25 cm breit, 22,5 cm tief. Maße des Aufsatzes: ohne Kreuz 69,5 cm hoch, 33 cm breit, 26 cm tief. Höhe des Kreuzes: 19 cm. Der frühere rote Anstrich (vgl. Walter) war stark abgeblättert und nicht erneuert, das dem Aufsatz übergeschlagene Blech z.T. abgerostet. In der Nische befanden sich die Reste einer aufgenagelten Schnitzerei (Umriß eines Altares in gotisierender Form).

2. Holzbildstock bei Gehöft Galm (Haus Nr. 2) in Langenelz, früher am „Bückele" hinter dem Haus stehend, 1977 unten abgefault und deshalb neben die Stalltüre gelehnt. Gestaltung wie bei dem Watterbacher Denkmal, doch keine abgeschrägten Schaftkanten. Maße des Schaftes: 1,26 cm hoch, 15 cm breit, 12 cm tief. Maße des Aufsatzes: ohne Kreuz 49 cm hoch, 19 cm breit, 17 cm tief. Höhe des Kreuzes: 15 cm. In der Nische eine Lourdes-Madonna aus Porzellan. Von Walter nicht erfaßt.

3. Holzbildstock in Steinbach in der Mudauer Straße vor Gehöft Herkert (Mudauer Straße Nr. 6). Viereckiger Schaft mit vorderseits abgeschrägten Kanten, oben zugespitzt, kein abgesetzter Nischenaufsatz. Maße: 1,44 m hoch, 31,7 cm breit, 15,2 cm tief. Brauner Ölfarbenanstrich und auch sonst einen gepflegten Eindruck machend. Die Nische war mit einem verglasten Eisentürchen geschlossen und barg im Innern eine Madonna mit Kind aus Ton (28 cm hoch). Von Walter nicht erfaßt.

4. Holzbildstock bei Altheim an der alten Walldürner Straße („Stoffelsbild"; Walter: 15/35). Viereckiger Schaft mit vorderseits abgeschrägten Kanten und leicht abgesetztem Nischenaufsatz mit Satteldach, ohne Kreuz. Maße des Schaftes: 1,16 m hoch, 23 cm breit, 13 cm tief. Maße des Aufsatzes: 64 cm hoch, 23 cm breit 13 cm tief. In der Nische Himmelskönigin aus Gips (Walldürner Fabrikat). Starke Verwitterungsspuren.

Wo Walter noch Holzbildstöcke angetroffen hatte, waren hingegen oft auch zwischenzeitliche Abgänge zu verzeichnen: verursacht durch natürlichen Verfall, daneben durch den Straßenbau, den Einsatz von Maschinen in der Land- und Forstwirtschaft und andere Faktoren des modernen Lebens. Auch wenn darauf verzichtet wurde, die (erst später eingesehenen) Walterschen Aufzeichnungen einer erneuten Bestandsüberprüfung zugrunde zu legen, kann für die Jetztzeit verallgemeinert werden, daß nur noch ein geringer Restbestand der Holzmäler vorhanden ist. Dies hat auch damit zu tun, daß die unscheinbaren Holzstöcke noch weniger als die Steinbildstöcke, die aus den gleichen Gründen gefährdet waren und sind, für erhaltenswert erachtet wurden. So ist der erwähnte Holzbildstock beim Gerolzahner Hirtenhaus 1980 aus Anlaß einer Straßenverbreiterung umgelegt und achtlos mit dem Straßenschutt beseitigt worden: im Gegensatz zu mehreren Steinbildstöcken des Dorfes, die zuvor restauriert und an geschütztem Platz neu aufgestellt worden sind. Daß es überhaupt noch Restzeugnisse gibt, ist der Gunst entlegener Standorte, vereinzelt auch noch familiärer Betreuung oder aber den Bemühungen der Heimatpflege zu danken, seit diese in Stein- wie Holzbildstöcken erhaltenswerte Geschichtsdenkmäler sieht. Auf ein Umdenken in diese Richtung hat vor allem Werner Haas (Mosbach) hingewirkt. 1975 gewann dieser die Stadt Walldürn für eine Renovation des „Stoffelsbildes" bei Altheim[131]. 1976 folgte durch Haas und den Arbeitskreis Flurdenkmäler des Breuberg-Bundes die Restaurierung des Hollerbacher Holzbildstockes (vgl. oben) am Weg nach Unterneudorf, nachdem dieser erneut stark verwittert und seiner (aus dem Vorgänger-Bildstock stammenden) Pieta beraubt worden war[132]. Und auch an einer Bildstockaktion, die 1986/87 in Langenelz von Heimatforscher Hans Slama durchgeführt wurde, war Haas zusammen mit anderen Helfern und Spendern beteiligt. Hierbei sind zwei Holzbildstöcke des Dorfes (darunter derjenige bei Hof Galm) und ein weiterer zu Steinbach (vor Gehöft Herkert) komplett in alter Form erneuert worden, bei Aufbewahrung der Originale im alten Rathaus zu Langenelz[133]. Diese Maßnahmen gewährleisten, daß auch in Zukunft noch Holzbildstöcke betrachtet werden können: in einer Landschaft, in der sie jahrhundertelang vorhanden gewesen sind, als selbstverständliche Elemente einer reich entwickelten Bildstockkultur.

Anmerkungen:

1. **Heinz Amelung**, Briefwechsel zwischen Clemens Brentano und Sophie Mereau. Nach den in der Königlichen Bibliothek zu Berlin befindlichen Handschriften zum ersten Mal herausgegeben, Band 2, Leipzig 1908, S. 98. Vgl. dazu **Peter Assion,** Zu Clemens Brentanos Briefen über Besuche in Walldürn, in: Der Odenwald 17 (1970), S. 83–86, sowie Walldürner Museumsschriften 4 (1977), S. 97–99.
2. **Hermann Eris Busse**, In der Stulpe des badischen Reiterstiefels, in: Badische Heimat 20 (1933) (= Jahresband „Das badische Frankenland"), S. 4–46, hier S. 21.
3. **Busse** (wie Anm. 2): „Ich habe dieser Landschaft ... darum den Namen 'Das Madonnenland' gegeben".
4. **Max Walter,** Bildstöcke im badischen Frankenland, in: Welt am Oberrhein 1963, Heft 1, S. 4. (Mit dem Titel „Zu Stein gewordene Gebete ..." nachgedruckt in: Rhein-Neckar-Zeitung, Ausgabe Buchen-Walldürn, Nr. 257 vom 6.11.1963).
5. **Max Walter,** Die Volkskunst im badischen Frankenlande (= Vom Bodensee zum Main, 33), Karlsruhe 1927, S. 92.
6. Zitiert nach **Carlheinz Gräter**, Franken als klassische Landschaft der Bildstöcke, in: Fränkische Nachrichten, Ausgabe Buchen-Walldürn, vom 4.10.1990. Die dem Verf. in Freiburg i. Br. zugängliche Ausgabe des Weberschen Werkes Stuttgart 1855 (3. Aufl.) enthält die Stelle in Band 2, S. 8 mit Kürzungen.
7. **Max Walter,** Die Bildstöcke zum hl. Wendelin im Kirchspiel Mudau, in: Oberdeutsche Zeitschrift für Volkskunde 5 (1931), S. 95–121, hier S. 112.
8. **Fritz Schäfer,** Der Mudauer Meister. Studie zu den Bildstöcken und zur Person eines Odenwälder Volkskünstlers, in: Beiträge zur Erforschung des Odenwaldes und seiner Randlandschaften III, hrsg. von **Winfried Wackerfuß,** Breuberg-Neustadt 1980, S. 383–422, hier S. 385.

9. **Bernhard Schemmel,** Der fränkische Bildstock – geschichtliche Aspekte in: Volkskultur und Geschichte. Festgabe für Josef Dünninger zum 65. Geburtstag, hrsg. von **Dieter Harmening** u.a., Berlin 1970, S. 309–329, hier S. 322 f.
10. **Heinrich Mehl,** Fränkische Bildstöcke in Rhön und Grabfeld. Frommer Sinn und kulturelles Erbe (= Land und Leute), Würzburg 1978, S. 13.
11. Vgl. die entsprechenden Hinweise bei **Josef Dünninger** und **Bernhard Schemmel,** Bildstöcke und Martern in Franken, Würzburg 1970, S. 9–25 (Einleitungskapitel).
12. **Fritz Schäfer,** Der Einfluß der Volkskunst auf die Verbreitung des Tafelbildstocks im östlichen Odenwald während der 1. Hälfte des 18. Jhdts., in: Beiträge zur Erforschung des Odenwaldes und seiner Randlandschaften IV, hrsg. von Winfried Wackerfuß, Breuberg-Neustadt 1986, S. 547–568.
13. **Dünninger/Schemmel** (wie Anm. 11), S. 9.
14. Vgl. **Klaus Welker** und **Lothar Strüber,** Bildstock – Wallfahrt – Sakrallandschaft. Überlegungen zur Phänomenologie religiöser Flurdenkmale in der Erzdiözese Freiburg, in: Freiburger Diözesan-Archiv 100 (1980), S. 542–566. (Die Arbeit bezieht sich auch auf Odenwald und Bauland).
15. Vgl. **Felicitas Zemelka,** Die Dokumentation der Kleindenkmale im Badischen Franken, in: Hierzuland 1 (1986), Heft 1, S. 60–73; Heft 2, S. 51–62. Die Verfasserin präsentiert hier die Ergebnisse einer von ihr im Rahmen einer ABM-Maßnahme durchgeführten Bestandsaufnahme im Neckar-Odenwald-Kreis.
16. Siehe vor allem die Arbeiten **Schäfers** (wie Anm. 8 und 12).
17. **Max Walter,** Das Bergdorf des hinteren Odenwaldes, in: Mein Heimatland 8 (1921), S. 1–14, hier S. 13; **ders.,** Die Volkskunst (wie Anm. 5), S. 88.
18. **Walter** (wie Anm. 5), S. 88.
19. Jetzt als „Max-Walter-Archiv" (MWA) vom Deutschen Seminar der Universität Würzburg, volkskundliche Abteilung, verwahrt. Mit der freundlichen Hilfe von Herrn Dr. Erich Wimmer konnte der Verf. ebendort 1986 die Walterschen Aufzeichnungen einsehen.
20. Schon 1928 schrieb **Christian Frank,** Zur Kenntnis und zum Schutz der Kleindenkmale, in: Festschrift für Marie Andree-Eysn, München 1928, S. 98 f., daß zum Steinbildstock zu untersuchen wäre, „ob sein Vorfahre nicht der schlichte Holz-Bildstock gewesen ist". Max Walter exzerpierte die Stelle und fügte sie seinen Aufzeichnungen über die Holzbildstöcke bei.
21. **Max Walter,** Die Steinkreuze des östlichen Odenwaldes (= Zwischen Neckar und Main, 1), Buchen 1920, S. 14; **ders.,** Vom Steinkreuz zum Bildstock (= Vom Bodensee zum Main, 25), Karlsruhe 1923, S. 35.
22. **Walter** (wie Anm. 4), S. 4.
23. **Friedrich Mößinger,** Bildstöcke im Odenwald (= Schriften für Heimatkunde und Heimatpflege im Starkenburger Raum, 28/29), Heppenheim 1962, reflektierte für sein Untersuchungsgebiet gleichfalls auf den Holzbildstock, ohne noch alte Stöcke nachweisen zu können (S. 9 f.). Zu seinen Auffassungen vgl. Anm. 28.
24. Vgl. **Dünninger/Schemmel** (wie Anm. 11), passim.
25. Siehe **O. A. Müller,** Holzbildstöcke in der Ortenau, in: Die Ortenau 17 (1930), S. 53–74. Ältere Abbildungen und Beschreibungen auch bei **Richard Schilling,** Das alte malerische Schwarzwald-Haus. Eine Schilderung der verschiedenen Bauarten ... sowie der Sitten und Gebräuche seiner Bewohner, Freiburg i.Br. 1915, S. 105 f.
26. Siehe **Karl Radler,** Hölzerne Bildstöcke, in: Oberösterreichische Heimatblätter 2 (1948), S. 170 f.; **Eduard Skudnigg,** Bildstöcke in Kärnten, Klagenfurt 1972 (mit Kapitel „Der Stock aus Holz", auf das der Verf. freundlicherweise von Heinz Bormuth hingewiesen wurde).
27. Siehe **Georg Jakob Meyer** und **Klaus Freckmann,** Wegekreuze und Bildstöcke in der Eifel, an der Mosel und im Hunsrück, in: Rheinisch-westfälische Zeitschrift für Volkskunde 23 (1977), S. 226–278, sowie ebenda 25 (1979/80), S. 35–79.
28. **Dünninger/Schemmel** (wie Anm. 11), S. 21. Für die Annahme verschiedener Grund- und Ausgangsformen beim Odenwälder Bildstock hatte sich früher bereits **Mößinger** (wie Anm. 23), S. 9 f., ausgesprochen.
29. Deutsches Wörterbuch von **Jacob Grimm** und **Wilhelm Grimm,** Band 10/3, Leipzig 1957, Artikel „Stock", Sp. 10–48, hier Sp. 11.

30. Ebenda, Sp. 13.
31. Deutsches Wörterbuch (wie Anm. 29), Band 2, Leipzig 1860, Artikel „Bildstock", Sp. 21.
32. Ebenda.
33. **Dünninger/Schemmel** (wie Anm. 11), S. 41. Die Autoren sichten ebenda die verschiedenen Bezeichnungen, die in den Inschriften fränkischer Denkmäler festgestellt wurden. Leider werden dazu keine Zeitangaben gemacht. Statistisch ist bemerkenswert, daß bei den untersuchten Beständen mit 31 % der Name „Bildstock" andere Bezeichnungen wie „Bild", „Bildnis" usw. überwog. – Zur Bedeutungserweiterung des Begriffes „Bildstock" siehe auch (mit badischen Beispielen) **Ernst Schneider,** Bild und Bildstock in der Flurnamengebung, in: Freiburger Diözesan-Archiv 73 (1953), S. 117–144, hier S. 120.
34. Siehe **Heinrich Köllenberger,** Die Inschriften der Landkreise Mosbach, Buchen und Miltenberg (= Die Deutschen Inschriften, 8), Stuttgart 1964, Nr. 477 (Hardheim 1608), 479 (Waldstetten 1609), 480 (Gommersdorf 1610), 483 (Rütschdorf 1612), 491 a (Bürgstadt 1620), 501 (Walldürn 1624), 502 (Hardheim-Rüdental 1625) usw.
35. **Josef Läufer,** Maria Lindenberg. Eine Dokumentation über Entstehung und Geschichte des Wallfahrtsortes Maria Lindenberg bei St. Peter, Freiburg i.Br./St. Peter 1984, S. 72 (mit Abb. des Denkmals S. 73). Der Bildstock soll am Ort einer Marienerscheinung errichtet worden sein, als Ersatz für ein schon um 1500 aufgestelltes Bildstöckchen. Seine Untersuchung verdankt er dem Interesse für die Wallfahrtsgeschichte von Maria Lindenberg.
36. **Müller** (wie Anm. 25), S. 56 (mit Abb.); **Mößinger** (wie Anm. 23), S. 18; **Leopold Schmidt,** Bildstöcke im Bild. Ein Überblick über die bildkünstlerische Darstellung von Bildstöcken vom 15. bis zum 19. Jahrhundert, in: Österreichische Zeitschrift für Volkskunde 81 (1978), S. 1–16, hier S. 5. Siehe auch **Christiane Anderson,** Ausgewählte Zeichnungen von Urs Graf, Basel 1978, S. 33 (Abb.).
37. **Schmidt** (wie Anm. 36), S. 7.
38. Gemälde der Bayerischen Staatsgemäldesammlung, Inv. Nr. Gm. 1637, ausgestellt im Germanischen Nationalmuseum Nürnberg (1982).
39. Von Max Walter notiert: Holzschnitt „Wanderer am Kreuzweg" von ca. 1532 des Petrarca-Meisters (MWA).
40. Siehe **C. F. Reinhardt,** Geschichte des Dorfes Röllbach, Obernburg 1905, S. 61–63. Der eichene Stock soll noch im 19. Jahrhundert in der Kirche aufgestellt und mit vier Hufeisen – was an die Zeichnung von Urs Graf erinnert – benagelt gewesen sein. Vgl. auch **Herrlein-Schober,** Spessartsagen, Aschaffenburg 1946, S. 135 f.
41. Beleg bisher unveröffentlicht, als Notiz vorhanden im Würzburger Max-Walter-Archiv (MWA 15/57), vgl. Anm. 19.
42. Vgl. **Reinhard Peesch,** Holzgerät in seinen Urformen (= Deutsche Akademie der Wissenschaften zu Berlin, Veröffentlichungen des Instituts für deutsche Volkskunde, 42), Berlin 1966.
43. Vgl. in Kapitel 22 der „Dicta Pirminii" aus dem 8. Jahrhundert das Verbot des hl. Pirmin, an Kreuzwegen und Bäumen geschnitzte Glieder aus Holz aufzuhängen. In Übersetzung ist die Vorschrift bei **Ursmar Engelmann,** Der heilige Pirmin und sein Pastoralbüchlein, Sigmaringen 1976, S. 55 zu finden.
44. **Hans Dünninger,** Zur Geschichte der barocken Wallfahrt im deutschen Südwesten, in: Barock in Baden-Württemberg, Band 2: Aufsätze, Karlsruhe 1981, S. 409–416, hier das Zitat S. 411. Zu den Bildbäumen auch **Dünninger/Schemmel** (wie Anm. 11), S. 18 und 20.
45. Vgl. **Dünninger/Schemmel** (wie Anm. 11), S. 21.
46. **Mößinger** (wie Anm. 23), S. 10.
47. **Walter** (wie Anm. 5), S. 89. Zu dem gleichen Bildstock siehe auch **Mößinger** (wie Anm. 23), S. 17 f. und Abb. auf S. 21.
48. Siehe die Zeichnung bei **Mößinger** (wie Anm. 23), S. 19. Der Bildstock ist der gleiche, der durch einen vorderseitig eingeritzten Pflug bekannt geworden ist.
49. **Mößinger** (wie Anm. 23), S. 19–23 (mit Abb.).
50. Vgl. dazu die Bemerkungen von **Schäfer** (wie Anm. 8), S. 393, zur Verbreitung des „Häuschenbildstocks" im hinteren Odenwald. Einen besonderen Grund hat hingegen die urtümliche Form eines

Steinbildstockes in Igelsbach bei Hirschhorn a.N. (früher in der Flur, jetzt auf ein Villengrundstück versetzt). Er ist – so wird erzählt – aus einem Monolith herausgeschlagen worden, der bei einem Unwetter um 1820 vom Berg herabgeschwemmt wurde, und soll als blockförmiger Nischenbildstock eine Erinnerung an das Unwetter sowie Fürbitte um fernere Bewahrung sein (freundl. Hinweis von Gotthilde Güterbock).

51. Vgl. das Eberbacher „Flößerkreuz" von 1416, behandelt bei **Walter** (wie Anm. 5), S. 86, sowie **Mößinger** (wie Anm. 23), S. 14 f. Weitere Beispiele für Nischenkreuze bei Mößinger a.a.O., S. 16 (Abb.). Zu einem Steinkreuz mit am oberen Ende aufgesetztem Bildhäuschen bei Bretzingen vgl. **Zemelka** (wie Anm. 15), Teil I, S. 64.

52. **Bernhard Losch**, Sühne und Gedenken. Steinkreuze in Baden-Württemberg (= Forschungen und Berichte zur Volkskunde in Baden-Württemberg, 4), Stuttgart 1981, S. 161.

53. Vgl. **Dünninger/Schemmel** (wie Anm. 11), Nr. 8 (Ebrach nach 1400).

54. **Zemelka** (wie Anm. 15), Teil I, S. 68 (mit Abb.). Walter hatte als ältesten Tafelbildstock am Rande des Odenwaldes ein 1627 in Pfohlbach im unteren Erftal errichtetes Denkmal namhaft gemacht. Siehe **Max Walter**, Der Bildstock im bayerischen Odenwald, in: Bayerischer Heimatschutz 1930, S. 101–107, hier S. 105.

55. **Mößinger** (wie Anm. 23), S. 49–55.

56. So steht im Frankfurter Stadtwald ein Holzkreuz mit alter Tradition, das immer wieder erneuert wurde: nach Ausweis der Stadtrechnungen etwa alle 70 Jahre (freundl. Mitt. von Heinz Bormuth, verbunden mit einem Hinweis auf **Philipp Wolf**, Das hölzerne Kreuz von Mitteldick, in: Offenbacher Nachrichten vom 5.3.1937). Ebenso wird für die im südöstlichen Bauland üblichen Wegkreuze ein durchschnittliches Alter von 70 bis 80 Jahren angegeben. Siehe **Heiner Heimberger**, Das gefeite Dorf. Wegkreuze im Gebiet zwischen Neckar und Main, in: Mainfränkisches Jahrbuch 4 (1952), S. 263–307, hier S. 280.

57. Auch Wagner, Holzfäller usw. kamen für die Herstellung in Frage, doch dürften die Stöcke meist von Zimmerleuten gefertigt worden sein. Dazu ist anzumerken, daß die Zimmerer ihre am Bildstock geübten Fähigkeiten auch beim Hausbau anwandten und Eckständer mit Bildnischen schufen, die bisweilen wie ins Hausgefüge versetzte Bildstöcke wirken. Vgl. ein Beispiel zu Hettigenbeuern von 1783 (Haus Birkenstraße 2) und ein landschaftlich ferneres zu Rauenberg-Rotenberg, abgebildet bei **Adolf Gängel**, Beschauliche Fahrten im Rhein-Neckar-Land, Karlsruhe 1981, S. 99.

58. Vergleichend kann man sich dazu auf die mittelalterlichen Steinkreuze beziehen, deren Errichtung wohl auch zur Sicherstellung der Finanzierung in einschlägigen Sühneverträgen festgeschrieben wurde.

59. Vgl. **Köllenberger** (wie Anm. 34), Nr. 450 a–468.

60. Vgl. dazu den Kontext zu zwei Walldürner Bildstocksetzungen von 1586 und 1624 bei **Wolfgang Brückner**, Der Erbauer des „Güldenen Engels" und seine Familie. Zugleich ein Beitrag zur Sozial- und Kirchengeschichte des hinteren Odenwaldes zwischen 1550 und 1650, in: Walldürner Museumsschriften 1 (1964/65), S. 27–48.

61. Vgl. etwa die Erbauerinschrift von 1588 am „Güldenen Engel" zu Walldürn. Im übrigen siehe das Belegmaterial bei **Köllenberger** (wie Anm 34), Nr. 1 – 140, zu dem resümierend festgestellt wird: „Während bis zum Ende des 15. Jahrhunderts Inschriften an Gebäuden von Kirchen und Adel vorherrschen, treten – vor allem von der Mitte des 16. Jahrhunderts an – in zunehmendem Maße auch Inschriften an Häusern von Bauern und Bürgern auf" (ebenda, S. X).

62. Vgl. die von **Köllenberger** (wie Anm. 34) dokumentierten Grabdenkmäler bürgerlicher Stifter aus dem 16. Jahrhundert (Nr. 259, 272, 274, 282 usw.).

63. So findet sich die Formel „Zu Ehren Gottes hat N.N. dies Bild aufgerichtet Anno ..." fast wortgleich schon auf einem Neckarmühlbacher Wandgrabmal von 1550. Vgl. **Köllenberger** (wie Anm. 34), Nr. 225. Außerdem sind die am Bildstock angebrachten Mitteilungen von Todesfällen sowie die dort erscheinenden biographischen Kurzberichte nach dem Vorbild der Epitaphien gestaltet worden. Vgl. dazu **Schemmel** (wie Anm. 9), S. 323.

64. **Köllenberger** (wie Anm. 34), Nr. 463. Siehe auch ebenda einen Walldürner Bildstock von 1627 (Nr. 495). In Igersheim bei Bad Mergentheim finden sich zwei aufwendige Tafelbildstöcke mit Stifterfiguren von 1617 und 1627.

65. **Köllenberger** (wie Anm. 34), Nr. 457. Siehe ebenda auch Nr. 501: „Burger deß Raths" (Walldürn 1624).

66. Vgl. **Dünninger/Schemmel** (wie Anm. 11), Nr. 39 a (Junkersdorf, spätgotisch), Nr. 46 a (Goßmannsdorf, spätgotisch).

67. **Köllenberger** (wie Anm. 34), Nr. 458; **Dünninger/Schemmel** (wie Anm. 11), Nr. 18 b (mit Abb. S. 98). Zur heutigen Aufstellung vgl. Anm. 84.

68. Es müßte aufschlußreich sein, wenn auch einmal die inschriftslosen Steinbildstöcke ermittelt und in zahlenmäßige Relation zu den beschrifteten Denkmälern gesetzt würden. Daneben sind Bildstöcke zu beachten, denen nur die Initialen des Stifternamens (mit Jahreszahl) eingemeißelt wurden.

69. **Köllenberger** (wie Anm. 34), Nr. 498 (Glashofen-Neusaß 1624, jetzt in Reinhardsachsen aufgestellt). Siehe dazu **Fritz Schäfer,** Eine außergewöhnliche Bildstockinschrift aus dem Jahr 1624 in Reinhardsachsen, in: Der Odenwald 28 (1981), S. 21–27.

70. Vgl. **Köllenberger** (wie Anm. 34), Nr. 490 (Rütschdorf 1618); Nr. 494 (Rütschdorf 1621). Siehe dazu **Schemmel** (wie Anm. 9), S. 323, Anm. 83.

71. **Köllenberger** (wie Anm. 34), Nr. 469 (mit Abb.). Dazu **Fabian Dietrich,** Der Halg'sche Bildstock auf der Altheimer Gemarkung bei Buchen, in: Badische Heimat 38 (1958), S. 281 f.

72. **Köllenberger** (wie Anm. 34), Nr. 506. Es handelt sich um einen „Häuschenbildstock" mit Nische für ein frei aufzustellendes religiöses Bildnis. Zu der Inschrift vgl. auch **Schäfer** (wie Anm. 8), S. 418, Anm. 13.

73. Dies bestätigte jüngst auch die von Felicitas Zemelka im badischen Frankenland durchgeführte Bildstock-Inventarisation. Vgl. **Zemelka** (wie Anm. 15), Teil I, S. 71.

74. Vgl. Götzingen 1695 (für ein erfrorenes Kind), Miltenberg 1705 (für eine auf dem Rückweg von Walldürn verstorbene Wallfahrerin aus Niederroden), Distelhausen 1741 (für einen im Mühlbach Ertrunkenen) usw. In knapperer Form kann ein Totengedächtnis lauten: „GOTT ZV EHREN / EVA KISERI(N) / VOR IHREN / MAN FRANZ / KISER SO / 1740 GE / STORBEN" (Steinbach, Hl. Blut-Tafelbildstock).

75. Beuchen: Relieftafel mit Pieta, darauf die Inschrift (in der Ortsmitte neu aufgestellt); Mudau: 3 m hoher Rokoko-Tafelbildstock mit Pieta (dazu **Theodor Humpert,** Mudau. Wesen und Werden einer Odenwaldgemeinde, Mudau 1954, S. 169; die Tafel wurde inzwischen gestohlen); Heppdiel: vollplastische Pieta auf hohem Schaft in der Ortsmitte. – Wo nichts anderes vermerkt ist, beziehen wir uns jeweils auf eigene Ermittlungen vor Ort.

76. Vgl. Kreuzschlepper-Figur Klingenberg 1706; Pieta-Säule des Maurerpoliers Andreas Throm Walldürn um 1710; Heilig-Blut-Tafelbildstock Hollerbach 1732; dito Hettingen 1740 usw. Schon ab etwa 1720 griffen auch bäuerliche Stifter zu der Bezeichnung „ehrsam".

77. Tafelbildstock mit Kreuzigungsgruppe Hettingen 1740 („DER EHRBARE MAN HANS JORG GRASBERGER"); Tafelbildstock mit St. Wendelin Hemsbach bei Osterburken 1741; Tafelbildstock mit Hl. Wandel Einbach 1745. – Einen Frühbeleg für „ERBAR" lieferte schon 1625 der Gottersdorfer Schultheiß Jörg Leuchtenschlag auf einem „Häuschenbildstock"; vgl. **Köllenberger** (wie Anm. 34), Nr. 507.

78. Vgl. **Helmut Dölker,** Das Schiederbüchlein von Wachbach, in: Ländliche Kulturformen im deutschen Südwesten. Festschrift für Heiner Heimberger, hrsg. von **Peter Assion,** Stuttgart 1971, S. 17–30, hier S. 24.

79. Vgl. **Heinz Reitz,** Müllerzeichen im Odenwald. Ein Beitrag zur Volkskunde des Müllers und der Mühle, in: Zu Kultur und Geschichte des Odenwaldes. Festgabe für Gotthilde Güterbock, hrsg. von **Winfried Wackerfuß** u.a., Breuberg-Neustadt 1976, S. 79–90, hier S. 83 f.

80. Den vollständigen Wortlaut siehe bei **Peter Assion,** Die Verehrung Mariens am Gnadenort des Heiligen Blutes, in: Die Kirche St. Marien zu Walldürn. Festschrift zur Kirchenkonsekration am 11. Mai 1968, Walldürn 1968, S. 27–36, hier S. 33.

81. Für die Namen des Stifterpaares ist auf die Tafel ausgewichen worden, für den Zusatz „BEITE VON BALENBERG" auf die Seite des Sockels, die das Relief eines Osterlämmchens mit Fahne ziert.

82. **Werner Haas,** Steinerne Stege und ihre Steige im südlichen Odenwald. Materialien zur zwischendörflichen Kommunikation in älterer Zeit, in: Zu Kultur und Geschichte des Odenwaldes (wie Anm. 79), S. 63–78.

83. **Schäfer** (wie Anm. 8), S. 384 f. Hier auch der Hinweis, daß Bildstock-Versetzungen vorgekommen sind.

84. **Köllenberger** (wie Anm. 34), Nr. 507. – Der „Schultheißenstock" von 1576 ist seit einigen Jahren an die Zufahrtsstraße nach Gerolzahn versetzt.

85. Vgl. **Theodor Brauch**, Reussenkreuz oder Reisenkreuz, in: Der Odenwald 9 (1962), S. 109–115.

86. Die Aufklärung fand gegen Ende des 18. Jahrhunderts sowohl die naive Bildlichkeit der Denkmäler, als auch den damit verbundenen finanziellen Aufwand kritikwürdig. Bezeichnend ist dazu ein Quellenfund, den **Alfred Höck**, Bildstöcke im Amöneburger Gebiet, in: Volkskunst 2 (1979), S. 92–98, hier S. 98 mitgeteilt hat. Er sagt aus, daß sich 1799 der Pfarrer von Allendorf beim Kommissar in Amöneburg erkundigte, ob er einen Bildstock (bzw. Kreuz) segnen solle, den ein Mann gestiftet habe, der arm war und seinen Kindern Geld entzog.

87. **Johann Kern**, Hettinger Bildstöcke, in: Hettingen. Aus der Geschichte eines Baulandortes, hrsg. von **Peter Assion** und **Gerhard Schneider**, Hettingen 1974, S. 253–257, hier S. 256 zu dem in Anm. 76 genannten Heilig-Blut-Tafelbildstock von 1740.

88. Vgl. **Christof Junker**, Flurbilder in Reichartshausen im Odenwald, in: Heimat und Volkstum 14 (1936), S. 349 zu dem Bildstock dieses Namens, den 1750 im Wald bei Reichartshausen „Her Anton Scha(ch)tleitner Buriger un(d) Ratsher von Waldurn" zum Trost der armen Seelen errichten ließ.

89. Max-Walter-Archiv (vgl. Anm. 19): 15/45.

90. Vgl. **Wilhelm Abel**, Agrarkrisen und Agrarkonjunktur, 2. Aufl. Hamburg und Berlin 1966; **ders.**, Massenarmut und Hungerkrisen im vorindustriellen Europa, Hamburg und Berlin 1974.

91. Vgl. oben zu Anm. 41.

92. Vgl. **Hermann Bausinger**, Sitte und Brauch, in: Der Deutschunterricht 14 (1962), Heft 2, S. 103.

93. **Konrad Köstlin**, Von den Kösten der Bürger. Bemerkungen zur darstellenden Funktion von Mahlzeiten, in: Kieler Blätter zur Volkskunde 4 (1972), S. 73 – 93.

94. **Tamás Hofer**, Gegenstände im dörflichen und städtischen Milieu. Zu einigen Grundfragen der mikroanalytischen Sachforschung, in: Gemeinde im Wandel. Volkskundliche Gemeindestudien in Europa. Beiträge des 21. Deutschen Volkskundekongresses in Braunschweig (= Beiträge zur Volkskultur in Nordwestdeutschland, 13), hrsg. von **Günter Wiegelmann**, Münster 1979, S. 113–135, hier S. 128 f.

95. Allein in diesem Jahr wurden „Schultheißenstöcke" in Glashofen, Gottersdorf, Hornbach und Dornberg gesetzt, und zwar als „Häuschenbildstöcke". In Hardheim steht aus dem gleichen Jahr eine Bildsäule, die der würzburgische Schultheiß Leonhard Kaltschmidt auf dem Sterbebett versprochen hatte. Vgl. **Köllenberger** (wie Anm. 34), Nr. 503, 505, 507, 509 und 511.

96. **Köllenberger** (wie Anm. 34), Nr. 513. Diese Stiftung folgte der „Privatstiftung" des Glashofener Schultheißen von 1625 (Nr. 505).

97. **Zemelka** (wie Anm. 15), Teil I, S. 71 (mit Bezug auf die damaligen Truppendurchzüge); **Schäfer** (wie Anm. 8) nimmt – allerdings nur für den Glashofener Stock von 1626 und sonst als Gemeinschaftsstiftungen ausgewiesene Denkmäler – die grassierende Pest als Votationsgrund in Anspruch (S. 418, Anm. 10).

98. **Köllenberger** (wie Anm. 34), Nr. 483.

99. Zu dem Unterbalbacher Kruzifix vgl. **Ernst Cucuel** und **Hermann Eckert**, Die Inschriften des badischen Main- und Taubergrundes (= Die deutschen Inschriften, 1), Stuttgart 1942 (Nachdruck 1969), Nr. 360.

100. **Köllenberger** (wie Anm. 34), Nr. 480.

101. Vgl. Gerichtstetten 1706 (Tafelbildstock), Reisenbach 1724 (Tafelbildstock), Hesselbach 1729 (Tafelbildstock), Löffelstelzen 1750 (Kreuzschlepper), ca. 1760 Königheim (Nepomuk-Figur), Bernsfelden 1766 (Kruzifix), Gerichtstetten 1788 (Tafelbildstock) usw.

102. Vgl. bei **Schäfer** (wie Anm. 8) die Nummern 1.1 (Schöllenbach 1801), 8.2 (Mörschenhardt 1801) und 9.4 (Mudau 1805) sowie weitere Hinweise im Text.

103. Vgl. für die spätmittelalterliche Zeit **Winfried Wackerfuß**, Kultur-, Wirtschafts- und Sozialgeschichte des Odenwaldes im 15. Jahrhundert. Die ältesten Rechnungen für die Grafen von Wertheim in der Herrschaft Breuberg (1409–1484), Breuberg-Neustadt 1991, S. 93–95.

104. Vgl. **P. Albert**, Steinbach bei Mudau. Geschichte eines fränkischen Dorfes, Freiburg i.Br. 1899, S. 91.

105. **Köllenberger** (wie Anm. 34), Nr. 507.

106. Nach **Max Löffler,** Sindolsheim – Altehrwürdige Kirchenbücher (unveröffentlichtes Manuskript), hob „der Edel und Erenvest Hans Rüdt" 1592 den kleinen Hans Zürn, „des Schultheißen Sohn", in Sindolsheim bei der Taufe.

107. Zum Einkommen der Schultheißen in einem Odenwälder Dorf des 17. Jahrhunderts siehe **Albert** (wie Anm. 104), S. 118, zum Mahl-Privileg vgl. ebenda, S. 91.

108. So noch heute in Hornbach für Familie Ballweg geläufig. Freundl. Mitt. von Hedwig Trunk, Walldürn.

109. Vgl. einen Höpfinger Bildstock mit langer bekenntnishafter Inschrift aus dem Jahr 1612, als der Ort vom evangelischen zum katholischen Glauben zurückkehrte; **Köllenberger** (wie Anm. 34), Nr. 482.

110. Vgl. z.B. das Hervortreten des Schloßauer Schultheißen 1596 als Stifter beim Mudauer Laurentiustag bei **Gotthilde Güterbock,** Kirchenrechnungen als Brauchtumsspiegel eines Odenwälder Marktfleckens, in: Hessische Blätter für Volkskunde 57 (1966), S. 83–99, hier S. 95.

111. Dazu will passen, daß die Schultheißen auch sonst die Tendenz zeigten, sich inschriftlich zu verewigen. Als 1590 in Brehmen bei Gissigheim ein kunstvoller Ziehbrunnen errichtet wurde, sind die Namen des Schultheißen und seiner zwei Bürgermeister darauf angebracht worden; **Cucuel/ Eckert** (wie Anm. 99), Nr. 64. Auf einem Rütschdorfer Ziehbrunnen von 1612 führt der Schultheiß die Namensreihe der Stiftergruppe an; **Köllenberger** (wie Anm. 34), Nr. 119.

112. **Köllenberger** (wie Anm. 34), Nr. 527.

113. Ebenda, Nr. 1620.

114. Vgl. den „Häuschenbildstock", den 1773 der Zentschöffe Simon Schneider am Kirchenpfad von Reisenbach nach Oberscheidental errichtet hat.

115. Siehe **Rolf Reutter,** Gemeindsmann und Beisasse – Anmerkungen zum Sozialgefüge des 18. Jahrhunderts im Rhein-Main-Neckar-Gebiet, in: Tübinger Geographische Studien, Heft 90 (= Festschrift Grees), 1985, S. 181–190.

116. Ebenda, S. 184.

117. Ebenda, S. 189 (nach H. Taut, der sich dazu allerdings auf die Verhältnisse in der ehemaligen Grafschaft Katzenelnbogen bezog).

118. Max-Walter-Archiv (vgl. Anm. 19): 15/35–15/66. Danach in der Hauptsache das folgende.

119. **Schilling** (wie Anm. 25), S. 105. Vgl. auch die angeblich mit Ochsenblut gestrichenen „roten Säulen" oder „roten Martern" in Westböhmen (hohe Holzstöcke mit vierseitig eingetieftem Kopf für Heiligenbilder). Dazu **A. Bergmann** (Hrsg.), Fachwerkbauten in der Nordostoberpfalz und im Egerland (= Oberpfälzische Monographien, 4), Amberg 1972, S. 24 f.

120. **Fridolin Dreßler,** Flurdenkmäler im Bamberger Frankenland, 340 Federzeichnungen von Andreas Borschert, in: Fränkische Blätter für Geschichtsforschung und Heimatpflege 10 (1958), S. 45–47 und Tafel 221 (barocke Holzmarter an der Straße Burgellern-Ehrl). Danach Max-Walter-Archiv (vgl. Anm. 19): 15/67. **Leonhard Wittmann,** Flurdenkmale um Nürnberg, Nürnberg 1963, S. 90, 93.

121. Max-Walter-Archiv (vgl. Anm. 19): 15/58 und 6/208. Vgl. **Monika Blättner,** Markt Schneeberg, Schneeberg 1987, S. 151. Der Bildstock war 1952 verschwunden, seine verfaulten Reste lagen zehn Jahre zuvor noch an Ort und Stelle. Zu der Spukgestalt siehe auch **Peter Assion,** Weiße, Schwarze, Feurige. Neugesammelte Sagen aus dem Frankenland, Karlsruhe 1972, S. 88–90.

122. Max-Walter-Archiv (vgl. Anm. 19): 15/50.

123. Ebenda: 15/51 (Aufzeichnung von 1950). Das Denkmal von 1,70 m Höhe stand in einer Wiese im Dorf.

124. Ebenda: 15/39 (Aufzeichnung von 1959). Der Bildstock von 1,81 m Höhe trug, wie oben schon erwähnt, ein aufgezimmertes Häuschen, das ein Vesperbild aus Gips barg.

125. Der Bildstock enthielt eine Marien- und Wendelinusstatue. Das Hirtenhaus ist inzwischen ins benachbarte Freilandmuseum zu Walldürn-Gottersdorf transloziert worden. Es sei angeregt, vor diesem eine Kopie des Bildstockes aufzustellen.

126. **Müller** (wie Anm. 25), S. 55.

127. **Schemmel** (wie Anm. 9), S. 325, Anm. 87.

128. Ca. 2,50 m hoher Holzbildstock mit leerer Nische an der oberen, der Straße zugewandten Ecke des Werbacher Friedhofes (freundl. Hinweis von Fritz Schäfer durch Brief vom 23.10.1977).

129. Einfacher Holzpfeiler mit Rundbogennische und blechbeschlagenem Satteldach im Stuppacher Gewann „Ostertal" am Feldrand oberhalb der B 19. Maße: 1,75 m noch, 23 cm breit, 19 cm tief. In der Nische eine Lourdes-Madonna.

130. Freundl. Hinweis durch Winfried Wackerfuß.

131. Vgl. den Kurzbericht über die Renovierungsaktion von Werner Haas in: Der Odenwald 22 (1975), S. 69.

132. Vgl. den Bericht in: Fränkische Nachrichten, Ausgabe Buchen-Walldürn, vom 29.12.1976. Für die Nische stiftete der Mosbacher Lionsclub ein bemaltes Tonrelief mit Kreuzigungsgruppe aus Hafenlohr.

133. Siehe Hans Slama, Bildstockaktion in Langenelz/Odenwald, in: Badische Heimat 69 (1989) S. 159 f.

Bildnachweis:

Gotthilde Güterbock (2, 3), Dr. Hermann Güterbock (6, 7), Peter Assion (4, 8, 9, 13, 14, 15, 19, 20), Winfried Wackerfuß (10, 11, 12, 16, 22), K. H. Zimmermann (5), Foto-Sommer (18), Hans Slama (21).

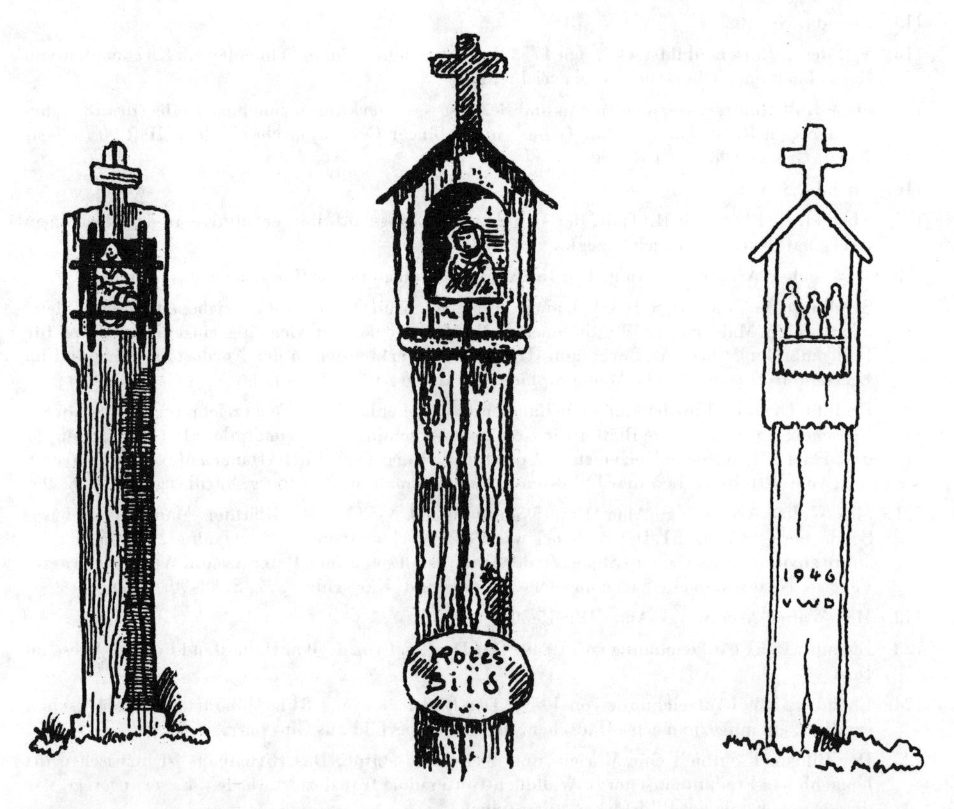

Holzbildstöcke, gezeichnet von Max Walter zwischen 1949 und 1965. Links: Bildstock in Steinbach bei der Schule. Mitte: Das „Rote Bild" bei Miltenberg am alten Kirchenweg von Ohrenbach nach Rüdenau. Rechts: Bildstock von 1946 bei Scheringen an der Straße nach Waldhausen (Max-Walter-Archiv Würzburg, Nr. 15/60, 15/48, 15/56).

Thomas Naumann

Wege vorbei an Disneyland

Freilichtmuseumskonzeptionen und ihre Auswirkungen auf Museumscharakter und Besucherverhalten – Konsequenzen für den Aufbau des Odenwälder Freilandmuseums

Freilichtmuseen als populistische Geschichtsverfälscher?

In einem jüngst erschienenen Aufsatz[1] hat Heinrich Mehl den Stab gebrochen über einen Museumstypus, der sich seit nunmehr ziemlich genau 100 Jahren entwickelt hat: den Typus des Freilicht- oder Freilandmuseums (Open-air-museum).

Mehl schreibt die Freilichtmuseen europaweit samt und sonders für die Wissenschaft und für die seriöse Überlieferung von Geschichte ab. Nichts sei im Freilichtmuseum letztlich besser dargestellt und darstellbar als in einem „herkömmlichen"Museum; im Gegenteil, durch die Tendenz, diesen Museumstypus mit Freizeitparkelementen zu versehen, bzw. ein relativ seichtes Unterhaltungsniveau zuzulassen bei gleichzeitigem Anspruch gegenüber der Öffentlichkeit, Geschichte in Zusammenhängen zu vermitteln, würden grob verfälschende Inhalte eingebaut, bzw. völlig unsinnige Eindrücke früherer Zeiten vermittelt[2]. Eine „Festtagsstimmung als Dauerzustand"[3] werde erzeugt. Nicht „Hausforschung, Dokumentationsstelle, Museumspädagogik, Didaktik", sondern Begriffe wie „Erlebnispark, Disneyland, Rummelplatz, Streichelzoo" und „Folklore, Tourismus, Erholungswert, Nostalgie, Kulisse" würden heute den Experten zum Freilichtmuseum einfallen[4]. Mehl beklagt zwar, daß bei vielen Freilichtmuseen die wissenschaftliche Struktur fehle[5], dennoch sieht er auch ihr Vorhandensein aber als letztlich vergeblich an, da auch die Wissenschaft gegen eine technische und inhaltliche Fehlkonstruktion, als welche er diesen Museumstypus ansieht, nichts auszurichten imstande sei[6].

Bei den Folklorismustendenzen führt Mehl unter anderen Freilichtmuseen, die für diese Entwicklung verantwortlich sind, zu Recht auch das Hohenloher Freilandmuseum (Schwäbisch Hall-Wackershofen) der 1980er Jahre auf, wo er selbst – seit der Gründung 1979 und dann 10 Jahre lang – als Leiter an hervorgehobener Stelle Mitverantwortung trug für diesen kritisierten Gang der Dinge. Wackershofen als das derzeit am weitesten ausgebaute regionale Freilichtmuseum des Bundeslandes Baden-Württemberg[7] wurde in den 1980er Jahren in der Tat angesichts seines weit übertriebenen aktionistischen Veranstaltungsverhaltens, ausgeführt von schier unkontrollierbaren ehrenamtlichen Arbeitskreisen, aber auch vom damit fast völlig in Beschlag genommenen Personal, für so manches benachbarte, weiter zurückliegende Freilichtmuseum zur ernsten Gefahr: Selbstverständlich schielten die anderen Museumsträger des Landes auf den durch Aktionismus zu erreichenden, vom Hohenloher Freilandmuseum vorexerzierten Massenpublikumserfolg. Tatsächlich haben sich Vorstände und Museumsleitungen der meisten anderen regionalen Freilichtmuseen Baden-Württembergs dem Einfluß des Hohenloher Freilandmuseums der 1980er Jahre in dieser Hinsicht zu entziehen gewußt. Im in anderer Hinsicht in Fachkreisen oft gescholtenen Schwarzwälder Freilichtmuseum „Vogtsbauernhof" in Gutach (Ortenaukreis)[8] finden im Museumsgelände verhältnismäßig wenige aktonistischen Umtriebe statt, berücksichtigt man, daß dieses Museum in einem extremen touristischen Zentrum liegt, umstellt von Schwarzwaldklischees und Trödelläden. Beachtenswerte Vortragsveranstaltungen, thematische Führungen und sachliche Handwerkervorführungen behalten im Veranstaltungsprogramm die Oberhand – wie gesagt, nicht selbstverständlich angesichts der Situation des Museums.

Im Kreisfreilichtmuseum Kürnbach (Ldkrs. Biberach), im „Bauernhausmuseum" Wolfegg (Ldkrs. Ravensburg) und im Odenwälder Freilandmuseum Walldürn-Gottersdorf (Neckar-Odenwald-Kreis) werden die Darstellungsmittel der historischen Vorführungen ebenfalls nur äußerst sparsam eingesetzt. Das Freilichtmuseum Kürnbach hält gelegentliche Handwerkervorführungen aus dort so interpretierten Gründen sogar an Samstagen ab und nicht an den weitaus publikumsträchtigeren Sonntagen (Sonntagsschutz). Hingegen kann das Freilichtmuseum Neuhausen ob Eck (Ldkrs. Tuttlingen) in dieser Hinsicht bisher seine Ausrichtung am Hohenloher Freilandmuseum der 1980er Jahre nicht ganz verleugnen. Dort ist man inzwischen ins Nachdenken gekommen.

Das Hohenloher Freilandmuseum ist derzeit erfreulicherweise dabei, das in vielerlei Aspekten sicherlich interessante Jahresprogramm (es wird und wurde keineswegs nur Folklore geboten), das aber äußerst personalintensiv ist und daher notwendige Forschungsarbeiten in nicht mehr vertretbarer Weise an den Rand drängte, zurückzufahren. Dies ist kein leichtes Unterfangen für die neue Museumsleitung. Schließlich sind Erwartungshaltungen geprägt, und ein sparsameres Vorgehen auf diesem Gebiet kann verbunden sein mit einem gewissen Rückgang der durch die vielen Veranstaltungen hochgeschraubten Besucherzahlen. Dies muß auch psychologisch verkraftet und politisch durchgesetzt werden: Die Geister, die gerufen wurden, sind nur schwer wieder loszuwerden.

Es gibt auf dem Sektor der „historischen" Vorführungen und der Verfälschungen geschichtlicher Tatsachen ohne Zweifel enorme Auswüchse bei den Freilichtmuseen, öffnet man den Blick bundes- oder europaweit[8a]. Diese Auswüchse sind in der baden-württembergischen Szene aber keineswegs die Regel, sondern eher die Ausnahme; eine Tatsache, die Mehl offensichtlich nicht mehr zur Kenntnis nehmen will. Er und andere Autoren haben aber in letzter Zeit zu Recht ins Blickfeld gerückt, daß es Vertreter dieses Museumstypus' gibt, die ihre Aufbaukonzeptionen von vornherein nur nach – auch vermeintlicher – Massenpublikumswirksamkeit auslegen, selbst wenn ihnen andere erforschte historische Fakten vorliegen. Dies hat schlimme Wirkungen, und als bundesdeutsches Beispiel ist hier in den letzten Jahren der „Hessenpark" bei Neu-Anspach ins Kreuzfeuer der Kritik geraten und gebranntmarkt worden[9]. Hier wird von Vertretern der Wissenschaft gefordert, daß solcherart aufgebaute Anlagen doch bitte schön das „Prädikat" Freilichtmuseum fahren lassen und sich stattdessen als Freizeit- und Vergnügungspark eigener Art etablieren und vor allem deklarieren sollten – die Lauterkeit gegenüber dem Besucher geböte dies. Das folkloristische Überangebot im „Hessenpark", seine Kommerzialisierung insbesondere auch durch einen vorgelagerten „ mittelalterlichen", fassadenorientierten Marktplatz hat u.a. Adelhart Zippelius[10], die vielfach unerklärlich zusammengewürfelten Gebäude, nicht nachzuvollziehende Wiederaufbaukonzeptionen jetzt neuerdings – im Detail untersucht – G. Ulrich Großmann[11] nachgewiesen. Alle diese Elemente bedingen sich systemimmanent fast gegenseitig und führen in ihrer Kombination zur „falschen Romantik und Idylle" für „ein in langen Buskolonnen anreisendes heimattümelndes Publikum" der „Volkstanz- und Schützenvereine", das vorwiegend während seines Aufenthaltes „feiert und trinkt", wie Heinrich Mehl dies im Zusammenhang des Hessenparks formuliert hat[12].

Bei einer solchen Kulisse verwundert eben das Verhalten des Publikums überhaupt nicht. Gerade der romantisierende und kommerzialisierte Hintergrund solcherart aufgebauter Museen öffnet die Schleusen für den Rummelplatz, und genau hier sind wir beim Kern der Problematik, wie unten noch im einzelnen zu zeigen sein wird.

Erweitert man den Blickwinkel nur auf die europäische Ebene, so erkennt man, daß der „Hessenpark" in seinen Inhalten und seinem Tun keineswegs alleine dasteht, ja es in bezug auf Folklorisierung und Kommerzialisierung noch eindrucksvollere Beispiele gibt. Es existieren Anlagen dieser Art, – etwa in Skandinavien oder England – die sich nur noch als Teil des Freizeit-Unterhaltungsvergnügens verstehen, deren einziges Ziel darin besteht, daß der Besucher animiert wird, Geld auszugeben, um sodann gut gelaunt das Gelände zu verlassen[13]. Diese Institutionen haben ein entsprechendes Management aufgebaut und geben ihre ausschließliche Kommerzorientierung auch verbal offen zu. Wenn sie nun noch auf die Bezeichnung „Museum" verzichten würden, so wäre ein deutlicher Schritt in Richtung Klarstellung vollzogen.

Auch wenn es also die oben aufgeführten Beispiele allesamt gibt, so ist das oben zitierte Verdikt Mehls aber doch zu pauschal und tut jenen Freilichtmuseen bitter unrecht, die sich sehr wohl als wissenschaftlich seriös aufgebaute oder aufbauende Institutionen bezeichnen dürfen, entsprechende Ergebnisse vorweisen können und sich in ihrer Wirkung auf das Publikum auch himmelweit von den in obigen Beispielen geschilderten Zuständen unterscheiden. Freilichtmuseen, die sich z.B. auf den neuesten Stand der Translozierungstechnik begeben haben, greift er in widersprüchlichster Weise sogar an, indem er sie auf einem „Irrweg" befindlich abtut: Die „Großteileversetzung", d.h. die Versetzung der Gebäude in großen Einheiten, wie ganzen Wänden und Decken, die er zusammen mit dem Verf. aber zwei Jahre zuvor (!) noch als großen Fortschritt auch im Sinne der wissenschaftlichen Vorgehensweise gefeiert hatte[14], sei in ihrem Bemühen vergeblich und vertrage sich im übrigen nicht mit der Notwendigkeit hausgeschichtlicher Untersuchungen[15]. Die Argumente, die er für die so schnell gewandelte Sichtweise ins Feld führt, sind grundfalsch und gefährlich, da ihrer Methoden noch nicht so sichere Freilichtmuseen sich hieran orientieren oder sie als Ausrede benutzen könnten, weiterhin (bequemere), veraltete und das Originalmaterial vernichtende Techniken anzuwenden. Daher sei hier klargestellt: Die Entwicklung der Methode der Großteileversetzung war eine wesentliche Voraussetzung dafür, daß Freilichtmuseen, die dies heute anwenden, sich überhaupt als Eigentümer von Kulturdokumenten im umfassenden Sinne begreifen dürfen. Das Ausschlagen der Gefache und Zerlegen in alle Einzelteile als Alternative beseitigte alle über die Jahrzehnte und Jahrhunderte eines Hausdaseins wechselnden, immer wieder ausgeflickten Gefachfüllmaterialien und Putz- und Dekorationsschichten und ersetzte sie durch Arbeitsprodukte heutiger Bauhandwerker, wobei nicht selten unter der Fassade auch modernste Baumaterialien (z.B. Gasbeton) zum Einsatz kamen. An diesen Häusern kann die Nachwelt allenfalls den Bausachverstand unserer Jahrzehnte studieren, nicht aber den vergangener Jahrhunderte. Auch unter Aspekten einer entwicklungsgeschichtlichen Dokumentation früherer Baumaterialien oder etwa der Abfolge von vielschichtigen Wanddekorationen im Wohnbereich war dies höchst bedauerlich. Erst die Technik der „Großteileversetzung" ermöglichte, daß das „Fleisch bei den Knochen" blieb; sie wird infolgedessen heute auch als „Substanz-Translozierung"[16] bezeichnet. Ein ernstzunehmendes Freilichtmuseum kann hierauf jedenfalls nicht mehr verzich-

ten[17], und diese Technik bewirkt – schon äußerlich erkennbar – eine weit wahrhaftigere Darstellung als der andernfalls notwendige Wiederaufbau der Häuser quasi als Neubauten aus einer Mischung alter und neuer Baumaterialien (letztere im Zweifelsfall in der Überzahl). Mit wissenschaftlichen Grundsätzen des Sicherns von möglichst viel originalem Material hatte das nichts zu tun. Eine mögliche Gefährdung des originalen Materials durch Witterungseinflüsse darf nicht als Argument dienen, diese Technik ganz sein zu lassen[18], auch nicht eine Gefährdung durch die Besucher, wobei diese immer nur die – sowieso meist in Gänze restaurierte – Oberfläche anfassen können, nicht aber die darunter bewahrten Schichten und Materialien[19]. Immer mehr Freilichtmuseen, die Originalsubstanz zu schützen haben, gehen zudem dazu über, tatsächlich gefährdete Bereiche abzusperren.
Eine beachtliche Anzahl von Freilichtmuseen, insbesondere eben solche, die nicht durch Zielvorstellungen von Nostalgie und Rummelplatz bestimmt sind, haben heute derartige Bautechniken als Standard übernommen und sich auch sonst auf den Weg technisch ausgefeilter Methoden und seriöser Konzeptionen begeben. Es seien hier nur die Anfertigung verformungsgetreuer Bauaufmaße und deren Umsetzung beim Wiederaufbau und immer differenzierter werdende restauratorische Bauuntersuchungen angeführt.
Dies gilt vor allem für viele Gründungen der 1970er und 1980er Jahre, aber auch für ältere Museen, die nach vollständig andersgelagerten Konzeptionen bereit waren, sich an neue Entwicklungen mit umfassenden Blickwinkeln anzuschließen, die sozusagen eine 2. Bauphase beginnen[20]. Diese müssen ermuntert werden, auf den eingeschlagenen Wegen fortzufahren. Im Zusammenhang der hier ausgeführten Thematik bedeutet dies: Wer sich im bautechnischen Bereich auf diese Art bemüht, wird auch bei der übrigen Konzeption vom Stil her gezwungen sein, bei der geschichtlichen Wahrheit zu bleiben.

Geistesgeschichtliche und erkenntnistheoretische Einflüsse auf die Freilichtmuseumskonzeptionen verschiedener Epochen

Neben der Wahl der bautechnischen Methoden besteht ein wirksames Mittel, blamablen Darstellungen und Geschichtsklitterungen im Freilichtmuseum einen Riegel vorzuschieben m.E. darin, die Sozialgeschichte beim Aufbau bzw. weiteren Ausbau umfassend zu berücksichtigen. Dieses Bestreben ist leider noch nicht so alt und immer noch relativ selten spürbar; früher miteinbezogen, hätte dies manche bedenkliche Entwicklung und manche zu Recht gegeißelte Entgleisung verhindern können.
An dieser Stelle ist daher ein kleiner Exkurs einzuschieben in die Geschichte des Museumswesens und in die geistesgeschichtlichen Strömungen, von der auch die Freilichtmuseen zu jeder Zeit abhängig waren. Es verwundert zunächst, daß in vielen älteren europäischen Freilichtmuseen, die keine neueren Entwicklungen mitmachen, ein Schwerpunkt auf Großbauernhöfe und gutsherrliche Anlagen, jedenfalls auf stattliche Bauernhöfe, gelegt ist, so daß der Eindruck vermittelt wird, ärmere Schichten seien in der dargestellten Region über den Hausbau nicht in Erscheinung getreten. Eine solche ausschnittsweise Geschichtsübermittlung ist mit das schlimmste, was von einem Freilichtmuseum, von dem heute nun einmal ganzheitliche Überlieferung erwartet wird, bewirkt werden kann: Ein Blick in Urkunden und – soweit noch möglich – in die Realität, eröffnet natürlich regelmäßig andere Erkenntisse. Hier wird offensichtlich, daß solche Freilichtmuseen die Wirklichkeit, eine der Realität entsprechende Proportion in bezug auf die Abstufungen der Behausungen, nicht wiedergeben, und man muß hinzufügen, nicht wiedergeben

wollten, da in einer Zeit konzipiert, in der die Wiedergabe sozialer Repräsentativitäten in diesen Anlagen nicht gefragt war.
Zumindest die Zielvorstellung vieler heutiger Freilichtmuseen ist es, ein umfassendes Bild von der Vergangenheit ländlich lebender Bevölkerung zu dokumentieren und dabei insbesondere den Lebensalltag nachzuempfinden, soweit dies durch die spezifischen Möglichkeiten in diesem Museumstypus möglich erscheint. Eine Frage ist, inwieweit dies heutigen Museumskonzeptionen schon gelingt. Wichtig ist jedoch einmal der Wille zu diesem Ziel, denn dieses war bei weitem den Museen ländlicher Kulturgeschichte nicht in die Wiege gelegt.
Es springt geradezu ins Auge, daß Museumskonzeptionen des 19. und auf jeden Fall noch der ersten Hälfte des 20. Jahrhunderts ländliche Kultur nur ausschnittsweise berücksichtigt und dabei naturgemäß gänzlich andere Ergebnisse zustandebrachten, als dies heute erstrebenswert erscheint. Überhöhung und Idealisierung des Landlebens, einer stadtbürgerlichen Sicht und einer Sicht von Germanisten im Geiste der Romantik entsprungen, mußte ganz einfach den tatsächlichen Alltag in seinen vielen Facetten, insbesondere da, wo er, gelinde gesagt, unbequem war oder den an der unteren Marge der sozialen Skala Stehenden betraf, ausklammern. Idealisieren ließ sich eben in besonderem Maße die Arbeit im großbäuerlichen Hof und das Leben in dessen hervorgehobenen Behausungen, – und so wurde er in den Mittelpunkt des Interesses gerückt.
Auf die Museen der ländlichen Kulturgeschichte haben die Sozialwissenschaften lange keinen Einfluß gehabt. So hat auch die umfassende Berücksichtigung sozialgeschichtlicher Aspekte in Freilichtmuseen keine lange Tradition. Hierfür ist die Geschichte des Selbstverständnisses der Museen allgemein von ausschlaggebender Bedeutung: So sollte im Museum insbesondere das herausragende Einzelstück, das sich vom Alltäglichen abhob, gesammelt werden, die besondere Hervorbringung – oder das, was man in der jeweiligen Gegenwart dafür hielt.
Die Freilichtmuseen standen lange Zeit unter diesem überlieferten Museumsverständnis. So nahm das erste europäische Freilichtmuseum in Skansen bei Stockholm, von dem die europäische Freilichtmuseumsbewegung ausging, vornehmlich prächtige Bauernhäuser und -höfe der ländlichen Oberschicht auf, weil nur dies der Dokumentation wert erschien. Da das Einzelstück so sehr im Vordergrund stand, also jeweils losgelöst aus seinen Zusammenhängen betrachtet wurde, ist es auch nicht weiter verwunderlich, daß das Museum im Stile eines Parks aufgebaut wurde, d.h. die Gebäude wurden unvermittelt nach parkästhetischen Gesichtspunkten errichtet; es wurde nicht angestrebt, etwa gewachsene Gesamtstrukturen historischer Dorfsiedlungen nachzubilden – eine Voraussetzung auch für das Aufzeigen sozial strukturierter Lebenszusammenhänge.
In Deutschland wurden z.T. andere Wege eingeschlagen. Der Gründungsdirektor des ersten deutschen Freilichtmuseums, Heinrich Ottenjann (Cloppenburg, 1936), forderte die Anlage im Sinne von „Museumsdörfern", also in der Form ganzheitlich darzustellender Dorfstrukturen. Die Abwendung vom „Parkmuseum" wurde dadurch notwendig und – auf längere Sicht – die Entwicklung, alle sozialen Schichten zu berücksichtigen. Dennoch lag der Schwerpunkt der deutschen Freilichtmuseen immer noch und viel zu lange bei der Übernahme größerer Höfe, die – heute oft sehr angestrengt wirkende – Suche nach „Haustypen" aus „Hauslandschaften" stand im Vordergrund und versperrte nun auf diesem Wege die Sicht für die tatsächlich gewachsenen, differenzierten dörflichen Strukturen[21]. So blieben unter diesen Aspek-

ten die Behausungen der Kleinbauern, Tagelöhner oder gar das beinahe ubiquitäre Armenhaus auf der Strecke, und damit wurden die Lebenverhältnisse breiter Schichten gar nicht thematisiert; eine eindeutige Verzerrung der sozialen Realitäten war die Folge.

Auch fällt bei vielen älteren Freilichtmuseumskonzeptionen die Übergewichtung des rein Bäuerlichen auf. Der Dorfhandwerker z.B., verwoben mit und unerläßlich für die Dorfgemeinschaft, weckte lange Zeit nicht so sehr das Interesse, geschweige denn frühindustrielle Kulturdenkmale, wie sie in den heute im Aufbau befindlichen Freilichtmuseen als Beispiele für wirtschaftlich-technologische Weiterentwicklungen und für die Ablösung von der Agrargesellschaft selbstverständlich aufgenommen werden[22].

Folgenschwer waren auch die immer wieder vorgenommenen Versuche, übernommene Häuser auf die Erbauungszeit hin, auf einen Urtypus zurück zu konstruieren. Bei vormaligen Methoden der Bauforschung muß über die Ergebnisse derartiger Unterfangen nicht lange gerätselt werden. Der Drang, einen „Urzustand" eines Hauses zu rekonstruieren und alle Umbauten als Sündenfälle zu beseitigen, begründete sich daraus, daß die Planer möglichst „typische" Häuser einer Landschaft zusammenstellen wollten; der jeweilige Haustyp und seine Ausprägung wurde eine Zeitlang auch einmal als Ausdruck eines als verlorengegangenen dargestellten „Volkscharakters", den es wiederzuentdecken galt, verstanden. Die Motive, warum ein Haus i.d.R. nur relativ kurz im Zustand der Erbauungszeit Bestand hatte und sodann an die jeweils wechselnden wirtschaftlichen und familiären Verhältnisse und Bedürfnisse baulich angepaßt wurde, waren nicht gefragt. Diese Motive und deren Ergründung hätten aber bereits hin zu sozialgeschichtlichen Aspekten geführt.

Ein ähnlicher Ausleseprozeß wurde bei den Einrichtungen der Gebäude vorgenommen, so man sie denn überhaupt mit Mobiliar ausgestattet antraf. Hier standen im Mittelpunkt des Interesses Gegenstände aus dem Bereich der „Volkskunst". Schöne, wohlaufgeräumte Stuben wurden inszeniert, wie sie dem geschichtlichen Alltag in keiner Weise standhalten konnten. Aber hier sind wir bei einem Begriff, der ebenfalls nicht das Erkenntnisinteresse weckte. Der meist mühselige Alltag war kein Thema, eher der Sonn-, der Festtag (so wie in einem ähnlichen Ausleseprozeß bis heute nur die Festtagstracht als Tracht wahrgenommen und folkloristisch wiederbelebt wird und keineswegs die Alltagstracht), als Kuriositäten anmutende Verhaltensweisen aus den Bereichen Sitte, Brauch und Volksglauben. Man war vornehmlich aus auf Sachzeugen der Sonnenseiten des früheren ländlichen Lebens. Dieses galt für fast alle Museumsgründungen ländlicher Kultur gleichermaßen. Um es einmal drastisch an einem Beispiel auszudrücken: Der Nachtstuhl war als Exponat vor allem dann gefragt, wenn er eindrucksvolle Verzierungen aufwies, eigentlich nur passabel, falls zusätzlich mit einem Sinnspruch versehen. Als Gebrauchsgegenstand im Alltag oder vielmehr in der Nacht und unter Thematisierung der Geschichte des Hygienewesens wurde er nicht in den Blickpunkt gerückt.

Das in anderer Hinsicht sehr verdienstvolle Werk des Germanisten Elard Hugo Meyer, „Badisches Volksleben im 19. Jahrhundert"[23], gibt beredtes Zeugnis, unter welchen Aspekten eine bildungsbürgerliche Schicht das Leben des Landvolkes lange Zeit für aufschreibenswert hielt: Im Kapitel V. dieses Buches, „Bei der Arbeit" betitelt, erwartet der ahnungslose heutige Leser hier zunächst einmal Beschreibungen der Arbeitswelt, des Arbeitsalltags – doch nichts davon. Bei den Unterkapiteln „Rinderzucht", „Schweinezucht", „Bienenzucht", „Pflügen", „Säen", „Dreschen" usw. hält sich Meyer überwiegend bei Aspekten des Volks- und Aberglaubens und bei speziellen brauchtümlichen Verhaltensweisen in diesen jeweiligen Zusammenhängen auf, die sicherlich auch festhaltenswert sind –, aber über die tatsächlichen Arbeiten und ihre Bedingungen erfährt man nichts. Ein Beispiel: „Um den Samen keimfähig zu machen, wird er in Ettenheim mit Osterwasser befeuchtet ..."[24]. Oder: „Beim Ausdreschen schlagen alle Drescher in Hettingen b. Buchen gleichzeitig den letzten Schlag auf eine unter das Stroh gelegte Diele oder an das „Scheurenthor", so daß es noch einmal tüchtig „klappert", um dem Bauern anzuzeigen, daß sie fertig sind"[25].

Man könnte die Beispiele aus diesem Werk beliebig fortsetzen, die alle die Tendenz dieses Dokumentationsstrebens erkennen lassen: Es ist unwichtig, wie der Tagesablauf eines Dreschers – d.i. ein Knecht oder Tagelöhner – aussieht; es interessiert schon höchst selten die reine Arbeitstechnik, geschweige denn das soziale Umfeld. Wiedergegeben wird hingegen eine bemerkenswerte Besonderheit mit magischem Hintergrund oder ein Ritus, der den Arbeitstag beendet. Schon die Deutung dieses Ritus' der Drescher – sie forderten nach getaner Arbeit ihren Lohn ein[26] – ist für Elard Hugo Meyer nicht mehr der Nachforschung wert.

Das Sammel- und Ausstellungsverhalten der Museen war, wie erwähnt, zu diesen Blickwinkeln kongruent. Es hat lange Zeit gedauert, bis etablierte Museumseinrichtungen sie erweitert haben, – und dies war lange, nachdem die Sozial- und moderneren Kulturwissenschaften Einfluß genommen hatten auf das heutige Weltbild. Erst in den 60er Jahren unseres Jahrhunderts nahmen die Museen unter dem Einfluß der Sozialgeschichte und neuer Richtungen in der Volkskunde den Alltag breiter Bevölkerungsschichten zur Kenntnis und hielten ihn für dokumentierenswert. Der Heidelberger Sozialwissenschaftler Gerhard Schneider faßte für die Forschung zusammen, was dann auch für die Museen ländlicher Kulturgeschichte fortan Geltung bekommen sollte: Die „landes- bzw. ortsgeschichtliche Forschung (muß) ihre Selbstbeschränkung auf das unbedeutende, kleine, unverbundene Einzelfaktum aufgeben, auf eine 'Kuriositäten- und Preziositätenschau' verzichten und ihren Blick stattdessen auf Zeitstrukturen mit Abläufen unterschiedlicher Dauer richten"[27].

Wie spät gerade die Freilichtmuseen sich anschickten, „unverbundene Einzelfakten"-Darstellungen aufzugeben, zeigt, daß erst im Jahre 1972 der „Verband der europäischen Freilichtmuseen" eine nun anerkannte Definition dieses Museumtyps zustande brachte, der der „Ganzheitlichkeit" der Darstellung und damit auch der Hinzuziehung der Sozialgeschichte als Notwendigkeit Bahn brach: „Unter Freilichtmuseen werden wissenschaftlich geführte oder unter wissenschaftlicher Aufsicht stehende Sammlungen ganzheitlich dargestellter Siedlungs-, Bau-, Wohn- und Wirtschaftsformen in freiem Gelände verstanden".

In dieser für die betroffene Fachwelt verbindlichen Definition wird endgültig – wenn auch, wie gesagt, reichlich spät – dem Aufbau bloßer Sammlungen zufällig ausgewählter, prächtiger Architekturobjekte Lebewohl gesagt. Die Chance wird begriffen, durch diesen Museumstypus in so weit wie möglich umfassender Form zu dokumentieren, wie es sonst in keinem anderen möglich ist. Über die Wohn- und Wirtschaftsformen als Bestandteil der Definition sollen nun die Tätigkeiten der Menschen, ihre Lebens- und Arbeitsformen, ihre Lebensbedingungen, mehr zu ihrem Recht kommen als bisher.

Bahnbrechend für solche Museumsziele waren auch die Forschungen und Thesen von Konrad Bedal. In seinem Buch „Historische Herausforderung" vom Jahre

1972[28] zog er Verbindungen von der Raumstruktur des Hauses zur Funktionsstruktur und zur Sozialstruktur der Familie und umgekehrt. Dies brachte, wollte man es nur nutzbar machen, völlig neue Ansätze für neu entstehende Freilichtmuseen. Vor allem die relativ späten Gründungen der 1970er und 1980er Jahre bekamen jedenfalls von Anfang an die Chance, diese neuen, umfassenden Wissensziele in ihren Aufbau einfließen zu lassen. Denn es ist unabdingbar notwendig, diese Fragen vor und während einer Translozierung, also, währenddessen sich den Wissenschaftlern die Baugeschichte offenbart, zu stellen, und nicht hinterher, wenn ein Haus schon wieder aufgebaut ist.

Der sozialgeschichtliche und objektbezogene Ansatz des Odenwälder Freilandmuseums als Beispiel einer Konsequenz aus dem heutigen Erkenntnisinteresse und für eine Barriere gegen Rummelplatz-Erscheinungen

Im folgenden soll ein Anschauungsbeispiel aus der regionalen Freilichtmuseumslandschaft Baden-Württembergs herausgegriffen und dargestellt werden, wie ein solchermaßen spät gegründetes Museum die neuen Ansätze aufgegriffen und in Konzeptionen umgesetzt hat: Das Odenwälder Freilandmuseum in Walldürn-Gottersdorf, im äußersten Norden Baden-Württembergs gelegen, ein Beispiel, das der Verf. aus eigener Anschauung im einzelnen kennt[29].

„Wie spielte sich der tagtägliche Lebensvollzug im alten Bauernhaus ab, wie war er durch die räumlichen Gegebenheiten vorstrukturiert, und wie beeinflußte er umgekehrt wieder die Bauweise?" Solchen Fragen nachzugehen und sie museumspraktisch umzusetzen hatte auch Peter Assion dem jungen Freilandmuseum bei seiner Gründung ins Stammbuch geschrieben[30]. „Über die Häuser" wolle man „zu den Menschen" kommen, so formulierte es Walldürns Bürgermeister Robert Hollerbach, Vorsitzender des Trägervereins des Odenwälder Freilandmuseums im Jahre 1984 anläßlich der Grundsteinlegung des ersten Hauses[31]. Er signalisierte damit den Fachleuten, daß sich auch die politisch Verantwortlichen die sozialgeschichtlich-volkskundliche Ausrichtung der neuen Institution zu eigen gemacht hatten – eine Voraussetzung, die gar nicht hoch genug zu veranschlagen war, weil diese Aussage auch in sich barg, daß die zu diesem Ziel notwendigen intensiven und aufwendigen Forschungen politischerseits mitgetragen werden und daß es nicht darum ging, im Hauruck-Verfahren ein möglichst schnell publikumsträchtiges Museum zu erstellen.

Bis zu der Problemstellung für ein Freilichtmuseum, „über die Häuser zu den Menschen" zu kommen, war, wie darzulegen versucht wurde, ein langer Weg, auf dem viele Chancen unwiederbringlich vertan wurden. Am Ende dieser Entwicklung stand jedoch nun die Möglichkeit, daß die Häuser nunmehr auch Mittel zum Zweck einer umfassenden und anschaulichen Darstellung von Sozial- und Alltagsgeschichte werden konnten: Das Odenwälder Freilandmuseum ist diesen Weg in seinem bisherigen Aufbau konsequent gegangen. Als regionales Museum nimmt es dabei auch Bezug auf regionalgeschichtliche Entwicklungen und Besonderheiten.

Dem Museum sind drei Landschaften zugeteilt: Odenwald mit dem Schwerpunkt östlicher Odenwald, Bauland, Unterer Neckar. Für diese Landschaften wird in einer Gesamtaufbauzeit von ca. 30 Jahren je eine eigene Baugruppe erstellt. Diese Baugruppen werden nach der Struktur des Hausbestands historischer Dörfer, sozusagen im Kleinformat, errichtet, wobei aufgrund älterer Kataster eine gewisse „Wunschliste" existiert, die in der Realität aber immer wieder im einzelnen abzuändern ist. Das ist nicht weiter von Bedeutung, solange die zentralen Eckdaten stimmen.

In der Baugruppe Odenwald muß zum Ausdruck kommen, daß die Odenwälder Landwirtschaft in der Regel ein nur sehr dürftiges Auskommen hatte. Diese Ausgangslage ist durch vielfältige Untersuchungen"[32] und auch durch die bisherigen Forschungen des Freilandmuseums unumstritten. Entsprechend sind die Häuser und Höfe aus dem noch vorhandenen Bestand zueinander ins rechte Verhältnis zu setzen. Die kargen Böden und ungünstige Klimaverhältnisse ermöglichten eine spärliche Selbstversorgung, doch konnte schon ein einziger Ernteausfall existenzielle Nöte hervorrufen. In diesem Zusammenhang steht auch, daß der Dorfhandwerker sich in aller Regel nicht in die Lage versetzt sah, sich von seiner Berufsausübung alleine ernähren zu können. Die Auftragslage aus der Bauernschaft, die in der Masse selbst mehr schlecht als recht zurande kam, war entsprechend spärlich. So betrieb er in allen dem Museum bisher bekannten Fällen immer auch eine kleine Landwirtschaft zur Absicherung der Selbstversorgung.
Solche Grundtatsachen müssen im Freilandmuseum, jeweils objektbezogen nachgewiesen, dargestellt werden[33]. Im Falle des Schuhmacherhandwerks ist dies bereits geradezu überdeutlich gelungen: Das Museum translozierte in den Jahren 1986/87 das ehemalige Armenhaus der Gemeinde Reichartshausen/Ldkr. Miltenberg[34]. Im Obergeschoß des Hauses war über mehrere Jahrzehnte ein verarmter Schuster mit seiner Familie eingewiesen, der hier über 25 Jahre auch eine Werkstatt betrieb. „Der Schuster im Armenhaus", dies kann eben oftmals symbolisch begriffen werden für viele Bereiche des Odenwälder Handwerks und läßt sich hier streng objektbezogen darstellen. Einer derzeit auf dem Weg ins Museum befindlichen Ziegelei aus Unterschwarzach (Neckar-Odenwald-Kreis) war mit gleichem Gewicht auch eine Landwirtschaft zur Selbstversorgung angeschlossen; die verschiedenen Zieglergenerationen nannten sich einmal „Ziegler und Landwirt", dann „Landwirt und Ziegler" und schließlich nur noch „Landwirt". Dieses wird im Museum sachgerecht zu gewichten sein. Und es wird immer an konkreten Haus- und Familiengeschichten festgemacht, wie es die einmalige Chance des Freilandmuseums ist.

Die überhaupt keinen landwirtschaftlichen Boden besitzende Schicht der Knechte und Tagelöhner muß zu ihrem Recht kommen, ebenso wie der hie und da, vor allem ab dem 19. Jh., sich auch entwickelnde großbäuerliche Hof, jedoch – und dies ist der Unterschied zu früheren Museumskonzeptionen – in einem der historischen Wirklichkeit entsprechenden Verhältnis. Mit einem Wort: Es kommt darauf an, die sozialen Proportionen in einem Dorfverband zu wahren, um so der geschichtlichen Realität näherzukommen.

Im gesamten Einzugsbereich sind regionalgeschichtlich die großen Ab- und Auswanderungswellen im 19. Jahrhundert in die nahen Metropolen bzw. nach Amerika zu thematisieren. Auch dies ist anhand von Familienmitgliedern ehemaliger Besitzer von Häusern zu zeigen, die sich jetzt im Museum befinden; so an der Familiengeschichte des Hofes Backfisch aus Neckarburken (Baugruppe Odenwald): Ein Familienmitglied war Ende des 19. Jahrhunderts nach Amerika ausgewandert; 3 Briefe aus Boston und Hartford liegen bei den Hausdokumenten, die in dürren und unbeholfenen Worten von schwierigen Lebensumständen dort künden.

In der Baugruppe Bauland sollen die z.T. unterschiedlichen Lebensbedingungen im Vergleich zum Odenwald in den Vordergrund gerückt werden. Auch in dieser Landschaft gab es Not, doch eröffnete das großflächige Getreideanbauland alles in allem doch günstigere Existenzbedingungen als die im Odenwald überwiegende Weide- und Waldwirtschaft. Bis heute bezeugen dies viele stattliche Bauernhöfe. Es

gibt aber auch Fälle, bei denen dieser Eindruck gewaltig täuschen kann. Das äußerlich scheinbar wohlhabende Bild großer Hofanlagen alleine sagt hier noch nichts über die tatsächlichen Wirtschafts- und Wohnverhältnisse aus: Insbesondere im Bauland ist die Rechtsgeschichte zu konsultieren, denn hier galt im Unterschied zum Odenwald die „Realteilung", was schließlich im Laufe der Zeit zu einer unvorstellbaren Besitzzersplitterung führte und zur Konsequenz hatte, daß viele etwas besaßen, aber nur noch wenige etwas damit anzufangen wußten. Dies galt nicht nur für die Aufteilung der Äcker und Wiesen, sondern auch für die Nutzung der Gebäude durch viel zu viele Erben. Auch hier lassen sich über baugeschichtliche Darstellungen und familiengeschichtliche Forschungen objektbezogene Aussagen gewinnen und für den Besucher nutzbar machen. In der Baugruppe Bauland translozierte das Odenwälder Freilandmuseum bereits ein bäuerliches Wohnhaus von 1686, das eben diese Problematik widerspiegelt: Scheinbar ein großbäuerliches Haus, war es zeitweise von 4 Parteien bewohnt, die sich z.T. gegenseitig durch die Wohnung laufen mußten, um zur eigenen zu kommen"[35].
In der Baugruppe „Unterer Neckar" bietet sich die Chance, frühindustrielle Entwicklungen einzubeziehen, die in dieser Region durch die Nähe der Ballungszentren Mannheim und Heidelberg begünstigt wurden. Früh schon wurden hier landwirtschaftliche Betriebe oft nur noch nebenerwerblich genutzt, während man bereits im Industriebereich seinen Hauptlohn bezog.
Soweit die Hauptaspekte, die bei einem auf die regionale Sozialgeschichte gerichteten Museum einfließen müssen.
Sozialgeschichte der ländlichen Bevölkerung wird im Hinblick auf die Dokumentation und die Forschungsziele des Odenwälder Freilandmuseums verstanden als Geschichte des Lebens innerhalb des Familienverbandes, innerhalb der Dorfgemeinschaft, innerhalb der Region; als Darstellung der wechselnden und verschiedenen Bedingungen, unter denen gelebt wurde. Die Betonung liegt auf „wechselnd" und „verschieden", denn je nach Zeitalter, wirtschaftlichen und klimatischen Rahmenverhältnissen und je nach Zugehörigkeit zu einer wohlhabenden oder einer ärmeren Schicht stellen sich andere konkrete Lebenssituationen ein.
Durch die Zielvorgabe, diese Differenzierungen bei den Forschungen zu berücksichtigen, kommt ein dynamischer Ansatz in die Darstellung, kommt nicht der Eindruck einer einheitlichen früheren Zeit auf, wie das im pauschalen Schlagwort von der „guten alten Zeit" immer wieder gefährlich zum Ausdruck kommt. Das Odenwälder Freilandmuseum sucht, um allen vorher erwähnten Gesichtspunkten Rechnung zu tragen, folgende Wege einzuschlagen:
1. Auswahl der Häuser und Höfe exemplarisch nach schichten- und standesspezifischen Aspekten. Die Behausung der Dorfarmen, der Tagelöhner, des Dorfhirten, der Kleinbauern gehört ebenso zum Bestand wie die des mittleren Bauern und des Großbauern. Bei diesen verschiedenen Wohnmöglichkeiten kommt klar zum Ausdruck, daß die jeweilige Raumstruktur auch die Familienstruktur – in eben ganz verschiedener Weise – geprägt hat. Wichtig ist, das richtige Verhältnis der Bauten und damit der sozialen Schichten zueinander zu eruieren. Bei diesen Auswahlkriterien tritt die Suche nach umstrittenen Haustypen, nach sog. „landschaftstypischen" architektonischen Merkmalen einer jeweiligen „Hauslandschaft", oder nach uns heute schön anmutenden Häusern, in den Hintergrund.
2. Nachforschung nach Urkunden, intensive geschichtliche Studien und mündliche Befragungen zu allen zur Translozierung anstehenden Objekten zur Gewinnung der individuellen Besitzergeschichte, der Bau- und Hausgeschichte.

Abb. 1: Blick auf den bisher aufgebauten Teil der Baugruppe Odenwald (Stand 1992). Von rechts nach links: Eindachhof aus Dallau (1719 d, halb verdeckt), Hirtenhaus aus Gerolzahn (1870 a, halb verdeckt), Kleintierstall aus Bödigheim (19. Jh.), Tagelöhnerhaus aus Walldürn (1798 d), Kleinbauernhof aus Neckarburken (1798 d), Armen- und Gemeindehaus aus Reichartshausen (1876 d).

Abb. 2: Hirtenhaus aus Gerolzahn (Fenster im Erdgeschoß aus den 1960er Jahren werden noch ersetzt).

Abb. 3: Historische Photos dienen zur detailgenauen Rekonstruktion einer bestimmten Zeitphase. Dieses Photo zeigt die Familie des Schäfers Heinrich Schmieg in den 1930er Jahren vor dem Hirtenhaus an seinem ursprünglichen Standort. Das Photo diente zur Rekonstruktion der Dachgauben, des Hausgartens sowie des Hausumfeldes (z.B. Rinnstein an der Straße). Die Besitzerperiode des Schäfers Schmieg wird auch im Haus gezeigt werden.

Abb. 4: Eindachhof aus Dallau (1719 d).

Abb. 5: Vorderer Bereich der Baugruppe Odenwald.

Abb. 6: Ebenfalls vorderer Bereich der Baugruppe Odenwald.

Abb. 7: Tagelöhnerhaus aus Walldürn (1798 d). Das Häuschen steht für die unteren sozialen Schichten im früheren Dorfverband; vergleichbare Gebäude wurden in den letzten Jahrzehnten in großer Zahl unbeachtet abgerissen. Das Häuschen hat nur 3 Räume, einen Kriechkeller unter dem vorderen Teil und einen ebenfalls sehr bescheidenen Speicher. Es handelt sich bereits um den Zustand einer Hauserweiterung von 1840; das Ursprungshaus von 1798 war nur halb so groß (vgl. Zeichnung 4). Gezeigt wird außen wie innen der Zustand der 1930er Jahre.

Abb. 8: Die Inneneinrichtung ist nach Befragung der Tochter des letzten Besitzers, des Tagelöhners Bernhard Salbreiter (1880–1956), zusammengestellt worden. Wohn- und Schlafzimmer.

Abb. 9: Kinderzimmer für die 3 Kinder.

Abb. 10: Blick in die winzige Küche.

Abb. 11: Kleinbauernhof aus Neckarburken (1798 d). Wohnhaus und Stallscheune mit Hausgarten.

Abb. 12: Bauernhof aus Neckarburken, Blick auf den hinteren Wohnhausgiebel. Ein gesockelter Lehmgewölbe-Backofen ist an die Küche angebaut, außerdem ein Schuppen für Holz und Geräte. Rekonstruktion gemäß Befragung der letzten Besitzer.

Abb. 13–20: Bauernhof aus Neckarburken, Inneneinrichtung als Beispiel einer familiengeschichtlich bezogenen Darstellung. Die Inneneinrichtung ist gemäß der erforschten Familiengeschichte der Zeitphase 1919–1926 rekonstruiert. Hierzu wurden Familienangehörige, betagte Nachbarn sowie Hausurkunden konsultiert.

Abb. 13/14: Die zweigeteilte Stube: rechts die Postagentur, die der Bruder des Hofbauern betrieb und für die eine Stubenhälfte geopfert wurde. Links der verbliebene Stubenteil, abgetrennt durch eine Bretterwand, die im Original noch aufgefunden werden konnte.

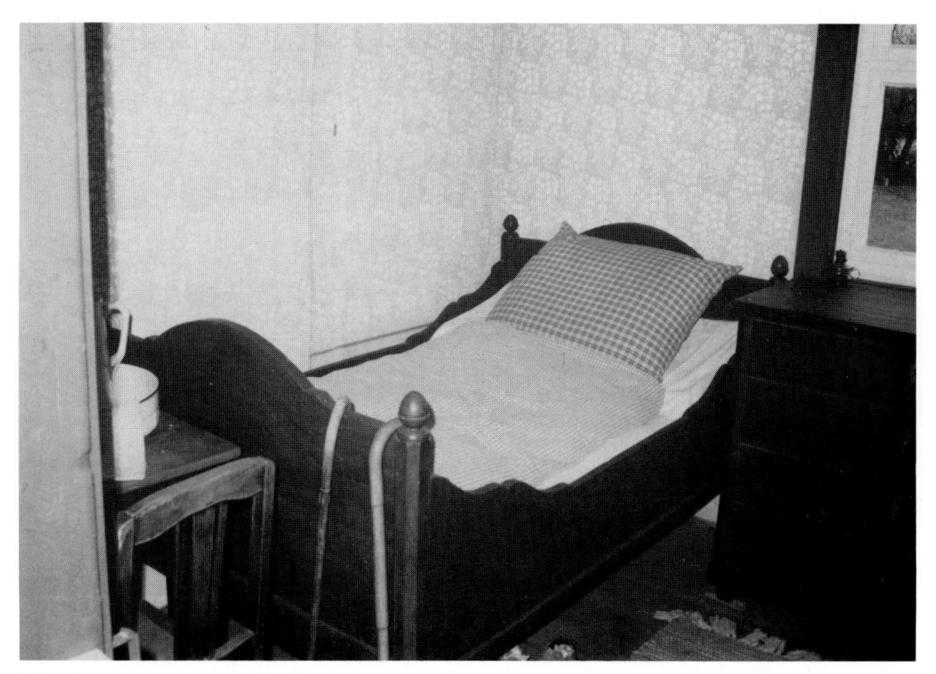

Abb. 15: Schlafkammer des Hofbauern. Er war zu der im Haus rekonstruierten Zeit Witwer.

Abb. 16: Die Küche.

Abb. 17: Der Backofen (vgl. Abb. 12) erlaubt funktionstechnische Einblicknahme für die Besucher.

Abb. 18: In der Nebenkammer im Erdgeschoß schlief die Schwester des Bauern.

Abb. 19: Das Obergeschoß des Wohnhauses diente sowohl als Speicher als auch Schlafzwecken. Eine funktional beschränkte Raumnutzung war in einem Kleinbauernhof wegen des knappen Raumangebots generell nicht möglich: In einem Speicherteil schlief der Bruder des Bauern (der Postagent) direkt unter den Ziegeln, geschützt lediglich durch ein provisorisches Tuch gegen Flugschnee im Winter.

Abb. 20: Eine weitere Dachkammer: Der Sohn verbrachte hier die Nächte im Bett auf einem Strohsack.

Abb. 21: Armen- und Gemeindehaus aus Reichartshausen (1876 d). Außenwände aus behauenem Buntsandstein, wie er im letzten Drittel des 19. Jh. für die östlichen Teile des Odenwaldes im Hausbau allgemein üblich wurde. Das Gebäude ersetzte ein älteres, weit schlichteres Armenhaus aus dem 18. Jh. Es beherbergte sowohl Dorfarme als auch die Dienstwohnung der Dorfhebamme und eine Unterkunft für Kriegsgefangene. Im Untergeschoß war der Spritzenraum für die Dorfspritze.

Abb. 22

Abb. 22–24: Zimmer im Armenhaus, in denen manchmal Einzelpersonen, oft aber auch Witwen mit ihren Kindern oder gar ganze Familien untergebracht waren.

Abb. 23

Abb. 24: Zimmer im Armenhaus.

Abb. 25: Im Obergeschoß des Armenhauses wohnte über mehrere Jahrzehnte ein verarmter Schuster mit Familie in dieser Wohn-/Schlafkammer. Wenn es die Verhältnisse erlaubten, kam ein Zimmer im darunter gelegenen Geschoß hinzu.

Abb. 26: Schusterwerkstatt im Raum gegenüber.

Abb. 27: Gefängnis im Armen- und Gemeindehaus. Hier wurden in den beiden Weltkriegen polnische, russische und französische kriegsgefangene Zwangsarbeiter des Nachts bewacht.

Abb. 28: Der großbäuerliche Hof Schüßler (Wohnhaus 1725 d). Sondergebäude des Odenwälder Freilandmuseums im Ort Gottersdorf. Er wurde an Ort und Stelle erhalten und zeigt die Wohnkultur des reichen Großbauern über 2 Jahrhunderte im Vergleich.

Abb. 29: In einem Raum des Obergeschosses wurden im Jahre 1984 unter einer dicken Lehmschicht reichhaltige freie Wandmalereien mit religiöser Motivik gefunden. Die spätbarocke Ornamentik weist auf das späte 18. Jh. hin.

Abb. 30

Abb. 30/31: Im Hof Schüßler wird Wohnkultur verschiedener Epochen gegenübergestellt. Die gute Stube der Zeit um 1830 im Obergeschoß steht z.B. der guten Stube der Zeit um 1960 gegenüber. Unterschiedliches Wohngefühl kommt hier zum Ausdruck. Das bäuerliche Wohnen hat sich um 1960 dem bürgerlichen endgültig angeglichen.

Abb. 32: Schlafkammer um 1900.

Abb. 33: Großteileversetzung des Hauses aus Neckarburken. Die Wände werden im ganzen versetzt. Dadurch ist eine größtmögliche Bewahrung der gesamten Haussubstanz gewährleistet. Das Haus bleibt auch für spätere Generationen ein Baudokument. Zudem bleiben die rund 200 Jahre, die das Gebäude hinter sich hat, sichtbar.

u.l.: Abb. 34: Das Gebäude nach dem Wiederaufbau im Museumsgelände

u.r.: Abb. 35: Zum Vergleich ein erhaltenes historisches Photo von 1919, das für den Wiederaufbau maßgebend war.

Abb. 36: Hirtenhaus aus Gerolzahn nach der Großteileversetzung im Rohbau. Alle Außen- und Zwischenwände, geeignete Deckenteile sowie der Hausbackofen wurden in Großteilen versetzt.

Abb. 37: Bauernhaus aus Allfeld, Baugruppe Bauland (1687 d) nach dem Wiederaufbau im Rohbau. Auch hier wurde die Großteileversetzung angewandt. Vier Parteien teilten sich dies an sich großzügige Gebäude. Die Eigentumszersplitterung kommt auch durch die vorgefundene verschiedene Dachdeckung (Zuständigkeitsregelungen) zum Ausdruck. Rechte Dachhälfte von oben nach unten: Einfachdeckung Biberschwanzziegel, Doppeldeckung Biberschwanzziegel, Falzziegel; linke Dachhälfte: Glasierte Falzziegel.

Abb. 38: Das Fachwerkoberteil des Kleintierstalles aus Bödigheim wird im ganzen abgenommen.

Abb. 39

Abb. 39/40: Grünkerndarre aus Altheim, Baugruppe Bauland (um 1900 a).

Abb. 41: Grünkerndarre aus Sindolsheim, Baugruppe Bauland (um 1920 a).

Abb. 42: Beim Jahresmuseumsfest („Grünkernfest") wird eine Grünkerndarre in Betrieb genommen. Der halbreife Dinkel wird, auf einer Darrwanne verteilt, in die von unten Rauch durch ein Blechsieb eintritt, geröstet.

Abb. 43: Vor der Darre Vorführungen am „Reff", einem alten Arbeitsgerät zum Trennen der Ähren von den Halmen.

Abb. 44: Handwerkervorführungen beim Jahresmuseumsfest: Ein Korbmacher erläutert Besuchern sein Handwerk.

Erläuterung zu den Bildunterschriften:

d = Baudatum dendrochronologisch ermittelt
i = Baudatum inschriftlich
a = Baudatum archivalisch ermittelt

Alle Aufnahmen: Odenwälder Freilandmuseum

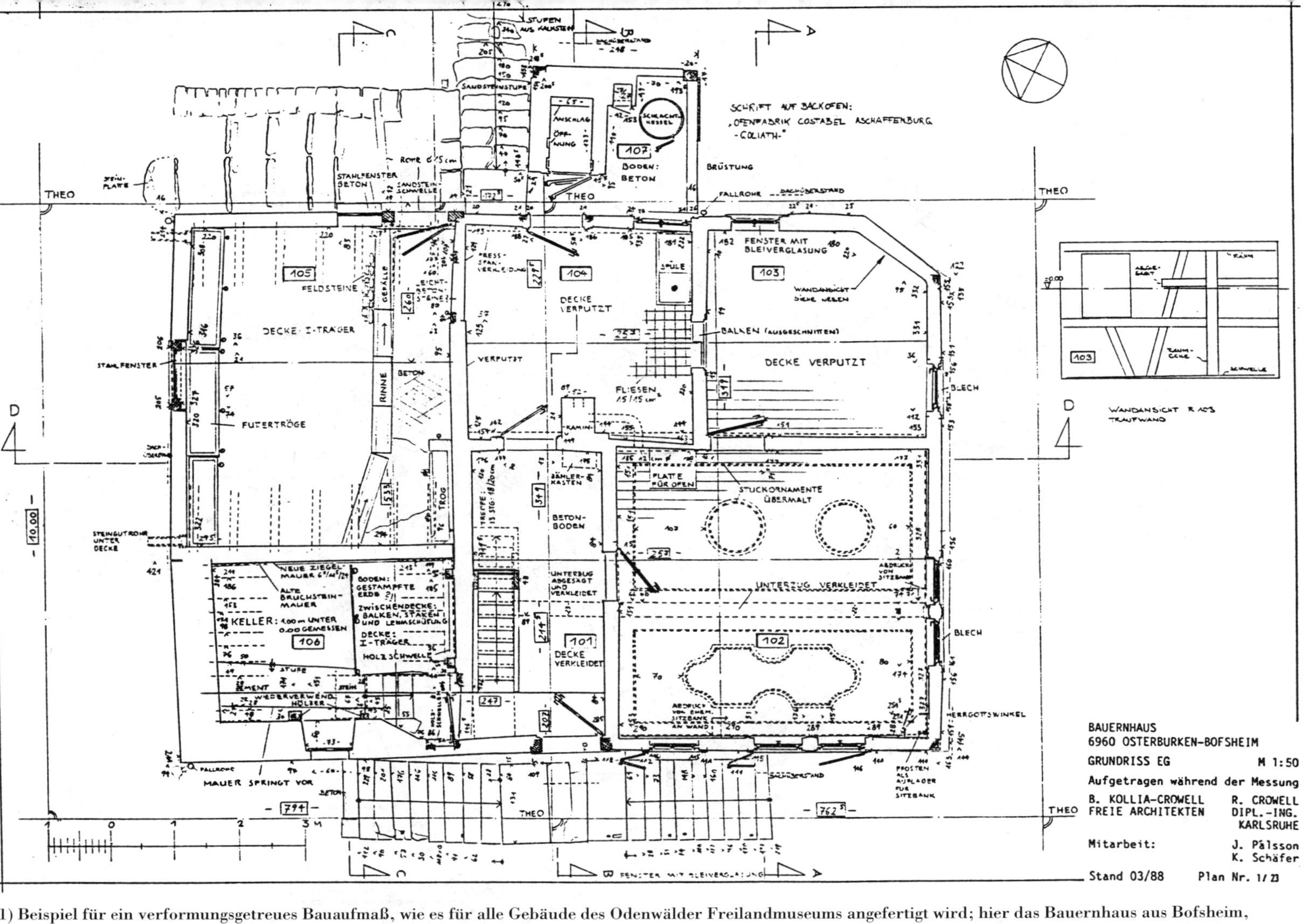

1) Beispiel für ein verformungsgetreues Bauaufmaß, wie es für alle Gebäude des Odenwälder Freilandmuseums angefertigt wird; hier das Bauernhaus aus Bofsheim, Baugruppe Bauland (1777 d, i).

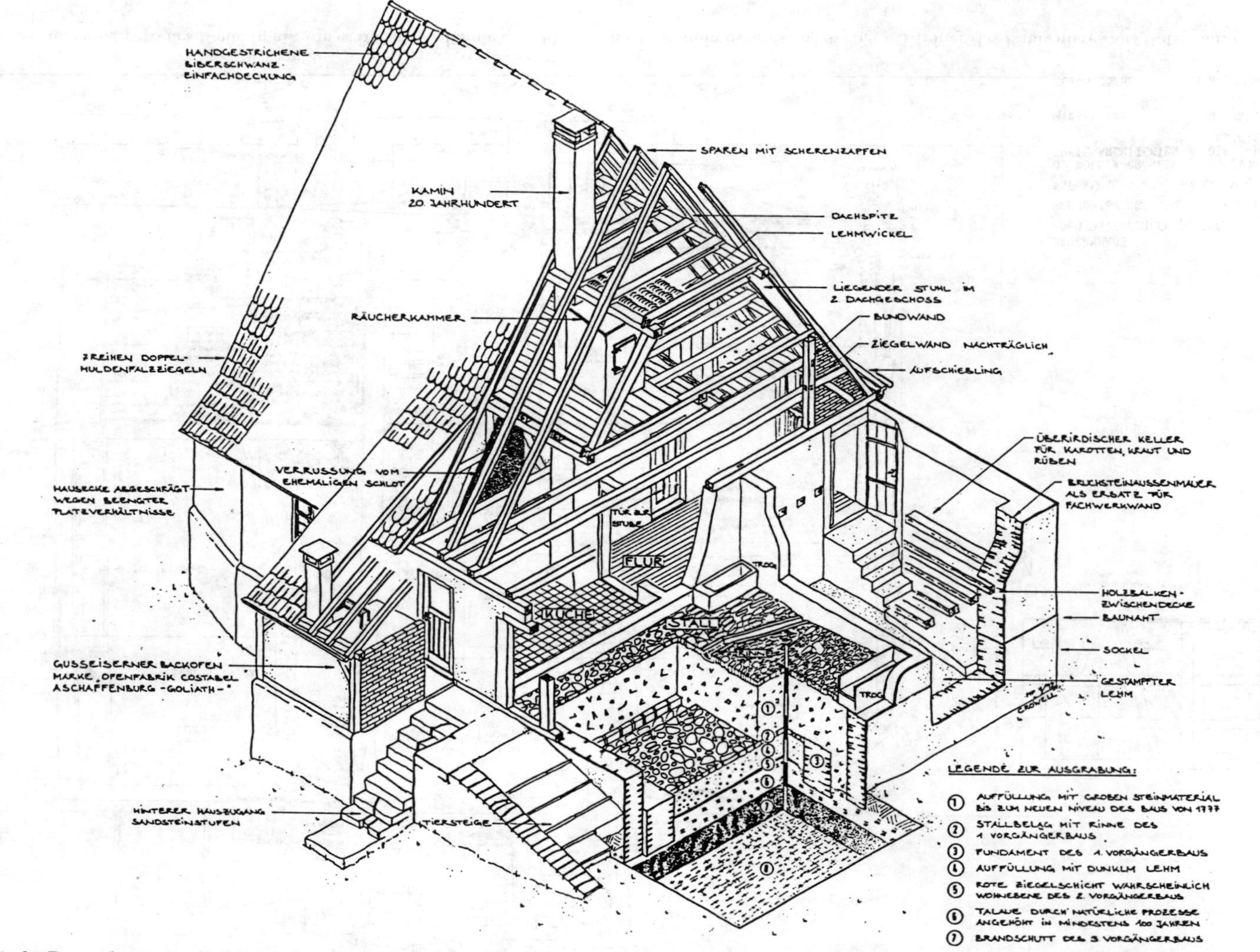

2) Isometrie des Bauernhauses aus Bofsheim, die auch die Grabungsergebnisse veranschaulicht. Die nördliche Giebelseite ist teilweise bis auf den Siedlungshorizont geöffnet. 1. Auffüllung mit grobem Steinmaterial bis zum neuen Niveau des Baues von 1777. – 2. Stallbelag mit Rinne des 3. Vorgängerbaues. – 3. Fundament des 3. Vorgängerbaues. – 4. Auffüllung mit dunklem Lehm. – 5. Rote Ziegelschicht, Wohnebene des 2. Vorgängerbaues. – 6. Talaue durch natürliche Prozesse angehöht in mindestens 100 Jahren. – 7) Brandschutt des 1. Vorgängerbaues. – 8. Kalksteinlage, ...

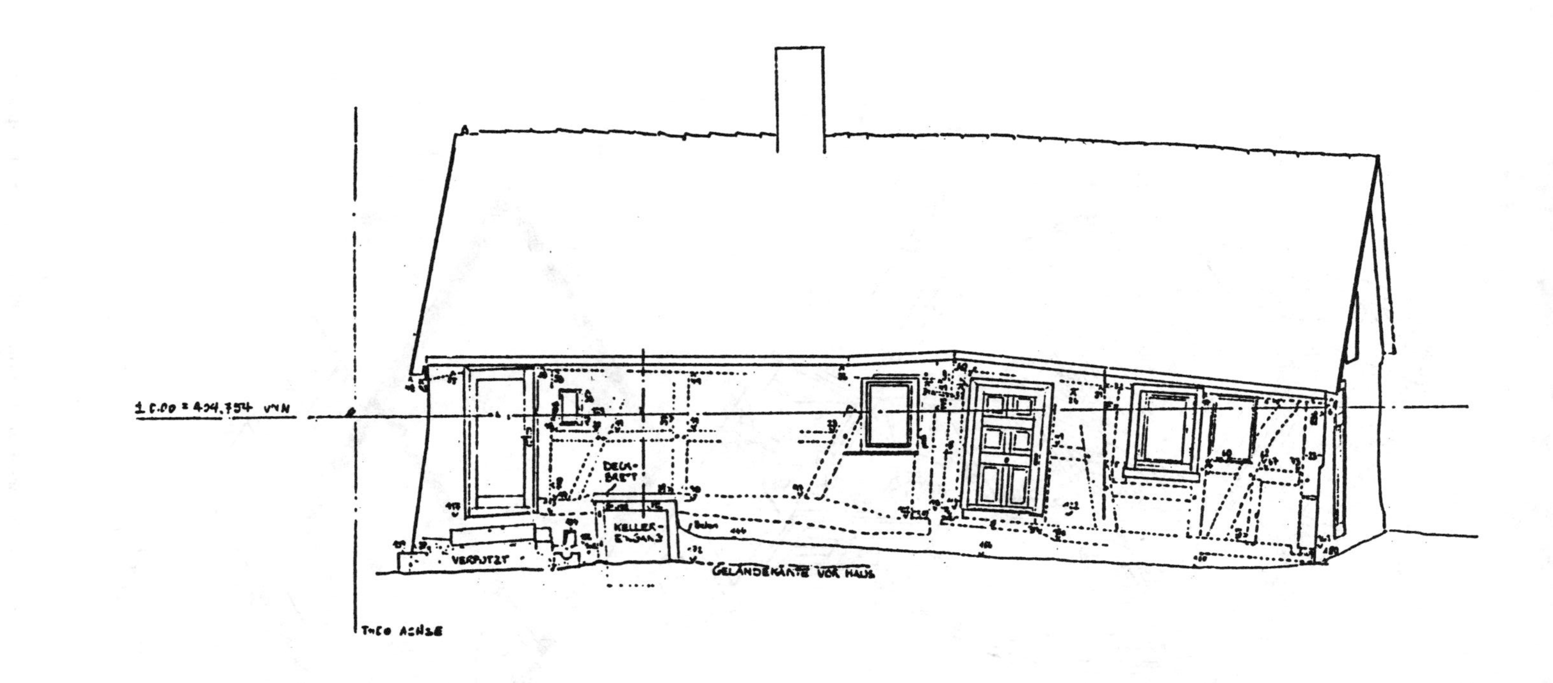

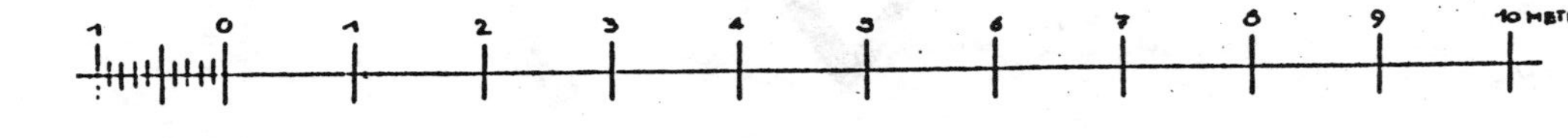

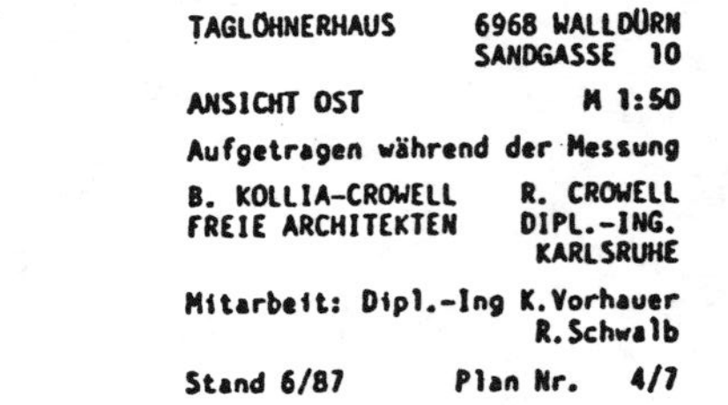

3) Tagelöhnerhaus aus Walldürn, Ansicht Ost; die Traufansicht verdeutlicht die starken Verformungen; links der Ursprungsbau von 1798, rechts nach dem Dachknick die Erweiterung von 1840.

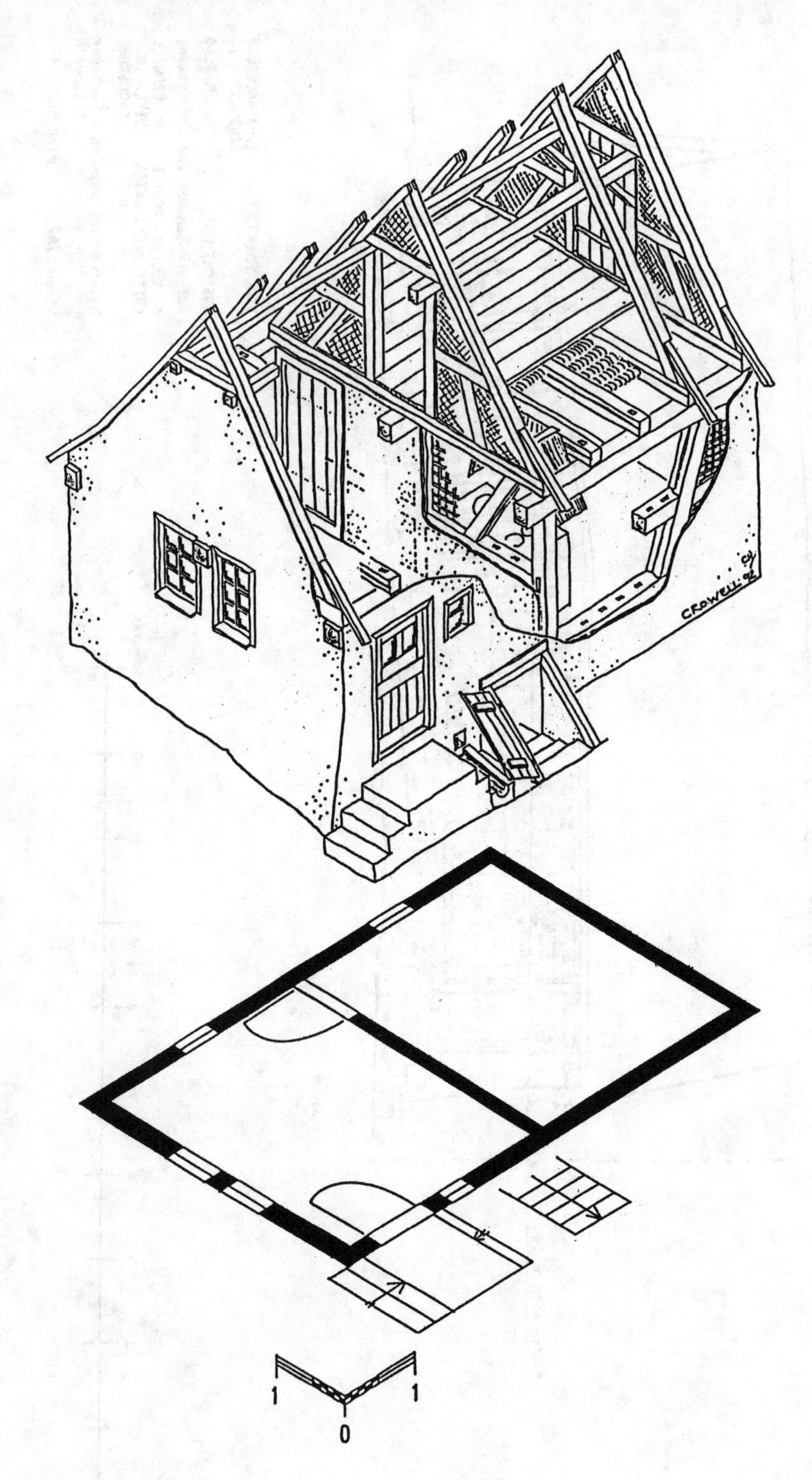

4) Isometrie des Walldürner Tagelöhnerhäuschens; Ursprungsbau von 1798. Vorne die Stube, dahinter die Küche mit Schlothaube, aber ohne Kamin. Der Rauch zog durch den Dachraum und kleine Firstöffnungen im Giebel ins Freie. Das Häuschen war vollständig unterkellert.

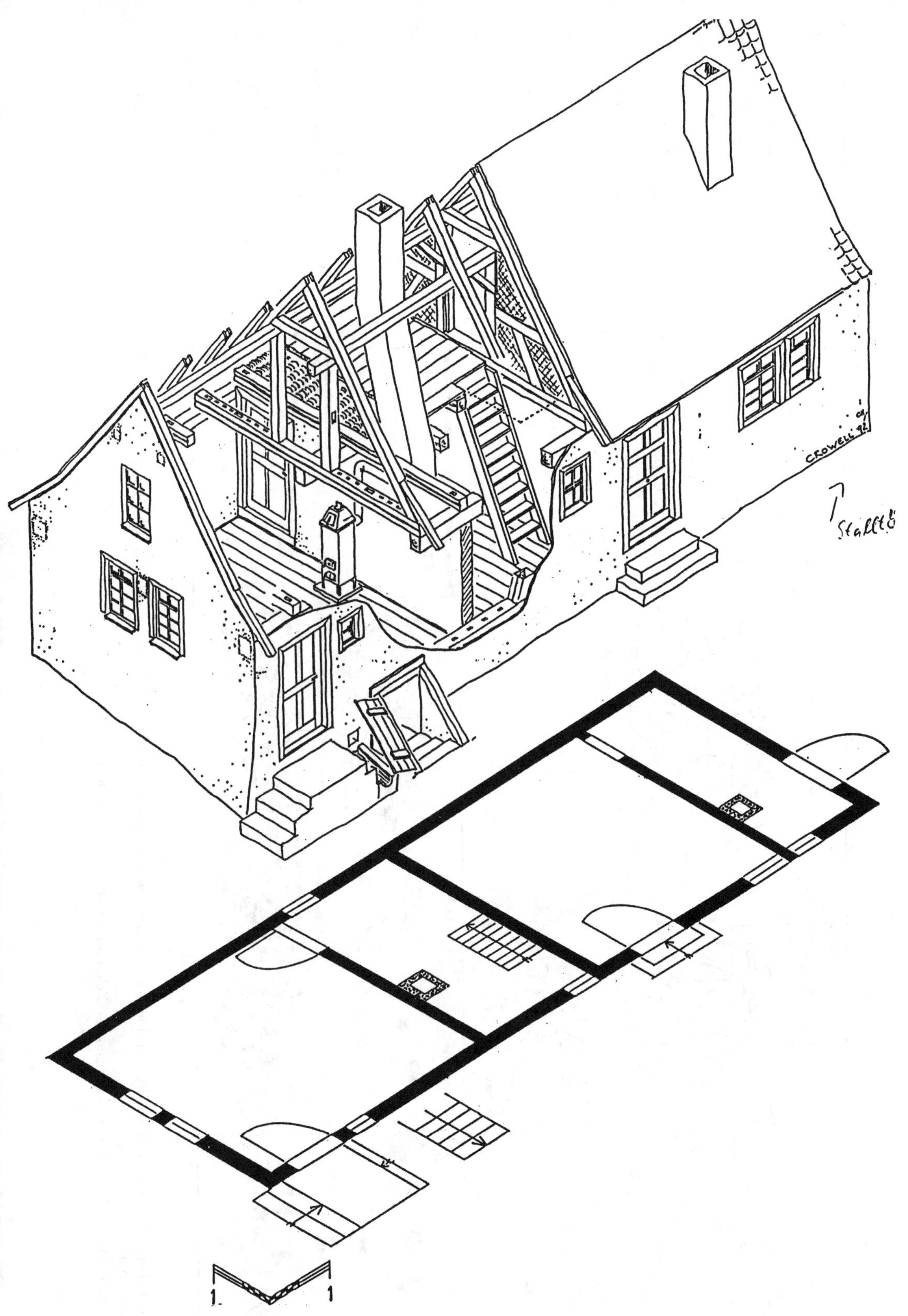

5) Nach der Erweiterung 1840 und dem Erwerb durch Bernhard Salbreiter (1880–1956) im Jahre 1929: Vorne Wohn- und Elternschlafzimmer, dahinter Küche und Kinderzimmer und am rückwärtigen Hausende die Holzkammer.

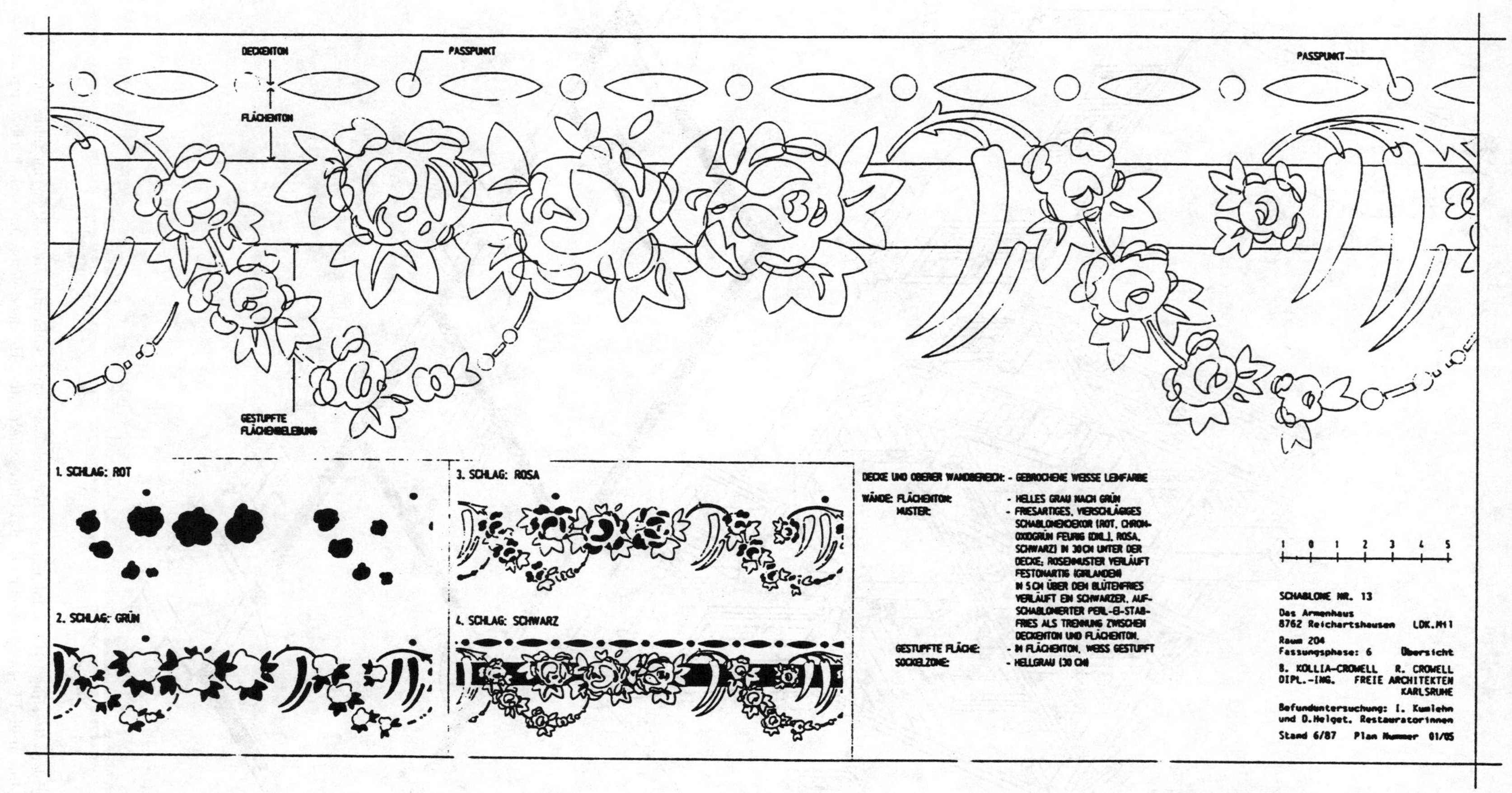

6) Beispiel für Befunduntersuchungen der Dekoration der Innenwände (Gemeinde- und Armenhaus Reichartshausen): Planvorlage einer fünfschlägigen Schablonendekoration für den Maler.
Alle bauhistorischen Untersuchungen und Zeichnungen: Büro Crowell, Karlsruhe.

3. Wissenschaftlich fundierte, verformungsgetreue Bauaufnahmen und restauratorische Untersuchungen vor und während der Versetzung; Grabungen zur Vervollständigung der Hausgeschichte und – wichtig – möglichst unversehrte Translozierung der Häuser in Großteilen zur Bewahrung der gesamten Haussubstanz und zur Beibehaltung der Abnutzungsspuren.
4. Einrichten der Häuser möglichst nahe an der Wirklichkeit, die bei einer Wohneinrichtung bis in die 1920er Jahre zurück meist noch durch Befragung ziemlich genau rekonstruiert werden kann oder durch Forschungen an noch hin und wieder intakt aus jener Zeit vorhandenen, eingerichteten Vergleichsobjekten. Weiter zurück bieten sich oft vorhandene Inventarlisten vorhandener „Teilzettel" (Erbschaftsunterlagen) oder etwa Hofübergabeverträge an. Zum Erreichen der Wirklichkeitsnähe gehört auch, daß Mobiliar und Arbeitsgeräte nur behutsam, unter Beibehaltung der Gebrauchsspuren, restauriert werden, und daß dieses Inventar nachweisbar aus der betreffenden Region stammt.
5. In der Regel sollte ein einheitliches Konzept von gezeigter Bauphase des Gebäudes und vorgenommener Einrichtung eingehalten werden, um nicht der Beliebigkeit Tür und Tor zu öffnen; d.h. ein Haus, das äußerlich etwa die Zeit um 1900 darstellt, muß auch in den Räumen die Einrichtung der entsprechenden Familienphase wiedergeben. Dies sei an einem Beispiel erläutert: Bei dem im Museum stehenden Hof Backfisch (Wohnhaus mit Backofenanbau und Stallscheune) aus Neckarburken war dank bester Aktenlage und ausgezeichneter Befragungsergebnisse eine Wiedergabe der Wohneinrichtung bis in fast alle Details, bezogen auch auf die Bewohner des Hauses, der Zeit von 1919 – 1926 möglich. Zu jener Zeit wirtschaftete auf dem kleinbäuerlichen Hof der (verwitwete) Bauer Christian Backfisch; er hatte eine eigene Schlafkammer; mit ihm lebte in einem eigenen Zimmer seine Schwester; zwei kleine Kinder schliefen des Nachts in der „Sittel" (als Bett aufklappbare Holzbank in der Küche); der älteste Sohn schlief in einer Dachkammer, und der Bruder des Bauern schlief ebenfalls unter dem Dach, auf dem Speicher, ungeschützt unter den Ziegeln. Letzterer betrieb im Haus seit 1919 und bis 1932 eine Postagentur; hierzu hatte man die Stube durch eine Bretterwand aufgeteilt und sich in seinen Stubenwohnmöglichkeiten auf die Hälfte beschränkt. Diese Postagentur ist aufgrund der Befragung ehemaliger Postkunden rekonstruiert. Das Haus mit seiner Ausstattung repräsentiert die Zeit von 1919 – 1926, da es im Museum noch mit Petroleumleuchten ausgestattet ist. Erst im Jahre 1926 bekam Neckarburken elektrisches Licht.
Diese familiäre Situation wurde nun über das Mobiliar, das zudem fast im einzelnen noch erfragt werden konnte, zur Darstellung gebracht. Hierzu unerläßlich sind aber nun erläuternde Texte, Fotos und Quellenabbildungen. Solche Hilfsmittel vermitteln in den Häusern selbst die Familien- und Hausgeschichte, ergänzt durch den kurzgefaßten Museumsführer. Die didaktischen Möglichkeiten, die sich in einem Freilichtmuseum ergeben, werden also ergänzt durch auf der Forschungsgrundlage beruhende schriftliche und bildliche Informationsträger. Die Erläuterungen, insbesondere auch zeitgenössische Photos, werden bewußt eingesetzt auch als „Störfaktoren" einer hin und wieder unvermeidlich auftretenden musealen Idylle[36]. Texte und Darstellungen im Objekt – auch mitten in der „guten Stube" angebracht – werden von den Besuchern durchweg sehr gern angenommen und stoßen keineswegs auch nur im geringsten Maße auf Protest[37].
Bei solcherart konzipierten Museen – die Zahl derjenigen, die nach diesen Methoden vorgeht, wächst – müßte eigentlich der Drang nach Massenvergnügungsveranstal-

tungen und Gefühlskitsch eher gering sein. Beim Odenwälder Freilandmuseum ist solches zu vermelden. Bei der weit überwiegenden Mehrheit des Publikums kommen entsprechende Wünsche schlicht nicht auf, ja, Aktionismus würde regelrecht als störend empfunden. Wenn es einem Freilichtmuseum gelingt, die Häuser auf oben beschriebene Weise zum Sprechen zu bringen, so wird jede Volks- und Blasmusik meist als Mißton empfunden. Entsprechende Erfahrung hat das Odenwälder Freilandmuseum gemacht: Man kann auf die Erwartungshaltung seines Publikums auch bis zu einem gewissen Grad Einfluß nehmen, wenn das Museum etwas leisere Angebote macht und diese Angebote vor einem Hintergrund ablaufen, der inneres Interesse erweckt, Betroffenheit ermöglicht und damit auch ein Bedürfnis nach einem nachdenklichen Museumsrundgang auslöst[38].

Leider haben zu viele Freilichtmuseen zu lange bei ihrem Aufbau nicht die hier skizzierten Wege im bautechnischen und sozialgeschichtlichen Bereich einerseits und der objektbezogenen Didaktik andererseits eingeschlagen. Hier rächt sich dann das falsche methodische Vorgehen, das Einfallstore läßt für Unseriösität und Geschichtsklitterung. So ist es gekommen, daß, weltweit gesehen, eine ganz Anzahl von Freilichtmuseen, manchmal auch solche, die nach wissenschaftlichen Maßstäben aufgebaut werden, Disneyland-Tendenzen erliegen, weil sie ansonsten keine didaktischen Riegel vorgeschoben haben.

In der Tat, ein Freilichtmuseum, das diesen Tendenzen erlegen ist, verrät seine Möglichkeiten, das es wie kein anderer Museumstypus hat: Anschaulich soziale Realitäten der früheren Landbevölkerung zu vermitteln und damit auf die Wurzeln des heutigen Seins hinzuweisen. Trachtenaufmärsche, inszenierte „Bauernhochzeiten", mit angeblich „nach alter Art" wohnenden Personen belegte und damit scheinbar „belebte" Museumsgebäude, Saurennen, Fuhrmannswettbewerbe, Vorführungen wie „Es brennt im Dorf", um nur einiges aus dem Arsenal der Museumsaktionisten zu nennen, sind ein Graus in verschiedenen Abstufungen und eine Verhöhnung der Geschichte; derlei wäre, setzte es sich auf der ganzen Linie durch, tatsächlich der Untergang dieses Museumstypus in ideeller, aber auch materieller Hinsicht. Denn wirklich konkurrieren mit den professionellen Freizeitparks (denen ihre Existenzberechtigung in ihrer Gattung in keiner Weise abgesprochen werden soll) kann das Freilichtmuseum, in welcher Ausprägung auch immer, langfristig schließlich doch nicht. Auf jeden Fall wäre dieser Museumstypus verloren für die pädagogisch wertvolle Geschichtsvermittlung; es würden, zum Jux und auf Kosten des Ansehens unserer Vorfahren, „Operettenkulissen" aufgebaut, die in nicht allzu langer Zukunft langweilig werden.

Ein solcher Weg ist aber nicht schicksalhaft vorgezeichnet. Ein Freilichtmuseum entwickelt sich nur in diese Richtung, wenn dies gewollt oder in Unkenntnis der Zusammenhänge provoziert wird. Das Odenwälder Freilandmuseum wurde hier als ein Beispiel angeführt, das sich der Gefahren von vornherein bewußt gewesen ist, und das diese unter allen Umständen vermeiden will. Es hat sich den Gefahren und Versuchungen über geeignete methodische Wege bis heute entzogen und wird alles daran setzen, dies auch beim weiteren Aufbau einzuhalten. Hierzu verhilft vor allem auch eine Grundüberzeugung: Geschichte bleibt Geschichte und soll in keiner Weise durch heutige Aktivitäten „wiederbelebt" oder nachgeahmt werden. Dies wäre ein völlig ahistorisches Verhalten. Die Tatsache, daß Freilichtmuseen entstehen, zeigt, daß verschiedene wirtschaftliche, technische und gesellschaftspolitische Veränderungen von nachhaltiger Wirkung überkommene Gebäude haben funktionslos werden lassen. Das Odenwälder Freilandmuseum weist die Besucher daher darauf hin, daß sich die Häuser gewissermaßen in einer „zweiten Realität", der Museumsrealität, befinden, wo ihre Funktion alleine darin besteht, Zusammenhänge aus der Vergangenheit zu vermitteln. Bereits eine Einstellung von Großvieh in die Stallungen z.B. kommt daher im Alltag des Museumsbetriebs nicht in Frage. Dies würde suggerieren, daß der Bauer „doch gerade nur mal eben auf dem Feld" ist und am Abend wieder zurückkehrt, wie es leider das Vermittlungsbestreben vieler Freilichtmuseen ist. Dies ist bereits der Sündenfall, der am Ende zu Aktionismus und Folklorismus führt. Das Odenwälder Freilandmuseum bedient sich z.B. gerade des Verfremdungseffekts des leeren Stalls, um den Besucher auf dem Boden der heutigen Tatsachen zu lassen. Auch ein leerer Stall kann daher ein bewußtes Mittel der Didaktik sein. Die in den Museen dargestellte Zeit ist ein für allemal vorbei, und dies muß auch zum Ausdruck kommen. In diesem Verständnis und den daraus folgenden museumsdidaktischen Konsequenzen liegt ein Schlüssel zur Abwehr der lauernden Gefahren[38].

Ein Zugeständnis in diesem Zusammenhang muß aber auch das Odenwälder Freilandmuseum machen: Im Rahmen der überregionalen Öffentlichkeitsarbeit, um weitere Kreise der Bevölkerung auf das Museum aufmerksam zu machen, und auch aus inhaltlichen Gründen führt es einmal im Jahr sein Museumsfest („Grünkernfest", da die Gewinnung des landschaftsbezogenen Grünkerns im Mittelpunkt steht) durch und veranstaltet einen kleineren „Familientag", einen Vorführtag insbesondere im Hinblick auf Kinder, am Ostermontag. Es gibt einfach Bereiche, wo Handwerkliches und Technisches vorgeführt werden müssen, weil es sonst keiner mehr versteht. Aber auch hierbei wird Zurückhaltung geübt: Es werden jeweils ausschnittsweise Handwerks- und Arbeitstechniken gezeigt, deren konkrete Nachvollziehung eben zum Verständnis früherer Zeiten gehört. Wird dies von älteren, erfahrenen Handwerkern oder Landwirten durchgeführt, wirkt dies auch glaubwürdig, und so manches aus dem harten Arbeitsalltag wird neben dem rein Technischen dann immer wieder vermittelt. Solche kleinen Einblicke in alte Handwerke oder z.B. alte Küchen- oder Vorratstechniken wirken durch ihren ausschnitthaften Charakter jedenfalls keinesfalls so idealisierend wie irgendwelche „ganzheitliche" Shows. Es wird darauf hingewirkt, daß die Vorführenden dabei in heutiger Kleidung oder doch in zugehöriger Arbeitskleidung auftreten, keinesfalls jedenfalls in einer Feiertagstracht.

Solche Aktionen finden also zweimal pro Saison statt, einmal in größerem, einmal in kleinerem Umfang. An diesen 2 Tagen mag es aus den genannten Gründen hingenommen werden, daß die didaktischen Informationsträger in den Museumsgebäuden angesichts des Massenandrangs niemand mehr zur Kenntnis nehmen kann; alle übrigen Tage der siebenmonatigen Jahressaison bleiben dem ungestörten Museumsbesuch vorbehalten. Dies hat seinen guten Grund, denn auch behutsame Museumsvorführungen sind alles in allem genommen eher geeignet, frühere Zeiten zu verklären als aufzuklären über geschichtliche Zusammenhänge.

Conclusio

Fassen wir zusammen: Hier sollte nach Analyse der Sachzusammenhänge der These widersprochen werden, daß der Museumstypus Freilichtmuseum eine Fehlkonstruktion an sich und weder technisch noch inhaltlich seriös zu verwirklichen sei; abzuschreiben für Wissenschaft und Pädagogik. Es wurde nachgewiesen, daß die Gefahren und Fehltritte, auf die zurecht hingewiesen wird, begünstigt sind durch ein geistesgeschichtlich zu begründendes, lückenhaftes Dokumentationsverständnis vieler Freilichtmuseen in der Vergangenheit, so daß vor dem Hintergrund dadurch zustandegekommener idealisierter Dorfkulissen Foklorismus und Kommerz Einzug halten konnten, ohne daß ihnen größere Hindernisse im Wege gelegen wären.

Das Odenwälder Freilandmuseum wurde als Beispiel dafür herangezogen, daß bei Anwendung heutiger Erkenntnisse und wissenschaftlicher und technischer Methoden, bei einem Museumsverständnis, das Geschichte möglichst nach der sozialgeschichtlichen Realität abbilden will, bei gleichzeitigem Einsatz didaktischer Hilfsmittel, Folklorismus und Kommerz keine Chance haben. Wenn es innerhalb eines solchen Rahmens gelingt, einen Stil zu entwickeln, der bauliche Erscheinung der Anlage und Art und Weise der vielfältigen Geschichtsvermittlung in Einklang bringt, so ist ein „Weg nach Disneyland" schon aus emotionalen Gründen verbaut. Er würde vom – nebenbei bemerkt übrigens glücklicherweise immer kritischer werdenden – Publikum nicht geduldet.

Klar hervorgehoben sei aber abschließend noch eine wichtige Rahmenbedingung für eine solche Entwicklung: Ein solcher Zustand muß bewußt herbeigeführt werden. Er ist von seiten der Museumsleitung mit viel Überzeugungsarbeit zu verbinden, er ist nur zu erreichen bei klaren Entscheidungsstrukturen und Kompetenzen für eine wissenschaftliche Museumsleitung im bautechnischen, didaktischen wie auch und gerade im organisatorischen Bereich, und – er läßt sich nur durchsetzen, wenn das Freilichtmuseum eine Institution ist, die keinen Gewinn abzuwerfen braucht, ja, sich auch nicht selbst finanzieren muß und auf öffentliche Mittel zurückgreifen kann. Andernfalls läßt sich die beschriebene Konzeption nicht verwirklichen, und die Abfahrt in die kommerzielle und peinliche Ausbeutung der Vergangenheit ist vorprogrammiert. Die verantwortlichen Politiker sollten dies allerorten wissen, Museumsleiter bzw. -direktoren ebenfalls.

Anmerkungen:

1. **Heinrich Mehl,** Auf dem Weg nach Disneyland. Zur Entwicklung der Freilichtmuseen im Jahre 100 nach Skansen. In: Festschrift für Heinz Spielmann zum 60. Geburtstag, S. 165 – 198, Hamburg 1990.
2. Vgl. **H. Mehl,** a.a.O., S. 192 ff.
3. **H. Mehl,** a.a.O., S. 189 ff.
4. **H. Mehl,** a.a.O., S. 165.
5. Vgl. **H. Mehl,** a.a.O., S. 177.
6. Vgl. **H. Mehl,** a.a.O., S. 167 ff., S. 169 ff.
7. Baden-Württemberg hat sich für eine regionale Lösung bei der Gründung von Freilichtmuseen entschieden: 7 regionale Freilicht- oder Freilandmuseen sind für jeweils ihnen zugewiesene Einzugsgebiete zuständig. Dabei ist nicht zu übersehen, daß es gewaltige „weiße Flecke" gibt im Kraichgau oder in der Oberrheinebene, für die kein bestehendes Freilichtmuseum faktisch zuständig sein kann.
   Das Land fördert die Baukosten der durchweg nicht-staatlichen Museen mit 75 %. Auch bei diesem an sich hohen Fördersatz kämpfen aber die meisten baden-württembergischen Freilichtmuseen, die meist in strukturschwachen Regionen liegen und daher wenig Eigenkapital zustandezubringen in der Lage sind, darum, ihren Aufgaben in den Regionen angesichts einer rapide zerfallenden Bausubstanz überhaupt nachkommen zu können.
8. Vgl. z.B. jetzt **Konrad Bedal,** Architektur und Freilichtmuseum. Über einen Teilaspekt einer schwierigen Museumsgattung. In: Architektur-, Kunst- und Kulturgeschichte in Nord- und Westdeutschland (AKK) 3/91, S. 16 – 29; S. 21.

8a. Die Diskussion hierüber währt schon lange und auf hohem Niveau, und mit erschöpfenden Argumenten ist federführend schon vor eineinhalb Jahrzehnten Adelhart Zppelius dagegen angetreten.
Vgl. **A. Zippelius,** Tendenzen zur Kommerzialisierung in Freilichtmuseen. Vortrag auf der Tagung des Verbandes europäischer Freilichtmuseen in Oslo am 2.9.1980. In: ders., Das Rheinische Freilichtmuseum und Landesmuseum für Volkskunde, Köln 1981, S. 83 – 94. Vgl. auch **A. Zippelius,** Zur Frage der Belebung der Freilichtmuseen. Vortrag auf der Arbeitstagung des wiss. Beirates des „Freundeskreises Freilichtmuseum Südbayern e.V." am 25.10.1980. In: ders., ebd. S. 95 – 107.

9. Vgl. z.B. **Adelhart Zippelius,** Der Aufgabenkatalog der Freilichtmuseen im Zugriff der Freizeitgestalter. In: Museumsblatt 1 (Mitteilungen aus dem Museumswesen Baden-Württembergs), Tübingen 1990, S. 16 – 22; S. 17 ff.; oder jetzt **G. Ulrich Großmann,** Der Hessenpark – Freilichtmuseum oder staatlicher Vergnügungspark? Wie geht man in Neu-Anspach mit wertvoller historischer Bausubstanz um – ein glossierender Kommentar. In: AKK 3/91, S. 30 – 50. Geradezu haarsträubende Rechtfertigungsversuche auf Symposien des Hessenparks (vgl. z.B. „Geschichte hautnah erleben. Symposion: Fachleute verteidigen Konzept für Hessenpark", FAZ v. 9.5.1992) ändern an der vorgebrachten Kritik überhaupt nichts und sind nur noch unverständlich.
10. **A. Zippelius,** a.a.O., S. 17 ff.
11. **G.U. Großmann,** a.a.O.
12. Vgl. **H. Mehl,** a.a.O., S. 181.
13. Vgl. **H. Mehl,** a.a.O., S. 182 ff.
14. Vgl. **Heinrich Mehl** und **Thomas Naumann,** Ganzheitliche Translozierungstechniken im Hohenloher und Odenwälder Freilandmuseum. Ein gemeinsamer Bericht aus Wackershofen und Gottersdorf. In: Mitteilungen des Hohenloher Freilandmuseums 9/1988, S. 6 – 19.
15. Vgl. **H. Mehl,** a.a.O., S. 188.
16. Vgl. **Rolf Reutter,** Besprechung von Thomas Naumann/Barbara Kollia-Crowell (Hg), Odenwälder Freilandmuseum Walldürn-Gottersdorf, Kleiner Museumsführer, Walldürn-Gottersdorf 1990. In: Mitteilungen des Arbeitskreises für Hausforschung 36/1991, S. 9.
17. Vgl. **K. Bedal,** a.a.O., S. 23 f.
18. Vgl. ebd.
19. Das Beispiel, das H. Mehl, a.a.O., S. 188 vom Odenwälder Freilandmuseum anführt, entbehrt jeder Grundlage: Die „sorgsam versetzten Wände mit originaler Walzen- und Schablonenmalerei", die er „von Fingerspitzen (der Besucher, Anm. d. Verf.) durchlöchert" (!) sieht, bezieht sich auf einen Irrtum, den der Verf. ihm gegenüber schon einmal aufgeklärt hatte: Mehl verwechselte – anläßlich eines Besuchs während der laufenden Restaurierungsarbeiten – die sichtbare Wanddurchbruchstelle eines ehemals dort vorhandenen Hinterladerofens, der vom Flur aus beheizt wurde, mit Zerstörungen durch Besucher.
20. Als Beispiel sei angeführt das baden-württembergische regionale Freilichtmuseum Kürnbach/ Ldkrs. Biberach, das nach zwei Jahrzehnten „konventionellen" Aufbaus ab dem Jahre 1987 bei 13 neu übernommenen Gebäuden die Großteileversetzung übernahm.
21. Hier ein besonders exponiertes Beispiel die Arbeiten von Hermann Schilli.
22. Daß die Inhalte von Freilichtmuseen in Mitteleuropa auf die – allerdings immer weiter gefaßte – ländliche Kultur beschränkt sind und Stadthäuser in dieser Museumsgattung (noch) vernachlässigt werden, hierauf verweist zu Recht **K. Bedal,** a.a.O., S. 27 f.
23. **Elard Hugo Meyer,** Badisches Volksleben im 19. Jahrhundert, Reprint der Ausgabe 1900, Freiburg 1984 (Forschungen und Berichte zur Volkskunde in Baden-Württemberg 8).
24. Ebd. S. 419.
25. Ebd. S. 436.

26. Freundlicher Hinweis von Prof. Dr. Peter Assion.
Vgl. hierzu auch **Peter Assion**, Bäuerliches Handwerk vor der Mechanisierung. Fränkische Beiträge zur Sozialgeschichte, Gerätekunde und landwirtschaftlichen Fachsprache. In: Ländliche Kulturformen im deutschen Südwesten, hg. im Auftrag der Badischen Landesstelle für Volkskunde von **Peter Assion** (= Festschrift für Heiner Heimberger), S. 53 – 94; S. 53 ff.
27. **Gerhard Schneider**, Landesgeschichte als Historische Sozialwissenschaft. Probleme und Aufgaben landes- und ortsgeschichtlicher Forschung im Bauland und hinteren Odenwald. In: Beiträge zur Erforschung des Odenwaldes und seiner Randlandschaften II (Festschrift für Hans H. Weber), hg. im Auftrag des Breuberg-Bundes von **Winfried Wackerfuß**, Breuberg-Neustadt 1977, S. 1 – 22; S.9.
28. **Konrad Bedal**, Historische Hausforschung. Eine Einführung in Arbeitsweise, Begriffe und Literatur, Münster 1978 (= Beiträge zur Volkskunde in Nordwestdeutschland 8).
29. Zu Konzeption und Methodik vgl. genauer **Peter Assion** und **Thomas Naumann**, Das Odenwälder Freilandmuseum in Walldürn-Gottersdorf. Dokumentationsstätte dörflicher Kultur zwischen Rhein und Tauber, In: Badische Heimat 3/1990, S. 481 – 491 und **Thomas Naumann** (Red.), Der Hof Schüßler in Gottersdorf. Zur Geschichte eines großbäuerlichen Anwesens auf der Walldürner Höhe, Walldürn-Gottersdorf 1987 (= Schriften des Odenwälder Freilandmuseums Bd. 1).
30. **Peter Assion**, Wohnen im Odenwälder Bauernhaus. Zum Wandel der häuslichen Wohn- und Sozialstruktur seit der frühen Neuzeit. In: Beiträge zur Volkskunde in Baden-Württemberg 1/ 1985, S. 71 – 102; S. 73.
31. Vgl. Fränkische Nachrichten, Ausgabe Buchen-Walldürn v. 5.11.1984.
32. Vgl. hierzu z.B. **Rainer Wirtz**, Der „ohnehin" notleidende Odenwald. In: Beiträge zur historischen Sozialkunde 2/85, S. 44 – 48.
33. Die Methode, Inhalte bei einem Einzelobjekt einzubringen, die zwar allgemein denkbar wären, bei eben diesem Einzelobjekt aber nicht nachweisbar sind, ist in der Regel abzulehnen. Das Freilichtmuseum soll gerade mittels seiner Einzelfallforschung und -präsentation in der Aneinanderreihung zu allgemeingültigen Ergebnissen kommen. So muß z.B. der Versuchung widerstanden werden, eine Schmiede im Bereich eines Bauernhofes unterzubringen, obwohl dies objektbezogen nicht nachgewiesen werden kann, nur um eine im Museum vorhandene Schmiedeeinrichtung, zu der aber das Gebäude fehlt, zu präsentieren.
34. Vgl. hierzu **Klemens Hotz**, Verwaltete Armut auf dem Dorf. Zur ländlichen Armenpflege im 19. Jahrhundert am Beispiel der Gemeinde Reichartshausen. In: Der Odenwald, Zeitschrift des Breuberg-Bundes 38. Jg. 1/1991, S. 20 – 36.
35. Dieser Zustand wurde bis zum Jahre 1958 ertragen. Sodann zog eine Familie aus und erbaute auf dem Grundriß einer nebenstehenden, nicht mehr benötigten Stallscheune ein eigenes Wohnhaus. Wirtschaftliche Veränderungen, verbunden mit einem möglich gewordenen Berufswechsel, hatten diesen Fortschritt ermöglicht.
36. Vgl. **Ingrid Edeler**, Zur Typologie des Kulturhistorischen Museums. Freilichtmuseen und kulturhistorische Räume, Frankfurt, Bern, New York, Paris 1988, S. 231 (= Europäische Hochschulschriften Bd. 79). Vgl. hierzu auch **Konrad Köstlin**, Freilichtmuseums-Folklore. In: Kulturgeschichte und Sozialgeschichte im Freilichtmuseum, Referate der 6. Arbeitstagung der Arbeitsgruppe Kulturhistorischer Museen in der Deutschen Gesellschaft für Volkskunde, Cloppenburg 1985, S. 55 – 67.
37. Wie **H. Mehl**, a.a.O., S. 190 f., in illustren Thesen behauptet.
38. Die Erfahrung zeigt übrigens, daß Freilichtmuseen, die sich der schrillen Töne enthalten, auch vom Publikum schonender behandelt werden. Erstens, weil sie vom ganz großen Run der Institutionen mit Vermarktungs-Management i.d.R. verschont bleiben – es sei denn sie befinden sich in touristischen Zentren – und zweitens, weil die Mehrzahl des durch diese stilleren Museen angezogenen Publikums sich umsichtiger verhält – beides sehr zum Nutzen der Bauten und zur frohen Botschaft der Konservatoren.

Ortsregister

Das Register verzeichnet die in den Aufsätzen behandelten Orte mit wenigen Ausnahmen so, wie sie ebenda bezeichnet sind, trägt also ebenfalls historischen Gegebenheiten Rechnung, während durch die Verwaltungsreformen z. T. Änderungen erfolgten, die hier nicht berücksichtigt werden konnten. Ein vorangestelltes + bedeutet, daß es sich dabei heute um eine Wüstung handelt.

Verzeichnis der Autoren

Assion, Peter, Professor, Dr., Institut für Volkskunde,
Maximilianstraße 15, 7800 Freiburg i. Br.

Azzola, Friedrich Karl, Professor, Dr.,
Fichtenstraße 2, 6097 Trebur

Bormuth, Heinz, Amtsrat a.D.,
Eberstädter Straße 30, 6109 Mühltal 1

Dörr, Hans, Rektor,
Wiesenstraße 4, 6117 Schaafheim-Mosbach

Ehmer, Hermann, Dr., Archivdirektor,
Richard-Wagner-Straße 68, 7000 Stuttgart

Grein, Gerd J., Museumsleiter,
Bismarckstraße 4, 6111 Otzberg-Lengfeld

Groß, Peter, Anton-Bruckner-Straße 12, 6110 Dieburg

Gutjahr, Rainer, Oberstudienrat,
Kösliner Straße 41, 7500 Karlsruhe

Hotz, Walter, Dr., Pfarrer i.R.,
Rathenaustraße 14, 6520 Worms

Köhler, Brigitte, Landwirtschaftsassessorin a.D.,
Pragelatostraße 20, 6105 Ober-Ramstadt/Wembach

Martin, Wolfgang, Kleestädter Straße 44, 6113 Babenhausen-Langstadt

Metzner, Ernst E., Professor, Dr., Johann Wolfgang Goethe-Universität,
Institut für Deutsche Sprache und Literatur II,
Gräfstraße 76, 6000 Frankfurt

Naumann, Thomas, M.A., Museumsleiter, Weiherstraße 12,
6968 Walldürn-Gottersdorf

Rößling, Karlheinz, Vermessungsdirektor i.R.,
Meißnerweg 30, 6100 Darmstadt

Wagner, Richard, Forstamtsrat,
Schloßstraße 29, 6932 Hirschhorn